lonely planet

# Ouest américain

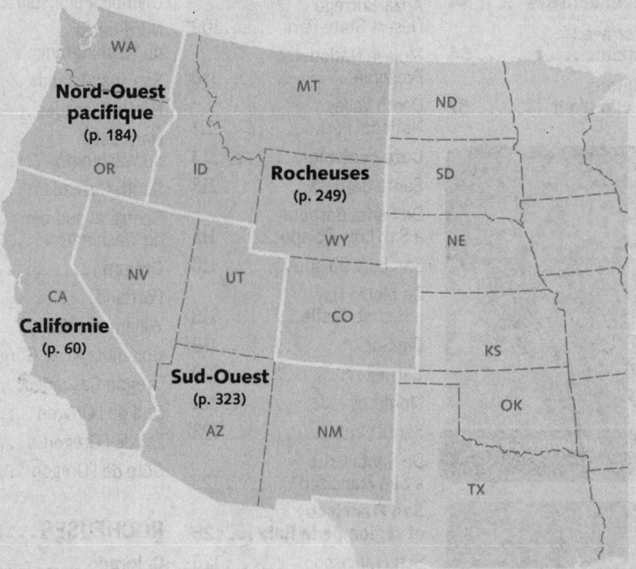


ÉDITION ÉCRITE ET ACTUALISÉE PAR

Amy C. Balfour,
Sandra Bao, Michael Benanav, Greg Benchwick, Sara Benson,
Alison Bing, Celeste Brash, Lisa Dunford, Carolyn McCarthy,
Christopher Pitts, Brendan Sainsbury

## PRÉPARER SON VOYAGE

RUSSELL BURDEN /GETTY IMAGES ©

LES AMÉRINDIENS P. 447

ERIC LO /GETTY IMAGES ©

LAS VEGAS P. 328

## SUR LA ROUTE

# Sommaire



## COMPRENDRE



## OUEST AMÉRICAIN PRATIQUE



## COUP DE PROJECTEUR

# Bienvenue dans l'Ouest américain

*L'Ouest américain fascine les voyageurs. Grands espaces et paysages fabuleux sont ici la norme, qu'émaillent çà et là histoires de cow-boys, cuisine locavore et activités au grand air.*

## Ivresse des grands espaces

Les grandioses paysages de l'Ouest sont un cadre idéal pour s'adonner aux nombreuses activités de plein air que la région propose.Des rivages ensoleillés de San Diego aux plages rocheuses et tourmentées de l'Oregon et du Washington, en passant par la Californie, la Côte Ouest est une destination de choix pour baigneurs et surfeurs. Les roches rouges, les gorges à pic et les déserts peuplés de cactées du Sud-Ouest attendent les amateurs de nature sauvage, à pied ou à vélo, avec en point d'orgue les 446 km du Grand Canyon. Dans les Rocheuses, le ski, l'escalade de glaciers et le VTT règnent en maîtres.

## Vin et cuisine locale

Tacos au poisson à San Diego, steak dans les Rocheuses, sauces au piment vert du Nouveau-Mexique et saumon sauvage du Nord-Ouest pacifique témoignent de la diversité culturelle et ethnique de la région. Selon les principes du mouvement locavore né dans l'Ouest, chefs et consommateurs privilégient désormais les ingrédients locaux. Les producteurs de vin suivent la même inflexion, en appliquant de plus en plus les règles de production biologique ou biodynamique. Les vins se diversifient eux aussi : ceux du Washington, de l'Oregon, du centre de la Californie et de l'Arizona rivalisent désormais avec ceux des vallées de Napa et de Sonoma.

## Oasis urbaines

En Californie, vous goûterez l'accueil particulièrement amical de San Diego, les flashs d'Hollywood à Los Angeles et la décontraction bohème de San Francisco. Plus au nord, à Seattle, avant-garde culinaire et production locale font bon ménage. Le chic cosmopolite côtoie l'esprit pionnier à Denver, tandis que sa douceur de vivre confère à Phoenix une atmosphère touchante. Enfin, il y a Las Vegas, terrain de jeu tout en néons où l'on peut, en un week-end, se marier, s'offrir une lune de miel à Paris et miser sa maison.

## L'histoire à portée de main

Ici on ne remonte pas le temps que dans les musées. Habitation troglodyte, ruines d'une station du Pony Express, terres d'une mission espagnole du XVIIIe siècle : les lieux vous parleront autant qu'un livre d'histoire. Que voir encore ? Pétroglyphes anciens, villes minières abandonnées, ancien missile Titan. Ces sites historiques vous offrent un aperçu évocateur du passé pas si lointain de la région.

## Pourquoi j'aime l'Ouest américain

Par Amy C. Balfour, auteur

Dans les années 1990, une fois reçue au barreau de Virginie, j'ai roulé vers l'Ouest pour me vider l'esprit et m'amuser un peu. Ma première rencontre (en dehors de celle où j'étais bébé) avec le Grand Canyon, c'était à Mather Point où j'ai bondi hors de ma voiture. Depuis, je suis comme aimantée par l'Ouest. J'ai ensuite vécu sept ans à Los Angeles, ma base pour explorer les plages, les déserts, les montagnes, les somptueux parcs nationaux et... – j'oubliais ! – les excellents restaurants. L'Ouest est un endroit particulier, qui mérite que l'on s'y attarde.

**Pour en savoir plus sur les auteurs, voir p. 540**

Ci-dessus : Grand Canyon National Park (p. 364)

# Ouest américain

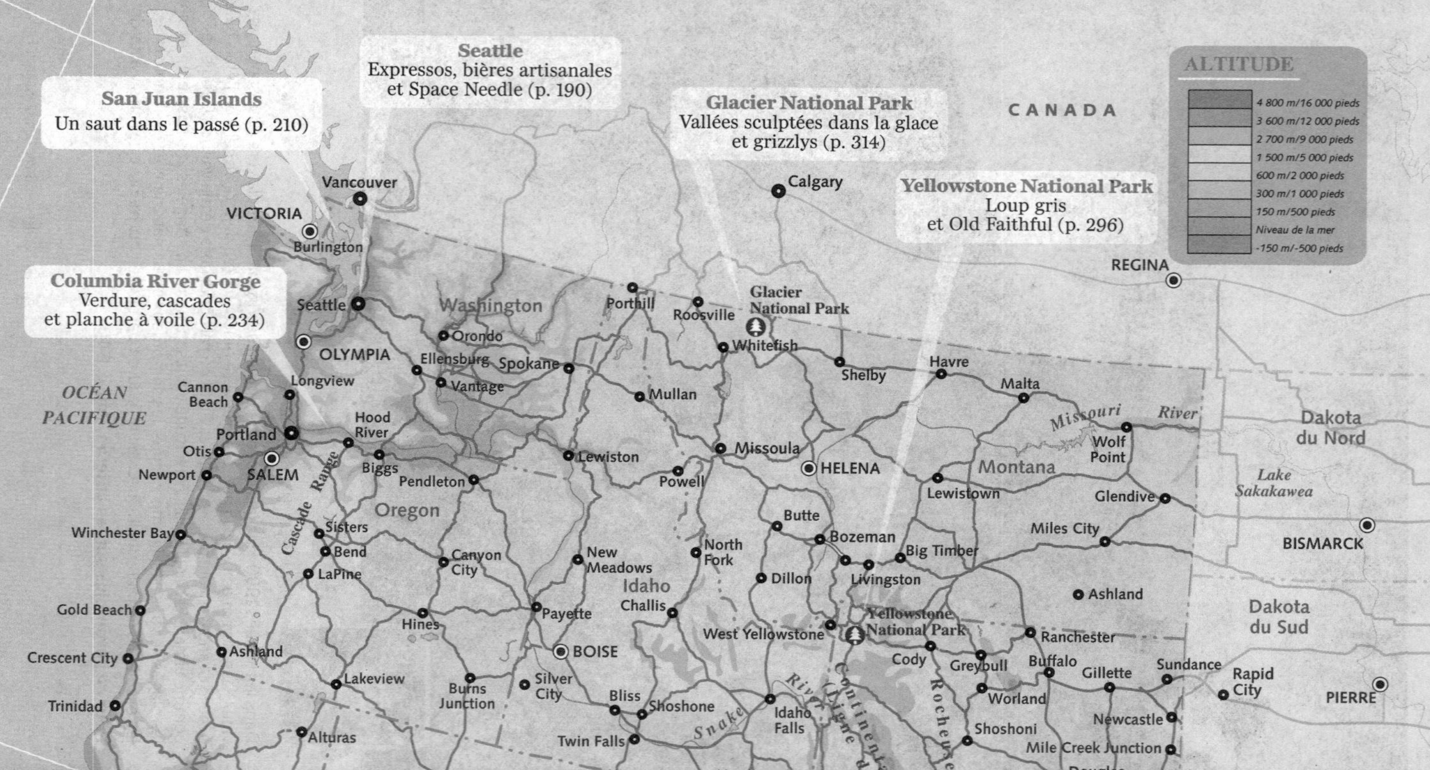

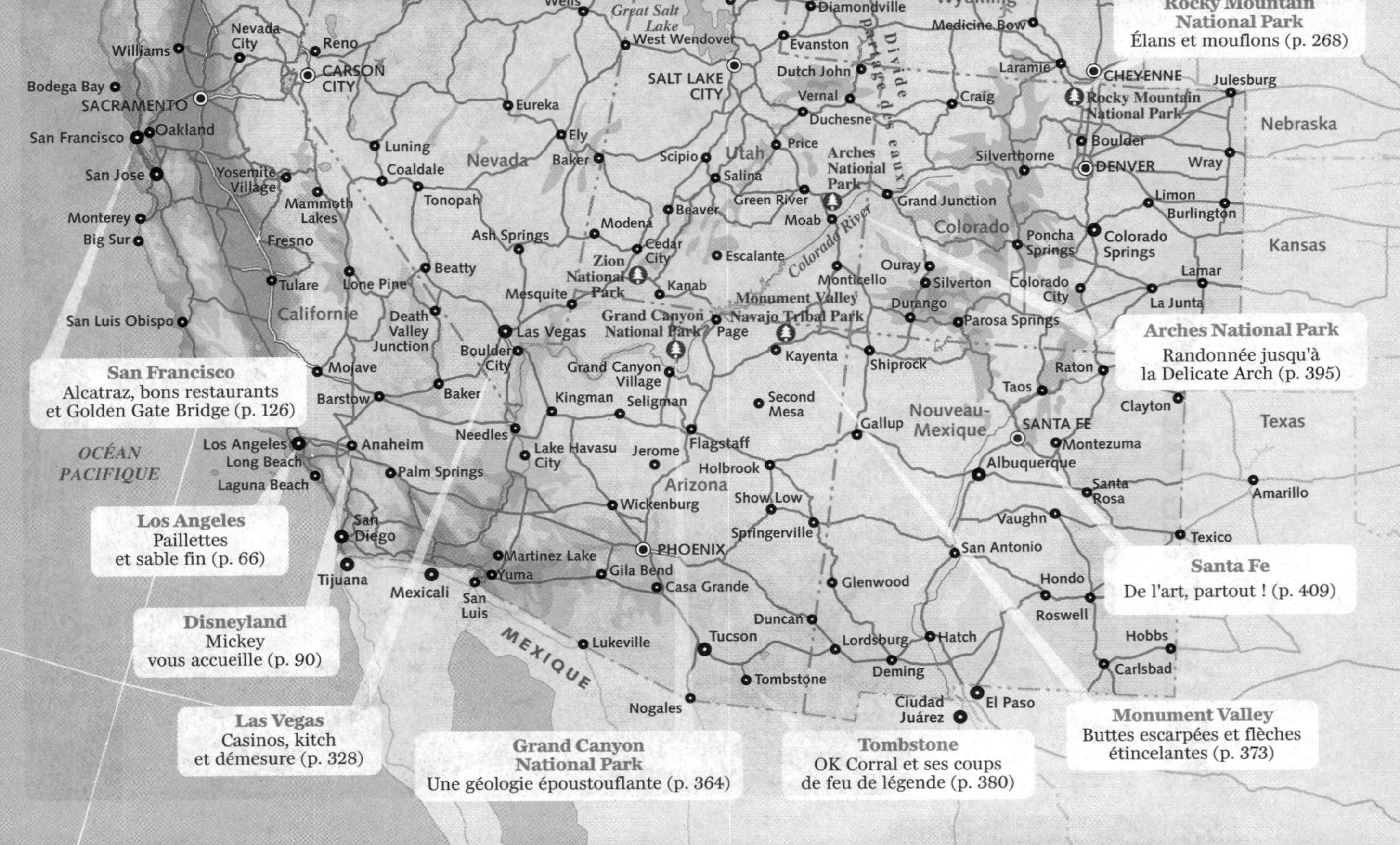
Rocky Mountain National Park
Élans et mouflons (p. 268)
Arches National Park
Randonnée jusqu'à la Delicate Arch (p. 395)
Santa Fe
De l'art, partout ! (p. 409)
Monument Valley
Buttes escarpées et flèches étincelantes (p. 373)
Tombstone
OK Corral et ses coups de feu de légende (p. 380)
Grand Canyon National Park
Une géologie époustouflante (p. 364)
Las Vegas
Casinos, kitch et démesure (p. 328)
Disneyland
Mickey vous accueille (p. 90)
Los Angeles
Paillettes et sable fin (p. 66)
San Francisco
Alcatraz, bons restaurants et Golden Gate Bridge (p. 126)
OCÉAN PACIFIQUE
MEXIQUE
Nevada
Utah
Colorado
Californie
Arizona
Nouveau-Mexique
Texas
Kansas
Nebraska
Great Salt Lake
Colorado River
Divide partage des eaux
SACRAMENTO
CARSON CITY
SALT LAKE CITY
CHEYENNE
DENVER
SANTA FE
PHOENIX
Williams
Bodega Bay
San Francisco
Oakland
San Jose
Monterey
Big Sur
San Luis Obispo
Nevada City
Reno
Yosemite Village
Mammoth Lakes
Fresno
Tulare
Luning
Coaldale
Tonopah
Eureka
Ely
Baker
Wells
West Wendover
Evanston
Diamondville
Dutch John
Vernal
Duchesne
Price
Scipio
Salina
Green River
Moab
Arches National Park
Grand Junction
Craig
Medicine Bow
Laramie
Rocky Mountain National Park
Julesburg
Boulder
Silverthorne
Wray
Limon
Burlington
Colorado Springs
Poncha Springs
Colorado City
Lamar
La Junta
Beaver
Modena
Cedar City
Zion National Park
Kanab
Escalante
Ash Springs
Beatty
Lone Pine
Death Valley Junction
Mesquite
Las Vegas
Boulder City
Mojave
Barstow
Baker
Grand Canyon National Park
Page
Grand Canyon Village
Monument Valley Navajo Tribal Park
Kayenta
Monticello
Ouray
Silverton
Durango
Parosa Springs
Shiprock
Raton
Taos
Clayton
Kingman
Seligman
Needles
Lake Havasu City
Jerome
Flagstaff
Second Mesa
Gallup
Montezuma
Albuquerque
Amarillo
Los Angeles
Long Beach
Laguna Beach
Anaheim
Palm Springs
Holbrook
Santa Rosa
Wickenburg
Show Low
Springerville
Vaughn
Texico
San Diego
Tijuana
Mexicali
Martinez Lake
Yuma
San Luis
Gila Bend
Casa Grande
San Antonio
Hondo
Roswell
Glenwood
Duncan
Tucson
Lukeville
Lordsburg
Hatch
Deming
Tombstone
Nogales
Ciudad Juárez
El Paso
Hobbs
Carlsbad

# 25 façons de voir l'Ouest américain

1

## Yellowstone National Park

**1** Avec ses geysers, ses sources chaudes, ses fumerolles, ses vasques de glaise bouillonnante et autres merveilles géologiques – ainsi que l'impressionnant Mt Washburn, pic central aux panoramas extraordinaires –, Yellowstone (p. 296) est la quintessence – et le premier – des parcs nationaux américains. Sa cascade spectaculaire, son auberge historique et la multitude de bisons, élans, wapitis, ours et loups gris (réintroduits en 1996, ils sont à ce jour 80), viennent compléter ce cadre idyllique. Figure mythique du parc, l'Old Faithful est l'un des plus hauts geysers au monde. En bas à gauche : Yellowstone National Park.

## San Francisco

**2** Avec ses quartiers bigarrés et son atmosphère bohème, San Francisco (p. 126) invite à de longues journées de flânerie. Boutiques hautes en couleur, restaurants de renommée mondiale et vie nocturne animée vous attendent. Il faut jeter un coup d'œil aux cellules de la prison d'Alcatraz, traverser le Golden Gate Bridge et dîner dans le Ferry Building. Sans oublier de prendre au moins une fois le tramway. L'océan n'est jamais loin, et on se surprend à l'apercevoir, au détour d'une rue. Difficile de ne pas tomber sous le charme ! Ci-dessous : *cable car* de Powell St et Alcatraz en arrière-plan.

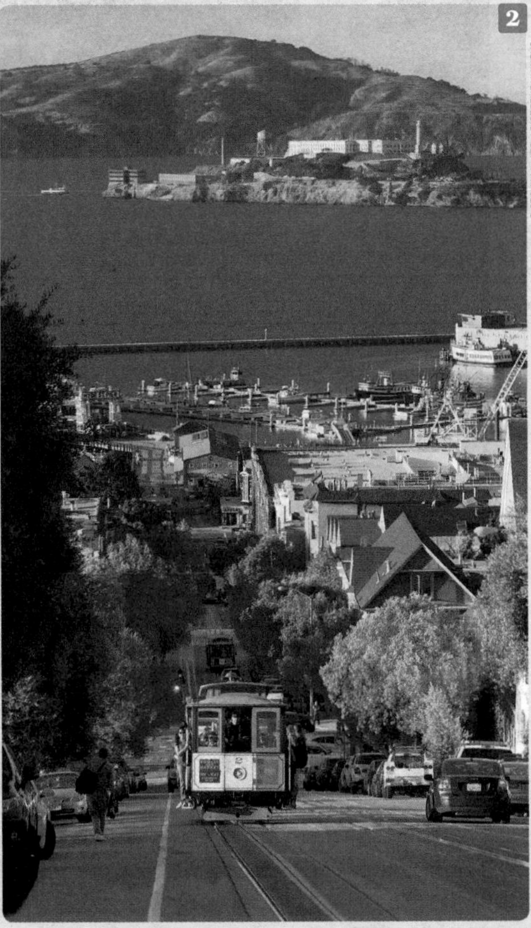

2

## Vignobles de Californie

**3** Les collines couvertes de vignes des vallées de Napa (p. 157), de Sonoma (p. 159) et de la Russian River (p. 160) attirent les voyageurs au nord de San Francisco. Goûtez au confort d'un bungalow haut de gamme dans la très sophistiquée ville de Napa, pique-niquez dans les environs de la paisible Sonoma ou dégustez un pinot noir aux arômes complexes près de la Russian River. Mais ce n'est que le début : la Californie compte plus de 100 régions viticoles reconnues. Le film *Sideways* (2004) a rendu célèbres celles à l'ouest de Santa Barbara. Vignoble de la Napa Valley.

## Las Vegas

**4** Vous pensiez avoir cerné l'Ouest et voilà que surgit Vegas (p. 328). Sous les néons du Strip, le "terrain de jeu de l'Amérique" en met plein les yeux avec ses spectacles de fontaines, son volcan en éruption ou sa propre tour Eiffel. Les bons restaurants, les spectacles du Cirque du Soleil et le Mob Museum offrent une alternative judicieuse aux casinos. Il est bien rare que les joueurs, attirés par leurs charmes vénéneux et leurs couleurs clinquantes, en sortent vainqueurs.

3

4

RICHARD CUMMINS / GETTY IMAGES ©

CHRISTINA LEASE / GETTY IMAGES ©



## Grand Canyon National Park

5 L'immensité brute du Grand Canyon (p. 471) laisse bouche bée. Cette faille, creusée il y a 2 milliards d'années, nous révèle les secrets géologiques de la Terre dans toute leur beauté, une merveille naturelle faite de crêtes rocheuses où jouent soleil et ombre, de buttes rouges et d'oasis luxuriantes où serpente le Colorado. Au début du XXe siècle, Theodore Roosevelt déclara qu'il "n'avait pas d'égal en ce monde". Et les millions de visiteurs qui s'y pressent chaque année semblent lui donner raison.

## Vieilles villes de l'Ouest

6 Ne vous fiez pas aux surnoms peu engageants des anciennes villes minières : Jerome (p. 363), en Arizona, autrefois "ville la plus cruelle d'Amérique", et Tombstone (p. 380), "la ville trop dure pour mourir", sont fascinantes. Situées comme il se doit au bout d'une longue route pittoresque, elles ont su préserver et entretenir l'esprit de l'Ouest, son passé rude et mouvementé. Au Nouveau-Mexique, Silver City (p. 424), la "ville la plus riche de la Terre", partage avec elles certains traits communs. En haut à droite : Jerome (p. 363), Arizona.

## Los Angeles

7 Terre d'asile des rêveurs – et des ambitieux –, cette ville côtière sous le soleil (p. 66) résonne d'une énergie particulière. Découvrez des secrets de tournage lors d'un circuit organisé, assistez à un concert au Walt Disney Concert Hall, ou promenez-vous dans les jardins et les galeries d'art du Getty Center. Pour observer les étoiles, rendez-vous au Griffith Observatory. Si vous préférez celles d'Hollywood, dirigez-vous vers The Grove. En restant une heure sur la plage, il est presque garanti d'apercevoir une célébrité. Ci-dessus : Hollywood Walk of Fame (p. 72).

## Disneyland, California Adventure et Orange County

**8** Le célèbre parc à thème (p. 90) d'Orange County fait tourner la tête : parades, acrobaties, feux d'artifice au-dessus du château de Blanche-Neige... À côté, California Adventure (p. 90) met en lumière les trésors de l'État : studios d'Hollywood, promenade le long de l'océan, dégustation des vins californiens... La côte d'Orange County (p. 93) c'est aussi des centres commerciaux luxueux, des réserves naturelles peuplées d'oiseaux et des plages magnifiques. Ci-dessous : Laguna Beach (p. 93).

## Yosemite National Park

**9** Ce parc national (p. 173) est le "parc des plus grands plaisirs" et le "grand temple" de John Muir. Prairies émaillées de fleurs sauvages, vallées sculptées par les glaciers et les tremblements de terre... où que vous marchiez, la nature est majestueuse : cascades tonitruantes dégringolant de falaises abruptes, énormes dômes granitiques, ancestraux séquoias géants. Passez une nuit de pleine lune au Glacier Point (p. 174) ou, en été, empruntez la vertigineuse Tioga Rd. À droite : les Yosemite Falls.

8

ANTHONY PIDGEON / GETTY IMAGES ©

RICHARD CUMMINS / GETTY IMAGES ©

## Portland

**10** Tout le monde aime cette ville sympathique et bigarrée, heureux mélange d'étudiants, d'artistes, de cyclistes, de *hipsters*, de jeunes familles, de vieux hippies, d'écolos… On y trouve des restaurants de qualité, de la bonne musique, une vaste offre culturelle et un réel engagement dans le développement durable. Un seul problème : il faudra bien en partir un jour. En haut à droite : stands culinaires de rue à Portland (p. 218).

## Route 66

**11** La "Mother Road" (Mère de toutes les routes, p. 362) des États-Unis déroule son ruban d'asphalte de Chicago à Los Angeles. Vestiges rétro, restos *drive-in*, *diners* familiaux et motels des années 1950 jalonnent son parcours. Et ce sont bien ces touches au kitch assumé qui la rendent si mémorable. Voir les ânes mendier le long de la route, dormir au Wigwam Motel dans un tipi de béton, manger au Snow-Cap Drive In de Seligman (p. 362) et s'éblouir des néons de Tucumcari sont autant d'expériences inédites. Ci-dessus : Wigwam Motel (p. 362), Route 66.

12

ANN CECIL / GETTY IMAGES ©

13

14

## Seattle

**12** À la pointe du progrès, cette ville du Pacific Rim (bord du Pacifique) a la faculté de transformer les idées locales en marques internationales. Seattle (p. 190) a gagné sa place au panthéon des "grandes" métropoles américaines grâce à sa scène musicale renommée, sa culture florissante des cafés indépendants et son penchant pour les nouvelles technologies. Elle a su toutefois conserver son authenticité et cultive le goût pour des productions locales. À ce titre, le Pike Place Market est sans doute le meilleur marché du pays. Ci-dessus : La Space Needle (p. 194).

## Mt Rainier

**13** Par temps clair, le Mt Rainier (p. 215) trône au-dessus de Seattle, offrant un somptueux écrin à la Cité d'Émeraude. Coiffé de neiges éternelles, ce volcan actif de 4 392 m est au cœur du Mt Rainier National Park. Le parc permet de belles randonnées dans des prairies couvertes de fleurs alpines, au milieu d'une forêt pluviale tempérée, ou sur la Wonderland Trail, un sentier de 150 km. Si vous êtes en bonne condition physique et avez le goût de l'aventure, vous pouvez aussi essayer de grimper jusqu'au sommet du pic : vous traverserez les plus grands glaciers du pays après ceux de l'Alaska.

## San Juan Islands

**14** Prendre un ferry pour les San Juan Islands (p. 210), paisible archipel au nord du Puget Sound, entre l'État de Washington et l'île de Vancouver, c'est faire un voyage dans le temps. Sur quelque 450 îles (simples promontoires rocheux pour la plupart), il n'en est guère qu'une soixantaine d'habitées, et quatre seulement à être desservies régulièrement par les ferries. Chacune a ses particularités géographiques et culturelles, et c'est la nature qui prédomine ici. Vélo, kayak, observation des orques et détente seront au programme. Ci-dessus : orque, San Juan Islands.

## Autoroutes côtières

**15** En Californie, la Hwy 1, la Hwy 101 et la I-5 relient quelques-unes des plus grandes agglomérations comme San Diego, LA et San Francisco en longeant des falaises vertigineuses. Au nord, la Hwy 101 descend vers l'Oregon et ses caps balayés par le vent. Les fans de *Twilight* pousseront jusqu'à l'Ecola State Park (p. 246), repaire des loups-garous de La Push, dans l'État de Washington. De l'autre côté de la Columbia River s'étendent les forêts humides de l'Olympic National Park (p. 205, Washington). Ci-dessous : Hwy 1, Californie.

## Les déserts

**16** Le cactus Saguaro est l'une des figures emblématiques de l'Ouest américain. Originaire du désert de Sonora, il résiste aux conditions les plus extrêmes. Quatre déserts – ceux de Sonora, de Mojave, de Chihuahua et du Grand Bassin – s'étirent à travers le Sud-Ouest (p. 323). Chacun possède son propre climat et une variété surprenante de reptiles, de mammifères et de plantes parfaitement adaptées au milieu. Randonner à travers cette merveilleuse nature est une expérience unique. Ci-dessous : Saguaro National Park (p. 375)

15

16

## Histoire et culture amérindiennes

**17** Le Sud-Ouest est riche en sites indiens, fascinants de diversité. Pour vous familiariser avec la culture des premiers habitants de l'Amérique, grimpez jusqu'aux habitations troglodytes des anciens Pueblos dans les falaises du Colorado et du Nouveau-Mexique, étudiez les pétroglyphes à Sedona ou visitez les réserves navajo et hopi, en Arizona. L'art ancestral n'est pas resté figé dans le temps : paniers, tapis et bijoux d'aujourd'hui revisitent avec bonheur les traditions anciennes. Ci-dessous : bijoux en turquoise.

## Rocky Mountain National Park

**18** Vu le défilé de camping-cars qui sillonnent péniblement la Trail Ridge Rd, le Rocky Mountain National Park (p. 268) peut sembler un peu trop fréquenté. Mais dès qu'il n'y a plus que le sentier devant soi, le parc apparaît dans toute sa majesté, sauvage et splendide. Des randonnées épiques le long de la Continental Divide National Scenic Trail aux sympathiques promenades autour du Bear Lake, tout le monde y trouve son compte. Quelques pas suffisent pour s'immerger vraiment dans la nature.

17

RUSSELL BURDEN / GETTY IMAGES ©

18

## Zion National Park et Bryce Canyon National Park

**19** Les hautes roches rouges du Zion National Park (p. 400) recèlent bien des trésors : gracieuses cascades, gorges étroites et jardins suspendus. Cette terre des merveilles se trouve près de l'Angels Landing, point d'arrivée du vertigineux Angels Landing Trail. Les amateurs de paysages extraordinaires se rendront au Bryce Canyon National Park (p. 399), où les flèches rocheuses évoquent une forêt magique d'arbres de pierre à la Tolkien. Ci-dessus : Zion National Park (p. 400).

## Santa Fe et Taos

**20** Quatre fois centenaire, la fringante ville de Santa Fe (p. 409) est toujours à la pointe de la mode. Le vendredi soir, Canyon Rd fait le plein d'amateurs d'art venus à la rencontre des artistes exposés dans plus de 75 galeries. Les musées y sont eux aussi nombreux, tout comme les excellents restaurants et magasins. Les artistes convergent également dans les galeries de Taos (p. 418), qui compte en outre son lot d'amateurs de ski, d'écolos et de vedettes venues changer d'air. Ci-dessus : Allan Houser Sculpture Gardens, Santa Fe (p. 409).

## Microbrasseries

**21** Nées en Angleterre à la fin des années 1970, les microbrasseries se sont particulièrement développées dans l'Ouest américain. De Moab à Missoula, vous en trouverez au moins une dans chaque ville un tant soit peu importante, et les saveurs sont au rendez-vous. La palme du meilleur slogan revient à la Polygamy Porter du Wasatch Brew Pub & Brewery (p. 381) : *Why have just one?* Hopworks Urban Brewery (p. 228), Portland, Oregon.

## Columbia River Gorge

**22** Sculpté par le puissant fleuve au cœur de la chaîne des Cascades, la Columbia River Gorge (p. 234) est une merveille géologique. Marquant la frontière entre le Washington et l'Oregon, cette gorge aux cascades incroyables offre un terrain de randonnée rêvé entre de riches cultures fruitières (pommes, poires et cerises). Les amateurs de planche à voile ou de kitesurf rejoindront Hood River, petite ville des sports de l'extrême.

21

22

SHANNON NACE / GETTY IMAGES ©

FEARGUS COONEY / GETTY IMAGES ©

## Boulder, Colorado

**23** Nichée au pied de l'emblématique chaîne des Flatirons, Boulder (p. 263) jouit d'un emplacement agréable. L'ouverture d'esprit prime ici, jeunes cadres dynamiques, hippies ou culturistes se mêlant joyeusement. Des foules de cyclistes parcourent son couloir vert, le Boulder Creek Bike Path qui la relie aux parcs du comté, financé par l'Open Space Tax, impôt environnemental. La rue piétonne de Pearl St Mall est au cœur de la vie nocturne estudiantine. À bien des égards, Boulder est, plus que Denver, le centre touristique de la région. Ci-dessus : Pearl St Mall.

## Glacier National Park

**24** Au nombre de 150 en 1850, les glaciers du Glacier National Park (p. 314) ne sont plus que 25. Ce vaste parc national du Montana n'en mérite pas moins une visite. Les guerriers de l'asphalte s'attaqueront à la Going-to-the-Sun Road, superbe route panoramique de 80 km, les randonneurs aux 1 100 km de sentiers, et tous les amoureux de la nature observeront les wapitis, les loups, les grizzlys (à bonne distance) et la flore, avec ses arbres, ses fleurs sauvages, ses mousses et ses champignons.

## Monument Valley et Canyon de Chelly

**25** "Puissè-je marcher dans la beauté" est la dernière ligne d'une célèbre prière navajo. Monument Valley (p. 397), dans la réserve des Navajo, est l'emblème de cette beauté, avec ses buttes escarpées et ses tours dressées. On la retrouve aussi dans les ailes des oiseaux survolant le Canyon de Chelly (p. 373), verdoyante vallée où les cultivateurs travaillent encore la terre au pied d'anciens habitats troglodytes. Vous serez ici le bienvenu et la beauté navajo tient aussi en cela.

# L'essentiel

**Pour plus d'informations, voir la section Ouest américain pratique (p. 478)**

### Monnaie
Dollar américain ($)

### Langue
Anglais

### Argent
DAB très répandus. Carte de crédit souvent indispensable pour réserver une chambre ou louer une voiture.

### Visa
Visa non requis pour les ressortissants des pays du Visa Waiver Program, mais autorisation ESTA (à demander à l'avance en ligne et à remplir) nécessaire.

### Téléphone portable
Seuls les mobiles multibandes GSM fonctionnent. Certaines zones reculées n'ont pas accès au réseau.

### Heure
Denver, Santa Fe et Phoenix sont à l'heure des Rocheuses (UTC-7) ; Seattle, Los Angeles, San Francisco et Las Vegas sont à l'heure du Pacifique (UTC-8). Voir aussi p. 485.

## Quand partir

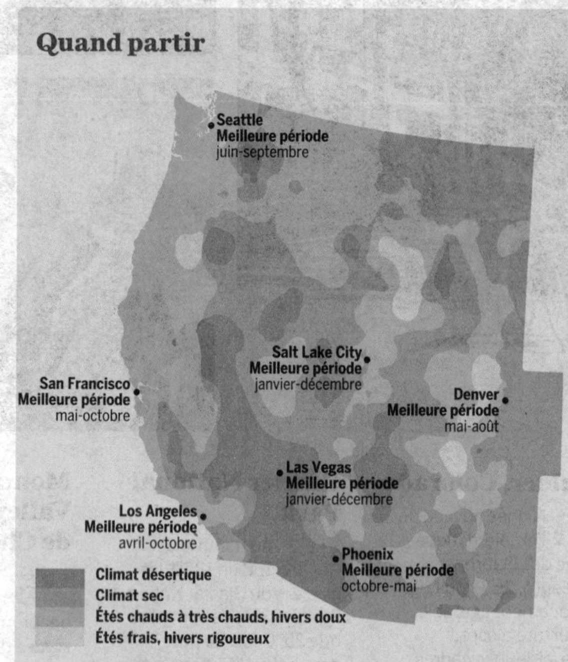


### Haute saison
(juin-août, sept-avr)

- Beau temps, chambres d'hôtel plus chères et affluence
- Des nuages peuvent assombrir la côte sud en mai et juin
- Haute saison de janvier à mars dans les montagnes et de septembre à avril dans les déserts

### Saisons intermédiaires
(avr-mai, sept-oct)

- Affluence et prix en baisse, surtout le long de la côte et dans les montagnes
- Températures plus douces, idéales pour visiter les parcs nationaux
- Fleurs de printemps/couleurs d'automne

### Basse saison
(nov-mars)

- Le prix de l'hébergement chute sur la côte
- Jours d'hiver sombres, chutes de neige dans le Nord, plus fortes précipitations

## Sites Web

**Parcs.net** (www.parcs.net). Un guide en français des parcs nationaux de l'Ouest.

**Lonely Planet** (www.lonelyplanet.fr). Infos, forum et newsletter.

**Visit USA Comittee** (www.office-tourisme-usa.com). Renseignements pratiques en français.

**National Park Service** (www.nps.gov ; en anglais). Tout sur les parcs et monuments nationaux.

**Recreation.gov** (www.recreation.gov ; en anglais). Parcs et réservation de campings.

**Roadside America** (www.roadsideamerica.com ; en anglais). Routes et bizarreries.

## Numéros utiles

Pour appeler aux États-Unis, composez l'indicatif régional, suivi des 7 chiffres du numéro.

| | |
|---|---|
| **Indicatif des États-Unis** | ☎1 |
| **Indicatif pour l'étranger** | ☎011 |
| **Urgences** | ☎911 |
| **Service national d'aide aux victimes de viol** | ☎800-656-4673 |
| **Renseignements locaux** | ☎411 |
| **État des routes** | ☎511 |

## Taux de change

| | | |
|---|---|---|
| **Canada** | 1 $C | 0,91 $ |
| **Zone Euro** | 1 € | 1,39 $ |
| **Mexique** | 1 $M | 0,07 $ |

Pour connaître les derniers taux de change, consultez le site : www.xe.com.

## Budget quotidien

### Moins de 100 $

- Campings et auberges de jeunesse : 10-40 $
- Activités gratuites (plage, concerts dans les parcs) : 0 $
- Marchés, *taquerias*, étals des vendeurs ambulants : 3-12 $
- Bus, métro : 0-5 $

### 100-200 $

- Motels familiaux, chaînes hôtelières : 60-100 $
- Visite de musées et de parcs nationaux et d'État : 8-25 $
- *Diners*, bons restaurants locaux : 8-35 $
- Location d'un véhicule sans l'assurance et l'essence : à partir de 33 $/jour

### Plus de 200 $

- B&B, boutique-hôtels, complexes hôteliers : à partir de 185 $
- Repas dans les grands restaurants : 25-75 $, vin exclus
- Location d'équipements de plein air, spectacles culturels : à partir de 100 $
- Location d'un cabriolet : à partir de 100 $/jour

## Heures d'ouverture

Les heures d'ouverture varient au fil de l'année, et de nombreux sites et centres d'information ouvrent plus longtemps en haute saison. Nous indiquons les horaires en haute saison.

**Banques**. 8h30-16h30 lun-jeu, jusqu'à 17h30 ven (parfois 9h-12h sam).

**Bars**. 17h-minuit dim-jeu, jusqu'à 2h ven et sam.

**Cafés**. 7h30-20h.

**Restaurants**. 11h-14h30 et 17h-21h.

**Boutiques**. 10h-18h lun-sam, 12h-17h dim.

## Arriver dans l'Ouest américain

**Aéroport international de Denver** (DEN ; p. 492). Le Ground Transportation Center est au niveau 5. Des bus partent de la porte 506 du West Terminal et de la porte 511 de l'East Terminal ; comptez 9-13 $ l'aller simple pour Stapleton, le centre-ville et la banlieue. Un taxi pour le centre-ville coûte environ 60 $ ; les navettes pour la région de Denver, 22 $.

**Aéroport international de Los Angeles** (LAX ; p. 492). Un taxi pour le centre-ville coûte 30-47 $. Les navettes collectives porte à porte reviennent au minimum à 15 $. Gratuites, les navettes C permettent de rallier la Green Line du métro de LA et le Parking Lot C, à côté du LAX Transit Center. Les bus FlyAway jusqu'au centre-ville coûtent 7 $.

**Aéroport international de Seattle-Tacoma** (SEA ; p. 492). Le *light rail* (métro léger) relie le parking du 4e niveau au centre-ville de manière régulière de 5h à 1h (2-2,75 $). Les taxis, stationnés au parking du 3e niveau, facturent 40 $ la course jusqu'au centre-ville.

## Comment circuler

**Voiture**. La meilleure option pour quitter les zones urbaines et explorer les parcs nationaux et les coins reculés de l'Ouest.

**Train**. Service Amtrak ralenti par des retards fréquents, mais trains pratiques pour parcourir la côte pacifique. Des lignes traversent le pays jusqu'à Chicago au départ de la région de San Francisco et de LA.

**Bus**. Moins cher et plus lent que le train, le bus convient pour rallier les villes non desservies par la compagnie Amtrak.

Pour en savoir plus, consultez la section **Comment circuler**, p. 496.

# Envie de...

## Géologie

**Grand Canyon**. Un fleuve de 446 km fend des roches vieilles de 2 milliards d'années, dont les secrets géologiques se révèlent, strate après strate, sur une hauteur de 1 600 mètres (p. 471).

**Yellowstone National Park**. Ce parc national de 8 983 km$^2$, qui abrite un supervolcan, produit un spectacle éblouissant avec ses geysers et ses piscines thermales couleur arc-en-ciel (p. 296).

**Chiricahua National Monument**. Le vent et la pluie ont tourmenté la roche et sculpté un paysage de colonnes, de ponts et de rochers à l'équilibre improbable (p. 380).

**Dunes de sable**. Les dunes du White Sands National Monument, formées de gypse crayeux, sont hypnotisantes (p. 425).

**Carlsbad Caverns**. Un passage souterrain de 3 km mène à la grande salle, somptueuse cathédrale nichée au cœur d'un réseau de grottes (p. 427).

**Volcan**. Les mouvements de la croûte terrestre ont formé d'imposants volcans dans l'État de Washington, où vous pourrez randonner autour du Mt Rainier ou visitez le Mt St Helens (p. 215 et p. 216).

## Sites du vieil Ouest

Le Sud-Ouest, surtout l'Arizona et le Nouveau-Mexique, avec des sites situés à une journée de route les uns des autres, est idéal pour marcher dans les pas des cow-boys et des bandits armés.

**Lincoln**. La ville où Billy the Kid traînait ses bottes, à l'époque de la guerre du comté de Lincoln (p. 426).

**Tombstone**. Célèbre pour la fusillade à OK Corral, cette ville poussiéreuse abrite le Boothill Graveyard et le Bird Cage Theater (p. 380).

**Whiskey Row**. Au centre de Prescott, une rangée de saloons de l'époque victorienne a survécu aux incendies, aux cinéastes et aux touristes (p. 364).

**Pony Express**. La Hwy 50, "route la plus solitaire d'Amérique", traverse le Nevada en suivant la ligne du Pony Express. Plusieurs stations délabrées bordent la route (p. 347).

**Virginia City**. La grève des mineurs d'argent du Comstock Lode et le récit semi-autobiographique de Mark Twain *À la dure* ont rendu célèbre cette ville minière (p. 346).

**Steam Train**. Visitez le vieil Ouest à bord du train à vapeur qui relie depuis 125 ans Durango à Silverton (p. 499).

### ENVIE DE... LAS VEGAS D'ANTAN

Découvrez le passé mafieux de la "Cité du Vice" au Mob Museum, nouveau musée de LA en plein centre-ville, puis baladez-vous à l'air libre au Neon Museum (p. 333), parmi les emblématiques enseignes lumineuses de la ville.

## Films et séries TV

**Los Angeles**. Hollywood est né ici et, aujourd'hui, de Mulholland Drive à Malibu, les mégaphones des réalisateurs se font écho (p. 66).

**Monument Valley**. Marchez dans les pas du grand John Wayne au pied des monolithes rouges emblématiques du lieu et des westerns du "Duke" (p. 397).

**Las Vegas**. *Ocean's Eleven* et *Very Bad Trip*, leurs mauvais garçons et leurs folies furieuses, ont porté la "Cité du Vice" sur grand écran (p. 328).

**Moab et ses environs**. Les réalisateurs de *Thelma et Louise* et de *127 heures* ont tourné leurs scènes les plus spectaculaires dans les parcs alentour (p. 393).

**Albuquerque**. Les faibles taxes attirent désormais les sociétés de

**(En haut)** Monument Valley (p. 397), Arizona-Utah.
**(En bas)** Ferry Building Farmers Market (p. 146), San Francisco.

production à Albuquerque, devenue le décor de la série télé *Breaking Bad*. Parmi les films récents tournés au Nouveau-Mexique, citons *Crazy Heart*, *Thor*, et *True Grit* des frères Cohen (p. 403).

## Cuisine fabuleuse

**San Francisco**. D'authentiques *taquerias* et trattorias, des restaurants vietnamiens, de superbes marchés de producteurs et le meilleur de la cuisine californienne produite par des chefs de renom (p. 126).

**Chez Panisse**. Alice Waters a révolutionné la table californienne dans les années 1970 avec la cuisine locavore n'utilisant que des produits de saison provenant de la baie de San Francisco (p. 156).

**Camions ambulants**. LA est à l'origine du *food truck*, révolution qui a aussi gagné San Francisco et Portland (p. 225).

**Piment vert**. Cultivé dans la ville de Hatch, le piment vert est la fierté du Nouveau-Mexique. Essayez le ragoût de piment vert chez Frontier à Albuquerque, ou les plats qu'il enflamme au Horseman's Haven de Santa Fe (p. 406 et 413).

## Régions viticoles émergentes

**Verde Valley Wine Country**. Cette route, qui serpente à travers les vignobles promis à un bel avenir de l'Arizona, passe par Cottonwood, Jerome et Cornville (p. 358).

**Willamette Valley**. Près de Portland, cette région fertile de l'Oregon produit l'un des meilleurs pinots noirs de la planète (p. 232).

**Walla Walla**. La région viticole la plus célèbre de l'État de Washington, autour de l'agréable ville de Walla Walla (p. 217).

**Santa Barbara Wine Country**. On produit du vin à grande échelle dans la région de Santa Barbara depuis les années 1980. Près de la côte et dans les terres, le climat est parfait pour les pinots (p. 113).

## Randonnée

**Grand Canyon d'un versant à l'autre**. Cette randonnée de 27 km reliant les versants sud et nord du Grand Canyon est un classique. Vous pourrez néanmoins être fier de vous (p. 471).

**Pays des rochers rouges**. Découvrez les vortex de Sedona, les hoodoos de Bryce Canyon ou les délicates arches naturelles des parcs nationaux d'Arches et de Canyonlands (p. 395 et p. 396).

**Rocky Mountain National Park**. Si l'ascension du Longs Peak est la plus prisée, on peut aussi choisir des itinéraires en boucle et y passer 2 à 3 nuits. La faune et la flore y sont merveilleuses (p. 268).

**Wonderland Trail**. Le tour complet du Mt Rainier offre des vues spectaculaires sur 150 km (p. 215).

**Palm Springs et les déserts**. Découvrez des oasis de palmiers secrètes, flottez sur les lacs salés ou participez à une randonnée guidée dans les canyons des Indiens d'Amérique (p. 105).

**Los Angeles**. LA invite à marcher : parcourez les sentiers d'altitude d'où l'on domine la côte ou suivez l'itinéraire au creux d'un canyon apprécié des célébrités, près d'Hollywood (p. 66).

## Parcs nationaux

Après avoir campé à Yellowstone, Theodore Roosevelt déclara qu'il lui semblait "avoir dormi dans une grande cathédrale, bien plus vaste et plus belle que toutes les constructions humaines du monde". Les sublimes parcs de l'Ouest, si uniques, ont en commun leur majesté.

**Yellowstone National Park**. Le premier parc national des États-Unis abrite lacs, geysers, cascades et montagnes, ainsi qu'une faune des plus riches (p. 296).

**Grand Canyon National Park**. Deux milliards d'années d'histoire géologique à la beauté stupéfiante (p. 364).

**Glacier National Park**. Venez pour les glaciers, restez pour la Going-to-the-Sun Road, les lodges d'antan et la vie sauvage (p. 314).

**Yosemite National Park**. Entre les sommets d'El Capitan et du Half Dome, la Yosemite Valley est grandiose, mais la campagne verdoyante de Tuolomne est tout aussi radieuse (p. 173).

**Sud de l'Utah**. Arches, Canyonlands, Bryce, Zion et Capitol Reef, les sublimes rochers rouges se dressent partout dans l'Utah. Tous à voir (p. 392) !

## Bizarreries

**Route 66**. Cette mythique route à double sens qui évoque l'Amérique profonde est bordée de toutes sortes de curiosités, surtout dans l'ouest de l'Arizona (p. 362).

**Burning Man Festival**. En plein désert du Nevada, une ville éphémère attire chaque année 60 000 personnes pour une grande rencontre artistique d'une semaine. La crémation du Burning Man clôt le festival (p. 343).

**Roswell**. Une soucoupe volante s'est-elle écrasée en 1947 près de la base de Roswell, au Nouveau-Mexique ? Certains musées – et un festival des ovnis – s'en donnent à cœur joie (p. 427).

**Sculptures publiques de Seattle**. Certaines sculptures, à Fremont, sont déroutantes : troll mangeur de voitures, chien à visage humain, personnes attendant désespérément un train (p. 191).

**Venice Boardwalk**. Jongleurs de tronçonneuses, "cliniciens" spécialisés dans les traitements à la marijuana et charmeurs de serpents en maillot se donnent en spectacle (p. 78).

## Musées

**Getty Center & Villa**. Deux musées d'art aussi splendides que la vue qu'ils offrent sur l'océan dans West LA et Malibu (p. 75).

**Los Angeles County Museum of Art**. Plus de 150 000 œuvres d'art représentant toutes les périodes à travers le monde (p. 74).

**California Academy of Sciences**. Un Muséum d'histoire naturelle qui invite à un voyage à travers le temps. Certifié le plus "vert" du monde, il possède une forêt pluviale haute de 4 étages et un toit végétal (p. 139).

**Balboa Park**. À San Diego, le fameux Balboa Park regroupe des musées de qualité qui occuperont toute votre journée, consacrés

### ENVIE DE... PLONGÉE VERTIGINEUSE

Debout sur le vitrage couvrant un puits de mine de 582 m de profondeur, dans l'Audrey Headframe Park (p. 363), à Jerome, en Arizona, osez regarder en bas !

Roswell UFO Festival (p. 427), Nouveau-Mexique.

aux arts, à l'histoire, aux sciences (p. 97).

**Heard Museum**. Pleine lumière sur l'histoire et la culture des tribus indiennes du Sud-Ouest (p. 350).

**Mini Time Machine Museum of Miniatures**. Tucson consacre son nouveau musée à l'éloge de la miniature, des maisons de poupées aux minidragons (p. 375).

## Sites historiques

**Dinosaur National Monument**. Des fossiles vieux de 150 millions d'années à toucher, dans l'un des plus importants dépôts de dinosaures fossilisés d'Amérique du Nord (p. 392).

**Mesa Verde**. Des habitations creusées dans les falaises il y a plus de 700 ans par les ancêtres des Indiens Pueblos (p. 288).

**Manzanar National Historic Site**. Les camps d'internement pour Japonais de la Seconde Guerre mondiale sont un chapitre douloureux de la mémoire collective américaine (p. 180).

**Little Bighorn Battlefield National Monument**. C'est sur ce champ de bataille que le général George Custer livra sa "dernière charge" sous les assauts des Lakota (les Sioux) (p. 310).

**Los Alamos**. Installation secrète de la Seconde Guerre mondiale sur une mesa solitaire au sud-ouest de Santa Fe. Les scientifiques y développèrent la bombe atomique (p. 416).

## Spas et complexes hôteliers

**Truth or Consequences**. Cette ville construite autour des sources chaudes qui jouxtent le Rio Grande abonde en bains et piscines thermales aux vertus curatives (p. 422).

**Ten Thousand Waves**. Dans ce petit spa japonais, les bains se nichent au flanc d'une colline boisée (p. 411).

**Phoenix et Scottsdale**. Des complexes pour tous les goûts se situent dans un rayon de quelques kilomètres autour de Camelback Rd (p. 350).

**Las Vegas**. L'Encore, le Bellagio, le Wynn et autres hôtels haut de gamme offrent tout le confort des complexes.

**Sheraton Wild Horse Pass Resort & Spa**. Conçu par la communauté indienne de la Gila, cet élégant complexe hôtelier vous fait partager l'histoire et la sagesse indiennes (p. 354).

# Mois par mois

LE TOP 5

**Sundance Film Festival**. Janvier.

**Cactus League**. Mars et début avril.

**Aspen Music Festival**. Juillet.

**Great American Beer Festival**. Septembre.

**Halloween Carnival**. Octobre.

## Janvier

**Pleine saison pour le ski. Palm Springs et les déserts du Sud accueillent les visiteurs en quête de soleil.**

### ☆ Tournament of Roses

Le jour de l'An, ce défilé de chars fleuris attire plus de 100 000 spectateurs à Pasadena (Californie), suivi du Rose Bowl Game, célèbre match de football (américain) universitaire.

### ☆ Sundance Film Festival

Fin janvier, une semaine durant, Park City (Utah) déroule le tapis rouge pour les réalisateurs de films indépendants, les acteurs et les passionnés de cinéma.

### Cowboy Poetry Gathering

Les cow-boys se retrouvent à Elko (Nevada) pour une semaine de lecture de poèmes et de représentations folkloriques. Cette manifestation née en 1985 en a inspiré d'autres dans la région.

## Février

**Ski à l'honneur dans les hauteurs. Les déserts de basse altitude se couvrent de fleurs, les baleines quittent la côte californienne et les ranchs du sud de l'Arizona, eux, vous invitent à monter en selle.**

### Carnaval au Colorado

Dans les montagnes de Breckenridge, on célèbre en famille le carnaval avec bal masqué et défilé le jour du Mardi gras.

### Tucson Gem & Mineral Show

La plus grande foire aux minéraux des États-Unis réunit le deuxième week-end de février quelque 250 vendeurs de bijoux, de fossiles, d'artisanat et de pierres. Des conférences et une vente aux enchères clôturent le week-end.

### ☆ Oregon Shakespeare Festival

À Ashland, des milliers d'amateurs de théâtre font dès février la fête avec Shakespeare. C'est alors parti pour 9 mois (oui, oui !) de pièces de grande qualité et de drames élisabéthains.

### Art Feast

La fête de l'art de Santa Fe (Nouveau-Mexique) se déroule sur un week-end de fin février. Défilés et dégustations de vins viennent réchauffer l'hiver.

## Mars

**Des hordes d'étudiants convergent vers les lacs de l'Arizona pour le Spring Break. Les familles font du ski ou visitent des parcs dans les contrées plus chaudes.**

### Observation des baleines

Les baleines grises migrent vers le sud le long de la côte pacifique. Autour de Depoe Bay (Oregon), des guides présents sur les points de vue vous aideront à mieux les observer. La migration vers le nord a lieu en juin.

### Cactus League

Les fans de base-ball se retrouvent dans le sud de l'Arizona de mars à début avril pour les matchs de présaison de la Cactus League. Certaines des meilleures équipes professionnelles jouent à Phoenix et à Tucson.

### Frozen Dead Guy Days

À Nederland (Colorado), on célèbre la mascotte de la ville, "Grandpa Bredo", conservée dans un congélateur, par une course en raquettes et un concours du cadavre le plus ressemblant, entre autres réjouissances bien arrosées.

## Avril

**Les oiseaux migrateurs atteignent les réserves naturelles du sud de l'Arizona. Les fleurs sauvages émaillent les hauts déserts de Californie. Dans les montagnes, c'est la saison charnière : le prix des hébergements baisse légèrement (excepté le week-end de Pâques).**

### Coachella Music & Arts Festival

Mi-avril, groupes de rock indépendant, DJ cultes, rappeurs superstars et divas de la pop animent pendant trois jours un fantastique festival près de Palm Springs.

### Gathering of Nations

Plus de 3 000 danseurs et chanteurs amérindiens, des États-Unis et du Canada, participent à ce *pow-wow* fin avril, à Albuquerque (Nouveau-Mexique). Le marché indien rassemble plus de 800 artistes et artisans.

## Mai

**Le rush des vacances d'été débute le week-end du Memorial Day (le dernier de mai). Les parcs nationaux s'y préparent.**

### Cinco de Mayo

On célèbre la victoire des forces mexicaines sur l'armée française à la bataille de Puebla, le 5 mai 1862, avec force margaritas, musique et réjouissances, notamment à Denver, Los Angeles et San Diego.

### Bay to Breakers

Le troisième dimanche de mai, à San Francisco, des milliers de gens courent déguisés, nus et/ou bière à la main, de l'Embarcadero à l'Ocean Beach.

### Boulder Creek Festival

Le week-end du Memorial Day, on inaugure l'été dans les Rocheuses par une fête gastronomique et musicale sous un beau soleil. Outre la course de canards en plastique sur la rivière, il y aussi la vraie course à pied sur 10 km, la Bolder Boulder, rythmée par les hurlements de la foule, qui clôture l'événement.

## Juin

**Début de la haute saison. Les cols escarpés rouvrent, la fonte des neiges gonfle les rivières et les flancs des montagnes sont tapissés de fleurs. Le June Gloom peut assombrir les plages de la Californie du Sud.**

### Pride Month

La communauté LGBTQ de Californie consacre tout le mois de juin à la fête : parades costumées, *coming-out parties*, concerts... Les célébrations les plus en vue ont lieu à San Francisco et à LA.

### Bluegrass in the Mountains

Mi-juin, savourez avec les festivaliers les sons mélancoliques du bluegrass à Telluride (Colorado), nichée au cœur de superbes montagnes.

## Juillet

**Les vacanciers envahissent plages, stations d'altitude et parcs. Les déserts, brûlants, sont à éviter.**

### Aspen Music Festival

Concerts classiques de premier ordre, orchestres estudiantins menés par des chefs prestigieux et musique à chaque coin de rue, voici le programme de fin juin à mi-août.

### Independence Day

Toutes les communautés célèbrent le 4 juillet la naissance de l'Amérique par des rodéos, festivals, parades et feux d'artifice.

### Oregon Brewers Festival

Quelque 80 000 amateurs de bières artisanales mangent, boivent et s'amusent sur les rives de la Willamette à Portland.

### Comic-Con International

À San Diego, fin juillet, le "Nerd Prom" est la plus grande réunion d'Amérique d'amateurs de BD, de science-fiction, d'animation et de pop-culture.

## Août

**Dans tout le Sud-Ouest, foires artistiques, marchés et rassemblements cérémoniels initient aux cultures amérindiennes. Les rodéos sont populaires au Colorado et en Arizona.**

### Old Spanish Days Fiesta

En souvenir des pionniers et des éleveurs de bétail, Santa Barbara se met en fête début août : défilés, rodéos, expositions et ateliers artisanaux.

### Perséides

Mi-août, cap sur les déserts du Sud. Les pluies de météores s'intensifient : c'est la période idéale pour voir des étoiles filantes.

### Santa Fe Indian Market

*La* fête de Santa Fe. Elle réunit la troisième semaine d'août sur la Plaza quelque 1 100 artistes de 200 tribus et *pueblos* différents.

### Hatch Chile Festival

Le dernier week-end d'août, veille du Labor Day, 30 000 amateurs de piments se retrouvent à Hatch (Nouveau-Mexique), autour d'un défilé et de formations de mariachis en compétition. Et pour applaudir le plus gros mangeur de piments !

**(En haut)** Vignoble de Willamette Valley (p. 232), Oregon.
**(En bas)** Festivités du Día de los Muertos.

## Septembre

**Labor Day (le premier lundi de septembre) marque la fin des congés d'été. C'est une des meilleures périodes pour visiter le Nord-Ouest pacifique, avec des nuits fraîches et des journées ensoleillées. Les Rocheuses prennent les couleurs de l'automne.**

### Burning Man

En plein désert du Nevada, une semaine avant le Labor Day, cette fête qui doit son nom à la crémation d'un immense mannequin à sa clôture célèbre l'art expérimental sous toutes ses formes. Expositions sophistiquées, amusant système de troc et vents de sable caractérisent cette cité éphémère.

### Great American Beer Festival

Trois jours durant, Denver accueille quelque 600 brasseries américaines proposant pas moins de 2 800 bières différentes. Réserver longtemps à l'avance est indispensable.

### Bumbershoot

Le plus grand événement artistique et culturel de Seattle draine des centaines de musiciens, d'artistes, de troupes de théâtre et d'écrivains sur près d'une trentaine de scènes.

## Octobre

**Le spectacle automnal attire les voyageurs sur les routes du Colorado et du nord du Nouveau-Mexique. Attention aux goules, fantômes et autres maniaques de la fête à l'approche d'Halloween, le 31 octobre !**

### International Balloon Fiesta

Début octobre, regardez les ballons monter dans le ciel d'Albuquerque (Nouveau-Mexique) lors du plus grand rassemblement de montgolfières au monde.

### Sedona Arts Festival

Ce festival des beaux-arts rassemble au début du mois 125 artistes venus exposer bijoux, céramiques, verreries et sculptures à la Red Rock High School.

### Litquake

Lectures d'auteurs, débats et manifestations littéraires, comme la légendaire tournée des pubs. À San Francisco, à la mi-octobre.

### Halloween

Des centaines de milliers de fêtards costumés sortent pour s'amuser et danser dans le quartier LGBTQ de West Hollywood à LA. Toute la journée, animations, concerts et activités pour les enfants.

## Novembre

**Les températures chutent. Hormis aux vacances de Thanksgiving, les régions côtières, les déserts et les parcs sont pour la plupart moins fréquentés. La saison de ski démarre.**

### Día de los Muertos

Le 2 novembre, les communautés mexicaines honorent leurs morts par des défilés costumés, des crânes en sucre, des pique-niques dans les cimetières, des processions aux chandelles...

### Wine Country Thanksgiving

Plus de 150 domaines viticoles de la Willamette Valley ouvrent leurs caves au public pendant 3 jours.

### Yellowstone Ski Festival

Les amateurs de glisse se retrouvent une semaine à West Yellowstone pour Thanksgiving. Cette fête marque le coup d'envoi de la saison de ski de fond.

## Décembre

**Crèches et illuminations fleurissent un peu partout, et les préparatifs de Noël vont bon train. Les réjouissances se poursuivent jusqu'à la Saint-Sylvestre. Foule et tarifs au plus haut dans les stations de ski.**

### Illuminations de Noël

Bateaux, parcs et centres commerciaux se parent de guirlandes lumineuses. En Californie, on admire la parade des bateaux de Newport Beach et de San Diego. À Los Angeles, on passe en voiture devant les icônes scintillantes du Griffith Park. À Phoenix, les Desert Botanical Gardens sont illuminés, tout comme le Tlaquepaque Arts & Crafts Village à Sedona.

### Snow Daze

Vail (Colorado) inaugure la saison de ski par une semaine de festivités (démonstrations et concerts de groupes en vogue).

# Itinéraires

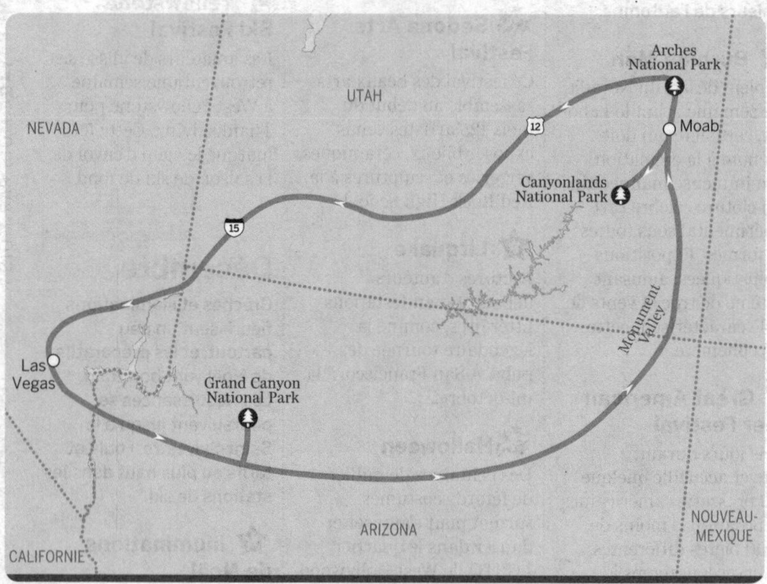

## Le meilleur du Sud-Ouest

Cet itinéraire parcourt les sites mythiques du Sud-Ouest américain, de ses villes les plus célèbres à ses grands canyons, sans oublier ses exceptionnels paysages rocheux aux tons carmin. Partez de **Las Vegas**, où vous consacrerez quelques jours à arpenter le Strip. Lorsque vous aurez fait le tour de ses extravagances, mettez le cap à l'est vers les terres du **Grand Canyon**, le plus populaire des parcs dont l'exploration vous prendra bien deux jours. Accordez-vous une expérience inoubliable en descendant son versant sud à dos de mule, et en passant la nuit au Phantom Ranch niché dans les profondeurs du canyon.

De là, continuez au nord-est vers **Monument Valley** et ses paysages dignes d'un western hollywoodien, puis vers les parcs nationaux du sud-est de l'Utah, parmi les plus spectaculaires du pays. Parcourez les canyons du **Canyonlands National Park**, admirez le coucher du soleil à l'**Arches National Park** ou dévalez à VTT le fameux Slickrock Trail à la périphérie de **Moab**. Filez à l'ouest le long de la **Hwy 12**, l'une des bandes d'asphalte les plus spectaculaires qui soient, avant d'emprunter la I-15 pour regagner Las Vegas.

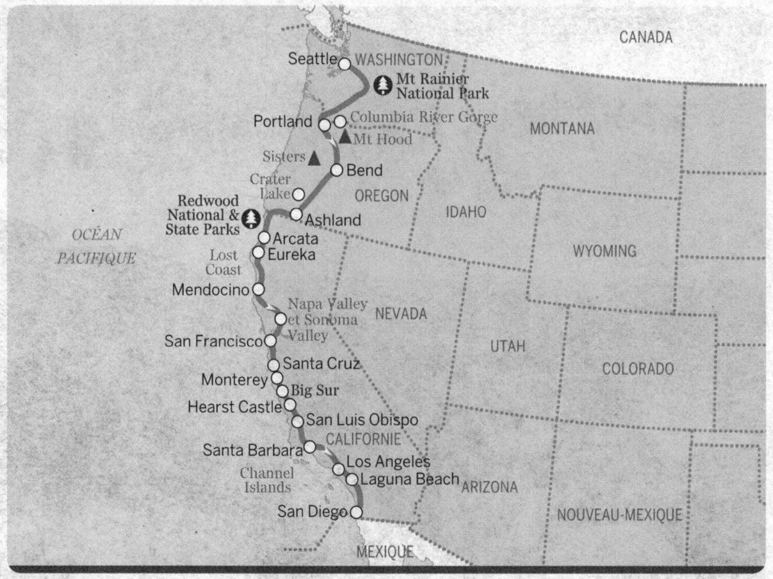

## La côte pacifique

Amateurs de bronzette et amoureux de la nature, cet itinéraire est fait pour vous. Démarrez l'aventure par un café fraîchement moulu à **Seattle**, flânez parmi ses fantastiques étals de marchés, ses microbrasseries et le long du front de mer. Prenez la route vers le sud pour explorer les sentiers de randonnée du **Mt Rainier National Park**, avec ses jolis hôtels nichés au pied de sommets enneigés. Prochaine étape : **Portland** l'avant-gardiste, réputée pour ses vastes parcs, ses habitants écolos et son urbanisme progressiste, sans oublier son offre culinaire, ses cafés et sa trépidante vie nocturne. Communiez avec la nature en suivant la **Columbia River Gorge**, puis bifurquez au sud et rejoignez le **Mt Hood** pour skier l'hiver ou randonner l'été. Ensuite, direction **Sisters** et ses trois pics culminant à plus de 3 000 m, puis les eaux bleues du **Crater Lake**. Écoutez Shakespeare dans le texte sous le soleil d'**Ashland** avant de quitter les montagnes pour la côte brumeuse. La Hwy 199 vous fait entrer en Californie. Les forêts millénaires des **Redwood National & State Parks** sont une invitation au silence et à la marche.

Longez la côte vers le sud en traversant **Arcata** la hippie et **Eureka** avant de vous déconnecter sur la **Lost Coast**. Rejoignez ensuite la Hwy 1 et le pittoresque comté de **Mendocino**, ses splendides caps et son littoral accidenté qui invitent à la promenade.

L'intérieur des terres vous appelle pour déguster des crus dans des paysages de carte postale, ceux de la **Napa Valley** et de la **Sonoma Valley**, avant de gagner au sud les collines romantiques et bohèmes de **San Francisco**.

De retour sur la panoramique Hwy 1, traversez **Santa Cruz**, paradis des surfeurs, **Monterey** nichée dans sa baie et **Big Sur**. En un rien de temps, vous voilà à **Hearst Castel** puis à **San Luis Obispo**, parmi les étudiants.

Un parfum de Méditerranée vous attend à **Santa Barbara**. À Ventura, embarquez sur un ferry pour la beauté sauvage des **Channel Islands**. Vous voilà arrivés à **Los Angeles** : vivez vos rêves à Hollywood, et flânez à l'ombre des palmiers des quartiers les plus mythiques. Quand vous aurez pleinement profité de la Cité des Anges, mettez le cap au sud vers les falaises de **Laguna Beach** avant de rejoindre l'admirable **San Diego**.

Ci-dessus : Big Sur (p. 119), Californie.

À gauche : Mt Rainier National Park (p. 215), Washington.

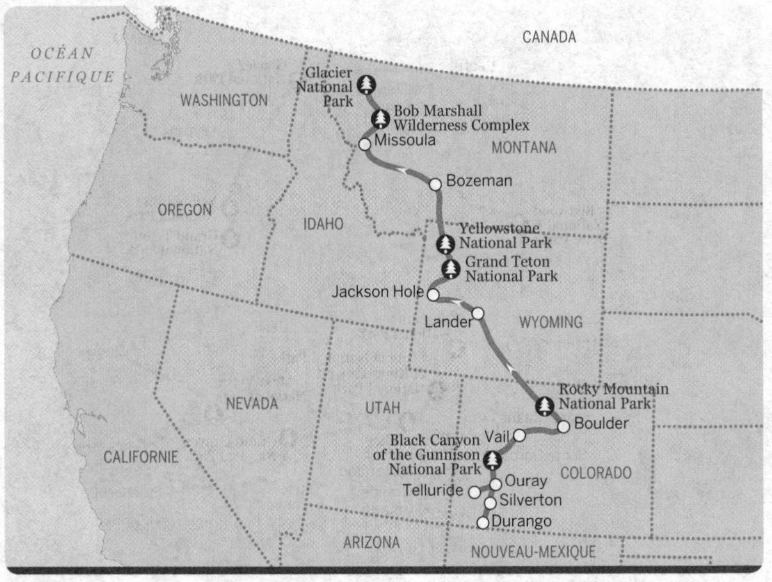

## À l'assaut des Rocheuses

Maillot de bain, VTT et bonnes chaussures de marche seront nécessaires pour cet itinéraire d'altitude le long de la Continental Divide, la ligne de partage des eaux.

Consacrez vos deux premières journées à la ville de montagne typique qu'est **Durango**, à vous amuser dans ses brasseries et sur ses pistes de VTT (sens unique). De là, la Million Dollar Hwy (Hwy 550) vous mène en direction du nord à travers la chaîne montagneuse de San Juan, vous permettant de visiter en chemin Silverston et de piquer une tête dans les sources chaudes d'**Ouray**. Faites un détour par **Telluride** pour assister à l'un des festivals qui y sont organisés presque chaque semaine en été. De Montrose, continuez vers l'est par la Hwy 50. Arrêtez-vous en chemin pour explorer du regard les profondeurs ténébreuses du **Black Canyon of the Gunnison National Park** avant de filer vers le nord par la Hwy 24. Passez la nuit dans la très chic station de **Vail**.

Profitez de l'incroyable vitalité de **Boulder** pour vous essayer au kayak et à l'escalade, puis rejoignez le **Rocky Mountain National Park** pour la randonnée et l'équitation. Ne manquez pas d'emprunter la décoiffante Trail Ridge Rd pour profiter d'un panorama alpin exceptionnel. Mettez le cap au nord sur la I-25. Dans le Wyoming, prenez la I-80 vers l'ouest pour rejoindre la Hwy 287 que vous suivrez jusqu'à **Lander**, haut lieu de l'escalade.

Poursuivez vers le nord jusqu'à **Jackson Hole**, dont le grand parc, central, est bordé d'élégantes boutiques et de saloons. C'est le lieu idéal pour assister à un rodéo ou passer la nuit avant une sortie rafting sur la Snake River. Au nord, le **Grand Teton National Park** est propice à une journée de repos en bordure de lac ou à une promenade en montagne. Prochaine étape : l'imposant **Yellowstone National Park**, ses geysers, ses bisons et ses sentiers de randonnée.

La dernière semaine, remontez la superbe Beartooth Hwy en direction du Montana, puis bifurquez à l'ouest sur la I-90 vers **Bozeman** et **Missoula**, deux excellents endroits pour s'approvisionner. Observez la nature au **Bob Marshall Wilderness Complex** et ne manquez pas de visiter le **Glacier National Park**, tant qu'il abrite encore 25 glaciers. Terminez par l'incroyable Going-to-the-Sun Road (la route du Soleil).

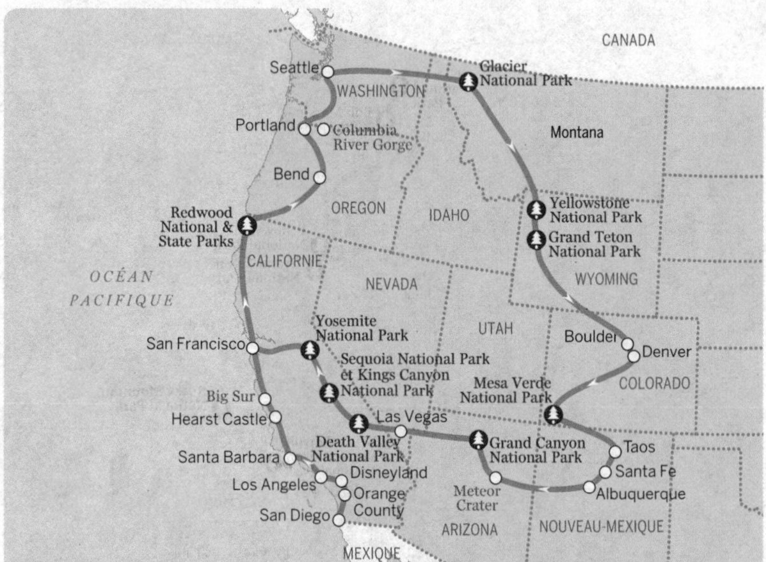

## Le meilleur de l'Ouest américain

De la côte californienne aux parcs nationaux de la région, des paysages luxuriants du Nord-Ouest pacifique aux villages alpins des Rocheuses jusqu'aux formations rocheuses rouge carmin du Sud-Ouest : découvrez, en un mois, le meilleur de l'Ouest américain !

De la très ensoleillée **San Diego**, empruntez la Hwy 1 en direction des villages côtiers de l'**Orange County**, véritable paradis du surf, en faisant un crochet par Disneyland. Rejoignez **Los Angeles** puis suivez la côte en profitant des splendides paysages, sans manquer de vous arrêter à **Santa Barbara**. Laissez-vous éblouir par la démesure du Hearst Castle avant de reprendre la route vers le nord à travers les forêts de Big Sur. Imprégnez-vous de l'atmosphère bohème de San Francisco, et explorez Alcatraz. Reprenez la Hwy 1 à la découverte des petites villes du nord de la côte californienne.

Arpentez les forêts primaires des **Redwood National & State Parks**, puis mettez le cap sur **Bend** dans l'Oregon pour les sports de plein air. Suivez la **Columbia River Gorge** vers l'ouest avant de vous arrêter à **Portland** pour profiter de son panorama et de ses brasseries. Grimpez au sommet de la Space Needle à **Seattle** puis prenez la direction de l'est vers les grands espaces du Montana et les splendides paysages du **Glacier National Park**. Continuez l'aventure au sud en pénétrant dans le **Yellowstone National Park**, où jaillit le mythique Old Faithful. Admirez les pics majestueux du **Grand Teton National Park** avant de bifurquer vers le sud-est à travers les paysages de western du Wyoming.

Prenez un bol d'air frais à **Boulder** (Colorado) avant de retrouver à **Denver** le charme d'une ville animée. Prochaine étape : les villes minières des **San Juan Mountains**, puis le **Mesa Verde National Park**. Juste au sud du Nouveau-Mexique, **Taos** et **Santa Fe** sont de véritables repaires d'artistes. Avalez un bon plat de chili verde à **Albuquerque** avant de suivre la Route 66 jusqu'en Arizona, en marquant l'arrêt au **Meteor Crater**. Faites un crochet par le **Grand Canyon National Park**. Repartez vers l'ouest pour gagner Las Vegas, puis filez explorer le **Death Valley National Park**, le **Sequoia National Park et le Kings Canyon National Park**, pour finir par le **Yosemite National Park**. Il est temps de conclure par un fin repas arrosé d'un verre de vin californien à San Francisco.

## Préparer son voyage

# Route 66 et routes panoramiques

Si l'argent, l'or et les autres minerais enfouis attirèrent les prospecteurs dans l'Ouest au XIX^e siècle, aujourd'hui, ce sont les routes panoramiques qui séduisent les foules. Des pistes désertiques aux autoroutes côtières et aux routes de montagne, les voies de l'Ouest tendent les bras aux voyageurs audacieux.

## Route 66

Le tronçon poussiéreux de la "Mother Road", l'autre nom de la Route 66, qui traverse la Californie, l'Arizona et le Nouveau-Mexique est émaillé de curiosités : un motel constitué de wigwams, un cratère formé par une météorite, des ânes mendiants, une grande roue mue par l'énergie solaire… Partout, dans les localités alentour, les habitants vous accueilleront chaleureusement.

### Pourquoi partir

Histoire, paysage, ruban d'asphalte interminable : c'est cette combinaison qui séduit et rend un voyage sur la Route 66 si passionnant. Notez que l'I-40 et la Route 66 se rejoignent sur une grande partie du Nouveau-Mexique et de l'Arizona.

Au Nouveau-Mexique, les néons de Tucumcari vous souhaitent la bienvenue dans l'Ouest. Un peu plus loin, à Santa Rosa, le Blue Hole vous plonge en plein désert. À Albuquerque, au Frontier, le ragoût de piment vert vous redonnera des forces pour rallier Gallup, où vous passerez la nuit au Rancho Motel, construit en 1937, qui eut pour hôte John Wayne.

En Arizona, quittez l'autoroute pour une superbe escapade dans le Petrifed Forest National Park. Vous aurez une

## Avant de partir

Un voyageur averti en vaut deux, surtout dans l'Ouest avec ses routes solitaires et sa météo imprévisible.

Prévoyez un pneu de rechange, de l'outillage et une trousse de première urgence dans votre véhicule ; si vous en louez un, achetez un kit de sécurité.

Emportez de bonnes cartes, notamment si vous vous écartez des grandes routes, et ne vous fiez pas aveuglément au GPS.

Faites des réserves d'eau, indispensables si vous tombez en panne dans le désert.

Faites le plein d'essence régulièrement ; les stations-service sont souvent espacées.

Ayez toujours sur vous votre permis de conduire et votre attestation d'assurance.

### Top 5 des restaurants

Turquoise Room, Route 66, Winslow, Arizona.

Hell's Backbone Grill, Hwy 12, Boulder, Utah.

Asylum Resturant, Hwy 89/89A, Jerome, Arizona.

Frontier, Route 66, Albuquerque, Nouveau-Mexique.

Santa Barbara Shellfish Co, Pacific Coast Highway, Santa Barbara, Californie.

vue imprenable sur le Painted Desert. Rejoignez ensuite la partie sud du parc, où des troncs d'arbre fossilisés, vieux de 225 millions d'années, sont regroupés en retrait de la route principale. Passez la nuit dans un tipi en béton à Holbrook.

Prochaine étape : la ville de Winslow, rendue célèbre par la chanson des Eagles "Take It Easy". Prenez une photo avant de savourer un dîner dans la Turquoise Room du Posada Hotel. À l'est de Flagstaff, le Meteor Crater, un trou colossal dans la terre, permet de souffler un peu. De là, la Route 66 suit la voie ferrée jusqu'à Flagstaff et passe devant le Museum Club, un relais routier où country et danse sont de rigueur. Plus loin surgit Williams, charmante petite ville ferroviaire bordée de motels.

Seligman est un curieux village qui séduit les voyageurs avec ses motels rétro et son café, le Snow-Cap Drive In. Des publicités Burma Shave vous donnent des conseils de rasage sur la route des Grand Canyon Caverns. Là, un ascenseur vous emmène 21 étages plus bas à la découverte d'un réseau de grottes et vous dépose au motel souterrain. Il ne faut pas manquer le bric-à-brac du General Store à Hackberry, le musée de la Route 66 à Kingman et les *burros* (ânes) qui mendient des friandises dans le village très aride d'Oatman.

La Mother Road pénètre ensuite le désert de Mojave et franchit des villes fantômes annoncées par des bornes de chemin de fer. À Victorville, l'Emma Jean's Holland Burger Café propose un Brian Burger bien pimenté. L'animation urbaine reprend aux abords de Pasadena, avant que la route débouche sur le Pacifique. À Santa Monica Pier, montez dans la grande roue à énergie solaire pour admirer le coucher du soleil.

### Quand partir

La période de mai à septembre est le meilleur moment pour un voyage sur la Route 66. Il fait chaud et vous pourrez profiter de toutes les activités de plein air.

### Itinéraire

Cet itinéraire au départ de Tucumcari au Nouveau-Mexique va vers l'ouest et traverse l'Arizona et la Californie. Il suit presque toujours la I-40 jusqu'à Barstow (Californie). Après, la Route 66 rejoint au sud la I-15, traverse San Bernardino puis bifurque à l'ouest en direction de Pasadena. Suivez la I-110 jusqu'à Santa Monica Blvd puis prenez la direction de l'ouest jusqu'à Santa Monica, au bord de l'océan.

### Durée et distance

➡ On peut accomplir ce voyage en 2 ou 3 jours, mais mieux vaut en prévoir 6 pour bien en profiter.

➡ La distance est d'environ 2 000 km, selon les tronçons choisis.

## Pacific Coast Highway

Amoureux et voyageurs bohèmes, au volant ! Les autoroutes reliant le Canada au Mexique par la Côte Ouest furent construites pour le plaisir du voyage, en particulier la Pacific Coast Highway (PCH).

### Pourquoi y aller

Ce voyage épique au fil de la Côte Ouest, à travers la Californie, l'Oregon et l'État de Washington, donne à découvrir des cités cosmopolites, des stations de surf et de charmantes enclaves côtières. Pour beaucoup de voyageurs, l'attrait principal

#### HISTOIRE DE LA ROUTE 66

Construite en 1926, la Route 66 reliait Chicago à Los Angeles tout en desservant petites villes et chemins de campagne de 7 États. Elle devint célèbre lors de la Grande Dépression, quand les fermiers du Dust Bowl (le "Bol de poussière" dans le Middle-West) furent obligés d'émigrer vers l'Ouest et l'empruntèrent pour traverser les Grandes Plaines. Son surnom, "The Mother Road", apparaît dans le roman de John Steinbeck sur cette période, *Les Raisins de la colère*. Après la Seconde Guerre mondiale, c'est la prospérité nouvelle qui incite les Américains à partir à l'aventure assis derrière leur volant. Mais le système des autoroutes inter-États, instauré par le gouvernement fédéral, marque la fin de la Mother Road. La dernière ville sur la route 66 à avoir été contournée par une autoroute inter-État fut Williams, en Arizona, en 1984.

## Routes panoramiques

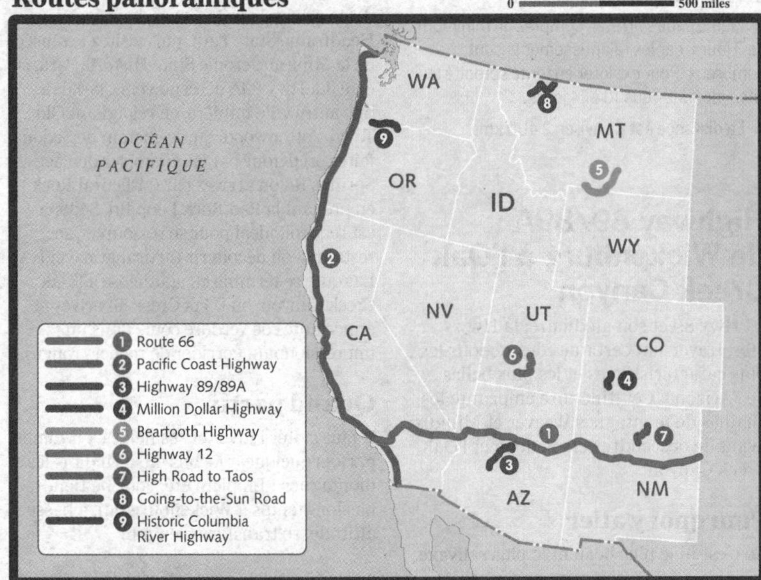


en est le paysage : plages isolées et sauvages, hautes falaises battues par les vagues, collines ondulantes, épaisses forêts de séquoias et d'eucalyptus… Autant de trésors pour les surfeurs, les kayakistes, les plongeurs et les randonneurs.

Les autoroutes côtières relient entre elles quelques-unes des cités les plus étonnantes de la Côte Ouest. Citons d'abord San Diego en Californie du Sud, royaume du surf, puis, en remontant vers le nord, l'hédoniste Los Angeles et San Francisco, la décalée. Tout au nord, dans l'État de Washington, Seattle mérite un détour pour sa mouvance artistique et alternative.

Si vous préférez éviter les zones urbaines, il est facile de s'en tenir aux tronçons qui les séparent. En Californie du Sud, la PCH suit les plages presque trop idylliques de l'Orange County ("l'OC") et de Santa Barbara (la "Riviera américaine"). Plus au nord, la Hwy 1 traverse Santa Cruz, ville universitaire excentrique et paradis des surfeurs, puis s'enfonce dans les forêts de séquoias de la côte du Big Sur, avant de continuer au nord de Mendocino. Au fil de la Hwy 1, vous découvrirez les dunes de sable, les stations balnéaires et les villages de pêcheurs de la côte de l'Oregon, avant d'atteindre enfin les terres sauvages de l'Olympic Peninsula du Washington, couvertes de forêts pluviales primitives. Au large, les bucoliques San Juan Islands sont desservies par des ferries.

## Quand partir

Il n'y a pas de saison à éviter, bien qu'au nord, pluie et neige caractérisent l'hiver. La saison la plus fréquentée, de juin à août, n'est pas toujours la meilleure car, au début de l'été, des tronçons entiers de la côte sont noyés dans le brouillard (un phénomène localement appelé "June Gloom"). Les saisons intermédiaires, avant le Memorial Day (avril-mai) et après le Labor Day (septembre-octobre), peuvent être idéales, avec des journées ensoleillées, des nuits plutôt fraîches et, surtout, peu de monde.

## Itinéraire

Le réseau d'autoroutes côtières s'étend sur près de 2 400 km de la frontière canadienne à la frontière mexicaine (de la Colombie-Britannique à Tijuana). En Californie, la route côtière passe de la I-5 à la Hwy 101 et à la Hwy 1 (en cas de doute, revenez toujours vers la côte) avant de rallier la Hwy 101 dans l'Oregon et le Washington.

### Durée et distance

➡ Même sans s'arrêter, comptez un minimum de 3 jours, car les ralentissements sont nombreux. Pour explorer en toute sérénité les sites, donnez-vous 10 à 14 jours.

➡ La distance est d'environ 2 400 km.

## Highway 89/89A : de Wickenburg à l'Oak Creek Canyon

La Hwy 89 et son auxiliaire, la Hwy 89A, traversent certaines des régions les plus caractéristiques et les plus belles de l'Arizona. Cet itinéraire emprunte les chaînes de montagnes Weaver et Mingus avant de descendre vers Sedona et l'Oak Creek Canyon.

### Pourquoi y aller

Ce n'est ni le plus beau ni le plus sauvage, mais c'est notre itinéraire préféré en Arizona, car il fleure bon le vieil Ouest. Pour autant, la route n'est pas figée dans le XIXe siècle : promenades artistiques, route des vignobles, élégantes boutiques et restaurants ajoutent une touche contemporaine. Les férus d'histoires de cow-boys s'attarderont à Wickenburg dans un ranch des Dude Ranches. La Hwy 89 sort de la ville via la Hwy 93 et, peu après, entame l'ascension des Weaver Mountains, grimpant de 762 m en 6,4 km. La route cesse de grimper à Yarnell, théâtre d'un incendie dévastateur en été 2013, puis descend agréablement entre les buttes verdoyantes et les troupeaux de la Peeples Valley. De là, ne manquez pas la célèbre rue Whiskey Row à Prescott, qui abrite l'historique Palace Saloon. Thumb Butte est immanquable à l'ouest du centre-ville, et vous croiserez les étranges rochers de Granite Dells en quittant la ville.

Suivez la Hwy 89A jusqu'à Jerome, bien accroché au volant. Ce tronçon de la route tout en lacets, au flanc de la montagne Mingus, demande de la concentration. Les plus courageux jetteront un coup d'œil à l'est sur la somptueuse Verde Valley. La route se fait plus audacieuse encore à l'approche de Jerome, ancienne cité minière accrochée au flanc de Cleopatra Hill ; galeries d'art, bars à vins, auberges originales et fantômes sont les principales attractions. Tenez-vous au-dessus d'un puits de mine d'une profondeur de 582 m dans l'Audrey Headframe State Park, puis visitez le musée de la Mine au Jerome State Historic Park, à côté. La Hwy 89A descend vers Clarkdale, une autre ville minière, en rejoignant Old Town Cottonwood. Sur le chemin de Sedona, faites un détour par les vignobles de Page Springs Rd ou arrivez par Cathedral Rock en prenant la Red Rock Loop Rd. Sedona est l'endroit idéal pour se ressourcer, se restaurer, ou découvrir l'artisanat navajo. La route se termine en apothéose à l'Oak Creek Canyon, où l'Oak Creek aux rives étincelantes de verdure coule dans un impressionnant corridor de rochers rouges.

### Quand partir

Il faut éviter l'hiver et ses neiges – il tombe parfois quelques flocons en avril dans les montagnes ! En plein été, vous ne tiendrez pas longtemps à Wickenburg qui, à basse altitude, se transforme en four.

### Itinéraire

De Wickenburg, suivez la Hwy 93 jusqu'à la Hwy 89, sur laquelle vous continuerez vers le nord jusqu'à Prescott. Au nord de la ville, prenez la Hwy 89A pour Sedona.

### Durée et distance

➡ Cet itinéraire de 216 km peut s'effectuer en une demi-journée, mais il est bien plus plaisant de musarder 2 à 3 jours.

## Million Dollar Highway

Reliant Ouray à Silverton dans le sud du Colorado, cette route est une des plus fabuleuses balades à travers les montagnes des États-Unis. Cette section de l'US 550, qui fait partie de la San Juan Skyway (380 km), est surnommée la “route à un million de dollars” car l'empierrement, dit-on, contiendrait des minerais précieux.

### Pourquoi y aller

Une belle route goudronnée de 40 km, bien lisse, serpente entre trois cols, offrant de belles vues sur les maisons victoriennes, les pics enneigés, les anciens chevalets des puits de mines et une gorge taillée dans le roc. Si le panorama est magnifique, l'excitation est aussi dans la conduite.

KEVIN T. LEVESQUE / GETTY IMAGES ©

Ci-dessus : Going-to-the-Sun Road, Glacier National Park (p. 314), Montana.

À droite : Route 66, Williams (p. 362), Arizona.

Virages en épingles à cheveux, chaussée étroite à ras des rochers, éboulements encombrant parfois la voie, la promenade du dimanche prend les allures du circuit Nascar (course de stock-cars à Daytona). La charmante Ouray culmine à presque 2 380 m, entourée de pics majestueux. Elle domine aussi l'Uncompahgre Gorge, un canyon très abrupt, célèbre pour l'escalade sur glace. Ne manquez pas l'occasion d'une belle randonnée ou d'un bain dans les sources chaudes. D'Ouray, la Million Dollar Hwy – achevée en 1884 après 3 ans de chantier – s'accroche au flanc de la gorge, zigzaguant entre d'anciennes mines qui défigurent la montagne. Restez très vigilant : des cyclistes escaladent les cols de ce fin ruban de route. À Silverton, garez votre voiture et profitez des montagnes couvertes de trembles. Le train à vapeur, empruntant la Durango & Silverton Narrow Gauge Railroad, crée la surprise lorsqu'il entre en soufflant dans la ville.

## Quand partir

L'été est la meilleure saison. En hiver, le col le plus haut est parfois fermé et sur d'autres tronçons on a souvent besoin de chaînes. Même en été, on peut encore voir de la neige, pas sur la route toutefois.

## Itinéraire

D'Ouray, suivez la Hwy 550 en direction du sud pour Silverton.

## Durée et distance

➡ Quelques heures suffisent pour la Million Dollar Highway de 40 km, mais prévoyez la journée pour visiter les sites.

## Détour

Par la route goudronnée, 80 km séparent Ouray de Telluride. Les aventuriers (en possession d'un véhicule adapté) seront tentés par les 26 km de l'Imogene Pass, un “raccourci” de 3 heures. Cette vieille route minière franchit des torrents, longe des prairies alpines et escalade l'un des plus hauts cols de l'État. Elle passe aussi par une ancienne mine.

# Beartooth Highway

La Beartooth Hwy, qui touche les cieux, est le moyen le plus pratique pour rejoindre Yellowstone. Cette route panoramique, l'une des plus belles d'Amérique, est également l'occasion d'une des plus excitantes balades à moto de l'Ouest.

## Pourquoi y aller

La Beartooth Hwy est une splendeur. De Red Lodge (Montana), elle remonte la vallée glaciaire de Rock Creek Canyon par une série de routes en lacets, s'élevant de manière stupéfiante de 1 520 m en quelques kilomètres. Arrêtez-vous au Rock Creek Vista Point Overlook pour profiter du panorama au cours d'une courte promenade accessible en fauteuil roulant. La route continue de grimper jusqu'au haut plateau, passe la “Courbe de Mae West” et entre dans le Wyoming. Les Twin Lakes offrent une vue sur le cirque et sur le téléski qui rejoint une piste de printemps. Après une série de virages en épingles à cheveux, admirez au nord-ouest le Hellroaring Plateau et le Bears Tooth (3 539 m), “dent d'ours” très acérée. La route continue de grimper entre la toundra alpine pour arriver au point culminant, le Beartooth Pass West Summit (3 345 m). Fin juin, ou même en juillet, peuvent encore se dresser au bord de la route des murs de neige de 4 m.

Après plusieurs autres lacs, la route descend : d'abord via Beartooth Butte, une énorme butte, vestige de la masse sédimentaire qui recouvrait autrefois tous les Beartooths, puis via d'excellents lieux de pêche à Clarks Fork. Elle repasse ensuite dans le Montana pour atteindre Cooke City par le Colter Pass, un col à 2 458 m. L'entrée nord-est du parc de Yellowstone est à 6 km de Cooke City.

## Quand partir

Si vous désirez allier balade en voiture et randonnées, choisissez le mois d'août, idéal pour les activités de plein air.

## Itinéraire

De Red Lodge, prenez la Hwy 212 vers l'ouest pour Cook City, Montana (la route fait des incursions dans le Wyoming).

## Durée et distance

➡ Il est difficile d'aller très vite sur la Beartooth Highway (110 km) tout en lacets ; prévoyez au moins la matinée ou l'après-midi.

## Highway 12

Filant à travers des paysages très diversifiés, c'est sans conteste la plus belle route de l'Utah. Elle traverse le cœur de cet État, serpentant entre des canyons isolés et très escarpés. Au passage, elle dessert plusieurs parcs nationaux et d'État, ainsi que quelques fabuleux restaurants.

### Pourquoi y aller

Dans le lointain sud de l'Utah, la Hwy 12, ses canyons teintés de rouges, ses vastes déserts, ses épaisses forêts et ses pics impressionnants, invite à la grande aventure. Le voyage commence au Bryce Canyon National Park, où les flèches de pierre or et vermillon donnent un avant-goût des couleurs sublimes à venir.

En allant vers l'est, le premier site d'intérêt est le Kodachrome Basin State Park, qui abrite des geysers pétrifiés et des dizaines de cheminées de grès rouge, rose et blanc – certaines atteignant presque 50 m. Traversez l'étroit Escalante puis, 12,8 km plus bas sur la route, arrêtez-vous pour admirer la vue au Head of the Rocks Overlook, au-dessus de l'Aquarius Plateau. Sous vos yeux s'étale un festival de couleurs, composé de mesas géantes, d'imposants dômes, de profonds canyons et de roches érodées.

Le Grand Staircase-Escalante National Monument voisin est le plus grand parc (7 689 km$^2$) du Sud-Ouest. À l'intérieur, le Lower Calf Creek Recreation Area, à côté de la Hwy 12, renferme une aire de pique-nique et un agréable terrain de camping. C'est aussi le point de départ d'une randonnée circulaire (9,6 km) appréciée jusqu'aux impressionnantes Lower Calf Creek Falls hautes de 38,4 m. Entre Escalante et Boulder, la crête acérée comme une lame de Hogback Ridge est également saisissante.

Les lacets et les dunes de sable pétrifiées entre Torrey et Boulder sont pour beaucoup les plus beaux tronçons de cette route. Après ce plaisir visuel, vous récompenserez vos papilles par un excellent dîner à base de produits régionaux au Hell's Backbone Grill à Boulder, suivi de cookies et de pâtisseries maison au Burr Trail Grill & Outpost, à moins que vous ne préfériez un plat typique et savoureux du Sud-Ouest au Café Diablo, un peu plus loin au nord, à Torrey.

### Quand partir

Pour bénéficier des meilleures conditions climatiques et d'une route sûre (notamment aux alentours de la Boulder Mountain s'élevant à 3 353 m), élancez-vous sur la Hwy 12 entre mai et octobre.

### Itinéraire

De la US Hwy 89 qui traverse l'Utah, passez sur la Hwy 12 en direction de l'est et du Bryce Canyon National Park. La route oblique vers le nord à hauteur du Kodachrome Basin State Park, poursuivant jusqu'à Torre.

### Durée et distance

➡ Cet itinéraire de quelques heures (200 km) sera bien mieux apprécié en 2 ou 3 jours.

## High Road to Taos

Cette pittoresque route secondaire du nord du Nouveau-Mexique relie Santa Fe à Taos, au fil d'un chapelet de villages en pisé et de paysages montagneux aux alentours des Truchas Peaks.

### Pourquoi y aller

Santa Fe et Taos sont des villes remplies de galeries d'art, d'ateliers et de musées, si belles qu'elles se devaient d'être reliées par une route à leur image : la High Road to Taos, à travers la montagne.

De Santa Fe, suivez la Hwy 84/285 vers le nord. Sortez sur la Hwy 503 en direction de Nambe, où vous pourrez marcher jusqu'aux cascades ou méditer au bord du lac qui a donné son nom à la localité. De là, la route mène vers le nord au village de Chimayo. Le Santuario de Chimayo, appelé aussi "le Lourdes d'Amérique", chapelle aux deux tours en adobe, fut construit en 1816 sur un emplacement réputé pour ses guérisons miraculeuses. Flânez dans le village et admirez les tissages et sculptures sur bois des galeries familiales. Près de Truchas, un village réunissant des maisons en adobe vieilles d'un siècle et des galeries d'art, vous trouverez le High Road Marketplace. Cette coopérative sur la SR 676 propose toutes sortes d'œuvres d'artistes locaux. Au bord de la Hwy 76, peintures et sculptures anciennes sont bien conservées dans l'église San José de Gracia, considérée comme l'une des plus belles du XVIII^e siècle aux États-Unis.

Vient ensuite Picuris Pueblo, qui fut l'un des plus puissants villages des Indiens Pueblos de la région. Le voyage se termine à Penasco, porte d'accès à la Pecos Wilderness, qui abrite le Penasco Theatre, intéressant théâtre expérimental. De là, les Hwys 75 et 518 conduisent à Taos.

## Quand partir

L'été est la meilleure période mais les fleurs sauvages du printemps et les feuillages flamboyants de l'automne ont aussi leur charme. La route étant montagneuse, l'hiver n'est pas recommandé.

## Itinéraire

De Santa Fe, prenez la 84/285 en direction de l'ouest pour Pojoaque et tournez à droite sur la Hwy 503, vers Nambe. Après la Hwy 503, prenez la Hwy 76 vers la Hwy 75, puis la Hwy 518 pour entrer dans Taos.

## Durée et distance

➡ Une demi-journée suffit pour cette route de 137 km, mais pour visiter et faire des emplettes, accordez-vous la journée.

# Going-to-the-Sun Road

Candidate sérieuse au titre de route la plus spectaculaire d'Amérique, la Going-to-the-Sun Road, de 85 km, est la seule, goudronnée, à traverser d'un bout à l'autre le Glacier National Park dans le Montana.

## Pourquoi y aller

La Going-to-the-Sun Road n'inspire, à juste titre, que superlatifs et exclamations. Terminée en 1933, la route s'enfonce dans un sublime paysage alpin escarpé, franchissant en lacets la chaîne Continental Divide, presque toujours enneigée. Partant de l'entrée ouest du parc, elle longe le Lake McDonald aux eaux miroitantes. Devant vous, surgit le Garden Wall, cette arête de 2 743 m, épine dorsale de la Continental Divide, qui constitue la limite entre les régions est et ouest du parc. La route le franchit par le col de Logan (2 097 m). De là, le Highline Trail, sentier de 30 km, suit l'arête montagneuse du parc, offrant au randonneur les vallées glaciaires, les pics en dents de scie, les prairies de fleurs et la faune, extraordinaire. On peut apercevoir des chèvres des Rocheuses, des mouflons canadiens, des élans, peut-être même un grizzly ou un glouton. Après le col de Logan, la route continue vers le Jackson Glacier Overlook, un belvédère d'où l'on voit l'un des emblèmes du parc en train de fondre. Les experts déclarent qu'avec le réchauffement planétaire actuel, tous les glaciers du parc auront disparu en 2020.

## Quand partir

Cette route n'ouvre que tard au printemps et ferme au début de l'automne en raison de la neige. La saison idéale pour la parcourir en entier va de mi-juin à mi-septembre. En 2011, des chutes de neige exceptionnelles retardèrent son ouverture complète au 13 juillet.

## Itinéraire

Depuis l'entrée ouest du parc, suivez la Going-to-the-Sun Road en direction de l'est, vers St Mary.

## Durée et distance

➡ La durée de cet itinéraire de 85 km dépend des conditions météorologiques, mais ne comptez pas moins d'une demi-journée.

### GOING-TO-THE-SUN ROAD : LÉGENDE ET DISTINCTIONS

La Going-to-the-Sun Road doit son nom à la montagne Going-to-the-Sun. Une légende – ou plutôt une histoire concoctée dans les années 1880 – veut qu'un esprit ait enseigné l'art de la chasse aux hommes de la tribu Blackfeet (Pieds-Noirs) et leur ait laissé, avant de s'en retourner vers le soleil, une image de lui sur la montagne. Aujourd'hui, la route est la seule du pays à posséder à la fois le statut de monument historique (National Historic Landmark) et de monument du génie civil (National Civil Engineering Landmark).

### AUTRES ROUTES PANORAMIQUES

D'autres routes pittoresques sont proposées dans les chapitres régionaux.

**Turquoise Trail, Nouveau-Mexique**. Cette route secondaire qui relie Tijeras, près d'Albuquerque, à Santa Fe, fut un axe commercial important durant des milliers d'années. Aujourd'hui, elle est bordée de galeries d'art, de boutiques vendant des bijoux ornés de turquoises, et d'un musée des mines. À la sortie de la I-40, prenez vers le nord la Hwy 14 pour rejoindre la I-25. Consultez le site www.turquoisetrail.org.

**Apache Trail, Arizona**. La piste des Apaches (72 km), dans un environnement semi-désertique, n'est pas une balade pour chauffeur du dimanche. D'Apache Junction, à l'est de Phoenix, prenez la Hwy 88 qui mène d'une ville fantôme (où les enfants s'amuseront) aux fleurs sauvages du Lost Dutchman State Park et à trois lacs salés.

**Eastern Sierra Scenic Byway, Californie**. De Topaz Lake, prenez la Hwy 395 vers le sud pour une balade au fil du versant oriental de l'imposante Sierra Nevada, qui se termine à Little Lake. La région compte des sommets de plus de 4 000 m, des lacs d'un bleu métallique, des forêts de pins, des bassins désertiques et des sources chaudes.

**Billy the Kid Highway, Nouveau-Mexique**. Tirant son nom du célèbre hors-la-loi, cet itinéraire forme une boucle dans les montagnes du centre du Nouveau-Mexique. La route traverse la ville de Lincoln, où Billy the Kid s'était échappé de prison, et Capitan, où se trouve la tombe de l'ours Smokey.

## Historic Columbia River Highway

La verdure luxuriante et l'histoire des pionniers sont les attraits de la US 30, cette route secondaire soigneusement conçue qui épouse les méandres de la Columbia River Gorge, à l'est de Portland, dans l'Oregon.

### Pourquoi y aller

Les cascades sont l'une des caractéristiques de cette route qui reliait Portland à The Dalles. Achevée en 1922, ce fut la première route goudronnée du Nord-Ouest pacifique, soigneusement planifiée avec l'idée que le plaisir de conduire devait primer sur la vitesse. On réfléchit à l'emplacement des points de vue et on construisit des murs de pierre et des ponts en arche en harmonie avec le paysage. Les lieux regorgent également d'histoire. En 1805, Lewis et Clark empruntèrent cet itinéraire pour leur expédition vers l'océan Pacifique. Cinquante ans plus tard, les pionniers de l'Oregon Trail (la piste de l'Oregon) arrivaient aussi ici après leur long voyage à travers le pays pour une dernière étape des plus angoissantes : la traversée de la Columbia River aux eaux traîtresses. Aujourd'hui, bien que certaines portions de la route d'origine soient fermées, ou remplacées par la US 84, on peut toujours circuler sur une bonne partie de la US 30. Certains des tronçons fermés sont réservés aux randonneurs et aux cyclistes. Le Portland Women's Forum Park, une des attractions principales au bord de la route, offre l'une des plus belles vues de la gorge. Non loin, la Vista House, construite en 1916 en hommage aux pionniers de l'Oregon Trail, abrite un centre d'information. Perchée au sommet de Crown Point, qui marque la limite entre l'est et l'ouest de la gorge, cette maison jouit d'un panorama splendide. Les Multnomah Falls sont, quant à elles, les plus hautes chutes de l'Oregon (195 m).

### Quand partir

Les cascades sont grandioses de février à mai ; l'été est idéal pour les randonnées.

### Itinéraire

Quittez la I-84 à l'est de Portland par la sortie 17 ou 35, puis continuez vers l'est. La section ouest de la nationale d'origine se termine aux Multnomah Falls. De là, passez sur la I-84 et continuez vers l'est jusqu'à la sortie 69 à Mosier, d'où vous pourrez regagner la Hwy 30.

### Durée et distance

➡ Prévoyez la journée pour cette balade de 161 km.

Préparer son voyage

# Sports et activités

Débutants ou pro, les amateurs d'activités de plein air et de grands espaces trouveront ici leur bonheur. L'Ouest américain offre de nombreuses possibilités, des randonnées grandioses dans les somptueux parcs nationaux du Yosemite ou de Yellowstone aux pistes de ski des Rocheuses, sans oublier les gorges du Grand Canyon et ses descentes en rafting ou les sessions surf sur la côte.

## Où profiter des grands espaces

Rafting : Colorado River, à travers le Grand Canyon, Arizona.

Randonnée : sommet du Half Dome, Yosemite National Park, Californie.

Vélo : Maroon Bells, Aspen, Colorado.

Escalade : Joshua Tree National Park, Californie.

Via Ferrata : Angels Landing, Zion National Park, Utah.

Chutes d'eau : Havasu Falls, Arizona.

Ski : Vail, Colorado.

Glacier : Glacier National Park, Montana.

## Où observer la faune

Ours : Glacier National Park, Montana.

Élans, bisons et loups gris : Yellowstone National Park, Wyoming.

Oiseaux : Patagonia-Sonoita Creek Preserve, Arizona.

Baleines et dauphins : Monterey Bay, Californie

## Camping

Les endroits où planter sa tente sont nombreux. Le plus difficile sera de choisir.

### Aménagements et commodités

**Campings basiques**. Espaces pour faire un feu, tables, eau potable et sanitaires ; fréquents sur les espaces gérés par le Bureau of Land Management (BLM) et l'US Forest Service (USFS).

**Campings élaborés**. Généralement dans les parcs nationaux et d'État, ils sont mieux équipés ; coins barbecue, sanitaires plus complets et parfois douches chaudes et laverie automatique.

**Emplacements pour camping-cars et stations de vidange**. En majorité dans les campings privés ; peu de campings publics en proposent.

**Campings privés**. Surtout destinés aux camping-cars et aux familles, on y trouve douches chaudes, piscine, Wi-Fi et bungalows. Les emplacements pour tentes sont en général rares et sans charme.

**Sites réservés**. Ces quelques campings publics, accessibles aux seuls randonneurs et cyclotouristes, offrent calme et proximité avec la nature.

### Tarifs et réservations

Si la plupart des campings publics et privés acceptent les réservations,

## PARCS NATIONAUX DE L'OUEST AMÉRICAIN

| Parc | Pourquoi y aller | À faire | Meilleure période |
|---|---|---|---|
| **Arches** | Les arches en grès (plus de 2 500) | Routes panoramiques, randonnées à la journée | Printemps-automne |
| **Bryce Canyon** | Les surprenants hoodoos, érodés et colorés | Randonnées à la journée et dans l'arrière-pays, balades à cheval | Printemps-automne |
| **Canyonlands** | Les grandioses canyons du Sud-Ouest, les mesas et les buttes | Vues panoramiques, randonnées dans l'arrière-pays, rafting | Printemps-automne |
| **Carlsbad Caverns** | L'immense réseau de grottes, les colonies de chauves-souris molosses | Visites des grottes, randonnées dans l'arrière-pays | Printemps-automne |
| **Death Valley** | Un désert spectaculaire et un écosystème unique | Routes panoramiques, randonnées à la journée | Printemps |
| **Glacier** | Le paysage impressionnant et glacé, les chèvres des montagnes | Randonnées à la journée et dans l'arrière-pays, routes panoramiques | Été |
| **Grand Canyon** | Un canyon spectaculaire, long de 446 km et d'une profondeur moyenne de 1 300 mètres | Randonnées à la journée et dans l'arrière-pays, balade à dos de mule, descentes du Colorado | Printemps-automne |
| **Grand Teton** | Les imposants sommets de granite, les élans, bisons, et loups | Randonnées à la journée et dans l'arrière-pays, escalade, pêche | Printemps-automne |
| **Sequoia/ Kings Canyon** | Les séquoias, le canyon granitique | Randonnées à la journée et dans l'arrière-pays, ski de fond | Été-automne |
| **Mesa Verde** | Les habitats troglodytiques préservés des Indiens Pueblos, les sites historiques, les mesas et les canyons | Courtes randonnées | Printemps-automne |
| **Olympic** | La forêt tempérée humide, les plaines alpines, le Mt Olympus | Randonnées à la journée et dans l'arrière-pays | Printemps-automne |
| **Petrified Forest** | Les arbres fossilisés, les pétroglyphes, les couleurs du désert | Randonnées à la journée | Printemps-automne |
| **Redwood** | Les forêts primaires de séquoias, des arbres parmi les plus hauts au monde, les wapitis | Randonnées à la journée et dans l'arrière-pays | Printemps-automne |
| **Rocky Mountain** | Les sommets vertigineux, la toundra, la ligne de partage des eaux, les wapitis, mouflons, élans, castors | Randonnées à la journée et dans l'arrière-pays, ski de fond | Été-automne |
| **Saguaro** | Les cactus Saguaro géants, les magnifiques vues du désert | Randonnées à la journée et dans l'arrière-pays | Printemps-automne |
| **Yellowstone** | Les geysers et piscines géothermiques, un canyon impressionnant et une faune riche | Randonnées à la journée et dans l'arrière-pays, vélo, ski de fond | Toute l'année |
| **Yosemite** | Une vallée encadrée de versants granitiques, des chutes d'eau, des plaines alpines | Randonnées à la journée et dans l'arrière-pays, escalade, ski | Toute l'année |
| **Zion** | Un profond canyon de roche rouge, où coule la Virgin River | Randonnées à la journée et dans l'arrière-pays, cayoning | Printemps-automne |

certains fonctionnent sur la base du “premier arrivé, premier servi”. Les tarifs sont variés : parfois gratuit, l’emplacement peut se louer jusqu’à 50 $ la nuitée pour un camping-car, toutes options incluses.

Informations (localisation, commodités, tarifs) et réservation sur :

**Recreation.gov** (www.recreation.gov). Camping et bungalows dans les parcs et forêts nationaux, les zones protégées du BLM, etc.

**ReserveAmerica** (www.reserveamerica.com). Réservations pour les campings d'État, les parcs régionaux et quelques campings privés. Reportez-vous au site Internet pour les numéros de téléphone par État.

**Kampgrounds of America** (KOA ; ☎406-248-7444 ; www.koa.com). Réseau national de campings privés bien équipés mais plus onéreux. Emplacements pour camping-cars, également.

## Randonnée

Les bons chemins de randonnée sont nombreux dans la région. La plupart des habitants de l’Ouest américain sont soucieux de leur forme, et il est rare que

### LES MEILLEURES RANDONNÉES DANS L’OUEST AMÉRICAIN

Demandez à dix randonneurs leur liste des meilleurs itinéraires et vous n'aurez pas deux réponses identiques. Le pays est si varié, les distances sont si énormes qu'il ne peut y avoir d'accord. Cela dit, vous ne ferez pas de faux pas avec le palmarès suivant.

**South Kaibab/North Kaibab Trail, Grand Canyon, Arizona** (☎928-878-9378, 877-716-9378 ; www.destinationgrandcanyon.com ; circuits 50-350 $/pers). Une randonnée de plusieurs jours descendant dans les canyons jusqu'au Colorado avant de remonter sur le plateau.

**Longs Peak Trail, Rocky Mountain National Park, Colorado** (p. 268). Ce sentier très populaire de 24 km mène au sommet de Longs Peak (4 346 m) d'où la vue sur les monts enneigés est magnifique.

**Angels Landing, Zion National Park, Utah** (p. 400). Quatre kilomètres de marche sur chemin étroit, flanqué de précipices, conduisent à ce superbe point de vue panoramique sur le canyon de Zion.

**Mt Washburn Trail, Yellowstone National Park, Wyoming** (p. 299). Depuis Dunraven Pass, ce sentier de près de 5 km, bordé de fleurs sauvages, mène aux vues sublimes depuis le sommet du Mt Washburn (3 122 m). Des mouflons fréquentent les environs.

**Pacific Crest Trail** (PCT ; www.pcta.org). Du Canada au Mexique via la chaîne des Cascades et la Sierra Nevada, près de 4 250 km à travers 6 des 10 écorégions de l'Amérique du Nord.

**Half Dome, Yosemite National Park, Californie** (p. 174). Exigeant et parfois abrupt, mais la vue sur la vallée du Yosemite et la fierté d'avoir réussi récompensent de l'effort.

**Enchanted Valley Trail, Olympic National Park, Washington** (p. 206). Magnifiques paysages de montagne, faune abondante et forêts humides luxuriantes – le tout en une boucle de 20 km.

**Great Northern Traverse, Glacier National Park, Montana** (www.nps.gov/glac). Un trek de 90 km au cœur des Rocheuses, pays des grizzlys, qui traverse la ligne de partage des eaux.

**The Big Loop, Chiricahua National Monument, Arizona** (p. 380). Cette boucle de 15 km emprunte plusieurs petits sentiers de randonnée, à travers une armée de piliers rocheux qui servaient autrefois de cachettes aux guerriers Apaches.

**Tahoe Rim Trail, Lake Tahoe, Californie** (p. 181). Ce chemin tous terrains de 265 km fait le tour du lac en altitude, offrant une vue sur la Sierra miroitante.

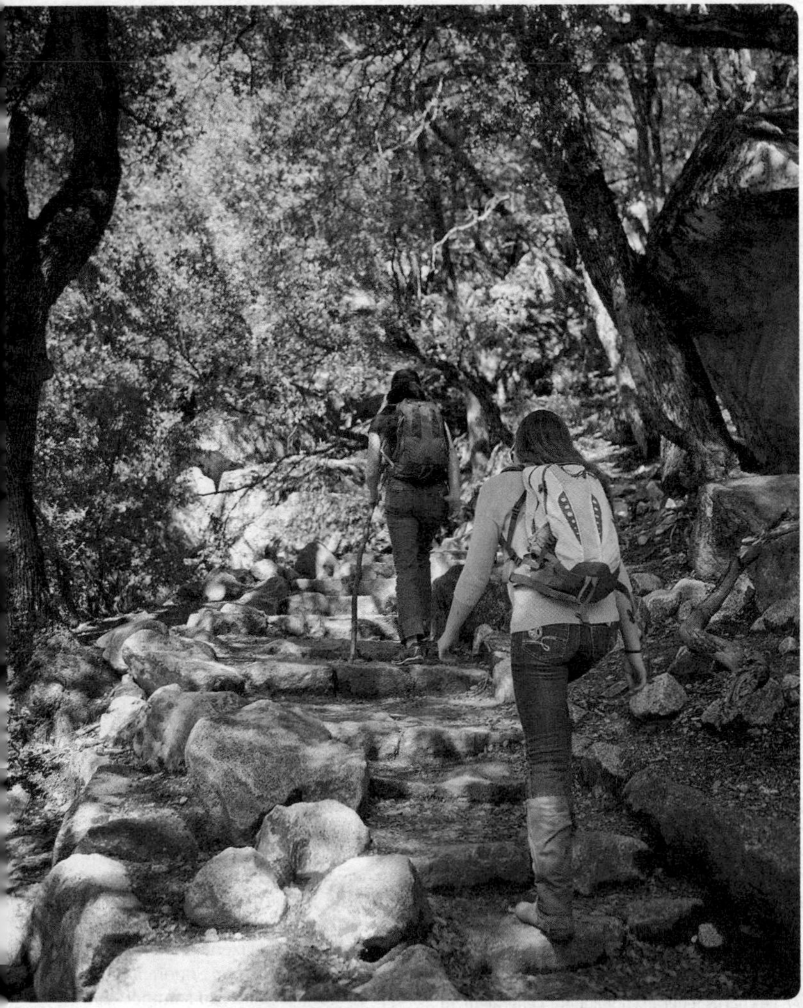

Ci-dessus : Randonnée vers les Yosemite Falls, Yosemite National Park (p. 173), Californie.

À droite : Escalade, Joshua Tree National Park (p. 108), Californie.

PANORAMIC IMAGES / GETTY IMAGES ©

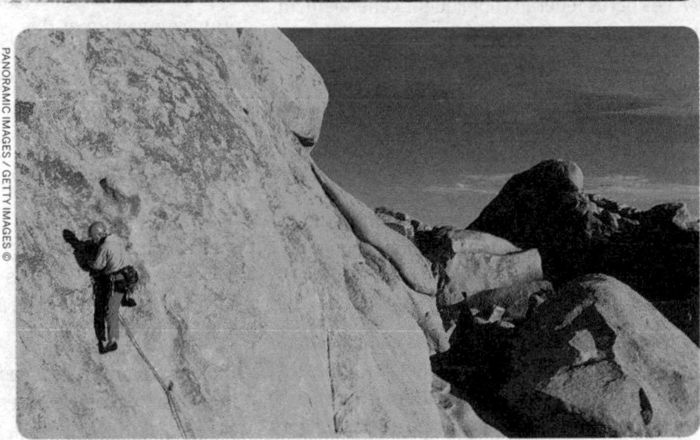

les grandes villes ne possèdent pas de parc où se promener et se maintenir en bonne condition physique. Pour la marche, les parcs nationaux sont idéaux, que l'on soit à la recherche d'une courte promenade ou d'un itinéraire pour randonneur chevronné. Si vous prévoyez un itinéraire sur plusieurs jours, réservez votre permis à l'avance, notamment dans les sites fréquentés comme le Grand Canyon. Les places sont limitées, particulièrement en été.

## Renseignements

*Survivre, comment vaincre en milieu hostile*, de Xavier Maniguet (Albin Michel, 1988, nouvelle édition en 2012), est une véritable bible de la survie et demeure la référence dans le genre. Parmi les sites utiles :

**American Hiking Society** (www.americanhiking.org). Recense les clubs de randonnée locaux et organise des chantiers (*volunteer vacations*) afin de baliser et de construire des pistes.

**Backpacker** (www.backpacker.com). Meilleur magazine du pays pour les randonneurs, débutants ou confirmés.

**Rails-to-Trails Conservancy** (www.railstotrails.org). Transforme des voies de chemin de fer désaffectées en pistes cyclables et en sentiers, vend un guide national des chemins de randonnée. Certains itinéraires sont répertoriés et évalués sur www.traillink.com.

**Survive Outdoors** (http://www.surviveoutdoors.com). Conseils sur la sécurité et les premiers secours, et des photos des animaux dangereux.

## Droits d'accès et permis

➡ Les parcs fédéraux appliquent généralement un droit d'accès de 5 à 15 $ la journée. Piétons et cyclistes bénéficient souvent d'un tarif réduit, ou de la gratuité.

➡ Pour l'accès aux parcs nationaux, comptez de 10 à 25 $ par véhicule, pour 7 jours consécutifs. Certains sont gratuits.

➡ Le pass America The Beautiful vous permet d'accéder à tous les parcs et forêts nationaux ainsi qu'aux territoires gérés au niveau fédéral pour un an, sans limitation (80 $).

➡ Si vous passez la nuit hors des campings ou pour des randonnées de plusieurs jours, il est souvent obligatoire de se procurer un permis (*wilderness permit*), délivré au poste des rangers ou au centre d'information des parcs. En haute saison (de la fin du printemps aux débuts de l'automne), des quotas peuvent être appliqués.

➡ Certains permis peuvent se réserver en amont, et les sentiers très courus (Half Dome, Mt Whitney...) sont complets plusieurs mois à l'avance.

➡ Le **National Forest Adventure Pass** (5/30 $ par jour/an) est obligatoire pour stationner dans certaines forêts du sud de la Californie. Pour randonner dans la forêt entourant Sedona, dans l'Arizona, vous devrez vous procurer un **Red Rock Pass** (www.redrockcountry.org ; 5/15 $ par jour/sem). Vous pourrez les obtenir aux postes des rangers USFS, au départ de certains chemins de randonnée et auprès de revendeurs locaux.

# Cyclotourisme

Le vélo gagne en popularité aux États-Unis grâce à la construction de nouvelles pistes cyclables urbaines et à l'importance croissante de l'écologie. Vous rencontrerez des mordus où que vous vous arrêtiez, et de nombreux prestataires organisent des visites guidées à vélo, pour tout niveau.

Dans beaucoup d'États, des agences proposent de superbes randonnées de plusieurs jours, comme le Ride the Rockies dans le Colorado. Le groupe emprunte un itinéraire spectaculaire bien aménagé. Le portage est réduit aux affaires de la journée, le matériel de camping étant acheminé en voiture de halte en halte. Autre itinéraire superbe, l'ascension du Mt Lemmon, en Arizona, qui en 45 km fait passer du désert de Sonora à plus de 3 000 m d'altitude, au sommet. Vous pouvez aussi louer des vélos sur la South Rim du Grand Canyon. Pédalez jusqu'à l'Hermit's Rest, via Hermit Rd et le Greenway Trail.

## Le top des villes en deux roues

**San Francisco, Californie**. La traversée à vélo du Golden Gate Bridge vous mène aux Marin Headlands, à la beauté – et au dénivelé – stupéfiants.

**Boulder, Colorado**. Le paradis des amoureux de plein air regorge de pistes cyclables, comme les 28 km du Boulder Creek Trail.

### LA MONTAGNE À VTT

Les mordus de VTT trouveront leur bonheur sur les pentes de l'Ouest, car les bons sentiers ne manquent pas : Boulder, CO, Moab, UT, Bend, OR, Ketchum, ID ou Marin, CA, le dernier étant l'endroit où Gary Fisher et autres pionniers lancèrent le *mountain biking* en dévalant les pentes rocheuses du Mt Tamalpais sur des vélos bricolés. Vous pouvez également vous lancer sur ces autres bons chemins :

**Kokopelli's Trail, Utah** (http://www.blm.gov/ut/st/en/fo/moab/recreation/mountain_bike_trails/kokopelli_s_trail.html). Cet itinéraire de 225 km, l'un des premiers dans le Sud-Ouest, traverse les étendues montagneuses entre Loma, CO, et Moab, UT. Dans les environs, vous pouvez également vous lancer dans les 330 km séparant Telluride, CO, de Moab, UT. Plus court, mais tout aussi exigeant et spectaculaire, un sentier de 60 km relie Aspen à Crested Butte.

**Sun Top Loop, Washington** (www.visitrainier.com). 35 km de vues sublimes du Mt Rainier et des monts voisins sur les pentes de l'ouest des Cascades, WA – quand ça monte, ça monte.

**Downieville Downhill, Downieville, Californie** (www.sierracountychamber.com). Réservée aux personnes en bonne condition physique, cette piste dans les pins – située près de cette ville au pied de la Sierra dans la Tahoe National Forest – contourne les falaises, traverse une forêt ancienne et descend 1 280 m en moins de 22 km.

**McKenzie River Trail, Willamette National Forest, Oregon** (www.fs.usda.gov/activity/willamette/recreation, www.mckenzierivertrail.com). Une piste paradisiaque de 40 km sinuant au milieu de forêts denses et de formations volcaniques. La ville de McKenzie est 80 km à l'est d'Eugene.

**Porcupine Rim, Moab, Utah** (www.blm.gov/ut). Cette classique du désert, une boucle de 48 km partant de la ville, offre des paysages splendides et des descentes vertigineuses. Un circuit exigeant pour lequel il faut être bien préparé. Emportez beaucoup d'eau.

**Portland, Oregon**. De belles expériences cyclistes – sur route ou hors piste – dans le Nord-Ouest pacifique.

**Los Angeles, Californie**. De Santa Monica, la South Bay Trail déroule ses kilomètres de piste cyclable ensoleillée vers Redondo Beach, au sud, en suivant la côte.

## Surf

Si vous avez les vagues à l'âme, la Californie devrait prendre des airs d'Eldorado : Santa Cruz, dont les spots passent pour être les meilleurs du continent, Ocean Beach, à San Francisco, Bolinas la bohème, une cinquantaine de kilomètres plus au nord… Au sud, les forts courants et les vents de Santa Ana balaient San Diego, La Jolla, Malibu et Santa Barbara. L'eau, plus chaude, attire surfeurs et amateurs d'activités nautiques – les requins y sont plus rares. Meilleure période : de septembre à novembre. Des kilomètres de plages désertes et quelques petites communautés de surfeurs longent les côtes de l'Oregon et de l'État de Washington.

### Les meilleurs spots de surf californiens

Huntington Beach (plus connue sous le nom de Surf City, USA) est la capitale type du surf, avec un ensoleillement perpétuel, et un break parfait, notamment en hiver, lorsqu'il y a peu de vent.

**Huntington Beach, Orange County**. L'endroit idéal pour profiter du cadre et prendre des cours.

**Oceanside Beach, Oceanside**. Une des plus belles plages de Californie du Sud offrant un des breaks les plus réguliers au monde en été. Idéal en famille aussi.

**Rincon, Santa Barbara**. Probablement un des meilleurs spots au monde. Presque tous les grands champions sont venus y surfer.

**Steamer Lane and Pleasure Point, Santa Cruz**. 11 breaks exceptionnels, dont des point breaks fabuleux.

**Swami's, Encinitas**. En dessous du Seacliff Roadside Park, cette plage de surf très populaire offre de multiples breaks qui vous garantiront de superbes vagues.

### Cours et location

Des prestataires louent l'équipement partout où il est possible de surfer. Comptez 30 $ la demi-journée pour une planche, combinaison en sus (10 $).

Les cours communs de 2 heures pour débutant démarrent aux environs de 75 $/personne (85-120 $/personne pour un cours individuel). De nombreuses écoles de surf proposent des stages de deux jours, voire d'une semaine.

De plus en plus populaire, le stand-up paddle (SUP) est aisé à apprendre. Les tarifs de location et de cours sont approximativement les mêmes que ceux pour le surf. Vous trouverez prestataires et écoles sur la côte entre San Diego et la baie de San Francisco.

### Renseignements

**Surfline** (www.surfline.com). Un atlas pratique, des infos, prévisions et webcams, en direct des plages.

**Surfer** (www.surfermag.com). Récits de voyage, tests de matériel, actualités et vidéos.

**Surfrider** (www.surfrider.org). Les surfeurs engagés pourront rejoindre cette organisation à but non lucratif, qui lutte pour préserver la biodiversité côtière.

## Rafting

L'Ouest ne manque pas de descentes en rafting au milieu de paysages spectaculaires. En Californie, la Tuolumne comme l'American River bouillonnent de rapides, de modérés à extrêmes, alors que dans l'Idaho le cours moyen de la Salmon River offre foisonnante vie sauvage, rapides excitants, riches histoires de pionniers, chutes d'eau et sources chaudes. La partie septentrionale de l'Owyhee, la North Fork, serpente dans le haut plateau du sud-ouest de l'Oregon pour redescendre sur les pâturages de l'Idaho. Très fréquentée, elle abrite d'impressionnantes cheminées de fées. Au nord de Moab, dans l'Utah, une descente paisible sur le Colorado vous permettra d'observer la vie sauvage, mais les amateurs de sensations fortes choisiront les rapides et les rochers rouges du Canyonlands National Park.

Si vous voulez descendre le Colorado à travers le Grand Canyon, réservez au moins un an à l'avance. Et si les rapides ne vous tentent pas, sachez que de nombreuses rivières offrent des passages calmes pour une navigation paisible – parfois même dans une bouée, un soda à la main.

## Canoë et kayak

Pour explorer les eaux plus calmes, louez un kayak ou un canoë. Les kayaks, fermés, se prêtent bien aux sorties en mer ou à l'exploration de grands lacs, si tant est que vous n'emportez pas de matériel encombrant.

Pour de belles balades en kayak de mer, la côte californienne est idéale. La Jolla et les parcs nationaux de la côte au nord de Santa Barbara comptent parmi les lieux les plus prisés. Dans le Nord-Ouest pacifique, les San Juan Islands, l'Olympic Peninsula et Puget Sound sont des destinations de choix. Des sorties sont organisées dans la Richardson Bay, à Sausalito, CA, les nuits de pleine lune. Pour louer un kayak de mer, comptez 20-40 $/2 heures. Tous les prestataires sérieux s'assureront que vous connaissez l'horaire des marées et la météo de votre itinéraire.

Le kayak en eau vive est populaire dans le Nord-Ouest pacifique, où la fonte des neiges accumulées au sommet des volcans vient alimenter les rivières. La Klickitat River offre toute la beauté de ses canyons sauvages et les aigles chauves planent sur l'Upper Sgakit River. Près de Portland, laissez-vous tenter par le comté de Clackamas et la North Santiam River. Pour du kayak en eau vive dans les villes, l'État du Colorado est *la* destination. De nouveaux parcs ont vu le jour à Boulder et Denver.

### Renseignements

**American Canoe Association** (www.americancanoe.org). Organisation qui soutient et informe sur le canoë et le kayak.

## OBSERVATION DE CÉTACÉS

Les baleines grises et les baleines à bosse sont les mammifères dont les migrations sont les plus longues au monde – plus de 8 000 km, de l'Arctique au Mexique, avant de rebrousser chemin. Vous pourrez les observer lors de leur passage au large du Nord-Ouest pacifique de novembre à février, en route vers les eaux chaudes du sud et de mars à juin, lorsqu'elles remontent vers le nord. Les baleines grises sont visibles depuis les côtes californiennes de décembre à avril ; les baleines bleues, les baleines à bosse et les cachalots en été et en automne. N'oubliez pas vos jumelles ! Les meilleurs sites :

**Depoe Bay & Newport, Oregon**. De bonnes infrastructures pour l'observation ; circuits en bateau.

**Long Beach & Westport, Washington**. Pour scruter l'horizon depuis le rivage.

**Puget Sound & San Juan Islands, Washington**. Des orques y ont élu domicile.

**Klamath River Overlook, Californie**. Observez les baleines depuis les falaises.

**Point Reyes Lighthouse, Californie**. Les baleines grises y passent en décembre et en janvier.

**Monterey, Californie**. On peut y voir des baleines toute l'année.

**Channel Islands National Park, Californie**. Faites une sortie en mer ou jetez un coup d'œil dans la longue-vue, depuis la tour du centre d'information.

**Point Loma, Californie**. Le Cabrillo National Monument est le meilleur endroit, à San Diego, pour observer la migration des baleines grises, de janvier à mars.

**American Whitewater** (www.americanwhitewater.org). Groupe de pression défendant le loisir responsable et cherchant à préserver les rivières américaines.

**Canoe & Kayak** (www.canoekayak.com). Magazine spécialisé pour pagayeurs.

**Kayak Online** (www.kayakonline.com). Informations et conseils pour l'achat de matériel et liens vers des points de vente, des écoles et des associations.

# Ski et sports d'hiver

Tous les États de l'Ouest possèdent des stations de ski, même l'Arizona. Le Colorado est l'une des meilleures destinations en la matière ; la Californie et l'Utah sont tous deux d'excellentes options. La saison de ski débute généralement mi-décembre pour se terminer en avril ; certaines stations restent ouvertes plus longtemps. En été, elles sont nombreuses à proposer des randonnées et des excursions en VTT. Les forfaits tout compris (billet d'avion, hôtel et forfait) vendus par les agences de voyages ou les sites de voyagistes peuvent être intéressants.

Peu importe où vous irez, le ski reste une activité onéreuse. Partir en milieu de semaine, prendre des forfaits pour plusieurs jours ou choisir des destinations moins connues (comme Alpine Meadows, près du Lake Tahoe) ou fréquentées des seuls gens du cru (comme Santa Fe Ski Area ou Colorado's Wolf Grade) permettent de faire baisser la note.

## Les meilleures stations de ski

**Chic, neige et altitude**. Vail, Colorado ; Squaw Valley, Californie ; Aspen, Colorado.

**Décontraction et parois abruptes**. Alta, Utah ; Telluride, Colorado ; Jackson, Wyoming ; Taos, Nouveau-Mexique.

## Snowboard

Sur les pistes enneigées des États-Unis, on croise désormais autant de skieurs que de snowboarders – et ce grâce à Jake Burton Carpenter, un des pionniers de la discipline, qui fabriqua des prototypes de planches dans son garage du Vermont, au milieu des années 1970. L'Ouest ne fait pas exception à la règle, notamment dans la Sun Valley, à Tahoe et à Taos. L'été, cap sur la région du Mt Hood, dans l'Oregon, où plusieurs stations proposent des stages de snowboard.

## Ski de fond et randonnée en raquettes

La plupart des stations de ski offrent des parcours de ski de fond. En hiver, les forêts et parcs nationaux et les parcs urbains proposent souvent des parcours de ski nordique et de randonnée en raquettes ou la possibilité de faire du patin à glace.

Royal Gorge, en Californie, est le plus grand domaine de ski de fond d'Amérique du Nord. Vous y trouverez forcément un parcours qui vous convienne, de même qu'à Methow Valley, dans l'État de Washington, sublime et peu fréquenté. La Sierra Nevada, parsemée de refuges (*ski-in huts*), saura récompenser les passionnés de nature sauvage.

Près de 100 km de pistes et 5 refuges vous attendent dans les San Juan Mountains, au Colorado (www.sanjuanhuts.com). La 10th Mountain Division Association gère près d'une trentaine de refuges dans les Rocheuses (www.huts.org). Le South Rim du Grand Canyon et la Kaibab National Forest environnante se prêtent merveilleusement bien à l'exploration, en hiver.

### SANS OUBLIER...

| ACTIVITÉS | OÙ ? | POURQUOI ? | SITES INTERNET |
|---|---|---|---|
| **Randonnée équestre** | Ranchs du sud de l'Arizona | Le Far West ! En été, la plupart des ranchs ferment, du fait de la chaleur | www.azdra.com |
| | Grand Canyon South Rim, Arizona | Des incursions dans la Kaibab National Forest ; balades et feux de camp | www.apachestables.com |
| | Santa Fe, Nouveau-Mexique | Circuits pour les enfants et balades au coucher du soleil | www.bishopslodge.com |
| | Telluride, Colorado | Des randonnées à l'année dans les collines | www.ridewithroudy.com |
| | Durango, Colorado | Le jour à cheval, la nuit sous une tente dans le Weminuche Wilderness | www.vallecitolakeoutfitter.com |
| | Yosemite National Park, Wyoming | Chevaucher dans la Yosemite Valley, les Tuolumne Meadows et près de Wawona | www.yosemitepark.com |
| | Florence, Oregon | Des balades romantiques sur la plage | www.oregonhorsebackriding.com |
| **Plongée** | Blue Hole près de Santa Rosa, Nouveau-Mexique | Un puits artésien de 25 mètres dont les eaux bleues mènent à une caverne immergée de 40 mètres de long | www.santarosanm.org |
| | La Jolla Underwater Park, Californie | Un site ouvert aux débutants ; les snorkelers apprécient la baie de La Jolla, toute proche | www.sandiego.gov/lifeguards/beaches |
| | Channel Islands National Park, Californie | Des forêts de varech et des cavernes sous-marines, près des îles côtières | www.nps.gov/chis ; www.islandpackers.com/watersports.html |
| | Point Lobos State Reserve, Californie | Des plongées fantastiques près des côtes ; récifs peu profonds, cavernes, otaries, phoques, loutres | www.mbdscuba.com |
| | Puget Sound, Washington | Une eau limpide et une vie marine variée (dont le calamar géant) | www.underwatersports.com ; www.pugetsounddivecharters.com |
| **Balade en ballon** | Sedona, Arizona | Un survol du pays des roches rouges ; pique-nique au champagne | www.northernlightballoon.com |
| | Napa Wine Country, Californie | Des ballons de toutes les couleurs au-dessus des vignes | www.balloonrides.com ; www.napavalleyballoons.com |

### Renseignements

**Cross-Country Ski Areas Association** (www.xcski.org). Informations très complètes sur le matériel, le ski de fond et le snowboard en Amérique du Nord.

**Cross Country Skier** (www.crosscountryskier.com). Magazine avec des articles sur le ski de fond et des infos en ligne sur les pistes.

**Powder** (www.powdermag.com). Version en ligne du magazine de ski *Powder*.

**Ski Resorts Guide** (www.skiresortsguide.com). Guide complet des stations, avec cartes téléchargeables des pistes, infos sur les hébergements, etc.

**SkiNet** (www.skinet.com). Versions en ligne des magazines *Ski* et *Skiing*.

**SnoCountry Mountain Reports** (www.snocountry.com). Bulletins d'enneigement pour l'Amérique du Nord et liens vers les stations de ski et certains événements.

## Escalade et canyoning

La Californie est le point de convergence des amateurs de grimpe, venus mesurer leur dextérité sur les falaises, les dômes granitiques et les rochers du Yosemite National Park. La saison débute en avril pour se terminer en octobre. Le Joshua Tree National Park est une autre destination de choix, au désert arrosé de soleil. Là, parmi les monolithes escarpés et les plus vieux arbres du pays, 8 000 voies vous attendent sur les parois abruptes aux angles saillants. Dans ces deux parcs, des guides expérimentés guideront les débutants et leur fourniront force conseils. Dans le Zion National Park, dans l'Utah, les stages de canyoning, sur plusieurs jours, vous apprendront l'art de la descente dans un cadre grandiose de falaises de grès et de canyons à la roche rouge plantés d'arbres. La combinaison de plongée est particulièrement utile lorsqu'il faut passer sous des cascades rugissantes… ou plonger dans une piscine d'eau glacée.

Si l'escalade sur glace vous tente, vous trouverez votre bonheur au Ouray Ice Park, à Ouray, près de la Million Dollar Highway, dans le sud-ouest du Colorado. Un canyon étroit et des chutes d'eau pétrifiées de 90 mètres vous y attendent.

Autres voies intéressantes :

**Grand Teton National Park, Wyoming**. Pour grimpeurs de tout niveau, des parcours pour débutants aux expéditions de 2 jours à l'assaut du Grand Teton, un sommet de 4 197 mètres au panorama majestueux.

**City of Rocks National Reserve, Idaho**. Plus de 500 voies à l'assaut du granite érodé par le vent et des aiguilles hautes comme des immeubles de 60 étages.

**Bishop, Californie**. Cette ville paisible de l'est de la Sierra Nevada est la porte d'accès aux excellentes voies de la Owens River Gorge toute proche ou des Buttermilk Hills.

**Red Rock Canyon, Nevada**. À 16 kilomètres à l'ouest de Las Vegas ; parmi les meilleures voies sur grès au monde.

**Rocky Mountain National Park, Colorado**. Alpinisme, à proximité de Boulder.

**Flatirons, Colorado**. Voies pour tout niveau, également à proximité de Boulder.

### Renseignements

**American Canyoneering Association** (www.canyoneering.net). Base de données en ligne sur les canyons avec liens utiles sur des cours, des groupes d'escalade locaux, entre autres.

**Climbing** (www.climbing.com). Un excellent magazine sur la varappe de l'extrême créé en 1970.

**SuperTopo** (www.supertopo.com). Vend des guides de varappe et propose des cartes topographiques et des descriptions de parcours gratuites.

# Voyager avec des enfants

L'Ouest offre des distractions pour tous âges : parcs d'attractions, aquariums, zoos, musées des sciences, activités à sensations fortes, promenades à vélo… La plupart des parcs proposent des sentiers de randonnée, expositions et programmes (junior ranger, par exemple) pour les familles.

## Les meilleures régions

### Grand Canyon et Arizona du Sud

Balade dans le Grand Canyon, baignade dans Oak Creek et cactées à deux pas de Tucson. Parcs aquatiques, Dude Ranches et villes fantômes.

### Los Angeles et Californie du Sud

Empreintes des célébrités à Hollywood, studios de cinéma à Burbank et plage à Santa Monica. Parcs à thème à Orange County et San Diego.

### Colorado

Musées à Denver, activités de plein air dans les Rocheuses, rafting près de Buena Vista et Salida et stations de ski un peu partout.

## L'Ouest pour les enfants

Dans ce guide, des activités pour les familles sont répertoriées dans les chapitres régionaux ainsi que dans l'encadré *Avec des enfants* de chaque grande ville. L'icône (👪) indique les sites, activités et adresses adaptés.

### Où se restaurer

L'industrie hôtelière américaine semble spécialement pensée pour les familles : les enfants sont des clients à part entière auxquels on propose des menus spéciaux en portions plus petites et à prix réduit. Dans certains établissements, les enfants en dessous d'un certain âge mangent même gratuitement. Les restaurants mettent des chaises hautes et des rehausseurs à disposition des familles. Certains fournissent aussi des crayons de couleurs et des puzzles.

L'absence de menus pour enfants dans les restaurants ne veut pas toujours dire qu'ils ne sont pas les bienvenus, comme c'est souvent le cas dans les établissements chics. Toutefois, même dans ceux-ci, il est généralement possible, si vous arrivez juste à l'ouverture, de manger sans trop de problèmes. Demandez une portion plus petite (en vous faisant préciser le prix) ou une portion normale pour deux enfants. Les restaurants chinois, mexicains et italiens sont les meilleures options pour les enfants un peu difficiles.

### Hébergement

Motels et hôtels possèdent généralement des chambres avec deux grands lits, parfaits pour les familles. Certains proposent aussi des lits pliants ou de bébé moyennant un supplément (ce sont souvent des lits parapluie, pas forcément adaptés à tous les enfants). Dans certains hôtels, les enfants (jusqu'à 12 ans et parfois jusqu'à 18 ans) ne paient pas. Beaucoup de B&B n'acceptent pas les enfants ; vérifiez en réservant. Dans la plupart des complexes hôteliers, sauf quelques-uns réservés aux adultes, les enfants sont bien accueillis et on leur propose souvent un programme d'activités ; renseignez-vous au préalable.

### Baby-sitting

Certains complexes hôteliers proposent un service de baby-sitting. À défaut, demandez à la réception de vous aider à vous organiser. Vérifiez les tarifs, frais (déplacement, repas) et agréments des baby-sitters. La majorité des offices de tourisme indiquent les sites pour les enfants ainsi que les garderies, les services médicaux, etc.

## Réductions

Les enfants bénéficient souvent de réductions sur les circuits et les billets d'entrée et de transport, allant jusqu'à 50% du tarif adulte (dans certains endroits, "enfant" signifie moins de 12 ans, dans d'autres moins de 16 ans). Certains sites populaires offrent des tarifs famille ; dans l'ensemble, les enfants de moins de 2 ans entrent gratuitement.

## Préparer son voyage

Aux États-Unis, les conditions climatiques et la foule sont des facteurs importants à prendre en compte quand l'on programme une escapade en famille. La haute saison s'étend de juin à août, quand les enfants sont en vacances et qu'il fait le plus chaud : attendez-vous à des prix élevés, aux foules et à une circulation intense. Pour les destinations prisées, réservez longtemps à l'avance. Dans les Rocheuses, et les stations de ski (telles Lake Tahoe), la haute saison bat son plein de janvier à mars.

## Équipements à prévoir

Primordial : de la crème solaire, en quantité !

Prévoyez un porte-bébé ventral (jusqu'à 1 an) ou dorsal (jusqu'à 4 ans) avec une protection contre le soleil intégrée si vous randonnez. Vous en trouverez dans tous les magasins de loisirs de plein air du pays. Les enfants plus âgés auront besoin de chaussures de marche robustes et, pour jouer dans les ruisseaux, de sandales en caoutchouc.

Les autres fournitures de base incluent serviettes (pour se sécher après un bain en chemin), vêtements de pluie, veste polaire ou gros pull (même en été, les nuits sont froides dans le désert), chapeau de soleil et répulsif à insectes sont les bienvenus.

Pour éviter aux plus jeunes l'angoisse de dormir dans un nouvel environnement, un lit parapluie peut être utile.

## À ne pas manquer

### Activités de plein air

**Yellowstone National Park** (p. 296). Puissants geysers, faune et flore pour des randonnées magnifiques.

**Grand Canyon National Park** (p. 364). Émerveillez-vous à la vue d'une des plus grandes failles de la Terre, avant une randonnée, un exposé par les rangers et une balade à vélo.

**Olympic National Park** (p. 205). Explorez la nature sauvage et sublime de ce parc, l'une des rares zones au monde de forêt pluvieuse tempérée.

**Oak Creek Canyon** (p. 349 ; Hwy 89A NE Sedona). Glissez sur les rochers rouges du Slide Rock State Park, dans l'Arizona.

### Aquariums et zoos

**Arizona-Sonora Desert Museum** (p. 376). Coyotes, cactus et autres espèces du milieu désertique passionnent les enfants. À Tucson.

### SUR LA ROUTE ET EN L'AIR

➡ Beaucoup de toilettes publiques sont équipées d'une table à langer (parfois même dans les toilettes hommes). Les aéroports disposent d'espaces familles.

➡ Les agences de location de voitures devraient pouvoir vous fournir un siège bébé, obligatoire dans tous les États, mais n'oubliez pas de le demander en réservant le véhicule ; comptez environ 10 $/jour supplémentaires.

➡ Les compagnies aériennes nationales offrent le billet aux enfants de moins de 2 ans, qui voyagent sur les genoux de leurs parents. Au-dessus de cet âge, les enfants doivent voyager sur un siège et les réductions sont rares. Quelques complexes de loisirs (comme Disneyland) proposent des offres promotionnelles avec vol gratuit pour les enfants. Amtrak et d'autres compagnies ferroviaires font parfois de même, offrant la gratuité aux enfants de moins de 15 ans sur divers trajets. Actuellement, les moins de 15 ans accompagnant un adulte payant bénéficient de 50% sur le tarif le moins cher d'Amtrak.

**Monterey Bay Aquarium** (p. 121). Des créatures des profondeurs évoluent dans cet aquarium jouxtant la plus grande réserve marine de la côte centrale de Californie.

**Aquarium of the Pacific** (p. 79). À Long Beach, cet aquarium high-tech abrite des espèces de toute la côte pacifique, des eaux chaudes de la Baja California aux eaux glaciales du Nord. Vous y découvrirez aussi le lagon des requins.

## En cas de pluie

**Musées de Los Angeles**. Découvrez les étoiles au Griffith Observatory, les os de dinosaures au Natural History Museum de LA County et au Page Museum à La Brea Tar Pits, puis les installations interactives du très divertissant California Science Center.

**Musées de San Francisco**. L'Exploratorium et ses expositions interactives, le Zeum sur les multimédias ou la California Academy of Sciences tournée vers l'écologie passionnent les enfants.

**Pacific Science Center** (p. 197). Ce centre scientifique, dans Seattle, propose de fascinantes expositions interactives, une salle IMAX, un planétarium et des spectacles laser.

**Museum of Natural History & Science** (p. 404). Dans ce musée d'Albuquerque, il ne faut pas manquer les dinosaures du jurassique rassemblés dans le Hall of Jurassic Supergiants.

## Parcs à thème

**Disneyland** (p. 90). Le royaume enchanté de Mickey Mouse, au centre de l'Orange County, en Californie.

**SeaWorld** (p. 99). Spectacles d'orques, manèges à sensations et autres attractions attendent les enfants au parc aquatique de San Diego.

**Universal Studios** (p. 74). Un circuit en tram dans Los Angeles fait découvrir les lieux de tournage des films d'action d'Hollywood, des spectacles d'effets spéciaux et un plateau extérieur en activité.

# Renseignements

Pour des informations et des conseils d'ordre général, procurez-vous le guide *Voyager avec ses enfants*, publié par Lonely Planet. En ce qui concerne plus spécifiquement la randonnée, lisez *Guide de rando avec les enfants : Conseils pratiques pour les parents et les grands-parents*, de Monique Vincent-Fourrier (Delachaux et Niestlé, 2008) ou *Randonner avec des enfants : À la montagne et à la campagne*, de Nathalie Magrou (éditions Rando, 2007).

Quelques sites Internet :

**Avec mes enfants** (http://avec-mes-enfants.fr/). Des idées pour des vacances en famille, des descriptions de sites et des conseils.

**Parents Connect** (www.parentsconnect.com/family-travel, en anglais). Une encyclopédie virtuelle sur tout ce que doivent savoir les parents partant pour la première fois avec leurs enfants.

**Go City Kids** (www.gocitykids.com, en anglais). Excellent site couvrant les activités et tous les sites d'intérêt pour les enfants dans plus de 50 villes américaines.

**Kids.gov** (www.kids.gov, en anglais). Un site national délivrant quantité d'informations consacrées aux enfants, où l'on peut charger des chansons et des activités, ou même se connecter à la CIA Kid's Page.

# Les régions en un clin d'œil

Plusieurs images viennent à l'esprit lorsqu'on parle de l'Ouest américain : lézards qui se dorent au soleil, virevoltants qui volent au vent, cactus Saguaro… Si ces clichés sont typiques du sud de l'Arizona, les forêts luxuriantes du Nord-Ouest pacifique, les plages californiennes baignées de soleil, les pistes cyclables jonchées de feuilles des Rocheuses et les cheminées de fées aux reflets rouges et dorés de l'Utah font tout autant partie de ses merveilles. Une variété qui ouvre à toutes sortes d'aventures répondant au goût de chacun.

Les voyageurs férus de culture pourront visiter les sites amérindiens de l'Arizona et du Nouveau-Mexique. Les fashionistas et les gourmets trouveront à Los Angeles, San Francisco et Seattle une offre sophistiquée en magasins et en restaurants. Passionné d'histoire ? Les campements mormons de l'Utah, les missions espagnoles de la Californie et les innombrables villes historiques de l'Ouest n'attendent que vous. Et si l'envie de faire des folies vous prend, deux mots seulement : Las Vegas.

## Californie

**Plages**
**Activités de plein air**
**Gastronomie et vin**

### Une côte splendide

La Californie offre plus de 1 800 km de côtes, des plages sauvages et immaculées du nord aux étendues sablonneuses bondées au sud, idéales pour la pratique du surf et du kayak ou pour se promener simplement les pieds dans l'eau.

### Des paysages variés

Dévaler à ski les pentes enneigées, filer sur des rapides en rafting, explorer les îles côtières en kayak, marcher en pleine nature ou pratiquer l'escalade dans le désert : ce ne sont pas les activités qui manquent en Californie !

### Une terre de gastronomie

Sol fertile, chefs talentueux et appétit insatiable pour la nouveauté font de la Californie une destination culinaire de choix. Arpentez ses marchés, dégustez pinot et chardonnay et profitez dans votre assiette de produits tout droit sortis du potager ou de la ferme.

p. 60

## Nord-Ouest pacifique

**Cyclotourisme**
**Gastronomie et vin**
**Parcs nationaux**

### Le vélo à l'honneur

Enfourchez une petite reine pour découvrir les paisibles et vallonnées San Juan Islands, longez les falaises côtières de l'Oregon sur la Hwy 101 ou adoptez le moyen de transport favori de Portland, royaume des pistes cyclables.

### Le paradis des locavores et des œnophiles

À la pointe de la gastronomie, les villes du Nord-Ouest comme Portland ou Seattle soutiennent la production locale, les poissons tout frais pêchés et les légumes du potager. Côté vins, seuls les crus californiens dépassent en qualité ceux du Washington.

### Un terrain de jeu naturel

Quatre parcs nationaux : trois classiques, créés à l'orée du XX^e siècle – Olympic, Mount Rainier et Crater Lake – et le plus récent, North Cascades.

p. 184

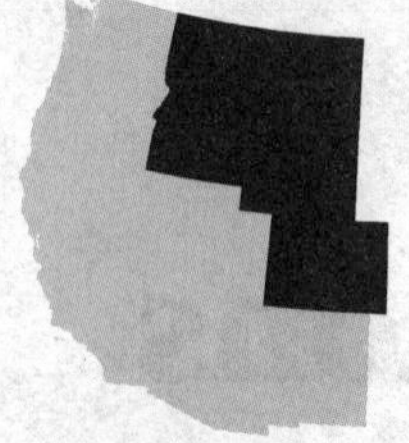

## Rocheuses

**Activités de plein air**
**Culture de l'Ouest**
**Paysages spectaculaires**

### Une kyrielle d'activités

Ski, randonnée, cyclisme : les Rocheuses sont le paradis des amateurs de sensations fortes. Chacun y trouve son bonheur, avec des centaines de courses et de randonnées cyclistes, ainsi qu'un incroyable éventail de parcs, de sentiers et de refuges.

### Des cow-boys modernes

Les combinaisons en lycra ont remplacé les Stetson et les tenues de cow-boys, et les habitants sont désormais le plus souvent à califourchon sur un VTT, ou en train de siroter une bière artisanale ou un *latte* à la terrasse ensoleillée d'un café.

### Un paradis alpin

Les Rocheuses aux sublimes sommets enneigés comptent quelques-uns des parcs les plus célèbres au monde, semés de pics découpés, de rivières aux eaux cristallines, de rochers rouge carmin, sans compter le bon air de la montagne.

p. 249

## Sud-Ouest

**Panoramas**
**Culture amérindienne**
**Gastronomie**

### Des paysages de feu

Entre autres merveilles géographiques situées à l'intérieur et autour des parcs nationaux et forêts, le Sud-Ouest est célèbre pour son spectaculaire Grand Canyon et les superbes roches rouges de Monument Valley, Moab et Sedona.

### Pueblos et réserves

Visiter les territoires hopi et navajo ou l'un des 19 *pueblos* que compte le Nouveau-Mexique constitue une excellente initiation à la culture amérindienne. C'est l'occasion rêvée d'apprécier et d'acheter des produits artisanaux amérindiens.

### Des mets de choix

Goûtez des *enchiladas* de poulet pimentées au Nouveau-Mexique, un copieux hot dog de Sonora à Tucson, ou tout simplement un bon steak à peu près partout. À Vegas, vous pourrez manger jusqu'à plus faim sans vous ruiner à l'un des formidables buffets de la ville. À moins de préférer à l'écart du Strip des expériences plus épicuriennes.

p. 323

# Sur la route

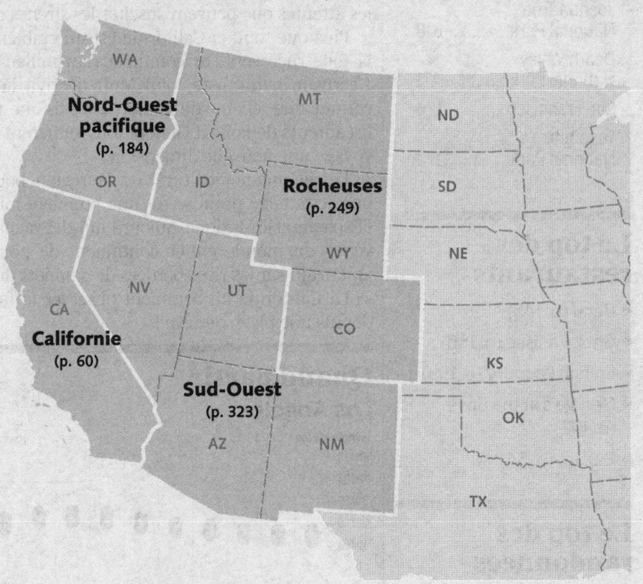
WA
Nord-Ouest pacifique
(p. 184)
OR
ID
MT
Rocheuses
(p. 249)
WY
ND
SD
NE
NV
UT
CA
Californie
(p. 60)
CO
KS
Sud-Ouest
(p. 323)
OK
AZ
NM
TX

# Californie

Dans ce chapitre ➡



## Le top des restaurants

- Benu (p. 145)
- Chez Panisse (p. 156)
- French Laundry (p. 159)
- George's at the Cove (p. 102)
- Bazaar (p. 84)

## Le top des randonnées

- Yosemite National Park (p. 173)
- Sequoia National Park et Kings Canyon National Park (p. 177)
- Marin County (p. 154)
- Redwood National & State Parks (p. 166)

## Pourquoi y aller

Avec un esprit bohème, un goût affûté pour le high-tech et une passion pour l'hédonisme - qu'il s'agisse d'ouvrir une bouteille de zinfandel, de grimper un sommet de plus de 4 000 m ou de surfer sur le Pacifique –, la Californie dépasse les attentes que peuvent susciter les sirènes d'Hollywood.

Plus que tout, la Californie est un emblème, l'endroit où la folle ruée vers l'or commença au milieu du XIXe siècle. L'écrivain naturaliste John Muir décrivit la Sierra Nevada comme une "chaîne de lumière", tandis que Jack Kerouac et les auteurs de la Beat Generation donnèrent à la route et au voyage une nouvelle dimension.

Le melting-pot culturel de la région bouillonne depuis que cette terre promise fut une première fois délimitée par l'Espagne et le Mexique. Aujourd'hui, des vagues d'immigrants venus du monde entier continuent de poursuivre le rêve américain sur les rives bordées de palmiers du Pacifique.

La Californie ou comment observer le futur en marche depuis une plage de rêve !

## Quand partir

### Los Angeles

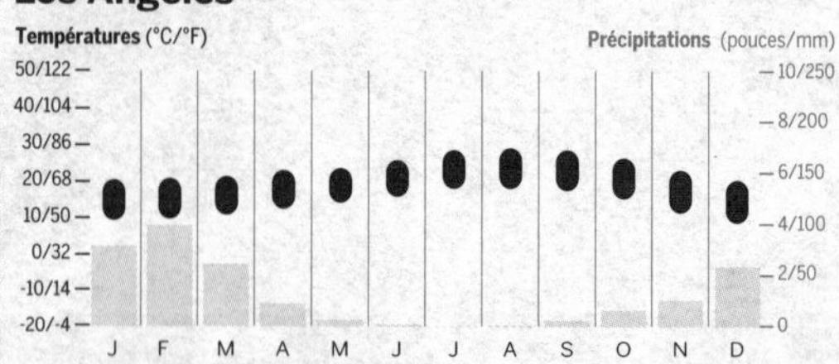


**Juin-août** Temps ensoleillé, parfois brumeux sur la côte. Beaucoup de vacanciers.

**Avr-mai et sept-oct** Nuits plus fraîches, ciel habituellement dégagé ; tarifs promotionnels.

**Nov-mars** Pic touristique dans les stations de ski, et les déserts du Sud.

## Comment s'y rendre et circuler

Los Angeles (LAX) et San Francisco (SFO) sont les principaux aéroports internationaux. Les petits aéroports de San Diego, Orange County, Oakland, San Jose, Sacramento, Burbank, Long Beach et Santa Barbara offrent essentiellement des vols intérieurs.

Quatre principales lignes ferroviaires longue distance Amtrak relient la Californie au reste des États-Unis : *California Zephyr* (Chicago-Baie de San Francisco), *Coast Starlight* (Seattle-Los Angeles), *Southwest Chief* (Chicago-LA) et *Sunset Limited* (New Orleans-LA). Les itinéraires Amtrak à l'intérieur de l'État comprennent le *Pacific Surfliner* (San Diego-LA-Santa Barbara-San Luis Obispo), le *Capitol Corridor* (San Jose-Oakland-Berkeley-Sacramento) et le *San Joaquin* (Bakersfield-Oakland ou Sacramento, puis bus de la Yosemite Valley à partir de Merced).

Les bus Greyhound sont bien présents dans l'État, mais pour vraiment l'explorer, vous aurez besoin d'une voiture.

### PARCS NATIONAUX ET D'ÉTAT

Créés en 1890, Yosemite et Sequoia ont été les premiers parcs nationaux de Californie, qui en compte aujourd'hui sept autres : Kings Canyon, Death Valley, Joshua Tree, Channel Islands, Redwood, Lassen Volcanic et Pinnacles. Le **National Park Service** (www.nps.gov) gère une vingtaine d'autres sites. Comptez 0-25 $ par véhicule pour sept jours et jusqu'à 20 $ la nuit de camping. **Recreation.gov** (☎877-444-6777, 518-885-3639 ; www.recreation.gov) gère les réservations de camping sur les domaines fédéraux. Les 280 **parcs d'État** (☎800-777-0369, 916-653-6995 ; www.parks.ca.gov) californiens offrent une belle diversité, des réserves marines aux forêts de séquoias, protégeant un tiers de la côte et comptant 4 800 km de chemins de randonnée, pistes cyclables ou cavalières. Certains sont fermés ou réduisent leurs horaires (appelez ou consultez le site Internet). Comptez 4-15 $ par jour pour le parking et 5-75 $ pour le camping. **ReserveAmerica** (☎800-444-7275 ; www.reserveamerica.com) gère les réservations de camping dans les parcs d'État.

## Le top 5 des plages californiennes

- **Huntington Beach** (p. 93). Feux de camp, beach-volley et fortes vagues à "Surf City USA".
- **Coronado** (p. 96). Paressez au soleil sur l'infini Silver Strand de San Diego.
- **Zuma** (p. 77). Une eau bleu-vert cristalline et du sable mordoré près de Malibu.
- **Santa Cruz** (p. 113). Haut lieu du surf et amusements sans fin au parc d'attractions de Beach Boardwalk.
- **Point Reyes** (p. 155). Plages sauvages et venteuses, idéales pour se promener et observer la nature.

### À NE PAS MANQUER

Impossible de quitter la Californie sans avoir étreint un arbre ! Pourquoi pas le séquoia à feuilles d'if, qui peut vivre 2 000 ans et atteindre 115 m de haut ?

## En bref

- **Villes clés** Los Angeles (3 819 702 hab.), San Francisco (812 826 hab.)
- **Temps de trajet** De LA à San Francisco (5 heures 30 par l'I-5 et l'I-580 dans les terres, 8 heures 30 par la côte via les Hwy 101 et Hwy 1)
- **Fuseau horaire** Heure du Pacifique

## Le saviez-vous ?

Quelques inventions californiennes : Internet et l'iPad, le power yoga et la téléréalité, la navette spatiale et Mickey Mouse, la salade Cobb et le *fortune cookie* (biscuit chinois).

## Sites Web

- **California Travel & Tourism Commission** (www.visitcalifornia.com). Site d'infos touristiques officiel.
- **California Department of Transportation** (www.dot.ca.gov/cgi-bin/roads.cgi). État et fermetures des routes.
- **USGS Earthquake Hazards** (http://quake.usgs.gov/recenteqs/latest.htm). Tremblements de terre en temps réel.

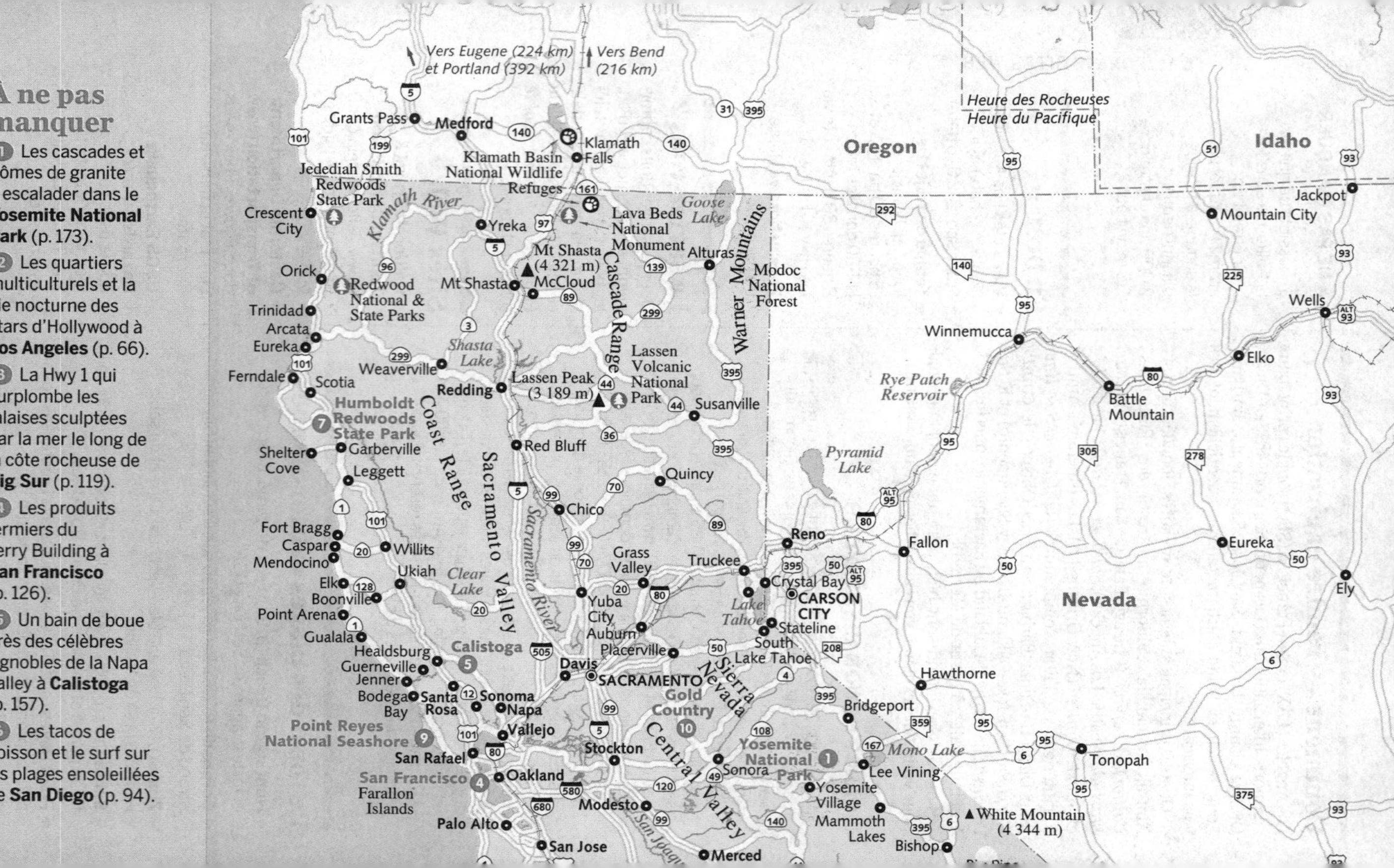


# À ne pas manquer

1 Les cascades et dômes de granite à escalader dans le **Yosemite National Park** (p. 173).

2 Les quartiers multiculturels et la vie nocturne des stars d'Hollywood à **Los Angeles** (p. 66).

3 La Hwy 1 qui surplombe les falaises sculptées par la mer le long de la côte rocheuse de **Big Sur** (p. 119).

4 Les produits fermiers du Ferry Building à **San Francisco** (p. 126).

5 Un bain de boue près des célèbres vignobles de la Napa Valley à **Calistoga** (p. 157).

6 Les tacos de poisson et le surf sur les plages ensoleillées de **San Diego** (p. 94).

7 Les plus grands arbres du monde sur l'Avenue of the Giants du **Humboldt Redwoods State Park** (p. 165).

8 Les dunes de sable et les villes fantômes de l'Ouest dans la **Death Valley** (p. 111).

9 Les baleines, les phoques et le wapiti nain au **Point Reyes National Seashore** (p. 155).

10 Les bassins naturels et la prospection comme au temps de la ruée vers l'or dans le **Gold Country** (p. 168).

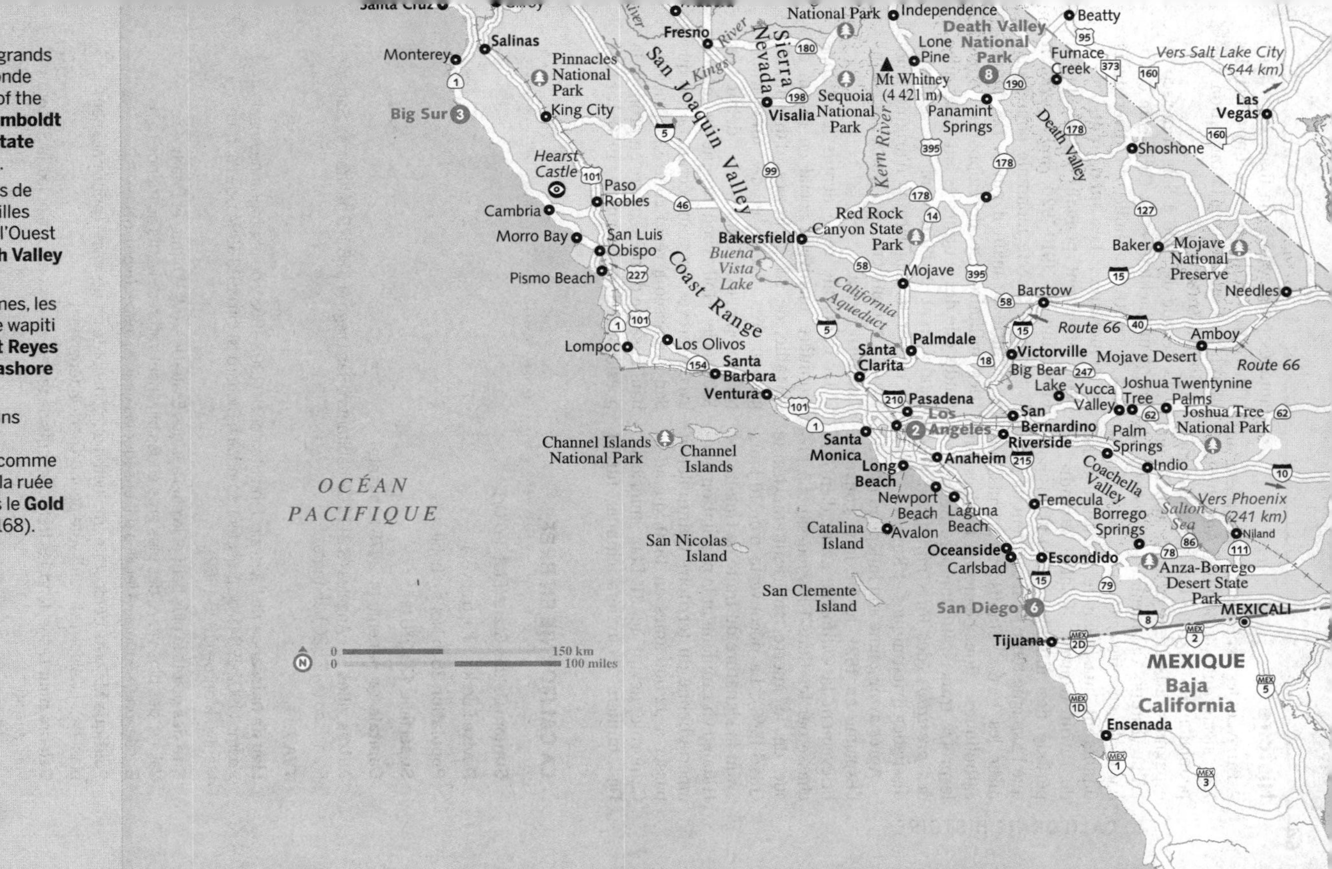

## Histoire

À l'arrivée des explorateurs européens au XVI^e siècle, quelque 300 000 Amérindiens peuplaient la région. Les conquistadors espagnols ratissèrent ce qu'ils appelaient l'Alta (Haute) California à la recherche d'une légendaire cité d'or, puis abandonnèrent quasiment le territoire faute de l'avoir trouvée. Il fallut attendre la période des missions (1769-1833) pour que l'Espagne tente sérieusement de coloniser les terres, établissant 21 missions catholiques – dont beaucoup fondées par le prêtre franciscain Junípero Serra – et des *presidios* (des forts militaires) pour dissuader Britanniques et Russes.

Après avoir gagné son indépendance de l'Espagne en 1821, le Mexique gouverna brièvement la Californie avant d'en être chassé par les États-Unis naissants à l'issue de la guerre américano-mexicaine (1846-1848). La découverte d'or 10 jours avant la signature du traité de Guadalupe Hidalgo vit rapidement la population non-amérindienne du territoire quintupler et passer à 92 000 âmes en 1850, quand la Californie devint le 31^e État américain. Des milliers d'ouvriers chinois furent amenés pour achever la ligne ferroviaire transcontinentale en 1869, qui ouvrit les marchés et encouragea la migration vers le Golden State.

Le séisme de 1906 à San Francisco ne fut qu'un incident et la Californie continua à croître en taille, en diversité et en importance. Les immigrants mexicains affluèrent pendant la Révolution mexicaine de 1910-1920, puis pendant la Seconde Guerre mondiale pour palier la pénurie de main d'œuvre. Les industries militaires se développèrent alors, tandis que des sentiments anti-asiatiques conduisirent à l'internement arbitraire de nombreux Américains d'origine japonaise, notamment à Manzanar dans l'Eastern Sierra.

La Californie reste depuis longtemps pionnière au niveau social en raison de sa taille, de ses richesses, d'une immigration très diverse et des innovations technologiques. Depuis le début du XX^e siècle, Hollywood fascine le monde avec ses rêves sur grand écran, tandis que San Francisco a réagi contre la placidité banlieusarde d'après-guerre en prônant la poésie Beat dans les années 1950, l'amour

### LA CALIFORNIE EN BREF

**Surnom** Golden State (État de l'Or)

**Devise** Eureka ("J'ai trouvé")

**Population** 38 millions d'habitants

**Superficie** 423 970 km$^2$

**Capitale** Sacramento (472 178 habitants)

**Autres villes** Los Angeles (3 819 702 habitants), San Diego (1 326 179 habitants), San Francisco (812 826 habitants)

**TVA** 7,5%

**Lieu de naissance de** l'écrivain John Steinbeck (1902-1968), du photographe Ansel Adams (1902-1984), du président américain Richard Nixon (1913-1994), de l'actrice Marilyn Monroe (1926-1962).

**Site des** points le plus haut et le plus bas des États-Unis (Mt Whitney et Death Valley), des plus vieux, des plus gros et des plus hauts arbres vivants au monde (pins Bristlecone, séquoias à feuilles d'if et séquoias géants, respectivement).

**Politique** Majorité démocrate (multiethnique), minorité républicaine (principalement blanche), 1 Californien sur 5 vote pour un parti indépendant.

**Célèbre pour** Disneyland, les tremblements de terre, Hollywood, les hippies, la Silicon Valley, le surf.

**Souvenir le plus kitsch** Un autocollant du "Mystery Spot"

**Distances routières** De Los Angeles à San Francisco 610 km, de San Francisco à la Yosemite Valley 322 km.

**LA CALIFORNIE EN...**

**Une semaine**

Un concentré de Californie en commençant par **Los Angeles**, avec un détour par **Disneyland**. Remontez la venteuse côte centrale, avec des haltes à **Santa Barbara** et **Big Sur**, avant un plongeon dans la culture urbaine de **San Francisco**. Rejoignez ensuite le **Yosemite National Park** , temple de la nature dans l'arrière-pays, puis retournez à LA.

**Deux semaines**

Suivez l'itinéraire proposé ci-dessus sans vous presser. Ajoutez des escapades dans le **Wine Country** du nord de la Californie ; au **Lake Tahoe**, perché dans la Sierra Nevada ; aux fabuleuses plages d'**Orange County** et de **San Diego**, royaume de la décontraction ; ou au **Joshua Tree National Park**, près de **Palm Springs**, la station chic du désert.

**Un mois**

Découvrez tous les endroits mentionnés ci-dessus, et plus encore. De San Francisco, remontez la côte nord à partir du **Point Reyes National Seashore**, dans Marin County. Flânez dans **Mendocino** et **Eureka**, des localités de l'époque victorienne, rejoignez la **Lost Coast** et promenez-vous parmi les fougères des **Redwood National & State Parks**. Dans l'arrière-pays, prenez une photo du **Mt Shasta**, faites un crochet par le **Lassen Volcanic National Park** et explorez l'historique **Gold Country**. Suivez la crête de l'**Eastern Sierra** avant de descendre dans le **Death Valley National Park**.

libre hippie dans les années 1960 et la gay pride dans les années 1970. La révolution Internet, lancée par des visionnaires de la Silicon Valley, s'est propagée dans tout le pays et a conduit au boom boursier des années 1990.

Quand cette bulle technologique spéculative a éclaté, plongeant l'économie de l'État dans le chaos, les Californiens en ont rendu responsable leur gouverneur démocrate Gray Davis et, lors d'une élection controversée avant la fin de son mandat, ont élu l'acteur devenu Républicain, Arnold Schwarzenegger (alias “Governator”). À la suite de la récession américaine de 2008, des réductions du budget californien ont provoqué une autre grave crise financière, que le gouverneur réélu Jerry Brown commence maintenant à résoudre.

L'éducation publique a besoin de réformes, les prisons débordent, les parcs d'État manquent régulièrement de financement et le dilemme de l'immigration mexicaine illégale, qui compense une pénurie de main-d'œuvre bon marché (surtout dans l'agriculture), perdure.

## Culture locale

Neuvième économie du monde, la Californie est un État d'extrêmes, où une misère noire côtoie une richesse fabuleuse. Des immigrants continuent d'arriver et des quartiers sont souvent des miniversions de leurs patries. Si la tolérance est la norme sociale, l'intolérance est tout aussi présente ; vous la constaterez si vous fumez ou si vous conduisez sur l'autoroute à l'heure de pointe.

Des attitudes à rebours des traditions et des conventions caractérisent toujours la Californie, qui se veut à la pointe des courants. L'image est une obsession ; il faut avoir l'air jeune et sportif et se montrer débrouillard. Que ce soit un luxueux 4x4 ou une Nissan Leaf, une voiture peut définir qui vous êtes et l'importance que vous vous accordez, surtout dans la SoCal (sud de la Californie).

Considérez la Californie comme le laboratoire social le plus futuriste des États-Unis. La Silicon Valley construit de nouveaux gadgets technologiques à la vitesse de l'éclair. Si des célébrités postmodernes, bizarrement connues pour le simple fait d'être célèbres, font une déclaration sur la mode ou se retrouvent en prison, tout le pays s'y intéresse. Aucune culture populaire d'un autre État n'a une telle influence sur la façon dont les Américains travaillent, jouent, aiment, mangent, consomment et même recyclent.

# LOS ANGELES

LA County – le plus grand comté du pays – illustre parfaitement les extrêmes de la nation. Ses habitants comptent parmi les plus riches et les plus pauvres du pays, les plus établis et les derniers arrivants, les plus raffinés et les plus grossiers, les plus érudits et les plus superficiels. Même le paysage est un microcosme des États-Unis, des plages photogéniques aux montagnes enneigées, des gratte-ciel aux banlieues sans fin en passant par les zones sauvages peuplées de pumas.

Si vous pensez tout connaître de LA – starlettes, smog, embouteillages, bikinis et aspirants pop-stars – détrompez-vous. Malgré son statut de capitale du divertissement, la vérité de la ville n'est pas sur grand écran mais dans les expériences à taille humaine de la vie quotidienne. Les Angelenos sont unis par une quête commune, parfois ancestrale, de gloire, de fortune ou de renaissance.

Le moment est particulièrement propice pour visiter LA : Hollywood et Downtown sont en plein renouveau urbain, et les scènes artistique, musicale, gastronomique et de la mode en plein épanouissement. "La-La Land" sait conquérir les cœurs.

## Histoire

L'existence de chasseurs-cueilleurs des Gabrieleño et des Chumash s'achèva avec l'arrivée des missionnaires et des pionniers espagnols à la fin du XVIIIe siècle. La première colonie civile espagnole, El Pueblo de Nuestra Señora la Reina de Los Ángeles, resta un avant-poste agricole isolé pendant des décennies après sa fondation en 1781. Elle ne fut officiellement incorporée en tant que ville californienne qu'en 1850.

Après l'effondrement de la ruée vers l'or californienne, la population de LA grossit régulièrement avec l'arrivée du chemin de fer transcontinental, l'émergence de l'industrie des agrumes, la découverte de pétrole, le lancement du port, la naissance de l'industrie du cinéma et l'ouverture du California Aqueduct. Après la Seconde Guerre mondiale, sa population est passée d'environ 2 millions en 1950 à près de 4 millions aujourd'hui.

La croissance de LA a posé des problèmes, au nombre desquels l'expansion urbaine et la pollution de l'air ; des mesures strictes ont cependant permis de faire baisser chaque année le niveau de smog. Si la circulation, le marché immobilier instable, les séismes et les feux de forêt restent des problèmes préoccupants, son économie diversifiée et son taux de criminalité décroissant poussent à considérer LA comme une survivante.

## À voir

À 20 km environ du Pacifique dans l'arrière-pays, Downtown associe histoire, arts et culture. De nouveau branché, Hollywood,

### LOS ANGELES EN...

Les distances sont immenses à LA, aussi tenez compte de la circulation et n'essayez pas d'en faire trop en une journée.

#### Un jour

Commencez par prendre des forces au **Griddle Cafe** et partez à la chasse aux noms de stars le long du **Hollywood Walk of Fame** dans Hollywood Blvd. Faites du shopping comme les célébrités en explorant les boutiques de mode de **Robertson Blvd**, infesté de paparazzis, ou offrez-vous un bol de nature au **Griffith Park**. Ensuite, rendez-vous en voiture jusqu'à l'imposant **Getty Center** ou rejoignez le **Venice Boardwalk** pour le spectacle du front de mer. Terminez par un coucher du soleil sur le Pacifique à **Santa Monica**.

#### Deux jours

Explorez Downtown LA, en rapide évolution. Découvrez ses racines au **Pueblo de Los Angeles** et faites un bond dans le futur au spectaculaire **Walt Disney Concert Hall** ponctuant le **Cultural Corridor**. Digérez votre déjeuner en déambulant parmi les monuments historiques de Downtown et les galeries Art nouveau près de **Little Tokyo**. Au fastueux centre de loisirs **LA Live** de South Park, devenez une star de la musique au **Grammy Museum** multimédia avant de rejoindre les vraies célébrités encourageant les Lakers à côté, au **Staples Center**.

s'étend au nord-ouest de Downtown, et West Hollywood (WeHo) est le quartier des créateurs chics, des lesbiennes et des gays. Au sud de WeHo, Museum Row est la principale attraction de Mid-City. Plus à l'ouest s'étendent le luxueux Beverly Hills, Westwood, près du campus de l'UCLA, et West LA. Les villes balnéaires comptent Santa Monica, qui convient bien aux enfants, Venice la bobo, Malibu et sa plage de stars, ainsi que Long Beach, toujours animée. Huppée, Pasadena s'étend au nord-est de Downtown.

## Downtown (centre-ville)

Pendant des décennies, le cœur historique, gouvernemental et d'affaires de LA se vidait le soir et le week-end. Ce n'est plus le cas. Spectacles et divertissements font le plein, et jeunes cadres et artistes ont investi de nouveaux lofts, attirant bars, restaurants et galeries. Ce n'est certes pas encore Manhattan, mais les citadins aventureux ne voudront pas manquer Downtown.

Le quartier s'explore facilement à pied, avec de petits trajets en métro et en minibus DASH. Le parking est meilleur marché (à partir de 6 € la journée) à Little Tokyo et Chinatown.

### EL PUEBLO DE LOS ANGELES ET SES ENVIRONS

Compact, pittoresque et piétonnier, ce quartier historique est un plongeon dans les racines hispano-mexicaines de LA. Son axe principal est **Olvera Street**, haut lieu du kitsch où l'on se procure des babioles folkloriques faites main avant de dévorer tacos et churros.

Le "nouveau" Chinatown, à 800 m au nord le long de Broadway et de Hill St, est rempli de restaurants de *dim sum*, d'échoppes d'apothicaire, de boutiques de curiosités et de galeries d'art avant-gardistes dans Chung King Rd.

**La Plaza de Cultura y Artes** MUSÉE
(carte p. 70 ; ☎213-542-6200 ; www.lapca.org ; 501 N Main St ; ⏲12h-19h mer-dim). GRATUIT Ouvert en 2010, La Plaza retrace l'histoire mexicano-américaine à Los Angeles, des émeutes Zoot Suit de 1943 au mouvement chicano. Le musée jouxte une église de 1822, **La Placita** (carte p. 70 ; www.laplacita.org ; 535 N Main St).

**Avila Adobe** MUSÉE
(carte p. 70 ; ☎213-628-1274 ; http://elpueblo.lacity.org ; Olvera St ; ⏲9h-16h). GRATUIT Ce ranch de 1818, décoré de meubles d'époque, serait le plus vieux bâtiment de la ville. Une vidéo présente l'histoire et les principaux sites du quartier.

**Union Station** MONUMENT
(carte p. 70 ; 800 N Alameda St ; P). La dernière des grandes gares américaines Art déco (1939) apparaît dans *Blade Runner*, *Speed* et nombre d'autres films et téléfilms. Le parking coûte de 2 $ les 20 minutes à 6 $ la journée.

**Chinese American Museum** MUSÉE
(carte p. 70 ; ☎213-485-8567 ; www.camla.org ; Garnier Bldg, 425 N Los Angeles St ; adulte/enfant 3/2 $ ; ⏲10h-15h mar-dim). Petit musée bien conçu, dans un immeuble commercial et centre communautaire chinois du XIX^e siècle, construit avant que Chinatown ne déménage au nord.

### CIVIC CENTER ET CULTURAL CORRIDOR

Le "couloir culturel" de North Grand Ave se distingue par le **Music Center** (carte p. 70 ; ☎213-972-7211 ; www.musiccenter.org ; 135 N Grand Ave), où des spectacles sont donnés au Dorothy Chandler Pavilion, au Mark Taper Forum et à l'Ahmanson Theater.

♥ **Museum of Contemporary Art** MUSÉE
(MOCA ; carte p. 70 ; ☎213-626-6222 ; www.moca.org ; 250 S Grand Ave ; adulte/enfant 12 $/gratuit, 17h-20h jeu gratuit ; ⏲11h-17h lun et ven, 11h-20h jeu, 11h-18h sam-dim). Dans un bâtiment conçu par Arata Isozaki, le MOCA Grand Ave propose des expositions temporaires très courues. Sa collection permanente présente des œuvres majeures des années 1940 à aujourd'hui. Le parking au Walt Disney Concert Hall revient à 9 $ minimum (espèces uniquement. Le MOCA possède deux annexes : le Geffen Contemporary dans Little Tokyo et le Pacific Design Center de West Hollywood.

♥ **Walt Disney Concert Hall** MONUMENT CULTUREL
(carte p. 70 ; ☎information 213-972-7211, billets 323-850-2000 ; www.laphil.org ; 111 S Grand Ave ; ⏲visites guidées en général à 10h30 et 12h30 mar-sam ; P). GRATUIT Le bâtiment emblématique conçu par l'architecte Frank Gehry en 2003 défie la gravité avec ses murs en acier incurvés et ondulés. Il accueille le Los Angeles Philharmonic (p. 86). Des visites gratuites sont organisées en

fonction des dates de concert. Des passerelles entourent le toit labyrinthique et l'extérieur. Parking à partir de 9 $ (espèces uniquement). Les visites avec audioguides ont généralement lieu de 10h à 14h chaque jour. Toutes les visites doivent être réservées.

**Cathedral of Our Lady of the Angels** ÉGLISE

(carte p. 70 ; ☎213-680-5200 ; www.olacathedral.org ; 555 W Temple St ; ⊙6h30-18h lun-ven, 9h-18h sam, 7h-18h dim ; P). GRATUIT L'architecte José Rafael Moneo a mélangé des proportions gothiques et un design contemporain



## Agglomération de Los Angeles

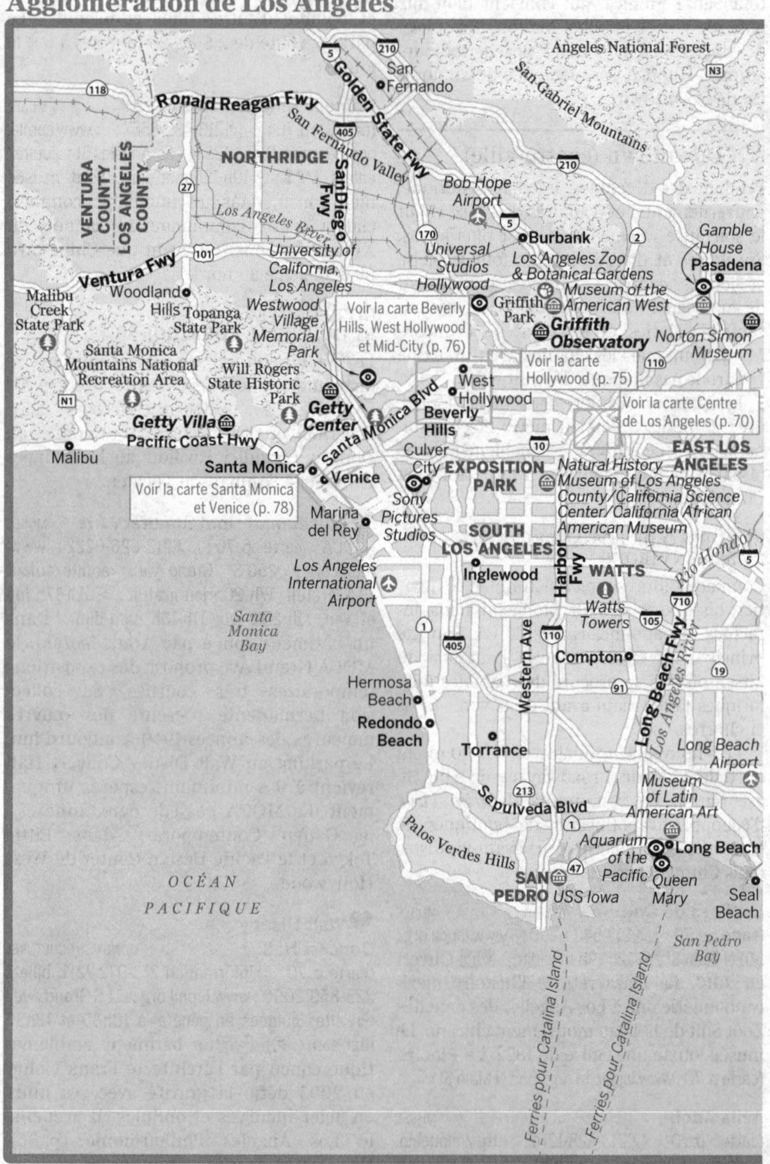

audacieux pour la principale église de l'archidiocèse de LA. Édifiée en 2002, elle est remplie d'œuvres d'art et la douce lumière qui filtre à travers les panneaux d'albâtre ajoute à sa sérénité. Les visites (13h du lundi au vendredi) et les récitals d'orgue (12h45 mercredi) sont gratuits et prisés. En semaine, le stationnement débute à 4 $ les 15 minutes (maximum 18 $) jusqu'à 16h. Forfait à 5 $ le week-end et les jours fériés.

**City Hall** MONUMENT
(carte p. 70 ; ☎213-978-1995 ; www.lacity.org ; 200 N Spring St ; ⏲8h-17h lun-ven). GRATUIT Jusqu'au milieu des années 1960, aucun bâtiment de LA n'était plus haut que l'hôtel de ville. Érigé en 1928 avec un sommet en forme de ziggourat, il apparaît dans les séries TV *Superman* et *Dragnet*, ainsi que dans le film *La Guerre des mondes* de 1953. Admirez la ville et les montagnes depuis la plateforme d'observation. Visites matinales gratuites en semaine (sur réservation).

**Wells Fargo History Museum** MUSÉE
(carte p. 70 ; ☎213-253-7166 ; www.wellsfargohistory.com ; 333 S Grand Ave ; ⏲9h-17h lun-ven). GRATUIT Petit musée intéressant, sponsorisé par la banque californienne Wells Fargo Bank, racontant l'histoire de la ruée vers l'or. Diligence d'origine, pépite géante et une foule d'autres objets historiques.

## ANGELS FLIGHT

**Angels Flight** (☎213-626-1901 ; http://angelsflight.org/ ; entre 351 S Hill St et 350 S Grand Ave ; 50 ¢ ; ⏲6h45-22h), "le plus petit chemin de fer du monde" (90 m), est un funiculaire construit en 1901. Ses adorables voitures parcourent la pente abrupte de Bunker Hill entre Hill Street et California Watercourt Plaza.

## LITTLE TOKYO

Little Tokyo est tout en galeries commerçantes, temples bouddhistes, œuvres d'art, jardins traditionnels, bar à sushis et restaurants de nouilles, sans oublier une annexe du **MOCA** (carte p. 70 ; ☎213-626-6222 ; www.moca.org ; 152 N Central Ave ; adulte/enfant 12 $/gratuit ; ⏲11h-17h lun et ven, 11h-20h jeu, 11h-18h sam-dim).

**Japanese American National Museum** MUSÉE
(carte p. 70 ; ☎213-625-0414 ; www.janm.org ; 100 N Central Ave ; adulte/enfant 9/5 $ ; ⏲11h-17h mar-mer et ven-dim, 12h-20h jeu). Ce musée retrace l'histoire de l'immigration japonaise, sans oublier le douloureux chapitre des camps d'internement de la Seconde Guerre mondiale. Expositions temporaires autour de l'art américano-asiatique et des droits civiques. Consultez le calendrier en ligne pour les visites guidées du quartier, les projections, les cours de cuisine japonaise et les ateliers d'artisanat.

## Centre de Los Angeles

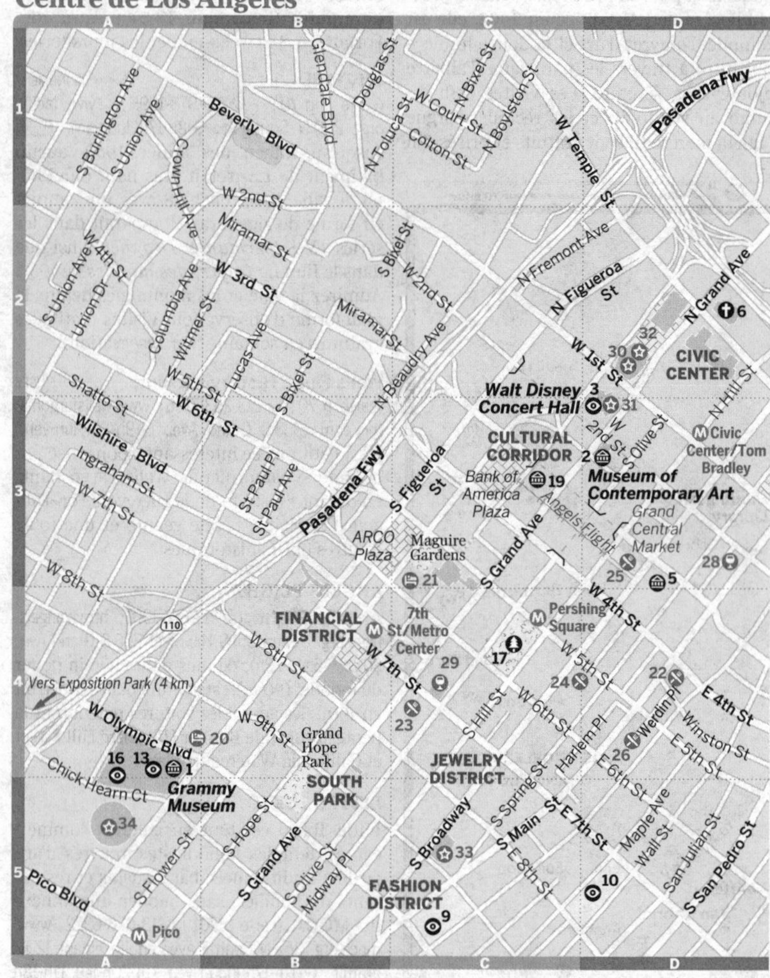


### SOUTH PARK

South Park n'est pas un parc mais un quartier en plein essor de Downtown, autour du **LA Live** (carte p. 70 ; www.lalive.com ; 800 W Olympic Blvd), un centre de restauration et de loisirs, qui abrite le Staples Center (p. 86) et le **Nokia Theatre** (carte p. 70 ; ☎213-763-6030 ; www.nokiatheatrelive.com ; 777 Chick Hearn Court), où se déroulent les finales des MTV Music Awards et d'*American Idol*. Le stationnement à LA Live ou dans les parkings privés avoisinants est coûteux (10-30 $).

♥ **Grammy Museum** MUSÉE

(carte p. 70 ; www.grammymuseum.org ; 800 W Olympic Blvd ; adulte/enfant 13/11 $, après 18h 8 $ ; ⏲11h30-19h30 lun-ven, 10h-19h30 sam-dim ; 🚻). Les fans de musique de tous horizons se perdent dans ces expositions interactives impressionnantes sur l'histoire de la musique américaine, où l'on peut s'essayer à mixer des tubes pop et rock, ou encore chanter et rapper avec les stars.

### EXPOSITION PARK ET SES ENVIRONS

Au sud du campus de l'University of Southern California (USC), ce parc compte

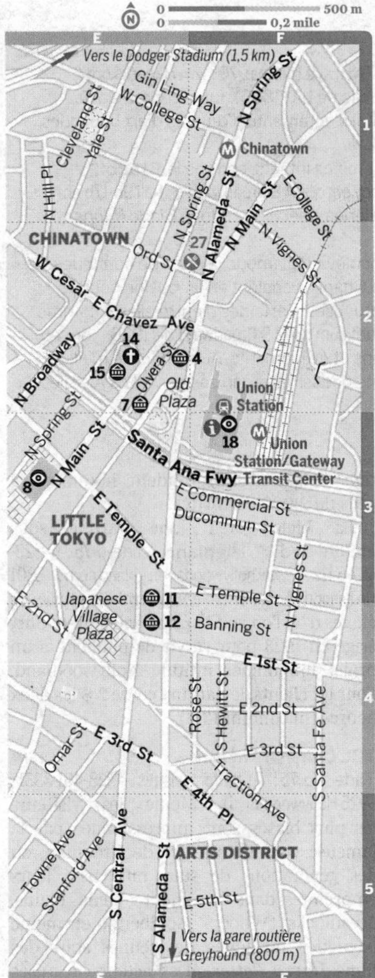


## Centre de Los Angeles

**Les incontournables**

| | | |
|---|---|---|
| 1 | Grammy Museum | A4 |
| 2 | Museum of Contemporary Art | D3 |
| 3 | Walt Disney Concert Hall | D3 |

**À voir**

| | | |
|---|---|---|
| 4 | Avila Adobe | E2 |
| 5 | Bradbury Building | D3 |
| 6 | Cathedral of Our Lady of the Angels | D2 |
| 7 | Chinese American Museum | E2 |
| 8 | City Hall | E3 |
| 9 | Fashion District | C5 |
| 10 | Flower Market | D5 |
| 11 | Geffen Contemporary at MOCA | E3 |
| 12 | Japanese American National Museum | E4 |
| 13 | LA Live | A4 |
| 14 | La Placita | E2 |
| 15 | La Plaza de Cultura y Artes | E2 |
| 16 | Nokia Theatre | A4 |
| 17 | Pershing Square | C4 |
| 18 | Union Station | F3 |
| 19 | Wells Fargo History Museum | C3 |

**Où se loger**

| | | |
|---|---|---|
| 20 | Figueroa Hotel | A4 |
| 21 | Standard Downtown LA | C3 |

**Où se restaurer**

| | | |
|---|---|---|
| 22 | Bäco Mercat | D4 |
| 23 | Bottega Louie | C4 |
| 24 | Gorbals | C4 |
| 25 | Grand Central Market | D3 |
| 26 | Nickel Diner | D4 |
| 27 | Philippe the Original | F2 |

**Où prendre un verre et faire la fête**

| | | |
|---|---|---|
| 28 | Edison | D3 |
| 29 | Seven Grand | C4 |

**Où sortir**

| | | |
|---|---|---|
| 30 | Los Angeles Opera | D2 |
| 31 | Los Angeles Philharmonic | D3 |
| 32 | Music Center of LA County | D2 |
| 33 | Orpheum Theatre | C5 |
| 34 | Staples Center | A5 |

de nombreux musées adaptés aux enfants. Citons le **Rose Garden** (www.laparks.org ; 701 State Dr ; gratuit ; 9h-coucher du soleil 15 mars-31 déc) et le **Los Angeles Memorial Coliseum** de 1923, qui accueillit les Jeux olympiques de 1932 et 1984. Le parking débute à 8 $. De Downtown, prenez la Metro Expo Line ou le minibus DASH F.

**♥ Natural History Museum of Los Angeles** MUSÉE

(213-763-3466 ; www.nhm.org ; 900 Exposition Blvd ; adulte/enfant 12/5 $ ; 9h30-17h ; ). Des dinosaures aux diamants, des ours aux scarabées, des cafards sifflants au rarissime requin grande gueule, ce musée scientifique vous fait faire le tour du monde et revenir des millions d'années en arrière. Des activités passionnantes sont proposées aux enfants, notamment la recherche de fossiles dans le Discovery Center et la découverte de squelettes géants dans le **Dinosaur Hall** récemment rouvert.

**California Science Center** MUSÉE

(programme des films 213-744-2109, info 323-724-3623 ; www.californiasciencecenter.org ;

## DOWNTOWN HISTORIQUE

Au cœur du centre-ville historique, **Pershing Square** (carte p. 70 ; www.laparks.org/pershingsquare ; 532 S Olive St), premier parc public de LA (1866), fut modernisé à de nombreuses reprises. Cerné par les gratte-ciel, il s'agrémente d'œuvres d'art publiques et accueille concerts et projections de film en été.

Certains édifices de la fin du XIXe siècle sont restés intacts, comme le **Bradbury Building** de 1893 (carte p. 70 ; www.laconservancy.org ; 304 S Broadway ; ⊙hall 9h-17h en général) dont le magnifique atrium bordé de galeries a servi de cadre à *Blade Runner*, *(500) jours ensemble* et *The Artist*.

Au début du XXe siècle, Broadway était un boulevard glamour, jalonné de boutiques et de cinémas où des vedettes comme Charlie Chaplin venaient en limousine pour assister à des premières dans des salles somptueuses. Certaines d'entre elles – comme l'**Orpheum Theater** (carte p. 70 ; www.laorpheum.com ; 842 S Broadway) de 1926 – ont été restaurées et accueillent de nouveau projections et événements. Autrement, le meilleur moyen de les visiter est de suivre un des circuits pédestres organisés par le Los Angeles Conservancy (p. 80) le week-end.

700 Exposition Park Dr ; ⊙10h-17h ; ). GRATUIT Simulation de tremblement de terre, éclosion d'œufs de poisson, et une techno-poupée géante appelée Tess émerveillent les visiteurs de tout âge dans cet excellent musée scientifique interactif. On peut y voir la navette spatiale *Endeavour* (sur réservation). Des films en IMAX (adulte/enfant 8,25/5 $) couronnent une journée pleine d'action.

**California African American Museum** MUSÉE

(☎213-744-7432 ; www.caamuseum.org ; 600 State Dr ; ⊙10h-17h mar-sam, 11h-17h dim). GRATUIT Magnifiques expositions d'œuvres d'art, de culture et d'histoire afro-américaines, centrées sur la Californie et l'ouest des États-Unis.

**Watts Towers** MONUMENT

(www.wattstowers.org ; 1727 E 107th St ; adulte/enfant 7 $/gratuit ; ⊙art center 10h-16h mer-sam, 12h-16h dim ; P). Fierté de South LA, les Watts Towers sont d'immenses sculptures constituées d'objets trouvés – bouteilles de 7-Up, coquillages, éclats de céramique – par l'artiste Simon Rodia. Visites guidées uniquement, toutes les 30 minutes ; 10h30-15h jeudi, vendredi et samedi, 12h30-15h dimanche.

## Hollywood

Hollywood s'est offert un petit lifting. Même si son âge d'or du milieu du XXe siècle reste un lointain souvenir, il regagne quelques lettres de noblesse. Les étoiles incrustées dans le sol du **Hollywood Walk of Fame** (carte p. 75 ; www.walkoffame.com ; Hollywood Blvd) rendent hommage à plus de 2 000 célébrités.

La Metro Red Line s'arrête sous **Hollywood & Highland** (carte p. 75 ; ☎323-467-6412 ; www.hollywoodandhighland.com ; 6801 Hollywood Blvd), centre commercial à plusieurs étages d'où l'on voit le **panneau Hollywood**, érigé en 1923 pour servir de publicité à un projet immobilier intitulé Hollywoodland. Pour les clients, le parking coûte 2 $ les deux heures (maximum 13 $).

**TCL Chinese Theatre** CINÉMA

(carte p. 75 ; ☎info visites 323-461-3331 ; 6925 Hollywood Blvd). Même les visiteurs les plus blasés sont impressionnés par la fameuse cour du théâtre de Grauman, où des générations de stars ont laissé leurs empreintes dans le ciment : pieds, mains, dreadlocks (Whoopi Goldberg), et même baguettes magiques (les jeunes stars des films *Harry Potter*). Des acteurs déguisés en Superman, Marilyn Monroe ou autres posent pour la photo (contre rémunération) et des billets pour des émissions de TV sont parfois offerts.

**Dolby Theatre** THÉÂTRE

(carte p. 75 ; ☎323-308-6300 ; www.dolbytheatre.com ; visite adulte/enfant 17/12 $ ; ⊙visites 10h30-16h habituellement). Ce théâtre est le cadre de la prestigieuse cérémonie des Academy Awards, où célébrités et stars en devenir se côtoient sur le tapis rouge. Des colonnes portant les noms des films récompensés d'un oscar bordent l'entrée. D'onéreuses visites de 30 minutes font découvrir l'auditorium, la salle des VIP et une statuette d'oscar.

VAUT LE DÉTOUR

### VISITE DES STUDIOS

L'espoir – secret – d'apercevoir des stars fait partie du plaisir de visiter Hollywood. Augmentez vos chances en vous joignant au public d'une série ou d'un jeu télévisé, généralement enregistrés entre août et mars. Pour des billets gratuits, contactez **Audiences Unlimited** (818-260-0041 ; www.tvtickets.com).

Pour une découverte des coulisses, participez à un circuit en navette des **Warner Bros Studios** (877-492-8687, 818-972-8687 ; www.wbstudiotour.com ; 3400 W Riverside Dr, Burbank ; à partir de 49 $ ; 8h15-16h lun-sam, horaires variables dim) ou de la **Paramount Pictures** (323-956-1777 ; www.paramount.com ; 5555 Melrose Ave ; à partir de 48 $ ; circuits 9h30-14h lun-ven, horaires variables sam-dim), ou faites le tour à pied des **Sony Pictures Studios** (310-244-8687 ; www.sonypicturesstudiostours.com ; 10202 W Washington Blvd ; visite 35 $ ; 9h30-14h30 lun-ven). Toutes ces visites vous montreront les studios et les plateaux extérieurs, ainsi que les départements costumes et maquillage. Réservez (il y a un âge minimum). Prévoyez une pièce d'identité avec photo.

**Hollywood Forever Cemetery** CIMETIÈRE
(323-469-1181 ; www.hollywoodforever.com ; 6000 Santa Monica Blvd ; 8h-17h ; P). De nombreux fans de rock viennent admirer le monument de Johnny Ramone dans ce cimetière, où reposent aussi Rudolph Valentino, Cecil B. DeMille et Bugsy Siegel. On peut même y voir des films et des concerts (reportez-vous au programme en ligne).

**Hollywood Museum** MUSÉE
(carte p. 75 ; www.thehollywoodmuseum.com ; 1660 N Highland Ave ; adulte/enfant 15/5 $ ; 10h-17h mer-dim). Dans le bâtiment Art déco Max Factor Building, ce sanctuaire un peu poussiéreux de plus de 3 000 m² dédiés aux stars déborde d'objets kitsch, de costumes, de babioles et d'accessoires, de Marilyn Monroe à la série TV *Glee*.

## Griffith Park

Le plus grand **parc** urbain d'Amérique (323-913-4688 ; www.laparks.org/dos/parks/griffithpk ; 4730 Crystal Springs Dr ; 5h-22h30, sentiers aube-crépuscule ; P). GRATUIT fait cinq fois la taille du Central Park new-yorkais et comporte un cinéma extérieur, un zoo, un observatoire, un musée, un manège, des terrains de jeux, un golf, des courts de tennis et plus de 80 km de sentiers, dont un menant à la grotte de la série télévisée *Batman*.

♥ **Griffith Observatory** MUSÉE
(213-473-0800 ; www.griffithobservatory.org ; 2800 E Observatory Rd ; spectacles planétarium adulte/enfant 7/3 $ ; 12h-22h mar-ven, 10h-22h sam-dim ; P). GRATUIT Coiffé d'un triple dôme emblématique, cet observatoire de 1935 abrite un planétarium ultramoderne et le cinéma multimédia Leonard Nimoy Event Horizon. Par nuit claire, on peut voir des corps célestes au télescope.

**Los Angeles Zoo & Botanical Gardens** ZOO
(323-644-4200 ; www.lazoo.org ; 5333 Zoo Dr ; adulte/enfant 17/12 $ ; 10h-17h ; P). Ce zoo soucieux de la conservation de la biodiversité abrite 1 100 animaux à écailles, à plumes ou à poils, notamment dans la Campo Gorilla Reserve et aux Sea Life Cliffs, qui reproduisent la côte californienne, phoques compris.

**Museum of the American West** MUSÉE
(323-667-2000 ; www.autrynationalcenter.org ; 4700 Western Heritage Way ; adulte/enfant 10/4 $, gratuit 2e mar du mois ; 10h-16h mar-ven, 10h-17h sam-dim ; P). Les expositions sur les bons, les brutes et les truands attirent même les plus réticents des cow-boys. On y admire notamment une collection de colts, un saloon décoré, ainsi que des objets amérindiens et de la ruée vers l'or.

## West Hollywood

Drapeaux arc-en-ciel flottant fièrement sur Santa Monica Blvd, presse people pleine des célébrités et de leurs excès dans les clubs du légendaire **Sunset Strip**... Bienvenue dans la cité de WeHo ! Les boutiques de Robertson Blvd et Melrose Ave fournissent stars et candidats à la célébrité en produits chics et chers. WeHo est aussi un creuset de design intérieur d'avant-garde, notamment dans les **Avenues of Art and Design** (www.avenueswh.com).

À NE PAS MANQUER

### UNIVERSAL STUDIOS HOLLYWOOD

Les **studios Universal** (carte p. 62 ; www.universalstudioshollywood.com ; 100 Universal City Plaza ; 80 $, -3 ans gratuit) ont ouvert au public en 1915, quand le directeur Carl Laemmle invitait les visiteurs à regarder le tournage de films muets pour 25 ¢ (panier-repas compris). Près d'un siècle plus tard, Universal reste l'un des plus grands studios de cinéma au monde.

Vos chances d'assister à un tournage sont quasi nulles dans ce qui ressemble aujourd'hui à un parc à thème, mais les visiteurs en ressortent généralement ravis. Commencez par la visite commentée de 45 minutes dans un tramway géant qui passe par des studios en activité, des décors extérieurs et **King Kong 360**, l'animation 3D la plus grande du monde. Préparez-vous aussi à une attaque de requin sortie des *Dents de la mer*. Un peu toc, mais amusant.

Parmi les dizaines d'autres attractions, le **Simpsons Ride** est un jeu à mouvements simulés, **Jurassic Park** vous transporte au milieu des dinosaures et vous pouvez combattre des Decepticons dans **Transformers: The Ride 3-D**. Les **plateaux d'effets spéciaux** expliquent la confection des films. **Water World**, inspiré du film, remporte un énorme succès avec ses boules de feu géantes et l'atterrissage forcé d'un hydravion.

Parking 15 $ (10 $ après 15h) ; vous pouvez aussi emprunter la Red Line du métro.

**Pacific Design Center** ARCHITECTURE
(PDC ; carte p. 76 ; www.pacificdesigncenter.com ; 8687 Melrose Ave ; ⏲9h-17h lun-ven). Quelque 120 galeries et showrooms composent les monolithiques "baleines" bleue, verte et rouge de ce bâtiment conçu par Cesar Pelli, qui abrite aussi une annexe du **MOCA** (carte p. 76 ; ☎213-621-1741 ; www.moca.org ; ⏲11h-17h mar-ven, 11h-18h sam-dim). GRATUIT La plupart des ventes sont réservées aux professionnels. Parking à partir de 6 $/heure (maximum 13 $).

## Mid-City

Certains des meilleurs musées de Los Angeles bordent Museum Row, un court tronçon de Wilshire Blvd à l'est de Fairfax Ave.

**♥ Los Angeles County Museum of Art** MUSÉE
(LACMA ; carte p. 76 ; ☎323-857-6000 ; www.lacma.org ; 5905 Wilshire Blvd ; adulte/enfant 15 $/gratuit ; ⏲11h-17h lun-mar et jeu, 11h-21h ven, 10h-19h sam-dim ; P). L'un des meilleurs musées d'art du pays (et le plus vaste de l'ouest des États-Unis) se compose de sept bâtiments débordant d'œuvres d'art : Rembrandt, Cézanne et Magritte ; céramiques antiques de Chine, de Turquie et d'Iran, photographies d'Ansel Adams et merveilleuses sculptures et peintures du Japon. Parking 10 $.

Conçu par Renzo Piano, le **Broad Contemporary Art Museum at LACMA** présente des pièces majeures de Jasper Johns, Cindy Sherman et Ed Ruscha, et deux gigantesques œuvres en acier rouillé de Richard Serra. Le LACMA programme de fréquentes expositions temporaires très courues.

**La Brea Tar Pits** SITE ARCHÉOLOGIQUE
(carte p. 76). Il y a entre 40 000 et 11 000 ans, un pétrole épais a piégé des tigres à dents de sabre, des mammouths et d'autres créatures de l'époque glaciaire, qui sont toujours exhumés de ce site. Le **Page Museum** (carte p. 76 ; ☎323-934-7243 ; www.tarpits.org ; 5801 Wilshire Blvd ; adulte/enfant 12/5 $, gratuit 1er mar du mois sept-juin ; ⏲9h30-17h ; P 👪) expose leurs dépouilles fossilisées. De nouveaux fossiles sont découverts en permanence, et une équipe d'archéologues travaille derrière une vitre. Parking 7-9 $ (espèces uniquement).

**Petersen Automotive Museum** MUSÉE
(carte p. 76 ; www.petersen.org ; 6060 Wilshire Blvd ; adulte/enfant 12/3 $ ; ⏲10h-18h mar-dim ; P). Ode à l'automobile sur 4 étages, ce musée présente de rutilantes voitures anciennes. Une reconstitution amusante du paysage urbain de LA montre comment la croissance de la ville a été façonnée par le trafic automobile. Parking à partir de 2 $ (maximum 12 $).

## Hollywood

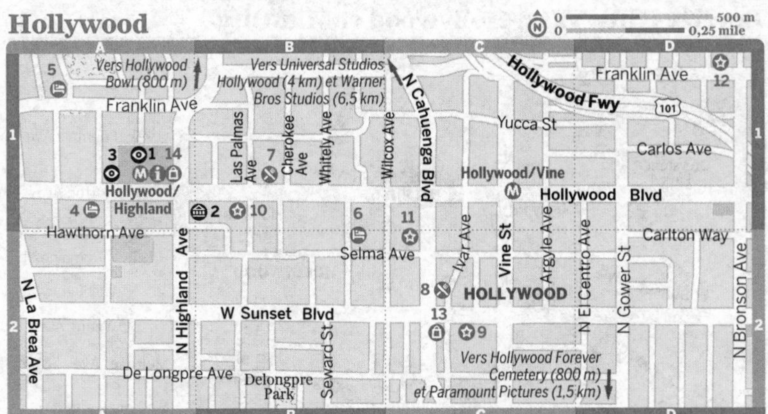


## Beverly Hills et ses environs

Beverly Hills évoque les luxueuses demeures, les Maserati et les multimilliardaires. Élégant et sophistiqué, ce quartier est un refuge pour les gens riches et célèbres. Les curieux peuvent emprunter les bus qui effectuent un circuit guidé des maisons des stars.

Un voyage à LA ne saurait être complet sans une promenade le long du prétentieux et onéreux **Rodeo Drive**, qui s'étend sur 3 blocs de maisons. Des client(e)s à la silhouette de mannequin font leurs courses dans les somptueuses boutiques de prêt-à-porter haut de gamme, d'Armani à Zegna. Si les prix vous affolent, Beverly Dr, à un bloc à l'est, abrite des magasins plus abordables.

Parkings municipaux et privés offrent 2 heures de stationnement gratuit dans le centre de Beverly Hills.

**Paley Center for Media** MUSÉE DE L'AUDIOVISUEL
(carte p. 76 ; ☎310-786-1000 ; www.paleycenter.org ; 465 N Beverly Dr ; don suggéré adulte/enfant 10/5 $ ; 12h-17h mer-dim ; P). Les passionnés de TV et de radio apprécieront ces extraordinaires archives d'émissions de TV et de radio, de 1918 jusqu'à l'époque d'Internet. Choisissez vos préférées, installez-vous devant une console privée et savourez. Conférences et projections ouvertes au public.

**Annenberg Space for Photography** MUSÉE
(www.annenbergspaceforphotography.org ; 2000 Ave of the Stars ; 11h-18h mer-ven, 11h-19h30 sam et 11h-18h dim ; P). GRATUIT Passionnantes expositions temporaires dans un musée à l'intérieur en forme d'appareil photo, à l'ouest de Beverly Hills, au milieu des gratte-ciel de Century City. Parking pour visiteurs 3,50 $ mercredi-vendredi (1 $ après 16h30), 1 $ le week-end.

### Hollywood

**À voir**
1 Dolby Theatre .......... A1
2 Hollywood Museum .......... B1
3 TCL Chinese Theatre .......... A1

**Où se loger**
4 Hollywood Roosevelt Hotel .......... A1
5 Magic Castle Hotel .......... A1
6 USA Hostels Hollywood .......... B2

**Où se restaurer**
7 Musso & Frank Grill .......... B1
8 Umami Urban .......... C2

**Où sortir**
9 Arclight Cinemas .......... C2
10 Egyptian Theater .......... B1
11 Hotel Cafe .......... C2
12 Upright Citizens Brigade Theatre .......... D1

**Achats**
13 Amoeba Music .......... C2
14 Hollywood & Highland .......... A1

## West LA

**Getty Center** MUSÉE
(☎310-440-7300 ; www.getty.edu ; 1200 Getty Center Dr, près de l'I-405 Fwy ; 10h-17h30 mar-dim, 10h-21h sam ; P). GRATUIT Une visite au Getty Center permet de se faire triplement plaisir : une sublime collection d'art, des maîtres de

## Beverly Hills, West Hollywood et Mid-City

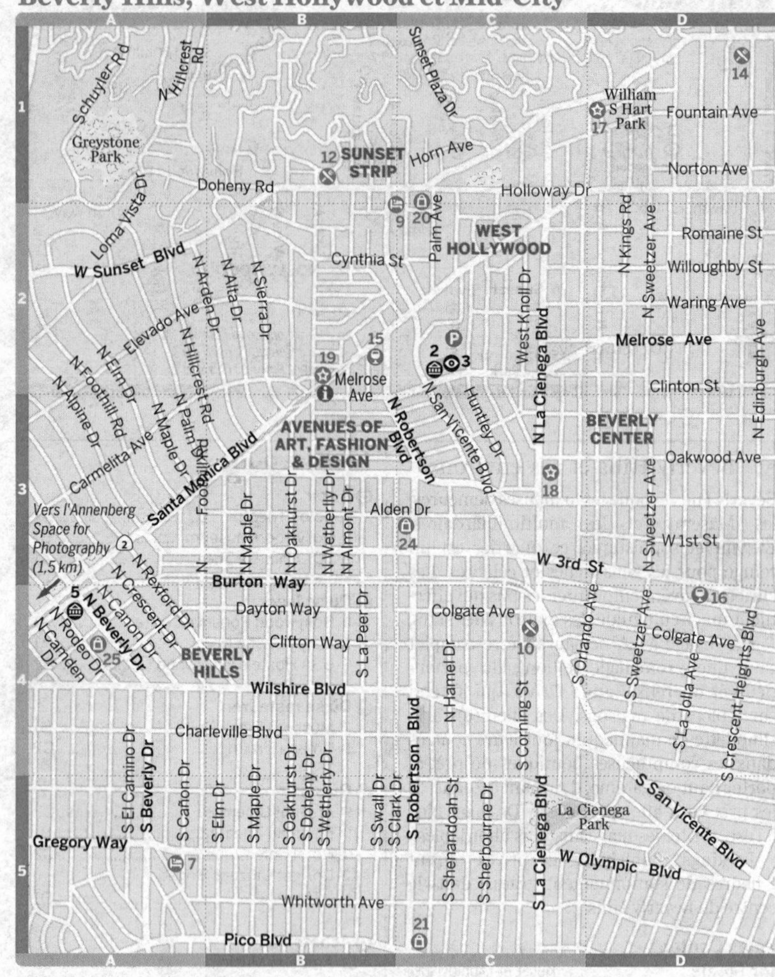


la Renaissance à David Hockney, la fabuleuse architecture de Richard Meier et les jardins changeants de Robert Irwin. Par temps clair, ajoutez la vue époustouflante sur la ville et l'océan. La foule est moins dense en fin d'après-midi. Parking 15 $ (10 $ après 17h).

**University of California, Los Angeles** UNIVERSITÉ
(UCLA ; www.ucla.edu ; Ⓟ). Westwood est dominé par le vaste campus de la prestigieuse UCLA, avec ses impressionnants jardins botaniques et de sculptures. L'excellent **Hammer Museum** (http://hammer.ucla.edu ; 10899 Wilshire Blvd ; adulte/enfant 10 $/gratuit, gratuit jeu ; 11h-20h mar-ven, 11h-17h sam-dim) propose des expositions à la pointe de l'art contemporain. Parking pour visiteurs 3 $.

**Westwood Village Memorial Park** CIMETIÈRE
(www.dignitymemorial.com ; 1218 Glendon Ave ; 8h-crépuscule). Niché le long des gratte-ciel de Westwood, ce minuscule cimetière est le dernier séjour de célébrités comme Marilyn Monroe et Dean Martin. Entrez au

## Beverly Hills, West Hollywood et Mid-City

**Les incontournables**
1 Los Angeles County Museum of Art...E4

**À voir**
La Brea Tar Pits.......................... (voir 4)
2 MOCA Pacific Design Center............. C2
3 Pacific Design Center ......................... C2
4 Page Museum.......................................E4
5 Paley Center for Media......................... A4
6 Petersen Automotive Museum ............E5

**Où se loger**
7 Avalon Hotel.......................................... A5
8 Farmer's Daughter Hotel .....................E3
9 London West Hollywood ..................... B2

**Où se restaurer**
10 Bazaar................................................C4
11 Griddle Café ......................................... E1
12 Night + Market......................................B1
13 Original Farmers Market ......................E4
14 Veggie Grill...........................................D1

**Où prendre un verre et faire la fête**
15 Abbey.................................................. B2
16 El Carmen............................................ D4

**Où sortir**
17 House of Blues .....................................D1
18 Largo at the Coronet .......................... C3
19 Troubadour......................................... B2

**Achats**
20 Book Soup............................................C1
21 It's a Wrap .......................................... C5
22 Melrose Avenue....................................E2
23 Melrose Trading Post ..........................E2
24 Robertson Boulevard .......................... C3
25 Rodeo Drive ........................................ A4

sud de Wilshire Blvd, à un bloc à l'est de Westwood Blvd.

## Malibu

Jouxtant 44 kilomètres spectaculaires de la Pacific Coast Hwy, Malibu a longtemps été synonyme de surf et de stars. Moins chic que ne le laissent supposer les magazines, elle séduit les célébrités depuis les années 1930 ; Leonardo Di Caprio, Steven Spielberg, Barbra Streisand, Dustin Hoffman et autres stars y possèdent une maison, et font parfois leurs courses au **Malibu Country Mart** (www.malibucountrymart.com ; 3835 Cross Creek Rd) et au **Malibu Colony Plaza** (www.malibucolonyplaza.com ; 23841 W Malibu Rd).

L'un des deux trésors naturels de Malibu est le montagneux **Malibu Creek State Park** (818-880-0367 ; www.malibucreekstate-park.org ; aube-crépuscule), apprécié pour les tournages et sillonné de sentiers (parking 12 $). L'autre est un chapelet de plages, parmi lesquelles la bien-nommée **Surfrider** à l'ouest de Malibu Pier, la plus sauvage **Point Dume State Beach** et la familiale **Zuma Beach** (parking 10 $).

**Getty Villa** MUSÉE
(310-430-7300 ; www.getty.edu ; 17985 Pacific Coast Hwy ; 10h-17h mer-lun ; P). GRATUIT Cette reproduction de villa romaine abrite des

antiquités grecques, romaines et étrusques mises en valeur par un péristyle et un jardin aromatique. Horaires de visite fixes (réservation obligatoire). Parking 15 $.

## Santa Monica

Santa Monica, la belle en bord de plage, mêle décontraction urbaine et ambiance balnéaire. Touristes, adolescents et artistes de rue font de la **Third Street Promenade**, piétonne et bordée de boutiques de chaînes, le secteur le plus animé. Pour un parfum plus local, faites vos courses dans **Montana Avenue**, prisée des célébrités, ou dans l'éclectique **Main Street**, principale artère du quartier, parfois encore surnommée "Dogtown", berceau de la culture skate. La plupart des parkings publics du centre-ville offrent 1 heure 30 gratuite.

**Santa Monica Pier** PARC D'ATTRACTIONS

(carte p. 79 ; http://santamonicapier.org ; forfait journée tous manèges 13-20 $ ; P ). GRATUIT Les enfants raffolent de cette jetée avec son carrousel pittoresque et sa grande roue à énergie solaire. En dessous se trouve un minuscule **aquarium** (carte p. 79 ; 310-393-6149 ; www.healthebay.org ; 1600 Ocean Front Walk ; adulte/enfant 5 $/gratuit ; 14h-17h mar-ven, 12h30-17h sam-dim ; ). Les tarifs du parking varient selon la saison.

**Bergamot Station Arts Center** CENTRE ARTISTIQUE

(www.bergamotstation.com ; 2525 Michigan Ave ; 10h-18h mar-ven, 11h-17h30 sam ; P). En retrait de la côte, cet ancien arrêt de trolley abrite aujourd'hui 35 galeries d'avant-garde et le progressiste **Santa Monica Museum of Art** (www.smmoa.org ; 2525 Michigan Ave ; don adulte/enfant 5/3 $ ; 11h-18h mar-sam).

## Venice

Le **Venice Boardwalk** (le chemin côtier le long de Venice Beach) est un spectacle saugrenu, un zoo humain, un carnaval loufoque et une expérience incontournable de LA. Ce bouillon de contre-culture est l'endroit idéal pour se faire tresser les

### Santa Monica et Venice

**Santa Monica et Venice**

**À voir**
1 Santa Monica Pier ........ A2
2 Aquarium du Santa Monica Pier ........ A2

**Où se loger**
3 HI Los Angeles-Santa Monica ........ A2
4 Sea Shore Motel ........ A4
5 Viceroy ........ A2

**Où se restaurer**
6 Santa Monica Farmers Markets ........ A1
7 Santa Monica Place ........ A2

**Où prendre un verre et sortir**
8 Copa d'Oro ........ A2
9 Intelligentsia Coffeebar ........ B5
10 Roosterfish ........ A5

**Achats**
11 Abbot Kinney Boulevard ........ A5
12 Magellan ........ B1
13 Main Street ........ A3

cheveux et s'offrir un massage *qi gong*, des lunettes de soleil pas cher et un béret rasta. Les rencontres avec des bodybuilders, des rêveurs fous, un charmeur de serpents en maillot de bain ou un ménestrel sikh en rollers sont pratiquement garanties, surtout les après-midi ensoleillés. Malheureusement, l'ambiance se détériore à la nuit tombée.

Pour échapper au tohu-bohu, rejoignez les **Venice Canals** à l'intérieur des terres, vestiges de l'époque où les gondoliers italiens transportaient les touristes le long de voies d'eau artificielles. Aujourd'hui, les habitants se promènent en barque dans ce quartier fleuri.

Le suprêmement branché **Abbot Kinney Blvd**, bordé de palmiers, aligne sur plus de 1,5 km restaurants, cafés, ateliers de yoga, galeries d'art et boutiques éclectiques vendant des meubles vintage et des vêtements faits main.

Il est possible de stationner dans la rue près d'Abbot Kinney Blvd, et sur les parkings des plages (5-15 $).

## Long Beach

Long Beach s'étend le long du flanc sud de LA County, délimitant le troisième port à conteneurs le plus fréquenté du monde après Singapour et Hong Kong. Son côté industriel s'est émoussé dans le centre-ville, où **Pine Ave** est bordée de restaurants et de bars, ainsi que sur le front de mer rénové.

La Blue Line du métro relie Downtown LA à Long Beach en environ une heure, et des minibus **Passport** (www.lbtransit.com) font gratuitement la navette entre les principaux sites touristiques (1,25 $ ailleurs en ville).

**Queen Mary** BATEAU

(www.queenmary.com ; 1126 Queens Hwy ; visites adulte/enfant à partir de 14/7 $ ; 10h-18h30 ; P). "Navire amiral" de Long Beach, ce paquebot britannique (soi-disant hanté) y est amarré en permanence. Plus grand et plus luxueux que le *Titanic*, il a transporté des têtes couronnées, des dignitaires, des immigrants et des soldats au cours de ses 1 001 traversées de l'Atlantique entre 1936 et 1964. Parking 12 $.

**Aquarium of the Pacific** AQUARIUM

(billets 562-590-3100 ; www.aquariumofpacific.org ; 100 Aquarium Way ; adulte/enfant 26/15 $ ; 9h-18h ; ). Aquarium high-tech où s'ébattent requins, méduses et otaries. Parking 8-15 $. Les billets combinés avec le *Queen Mary* ou le LA Zoo achetés en ligne sont intéressants.

**USS Iowa** MUSÉE, MÉMORIAL

(877-446-9261 ; www.pacificbattleship.com ; 250 S Harbor Blvd, Berth 87 ; adulte/enfant 18/10 $ ; 10h-17h, 9h-17h juin-août ; P). Près du port à San Pedro, empruntez la passerelle et visitez ce cuirassé du Pacifique avec un audioguide. Il transporta Roosevelt et le général MacArthur pendant la Seconde guerre mondiale et prit part à des confrontations pendant la Guerre froide. Parking à partir de 1 $.

**Museum of Latin American Art** MUSÉE

(www.molaa.org ; 628 Alamitos Ave ; adulte/enfant 9 $/gratuit, gratuit dim ; 11h-17h mer-dim, 11h-21h jeu ; P). Ce petit musée est le seul dans l'ouest des États-Unis qui se spécialise dans l'art contemporain latino-américain. La collection permanente met en avant spiritualité et paysages, les expositions temporaires sont hautes en couleur et un jardin de sculptures s'étend derrière.

## Pasadena

Au pied des hautes San Gabriel Mountains, cette ville, calme et prospère, semble à mille lieues de l'agitation et de l'urbanisme à outrance de LA. Elle est réputée pour son architecture Arts & Crafts du début du XXe siècle et pour son défilé Tournament of Roses du jour de l'An.

Déambulez au milieu des boutiques, des cafés, des bars et des restaurants d'**Old Town Pasadena**, sur Colorado Blvd à l'est de Pasadena Ave. La Gold Line du métro relie Pasadena et Downtown LA (30 min).

**Huntington Library** MUSÉE, JARDIN

(626-405-2100 ; www.huntington.org ; 1151 Oxford Rd, San Marino ; adulte semaine/week-end et jours fériés 20/23 $, enfant 8 $, gratuit 1er jeu du mois ; 10h30-16h30 mer-lun juin-août, 12h-16h30 lun et mer-ven, 10h30-16h30 sam, dim et jours fériés sept-mai ; P). Si le Huntington possède des livres rares, notamment une Bible de Gutenberg, c'est sa magistrale collection d'œuvres d'art européennes et ses délicieux jardins qui attirent les foules. Le Rose Garden compte plus de 1 200 variétés et le Desert Garden arbore des plantes grasses aux allures improbables. Entrée gratuite le premier jeudi du mois sur réservation.

**Gamble House** ARCHITECTURE

(infos 626-793-3334, billets 800-979-3370 ; www.gamblehouse.org ; 4 Westmoreland Pl ; visites

## LOS ANGELES AVEC DES ENFANTS

Vous n'aurez que l'embarras du choix pour divertir vos enfants. Le vaste Los Angeles Zoo (p. 73) dans le Griffith Park (p. 73) est une valeur sûre. Les fans de dinosaures exploreront les La Brea Tar Pits (p. 74) et le Natural History Museum (p. 71), tandis que les scientifiques en herbe apprécieront le California Science Center (p. 71). Pour admirer des créatures marines, rendez-vous à l'Aquarium of the Pacific (p. 79), à Long Beach, où les adolescents s'intéresseront sans doute aux circuits fantômes du *Queen Mary* (p. 79). Le parc d'attractions de Santa Monica Pier (p. 78) convient aux enfants de tout âge. Les activités pour les plus petits sont limitées à l'Universal Studios Hollywood (p. 74), plutôt orienté ados et préados. À Orange County, les parcs Disneyland (p. 90) et Knott's Berry Farm (p. 91) ont toujours autant de succès.

adulte/enfant 12,50 $/gratuit ; ⏲visites 12h-15h jeu-dim, boutique cadeaux 10h-17h mar-sam, 11h30-17h dim ; P). Chef-d'œuvre de l'architecture Arts & Crafts californienne, la Gamble House, conçue par Charles et Henry Greene en 1908, était la maison de Doc Brown dans le film *Retour vers le futur*. Visite guidée uniquement (réservation recommandée).

**Norton Simon Museum** MUSÉE
(www.nortonsimon.org ; 411 W Colorado Blvd ; adulte/enfant 10 $/gratuit ; ⏲12h-18h mer-lun, 12h-21h ven ; P). Promenez-vous vers l'ouest d'Old Town pour découvrir ce modeste musée abritant le *Penseur* de Rodin et une véritable symphonie d'œuvres européennes et asiatiques, modernes et contemporaines – notamment des gravures et des photographies.

## Activités

### Baignade et surf

Les meilleures plages pour la baignade à Malibu sont **Zuma Beach**, **Santa Monica State Beach** et **Hermosa Beach** à South Bay. **Surfrider Beach** à Malibu est un spot de surf légendaire. Le prix du parking varie selon la saison.

"L'été sans fin" est malheureusement un mythe, et vous aurez besoin d'une combinaison dans le Pacifique la majeure partie de l'année. La température de l'eau devient supportable en juin et culmine à 21°C en août et septembre. La qualité de l'eau varie ; consultez la "Beach Report Card" sur www.healthebay.org.

### Randonnée

Le **Runyon Canyon Park**, au-dessus d'Hollywood, offre de belles promenades. Le **Griffith Park** est également sillonné de sentiers. Pour de plus longues marches, rejoignez les Santa Monica Mountains, où le **Will Rogers State Historic Park**, le **Topanga State Park** et le **Malibu Creek State Park** offrent de superbes randonnées. Parking 8-12 $.

### Vélo et roller

Dépensez-vous à vélo ou en roller le long du **South Bay Bicycle Trail**, une piste cyclable asphaltée qui longe la plage sur presque 35 km entre Santa Monica et Pacific Palisades. Les loueurs d'équipements sont légion dans les villes balnéaires. Il y a foule le week-end.

## Circuits organisés

♥ **Esotouric** EN BUS
(☎323-223-2767 ; www.esotouric.com ; circuits 58 $). Tendance, originaux, intéressants et divertissants, des circuits en bus sur divers thèmes : scènes de crime célèbres (*Le Dahlia noir*), grands écrivains (de Chandler à Bukowski) et quartiers historiques.

**Los Angeles Conservancy** À PIED
(☎info 213-430-4219, réservations 213-623-2489 ; www.laconservancy.org ; circuits adulte/enfant 10/5 $). Visites guidées thématiques, principalement dans Downtown LA, mettant l'accent sur l'architecture et l'histoire. Consultez le site pour les circuits indépendants avec audioguides.

**Museum of Neon Art** EN BUS
(☎213-489-9918 ; http://neonmona.org ; circuits 55 $ ; ⏲sam juin-sept). Circuits nocturnes en bus dans la jungle de néon urbaine, au départ de Downtown LA.

**Melting Pot Tours** À PIED
(☎800-979-3370 ; www.meltingpottours.com ; circuits adulte/enfant à partir de 53/28 $). Découvrez les saveurs de l'Original Farmers Market, de Thai Town ou les délices latinos d'East LA.

**Dearly Departed** EN BUS
(800-979-3370 ; www.dearlydepartedtours.com ; circuits 45-75 $). Circuits historiques "tragicomiques" des lieux où des célébrités sont passées de vie à trépas.

## Fêtes et festivals

Parmi les manifestations mensuelles mettant à l'honneur les galeries d'art, le shopping et les *food trucks*, citons la **Downtown LA Art Walk** (www.downtownartwalk.com ; 2e jeu du mois) et les **First Fridays in Venice** (1er ven du mois).

**Tournament of Roses** DÉFILÉ, SPORT
(www.tournamentofroses.com). Des chars ornés de fleurs défilent le jour de l'An dans Colorado Blvd à Pasadena, avant le match de football universitaire du Rose Bowl.

**Fiesta Broadway** FÊTE DE RUE
(http://fiestabroadway.la). Marché mexicain à Downtown LA, avec des stars latinas. Le dernier dimanche d'avril.

**Watts Towers Day of the Drum & Jazz Festivals** ART, MUSIQUE
(http://wattstowers.org). Deux jours de percussions, jazz et célébration de l'artisanat à South LA, fin septembre.

**West Hollywood Halloween Carnaval** FÊTE DE RUE
Déguisements excentriques, souvent déconseillés aux enfants, groupes et DJ s'emparent de Santa Monica Blvd le 31 octobre.

## Où se loger

Pour profiter du bord de mer, choisissez Santa Monica, Venice ou Long Beach. Les branchés et les fêtards préféreront Hollywood ou WeHo, et les passionnés de culture s'installeront à Downtown LA. Attendez-vous à une taxe de séjour de 12% à 14%.

### Downtown

**Figueroa Hotel** HÔTEL HISTORIQUE $$
(carte p. 70 ; 213-627-8971, 800-421-9092 ; www.figueroahotel.com ; 939 S Figueroa St ; ch 148-194 $, ste 225-265 $ ; ). Vaste oasis des années 1920 en face de LA Live. Réception carrelée de type espagnol donnant sur une piscine étincelante, chambres meublées dans des styles éclectiques (marocain, mexicain, zen), variant en taille et configuration. Parking 12 $.

**Standard Downtown LA** HÔTEL DESIGN $$$
(carte p. 70 ; 213-892-8080 ; http://standardhotels.com/downtown-la ; 550 S Flower St ; ch 245-525 $ ; ste 1 150-1 300 $ ; ). Hôtel de créateur dans un ancien immeuble de bureaux s'adressant à une clientèle jeune, branchée et turbulante – le bar du toit est très animé. Ne comptez pas sur une bonne nuit de sommeil. Chambres modernes et minimalistes avec lits surélevés et douches avec porte en verre. Parking à partir de 33 $.

### Hollywood et West Hollywood

**USA Hostels Hollywood** AUBERGE DE JEUNESSE $
(carte p. 75 ; 800-524-6783, 323-462-3777 ; www.usahostels.com ; 1624 Schrader Blvd ; dort 28-41 $, ch sans sdb 81-104 $ ; ). Cette auberge dynamique se situe à quelques pas du secteur festif d'Hollywood. Soirées BBQ et humour, visites de la ville et petits-déjeuners pancakes dans la cuisine commune.

**Magic Castle Hotel** HÔTEL $$
(carte p. 75 ; 323-851-0800 ; http://magiccastlehotel.com ; 7025 Franklin Ave ; ch avec petit-déj à partir de 175 $ ; ). Des appartements rénovés dans un bâtiment sur cour. Cloisons minces, meubles contemporains et jolies œuvres d'art. Suites avec salons séparés. En-cas offerts et accès à un club privé. Parking 10 $.

**Hollywood Roosevelt Hotel** BOUTIQUE-HÔTEL $$$
(carte p. 75 ; 323-466-7000, 800-950-7667 ; www.hollywoodroosevelt.com ; 7000 Hollywood Blvd ; ch à partir de 330 $ ; ). Vénérable hôtel historique qui a accueilli la première cérémonie des oscars en 1929. Réception espagnole splendide, chambres asiatiques contemporaines et chics, piscine glamour, salons et restaurants branchés. Parking 33 $.

**London West Hollywood** HÔTEL DE LUXE $$$
(carte p. 76 ; 866-282-4560 ; www.thelondonwesthollywood.com ; 1020 N San Vicente Blvd ; ste avec petit-déj à partir de 279 $ ; ). Étincelant au sud du Sunset Strip, le London, tout en élégance design, compte un restaurant chic tenu par le télégénique chef Gordon Ramsay, et une piscine sur le toit donnant sur les collines d'Hollywood. Parking 30 $.

## Mid-City et Beverly Hills

**StayOn Beverly** AUBERGE DE JEUNESSE $ (www.stayonbeverly.com ; 4619 Beverly Blvd ; ch sans sdb 50-55 $ ; P❄📶). À Koreatown, cette auberge dépouillée et propre est une base idéale pour tous les routards. Les 10 chambres basiques sont munies de mini-réfrigérateurs et partagent un micro-ondes dans le salon commun. Parking gratuit mais limité.

**Farmer's Daughter Hotel** MOTEL $$ (carte p. 76 ; ☎323-937-3930, 800-334-1658 ; www.farmersdaughterhotel.com ; 115 S Fairfax Ave ; ch à partir de 185 $ ; P❄@📶🏊). Face à l'Original Farmers Market et aux CBS Studios, un motel apprécié pour son look "urban cowboy" chic. Les aventuriers romantiques demanderont la No Tell Room. Parking 18 $.

**Avalon Hotel** HÔTEL $$$ (carte p. 76 ; ☎310-277-5221, 800-670-6183 ; www.viceroyhotelgroup.com/avalon ; 9400 W Olympic Blvd ; ch à partir de 210 $ ; ❄@📶🏊🐾). Cet hôtel très moderne, installé dans l'immeuble des années 1950 où vécut Marilyn Monroe, attire une clientèle branchée. Les riches et célèbres s'affichent dans le bar-restaurant tendance et animé donnant sur une piscine en forme de sablier. Parking 30 $.

## Santa Monica

♥ **HI Los Angeles-Santa Monica** AUBERGE DE JEUNESSE $ (carte p. 79 ; ☎310-393-9913 ; www.hilosangeles.org ; 1436 2nd St ; dort 38-49 $, ch sans sdb 99-159 $ ; ❄@📶). Près de la plage et de Third Street Promenade, une situation à faire pâlir d'envie nombre d'adresses plus luxueuses. Ses 260 lits dans des dortoirs non-mixtes et de minuscules doubles sont propres et sûrs. Nombreux espaces communs parfaits pour se détendre et surfer sur Internet. Sdb communes uniquement.

**Sea Shore Motel** MOTEL $$ (carte p. 79 ; ☎310-392-2787 ; www.seashoremotel.com ; 2637 Main St ; ch à partir de 110 $ ; P❄📶). Tenu en famille, cet hébergement chaleureux se situe à deux blocs de la plage et pile sur Main St (donc un peu bruyant). Les chambres carrelées à l'espagnole sont basiques mais séduisantes. Celles avec cuisine conviennent aux familles.

♥ **Viceroy** BOUTIQUE-HÔTEL $$$ (carte p. 79 ; ☎310-260-7500, 800-622-8711 ; www.viceroysantamonica.com ; 1819 Ocean Ave ; ch à partir de 350 $ ; P❄@📶🏊🐾). Passez outre la façade sans charme et plongez dans le grandiloquent style "Hollywood Regency" déclinant une palette de couleurs du gris dauphin au vert citron. Luxueux abris de toile au bord de la piscine, linge de créateurs italiens et bar-restaurant chic. Parking 35 $.

## Long Beach

**Hotel Varden** BOUTIQUE-HÔTEL $$ (☎562-432-8950, 877-382-7336 ; www.thevardenhotel.com ; 335 Pacific Ave ; ch avec petit-déj continental à partir de 119 $ ; P❄@📶🏊). Des architectes d'intérieur ont redonné une allure moderne aux 35 petites chambres de cet hôtel de 1929 : bureaux et lavabos minuscules, beaucoup d'angles droits, lits confortables et du blanc partout. À deux blocs à l'ouest de l'animation de Pine Ave. Parking 11 $.

## Pasadena

**Saga Motor Hotel** MOTEL $ (☎626-795-0431, 800-793-7242 ; www.thesagamotorhotel.com ; 1633 E Colorado Blvd ; ch avec petit-déj 79-99 $ ; P❄@📶👪). Sur l'historique Route 66, un motel moderne des années 1950 aux chambres démodées mais impeccables. Piscine chauffée entourée de transats.

# Où se restaurer

La scène gastronomique de LA est la plus dynamique et éclectique de Californie, des chefs réputés écumant les marchés de producteurs à une cuisine mondiale des plus authentiques. Avec quelque 140 nationalités vivant à LA, les quartiers ethniques à explorer ne manquent pas, notamment **Little Tokyo** et **Chinatown** dans le centre, **Koreatown** à Mid-City, **Thai Town** à l'est d'Hollywood, **Boyle Heights** à East LA pour des saveurs mexicaines, **Torrance** à South Bay pour les palais japonisants, et **Monterey Park** et **Alhambra**, à l'est de Pasadena, pour déguster *dim sum* et cuisine chinoise.

## Downtown

Pour vous restaurer rapidement et simplement, direction les étals de cuisine internationale de l'historique **Grand Central Market** (carte p. 70 ; www.grandcentralsquare.com ; 317 S Broadway ; ⏲9h-18h).

**Philippe the Original** DINER $

(carte p. 70 ; ☎213-628-3781 ; www.philippes.com ; 1001 N Alameda St ; plats 4-10 $ ; ⏲6h-22h ; P 👪). Beaux gosses de la police, avocats stressés et vacanciers du Midwest apprécient cette légendaire sandwicherie de 1908, où a vu le jour le *French dip sandwich* ("sandwich français trempé"). Choisissez la viande juteuse à déguster dans un pain croustillant et installez-vous aux tables communes sur un sol recouvert de sciure. Espèces uniquement.

**Gorbals** CUISINE JUIVE $$

(carte p. 70 ; ☎213-488-3408 ; www.thegorbalsla.com ; 501 S Spring St ; plats 6-43 $ ; ⏲déj et dîner). Gagnant du *Top Chef* américain, Ilan Hall propose une cuisine juive d'inspiration traditionnelle : boulettes de pain azyme au bacon, galettes de pommes de terre à la sauce à la pomme fumée, *gribenes* (peau de poulet frite) servie en sandwich BLT. Caché à l'arrière du hall de l'Alexandria Hotel.

**Nickel Diner** DINER $$

(carte p. 70 ; ☎213-623-8301 ; http://nickeldiner.com ; 524 S Main St ; plats 7-14 $ ; ⏲8h-15h30 mar-dim, 18h-22h30 mar-sam). Dans le quartier historique des théâtres de Downtown, ce *diner* aux banquettes en vinyle rouge évoque les années 1920, mais propose des plats contemporains : avocat farci à la salade de quinoa, chili burgers et délicieux beignets. Longues files d'attente.

**Bäco Mercat** TAPAS $$$

(carte p. 70 ; ☎213-687-8808 ; http://bacomercat.com ; 408 S Main St ; petites assiettes 8-19 $ ; ⏲11h30-14h et 17h30-23h lun-jeu, 11h30-15h et 17h30-minuit ven-sam, 11h30-15h et 17h-22h dim). Tapas espagnoles rehaussées d'une audacieuse touche pan-asiatique et californienne, servis dans un élégant restaurant dont les tables débordent jusqu'au patio extérieur. Les *bäco* (sandwichs plats) ont toutes sortes de garnitures, du hachis de queue de bœuf au porc rôti.

**Bottega Louie** ITALIEN $$$

(carte p. 70 ; ☎213-802-1470 ; www.bottegalouie.com ; 700 S Grand Ave ; plats 8-35 $ ; ⏲8h-23h lun-jeu, 8h-minuit ven, 9h-minuit sam, 9h-23h dim). Le grand bar en marbre attire autant les bobos que les employés de bureau. Dans la cuisine ouverte, les cuisiniers font griller des saucisses maison et cuire des pizzas au feu de bois. Le tout est servi dans la vaste salle blanche, qui ne désemplit pas.

## Hollywood

**Griddle Café** PETIT-DÉJEUNER $$

(carte p. 76 ; ☎323-874-0377 ; www.thegriddlecafe.com ; 7916 W Sunset Blvd ; plats 10-18 $ ; ⏲7h-16h lun-ven, 8h-16h sam-dim). Pancakes forts en sucre, œufs brouillés géants et cafetière à piston garantissent l'affluence des jeunes hollywoodiens sur les tables de bois et le comptoir en U de cette adresse. Le week-end, ils viennent s'y remettre des soirées arrosées.

**Umami Urban** BURGERS $$

(carte p. 75 ; ☎323-469-3100 ; www.umami.com ; 1520 N Cahuenga Blvd ; plats 10-15 $ ; ⏲11h-23h dim-jeu, 11h-minuit ven-sam). Dans le très branché centre commercial Space 15 Twenty, dégustez burgers gastronomiques aux piments verts, beignets d'oignons au sel fumé et plus encore. Pour accompagner, commandez une poutine (plat à base de frites), une des bières artisanales ou un diabolo-menthe. Également présent à Los Feliz, Santa Monica, Westwood et Mid-City.

♥ **Pizzeria & Osteria Mozza** ITALIEN $$$

(☎323-297-0100 ; www.mozza-la.com ; 6602 Melrose Ave ; pizzas 11-20 $, plats dîner 27-38 $ ; ⏲pizzeria 12h-minuit tlj, osteria 17h30-23h lun-ven, 17h-23h sam, 17h-22h dim). Réservez plusieurs semaines à l'avance pour une table dans l'un des restaurants italiens les plus tendances de LA, géré par les célèbres chefs Mario Batali et Nancy Silverton. Deux établissements partagent le même bâtiment : vaste menu italien traditionnel à l'*osteria*, pizzas de haute volée et délicieux antipasti à la pizzeria.

**Musso & Frank Grill** AMÉRICAIN $$$

(carte p. 75 ; ☎323-467-7788 ; www.mussoandfrank.com ; 6667 Hollywood Blvd ; plats 9-45 $ ; ⏲11h-23h mar-sam). L'histoire d'Hollywood est très présente dans le plus vieux restaurant du boulevard. Les steaks, côtelettes et autres plats peu soucieux de diététique rappellent l'époque où le cholestérol ne faisait pas partie du vocabulaire. Service plaisant et bons martinis.

## West Hollywood, Mid-City et Beverly Hills

**Veggie Grill** VÉGÉTARIEN $

(carte p. 76 ; ☎323-822-7575 ; www.veggiegrill.com ; 8000 W Sunset Blvd ; plats 7-10 $ ; ⏲11h-23h ; 🌿 👪). A priori, "ailes de poulet croustillantes" ou "sandwich *carne asada*" ne sonnent pas très végétarien. Cette chaîne locale n'utilise pourtant que des protéines végétales (essentiellement du *tempeh*). Plats sans gluten et sans noix sont aussi proposés. Autres établissements à Hollywood, Mid-City, Westwood, Santa Monica et Long Beach.



**Original Farmers Market** MARCHÉ **$**
(carte p. 76 ; www.farmersmarketla.com ; 6333 W 3rd St ; plats 6-12 $ ; 9h-21h lun-ven, 9h-20h sam, 10h-19h dim ; P). Ce marché a conservé quelques restaurants abordables, la plupart en plein air. Essayez le Du-par's, un *diner* classique, la cuisine cajun de Gumbo Pot ou le grill mexicain ¡Loteria! Deux heures de parking gratuit pour les clients.

♥ **Night + Market** THAÏ **$$**
(carte p. 76 ; 310-275-9724 ; www.nightmarketla.com ; 9041 W Sunset Blvd ; plats 10-19 $ ; 18h-22h30 mar-dim, dernière commande 21h45). Une envie de cuisine thaïe bien relevée ? C'est exactement ce que propose ce petit restaurant de Sunset Strip servant de la cuisine de rue comme du poisson à la croûte de sel, du *lap* de canard et du porc grillé. Entrez par le restaurant Talesai et passez sous le rideau rouge derrière le bar.

♥ **Bazaar** ESPAGNOL **$$$**
(carte p. 76 ; 310-246-5555 ; www.thebazaar.com ; SLS Hotel, 465 S La Cienega Blvd ; petites assiettes 8-42 $ ; 18h-22h30 dim-mer, 18h-23h30 jeu-sam). Décoration intérieure signée Philippe Starck et tapas "gastronomiques et moléculaires" par José Andrés. Poivrons farcis et sandwichs aux oursins explosent de saveurs, sans oublier le si léger foie gras et le *Philly cheese-steak* sur "*air bread*", un sandwich bœuf Wagyu-fromage sur un pain creux.

## Malibu

**Malibu Seafood** POISSON ET FRUITS DE MER **$$**
(310-456-3430 ; www.malibuseafood.com ; 25653 Pacific Coast Hwy ; plats 8-15 $ ; 11h-20h ; P). Marché au poisson et restaurant prisé des habitants, grillant des filets frais et préparés simplement. Paniers de fruits de mer, sandwichs et salades. La sauce tartare maison et la soupe de palourdes sont délicieuses.

**Paradise Cove Beach Cafe** AMÉRICAIN **$$$**
(310-457-2503 ; www.paradisecovemalibu.com ; 28128 Pacific Coast Hwy ; plats 11-36 $ ; 8h-22h ; P). Le sud de la Californie tel que vous l'imaginiez : les pieds dans le sable, dégustez une piña colada et des tacos de poisson sur une plage privée. Quatre heures de parking 6 $.

## Santa Monica et Venice

♥ **Santa Monica Farmers Markets** MARCHÉ **$**
(carte p. 79 ; www.smgov.net/portals/farmersmarket ; Arizona Ave, entre 2nd St et 3rd St ; 8h30-13h30 mer, 8h30-13h sam ; ). Les plus grands chefs viennent se fournir en produits frais, souvent bio, sur ce marché de producteurs bihebdomadaire du centre de Santa Monica, tandis que les restaurants locaux installent des étals sous la tente. Le marché du samedi matin de Main St a plus des airs de fête de rue communautaire.

**Lemonade** CALIFORNIEN **$$**
(http://lemonadela.com ; 1661 Abbot Kinney Blvd ; petites assiettes 5-11 $ ; 11h-21h). Toute une gamme de salades imaginatives, comme de la laitue grasse au pamplemousse rose ; du thon grillé au radis pastèque ; du poulet à l'ananas grillé ; des sandwichs au levain sur commande et une foule de limonades – notamment myrtille-menthe ! Également présent à Downtown LA, Mid-City, Pasadena et à l'aéroport LAX.

**Santa Monica Place** CENTRE COMMERCIAL **$$**
(carte p. 79 ; www.santamonicaplace.com ; 395 Santa Monica Pl ; restaurants tlj, horaires variables ; ). Centre commercial proposant plusieurs excellentes options : fusion latino-asiatique au Zengo, pizzas au feu de bois à l'Antica et cuisine végétarienne crue au M.A.K.E. La plupart des restaurants du 3e niveau donnent sur les toits, voire sur l'océan, et les étals proposent de tout, de la charcuterie aux soufflés. Au rez-de-chaussée, True Food Kitchen propose une cuisine saine, végétarienne et sans gluten.

**Father's Office** PUB **$$**
(310-736-2224 ; www.fathersoffice.com ; 1018 Montana Ave ; plats 5-15 $ ; 17h-22h lun-mer, 17h-23h jeu, 16h-23h ven, 12h-23h sam, 12h-22h dim). Petit établissement chaleureux et bruyant où le personnel vous détaillera la douzaine de bières proposées à la pression. Mais ne demandez *jamais* de modifier la composition de leurs burgers à se damner ! Le bar ouvre au moins jusqu'à minuit tous les jours. Annexe à Culver City.

### Long Beach

**George's Greek Café** GREC $$

(562-437-1184 ; www.georgesgreekcafe.com ; 135 Pine Ave ; plats 9-26 $ ; 10h-22h dim-jeu, 10h-23h ven-sam). George vous accueillera peut-être en personne dans le spacieux patio qui fait office d'entrée à cette adresse. Elle est située au cœur du quartier des restaurants de Pine Ave. Les habitants plébiscitent l'inoubliable *saganaki* (fromage frit), les pitas fraîches et les côtelettes d'agneau.

### Pasadena

**Ración** ESPAGNOL $$

(626-396-3090 ; http://racionrestaurant.com ; 119 W Green St ; assiettes partagées 5-27 $ ; 18h-22h mar-jeu, 18h-23h ven, 11h-14h et 17h30-23h sam, 11h-14h et 17h30-22h dim). À deux blocs au sud d'Old Town Pasadena, ce chaleureux bar à tapas propose des plats d'inspiration basque, notamment des charcuteries maison, des fromages importés et des légumes fumés de saison.

## Où prendre un verre

Hollywood était un haut lieu des amateurs d'alcool bien avant l'époque de Sinatra et consorts, et Sunset Strip est aujourd'hui presque aussi réputée pour son ambiance de fête que dans les années 1960. Les cocktails créatifs sont à l'ordre du jour dans les bars réinventés de Downtown LA et des quartiers plus branchés. Les bars de plage vont des repaires de surfeurs aux pubs irlandais, en passant par les lounges à cocktails éclairés aux chandelles.

**Edison** BAR

(carte p. 70 ; 213-613-0000 ; www.edisondowntown.com ; 108 W 2nd St, près de Harlem Pl ; 17h-2h mer-ven, 19h-2h sam). *Metropolis* rencontre *Blade Runner* dans cette boîte industriel-chic en sous-sol, où l'on sirote des cocktails confectionnés avec soin au milieu des turbines d'une ancienne centrale électrique. Canapés en cuir chocolat, trois vastes bars et code vestimentaire pointilleux.

**Copa d'Oro** BAR

(carte p. 79 ; www.copadoro.com ; 217 Broadway, Santa Monica ; 17h30-minuit lun-mer, 17h30-2h jeu-sam). L'éclairage chaleureux de ce sanctuaire de Santa Monica devrait séduire les couples romantiques. Cocktails artisanaux avec alcools de qualité, accompagnés d'herbes fraîches, de fruits et même de légumes. Jus de fruits frais et sodas maison.

**Seven Grand** BAR

(carte p. 70 ; 213-614-0737 ; http://sevengrandbars.com ; 1er ét, 515 W 7th St ; 17h-2h lun-mer, à partir de 16h jeu-ven, à partir 19h sam). Tapis écossais et trophées sur les murs évoquent

### LOS ANGELES GAY ET LESBIEN

"Boystown", le long de Santa Monica Blvd dans West Hollywood (WeHo), est le cœur de l'univers gay. Des dizaines de bars, cafés, restaurants, gymnases et night-clubs accueillent pour la plupart des hommes. Silver Lake, la première enclave gay de LA, est passée de la prédominance cuir et jeans à des tendances multiethniques et métrosexuelles. À Long Beach, la communauté gay affiche une plus grande décontraction.

**Out & About** (www.outandabout-tours.com). Propose des circuits à pied le week-end pour visiter les hauts lieux de la culture gay et lesbienne de la ville. Les célébrations de la **LA Pride** (www.lapride.org) à la mi-juin attirent des centaines de milliers de résidents et de visiteurs venus faire la fête et admirer le défilé sur Santa Monica Boulevard.

**Abbey** (carte p. 76 ; www.abbeyfoodandbar.com ; 692 N Robertson Blvd ; plats 9-13 $ ; 8h-2h). Dans cet incontournable bar-restaurant gay de WeHo, on s'affiche dans le patio verdoyant, dans un élégant salon ou sur la piste de danse, en savourant des martinis parfumés et une cuisine de pub haut de gamme. Une dizaine d'autres bars et clubs sont accessibles à pied.

**Akbar** (www.akbarsilverlake.com ; 4356 W Sunset Blvd). Excellent jukebox et clientèle de Los Feliz changeant d'heure en heure – gay, hétéro ou juste branchée mais pas trop. Certains soirs, la backroom se transforme en piste de danse.

**Roosterfish** (carte p. 79 ; www.roosterfishbar.com ; 1302 Abbot Kinney Blvd ; 11h-2h). Le plus ancien bar gay de Venice sert des hommes depuis plus de trente ans. Sombre et un brin glauque, mais sympathique, il dispose d'un billard et d'un patio.

un pavillon de chasse envahi par de jeunes branchés. Le whisky est la boisson privilégiée, avec plus de 100 marques : du Tennessee, d'Écosse, d'Irlande et du Japon. Code vestimentaire strict.

**El Carmen** BAR
(carte p. 76 ; 8138 W 3rd St ; ⏲17h-2h lun-ven, 19h-2h sam-dim). Têtes de taureau et masques de *lucha libre* (lutte mexicaine) créent une ambiance "Tijuana" attirant une clientèle du monde du spectacle. Dégustez les margaritas de l'happy hour ou plongez dans une carte comprenant une centaine de tequilas et de mezcals.

**Intelligentsia Coffeebar** CAFÉ
(carte p. 79 ; www.intelligentsiacoffee.com ; 1331 Abbot Kinney Blvd ; ⏲6h-20h lun-mer, 6h-23h jeu-ven, 7h-23h sam, 7h-20h dim ; 📶). À Venice, dans ce monument à l'architecture minimaliste dédié au café, des barmen perfectionnistes préparent des cafés mousseux. Torréfaction sur place. Également présent à Silver Lake et Pasadena.

## ✩ Où sortir

*LA Weekly* (www.laweekly.com) et le *Los Angeles Times* (www.latimes.com) publient des listes complètes des spectacles. Achetez vos billets en ligne, aux billetteries ou auprès de **Ticketmaster** (☎213-480-3232 ; www.ticketmaster.com). Pour des billets à tarif réduit ou demi-tarif, essayez **Goldstar** (www.goldstar.com) et **ScoreBig** (www.scorebig.com) pour les spectacles, les concerts, l'humour et le sport, ou **LA Stage Alliance** (www.lastagealliance.com) et **Plays 411** (www.plays411.com) pour le théâtre uniquement.

Pour confirmer tous vos préjugés sur LA, il suffit de vous rendre dans un des clubs d'Hollywood barrées par un ruban de velours. Prévoyez de venir avec un corps de rêve ou un portefeuille bien garni pour impressionner les videurs. Les clubs ouvrent généralement de 21h30 à 2h du jeudi au samedi, l'entrée tourne autour de 20 $ (apportez une pièce d'identité avec photo).

♥ **Hollywood Bowl** MUSIQUE LIVE
(☎323-850-2000 ; www.hollywoodbowl.com ; 2301 N Highland Ave ; ⏲juin-sept ; 👪). Amphithéâtre historique en plein air, il accueille le Philarmonique de LA en été, ainsi que des grands noms du rock, du jazz, du blues et de la pop. Venez tôt pour pique-niquer avant le spectacle (alcool autorisé).

**Staples Center** SPORTS, MUSIQUE LIVE
(carte p. 70 ; ☎213-742-7340 ; www.staplescenter.com ; 1111 S Figueroa St ; 👪). En forme de soucoupe volante, ce centre ultramoderne accueille les équipes de basket des Lakers, des Clippers et des Sparks, celle de hockey sur glace des Kings, ainsi que des vedettes, de Brunos Mars à Justin Bieber.

**Los Angeles Philharmonic** ORCHESTRE
(carte p. 70 ; ☎323-850-2000 ; www.laphil.org ; 111 S Grand Ave). De classe internationale, le Philarmonique de LA, dirigé par le Vénézuélien Gustavo Dudamel, joue des œuvres classiques et avant-gardistes au Walt Disney Concert Hall (p. 67).

♥ **Upright Citizens Brigade Theatre** HUMOUR
(carte p. 75 ; ☎323-908-8702 ; http://losangeles.ucbtheatre.com ; 5919 Franklin Ave ; 5-10 $). Fondé à NYC par Amy Poehler, ancienne du *Saturday Night Live*, ce club proposant sketchs et impros est fréquenté par les scénaristes d'Hollywood et de jeunes stars de la TV.

♥ **Egyptian Theater** CINÉMA
(carte p. 75 ; ☎323-466-3456 ; www.americancinematheque.com ; 6712 Hollywood Blvd). Salle de cinéma exotique de 1922, où l'American Cinematheque présente des rétrospectives et des conférences avec des réalisateurs, des scénaristes et des acteurs.

**Actors' Gang Theater** THÉÂTRE
(www.theactorsgang.com ; 9070 Venice Blvd, Culver City). Cofondée par Tim Robbins, cette troupe soucieuse des réalités sociales a remporté des prix pour ses réinterprétations audacieuses de pièces classiques et contemporaines.

**Arclight Cinemas** CINÉMA
(carte p. 75 ; ☎323-464-1478 ; www.arclightcinemas.com ; 6360 W Sunset Blvd ; 14-16 $). Ce cinéma ultramoderne, où il faut réserver ses places (pas d'entrée tardive), dans le célèbre Cinerama Dome d'Hollywood, voit souvent passer des stars en chair et en os.

**House of Blues** MUSIQUE LIVE
(carte p. 76 ; ☎323-848-5100 ; www.hob.com ; 8430 W Sunset Blvd). Malgré ses airs de vieille boîte de blues pour parc d'attractions, cette salle de spectacle du Sunset Strip propose des concerts de qualité et parfois décalés : rock, hip-hop, jazz et blues.

**Center Theatre Group** THÉÂTRE
(☎213-628-2772 ; www.centertheatregroup.org). Pièces et comédies musicales contemporaines

et classiques, notamment des productions de Broadway en tournée, présentées sur trois scènes à Downtown LA et Culver City.

**Largo at the Coronet** MUSIQUE, ARTS DU SPECTACLE
(carte p. 76 ; ☎310-855-0530 ; www.largo-la.com ; 366 N La Cienega Blvd). Laboratoire de la culture pop accueillant des humoristes comme Sarah Silverman, de nouvelles pièces radiophoniques (*Thrilling Adventure Hour*) et des groupes indés dans une salle historique de Mid-City.

**Hotel Cafe** MUSIQUE LIVE
(carte p. 75 ; ☎323-461-2040 ; www.hotelcafe.com ; 1623½ N Cahuenga Blvd ; billets 10-20 $). L'endroit privilégié pour les auteurs-compositeurs qui sert surtout de tremplin à de jeunes chanteurs engagés. Arrivez tôt et entrez par l'allée.

**Troubadour** MUSIQUE LIVE
(carte p. 76 ; ☎billets 877-435-8949 ; www.troubadour.com ; 9081 Santa Monica Blvd). Des décennies après avoir fait de Joni Mitchell et de Tom Waits des stars, ce music-hall permet encore de découvrir les succès de demain.

**Los Angeles Opera** OPÉRA
(carte p. 70 ; ☎213-972-8001 ; www.laopera.com ; 135 N Grand Ave, Dorothy Chandler Pavilion). Dirigé par Plácido Domingo, cet ensemble de renom joue des opéras prisés du grand public, comme *Tosca*.

**Will Geer's Theatricum Botanicum** THÉÂTRE
(☎310-455-3723 ; www.theatricum.com ; 1419 N Topanga Canyon Blvd, Topanga ; 👪). Merveilleux répertoire d'été joué dans les bois : classiques shakespeariens et pièces familiales.

**Dodger Stadium** BASE-BALL
(☎866-363-4377 ; www.dodgers.com ; 1000 Elysian Park Ave ; ⏲avr-sept). L'équipe de la Major League Baseball de LA joue juste à côté du centre.

## Achats

Si Rodeo Drive reste la rue la plus emblématique de LA en matière de shopping, la ville compte bien d'autres endroits pour faire des achats. Outre celles mentionnées ici, vous trouverez des boutiques indépendantes sur **Main Street** (carte p. 79 ; entre Bay St et Marine St) à Santa Monica, **Abbot Kinney Boulevard** (carte p. 79) à Venice et **Vermont Avenue** (entre Franklin Ave et Prospect Ave) à Los Feliz.

> **À NE PAS MANQUER**
>
> **MOTEUR !**
>
> Habillez-vous comme une star ! **It's a Wrap** (carte p. 76 ; ☎310-246-9727 ; www.itsawraphollywood.com ; 1164 S Robertson Blvd ; ⏲10h-20h lun-ven, 11h-18h sam-dim), à Mid-City, vend des costumes portés par des acteurs et des figurants pour des films ou des séries TV. Les étiquettes permettent de savoir qui a revêtu votre débardeur ou votre smoking. Les étiquettes étant codées, vous saurez de quel studio ou de quelle émission vient le vêtement que vous portez. Autrefois à Burbank.

**Rodeo Drive** ZONE COMMERÇANTE
(carte p. 76 ; entre Wilshire Blvd et Santa Monica Blvd). L'artère commerçante la plus célèbre de LA, à Beverly Hills.

**Robertson Boulevard** ZONE COMMERÇANTE
(carte p. 76 ; entre Beverly Blvd et 3rd St). Le coin de Mid-City où les fashionistas et les paparazzis convergent.

**Montana Avenue** ZONE COMMERÇANTE
(entre Lincoln Blvd et 20th St). La zone commerçante la plus chic de Santa Monica.

**Melrose Avenue** ZONE COMMERÇANTE
(carte p. 76 ; entre San Vicente Blvd et La Brea Ave). À West Hollywood, Melrose Ave reste le chouchou des jeunes bohèmes et branchés, notamment au **Melrose Trading Post** (carte p. 76 ; http://melrosetradingpost.org ; Fairfax High School, 7850 Melrose Ave ; 2 $ ; ⏲9h-17h dim), un marché aux puces hebdomadaire. Les célébrités font souvent un saut à **Book Soup** (carte p. 76 ; ☎310-659-3110 ; www.booksoup.com ; 8818 W Sunset Blvd ; ⏲9h-22h lun-sam, 9h-19h dim) sur Sunset Strip.

**Amoeba Music** MUSIQUE
(carte p. 75 ; ☎323-245-6400 ; www.amoeba.com ; 6400 W Sunset Blvd ; ⏲10h30-23h lun-sam, 11h-21h dim). *Le* disquaire d'Hollywood, en provenance de San Francisco.

**Sunset Junction** ZONE COMMERÇANTE
(Sunset Blvd, entre Santa Monica Blvd et Griffith Park Blvd). Silver Lake, à l'est d'Hollywood, regroupe objets kitsch, curiosités et réalisations de jeunes créateurs, notamment autour de Sunset Junction.

**Retro Row** ZONE COMMERÇANTE
(E 4th St, entre Cherry Ave & Junipero Ave). Retro Row, à Long Beach est bordé de boutiques de vêtements d'occasion et de meubles des années 1950 à des prix tout doux ou effarants.

**Distant Lands** LIVRES
(☎626-449-3220 ; www.distantlands.com ; 20 S Raymond Ave ; ⏲10h30-20h lun-jeu, 10h30-21h ven-sam, 11h-18h dim). Malle aux trésors de guides de voyages et de gadgets, à Pasadena.

**Rose Bowl Flea Market** MARCHÉ
(www.rgcshows.com ; 1001 Rose Bowl Dr, Pasadena ; à partir de 8 $ ; ⏲9h-16h30 2e dim du mois, dernière entrée 15h). Ici, plus de 2 500 vendeurs servent chaque mois quelque 15 000 clients.

**Fashion District** MODE
(carte p. 70 ; www.fashiondistrict.org). Pour les amateurs de haute couture à petits prix, les 100 *blocks* du Fashion District de Downtown proposent une époustouflante sélection d'échantillons, imitations et designs originaux à des prix intéressants. Le marchandage est de rigueur. Non loin, or et diamants sont les principales devises du **Jewelry District** de Hill St.

**Flower Market** MARCHÉ
(carte p. 70 ; www.laflowerdistrict.com ; Wall St ; lun-ven 2 $, sam 1 $ ; ⏲8h-12h lun, mer et ven, 6h-12h mar, jeu et sam). Le marché aux fleurs de Downtown LA, le plus grand des États-Unis, date de 1919.

## ℹ Renseignements

### ACCÈS INTERNET

Des cafés offrent l'accès Wi-Fi avec une consommation (certains le font gratuitement).

**Los Angeles Public Library** (☎213-228-7000 ; www.lapl.org ; 630 W 5th St ; ⏲10h-20h lun-jeu, 10h-17h30 ven-sam ; @ 📶). Wi-Fi gratuit et terminaux Internet à disposition. Appelez ou consultez le site Internet pour les adresses des annexes et les horaires.

**Santa Monica Public Library** (☎310-458-8600 ; www.smpl.org ; 601 Santa Monica Blvd, Santa Monica ; ⏲10h-21h lun-jeu, 10h-17h30 ven-sam, 13h-17h dim ; @ 📶). Wi-Fi gratuit et terminaux Internet à disposition.

### ARGENT

**TravelEx** (☎310-659-6093 ; www.travelex.com ; US Bank, 8901 Santa Monica Blvd, West Hollywood ; ⏲9h30-17h lun-jeu, 9h-18h ven, 9h-13h sam). Annexes à Hollywood, Mid-City et Santa Monica ouvertes uniquement en semaine.

### DÉSAGRÉMENTS ET DANGERS

Le taux de criminalité est plus bas à West LA, Beverly Hills, les villes balnéaires (sauf Venice et Long Beach) et Pasadena. Évitez de marcher seul le soir autour du "Skid Row" de Downtown, en gros entre 3rd St, Alameda St, 7th St et Main St.

### MÉDIAS

**KCRW 89.9 FM** (www.kcrw.org). Radio publique nationale généraliste ; musique moderne et actualités.

**KPCC 89.3 FM** (www.kpcc.org). Radio publique diffusant des programmes de la BBC et des talk shows californiens de bon niveau.

**LA Weekly** (www.laweekly.com). Hebdomadaire alternatif gratuit : actualités, arts, divertissements et listing des spectacles.

**Los Angeles Magazine** (www.lamag.com). Mensuel luxueux avec un bon guide des restaurants.

**Los Angeles Times** (www.latimes.com). Quotidien lauréat du prix Pulitzer et site Internet fourmillant d'infos.

### OFFICES DU TOURISME

**Beverly Hills Visitor Center** (carte p. 76 ; ☎310-248-1015 ; www.lovebeverlyhills.com ; 9400 S Santa Monica Blvd, Beverly Hills ; ⏲9h-17h lun-ven, 10h-17h sam-dim)

**Downtown LA Visitor Information Center** (carte p. 70 ; http://discoverlosangeles.com ; 800 N Alameda St, Union Station ; ⏲9h-17h lun-ven)

**Hollywood Visitor Information Center** (carte p. 75 ; ☎323-467-6412 ; http://discoverlosangeles.com ; complexe Hollywood & Highland, 6801 Hollywood Blvd ; ⏲10h-22h lun-sam, 10h-19h dim)

**Santa Monica Visitor Center** (carte p. 79 ; ☎800-544-5319, 310-393-7593 ; www.santamonica.com ; 1920 Main St, Santa Monica ; ⏲9h-17h30 lun-ven, 9h-17h sam-dim). Kiosques d'information à Santa Monica Pier, Palisades Park et Third St Promenade.

### SERVICES MÉDICAUX

**Cedars-Sinai Medical Center** (☎310-423-3277 ; http://cedars-sinai.edu ; 8700 Beverly Blvd, West Hollywood). Urgences 24h/24.

### SITES INTERNET

**Daily Candy LA** (www.dailycandy.com/los-angeles/). Une sélection des plaisirs de LA.

**Discover Los Angeles** (http://discoverlosangeles.com). Site officiel d'informations touristiques.

**Experience LA** (www.experiencela.com). Calendrier culturel exhaustif.

**LAist** (http://laist.com). Arts, divertissements, cuisine, événements et potins culturels.

**LA Observed** (www.laobserved.com). Blog d'actualité devançant souvent les grands médias.

### TÉLÉPHONE

LA County compte plusieurs indicatifs différents. Composez le ☎1+l'indicatif du secteur avant le numéro local à 7 chiffres.

## Depuis/vers Los Angeles

### AVION

Point d'entrée de LA, le **Los Angeles International Airport** (LAX ; ☎310-646-5252 ; www.lawa.org/lax ; 1 World Way ; 📶) est le deuxième des États-Unis en termes de fréquentation. Les 9 terminaux sont reliés par la fréquente navette gratuite A, au niveau inférieur (arrivée). Des navettes d'hôtels et d'agences de location de voitures y font halte également.

Plus petits, le **Long Beach Airport** et le **Bob Hope Airport** (BUR ; ☎818-840-8840 ; www.burbankairport.com ; 2627 N Hollywood Way) de Burbank accueillent principalement des vols intérieurs.

### BUS

La principale **gare routière Greyhound** (☎213-629-8401 ; www.greyhound.com ; 1716 E 7th St) se situe dans une partie peu plaisante de Downtown ; évitez d'arriver le soir. Si vous y êtes obligé, appelez un taxi depuis l'intérieur de la gare routière.

### TRAIN

Les trains longue distance Amtrak rallient l'historique **Union Station** (☎800-872-7245 ; www.amtrak.com ; 800 N Alameda St) à Downtown. Les trains régionaux de *Pacific Surfliner* desservent San Diego (37 $, 2 heures 45) au sud, et Santa Barbara (25-30 $, 3 heures) et San Luis Obispo (40 $, 5 heures 30) au nord.

### VOITURE

Les habituelles compagnies internationales de location de voitures disposent d'agences au LAX et dans tout Los Angeles.

## Comment circuler

### DEPUIS/VERS L'AÉROPORT

Des vans collectifs porte à porte de **Prime Time** (☎800-733-8267 ; www.primetimeshuttle.com) et **Super Shuttle** (☎800-258-3826 ; www.supershuttle.com) partent du niveau inférieur des terminaux du LAX, à destination, par exemple, de Santa Monica (19 $), Hollywood (25 $) et Downtown LA (16 $). Le **Disneyland Express** (☎714-978-8855 ; http://graylineanaheim.com ; aller/aller-retour 22/32 $ ; ⏱7h30-22h30) circule au moins toutes les heures entre le LAX et le secteur des hôtels de Disneyland ; Un pass familial aller-retour coûte 99 $.

Au LAX, des employés hèlent les **taxis**. Un forfait s'applique pour Downtown LA (46,50 $) ou Santa Monica (30-35 $). Sinon, la course au compteur (4 $ de prise en charge à l'aéroport) avoisine 45-55 $ pour Hollywood et jusqu'à 95 $ pour Disneyland, avant pourboire.

Les **LAX FlyAway Buses** (☎866-435-9529 ; www.lawa.org ; aller simple 7 $) partent quotidiennement des terminaux du LAX toutes les 30 minutes en direction de Westwood (10 $, 25-45 min) entre 6h et 23h, et 24h/24 pour Union Station à Downtown LA (7 $, 30-50 min).

Les autres transports publics sont plus lents, moins pratiques et moins chers. Du niveau inférieur de n'importe quel terminal, prenez une navette gratuite C jusqu'au Metro Bus Center, un carrefour de bus desservant tout LA ; sinon, prenez la navette G jusqu'à la station Aviation sur la Green Line du métro, puis changez à Willowbrook pour la Blue Line, qui dessert Downtown LA et Long Beach.

PAROLE D'EXPERT

### LOS ANGELES SANS VOITURE

"Personne ne marche à LA" chantait le groupe Missing Persons dans les années 1980. Une époque révolue. Fatiguée des embouteillages, de la pollution et du prix de l'essence, la ville emblématique de la culture automobile est en train d'adopter une nouvelle philosophie du déplacement. Les Angelenos déménagent dans des quartiers plus densément peuplés, où se déplacer à pied ou à vélo devient plus pertinent.

La Red Line du métro relie Downtown à Koreatown, Hollywood et Universal Studios. Logez près de l'une de ces stations artistiques et vous pourrez, pour l'essentiel, vous passer de voiture. Les billets d'une journée avec trajets illimités à 5 $ sont une bonne affaire ; de plus, étant donné les légendaires embouteillages de LA, il est souvent plus rapide de voyager sous terre qu'en surface.

Malgré le projet d'un "métro jusqu'à la mer", il faut actuellement prendre le bus pour rejoindre Mid-City, Beverly Hills, Westwood et Santa Monica. Depuis la Red Line (station Wilshire/Vermont) ou la Purple Line (station Wilshire/Western), changez pour le bus Rapid Metro°720 qui marque quelques arrêts sur Wilshire Blvd. Pour plus de renseignements, consultez www.metro.net.

### TAXI

Sauf pour les taxis qui attendent devant les aéroports, les gares routières et ferroviaires et les grands hôtels, mieux vaut appeler pour obtenir une voiture. Les taxis avec compteur coûtent 2,85 $ à la prise en charge, puis 2,70 $ le mile. Ils acceptent les principales cartes bancaires, parfois à contrecœur.

**Checker** (☎800-300-5007 ; http://ineedtaxi.com)

**Independent** (☎800-521-8294 ; http://taxi4u.com)

### TRANSPORTS PUBLICS

Si vous n'êtes pas pressé, les transports publics suffisent à se déplacer dans les quartiers les plus touristiques de LA, mais pas nécessairement pour aller de l'un à l'autre.

Les **minibus DASH** (☎323-808-2273, 213-808-2273 ; www.ladottransit.com ; 50 ¢ ; ⏲6h-19h) locaux circulent dans Downtown LA, Hollywood et Los Feliz. **Big Blue Bus** (☎310-451-5444 ; www.bigbluebus.com ; à partir de 1 $), basé à Santa Monica, dessert la majeure partie de West LA, notamment Westwood, Venice et le LAX ; son Rapid 10 Freeway Express relie Santa Monica et Downtown LA (2 $, 1 heure).

Vous pourrez obtenir des informations auprès du **Metro** (☎323-466-3876 ; www.metro.net) de LA, qui gère quelque 200 lignes de bus et les 6 lignes de métro et de *light rail* suivantes :

**Blue Line** De Downtown (7th St/Metro Center) à Long Beach

**Expo Line** De Downtown (7th St/Metro Center) à Culver City, via Exposition Park

**Gold Line** De Union Station à Pasadena et l'est de LA

**Green Line** De Norwalk à Redondo Beach

**Purple Line** De Downtown à Koreatown

**Red Line** De Downtown (Union Station) à North Hollywood, via Hollywood et Universal City

Métro et bus coûtent 1,50 $. Dans les bus, prévoyez l'appoint et prévenez le chauffeur en cas de correspondance. Il n'existe pas de transfert gratuit entre le métro et le bus, mais la "carte TAP" du métro avec trajets illimités revient à 5/20/75 $ par jour/semaine/mois. Achetez vos billets de métro et cartes TAP aux automates dans les stations, ou consultez le site www.metro.net pour trouver d'autres points de vente.

### VOITURE ET MOTO

Conduire à LA n'a rien de compliqué (un GPS vous aidera), mais préparez-vous aux pires embouteillages du pays aux heures de pointe en semaine (7h30-9h et 16h-18h30).

Le stationnement est souvent gratuit dans les motels. Dans les hôtels, il coûte souvent de 10 à 35 $. Un service de voiturier (de 3 à 10 $) est habituel dans les restaurants, hôtels et boîtes de nuit.

# CÔTE SUD

## Disneyland et Anaheim

Ancêtre de tous les parcs à thème de la Côte Ouest, surnommé "l'endroit le plus joyeux sur Terre", Disneyland est un monde parallèle, immaculé, enchanteur et loufoque. Plus petit et un peu plus modeste que le Disneyworld de Floride, c'est en fait le premier parc à thème de Walt Disney, qui rêvait d'un "parc magique" où enfants et parents pourraient s'amuser ensemble. En dépit d'un certain penchant pour les cascades, les châteaux et les tasses de thé géantes, Disney était aussi un homme d'affaires pragmatique qui choisit de construire son monde fantastique à proximité de la conurbation de LA.

Disneyland ouvrit en grande pompe en 1955 et la ville sans histoire d'Anaheim se développa alentour. Aujourd'hui, le Disneyland Resort comprend le parc à thème d'origine et le plus récent California Adventure Park. Anaheim elle-même ne propose pas grand-chose en termes de divertissements en dehors du mastodonte Disney.

### À voir et à faire

Vous pouvez explorer l'un ou l'autre **parc à thème** (☎714-781-4636 ; www.disneyland.com ; 1313 Harbor Blvd ; forfait journée adulte/enfant 3-9 ans 92/86 $, forfait 2 journées-2 parcs 210/197 $ ; ⏲horaires variables selon la saison) en une journée, mais comptez au moins 2 jours pour essayer tous les manèges, où l'attente peut atteindre voire dépasser 1 heure. Pour réduire les temps d'attente, surtout l'été, venez en milieu de semaine avant l'ouverture des portes, achetez des billets en ligne à imprimer chez vous et utilisez le système Fastpass du parc, qui assigne à l'avance des heures d'embarquement dans certains manèges et attractions. Voyez en ligne les horaires d'ouverture du parc et des défilés, des spectacles et des feux d'artifice. Les prix d'entrée, contacts et heures d'ouverture sont les mêmes pour les deux parcs, mais il faut acheter un billet plus cher pour visiter les deux.

**Disneyland Park** PARC À THÈME

(👪). Disneyland conserve le tracé conçu par Walt : **Main Street USA**, une jolie rue pietonne bordée de glaciers et de boutiques à l'ancienne, donne accès au parc. Au bout de la rue se dresse le **château de la Belle au bois dormant**, dont les tourelles bleues sont visibles depuis de nombreux secteurs du parc.

VAUT LE DÉTOUR

## KNOTT'S BERRY FARM

Si Disney ne vous suffit pas, vous trouverez d'autres manèges et stands de barbe à papa dans la **Knott's Berry Farm** (☎714-220-5200 ; www.knotts.com ; 8039 Beach Blvd, Buena Park ; adulte/enfant 60/31 $ ; ⊙ouverture 10h tlj, fermeture selon saison 18h-23h ; 👪). Ce parc de loisirs sur le thème du Far West séduit les adolescents fous de vitesse qui testent leur intrépidité sur divers manèges, tels le Boomerang, "une machine à hurler", le GhostRider en bois et le Xcelerator sur le thème des années 1950. Camp Snoopy offre des attractions plus sages aux moins de 10 ans. De fin septembre à octobre, pour Halloween, le parc se transforme en "Knott's Scary Farm."

En été, rendez-vous au parc aquatique voisin **Soak City OC** (☎714-220-5200 ; www.soakcityoc.com ; 8039 Beach Blvd, Buena Park ; adulte/enfant 3-11 ans 35/25 $ ; ⊙10h-17h, 18h ou 19h mi-mai à mi-sept). Économisez en imprimant vos billets en ligne chez vous pour les deux parcs. Parking 15 $.

Les manèges et attractions thématiques rayonnent à partir du château de la Belle au bois dormant. Si les enfants courent vers les manèges, les adultes apprécient, pour la plupart, les vieilles photos et l'exposition historique juste après l'entrée principale à la **Disneyland Story**. Le meilleur endroit pour croiser des princesses et d'autres personnages costumés est **Fantasyland**, qui abrite aussi certains des manèges les plus courus, comme les tasses tournantes de la Mad Tea Party, "It's a small world" et le Peter Pan's Flight. Pour des sensations plus fortes, direction les montagnes russes de Space Mountain à **Tomorrowland**, où vous attendent aussi le Finding Nemo Submarine Voyage et la Star Wars' Jedi Training Academy.

Le populaire Indiana Jones Adventure se trouve à **Adventureland**. Non loin, **New Orleans Square** offre aussi plusieurs attractions séduisantes : la Maison hantée (qui n'effraiera pas trop les plus grands enfants) et la croisière Pirates des Caraïbes, où des canons tirent sur l'eau, des jeunes filles sont vendues aux enchères et l'automate de Jack Sparrow semble étrangement vivant. La Big Thunder Mountain Railroad, d'autres montagnes russes à succès, se situe dans **Frontierland**, qui décline le thème du Far West.

Emmenez vos tout-petits à **Mickey's Toontown** et à **Critter Country**, où vous pourrez glisser en famille dans les bateaux-rondins de Splash Mountain.

**Disney's California Adventure** PARC À THÈME
(DCA ; 👪). Parc plus grand et moins bondé, DCA célèbre les gloires naturelles et culturelles du Golden State, avec moins d'attractions et de féerie. Le Soarin' Over California, un deltaplane virtuel, la Twilight Zone Tower of Terror, qui simule une chute d'ascenseur, et le Grizzly River Run, une descente en rafting, sont les meilleurs manèges.

Les petits adorent A Bug's Land et le Radiator Springs Racers, petite montagne russe reproduisant le paysage de la Route 66 du dessin animé *Cars*. Le soir, promenez vous à Paradise Bay pour admirer le spectaculaire son et lumières World of Color.

## Où se loger

Anaheim compte de nombreux hôtels et motels de chaîne.

**HI Fullerton** AUBERGE DE JEUNESSE $
(☎714-738-3721 ; www.hiusa.org ; 1700 N Harbor Blvd, Fullerton ; dort 24-27 $ ; ⊙mi-juin à début sept ; ❄@📶). À une dizaine de kilomètres au nord de Disneyland, dans une ancienne laiterie, cette hacienda de deux étages propose 20 lits dans des dortoirs mixtes ou non. Petit-déjeuner continental compris. À proximité des arrêts de bus.

**Hotel Menage** HÔTEL $$
(☎714-758-0900 ; www.hotelmenage.com ; 1221 S Harbor Blvd ; ch 100-200 $ ; @📶🏊👪🐾). Près de l'I-5 Fwy, un hôtel chic et moderne à l'ambiance raffinée avec têtes de lit en cuir, écrans plasma et parfois canapés-lits. Le bar de la piscine est idéal après une dure journée chez Disney.

**Alpine Inn** MOTEL $$
(☎714-772-4422 ; www.alpineinnanaheim.com ; 715 W Katella Ave ; ch avec petit-déj 79-149 $ ; ❄@📶🏊👪). Chalet alpin très kitsch, recouvert de neige et de stalactites artificielles. Chambres compactes et modernes, commodément situées devant l'entrée principale de Disneyland.

**Paradise Pier Hotel** HÔTEL **$$$**

(info 714-999-0990, réservations 714-956-6425 ; http://disneyland.disney.go.com/paradise-pier-hotel ; 1717 S Disneyland Dr ; d à partir de 240 $ ; ). Ambiance surf et soleil pour cet hôtel, le plus clinquant des trois qu'abrite Disneyland Resort. Couleurs vives, bande son des Beach Boys, personnel attentif et piscine sur le toit avec toboggan et feux d'artifice le soir. Idéal pour faire le plein d'insouciance. À 10 minutes à pied de Downtown Disney.

## Où se restaurer et prendre un verre

Les parcs à thème comptent des dizaines de restaurants ; et explorer les stands pour acheter des en-cas comme des cuisses de dinde géante ou des *churros* fait assurément partie du plaisir.

Pour des réservations ou des informations sur les restaurants du Disneyland Resort, appelez **Disney Dining** (714-781-3463 ; http://disneyland.disney.go.com/dining). Le parc n'autorise pas l'alcool, vous pourrez en acheter à DCA et Downtown Disney. On peut apporter son repas et ses boissons (pas de verres) et les ranger dans les consignes (7-15 $) de Main Street USA à Disneyland, Buena Vista Street à DCA et devant l'entrée des deux parcs.

À côté des parcs, la rue piétonne **Downtown Disney** (http://disneyland.disney.go.com/downtown-disney/ ; tlj, hoarires variables selon saison) compte des restaurants de chaîne tournés vers une clientèle familiale, tout comme **Anaheim GardenWalk** (www.anaheimgardenwalk.com ; 321 W Katella Ave ; 11h-21h, certains restaurants ferment plus tard), à l'est des parcs. Si vous ne souhaitez pas vous attabler chez Mickey, tentez le rétro **Old Towne Orange** (10 km au sud-est), **Little Arabia** (5 km à l'ouest) ou **Little Saigon** (18 km au sud-ouest).

**Earl of Sandwich** TRAITEUR **$**

(www.earlofsandwichusa.com ; Downtown Disney ; plats 2-8 $ ; 8h-23h dim-jeu, 8h-minuit ven-sam ; ). Les queues sont longues pour les meilleurs repas à petits prix de Downtown Disney : sandwichs chauds et froids, wraps, salades et soupes. Cookies fraîchement sortis du four.

**Café Orleans** CAJUN, CRÉOLE **$$**

(Disneyland ; plats 15-20 $ ; horaires variables selon saison ; ). Sur New Orleans Sq à Disneyland, cette cafétéria du Sud propose des bols de jambalaya et de gombo, des sandwichs frits Monte Cristo et des *mint-julep* sans alcool. Réservation possible.

**Napa Rose** CALIFORNIEN **$$$**

(Grand Californian Hotel ; plats 38-45 $, menu dîner 4 plats à partir de 90 $ ; 17h30-22h ; ). Avec son élégante salle à manger Arts & Crafts, le Napa Rose occupe le haut du panier de Disney. Le menu dégustation du chef associe ingrédients de saison et vins californiens. Réservations essentielles.

**Catal Restaurant & Uva Bar** MÉDITERRANÉEN **$$$**

(714-774-4442 ; www.patinagroup.com/catal ; Downtown Disney ; plats petit-déj 10-15 $, dîner 23-41 $ ; 8h-22h ; ). Sophistiqué mais sans prétention, cet établissement propose des tapas méditerranéennes et des grillades, à déguster en sirotant un cocktail ou une bière artisanale. Réservez, surtout pour le balcon.

## Renseignements

Des poussettes (15 $/jour) et un chenil (20 $/jour) sont proposés devant l'entrée principale du parc.

**Anaheim/Orange County Visitor & Convention Bureau** (www.anaheimoc.org). Site Internet et appli pour mobile gratuits pour organiser votre voyage.

**Disneyland City Hall** (714-781-4565 ; Main Street USA). L'un des nombreux centres de renseignements du parc. Change les devises.

**MousePlanet** (www.mouseplanet.com). Ressources en ligne proposant actualités, mises à jour, organisation et forums.

**MouseWait** (www.mousewait.com). Appli gratuite pour mobile fournissant les temps d'attente en temps réel et les événements du parc.

**Touring Plans** (http://touringplans.com). Calendrier de fréquentation en ligne et appli gratuite avec itinéraires, temps d'attente et menus des restaurants.

## Comment s'y rendre et circuler

Le Disneyland Resort se situe près de l'I-5 (Santa Ana Fwy), à environ 45 km au sud-est de Downtown LA. En approchant, d'énormes panneaux indiquent les sorties à prendre pour les parcs à thème de Disney, les hôtels ou les rues d'Anaheim.

Les trains Amtrak circulant entre Union Station LA (14 $, 40 min) et San Diego (28 $, 2 heures) s'arrêtent presque toutes les heures à Anaheim. À côté d'Angel Stadium, la **gare ferroviaire** (714-385-1448 ; 2150 E Katella Ave), accessible en bus ou en taxi, est à l'est de

Disneyland. Les trains de banlieue **Metrolink** (☎800-371-5465 ; www.metrolinktrains.com) en provenance de l'Union Station de LA (8,75 $, 45 min) s'y arrêtent aussi.

**Anaheim Resort Transit** (ART ; ☎714-563-5287 ; www.rideart.org ; forfait journée adulte/enfant 5/2 $) propose des bus fréquents entre Disneyland Resort et nombre d'hôtels et de motels.

Un tramway gratuit circule entre le principal parking (15-20 $/jour) du Disneyland Resort et Downtown Disney, non loin à pied de l'entrée principale des parcs.

## Plages d'Orange County

Si vous connaissez la série *Newport Beach*, vous avez déjà une idée de ce gigantesque patchwork de faubourgs reliant LA et San Diego, le long de 67 km de magnifique littoral. Dans la réalité, les dandys au volant de 4x4 et les beautés botoxées se mêlent aux surfeurs et aux artistes pour donner une ambiance particulière à chaque station balnéaire d'Orange County.

De l'autre côté de la ligne LA-OC, **Seal Beach**, au centre accessible à pied, est désuète et agréablement peu commerçante. À 15 km au sud sur la Pacific Coast Hwy (Hwy 1), **Huntington Beach** – alias "Surf City" – incarne le style de vie surfeur du Sud californien. Tacos de poisson et happy hours abondent dans les bars et les cafés de Main St, non loin d'un petit **musée du surf** (☎714-960-3483 ; www.surfingmuseum.org ; 411 Olive Ave ; sur don ; ⏲12h-17h dim-lun, 12h-21h mar, 12h-19h mer-ven, 11h-19h sam).

Vient ensuite la plus glamour des stations balnéaires de la région : **Newport Beach** et ses yachts. Familles et adolescents choisissent la Balboa Peninsula pour ses plages, sa jetée en bois d'époque et son centre de loisirs pittoresque. Partant près du Balboa Pavilion de 1906, le **Balboa Island Ferry** (www.balboaislandferry.com ; 410 S Bay Front ; adulte/enfant 1 $/50 ¢, voiture et conducteur 2 $ ; ⏲6h30-minuit dim-jeu, 6h30-2h ven-sam) traverse la baie pour rejoindre Balboa Island et profiter des belles promenades qu'elle offre parmi ses maisons de plage historiques et des boutiques de Marine Ave.

Plus au sud, la Hwy 1 passe par les plages sauvages du **Crystal Cove State Park** (☎949-494-3539 ; www.parks.ca.gov ; 8471 N Coast Hwy ; 15 $/voiture, empl camping 25-75 $) avant de descendre en lacet vers **Laguna Beach**, la localité balnéaire la plus charmante d'OC, éprise de culture et à qui plages isolées, les vagues cristalines et les collines couvertes d'eucalyptus donnent des airs de Riviera. Les galeries d'art jalonnent les rues étroites du "village" et la route côtière, où en haut d'une falaise le **Laguna Art Museum** (☎949-494-8971 ; www.lagunaartmuseum.org ; 307 Cliff Dr ; adulte/enfant 7 $/gratuit ; ⏲11h-17h ven-mar, 11h-21h jeu) expose des œuvres californiennes modernes et contemporaines. Quant à la beauté de la nature, elle s'offre en plein centre-ville à **Main Beach**.

À 16 km au sud, faites un détour par **Mission San Juan Capistrano** (☎949-234-1300 ; www.missionsjc.com ; 26801 Ortega Hwy, San Juan Capistrano ; adulte/enfant 9/6 $ ; ⏲9h-17h), une des missions les mieux restaurées de Californie, ornée de jardins fleuris, d'une cour avec fontaine et de la charmante Serra Chapel de 1778.

**À NE PAS MANQUER**

### FESTIVAL DES ARTS DE LAGUNA

Bienvenue au **Pageant of the Masters** (☎800-487-3378 ; billets à partir de 15 $ ; ⏲20h30 tlj mi-juillet à août), où des acteurs en costume élaboré se glissent dans des décors de tableaux célèbres fidèlement reconstitués sur une scène en plein air. Créé en 1933 dans le cadre du **Festival des arts** (www.lagunafestivalofarts.org) de Laguna Beach, ce spectacle est depuis devenu une attraction phare.

### Où se loger et se restaurer

Les motels et hôtels de la côte sur la PCH (Hwy 1) sont étonnamment chers, surtout les week-ends d'été. Éloignez-vous de la côte pour des tarifs plus abordables, près des autoroutes.

♥ **Crystal Cove Beach Cottages** COTTAGES **$$**
(☎réservations 800-444-7275 ; www.crystalcovebeachcottages.com ; 35 Crystal Cove, Newport Beach ; ch sans sdb 42-127 $, cottages 162-249 $ ; ⏲réception 16h-21h ; 👪). Sauf annulation de dernière minute, ces cottages historiques du milieu du XX^e siècle, en front de mer du Crystal Cove State Park, se réservent sept mois à l'avance.

**Shorebreak Hotel** BOUTIQUE-HÔTEL **$$$**
(☎714-861-4470 ; www.shorebreakhotel.com ; 500 Pacific Coast Hwy, Huntington Beach ; ch

189-495 $ ; ). Hôtel branché avec consigne pour les surfeurs, fauteuils à billes dans le hall d'entrée et chambres aux motifs géométriques. Le soir, dégustez un cocktail à la terrasse du haut. Parking 27 $.

**Zinc Cafe & Market** VÉGÉTARIEN $
(www.zinccafe.com ; 350 Ocean Ave, Laguna Beach ; plats 6-11 $ ; marché 7h-18h, café 7h-16h ; ). Les murs couleur tomate et le patio en plein air attirent une clientèle jeune. Le menu végétarien du café va des quiches aux pizzettes du matin, aux salades fraîches et aux sandwichs du midi.

**Bear Flag Fish Company** POISSON ET FRUITS DE MER $$
(949-673-3434 ; www.bearflagfishco.com ; 407 31st St, Newport Beach ; plats 8-15 $ ; 11h-21h mar-sam, 11h-20h lun-dim ; ). Ce marché propose des huîtres, des tacos de poisson, du *poke* hawaïen et plus encore. Faites votre choix dans les vitrines glacées. Longues files d'attente. Espèces uniquement.

# San Diego

Les habitants de San Diego affirment vivre dans "la ville la plus plaisante d'Amérique". Vanité ? Peut-être, mais cela se comprend facilement. Le climat est pour ainsi dire parfait, avec une température annuelle moyenne d'environ 20°C sur la côte, et les plages et les forêts sont rarement à plus d'une courte distance en voiture. Si sa population (1,3 million d'habitants) en fait la 8e plus grande ville du pays (et la 2e de Californie après LA), son ambiance reste particulièrement détendue.

La ville a grandi brusquement pendant la Seconde Guerre mondiale, quand l'attaque japonaise de Pearl Harbor obligea la flotte américaine du Pacifique à quitter Hawaï pour s'installer dans le port naturel de San Diego. La présence de l'armée, le tourisme, l'université et la recherche scientifique (surtout en médecine et en océanographie), ainsi que des entreprises high-tech installées dans les vallées ont contribué à façonner la ville, lui donnant une allure typiquement américaine, en dépit de sa proximité avec le Mexique.

## À voir

Le centre compact de San Diego s'articule autour de l'historique Gaslamp Quarter, théâtre d'une grande animation le soir venu. On atteint Coronado par un étonnant pont au sud-ouest, et le Balboa Park, qui accueille le zoo de San Diego et de nombreux musées, se situe au nord du centre. Au nord-ouest du parc s'étend Hillcrest, le cœur gay et lesbien de la ville, dont les restaurants, cafés, bars et boutiques sont ouverts à tous. À l'ouest, se trouvent la touristique Old Town et le terrain de jeux aquatiques de Mission Bay.

En remontant la côte, Ocean Beach, Mission Beach et Pacific Beach incarnent le mode de vie détendu de la SoCal, tandis que La Jolla constitue une enclave élégante de privilégiés. Plus au nord s'alignent les villes balnéaires éclectiques de North County : la luxueuse Del Mar, la design Solana Beach, la New Age Encinitas et Carlsbad la fleurie, où s'étend Legoland. L'I-5 Fwy traverse la région du nord au sud.

### Downtown (centre-ville) et Embarcadero

Dans les années 1860, le promoteur immobilier Alonzo Horton créa "New Town", devenue aujourd'hui le centre-ville de San Diego. Son artère principale, la 5th Ave, jadis bordée de saloons, de salles de jeux et de maisons closes, était alors appelée Stingaree. Superbement restaurée, elle répond désormais au nom de **Gaslamp Quarter**, un quartier où restaurants, bars, clubs, boutiques et galeries donnent le tempo.

Au nord du centre, **Little Italy** (www.littleitalysd.com) est devenue l'un des endroits les plus tendance de la ville, que se soit pour y résider, s'y restaurer ou faire les boutiques. Son axe principal s'appelle **India Street**.

**USS Midway Museum** MUSÉE
(carte p. 96 ; 619-544-9600 ; www.midway.org ; 910 N Harbor Dr ; adulte/enfant 19/10 $ ; 10h-17h, dernière entrée 16h ; ). Montez à bord du porte-avions aux plus longs états de service dans la marine américaine (1945-1991). Les visites autoguidées comprennent les cabines, la cuisine, l'infirmerie, et le saisissant pont d'envol avec des avions restaurés, notamment un F-14 Tomcat. Le simulateur de vol est payant. Parking 5-20 $.

**Maritime Museum** MUSÉE
(carte p. 96 ; 619-234-9153 ; www.sdmaritime.org ; 1492 N Harbor Dr ; adulte/enfant 16/8 $ ; 9h-21h fin mai-début sept, 9h-20h le reste de l'année ; ). Le *Star of India* de 1863 est l'un des 7 grands voiliers historiques ouverts au public dans ce musée. Faites un tour dans le sous-marin d'attaque soviétique B-39. La croisière historique de 45 minutes dans la baie ne coûte que 5 $.

# Agglomération de San Diego

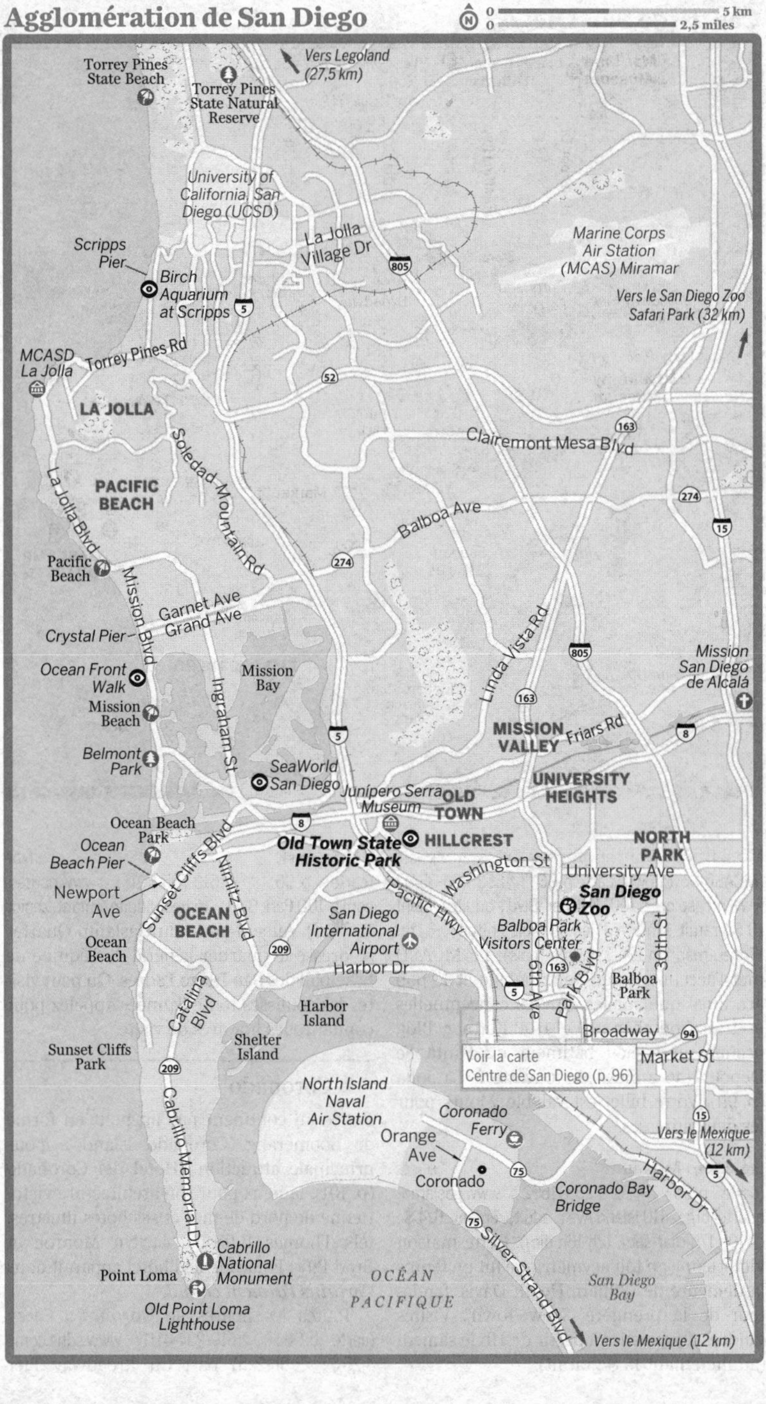

0 — 5 km
0 — 2,5 miles

Vers Legoland (27,5 km)
Torrey Pines State Beach
Torrey Pines State Natural Reserve
University of California, San Diego (UCSD)
La Jolla Village Dr
Marine Corps Air Station (MCAS) Miramar
Scripps Pier
Birch Aquarium at Scripps
Vers le San Diego Zoo Safari Park (32 km)
MCASD La Jolla
Torrey Pines Rd
LA JOLLA
Soledad Mountain Rd
Clairemont Mesa Blvd
La Jolla Blvd
PACIFIC BEACH
Balboa Ave
Pacific Beach
Mission Blvd
Garnet Ave
Grand Ave
Crystal Pier
Linda Vista Rd
Mission San Diego de Alcalá
Ocean Front Walk
Mission Bay
Ingraham St
Mission Beach
MISSION VALLEY
Friars Rd
Belmont Park
SeaWorld San Diego
Junípero Serra Museum
OLD TOWN
UNIVERSITY HEIGHTS
Ocean Beach Park
Ocean Beach Pier
Sunset Cliffs Blvd
Nimitz Blvd
Old Town State Historic Park
HILLCREST
NORTH PARK
Washington St
University Ave
Newport Ave
Pacific Hwy
San Diego Zoo
OCEAN BEACH
San Diego International Airport
Balboa Park Visitors Center
30th St
Ocean Beach
Harbor Dr
6th Ave
Park Blvd
Balboa Park
Catalina Blvd
Harbor Island
Broadway
Shelter Island
Sunset Cliffs Park
Market St

Voir la carte Centre de San Diego (p. 96)

North Island Naval Air Station
Cabrillo Memorial Dr
Coronado Ferry
Orange Ave
Vers le Mexique (12 km)
Coronado
Harbor Dr
Coronado Bay Bridge
Silver Strand Blvd
Cabrillo National Monument
Point Loma
OCÉAN PACIFIQUE
San Diego Bay
Old Point Loma Lighthouse
Vers le Mexique (12 km)

## Centre de San Diego

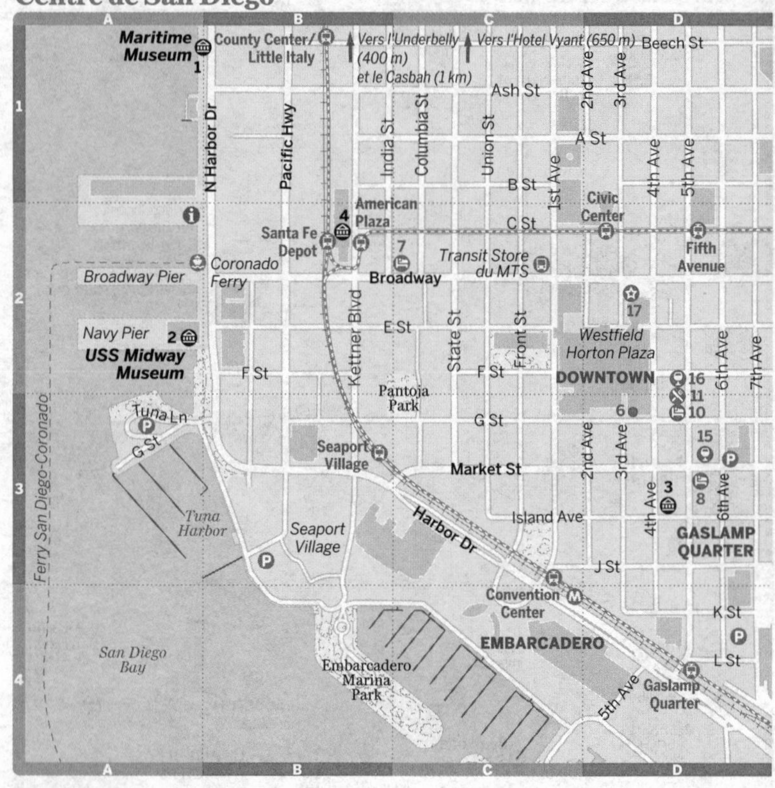


**Museum of Contemporary Art** MUSÉE
(MCASD Downtown ; carte p. 96 ; ☎858-454-3541 ; www.mcasd.org ; 1001 Kettner Blvd ; adulte/enfant 10 $/gratuit, 17h-19h 3e jeu du mois gratuit ; ⏲11h-17h jeu-mar, 11h-19h 3e jeu du mois). Le MCASD met l'accent sur l'art minimaliste et le pop art, ainsi que sur les œuvres conceptuelles et transfrontalières. Le 1100 Kettner Bldg occupe un ancien bâtiment du Santa Fe Depot. Une annexe est ouverte à La Jolla (p. 99). Votre billet est valable 7 jours pour les deux adresses.

**Gaslamp Museum** MUSÉE
(carte p. 96 ; ☎619-233-4692 ; www.gaslampquarter.org ; 410 Island Ave ; adulte/enfant 5/4 $ ; ⏲10h-17h mar-sam, 12h-16h dim). Cette maison victorienne au toit asymétrique fut un temps la demeure de William Heath Davis, fondateur de la première "New Town". Visites guidées du quartier à partir de 11h le samedi (adulte/enfant 15 $/gratuit).

**Petco Park** STADE
(carte p. 96 ; ☎619-795-5011 ; www.padres.com ; 100 Park Blvd ; visites adulte/enfant/senior 11/7/8 $). Au sud-ouest du Gaslamp Quarter se dresse le quartier général de l'équipe de base-ball des San Diego Padres. On peut visiter les coulisses toute l'année. Appelez pour connaître les horaires de visite.

## Coronado

Reliée au continent par un pont en forme de boomerang, Coronado Island a pour principale attraction l'Hotel del Coronado (p. 101), fameux pour son architecture victorienne de bord de mer et ses hôtes illustres, tels Thomas Edison, Marilyn Monroe et Brad Pitt ; la façade de l'hôtel apparaît dans *Certains l'aiment chaud.*

Toutes les heures, le **Coronado Ferry** (carte p. 96 ; ☎619-234-4111 ; www.sdhe.com ; 4,25 $ ; ⏲9h-22h) part du Broadway Pier

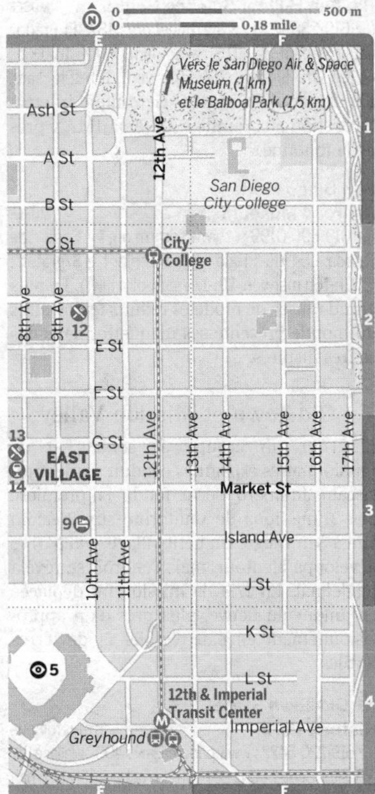


## Centre de San Diego

**Les incontournables**
1 Maritime Museum ... A1
2 USS Midway Museum ... A2

**À voir**
3 Gaslamp Museum ... D3
4 Museum of Contemporary Art ... B2
5 Petco Park ... E4

**Activités**
6 Another Side of San Diego ... D3

**Où se loger**
7 500 West Hotel ... C2
8 HI San Diego Downtown Hostel ... D3
9 Hotel Indigo ... E3
10 USA Hostels San Diego ... D3

**Où se restaurer**
11 Cafe 21 ... D3
12 Hodad's ... E2
13 Neighborhood ... E3

**Où prendre un verre et faire la fête**
14 Noble Experiment ... E3
15 Prohibition ... D3
16 Tipsy Crow ... D2

**Où sortir**
17 Arts Tix ... D2

d'Embarcadero (990 N Harbor Dr) et du San Diego Convention Center de Downtown. Tous les ferries arrivent à Coronado au bout de 1st St, où **Bikes & Beyond** (☎619-435-7180 ; http://hollandsbicycles.com ; 1201 1st St, Coronado ; location par heure/journée à partir de 7/25 $ ; 9h-coucher du soleil) loue vélos et tandems pour pédaler le long des plages en suivant le **Silver Strand** vers le sud.

## Balboa Park

Balboa Park constitue une oasis urbaine avec plus d'une dizaine de musées, une architecture et des jardins somptueux, des espaces consacrés aux spectacles et un zoo. Des bâtiments de style colonial espagnol et Beaux-Arts du début du XXe siècle, héritages d'expositions internationales, entourent deux places le long de la promenade El Prado, orientée est-ouest.

Passez au Balboa Park Visitors Center (p. 104) pour des cartes, des renseignements sur les événements en cours et des réductions pour les musées et le zoo. Les parkings gratuits près de Park Blvd se remplissent rapidement le week-end. Du centre, prenez le bus MTS n°7 (2,25 $, 20 min). Un tramway gratuit emmène les visiteurs au parc, mais il est plus agréable de se promener dans les jardins botaniques en passant par le **Spreckels Organ Pavilion**, les boutiques et les galeries du **Spanish Village Art Center** et les pavillons d'exposition internationaux près de l'**United Nations Building**.

**San Diego Zoo** ZOO
(☎619-231-1515 ; www.sandiegozoo.org ; 2920 Zoo Dr ; adulte/enfant 44/34 $ ; 9h-21h mi-juin à début sept, 9h-17h ou 18h le reste de l'année ; P). Ce zoo mondialement réputé accueille plus de 4 000 représentants de quelque 800 espèces dans un cadre magnifique, comme en témoignent, notamment, l'"Australian Outback" et le "Panda Canyon". L'entrée comprend un trajet commenté de 35 minutes en bus à impériale. Pour côtoyer les animaux au

plus près, achetez un billet combiné qui donne accès au San Diego Zoo Safari Park (p. 104) d'Escondido.

**Museum of Man** MUSÉE
(☎619-239-2001 ; www.museumofman.org ; Plaza de California, 1350 El Prado ; adulte/enfant 12,50/5 $ ; ⏲10h-16h30). Surmonté d'une impressionnante tour couverte de céramiques bleues et jaunes, le **California Building**, de style churrigueresque, abrite le musée de l'Homme et ses magnifiques poteries, paniers et objets anthropologiques venus de tout le continent américain. Derrière se dressent l'**Old Globe**, trois scènes historiques accueillant un festival shakespearien en été.

**San Diego Air & Space Museum** MUSÉE
(☎619-234-8291 ; www.sandiegoairandspace.org ; 2001 Pan American Plaza ; adulte/enfant 18/7 $ ; ⏲10h-17h30 juin-août, 10h-16h30 sept-mai ; 👪). Au musée de l'Air et de l'Espace, ne manquez pas le module de commande d'*Apollo 9* et la reproduction du *Spirit of St Louis* de Charles Lindbergh. Simulateurs de vol payants.

**San Diego Natural History Museum** MUSÉE
(☎619-232-3821 ; www.sdnhm.org ; 1788 El Prado ; adulte/enfant 17/11 $ ; ⏲10h-17h ; 👪). Squelettes de dinosaures, scorpions phosphorescents, fossiles de la période glaciaire et films sur le thème de la nature dans un cinéma en 3D géant attirent de nombreuses familles.

**Timken Museum of Art** MUSÉE
(☎619-239-5548 ; www.timkenmuseum.org ; 1500 El Prado ; ⏲10h-16h30 mar-sam, 13h30-16h30 dim). GRATUIT Petit musée exquis exposant de grands noms européens – de Rembrandt à Cézanne – et américains, ainsi que des paysagistes de l'Ouest.

**San Diego Museum of Art** MUSÉE
(☎619-232-7931 ; www.sdmart.org ; 1450 El Prado ; adulte/enfant 12/4,50 $ ; ⏲10h-17h lun-mar et jeu-sam, 12h-17h dim, plus 17h-21h jeu juin-sept). Musée prisé pour ses vieux maîtres européens et ses collections choisies d'art asiatique et américain.

**Mingei International Museum** MUSÉE
(☎619-239-0003 ; www.mingei.org ; 1439 El Prado ; adulte/enfant 8/5 $ ; ⏲10h-16h mar-dim ; 👪). Étonnantes créations d'art, d'artisanat et de design populaires du monde entier. Boutique de souvenirs colorée.

**Reuben H Fleet Science Center** MUSÉE
(☎619-238-1233 ; www.rhfleet.org ; 1875 El Prado ; adulte/enfant 12/10 $, avec film IMAX 16/13 $ ; ⏲10h-17h lun-jeu, 10h-20h ven, 10h-19h sam, 10h-18h dim ; 👪). Musée scientifique interactif destiné aux familles. Cinéma IMAX près de la fontaine.

**San Diego Model Railroad Museum** MUSÉE
(☎619-696-0199 ; www.sdmrm.org ; Casa de Balboa, 1649 El Prado ; adulte/enfant 8 $/gratuit ; ⏲11h-16h mar-ven, 11h-17h sam-dim ; 👪). Le plus grand musée de modèles réduits ferroviaires du monde présente ses maquettes dans des cadres inspirés.

## Old Town et Mission Valley

En 1769, un groupe de soldats et de missionnaires espagnols conduit par le franciscain Junípero Serra fonda la première des 21 missions de Californie sur Presidio Hill à San Diego. Un petit village (*pueblo*) se développa alentour, mais l'endroit se révéla inadéquat. En 1774, la mission fut déplacée en amont du fleuve, plus près d'un approvisionnement en eau régulier et de terres fertiles.

**♥ Old Town State Historic Park** SITE HISTORIQUE
(☎619-220-5422 ; www.parks.ca.gov ; 4002 Wallace St ; ⏲Visitor Center et musée 10h-16h oct-avr, 10h-17h mai-sept ; P). GRATUIT Le parc historique en plein air de la Vieille Ville conserve 5 bâtiments d'origine en adobe et plusieurs répliques des édifices du premier *pueblo*, dont une école et le bureau d'un journal. Aujourd'hui, la plupart des bâtiments abritent musées, boutiques ou restaurants. Le Visitor Center propose des visites guidées gratuites tous les jours à 11h et 14h.

**Mission Basilica San Diego de Alcalá** ÉGLISE
(☎619-281-8449 ; www.missionsandiego.com ; 10818 San Diego Mission Rd ; adulte/enfant 3/1 $ ; ⏲9h-16h45 ; P). Nichée dans un coin de ce qu'on appelle aujourd'hui Mission Valley, la "mère des missions" californiennes recèle des bâtiments magnifiquement restaurés dans des jardins ornés de bougainvillées avec vue sur la vallée et l'océan.

**Junípero Serra Museum** MUSÉE
(☎619-232-6203 ; www.sandiegohistory.org ; 2727 Presidio Dr ; adulte/enfant 6/3 $ ; ⏲10h-16h sam-dim mi-sept à mai, 10h-17h ven-dim juin

à mi-sept ; P). Sur Presidio Hill, dans un beau bâtiment hispanisant des années 1920, des expositions retracent le quotidien durant les débuts difficiles de la cité.

## Point Loma

Cette jolie péninsule borde la baie de San Diego, en forme de croissant.

**Cabrillo National Monument** MONUMENT
(619-557-5450 ; www.nps.gov/cabr ; 1800 Cabrillo Memorial Dr ; 5 $/voiture ; 9h-17h, dernière entrée 16h30 ; P). Admirez la baie, partez randonner et barboter dans les flaques laissées par la marée près de ce monument qui honore la mémoire du chef de la première exploration espagnole de la Côte Ouest en 1542. Le phare **Old Point Loma Lighthouse** (1854) est un minuscule musée d'histoire.

## Mission Bay et plages

Les trois grandes stations balnéaires de San Diego déroulent des étendues de sable comme autant de rubans de bien-être et des armées de corps fermes et bronzés.

À l'ouest de Mission Bay, **Mission Beach**, propice au surf, et sa voisine du nord, **Pacific Beach** (alias PB), sont reliées par la promenade piétonne **Ocean Front Walk** que sillonnent toute l'année skateurs, joggers et cyclistes. Le petit **Belmont Park** (858-458-1549 ; www.belmontpark.com ; 3146 Mission Blvd ; 2-6 $/manège, forfait journée adulte/enfant 27/16 $ ; à partir de 11h tlj, fermeture variable ; P) de Mission Beach propose de vieilles montagnes russes en bois, des simulateurs de vagues et une piscine couverte.

Au sud de Mission Bay, la bohème **Ocean Beach** (OB) compte une jetée de pêche, des terrains de beach-volley et de bonnes vagues. Sur son axe principal, **Newport Ave** voit se côtoyer bars peu reluisants, restaurants de plage et boutiques de surf, de tatouages, de vêtements vintage et d'antiquités.

**SeaWorld San Diego** PARC À THÈME
(800-257-4268 ; www.seaworld.com/seaworld/ca ; 500 SeaWorld Dr ; adulte/enfants 3-9 ans 70/62 $ ; 9h-22h dim-jeu, 9h-23h ven-sam mi-juin à mi-août, plus tôt le reste de l'année ; P). On passe facilement une journée dans le parc haut de gamme de Mission Bay. Les spectacles d'animaux remportent la palme, mais on peut aussi visiter un modeste zoo et faire quelques manèges. Une controverse récente sur la sécurité du parc a vu le jour après la mort d'un entraîneur et des questions éthiques sur la captivité d'orques et de dauphins ont également été soulevées. Parking 15 $.

## La Jolla

Occupant l'une des plus jolies portions du littoral sud-californien, la riche La Jolla (le bijou en espagnol) se distingue par ses plages étincelantes et son centre-ville luxueux aux nombreuses boutiques. On y vient aussi pour le **Children's Pool** (désormais réservé aux otaries), pour le kayak et l'exploration des grottes marines de **La Jolla Cove**, et pour le snorkeling au **San Diego-La Jolla Underwater Park**.

**Torrey Pines State Natural Reserve** PARC
(858-755-2063 ; www.torreypine.org ; 12600 N Torrey Pines Rd, La Jolla ; 10 $/voiture ; 7h15-crépuscule, Visitor Center 10h-16h oct-avr, 9h-18h mai-sept ; P). Plus haut sur la côte près de Del Mar, cette réserve, qui protège le pin de Torrey menacé, est idéale pour les promenades avec vue sur l'océan et l'observation des oiseaux.

**Birch Aquarium at Scripps** AQUARIUM
(858-534-3474 ; http://aquarium.ucsd.edu ; 2300 Exhibition Way, La Jolla ; adulte/enfant 14/9,50 $ ; 9h-17h ; P). Aquarium universitaire en front de mer, présentant aux enfants les milieux des bassins de marée et des forêts de varech, des hippocampes et un requin de récif.

**MCASD La Jolla** MUSÉE
(858-454-3541 ; www.mcasd.org ; 700 Prospect St, La Jolla ; adulte/enfant 10 $/gratuit, 17h-19h 3e jeu du mois gratuit ; 11h-17h jeu-mar, 11h-19h 3e jeu du mois). L'autre branche du musée d'Art contemporain de Downtown (le même billet est valable sept jours pour les deux).

## Activités

La région est idéale pour le surf et la planche à voile, même si certains habitants défendent âprement leur territoire par endroits. Prévisions météo 619-221-8824.

**Pacific Beach Surf School** SURF
(858-373-1138 ; www.pbsurfshop.com ; 4150 Mission Blvd ; boutique 9h-19h, cours toutes les heures jusqu'à 16h). Cours de surf (cours privé 85 $) ou location de planches et de combinaisons (35 $ la demi-journée) dans la plus ancienne boutique de surf de San Diego.

**Surf Diva** SURF
(☎858-454-8273 ; www.surfdiva.com ; 2160 Avenida de la Playa ; ⊙boutique 9h-17h30). À La Jolla, des surfeuses donnent des cours privés aux débutants (à partir de 75 $) et organisent des stages le week-end.

**OEX Dive & Kayak** SPORTS NAUTIQUES
(☎858-454-6195 ; www.oexcalifornia.com ; 2243 Avenida de la Playa ; ⊙9h-18h lun-ven, 8h-18h sam-dim). Une bonne adresse pour la location de matériel et les circuits guidés en kayak, snorkeling, plongée ou stand up paddle (SUP). Une annexe est ouverte à **Mission Bay** (☎619-866-6129 ; www.oexcalifornia.com ; 1010 Santa Clara Pl ; ⊙8h-18h lun-ven, 9h-17h sam-dim).

**Hike, Bike, Kayak San Diego** SPORTS D'AVENTURE
(☎858-551-9510 ; www.hikebikekayak.com ; 2216 Avenida de la Playa). Circuits à pied, à vélo ou en kayak, cours de stand up paddle et location de matériel de sports nautiques et de vélos. À La Jolla.

## Circuits organisés

**Another Side of San Diego** CIRCUITS GUIDÉS
(carte p. 96 ; ☎619-239-2111 ; www.anothersideofsandiegotours.com ; 308 G St ; circuits à partir de 30 $). Visites historiques et culinaires du Gaslamp Quarter à pied, et circuits en Segway dans toute la ville.

**Old Town Trolley Tours** CIRCUIT
(☎888-910-8687 ; www.trolleytours.com ; adulte/enfant 36/18 $). On monte et on descend à volonté de ce trolley, qui fait un tour commenté des curiosités de la ville.

## Où se loger

Les prix flambent l'été, surtout près des plages. Les hôtels et motels de chaîne sont regroupés à l'intérieur des terres près des grandes routes et à Mission Valley. Comptez 10,5% de taxe de séjour.

### Downtown (centre-ville)

**HI San Diego Downtown Hostel** AUBERGE DE JEUNESSE $
(carte p. 96 ; ☎619-525-1531 ; www.sandiegohostels.org ; 521 Market St ; dort/d avec sdb commune avec petit-déj à partir de 31/75 $ ; ❄@📶). Grande auberge bien tenue, aménagée dans un hôtel du XIXe siècle. Nombreux espaces communs et dortoirs quelconques mais propres. Petit-déjeuner avec pancakes compris. Annexe plus tranquille à **Point Loma** (☎619-223-4778 ; www.sandiegohostels.org ; 3790 Udall St ; dort/ch sdb commune avec petit-déj 25/54 $ ; P@📶).

♥ **USA Hostels San Diego** AUBERGE DE JEUNESSE $
(carte p. 96 ; ☎800-438-8622, 619-232-3100 ; www.usahostels.com ; 726 5th Ave ; dort/ch sdb commune avec petit-déj à partir de 30/71 $ ; @📶). Dans une ancienne maison close victorienne, cette auberge de Gaslamp propose des chambres gaies, une cuisine commune et un salon pour se détendre. Petit-déjeuner avec pancakes compris. Dîners tacos et visites de Tijuana bon marché.

**500 West Hotel** AUBERGE DE JEUNESSE $
(carte p. 96 ; ☎info 619-234-5252, réservations 619-231-4092 ; www.500westhotelsd.com ; 500 W Broadway ; s/d avec sdb commune à partir de 59/79 $ ; @📶). Dans ce YMCA rénové des années 1920, les chambres sont minuscules et les sdb au bout du couloir. La décoration lumineuse, la cuisine commune et une salle de sport (5 $) compensent ces inconvénients.

♥ **Hotel Indigo** BOUTIQUE HÔTEL $$
(carte p. 96 ; ☎619-727-4000 ; www.hotelinsd.com ; 509 9th Ave ; ch à partir de 149 $ ; P❄@📶🏋🐾). Premier hôtel de San Diego titulaire d'un label écologique (LEED), cet établissement chic et coloré loue à Gaslamp des chambres d'une élégance toute contemporaine. Baies vitrées, douches de pluie et parquets. Parking 38 $. Annexe à Del Mar.

**Hotel Vyant** B&B $$
(☎800-518-9930 ; www.hotelvyvant.com ; 505 W Grape St ; ch avec/sans sdb à partir de 149/109 $ ; ❄📶). Charmant B&B de Little Italy proposant une vingtaine de chambres pourvues de lits accueillants et de peignoirs. Baignoire balnéo ou kitchenette pour les chambres *deluxe*. Appartements urbains-chics avec vraie cuisine.

### Plages

**Pearl** MOTEL $$
(☎619-226-6100, 877-732-7574 ; www.thepearlsd.com ; 1410 Rosecrans St ; ch à partir de 130 $ ; P❄📶🏊). Mélange d'hôtel de charme et de motel des années 1960, cet établissement attire des clients branchés. Chaque chambre est habitée par un poisson rouge, les plus petites ont des miroirs au plafond. Projections de film au bord de la piscine et bar à cocktail. Parking limité 10 $.

**Best Western Island Palms** MOTEL **$$**
(☎800-922-2336, 619-222-0561 ; www.island-palms.com ; 2051 Shelter Island Dr ; ch à partir de 149 $ ; P❄@🛜🏊👪). Observez les bateaux de la marina dans ce motel d'inspiration polynésienne de Shelter Island, face au centre. Chambres de style tropical, avec balcons caressés par la brise marine.

**Ocean Beach Hotel** HÔTEL **$$**
(☎619-223-7191 ; www.obhotel.com ; 5080 Newport Ave ; ch à partir de 100 $ ; ❄🛜🐾). Un hôtel au royaume du surf, disposé autour d'une cour et faisant face à la plage. Petites et impeccables, les chambres affichent un petit côté français un peu daté. Toutes disposent d'un réfrigérateur et d'un micro-ondes.

♥ **Hotel del Coronado** HÔTEL DE LUXE **$$$**
(☎619-435-6611, 800-468-3533 ; www.hoteldel.com ; 1500 Orange Ave ; ch à partir de 325 $ ; P❄@🛜🏊). Icône de San Diego, cet hôtel, témoin de plus d'un siècle d'histoire américaine, se distingue par ses courts de tennis, son spa, ses restaurants tape-à-l'œil, son domaine, impeccable, et sa plage de sable blanc. Le monument victorien d'origine n'a pas vue sur la mer. Parking 30 $.

**Crystal Pier Hotel & Cottages** COTTAGES **$$$**
(☎800-748-5894, 619-483-6983 ; www.crystal-pier.com ; 4500 Ocean Blvd ; d à partir de 175 $ ; P🛜👪). Cottages en bardeaux blancs aux volets bleus avec kitchenettes surplombant Crystal Pier à Pacific Beach ; certains datant des années 1930. Vue imprenable sur la mer depuis des terrasses privées. Réservation jusqu'à 11 mois à l'avance.

**Tower23** BOUTIQUE-HÔTEL **$$$**
(☎866-869-3723 ; www.t23hotel.com ; 723 Felspar St ; ch à partir de 249 $ ; ❄@🛜🐾). Hôtel blanc parsemé de touches bleu-vert, moderne et confortable pour un séjour branché au bord de la mer. Admirez le coucher du soleil de la terrasse du toit et du bar à cocktail. Parking 20 $.

**Inn at Sunset Cliffs** HÔTEL **$$$**
(☎866-786-2453, 619-222-7901 ; www.innatsunsetcliffs.com ; 1370 Sunset Cliffs Blvd ; ch/ste à partir de 175/289 $ ; P❄@🛜🏊👪). Écoutez les vagues depuis ce charmant hôtel des années 1960 entourant une cour fleurie, face à l'océan. Les chambres, récemment rénovées, sont petites mais lumineuses. Certaines suites ont une cuisine.

## Où se restaurer

La scène culinaire dynamique de San Diego convient à tous les goûts et à tous les budgets. Les bons restaurants de grillades et de fruits de mer se regroupent près du front de mer de Downtown, les pubs gastronomiques bruyants dans le Gaslamp Quarter, les burgers et les produits de la mer simples près de la plage, les cuisines branchées autour du Balboa Park, et les tacos et margaritas absolument partout.

### Downtown et Embarcadero

**Neighborhood** PUB **$$**
(carte p. 96 ; www.neighborhoodsd.com ; 777 G St ; plats 7-14 $ ; ⏲12h-minuit). Donnant plus dans la simplicité que les autres pubs gastronomiques tendance, cet établissement de quartier propose des plats populaires comme des burgers au piment *chipotle*, des macaronis au fromage et piment *jalapeño*, et des hot dogs au porc braisé et œufs au plat. Commandez une pinte de bière de microbrasserie au goût houblonnée, fruitée, maltée ou acide.

**Underbelly** ASIATIQUE, FUSION **$$**
(☎619-269-4626 ; 750 W Fir St ; plats 5-12 $ ; ⏲11h30-minuit). Près de l'artère de Little Italy bordée de pizzerias et de bars à vins, cette enseigne élégante propose des bols fumants de *ramen* aux boulettes à la queue de bœuf, des travers sauce *hoisin* et de la poitrine de bœuf et du bacon fumés (versions végétariennes disponibles). Une vingtaine de bières artisanales à la pression.

**Cafe 21** PETIT-DÉJEUNER **$$**
(carte p. 96 ; ☎619-795-0721 ; www.cafe-21.com ; 750 5th Ave ; plats petit-déj 9-15 $ ; ⏲8h-22h dim-jeu, 8h-23h ven-sam ; 👪). La meilleure adresse de Gaslamp pour le brunch propose des tartines à la crème fromagère à l'agave, des pancakes aux fruits et des *frittatas* (omelette) aux œufs fermiers dans des mini-poêlons.

**Island Prime** POISSON ET FRUITS DE MER, GRILL **$$$**
(☎619-298-6802 ; www.islandprime.com ; 880 Harbor Island Dr ; plats restaurant 25-52 $, lounge 15-30 $ ; ⏲restaurant 17h-21h dim-jeu, 17h-22h ven-sam, lounge à partir de 11h30 tlj). Vue panoramique sur la baie dans cet élégant restaurant de Harbor Island, à l'ouest de Downtown. Sandwich BLT au homard, thon grillé et crevettes au gruau de maïs. Lors de l'happy hour en semaine au lounge C Level, on peut grignoter et boire pour 5 $.

## Balboa Park et ses environs

**♥ Carnitas' Snack Shack** CALIFORNIEN, MEXICAIN $
(http://carnitassnackshack.com ; 2632 University Ave ; plats 7-9 $ ; 12h-minuit mer-lun ; ). Tel un *food truck* qui se serait arrêté à North Park, cette enseigne décontractée affiche un menu différent chaque jour, déclinant le porc sous toutes ses formes : tacos de *carnitas*, burgers de porc à la confiture de bacon, sandwichs d'escalopes panées, poutine au crumble de porc, etc.

**Bread & Cie** BOULANGERIE, CAFÉ $
(www.breadandcie.com ; 350 University Ave ; plats 5-11 $ ; 7h-19h lun-ven, 7h-18h sam, 8h-18h dim ; P). Sandwichs croustillants, salades, quiches, et pâtisseries et viennoiseries succulentes (dont un pain au chocolat géant) font de ce café-boulangerie animé une institution de Hillcrest. Parking gratuit derrière.

**♥ Buona Forchetta** ITALIEN $$
(www.buonaforchettasd.com ; 3001 Beech St ; pizzas 7-15 $, petites assiettes 5-13 $ ; 17h-22h dim et mar-jeu, 17h-23h ven-sam ; ). Le four à bois en brique tout doré, fabriqué en Italie, cuit des pizzas napolitaines authentiques dans cette trattoria de South Park. Salades vertes, pâtes maison et *dolci* (desserts) délicieux également. Pas de réservation.

**Hash House a Go Go** AMÉRICAIN $$
(619-298-4646 ; www.hashhouseagogo.com ; 3628 5th Ave ; plats petit-déj 9-18 $, dîner 15-29 $ ; 7h30-14h lun-ven, 7h30-14h30 sam-dim, dîner 17h30-21h mar-jeu, 17h30-21h30 ven-dim ; ). Cette petite maison de Hillcrest sert des assiettes débordant de "plats fermiers" : tourte aux saucisses, énormes sandwichs à la viande, pancakes géants et 7 types de purée différente. Venez affamé pour le brunch !

**♥ Prado** CALIFORNIEN $$$
(619-557-9441 ; www.pradobalboa.com ; House of Hospitality, 1549 El Prado ; plats déj 12-21 $, dîner 22-35 $ ; 11h30-15h lun-ven, 11h-15h sam-dim, 17h-21h dim et mar-jeu, 17h-22h ven-sam). Établissement prisé de Balboa Park, proposant une cuisine californienne d'inspiration méditerranéenne, relevée de touches latino et asiatiques. Les plats d'une grande fraîcheur vont de la paëlla de fruits de mer aux burgers de chorizo en passant par des salades. Jolie décoration intérieure et tables extérieures. Repas et boissons très avantageux pendant l'happy hour.

## Plages

**South Beach Bar & Grille** POISSON, MEXICAIN $
(www.southbeachob.com ; 5059 Newport Ave, Ocean Beach ; plats 3-12 $ ; 11h-2h). Coryphène (*mahi*) et thazard (*wahoo*) légèrement frits, sauce blanche relevée, chou frais et sauce tomate poivrée : les tacos de poisson de ce bar de plage animé (moins chers le mardi) sont incomparables.

**Hodad's** BURGERS $
(www.hodadies.com ; 5010 Newport Ave, Ocean Beach ; plats 3-10 $ ; 11h-21h dim-jeu, 11h-22h ven-sam). Ce légendaire établissement de burgers d'OB sert d'excellents milk-shakes, de copieuses portions d'oignons frits et des hamburgers enveloppés dans du papier. Des plaques d'immatriculation couvrent les murs et votre serveur, barbu et tatoué, se faufile jusqu'à votre box pour prendre la commande. Annexe à **Downtown** (carte p. 96 ; 945 Broadway Ave ; 11h-21h dim-jeu, 11h-22h ven-sam).

**Point Loma Seafoods** POISSON $$
(http://pointlomaseafoods.com ; 2805 Emerson St ; entrées 3-16 $, plats 9-13 $ ; 9h-19h lun-sam, 10h-19h dim ; P ). Commandez au comptoir de cette poissonnerie-grill-traiteur dotée d'un bar à sushis, où presque tout sort directement du bateau. Véritable institution de San Diego. Tables de pique-nique à l'extérieur.

**♥ George's at the Cove** CALIFORNIEN $$$
(858-454-4244 ; www.georgesatthecove.com ; 1250 Prospect St, La Jolla ; plats 18-50 $ ; 11h-22h lun-jeu, 11h-23h ven-dim). Le George's figure toujours en bonne place dans les classements des meilleurs restaurants californiens. La cuisine euro-californienne du chef Trey Foshee est aussi spectaculaire que son emplacement. Trois adresses pour en profiter, par ordre croissant de prix : **George's Bar** (déj plats 10-18 $), **Ocean Terrace** (dîner plats 18-35 $) et **California Modern** (dîner plats 30-50 $). Bar sans réservation (happy hour de 15h30 à 18h30 en semaine).

## Où prendre un verre et sortir

Les bars et les clubs les plus animés se trouvent dans le Gaslamp Quarter de Downtown. Consultez le *San Diego Reader* (www.sandiegoreader.com) ou l'*U-T San Diego* (www.utsandiego.com) pour

À NE PAS MANQUER

## LES MICROBRASSERIES DE SAN DIEGO

Les habitants de San Diego apprécient leurs bières artisanales et en parlent volontiers. Des microbrasseries de toutes tailles assurent une grande diversité de production. Les adresses suivantes méritent le détour :

**Stone Brewing Company** (☎760-471-4999 ; www.stonebrew.com ; 1999 Citracado Pkwy, Escondido ; ⊙visites 12h-18h tlj). Suivez la visite (3 $) avant de goûter l'Oaked Arrogant Bastard Ale et l'Old Guardian Barley Wine.

**Lost Abbey** (☎800-918-6816 ; www.lostabbey.com ; Suite 104, 155 Mata Way, San Marcos ; ⊙13h-18h lun-mar, 13h-21h mer et ven, 13h-20h jeu, 11h30-20h sam, 12h-19h dim). Plus de 20 bières (1 $/dégustation) à la pression sont proposées, notamment, dans le style belge, la Judgment Day et la Red Barn.

**Green Flash** (☎858-622-0085 ; www.greenflashbrew.com ; 6550 Mira Mesa Blvd ; ⊙15h-21h mar-jeu, 15h-22h ven, 12h-21h sam, 12h-18h dim). Sirotez des ales américaines et belges (1 $/dégustation) dans le *beer garden* ; réservez en ligne pour les visites (5 $).

**AleSmith** (☎858-549-9888 ; www.alesmith.com ; 9366 Cabot Dr ; ⊙14h-20h mar-jeu, 14h-21h ven, 11h-20h sam, 11h-18h dim). La scotch ale Wee Heavy, la Horny Devil au goût d'agrume et la Speedway Stout (1-2 $/dégustation) sont particulièrement goûteuses.

connaître l'actualité. **Arts Tix** (carte p. 96 ; ☎858-381-5595 ; www.sdartstix.com ; Lyceum Theatre, 79 Horton Plaza ; ⊙horaires variables) vend certains billets à prix réduits : pièces, humour, concerts et autres.

**Prohibition** LOUNGE
(carte p. 96 ; www.prohibitionsd.com ; 548 5th Ave ; ⊙19h-2h mer-sam). Bar sophistiqué de style années 1930, prenant musique et cocktails très au sérieux. Pas de téléphone portable au bar et tenue correcte exigée. Concerts après 21h : jazz, blues, soul ou musique hawaïenne.

**Noble Experiment** BAR
(carte p. 96 ; ☎619-888-4713 ; http://nobleexperimentsd.com ; 777 G St ; ⊙19h-2h mar-dim). Frappez à la porte dérobée de ce *speakeasy* contemporain aux murs ornés de crânes dorés, où 400 cocktails différents sont proposés. Envoyez un texto une semaine à l'avance pour réserver et obtenir de sibyllines indications.

**Hamilton's Tavern** BAR
(http://hamiltonstavern.com ; 1521 30th St ; ⊙15h-2h lun-ven, 13h-2h sam-dim ; 🐾). Passez par South Park et perchez-vous sur un tabouret dans cet établissement discret doté d'une table de palets et d'un billard. Excellente cuisine de pub et longue carte de bières artisanales.

**Tipsy Crow** BAR
(carte p. 96 ; ☎619-338-9300 ; http://thetipsycrow.com ; 770 5th Ave ; ⊙15h-2h lun-ven, 12h-2h sam-dim). Dans un bâtiment historique de Gaslamp, ce bar chargé d'atmosphère donne accès au "Nest", un lounge qui aurait autrefois fait office de maison close, et à la piste de danse "Underground", aux murs de briques, où se produisent groupes et humoristes.

**Casbah** MUSIQUE LIVE
(☎619-232-4355 ; www.casbahmusic.com ; 2501 Kettner Blvd ; 5-45 $). MGMT, Liz Phair et les Smashing Pumpkins sont passés par ici sur le chemin du succès. Groupes locaux et vedettes rock indé se produisent ici, tout comme au légendaire **Belly Up** (☎858-481-8140 ; www.bellyup.com ; 143 S Cedros Ave, Solana Beach ; 10-45 $) à Solana Beach.

**La Jolla Playhouse** THÉÂTRE
(☎858-550-1010 ; www.lajollaplayhouse.org ; 2910 La Jolla Village Dr ; 15-70 $). Pièces à succès et comédies musicales ambitionnant de conquérir Broadway sont présentées dans ce centre des arts du spectacle.

## ℹ Renseignements

### ACCÈS INTERNET

Les cafés offrent l'accès Wi-Fi avec une consommation (certains le font gratuitement).

**San Diego Public Library** (☎619-236-5800 ; www.sandiego.gov/public-library ; 820 E St ; ⊙12h-20h lun et mer, 9h30-17h30 mar et jeu-ven, 9h30-14h30 sam, 13h-17h dim ; @📶). Wi-Fi gratuit et terminaux Internet. Appelez ou consultez le site pour les adresses des annexes.

### ARGENT

**TravelEx** (www.travelex.com). Bureaux de change à l'aéroport (ci-dessous), Downtown (☎619-235-0901 ; www.travelex.com ; 177 Horton Plaza ; ⏰10h-19h lun-ven, 10h-18h sam, 11h-16h dim), Fashion Valley (☎619-542-1173 ; www.travelex.com ; 7007 Friars Rd ; ⏰10h-21h lun-sam, 11h-19h dim) et La Jolla (☎858-457-2412 ; www.travelex.com ; University Town Centre, 4417 La Jolla Village Dr ; ⏰10h-19h lun-ven, 10h-18h sam, 11h-16h dim).

### MÉDIAS

**San Diego Magazine** (www.sandiegomagazine.com). Mensuel "art de vivre" sur papier glacé.

**San Diego Reader** (www.sandiegoreader.com). Tabloïde hebdomadaire alternatif (gratuit).

**U-T San Diego** (www.utsandiego.com). Principal quotidien de la ville.

### OFFICES DU TOURISME

**Balboa Park Visitors Center** (☎619-239-0512 ; www.balboapark.org ; House of Hospitality, 1549 El Prado ; ⏰9h30-16h30). Propose des forfaits 1 jour (39 $) et 7 jours (adulte/enfant 39/27 $, zoo compris 85/49 $) pour les musées du parc.

**San Diego Visitor Information Centers** (☎619-236-1212 ; www.sandiego.org) Downtown (carte p. 96 ; 1140 N Harbor Dr ; ⏰9h-17h juin-sept, 9h-16h oct-mai), La Jolla (☎858-454-5718 ; www.sandiego.org ; 7966 Herschel Ave ; ⏰11h-18h juin-sept, 11h-16h oct-mai). Celui du front de mer à Downtown vend des billets à tarif réduit pour les sites et les visites.

### SERVICES MÉDICAUX

**Scripps Mercy Hospital** (☎619-294-8111 ; www.scripps.org ; 4077 5th Ave). Service d'urgences 24h/24.

### SITES INTERNET

**Gaslamp Quarter Association** (http://gaslamp.org). Tout sur le Gaslamp Quarter, notamment des conseils de stationnement.

**San Diego Convention & Visitors Bureau** (www.sandiego.org). Site officiel d'informations touristiques.

## ℹ Depuis/vers San Diego

Principalement desservi par des vols intérieurs et mexicains, le **San Diego International Airport** (SAN ; ☎619-400-2404 ; www.san.org ; 3325 N Harbor Dr) s'étend à 5 km au nord-ouest du centre.

**Greyhound** (carte p. 96 ; ☎619-515-1100 ; www.greyhound.com ; 1313 National Ave) propose des bus directs toutes les heures pour Los Angeles (19 $, 2-3 heures).

Depuis l'historique **Santa Fe Depot** (1055 Kettner Blvd) du centre-ville, le train *Pacific Surfliner* d'**Amtrak** (☎800-872-7245 ; www.amtrak.com) dessert Los Angeles (37 $, 2 heures 45) et Santa Barbara (41 $, 5 heures 45) plusieurs fois par jour.

Les grandes compagnies de location de voitures ont des comptoirs à l'aéroport. Petite et indépendante, l'agence **West Coast Rent a Car** (☎619-544-0606 ; http://sandiegoautos.org ; 834 W Grape St ; ⏰9h-18h lun-sam, 9h-17h dim) loue aux moins de 25 ans également depuis l'aéroport.

## ℹ Comment circuler

Les bus municipaux (2,25-2,50 $) et les tramways (2,25 $), dont certains vont au sud jusqu'à la frontière mexicaine, sont gérés par le **Metropolitan Transit System** (MTS ; ☎619-557-4555 ; www.sdmts.com). Sa **Transit Store** (carte p. 96 ; ☎619-234-1060 ; 102 Broadway ; ⏰9h-17h lun-ven) vend des forfaits régionaux (5/9/12/15 $ pour 1/2/3/4 jours) ; les pass pour la journée s'achètent à bord des bus.

Le bus MTS n°992 (2,25 $, tlj) circule toutes les 15-30 minutes de l'aéroport au centre-ville de 5h à 23h. Les navettes de l'aéroport, comme la **Super Shuttle** (☎800-258-3826 ; www.supershuttle.com), facturent 8 à 10 $ pour le centre. Un taxi de l'aéroport au centre-ville tourne autour de 10-15 $, plus le pourboire.

Les taxis avec compteur affichent 2,80 $ au départ, puis 3 $ par mile.

# Environs de San Diego

## San Diego Zoo Safari Park

Dans ce **zoo** (☎760-747-8702 ; www.sdzsafaripark.org ; 15500 San Pasqual Valley Rd ; adulte/enfant à partir de 44/34 $, billet 2 jours combiné avec le San Diego Zoo 79/61 $ ; ⏰9h-19h fin juin à mi-août, 9h-17h ou 18h reste de l'année ; P 👪) sans barrières de près de 730 ha, les girafes, les lions et les rhinocéros évoluent plus ou moins librement dans la vallée. Pour une sensation de safari africain, empruntez le tramway Africa, qui effectue un circuit de 25 minutes. Le parc se situe à Escondido, à 56 km au nord-est du centre de San Diego. Prenez l'I-15 Fwy jusqu'à la sortie Via Rancho Pkwy puis suivez les panneaux. Parking 10 $.

## Legoland

Ce **parc à thème** (☎760-918-5346 ; http://california.legoland.com ; 1 Legoland Dr, Carlsbad ;

adulte/enfant à partir de 78/68 $ ; ⌚tlj mi-mars à août, mer-dim uniquement sept à mi-mars, horaires variables selon la saison ; P), avec manèges, spectacles et attractions, convient principalement aux moins de 10 ans. Les enfants peuvent chercher des os de dinosaures, piloter des hélicoptères et obtenir leur permis de conduire. Les familles avec de jeunes enfants peuvent passer la nuit sur place à l'hôtel flambant neuf sur le thème du Lego. Du centre de San Diego (environ 53 km), suivez l'I-5 Fwy vers le nord jusqu'à la sortie Cannon Rd de Carlsbad. Parking 15 $.

# PALM SPRINGS ET LES DÉSERTS

De l'élégante Palm Springs aux reliefs désolés de la Death Valley (Vallée de la Mort), la région du désert du sud de la Californie couvre un quart de l'État. Les paysages à première vue stériles peuvent se révéler d'une grande beauté : pics volcaniques érodés, "chants" des dunes, montagnes aux tons pourpres, jardins de cactus, minuscules fleurs sauvages émergeant au printemps d'un sol cuit par le soleil, lézards filant à l'ombre de rochers colossaux, et, la nuit, des myriades d'étoiles. Sources de sérénité, les déserts californiens séduisent immanquablement les artistes bohèmes, les stars de cinéma, les amateurs de varappe ou les aventuriers en 4x4.

## Palm Springs

Le Rat Pack est de retour, ou du moins son repaire. Dans les années 1950 et 1960, Palm Springs (45 573 habitants), à quelque 160 km à l'est de LA, était le refuge de Franck Sinatra, Dean Martin, Sammy Davis Jr, les principaux membres du Rat Pack, et d'autres stars comme Elvis. Puis le Rat Pack disparut, laissant la place aux retraités en tenue de golf. Récemment, une nouvelle génération a découvert les attraits rétro-chics de la ville : piscines en forme de haricot, bungalows d'architecte, boutique-hôtels façon milieu du XX$^{e}$ siècle et bars servant des martinis parfaits. Aujourd'hui, les retraités cohabitent sans problème avec les branchés, et une communauté gay et lesbienne relativement importante.

### À voir et à faire

Palm Springs est la localité carrefour de la Coachella Valley, un chapelet de localités du désert reliées par la Hwy 111. Dans le centre compact de PS, Palm Canyon Dr, en sens unique vers le sud, est parallèle à Indian Canyon Dr, qui file vers le nord.

**♥ Palm Springs Aerial Tramway** CABLE CAR
(☎888-515-8726 ; www.pstramway.com ; 1 Tram Way ; adulte/enfant 24/17 $ ; ⌚10h-20h lun-ven, 8h-20h sam-dim, dernier tram retour 21h45). Profitez d'une vue vertigineuse en grimpant sur 4 km, du désert brûlé par le soleil au sommet couvert de pins du Mt San Jacinto. Emportez une veste car il fait frais. Des chemins de randonnée sillonnent les étendues sauvages voisines. Vous pourrez louer des raquettes et des skis de fond au **Winter Adventure Center** (raquettes/skis 18/21 $ par jour ; ⌚10h-16h jeu-ven et lun, 9am-16h sam-dim, dernières locations 14h30), dans la station de montagne.

**Living Desert Zoo & Gardens** ZOO
(☎760-346-5694 ; www.livingdesert.org ; 47900 Portola Ave, Palm Desert, près de la Hwy 111 ; adulte/enfant 17,25/8,75 $ ; ⌚9h-17h oct-mai, 8h-13h30 juin-sept). Ce zoo attrayant permet aux enfants d'observer des animaux sauvages d'Amérique du Nord et d'Afrique, de faire un tour sur le manège des espèces menacées et de découvrir une clinique vétérinaire. Mérite les 30 minutes de route dans la vallée.

**Palm Springs Art Museum** MUSÉE
(☎760-322-4800 ; www.psmuseum.org ; 101 Museum Dr ; adulte/enfant 12,50 $/gratuit, 16h-20h jeu gratuit ; ⌚10h-17h mar-mer et ven-dim, 12h-20h jeu). Ce musée d'art du centre-ville permet de suivre l'évolution de la peinture, de la sculpture, de la photographie et de l'architecture américaines au cours du siècle dernier. Annexe à Palm Desert.

**Palm Springs Air Museum** MUSÉE
(☎760-778-6262 ; www.air-museum.org ; 745 N Gene Autry Trail ; adulte/enfant 15/8 $ ; ⌚10h-17h). Exceptionnelle collection d'avions de la Seconde Guerre mondiale, d'objets et de photos dans ce musée de l'air proche de l'aéroport.

**Tahquitz Canyon** RANDONNÉE
(☎760-416-7044 ; www.tahquitzcanyon.com ; 500 W Mesquite Ave ; adulte/enfant 12,50/6 $ ; ⌚7h30-17h oct-juin, ven-dim uniquement juil-sept). Ce canyon, qui apparaît dans le film *Horizons perdus* (1937) de Frank Capra, est connu pour sa

### LES PLUS GROS DINOSAURES DU MONDE

À l'ouest de Palm Springs près du centre commercial de Cabazon, vous vous frotterez sans doute les yeux en découvrant les **World's Biggest Dinosaurs** (951-922-0076 ; www.cabazondinosaurs.com ; 50770 Seminole Dr, Cabazon ; adulte/enfant 8/7 $ ; 10h-17h30 lun-ven, 9h30-18h30 sam-dim). Claude K. Bell, un sculpteur de la Knott's Berry Farm (p. 91), a passé plus de 10 ans à façonner ces dinosaures en béton, désormais propriété des chrétiens créationnistes, qui prennent la Genèse au pied de la lettre. Dans la boutique de souvenirs, parmi les gadgets en rapport avec les mastodontes, des livres réfutent la théorie de l'évolution et le darwinisme. Pour rejoindre le site, quittez l'I-10 Fwy au niveau de Main St à Cabazon.

cascade saisonnière et l'art rupestre qu'il recèle. Explorez-le en indépendant ou en randonnée guidée avec un ranger.

**Indian Canyons** RANDONNÉE
(760-323-6018 ; www.indian-canyons.com ; près de S Palm Canyon Dr ; adulte/enfant 9/5 $, randonnée guidée 1 heure 30 3/2 $ ; 8h-17h oct-juin, ven-dim uniquement juil-sept). Ombragée de palmiers et flanquée de hautes falaises, ces terres ancestrales des Cahuilla font le bonheur des randonneurs du désert, surtout pendant la floraison printanière.

**Knott's Soak City** BAIGNADE
(760-327-0499 ; www.soakcityps.com ; 1500 S Gene Autry Trail ; adulte/enfant 35/25 $ ; horaires variables, mi-avr à début oct). Agréable pour se rafraîchir lors d'une chaude journée, le Knott's possède une immense piscine à vagues, de hauts toboggans et des tunnels aquatiques. Billets à tarif réduit en ligne. Parking 12 $.

## Où se loger

Nous mentionnons ici les tarifs de la haute saison d'hiver. Ils baissent en semaine et l'été. Des motels bordent la Hwy 111 au sud-est du centre. Il faut réserver bien à l'avance.

**Caliente Tropics** MOTEL $
(800-658-6034, 760-327-1391 ; www.calientetropics.com ; 411 E Palm Canyon Dr ; ch à partir de 60 $ ; ). Motel de style polynésien, jadis fréquenté par Elvis, où les chambres, étonnamment vastes, disposent de lits confortables.

**♥ Orbit In** BOUTIQUE-HÔTEL $$
(877-966-7248, 760-323-3585 ; www.orbitin.com ; 562 W Arenas Rd ; ch avec petit-déj à partir de 149 $ ; ). Retour aux années 1950 dans cette propriété aménagée autour d'une paisible piscine d'eau salée et d'un Jaccuzi. Des meubles de créateurs (Eames, Noguchi, etc.) ornent les chambres ; *cocktail hour*, en-cas et sodas dans la journée et prêt de vélos font partie des extras gratuits.

**Del Marcos Hotel** BOUTIQUE-HÔTEL $$
(800-676-1214, 760-325-6902 ; www.delmarcoshotel.com ; 225 W Baristo Rd ; ch avec petit-déj 139-189 $ ; ). Dans ce joyau de 1947 conçu par William F. Cody, de la bonne musique accompagne les hôtes de la piscine d'eau salée à leurs chambres ultra-chics (parfois avec kitchenette) répondant aux noms de sommités de l'architecture. Prêt de vélos. Les enfants ne sont pas admis.

**Ace Hotel & Swim Club** HÔTEL $$
(760-325-9900 ; www.acehotel.com/palmsprings ; 701 E Palm Canyon Dr ; ch à partir de 100 $ ; ). Ce repaire branché mais pas prétentieux propose des chambres (souvent avec patio) au look décontracté, équipées de tout le confort qu'un amateur de hautes technologies peut désirer. Amusantes soirées karaoké, quiz ou bingo, sets de DJ et concerts.

**El Morocco Inn & Spa** BOUTIQUE-HÔTEL $$$
(760-288-2527, 888-288-9905 ; www.elmoroccoinn.com ; 66814 4th St, Desert Hot Springs ; ch avec petit-déj 179-219 $ ; ). Retraite réservée aux adultes proposant 10 chambres autour d'une piscine. Spa, piscine alimentée par une source naturelle, thé à la menthe et "Morocco-tinis". À 20 minutes de route au nord de PS.

## Où se restaurer

Certains restaurants réduisent leurs horaires et ferment quelques semaines en été.

**Tyler's Burgers** BURGERS $
(http://tylersburgers.com ; 149 S Indian Canyon Dr ; plats 2-9 $ ; 11h-16h lun-sam ; ). Les meilleurs burgers de la ville. Attendez-vous à faire la queue.

**Native Foods** VÉGÉTALIEN $
(☎760-416-0070 ; www.nativefoods.com ; Smoke Tree Village, 1775 E Palm Canyon Dr ; plats 8-11 $ ; ⏲11h-21h30 lun-sam ; ). Salades, wraps et plats savoureux composés sur place à partir d'ingrédient végétaliens bio.

♥ **Cheeky's** CALIFORNIEN $$
(☎760-327-7595 ; www.cheekysps.com ; 622 N Palm Canyon Dr ; plats 8-13 $ ; ⏲8h-14h mer-lun, dernier service 13h30). La carte aux plats inventifs, élaborés avec des produits fermiers et souvent bio, compense l'attente parfois très longue. Elle change chaque semaine, mais comporte régulièrement des assiettes de *tomatillo chilaquile* (plat mexicain à base de tortilla et de tomatilles), une sélection de tranches de bacon et le cocktail *pomegranate mimosa* (jus de grenade, jus d'orange, liqueur d'orange, champagne).

**Sherman's** TRAITEUR, BOULANGERIE $$
(☎760-325-1199 ; www.shermansdeli.com ; 401 E Tahquitz Canyon Way ; plats 8-18 $ ; ⏲7h-21h ; ). Traiteur casher style années 1950, séduisant une clientèle de tout âge avec 40 variétés de sandwichs (excellent pastrami !), de succulents poulets rôtis, des tartes délicieuses et une agréable terrasse. Également présent à **Palm Desert** (☎760-568-1350 ; www.shermansdeli.com ; 73-161 County Club Dr ; plats 8-18 $ ; ⏲7h-21h ; ).

**Trio** CALIFORNIEN $$$
(☎760-864-8746 ; www.triopalmsprings.com ; 707 N Palm Canyon Dr ; plats 13-29 $ ; ⏲11h-22h). La formule gagnante de ce restaurant datant des années 1960 : un cadre aussi moderne que la cuisine, roborative et actualisée (bœuf braisé et macaronis au fromage), de belles œuvres d'art et de grandes fenêtres. Menu fixe de 3 plats (19 $) avant 18h.

**Copley's** AMÉRICAIN $$$
(☎760-327-9555 ; www.copleyspalmsprings.com ; 621 N Palm Canyon Dr ; plats 19-39 $ ; ⏲à partir de 17h30 tlj fin août à mi-juin, mar-dim uniquement mi-juin à début juil, fermé début juil à août). Somptueuse cuisine américaine dans l'ancienne propriété de Cary Grant. Le "Oh My Lobster Pot Pie" est indémodable. Pour un dîner en amoureux, sans regarder à la dépense.

## Où prendre un verre et sortir

Arenas Rd, à l'est d'Indian Canyon Dr, est le centre animé de la vie nocturne gay et lesbienne.

**Koffi** CAFÉ
(www.kofficoffee.com ; 1700 S Camino Real ; ⏲5h30-19h). Café minimaliste servant de délicieuses viennoiseries, du café bio et des boissons maison. Également au 515 N Palm Canyon Dr dans le centre.

**Birba** BAR
(www.birbaps.com ; 622 N Palm Canyon Dr ; ⏲17h-23h dim et mer-jeu, 17h-minuit ven-sam). Dans ce séduisant lounge à cocktails, des baies vitrées donnent sur un patio bordé de haies, où sont creusés des foyers.

**Shanghai Red's** BAR
(www.fishermans.com ; 235 S Indian Canyon Dr ; ⏲16h-tard lun-sam, 12h-tard dim). Derrière un restaurant de poisson, ce bar sur cour propose des boissons du jour à l'happy hour et du blues live les vendredis et samedis soir.

## Achats

Pour les galeries d'art, les magasins de design et les boutiques de mode, parmi lesquelles l'incontournable **Trina Turk** (☎760-416-2856 ; www.trinaturk.com ; 891 N Palm Canyon Dr ; ⏲10h-17h lun-ven, 10h-18h sam, 12h-17h dim), rejoignez North Palm Canyon Dr dans "Uptown". Les amateurs de vintage trouveront leur bonheur dans les boutiques d'occasion et les dépôts-vente présents un peu partout en centre-ville et le long de la Hwy 111. Pour la version locale du Rodeo Dr de LA, descendez la vallée jusqu'à **El Paseo**, à Palm Desert.

## Renseignements

**Desert Regional Medical Center** (☎760-323-6511 ; www.desertregional.com ; 1150 N Indian Canyon Dr). Urgences 24h/24.

**Palm Springs Library** (www.palmspringsca.gov ; 300 S Sunrise Way ; ⏲10h-17h mer-sam, 10h-19h mar ; ). Wi-Fi gratuit et terminaux Internet.

**Palm Springs Official Visitor Center** (☎760-778-8418 ; www.visitpalmsprings.com ; 2901 N Palm Canyon Dr ; ⏲9h-17h). Dans une station-service de 1965 conçue par Albert Frey, à l'embranchement du tramway, 5 km au nord du centre-ville.

## Comment s'y rendre et circuler

À environ 5 km à l'est du centre-ville, le **Palm Springs International Airport** (PSP ; ☎760-323-8299 ; www.palmspringsairport.com ; 3400 E Tahquitz Canyon Way) est desservi par des compagnies nationales et canadiennes ; les principales agences de location de voitures y disposent de comptoirs.

Trois fois par semaine, des trains Amtrak depuis/vers LA (40 $, 2 heures 45) font halte dans la North Palm Springs Station, déserte et un peu sinistre, à 9,5 km au nord du centre-ville, tout comme les bus Greyhound quotidiens depuis/vers LA (26 $, 3 heures).

**SunLine** (www.sunline.org ; trajet/forfait journée 1/3 $) gère de lents bus locaux à travers la vallée.



## Joshua Tree National Park

Les arbres de Josué (en fait des yuccas de la taille d'un arbre) accueillent les visiteurs dans ce parc sauvage, où les déserts de Sonora et de Mojave convergent. La plupart des principales curiosités, dont tous les arbres de Josué, se situent dans la moitié nord du parc. "J-Tree" est prisé de longue date des amateurs d'escalade et des randonneurs, notamment au printemps quand les arbres produisent des fleurs couleur crème. L'ambiance mystique de ce paysage austère jonché de rochers a inspiré de nombreux artistes, notamment le groupe U2.

### À voir et à faire

Dominant le nord du **parc** (760-367-5500 ; www.nps.gov/jotr ; entrée 7 jours 15 $/voiture), l'épique **Wonderland of Rocks** est un paradis pour les grimpeurs. **Keys View** surplombe la faille de San Andreas et la vue, superbe au coucher du soleil, porte jusqu'au Mexique par temps clair. Vous découvrirez l'histoire des pionniers en suivant la visite au **Keys Ranch** (réservations 760-367-5555 ; adulte/enfant 5/2,50 $ ; 10h et 13h fin sept à début avr). Les randonneurs peuvent partir à la recherche des oasis de palmiers comme la **49 Palms Oasis** (aller-retour 5 km) et la **Lost Palms Oasis** (aller-retour 11,6 km). Parmi les itinéraires accessibles aux enfants figurent le **Barker Dam** (boucle de 2,1 km), qui passe par des pétroglyphes amérindiens, **Skull Rock** (boucle de 2,5 km) et le **Cholla Cactus Garden** (boucle de 400 m). Pour un beau parcours en 4x4, suivez la cahoteuse **Geology Tour Road** (29 km), également ouverte aux VTT.

**VAUT LE DÉTOUR**

**PIONEERTOWN**

À 7,2 km au nord-ouest de la Yucca Valley, **Pioneertown** fut construite en 1946 pour servir de décor aux films de Hollywood et n'a guère changé depuis. Dans Mane St, vous assisterez à de faux règlements de compte au revolver à 14h30 le samedi d'avril à octobre. Savourez grillades, bière bon marché et musique live au **Pappy & Harriet's Pioneertown Palace** (760-365-5956 ; www.pappyandharriets.com ; 53688 Pioneertown Rd ; plats 8-29 $ ; 11h-2h jeu-dim, 17h-2h lun). Puis, comme les stars d'autrefois, passez la nuit au **Pioneertown Motel** (760-365-7001 ; www.pioneertown-motel.com ; 5040 Curtis Rd ; ch 50-100 $ ; ), dont les chambres sont remplies de souvenirs de westerns.

### Où se loger

On ne peut que camper dans le parc lui-même. De nombreux motels, appartenant à des chaînes ou indépendants, bordent la Hwy 62.

**Campings** CAMPING $
(www.nps.gov/jotr ; empl tente et camping-car 10-15 $ ; ). Des neuf campings du parc, seuls Cottonwood et Black Rock ont de l'eau potable et des toilettes à chasse d'eau. Indian Cove et Black Rock acceptent les **réservations** (518-885-3639, 877-444-6777 ; www.recreation.gov) d'octobre à mai. Ailleurs, les premiers arrivés sont les premiers servis, et les campings affichent souvent complet dès 10h au printemps. **Joshua Tree Outfitters** (760-366-1848 ; www.joshuatreeoutfitters.com ; 61707 Hwy 62) loue du matériel.

**Harmony Motel** MOTEL $
(760-367-3351 ; www.harmonymotel.com ; 71161 Hwy 62 ; ch 65-90 $ ; ). Motel de style minimaliste avec une pointe de design, où le groupe U2 écrivit son album *The Joshua Tree*. Chambres très vastes et cottage au style éclectique. Kitchenette commune et bibliothèque.

**Kate's Lazy Desert** AUBERGE $$
(845-688-7200 ; www.lazymeadow.com ; 58380 Botkin Rd, Landers ; d 175-200 $ ; ). Propriété de Kate Pierson, des B-52s, aménagée autour d'une petite piscine et comprenant six caravanes Airstream, avec kitchenette et design pop, à la décoration allant du polynésien branché au kitsch alpin. À 30 minutes au nord de Yucca Valley, près du loufoque **Integratron** (760-364-3126 ; www.integratron.com ; 2477 Belfield Boulevard, Landers ; bains de son 20-80 $).

**Spin & Margie's Desert Hide-a-Way** AUBERGE $$
(☎760-366-9124 ; www.deserthideaway.com ; 64491 Hwy 62 ; ste 135-175 $ ; ). Proche du parc, une auberge de style hacienda comptant 5 suites avec kitchenette. Éléments d'architecture originaux : tôle ondulée, plaques minéralogiques et dessins de style cartoons. Deux nuits minimum.

## Où se restaurer et prendre un verre

**Natural Sisters Cafe** VÉGÉTARIEN $
(☎760-366-3600 ; 61695 Hwy 62, Joshua Tree ; plats 4-8 $ ; 7h-19h ; ). Smoothies, salades du jardin, wraps de tofu, curries végétaliens et kombucha maison dans ce café très prisé de J-Tree.

**Palm Kabob House** ORIENTAL $$
(☎760-362-8583 ; 6341 Adobe Rd, Twentynine Palms ; plats 6-14 $ ; 11h-21h ; ). Près de la base du corps des marines de Twentynine Palms, pitas maison, kebab d'agneau ou de poulet, purée d'aubergines fraîche et salade de légumes.

**Pie for the People** PIZZERIA $$
(http://pieforthepeople.com ; 61740 Hwy 62, Joshua Tree ; pizzas 13-25 $ ; 11h-21h lun-jeu, 11h-22h ven-sam, 11h-20h dim ; ). Pizzas fines à la new-yorkaise, calzones et autres délices italo-américaines, juste devant le parc.

**Ma Rouge** CAFÉ
(www.marouge.net ; 55844 Hwy 62, Yucca Valley ; 7h-18h). Café de quartier proposant café bio, expressos et produits de boulangerie.

## Renseignements

Vous pouvez vous renseigner sur le parc aux centres des visiteurs du NPS à **Joshua Tree** (6554 Park Blvd ; 8h-17h), **Oasis** (74485 National Park Dr ; 8h-17h) et **Cottonwood** (Cottonwood Springs, 12 km au nord de l'I-10 Fwy ; 9h-15h), ainsi qu'au **Black Rock Nature Center** (9800 Black Rock Canyon Rd ; 8h-16h sam-jeu, 12h-20h ven oct-mai ; ). Il n'y a pas d'équipements dans le parc hormis les toilettes. Procurez-vous essence et victuailles dans les trois bourgades du désert reliées par la Twentynine Palms Hwy (Hwy 62) à la limite nord du parc : Yucca Valley, la mieux fournie en services (banques, supermarchés, poste, bibliothèque avec Wi-Fi gratuit et terminaux Internet) ; la beatnik Joshua Tree, où se rassemblent les amateurs de plein air ; Twentynine Palms, qui accueille la plus grande base du corps des marines du pays.

# Anza-Borrego Desert State Park

Façonné par une mer ancienne et des forces tectoniques, Anza-Borrego est le plus grand parc d'État de la Californie. Entourant la seule localité du parc – la minuscule Borrego Springs (3 429 habitants) –, un territoire de 2 420km² de montagnes, de canyons et de badlands recèle une fabuleuse variété d'animaux et de plantes, ainsi que de curieux vestiges de tribus amérindiennes, d'explorateurs espagnols et de pionniers de la ruée vers l'or. La floraison des fleurs sauvages (habituellement de fin février à avril ; appelez le ☎760-767-4684) correspond à la plus grande fréquentation, juste avant que la canicule ne rende l'exploration en journée dangereuse.

## À voir et à faire

À 3 km à l'ouest de Borrego Springs, le **Visitor Center** (☎760-767-4205 ; www.parks.ca.gov ; 200 Palm Canyon Dr ; 9h-17h oct-mai, sam-dim uniquement juin-sept) propose une exposition

HORS DES SENTIERS BATTUS

### LA SALTON SEA ET LA SALVATION MOUNTAIN

À l'est d'Anza-Borrego et au sud de Joshua Tree vous attend un site surprenant : la **Salton Sea** (www.saltonsea.ca.gov), le plus grand lac de Californie, au cœur de son plus grand désert. Après la crue du Colorado en 1905, il fallut 1 500 hommes et un demi-million de tonnes de rochers pour le faire retourner dans son lit. La surface de ce lac artificiel dépourvu de déversement naturel est à 67 m sous le niveau de la mer et son eau est 30% plus saline que celle du Pacifique. C'est un cauchemar environnemental sans solution à ce jour.

Vision plus étrange encore près de la rive est du lac, la **Salvation Mountain** (www.salvationmountain.us), de l'artiste populaire Leonard Knight, est une colline de 15 m composée d'argile mélangée à la main, couverte de peinture acrylique colorée, d'objets trouvés et de messages chrétiens. À Niland, à environ 5 km à l'est de la Hwy 111, via Main St et Beal Rd.

sur l'histoire naturelle, des brochures informatives et des renseignements sur l'état des routes. La traversée du parc est gratuite mais si vous campez, randonnez ou pique-niquez, il faut payer une taxe de stationnement (5-8 $/voiture). Vous aurez besoin d'un 4x4 pour parcourir les 800 km de pistes. Pour des randonnées à pied ou à VTT, emportez de l'eau.

Parmi les principaux sites du parc figurent **Fonts Point**, un point de vue sur le désert, le **Clark Dry Lake** pour l'observation des oiseaux, l'**Elephant Tree Discovery Trail**, près des grottes de Split Mountain et la **Blair Valley**, avec ses pictogrammes et ses *morteros* (mortiers) amérindiens. Plus au sud, vous pourrez vous baigner dans les bassins des sources chaudes de l'**Agua Caliente County Park** (☎760-765-1188 ; www.sdcounty.ca.gov/parks/ ; 39555 Rte S2 ; 5 $/voiture ; ⏲9h30-17h sept-mai).

## Où se loger et se restaurer

Le camping sauvage est autorisé sans permis dans le parc à condition d'être au moins à 30 m d'un point d'eau ou d'une route (ni feu, ni cueillette).

Renommée pour ses tartes aux pommes, l'ancienne ville minière de **Julian** (www.julianca.com), à 48 km au sud-ouest de Borrego Springs, compte des B&B de style country.

**Campings** CAMPING **$**
(☎réservations 800-444-7275 ; www.reserveamerica.com ; tente/camping-car 25/35 $ ; ). Réservez un emplacement dans le Borrego Palm Canyon Campground très fréquenté, à 5 km au nord-ouest de Borrego Springs, ou dans le plus petit et plus ombragé Tamarisk Grove (eau non potable), à 20 km au sud près de la Hwy 78.

**Borrego Springs Motel** MOTEL **$**
(☎760-767-4339 ; www.borregospringsmotel.com ; 2376 Borrego Springs Rd ; ch 75-95 $ ; ⏲fin sept-début juin ; ). En ville, au nord du Christmas Circle, ce motel des années 1940, rénové (il fonctionne désormais à l'énergie solaire), propose 8 chambres spartiates mais impeccables et équipées de luxueux matelas. Le soir, il fait bon sortir observer les étoiles près du feu.

**Borrego Valley Inn** AUBERGE **$$$**
(☎800-333-5810, 760-767-0311 ; www.borregovalleyinn.com ; 405 Palm Canyon Dr ; ch avec petit-déj 180-280 $ ; ). Ce complexe-spa intime, réservé aux adultes, propose 15 chambres en adobe (parfois avec kitchenette) à la décoration typique du Sud-Ouest, deux piscines (dont une avec maillot facultatif) et un Jacuzzi extérieur.

**Carlee's Place** AMÉRICAIN **$$**
(660 Palm Canyon Dr ; plats déj 7-14 $, dîner 12-23 $ ; ⏲11h-21h). Établissement que les habitants apprécient pour sa cuisine de bar et ses grillades correctes, ses tables de billard et son karaoké déchaîné.

## Renseignements

Borrego Springs compte des banques avec DAB, des stations-service, une poste, un supermarché et une bibliothèque avec Wi-Fi gratuit et terminaux Internet, le tout sur Palm Canyon Dr.

# Mojave National Preserve

Territoire "au milieu de nulle part", la **Mojave National Preserve** (☎760-252-6100 ; www.nps.gov/moja) GRATUIT couvre 566 560 ha de dunes de sable, d'arbres de Josué, de cônes de scories volcaniques et d'habitats de tortues du désert, de lièvres et de coyotes. Elle ne dispose d'aucun poste d'essence.

Au sud-est de Baker et de l'I-15 Fwy, Kelbaker Rd traverse un paysage fantomatique de cônes volcaniques jusqu'au **Kelso Depot**, gare ferroviaire des années 1920 réinterprétant l'architecture des missions espagnoles de Californie. Le bâtiment abrite aujourd'hui le principal **Visitor Center** (☎760-252-6108 ; ⏲9h-17h) du parc, où se trouvent une excellente exposition sur l'histoire naturelle et culturelle, ainsi qu'un *lunch counter* (cafétéria) à l'ancienne. En parcourant 16 km au sud-ouest, on rejoint les **Kelso Dunes**, des dunes "chantantes". Quand le vent s'y prête, elles émettent des vibrations graves provoquées par le glissement du sable – descendre en courant peut provoquer le phénomène.

Du Kelso Depot, la Kelso-Cima Rd part vers le nord-est. Au bout de 30 km, la Cima Rd bifurque brusquement au nord-ouest vers l'I-15 autour du **Cima Dome**, un bloc de granit haut de 450 m, aux affleurements de lave durcie. La plus grande **forêt d'arbres de Josué** au monde pousse sur ses versants. Pour la voir de près, grimpez le **Teutonia Peak** (6,5 km aller-retour) ; le sentier débute à 9 km au nord-ouest de Cima.

Plus à l'est, la spectaculaire Mojave Rd mène à deux **campings** (empl tente 12 $) sans réservation, avec eau potable, à Mid Hills (pas de camping-cars) et Hole-in-the-Wall. Les campings se situent à chaque extrémité d'un bel itinéraire accidenté de 19,5 km le long de la **Wild Horse Canyon Rd**, qui se termine près du **Visitor center** (760-252-6104 ; 9h-16h mer-dim oct-avr, 10h-16h sam mai-sept) de Hole-in-the-Wall et du point de départ de la randonnée **Rings Loop Trail** dans un étroit canyon. Ces deux routes en terre ne nécessitent pas en général l'usage d'un 4x4.

### Où se loger et se restaurer

Le camping sauvage on en bord de route est autorisé dans la réserve, dans les endroits déjà utilisés ; renseignez-vous au Visitor Center ou consultez le journal gratuit du parc.

L'**Hotel Nipton** (760-856-2335 ; http://nipton.com ; 107355 Nipton Rd ; bungalows en toile/ch avec sdb commune à partir de 65/80 $ ; réception 8h-18h ; ) comprend une villa centenaire en adobe aux chambres rustiques et des bungalows en toile au nord-est de la réserve, dans un avant-poste ferroviaire isolé. Réception au magasin jouxtant le café mexicano-américain **Oasis** (plats 7-10 $ ; 11h-18h dim-ven, 11h-20h sam).

Près de l'I-15, Baker, la ville la plus proche (à 55 km au nord-ouest de Kelso), compte des motels dépouillés et des fast-foods, tandis que Primm (80 km au nord-est), au Nevada, aligne des hôtels-casinos fatigués et des restaurants regroupés à proximité d'un centre commercial.

## Death Valley National Park

Son nom, Vallée de la Mort, évoque l'enfer et les conditions extrêmes. Pourtant, un regard plus attentif révèle un spectacle impressionnant : canyons sculptés par les eaux, dunes de sable balayées par le vent, oasis ombragées de palmiers, montagnes déchiquetées et nombreuses espèces animales. Terre de superlatifs, elle détient le record de chaleur des États-Unis (57°C), celui du point le plus bas (Badwater, 86 m en dessous du niveau de la mer) et constitue le plus grand parc national hors l'Alaska (plus de 13 000 km$^2$). La floraison printanière des fleurs sauvages correspond à la principale saison touristique.

### À voir et à faire

De **Furnace Creek**, localité au centre du **parc** (760-786-3200 ; www.nps.gov/deva ; entrée 7 jours 20 $/voiture), allez au sud-est jusqu'à **Zabriskie Point** pour profiter d'une vue spectaculaire du soleil couchant sur la vallée et les badlands dorées, creusées de vagues, de plis et de ravines. À 32 km au sud, vous contemplerez les points le plus haut (Mt Whitney, 4 421 m) et le plus bas (Badwater) des États-Unis à **Dante's View**.

**Badwater**, paysage intemporel de salants gaufrés, est à 27 km au sud de Furnace Creek. En chemin, **Golden Canyon** et **Natural Bridge** s'explorent facilement lors de courtes balades depuis les aires de stationnement. Le détour de 15 km le long d'**Artists Drive** à travers un étroit canyon est plus agréable en fin d'après-midi lorsque que les versants érodés éclatent de couleurs.

Au nord-ouest de Furnace Creek, près de Stovepipe Wells Village, vous pouvez randonner à travers les **dunes de sable de Mesquite Flat**, magiques les nuits de pleine lune, et grimper les lisses parois de marbre du **Mosaic Canyon**.

À environ 56 km au nord de Furnace Creek, le curieux **Scotty's Castle** (réservations 877-444-6777 ; www.recreation.gov ; visites adulte/enfant à partir de 15/7,50 $ ; domaine 7h-17h30, horaires des visites variables) propose des visites guidées par des personnages en costume évoquant l'histoire de l'escroc "Death Valley Scotty" (réservation recommandée). À 8 km à l'ouest du carrefour de Grapevine, faites le tour du volcanique **Ubehebe Crater** et de son petit frère.

En été, restez sur les routes asphaltées (les voitures risquent la surchauffe sur les pistes), limitez les exercices physiques et visitez les secteurs les plus élevés. Remontez par exemple l'**Emigrant Canyon**, qui part à 13 km à l'ouest de Stovepipe Wells, dépassant des embranchements vers des villes fantômes pour se terminer par une section non asphaltée de 5 km, qui monte jusqu'aux **Charcoal Kilns**, en forme de ruches. À proximité, un chemin conduit au sommet du **Wildrose Peak** (2 762 m ; 13,5 km aller-retour). À la lisière ouest du parc, les **Panamint Springs**, très isolées, offrent une vue panoramique. De là, une randonnée de 3,2 km aller-retour conduit aux minuscules Darwin Falls.

Le ranch de Furnace Creek propose de l'équitation, du golf, du VTT et des baignades dans les bassins de sources chaudes.

VAUT LE DÉTOUR

**RHYOLITE ET LE GOLDWELL AIR MUSEUM**

À 6,5 km à l'ouest de Beatty (Nevada), repérez l'embranchement vers la ville fantôme de **Rhyolite** (www.rhyolitesite.com ; près de la Hwy 374 ; ⌚lever-coucher du soleil) GRATUIT, qui illustre la frénésie et le déclin des villes de la ruée vers l'or dans l'Ouest. Ne manquez pas la "bottle house" de 1906, ni la carcasse d'une banque de 2 étages. À côté, le curieux **Goldwell Open Air Museum** (www.goldwellmuseum.org ; près de la Hwy 374 ; ⌚24h/24) GRATUIT est une installation psychédélique de l'artiste belge Albert Szukalski, entamée en 1984.

## Où se loger et se restaurer

Au printemps, les hébergements du parc affichent souvent complet et les campings sans réservation se remplissent dès le milieu de matinée, surtout le week-end. Le camping sauvage (pas de feu) est autorisé dans des sites déjà utilisés situés à au moins 3 km de toute route, zone construite ou activité, et à 100 m des points d'eau ; procurez-vous un permis gratuit au Visitor Center.

La ville la plus proche proposant des hébergements abordables est Beatty, dans le Nevada (65 km au nord-est de Furnace Creek) ; les hébergements sont plus nombreux à Las Vegas, également dans le Nevada (190 km au sud-est) et à Ridgecrest, en Californie (190 km au sud-ouest).

**Campings** CAMPING $

(www.nps.gov/deva ; empl gratuit-30 $ ; ). Des 9 campings du parc, seul Furnace Creek accepte les **réservations** (☎518-885-3639, 877-444-6777 ; www.recreation.gov), uniquement de mi-octobre à mi-avril. L'été, à Furnace Creek, les premiers arrivés sont les premiers servis, et les seuls autres campings ouverts sont Mesquite Spring, près de Scotty's Castle, et ceux d'Emigrant Canyon Rd (un 4x4 est parfois nécessaire). D'autres campings dans la vallée – Stovepipe Wells pour les camping-cars et Texas Springs, plus ombragé pour les tentes – ouvrent d'octobre à avril.

**Ranch at Furnace Creek** MOTEL, BUNGALOWS $$

(☎760-786-2345, 800-236-7916 ; www.furnacecreekresort.com ; Hwy 190 ; d 139-219 $ ; ). Parfait en famille, ce vaste complexe propose des chambres aux couleurs du désert, aux portes-fenêtres ouvrant sur des porches ou des patios, et des bungalows en duplex. Piscine alimentée par une source, parcours de golf et courts de tennis. Le **49'er Cafe** (plats 10-25 $) prépare de bons classiques américains. Bières et pizzas au **Corkscrew Saloon**.

**Cynthia's** AUBERGE DE JEUNESSE $$

(☎760-852-4580 ; www.discovercynthias.com ; 2001 Old Spanish Trail Hwy, Tecopa ; dort 22-25 $, ch 75-140 $, tipi 165 $ ; ⌚réception 15h-20h ; ). Selon votre budget, choisissez entre les chambres privatives à la décoration éclectique ou les dortoirs dans des mobile homes vintage avec cuisines communes, ou encore le camping au China Ranch dans des tipis de style amérindien équipés de tapis épais, d'un foyer et d'un lit king size. Réservation essentielle. Dans la ville thermale de Tecopa, à 110 km au sud-est de Furnace Creek.

**Stovepipe Wells Village** MOTEL $$

(☎760-786-2387 ; www.escapetodeathvalley.com ; Hwy 190 ; empl camping-car 33 $, ch 95-160 $ ; ). Les chambres rénovées s'agrémentent de draps de qualité sous de jolis couvre-lits amérindiens. La petite piscine est plaisante et le restaurant et saloon de style western sert 3 repas, tout juste corrects, par jour (plats 5-25 $).

**Inn at Furnace Creek** HÔTEL $$$

(☎800-236-7916, 760-786-2345 ; www.furnacecreekresort.com ; Hwy 190 ; ch/ste à partir de 345/450 $ ; ⌚mi-oct à mi-mai ; ). Jolie vue sur la vallée depuis la piscine alimentée par une source et depuis les chambres de cet hôtel minimaliste de 1927, de style mission espagnole. Le restaurant haut de gamme (tenue correcte exigée le soir) n'est recommandé que pour son brunch-buffet du dimanche (25 $). Venez pour un cocktail au coucher du soleil sur la terrasse.

## Renseignements

Les permis d'entrée valables 7 jours (20 $/voiture) sont vendus par des automates dans tout le parc. Pour une carte gratuite et un journal, présentez votre reçu au **Visitor Center** (☎760-786-3200 ; www.nps.gov/deva ; ⌚8h-17h) de Furnace Creek, où se trouvent aussi une épicerie, une station-service, une poste, un DAB, une laverie automatique et des douches. Stovepipe Wells Village, à 30 minutes de route au nord-ouest, compte une épicerie, une station-service, un DAB et des douches. Vous trouverez un DAB, de l'essence, le Wi-Fi, des en-cas et des boissons à Panamint Springs, à la lisière ouest du parc. La réception est irrégulière voire inexistante pour les téléphones portables dans le parc.

# CÔTE CENTRALE

Un voyage en Californie ne saurait être complet sans une escapade le long de la spectaculaire côte centrale. La Hwy 1, l'une des routes les plus emblématiques de Californie, passe par la luxueuse Santa Barbara, la rétro Pismo Beach, l'estudiantine San Luis Obispo, le fabuleux Hearst Castle, l'émouvante Big Sur, la pittoresque Carmel, l'extraordinaire aquarium de Monterey et Santa Cruz la hippie. Ralentissez – cette côte idyllique mérite d'être savourée, au même titre que ses vins primés.

## Santa Barbara

La vie semble douce à Santa Barbara, un paradis côtier qui fleure les agrumes et le jasmin, où des bougainvilliers couvrent des maisons chaulées au toit de tuiles rouges autour de plages immaculées. Il suffit d'ignorer les affreux derricks au large. Bars, cafés, cinémas et boutiques bordent **State St**, l'artère principale du centre-ville.

### À voir

**Mission Santa Barbara** ÉGLISE
(www.santabarbaramission.org ; 2201 Laguna St ; adulte/enfant 5/1 $ ; 9h-16h15). Construite en 1786 sur une colline, la "Reine des missions" fut la seule à échapper à la sécularisation sous la domination mexicaine. Des œuvres d'art chumash ornent l'intérieur voûté de l'église – surmontée de façon inhabituelle par deux clochers –, et un cimetière se tient à l'arrière.

**Santa Barbara Museum of Art** MUSÉE
(www.sbma.net ; 1130 State St ; adulte/enfant 10/6 $, 17h-20h jeu gratuit ; 11h-17h mar-mer et ven-dim, 11h-20h jeu). Musée d'art du centre-ville à l'impressionnante collection : artistes californiens contemporains, maîtres modernes comme Matisse et Chagall, photos du XXe siècle et art asiatique. Expositions temporaires provocantes.

**County Courthouse** ÉDIFICE HISTORIQUE
(805-962-6464 ; www.sbcourts.org ; 1100 Anacapa St ; 8h-16h45 lun-ven, 10h-16h45 sam-dim). GRATUIT De style hispano-mauresque, ce splendide tribunal comporte des plafonds peints, des peintures murales élaborées et un clocher vertigineux qui offre une vue panoramique. Visites gratuites tous les jours (appelez pour les horaires).

**Santa Barbara Historical Museum** MUSÉE
(www.santabarbaramuseum.com ; 136 E De La Guerra St ; don apprécié ; 10h-17h mar-sam, 12h-17h dim). GRATUIT Dans un romantique cloître en adobe, découvrez un mélange fascinant de souvenirs locaux, dont des paniers tissés chumash, et de curieuses anecdotes historiques comme l'implication de la ville dans la chute de la dernière dynastie chinoise.

HORS DES SENTIERS BATTUS

### QUELQUES JOURS DE PLUS EN CALIFORNIE ?

Le **Channel Islands National Park** (www.nps.gov/chis), isolé et accidenté, doit son surnom de "Galápagos de Californie" à sa faune unique. Ces îles offrent de superbes possibilités de snorkeling, de plongée et de kayak de mer. Le printemps, quand les fleurs sauvages s'épanouissent, est une excellente période ; l'été et l'automne peuvent être très secs et l'hiver, orageux.

Anacapa, à 1 heure de bateau du continent, est la meilleure île pour une excursion d'une journée, avec des promenades faciles et des vues fabuleuses. Santa Cruz, la plus grande île, est parfaite pour une excursion-camping de 2 jours, les randonnées et le kayak. Les autres îles nécessitent de plus longues traversées et plusieurs jours : le brouillard couvre souvent San Miguel ; la petite Santa Barbara abrite des colonies d'oiseaux de mer et de phoques, tout comme Santa Rosa, qui protège aussi des pins de Torrey et des sites archéologiques chumash.

Des bateaux partent de Ventura Harbor, près de la Hwy 101, où le **Visitor Center** (805-658-5730 ; 1901 Spinnaker Dr, Ventura ; 8h30-17h) du parc offre des informations et des cartes. Le principal tour-opérateur est **Island Packers** (805-642-1393 ; www.islandpackers.com ; 1691 Spinnaker Dr ; croisières adulte/enfant à partir de 36/26 $) ; réservez. Les campings rudimentaires des îles nécessitent une réservation auprès de Recreation.gov (p. 61) ; emportez eau et provisions.

**Santa Barbara Maritime Museum** MUSÉE (www.sbmm.org ; 113 Harbor Way ; adulte/enfant 7/4 $, 3e jeu du mois gratuit ; 10h-17h, 10h-18h fin mai-début sept ; ). À côté du port, ce hall d'exposition sur deux niveaux célèbre l'histoire maritime de la ville à l'aide d'objets historiques, de vidéos et d'expositions interactives et à réalité virtuelle.

**Santa Barbara Botanic Garden** JARDIN (www.sbbg.org ; 1212 Mission Canyon Rd ; adulte/enfant 8/4 $ ; 9h-18h, 9h-17h nov-fév ; ). Au-dessus de la mission, ce jardin consacré à la flore californienne est sillonné de sentiers entre cactus et fleurs sauvages.

## Activités

Surplombant les plages municipales animées, le **Stearns Wharf**, la plus ancienne jetée de bois de l'Ouest datant de 1872 et toujours en fonctionnement, est jalonné de restaurants et de boutiques touristiques. En dehors de la ville, près de la Hwy 101, des **plages publiques** (www.parks.ca.gov ; 10 $/voiture ; 8h-crépuscule) plus grandes, frangées de palmiers, s'étendent à Carpinteria, à 19 km à l'est, et à El Capitan et Refugio, à plus de 32 km à l'ouest.

**Santa Barbara Sailing Center** SPORTS NAUTIQUES (800-350-9090, 805-962-2826 ; www.sbsail.com ; près de Harbor Way ; location kayak/SUP à partir de 10/15 $, croisières/circuits à partir de 25/50 $). Location de kayaks, circuits (kayak et stand up paddle – SUP), cours de voile ou croisière-cocktail d'observation des baleines ou au coucher du soleil.

**Channel Islands Outfitters** SPORTS NAUTIQUES (locations 805-617-3425, circuits 805-899-4925 ; www.channelislandso.com ; 117b Harbor Way ; location surf/kayak/SUP à partir de 10/25/40 $). Ce prestataire accueillant loue du matériel de kayak, de surf et de SUP ; circuits en kayak le long de la côte.

**Wheel Fun** VÉLO (www.wheelfunrentalssb.com ; 22 State St et 23 E Cabrillo Blvd ; location vélo heure/demi-journée à partir de 9/24 $ ; 8h-20h, 8h-18h nov-fév). Roulez à deux-roues le long d'une piste goudronnée reliant des kilomètres de magnifiques plages.

**Santa Barbara Adventure Co** SPORTS NAUTIQUES, VÉLO (877-885-9283, 805-884-9283 ; www.sbadventureco.com ; 720 Bond Ave ; circuits/cours à partir de 49/109 $). Circuits guidés en kayak ou à vélo, et cours classiques de surf et de SUP.

## Où se loger

Même les chambres de motel rudimentaires peuvent atteindre 200 $ l'été ! Des motels moins chers bordent le haut de State St, au nord du centre, et la Hwy 101. On peut faire des **réservations** (800-444-7275 ; www.reserveamerica.com ; empl 10-70 $ ; ) dans les campings d'État hors de la ville.

**Santa Barbara Auto Camp** CAMPING $$ (888-405-7553 ; http://sbautocamp.com ; 2717 De La Vina St ; caravane q 139-199 $ ; ). Séjournez dans une caravane Airstream vintage avec décoration minimaliste et moderne, cuisine, terrasse en séquoia et BBQ. Réservez longtemps à l'avance (2 nuits minimum).

**Agave Inn** MOTEL $$ (805-687-6009 ; http://agaveinnsb.com ; 3222 State St ; ch à partir de 119 $ ; ). Joyau abordable, débordant de panache et de personnalité, aux motifs mêlant art populaire mexicain et touches modernes. Les chambres familiales ont des kitchenettes. Cloisons minces et parking limité.

**Marina Beach Motel** MOTEL $$ (877-627-4621, 805-963-9311 ; www.marinabeachmotel.com ; 21 Bath St ; ch avec petit-déj 150-210 $ ; ). Motel à l'ancienne non loin de la plage. Linge de lit impeccable et persiennes dans les chambres, dont certaines ont une kitchenette. Prêt de vélos.

**El Capitan Canyon** CHALETS, CAMPING $$$ (866-352-2729, 805-685-3887 ; www.elcapitancanyon.com ; 11560 Calle Real, près de la Hwy 101 ; tentes safari 155 $, chalets à partir de 225 $ ; ). Dans ce secteur piétonnier proche d'El Capitan State Beach, à 30 minutes de voiture à l'ouest de la ville via la Hwy 101, vous aurez le choix entre des tentes rustiques et des chalets de cèdre au bord d'un cours d'eau.

**Spanish Garden Inn** BOUTIQUE-HÔTEL $$$ (805-564-4700 ; www.spanishgardeninn.com ; 915 Garden St ; d avec petit-déj à partir de 319 $ ; ). Dans le centre-ville, cet élégant hôtel de style espagnol possède une vingtaine de chambres et suites luxueuses et romantiques face à une jolie cour ornée d'une fontaine. Service irréprochable.

## Où se restaurer

**Silvergreens** CALIFORNIEN $
(www.silvergreens.com ; 791 Chapala St ; plats 4-10 $ ; 7h-22h lun-ven, 8h-22h sam-dim ; ). "Mangez intelligemment, vivez bien", tel est le slogan de ce café (et fast-food !) ensoleillé qui sert une cuisine fraîche et savoureuse : salades, soupes, sandwichs, burgers, *burritos* et bien plus encore.

**Lilly's Taquería** MEXICAIN $
(http://lillystacos.com ; 310 Chapala St ; à partir de 1,75 $ ; 10h30-21h dim-lun et mer-jeu, 10h30-22h ven-sam). Il y a souvent la queue dehors, aussi faut-il commander rapidement. Les habitants raffolent de ces tacos authentiques, surtout à l'*adobada* (porc mariné) ou à la *lengua* (langue de bœuf).

**Olio Pizzeria** ITALIEN $$
(805-899-2699 ; www.oliopizzeria.com ; 11 W Victoria St ; plats 9-18 $ ; 11h30-21h dim-jeu, 11h30-22h ven-sam). Haute de plafond et conviviale, cette pizzeria comprend un bar à vins animé et propose un choix séduisant de pizzas, de fromages et viandes importés, d'antipasti et de *dolci* (desserts) traditionnels.

**Santa Barbara Shellfish Company** FRUITS DE MER $$
(www.sbfishhouse.com ; 230 Stearns Wharf ; plats 3-16 $ ; 11h-21h). "De la mer à l'assiette" décrit parfaitement cet établissement informel au bout de la jetée. Succulents *crab cakes* (croquettes de crabe), vue sur l'océan et même emplacement depuis 30 ans.

## Où prendre un verre et sortir

La vie nocturne évolue en bas de State St et dans ses environs. Une dizaine de caves à vins proposent des dégustations le long de l'**Urban Wine Trail** (www.urbanwinetrailsb.com). Le bimensuel gratuit *Santa Barbara Independent* (www.independent.com) publie un calendrier des sorties.

**Brewhouse** BRASSERIE
(www.brewhousesb.com ; 229 W Montecito St ; 11h-23h dim-jeu, 11h-minuit ven-sam ; ). Ce pub animé, en contrebas des voies ferrées, brasse ses propres bières et offre de la musique live en soirée du mercredi au samedi.

**Soho** MUSIQUE LIVE
(805-962-7776 ; www.sohosb.com ; Suite 205, 1221 State St ; billets 5-30 $). En étage derrière un McDonald's, cette salle en brique sans prétention accueille des musiciens, presque tous les soirs, pour des concerts allant du rock indé au folk et à la world music en passant par le jazz et le blues.

## Renseignements

**Santa Barbara Car Free** (www.santabarbaracarfree.org). Conseils de voyage écologique et réductions.

**Santa Barbara Visitors Center** (805-965-3021 ; www.santabarbaraca.com ; 1 Garden St ; 9h-17h lun-sam, 10h-17h dim, fermeture 16h nov-jan). Cartes et brochures de circuits autoguidés près du front de mer.

## Comment s'y rendre et circuler

De la **gare ferroviaire** (209 State St) au sud du centre-ville, les trains Amtrak se rendent à LA (25-30 $, 3 heures) et San Luis Obispo (28-34 $, 2 heures 45). De la **gare routière** (805-965-7551 ; 224 Chapala St) du centre, des bus Greyhound partent quotidiennement pour LA (19 $, 2-3 heures) et, via San Luis Obispo (28 $, 2 heures), pour Santa Cruz (53 $, 6 heures) et San Francisco (57 $, 9 heures).

Le **Metropolitan Transit District** (MTD ; 805-963-3366 ; www.sbmtd.gov) gère des bus urbains (1,75 $), ainsi que des navettes électriques (50 ¢) entre State St dans le centre-ville et le Stearns Wharf, et le long de Cabrillo Blvd en front de mer.

# De Santa Barbara à San Luis Obispo

Vous pouvez rejoindre San Luis Obispo en moins de 2 heures de voiture le long de la Hwy 101, ou prévoir la journée et visiter vignobles, mission historiques et plages cachées.

Un itinéraire pittoresque dans l'arrière-pays au nord de Santa Barbara suit la Hwy 154 à travers la **région viticole** (www.sbcountywines.com) de la Santa Ynez Valley et de la Santa Maria Valley. **Sustainable Vine** (805-698-3911 ; www.sustainablevine.com ; circuit 125 $) propose la visite de vignobles écologiques. Vous pouvez aussi suivre en indépendant le **Foxen Canyon Wine Trail** (www.foxencanyonwinetrail.com) vers le nord jusqu'aux vignobles. Dans la ville de **Los Olivos**, qui compte plus d'une vingtaine de bars à vins, le **Los Olivos Cafe & Wine Merchant** (805-688-7265 ; www.losolivoscafe.com ; 2879 Grand Ave ; plats 12-29 $ ; 11h30-20h30) est un charmant bistrot (et bar à vins) californien aux accents méditerranéens.

Plus au sud, **Solvang** (www.solvangusa.com), un village d'immigrants danois, est paré de moulins à vent kitsch et de boulangeries de contes de fées. Goûtez les petits pains au poulet Buffalo, les sandwichs à la poitrine de porc, cannelle et cumin, et les salades thaïes bio du **Succulent Cafe & Trading Company** (805-691-9235 ; www.succulentcafe.com ; 1555 Mission Dr ; plats petit-déj et déj 8-12 $ ; 9h-13h et 11h-15h mer-dim, 17h30-21h jeu-sam). Pour un pique-nique ou un barbecue, faites vos courses à **El Rancho Marketplace** (www.elranchomarket.com ; 2886 Mission Dr ; 6h-22h), à l'est de la **mission** (805-688-4815 ; www.missionsantaines.org ; 1760 Mission Dr ; adulte/enfant 5 $/gratuit ; 9h-16h30) espagnole du XIX<sup>e</sup> siècle de Solvang. À l'ouest de la Hwy 101, à Buellton, les habitants se retrouvent au bar à vins **Avant** (www.avantwines.com ; 35 Industrial Way ; 11h-21h) et à la **Figueroa Mountain Brewing Co** (www.figmtnbrew.com ; 45 Industrial Way ; 16h-21h lun-jeu, 11h-21h ven-dim).

Empruntez la Hwy 246 sur 24 km à l'ouest de la Hwy 101 jusqu'à **La Purísima Mission State Historic Park** (www.lapurisimamission.org ; 2295 Purisima Rd ; 6 $/voiture ; 9h-17h, visite guidée 13h). Superbement restaurée, c'est l'une des plus jolies missions espagnoles de Californie, avec un jardin fleuri, des enclos d'animaux et des bâtiments en adobe. Au sud de Lompoc près de la Hwy 1, Jalama Rd serpente sur 22,5 km jusqu'au **Jalama Beach County Park** (805-736-3616 ; www.sbparks.org ; 9999 Jalama Rd ; 10 $/voiture) balayé par le vent. Très couru, son **camping** (tente/empl camping-car 25/40 $, bungalow 80-200 $) nécessite de réserver le plus tôt possible. Les simples bungalows en bois nouvellement construits profitent d'une kitchenette.

En suivant la Hwy 1 vers le nord, **Guadalupe**, une ville brouillonne, donne accès aux plus grandes dunes côtières d'Amérique du Nord. Sous le sable gît la **Lost City of DeMille** (Cité perdue de DeMille ; www.lostcitydemille.com), où ont été tournés une partie des *Dix Commandements* de 1923, ainsi que certaines scènes de *Hidalgo* (2004) et de *Pirates des Caraïbes : Jusqu'au bout du monde* (2007). Le meilleur accès aux dunes se situe à l'ouest de la ville via la Hwy 166.

Au carrefour des Hwy 1 et Hwy 101, **Pismo Beach** possède un long ruban de sable et un **bosquet de papillons monarques** (www.monarchbutterfly.org ; Hwy 1) GRATUIT qui viennent se percher sur les eucalyptus de fin octobre à février. À côté, le **North Beach Campground** (réservations 800-444-7275 ; www.reserveamerica.com ; Hwy 1 ; empl 35 $ ; ), offre un accès à la plage et des douches chaudes. Des dizaines de motels et d'hôtels bordent l'océan et la Hwy 101. Ils affichent rapidement complet, surtout le week-end. Les **Pismo Lighthouse Suites** (805-773-2411, 800-245-2411 ; www.pismolighthousesuites.com ; 2411 Price St ; ste avec petit-déj 219 $ ; ) sont idéales pour les familles en vacances, des suites avec kitchenette à l'échiquier grandeur nature en plein air – renseignez-vous sur les réductions hors saison. Près de la jetée de Pismo, l'**Old West Cinnamon Rolls** (www.oldwestcinnamon.com ; 861 Dolliver St ; pièces 3-5 $ ; 6h30-17h30) propose ses douceurs sucrées. Plus haut, au **Cracked Crab** (www.crackedcrab.com ; 751 Price St ; plats 9-53 $ ; 11h-21h dim-jeu, 11h-22h ven-sam ; ), nouez une bavette en plastique avant d'attaquer un seau de crustacés.

La ville voisine d'**Avila Beach** s'agrémente d'un front de mer ensoleillé, d'une vieille jetée en bois grinçante et d'un vieux **phare** (infos randonnée 805-541-8735, circuits en trolley 855-533-7843 ; www.sanluislighthouse.org ; entrée 5 $/randonneur, circuit trolley 20 $ ; sam uniquement, sur réservation). De retour vers la Hwy 101, cueillez baies juteuses et pommes et nourrissez les chèvres à l'**Avila Valley Barn** (http://avilavalleybarn.com ; 560 Avila Beach Dr ; 9h-18h ; ), avant d'admirer les étoiles dans un Jacuzzi en séquoia aux **Sycamore Mineral Springs** (805-595-7302 ; www.sycamoresprings.com ; 1215 Avila Beach Dr ; 1 heure 13,50-17,50 $/pers ; 8h-minuit, dernière réservation 22h45).

# San Luis Obispo

À mi-chemin entre LA et San Francisco, San Luis Obispo (SLO) est une ville détendue, qu'animent les étudiants de l'université CalPoly. Chaque semaine, le **marché fermier** (18h-21h jeu ; ) transforme Higuera St, dans le centre, en carnaval avec musiciens et stands de grillades. Comme plusieurs autres villes californiennes, SLO s'est développée autour d'une **mission** (805-543-6850 ; www.missionsanluisobispo.org ; 751 Palm St ; don 2 $ ; 9h-17h, 9h-16h début nov à mi-mars) espagnole, fondée en 1772 par Junípero Serra. SLO est à proximité des **vignes de l'Edna Valley** (www.slowine.com), réputées pour leur chardonnay vif et leur pinot noir soyeux.

## Où se loger

Les motels sont au nord du centre, sur Monterey St. Les motels de chaîne bordent la Hwy 101.

**HI Hostel Obispo** AUBERGE DE JEUNESSE $
(☎805-544-4678 ; www.hostelobispo.com ; 1617 Santa Rosa St ; dort 25-28 $, ch à partir de 55 $ ; ⊙réception 16h30-22h ; @📶). 🍃 Cette auberge de jeunesse, alimentée à l'énergie solaire, occupe une maison victorienne cosy près de la gare ferroviaire. Une cuisine et la location de vélos (à partir de 10 $/jour) font partie des prestations, et il n'y a pas de couvre-feu. Sdb communes pour toutes les chambres – apportez vos serviettes de toilette. Ne prend pas les cartes de crédit.

**Peach Tree Inn** MOTEL $$
(☎805-543-3170, 800-227-6396 ; www.peachtreeinn.com ; 2001 Monterey St ; ch avec petit-déj 70-175 $ ; ❄@📶👪). Rustiques et sobres, ces chambres sont paisibles, surtout celles proches d'un cours d'eau ou dotées de rocking-chairs donnant sur une roseraie. Les copieux petits-déjeuners continentaux comprennent du pain maison.

**Madonna Inn** HÔTEL $$$
(☎805-543-3000 ; www.madonnainn.com ; 100 Madonna Rd ; ch 189-309 $ ; ❄@📶🏊). D'un kitsch absolu, cet établissement voyant se découvre depuis la Hwy 101. Les touristes étrangers, les vacanciers du Middle-West et les branchés amateurs de second degré adorent les 110 chambres à thème, telles la "préhistorique" Caveman et la très rose Floral Fantasy (photos sur Internet).

## Où se restaurer et prendre un verre

Cafés, restaurants, bars à vin et brasseries abondent dans le centre. Le premier cinéma américain fonctionnant à l'énergie solaire, le **Palm Theatre** (☎805-541-5161 ; www.thepalmtheatre.com ; 817 Palm St ; 5-8 $) 🍃, projette des films indépendants.

**Firestone Grill** GRILL $
(www.firestonegrill.com ; 1001 Higuera St ; plats 4-10 $ ; ⊙11h-22h dim-mer, 11h-23h jeu-sam ; 👪). Régalez-vous d'un authentique sandwich au bœuf Santa Maria avec pain à l'ail toasté ou d'une salade Cobb au steak.

**Sidecar** CALIFORNIEN $$
(☎805-540-5340 ; http://sidecarslo.com ; 1127 Broad St ; plats 7-22 $ ; ⊙11h-23h lun-ven, 10h-23h sam-dim). 🍃 Autour d'une table des années 1950, dégustez un menu saisonnier créatif élaboré à partir d'ingrédients issus des fermes et ranchs locaux. Agréable brunch le week-end, bonne carte des vins.

**Big Sky Café** CALIFORNIEN $$
(www.bigskycafe.com ; 1121 Broad St ; plats 9-20 $ ; ⊙7h-21h lun-jeu, 7h-22h ven, 8h-22h sam, 8h-21h dim ; 🌱). 🍃 Ce café spacieux, soucieux de développement durable, est renommé pour ses petits-déjeuners composés de produits du marché (servis jusqu'à 13h tous les jours), ses copieuses assiettes de nourriture saine au dîner, ses soupes maison et ses paniers de pain de maïs.

> VAUT LE DÉTOUR
>
> ### LE PINNACLES NATIONAL PARK
>
> Le **Pinnacles National Park** (☎831-389-4485 ; www.nps.gov/pinn ; 5000 Hwy 146, Paicines ; 5 $/voiture) tient son nom des flèches rocheuses jaillissant au milieu de collines couvertes d'une sorte de maquis. Monolithes escarpés, canyons abrupts et vestiges volcaniques découpent le paysage. Outre la randonnée et l'escalade, les principales attractions du parc sont ses grottes et ses condors de Californie menacés. Venez au printemps ou en automne – l'été est très chaud et très humide. Un **camping** (☎877-444-6777 ; www.recreation.gov ; tente/empl camping-car 23/36 $ ; 🏊👪🐾) familial est aménagé près de l'entrée est, à la sortie de la Hwy 25 au nord-ouest de King City, à deux heures de voiture au nord de San Luis Obispo.

## Renseignements

**San Luis Obispo Car Free** (http://slocarfree.org). Conseils de voyage écologique et réductions.

**Visitor Center** (☎805-781-2777 ; www.visitslo.com ; 895 Monterey St ; ⊙10h-17h dim-mer, 10h-19h jeu-sam). Dans le centre-ville, près d'Higuera St.

## Comment s'y rendre et circuler

Les trains Amtrak venant de Santa Barbara (28-34 $, 2 heure 45) et LA (40 $, 5 heures 30) s'arrêtent à la **gare ferroviaire** (1011 Railroad Ave), à 1 km au sud-ouest du centre. Il faut se rendre à 4 km au sud-est du centre, près de la Hwy 101, pour prendre les quelques bus **Greyhound** (1460 Calle Joaquin) qui partent quotidiennement pour Santa Barbara (28 $, 2 heures), LA (40 $, 5 heures), Santa Cruz (42 $, 4 heures) et San Francisco (53 $, 7 heures).

Gérés par la **SLO Regional Transit Authority** (805-541-2228 ; www.slorta.org ; billets 1,50-3 $, forfait journée 5 $), des bus desservent tout le comté (services limités le week-end) depuis le **centre de transit** (angle Palm St et Osos St) dans le centre-ville.



## De Morro Bay à Hearst Castle

À une quinzaine de kilomètres au nord-ouest de SLO via la Hwy 1, **Morro Bay** est une ville de pêcheurs, où le **Morro Rock**, un pic volcanique émergeant de l'océan, est un premier aperçu du spectacle que réserve la côte – en dépit des cheminées de centrales bouchant la vue. Participez à une croisière ou louez un kayak à l'Embarcadero bordé de boutiques touristiques, de cafés et de bars. Le classique **Giovanni's** (www.giovannisfishmarket.com ; 1001 Front St ; plats 6-17 $ ; 11h-18h ; ) concocte *fish and chips* et frites à l'ail de premier choix. Les motels de catégorie moyenne sont regroupés en amont près de Harbor St et Main St, ainsi que le long de la Hwy 1.

À proximité, de superbes parcs d'État offrent randonnées et **camping** (800-444-7275 ; www.reserveamerica.com ; empl 5-50 $ ; ) le long de la côte. Au sud de l'Embarcadero, le **Morro Bay State Park** (805-772-2694 ; www.parks.ca.gov ; entrée libre, musée adulte/enfant 2 $/gratuit) comporte un Muséum d'histoire naturelle et une colonie de hérons. Plus au sud à Los Osos, à l'ouest de la Hwy 1, le **Montaña de Oro State Park** (www.parks.ca.gov ; Pecho Valley Rd) GRATUIT, plus sauvage, comprend des promontoires côtiers, des bassins de marée, des dunes de sable, des sommets à escalader et des pistes de VTT. Son nom espagnol (montagne d'Or) provient des coquelicots californiens qui couvrent la montagne au printemps.

Au nord du centre-ville de Morro Bay, le long de la Hwy 1, les surfeurs se retrouvent au **Taco Temple** (2680 Main St ; plats 8-15 $ ; 11h-21h lun et mer-sam, 11h-20h30 dim), un établissement mexicano-californien sans prétention qui n'accepte que les espèces, et au **Ruddell's Smokehouse** (www.smokerjim.com ; 101 D St ; plats 4-16 $ ; 11h-18h), qui sert des tacos de poisson fumé près de la plage à Cayucos. Des motels bordent l'Ocean Ave de Cayucos, dont le charmant **Seaside Motel** (805-995-3809 ; www.seasidemotel.com ; 42 S Ocean Ave, Cayucos ; d avec kitchenette 80-160 $ ; ), tenu par une famille. La **Cass House Inn** (805-995-3669 ; www.casshouseinn.com ; 222 N Ocean Ave ; d avec petit-déj 175-365 $ ; ) possède des chambres somptueuses, dont certaines avec baignoire et cheminée, dans l'ancienne demeure d'un capitaine. Au rez-de-chaussée, un élégant **restaurant** (dîner 4 plats prix fixe 68 $ ; 17h30-19h30 jeu-lun) franco-californien propose une cuisine qui varie selon les saisons.

Au nord d'Harmony (18 habitants), la Hwy 46 file à l'est dans la **région viticole de Paso Robles** (www.pasowine.com). Plus au nord le long de la Hwy 1, la pittoresque **Cambria** dispose d'hébergements le long de la ravissante Moonstone Beach. Le **Blue Dolphin Inn** (805-927-3300, 800-222-9157 ; www.cambriainns.com ; 6470 Moonstone Beach Dr ; ch avec petit-déj à partir de 179 $ ; ) loue des chambres, modernes et impeccables, avec cheminée romantique. Dans l'arrière-pays, la **HI Cambria Bridge Street Inn** (805-927-7653 ; www.bridgestreetinncambria.com ; 4314 Bridge St ; dort 25-28 $, ch 49-75 $ ; réception 17h-21h ; ) n'offre que des sdb communes, mais l'ambiance est chaleureuse. Le rétro **Cambria Pines Motel** (866-489-4485, 805-927-4485 ; www.cambriapalmsmotel.com ; 2662 Main St ; ch 89-139 $ ; réception 15h-21h ; ) propose quant à lui des chambres épurées, certaines avec kitchenette. Boutique de vins et de fromages artisanaux, l'**Indigo Moon** (805-927-2911 ; www.indigomooncafe.com ; 1980 Main St ; plats déj 9-14 $, dîner 14-35 $ ; 10h-21h) dispose des tables de bistrot en terrasse pour déguster salades fraîches et sandwichs au déjeuner. Doté d'un patio ensoleillé et d'un comptoir de plats à emporter, le **Linn's Easy as Pie Cafe** (www.linnsfruitbin.com ; 4251 Bridge St ; plats 7-12 $ ; 10h-18h ; ) est réputé pour sa tourte aux baies.

À environ 16 km au nord de Cambria, le **Hearst Castle** (réservations 800-444-4445 ; www.hearstcastle.org ; 750 Hearst Castle Rd ; visites adulte/enfant à partir de 25/12 $ ; généralement 9h-coucher du soleil) est le monument symbole de la fortune et de l'ambition le plus célèbre de Californie. William Randolph Hearst, le magnat de la presse, recevait des stars d'Hollywood et des têtes couronnées dans ce domaine fantaisiste, rempli d'antiquités européennes, agrémenté de piscines étincelantes et de jardins fleuris. Essayez de réserver la visite, surtout pour les reconstitutions historiques en soirée durant les vacances de Noël.

De l'autre côté de la Hwy 1, devant une jetée historique pour les baleiniers, le **Sebastian's Store** (442 Slo San Simeon Rd ; plats 6-12 $ ; ⌚11h-17h mer-dim, fermeture traiteur à 16h) vend burgers de bœuf Hearst Ranch et sandwichs géants pour un pique-nique improvisé sur la plage. À 8 km au sud sur la Hwy 1, après un chapelet de médiocres motels – économiques et de catégorie moyenne – à San Simeon, le **Hearst San Simeon State Park** (☎800-444-7275 ; www.reserveamerica.com ; empl 5-35 $ ; ) propose des emplacements de campings plus ou moins rudimentaires au bord d'un cours d'eau.

Vers le nord, Point Piedras Blancas abrite une importante **colonie d'éléphants de mer** qui évoluent et parfois se battent sur la plage. Restez à distance de ces animaux sauvages, qui se déplacent plus vite que vous sur le sable. Le point de vue signalisé, à 7 km au nord du Hearst Castle, comporte des panneaux explicatifs. Des phoques fréquentent l'endroit toute l'année ; la saison des naissances et des accouplements dure de janvier à mars, avec un pic à la mi-février. Non loin, la **Piedras Blancas Light Station** (☎805-927-7361 ; www.piedrasblancas.org ; visites adulte/enfant 10/5 $ ; ⌚visites 9h45 lun-sam mi-juin à août, mar, jeu et sam sept à mi-juin), datant de 1875, est postée dans un endroit splendide. Appelez pour organiser votre visite.

# Big Sur

Beaucoup d'encre a coulé pour décrire la beauté sauvage et l'énergie de ces 160 kilomètres de côte escarpée au sud de la Monterey Bay. Davantage un état d'esprit qu'un point sur une carte, Big Sur ne compte ni feu de circulation, ni banque ou centre commercial. Au coucher du soleil, la lune et les étoiles constituent les seuls éclairages, quand la brume ne les cache pas.

Hôtels, restaurants et stations-service sont rares et chers. Réservez car les chambres sont demandées toute l'année, surtout le week-end. Le *Big Sur Guide* (www.bigsurcalifornia.org), un journal gratuit rempli d'informations, est disponible partout. Le ticket de stationnement des parcs de Big Sur (10 $) est valable dans tous les parcs le jour même.

Comptez une quarantaine de kilomètres entre le Hearst Castle et la minuscule Gorda, où le **Treebones Resort** (☎877-424-4787, 805-927-2390 ; www.treebonesresort.com ; 71895 Hwy 1 ; d sdb commune avec petit-déj à partir de 199 $ ; ) propose des yourtes sur la falaise, un petit **restaurant** (plats dîner 24-33 $ ; ⌚12h-14h et 17h30-20h) servant des produits locaux et un bar à sushis. Des **campings USFS** rudimentaires (☎877-444-6777, 518-885-3639 ; www.recreation.gov ; empl 22 $ ; ) sont aménagés à la sortie de la Hwy 1 à Plaskett Creek et Kirk Creek.

À 16 km au nord de Lucia, l'**Esalen Institute** (☎831-667-3047 ; www.esalen.org ; 55000 Hwy 1), un établissement new age, est réputé pour ses ateliers ésotériques et ses sources thermales avec vue sur l'océan. Sur réservation, vous pouvez vous y baigner nu de 1h à 3h toutes les nuits (25 $, cartes de crédit uniquement). Surréaliste !

À 5 km plus au nord, le **Julia Pfeiffer Burns State Park** recèle une des rares cascade côtières de Californie, les McWay Falls hautes de 24 m – on rejoint le point de vue en marchant sur 400 m. À 3,2 km au nord, un sentier abrupt descend d'un lacet de la Hwy 1 jusqu'à **Partington Cove**, une crique sauvage où les embruns salent votre peau. L'endroit est superbe, mais la baignade dangereuse.

À 11 km plus au nord, niché parmi les séquoias et les glycines, le pittoresque **Deetjen's Restaurant** (☎831-667-2378 ; www.deetjens.com ; Deetjen's Big Sur Inn, 48865 Hwy 1 ; plats dîner 24-38 $ ; ⌚8h-12h lun-ven, 8h-12h30 sam-dim, 18h-21h tlj) sert une roborative cuisine campagnarde. Juste au nord, la **Henry Miller Memorial Library** (☎831-667-2574 ; www.henrymiller.org ; 48603 Hwy 1 ; ⌚11h-18h mer-lun ; @) est le

**ROULER SUR LA HWY 1**

La circulation sur l'étroite route à double sens qui traverse Big Sur est parfois lente. Comptez bien 2 heures 30 de route sans escale entre le Hearst Castle et Monterey Bay. La conduite de nuit n'est pas recommandée, d'autant qu'elle ne permet pas de profiter du paysage ! Faites attention aux cyclistes et utilisez les aires d'arrêt pour laisser passer les véhicules plus rapides. Renseignements sur l'état de routes au ☎800-427-7623.

cœur et l'âme de la bohème Big Sur, avec une librairie pleine à craquer, des concerts et des DJ, des soirées scène libre et des projections de films en plein air. En face, le **Nepenthe** (☎831-667-2345 ; www.nepenthe-bigsur.com ; 48510 Hwy 1 ; plats 15-42 $ ; ⏲11h30-16h30 et 17h-22h), qui signifie "sans tristesse", surplombe l'océan du haut de la falaise ; son burger Ambrosia est fameux.

Au nord, la **Big Sur Station** (☎831-667-2315 ; www.fs.usda.gov/lpnf/ ; ⏲8h-16h, fermé lun-mar oct-avr) vous renseignera sur les chemins de randonnée et les possibilités de camping. Les rangers délivrent aussi des permis de parking pour la nuit (5 $) et de feu de camp (gratuit) pour les excursions dans la Ventana Wilderness, dont le trek de 16 km aller jusqu'aux Sykes Hot Springs. De l'autre côté de la Hwy 1, juste au sud, empruntez la Sycamore Canyon Rd, étroite et mal indiquée, qui descend en serpentant sur 3 km jusqu'à **Pfeiffer Beach** (5 $/voiture ; ⏲9h-20h) et son arche rocheuse qui se dessine au large ; les courants rendent la baignade dangereuse. Creusez le sable : il est violet !

Vient ensuite le **Pfeiffer Big Sur State Park**, sillonné de sentiers tachetés de soleil à travers des forêts de séquoias, dont l'aller-retour de 2,3 km jusqu'aux Pfeiffer Falls, une cascade saisonnière. Réservez une place de **camping** (☎800-444-7275 ; www.reserveamerica.com ; empl 35-50 $ ; 👪🐾) ou séjournez au vaste **Big Sur Lodge** (☎800-424-4787, 831-667-3100 ; www.bigsurlodge.com ; 47225 Hwy 1 ; d 205-365 $ ; 🏊👪), qui possède des cottages rustiques en duplex (certains avec cuisine et cheminée), un **restaurant** (plats 10-27 $ ; ⏲8h-11h et 12h-22h ; 👪) sans prétention et une épicerie bien fournie.

La plupart de l'activité commerciale de Big Sur se concentre juste au nord le long de la Hwy 1 : campings privés avec bungalows rustiques, motels, restaurants, stations-service et boutiques. Le **Glen Oaks Motel** (☎831-667-2105 ; www.glenoaks-bigsur.com ; 47080 Hwy 1 ; d à partir de 225 $ ; 📶), un motel réaménagé des années 1950 en séquoia et adobe, loue des chambres et des bungalows en bois douillets avec cheminée au gaz.

Le bar à l'arrière de l'**épicerie** (http://bigsurriverinn.com ; 46840 Hwy 1 ; plats 6-9 $ ; ⏲11h-19h) de la Big Sur River Inn sert *burritos* et smoothies, tandis que la **Maiden Publick House** (☎831-667-2355 ; Hwy 1 ; ⏲15h-2h lun-ven, 12h-2h sam-dim) propose un vaste choix de bières et organise des concerts. Au sud, près de la poste, goûtez les sandwichs du **Big Sur Deli** (http://bigsurdeli.com ; 47520 Hwy 1 ; plats 1,50-7 $ ; ⏲7h-20h), rattaché au sympathique **Big Sur Taphouse** (www.bigsurtaphouse.com ; 47520 Hwy 1 ; ⏲12h-22h lun-jeu, 12h-minuit ven-sam, 10h-22h dim ; 📶), un bar à bières artisanales proposant cuisine de pub, jeux de société et sport à la TV.

En continuant au nord, ne manquez pas l'**Andrew Molera State Park**, un patchwork de prairies, de cascades, de promontoires rocheux et de plages accidentées. Découvrez le condor de Californie, une espèce menacée, au **Discovery Center** (☎831-624-1202 ; www.ventanaws.org ; ⏲10h-16h sam-dim fin mai-début sept ; 👪) GRATUIT du parc. Le circuit sur la piste des oiseaux (50 $) étant populaire, il faut réserver bien à l'avance. Du parking, un sentier de 700 m mène à un **camping** (www.parks.ca.gov ; empl tente 25 $) rudimentaire, sans réservation.

À 9 km avant l'emblématique Bixby Creek Bridge, vous pouvez visiter le phare **Point Sur Lightstation** (☎831-625-4419 ; www.pointsur.org ; adulte/enfant à partir de 12/5 $) datant de 1889. Appelez ou regardez sur Internet pour les horaires des visites – certaines, selon la saison, se font au clair de lune – et les indications sur le lieu de rendez-vous. Venez tôt car les places sont limitées (pas de réservation).

## Carmel

Jadis station balnéaire prisée des artistes, la pittoresque Carmel-by-the-Sea s'est indéniablement embourgeoisée : chapeau et sacs de grandes marques fleurissent, et les décapotables de luxe sont légion le long d'Ocean Ave, l'artère principale, aux beaux jours.

### À voir et à faire

Souvent embrumée, la plage municipale, **Carmel Beach**, est un magnifique croissant de sable blanc, où batifolent des petits chiens toilettés.

**♥ Point Lobos State Natural Reserve** PARC
(www.pointlobos.org ; Hwy 1 ; 10 $/voiture ; ⏲8h-19h, 8h-30 min après le coucher du soleil début nov à mi-mars). Amusantes à regarder, les otaries se baignent puis paressent sur la rive à 6,4 km au sud de la ville, où un

spectaculaire littoral rocheux offre d'excellents bassins de marée. Vous devrez parcourir 10 km pour faire le tour de la réserve, mais des marches plus courtes conduisent à Bird Island, Piney Woods et la Whalers Cabin. Venez tôt le week-end, car le parking est restreint.

**San Carlos Borroméo de Carmelo Mission** ÉGLISE
(www.carmelmission.org ; 3080 Rio Rd ; adulte/enfant 6,50/2 $ ; 9h30-17h lun-sam, 10h30-17h dim). À 1,6 km du centre, cette superbe mission est une oasis de calme et de solennité, entourée d'un jardin fleuri. Sa basilique de pierre recèle des œuvres d'art d'origine, et une chapelle renferme le tombeau de Junípero Serra, fondateur de nombreuses missions californiennes.

**Tor House** BÂTIMENT HISTORIQUE
(831-624-1813 ; www.torhouse.org ; 26304 Ocean View Ave ; adulte/enfant 10/5 $ ; 10h-15h ven-sam). Même sans connaître le poète du XXe siècle Robinson Jeffers, un pèlerinage dans cette maison construite de ses mains, avec sa Hawk Tower d'inspiration celtique, offre un fascinant aperçu de l'ancienne Carmel bohème. Visites guidées uniquement (réservation indispensable).

## Où se restaurer et prendre un verre

**Bruno's Market & Deli** TRAITEUR, MARCHÉ $
(www.brunosmarket.com ; angle 6th et Junípero Aves ; sandwichs 6-9 $ ; 7h-20h). Succulents sandwichs au bœuf et tout le nécessaire pour un pique-nique sur la plage.

**Mundaka** ESPAGNOL $$
(831-624-7400 ; www.mundakacarmel.com ; San Carlos St, entre Ocean et 7th Aves ; petites assiettes 7-20 $ ; 17h30-22h dim-mer, 17h30-23h jeu-sam). Le Mundaka et sa cour permettent d'échapper à la superficialité de Carmel. Commandez une assiette de tapas et sirotez une sangria maison en écoutant un DJ ou des guitaristes de flamenco.

**Katy's Place** AMÉRICAIN $$
(http://katysplacecarmel.com ; Mission St, entre 5th Ave et 6th Ave ; plats 11-21 $ ; 7h-14h ; ). Dans un mignon cottage, ce spécialiste populaire du petit-déjeuner prépare 16 versions d'œufs Bénédicte – cajun, au crabe ou autres –, des omelettes, des pancakes aux fruits, des salades du chef et des club-sandwichs.

# Monterey

Monterey, ville ouvrière et maritime, attire aujourd'hui les visiteurs grâce à son aquarium extraordinaire, concentré du monde sous-marin de la Monterey Bay. Réserve maritime nationale depuis 1992, la baie mérite la découverte en kayak, bateau, plongée ou snorkeling. Le quartier historique du centre-ville protège les racines mexicaines et espagnoles de la Californie. Ne passez pas trop de temps dans les touristiques Fisherman's Wharf et Cannery Row. Ce dernier a été immortalisé par John Steinbeck dans *Rue de la Sardine*, quand il était le centre des conserveries de sardines, la principale activité de Monterey jusqu'aux années 1950.

## À voir

**Monterey Bay Aquarium** AQUARIUM
(info 831-648-4800, billets 866-963-9645 ; www.montereybayaquarium.org ; 886 Cannery Row ; adulte/enfant 35/22 $ ; 9h30-18h lun-ven, 9h30-20h sam-dim juin-août, 10h-17h ou 18h tlj sept-mai ; ). Prévoyez au moins une demi-journée pour contempler requins et sardines jouant à cache-cache dans des forêts de varech, observer les cabrioles des loutres, méditer devant les méduses psychédéliques et effleurer des concombres de mer, des raies et d'autres créatures. Venez de préférence à l'heure des repas. Pour éviter les pics de fréquentation, achetez votre billet à l'avance et arrivez à l'ouverture.

**Monterey State Historic Park** SITE HISTORIQUE
(visite audioguidée 831-998-9458 ; www.parks.ca.gov). Dans le centre, le vieux Monterey compte un groupe de bâtiments en brique et adobe du XIXe siècle amoureusement restaurés, dont la pension où séjourna le romancier Robert Louis Stevenson et la Cooper-Molera Adobe, la maison d'un capitaine. L'accès aux jardins est gratuit ; les heures d'ouverture, de visite et le prix d'entrée de chaque bâtiment varient. Prenez une carte d'un itinéraire de promenade et vérifiez les horaires du moment à la **Pacific House** (831-649-7118 ; www.parks.ca.gov ; 20 Custom House Plaza ; 3 $, avec visite guidée 5 $ ; 10h-16h ven-lun), un musée d'histoire multiculturel.

**Museum of Monterey** MUSÉE
(831-372-2608 ; http://museumofmonterey.org ; 5 Custom House Plaza ; 5 $ ; 10h-19h mar-sam et 12h-17h dim fin mai à début sept, 10h-17h mer-sam

et 12h-17h dim début sept à fin mai). Vaste espace d'exposition près de la mer racontant le passé mouvementé de Monterey, des missions espagnoles au déclin de l'industrie de la sardine. Ne manquez pas la collection de maquettes de bateaux dans des bouteilles et l'historique lentille de Fresnel de la Point Sur Lightstation.

**Point Pinos Lighthouse** PHARE
(831-648-3176 ; www.pointpinos.org ; 90 Asilomar Ave, Pacific Grove ; adulte/enfant 2/1 $ ; 13h-16h jeu-lun). Le plus ancien phare en activité de la Côte Ouest avertit les bateaux des dangers de la péninsule depuis 1855. À l'intérieur, des expositions présentent son histoire et les naufrages qui ont entaché sa mission.

**Monarch Grove Sanctuary Park** PARC
(www.ci.pg.ca.us ; près de Ridge Rd, Pacific Grove ; aube-crépuscule). GRATUIT Entre octobre et février, plus de 25 000 papillons monarques migrateurs se rassemblent dans un bosquet d'eucalyptus près de Lighthouse Ave.

## Activités

Plongée et snorkeling règnent en maîtres malgré la fraîcheur de l'eau, même en été. Des expéditions d'observation des baleines partent toute l'année du Fisherman's Wharf. Louez un vélo ou arpentez le **Monterey Peninsula Recreation Trail**, une piste asphaltée longeant la côte par Cannery Row pour finir au Lovers Point à Pacific Grove. Ultra-chic, le **17-Mile Drive** (www.pebblebeach.com ; voiture/vélo 10 $/gratuit), une route à péage, relie Monterey et Pacific Grove à Carmel-by-the-Sea.

**Adventures by the Sea** SPORTS NAUTIQUES, VÉLO
(831-372-1807 ; http://adventuresbythesea.com ; 299 Cannery Row ; location kayak ou vélo 30 $/jour, matériel SUP 50 $). Location de vélos et de matériel nautique, cours de SUP (60 $) et circuits en kayak (à partir de 60 $). Également dans le centre au 210 Alvarado St.

**Monterey Bay Kayaks** KAYAK
(800-649-5357 ; www.montereybaykayaks.com ; 693 Del Monte Ave ; location kayak ou matériel SUP à partir de 30 $/jour). Location et cours (à partir de 50 $) de kayak et de SUP, circuits guidés (à partir de 50 $) à Monterey Bay et Elkhorn Slough, dont des excursions au lever du soleil ou les nuits de pleine lune.

**Sanctuary Cruises** OBSERVATION DES BALEINES
(831-917-1042 ; www.sanctuarycruises.com ; adulte/enfant 50/40 $). Au départ de Moss Landing, à plus de 32 km au nord de Monterey, ce bateau qui fonctionne au biodiesel propose toute l'année des excursions pour observer les baleines (réservation indispensable).

**Seven Seas Scuba** PLONGÉE
(831-717-4546 ; http://sevenseasscuba.com ; 225 Cannery Row ; matériel snorkeling/plongée 35/65 $ par jour). Appelez pour le matériel de plongée et les sorties guidées dans la baie (50-100 $), notamment à Point Lobos.

## Où se loger

Pour un hébergement sans prétention à des prix abordables, explorez les motels de Munras Ave, au sud du centre-ville, ou de N Fremont St, à l'est de la Hwy 1. Pour campez, allez au sud vers Big Sur.

**HI Monterey Hostel** AUBERGE DE JEUNESSE $
(831-649-0375 ; www.montereyhostel.org ; 778 Hawthorne St ; dort 27-35 $, ch à partir de 99 $ ; réception 16h-22h ; @). À 4 rues de Cannery Row, cette auberge simple et propre ne compte que des sdb communes (réservation fortement recommandée). Prenez le bus MST n°1 à Transit Plaza dans le centre-ville.

**Asilomar Conference Grounds** LODGE $$
(888-635-5310, 831-372-8016 ; www.visitasilomar.com ; 800 Asilomar Ave ; ch avec petit-déj 115-175 $ ; @). Le lodge du parc d'État, en bord d'océan, préserve des bâtiments conçus par Julia Morgan, l'architecte du Hearst Castle. Les chambres historiques sont petites et dotées de cloisons minces, mais charmantes. La salle de jeux s'agrémente d'une cheminée et de tables et de billard. Location de vélos.

**Monterey Hotel** HÔTEL HISTORIQUE $$
(800-966-6490, 831-375-3184 ; www.montereyhotel.com ; 406 Alvarado St ; ch 80-195 $ ; ). En plein centre-ville, ce pittoresque édifice de 1904 propose des chambres rénovées un peu bruyantes, ornées de copies de meubles victoriens. Pas d'ascenseur. Parking 17 $.

**InterContinental-Clement** HÔTEL $$$
(866-781-2406, 831-375-4500 ; www.icthe-clementmonterey.com ; 750 Cannery Row ; ch à partir de 220 $ ; @). Cette maison en bois de millionnaire est un complexe hôtelier rutilant qui domine Cannery Row. Pour un luxe absolu, choisissez une suite avec vue sur l'océan, balcon et cheminée. Parking 21 $.

## Où se restaurer et prendre un verre

Restaurants, bars et salles de concerts bordent Cannery Row, et Alvarado St dans le centre.

**First Awakenings** DINER $$
(www.firstawakenings.net ; American Tin Cannery, 125 Oceanview Blvd ; plats 6-13 $ ; 7h-14h lun-ven, 7h-14h30 sam-dim ; ). Des petits-déjeuners et déjeuners créatifs, du café à volonté et un patio extérieur justifient de débusquer cet établissement, dans une galerie marchande proche de l'aquarium.

**Cannery Row Brewing Co** PUB $$
(831-643-2722 ; www.canneryrowbrewing-company.com ; 95 Prescott Ave ; plats 8-18 $ ; 11h30-23h, bar jusqu'à minuit dim-jeu, 2h ven-sam). Des dizaines de bières artisanales venues du monde entier attirent une clientèle festive dans ce bar-grill. Burgers corrects, grillades, salades et frites à l'ail.

**Passionfish** POISSON $$$
(831-655-3311 ; www.passionfish.net ; 701 Lighthouse Ave ; plats 16-26 $ ; 17h-21h dim-jeu, 17h-22h ven-sam). Propriété du chef, cet excellent restaurant de poisson propose des plats savoureux, préparés avec la pêche du jour, et une carte des vins très abordable. Réservation fortement recommandée.

**East Village Coffee Lounge** CAFÉ
(www.eastvillagecoffeelounge.com ; 498 Washington St ; 6h-tard lun-ven, 7h-tard sam-dim). Un café-bar élégant, de la musique live, des DJ et des soirées scène libre.

## Renseignements

**Monterey Visitors Center** (877-666-8373, 831-657-6400 ; www.seemonterey.com ; 401 Camino El Estero ; 9h-18h lun-sam, 9h-17h dim, fermeture 1 heure plus tôt nov-mars). Demandez la *Monterey County Literary & Film Map*, une carte gratuite.

## Comment s'y rendre et circuler

De **Transit Plaza** (angle Pearl St et Alvarado St) dans le centre-ville, les bus régionaux et locaux de **Monterey-Salinas Transit** (MST ; 888-678-2871 ; www.mst.org ; trajets 1,50-3 $, forfait journée 10 $) desservent notamment Pacific Grove, Carmel, Big Sur (en été seulement) et Salinas (pour les correspondances avec les bus Greyhound et les trains Amtrak). En été, un trolley gratuit fait la navette entre le centre de Monterey et Cannery Row, et circule dans Pacific Grove

# Santa Cruz

La culture balnéaire du sud de la Californie rencontre la contre-culture du nord à Santa Cruz. La population estudiantine apporte à cette ville conservatrice une ambiance jeune, branchée et contestataire. Certains s'inquiètent d'un déclin de l'esprit gentiment loufoque qui anime les habitants de Santa Cruz, ce que semble démentir la sympathique foule le long de Pacific Ave, l'artère principale du centre-ville.

## À voir et à faire

L'animation se concentre essentiellement autour de **Main Beach**, à 1,6 km au sud du centre. Les habitants préfèrent les plages moins fréquentées près de E Cliff Dr.

**Santa Cruz Beach Boardwalk** PARC D'ATTRACTIONS
(831-423-5590 ; www.beachboardwalk.com ; 400 Beach St ; manèges 3-6 $, forfait journée 32 $ ; tlj fin mai-début sept, hors saison horaires variables ; ). À courte distance du quai municipal, cette promenade est le plus ancien parc d'attractions de la Côte Ouest, avec les montagnes russes Giant Dipper de 1924 et le manège Looff de 1911. En été, concerts gratuits et projections de film en plein air.

**Santa Cruz State Parks** PARCS
(www.thatsmypark.org ; 8-10 $/voiture ; lever-coucher du soleil). Des chemins le long de cours d'eau à travers des forêts côtières de séquoias vous attendent aux parcs d'État Cowell Redwoods et Big Basin Redwoods, près de la Hwy 9 au nord de la ville dans les Santa Cruz Mountains, et dans le Forest of Nisene Marks State Park, près de la Hwy 1 au sud près d'Aptos. Pour le VTT, cap sur le Wilder Ranch State Park, près de la Hwy 1 en direction du nord.

**Santa Cruz Surfing Museum** MUSÉE
(www.santacruzsurfingmuseum.org ; 701 W Cliff Dr ; don apprécié ; 10h-17h mer-lun 4 juil-début sept, 12h-16h jeu-lun début sept-3 juil). À environ 1,6 km au sud-ouest du quai, le vieux phare est rempli de souvenirs, dont de vieilles planches de séquoia. Il surplombe deux breaks de surf : **Steamer Lane**, réservé aux surfeurs chevronnés, et **Cowells**, pour les débutants.

**Natural Bridges State Beach** PLAGE
(www.parks.ca.gov ; 2531 W Cliff Dr ; 10 $/voiture ; 8h-coucher du soleil). Jolie plage au bout d'une piste cyclable panoramique, à environ 5 km au sud-ouest du quai. On peut y explorer des bassins de marée et observer des arbres où se perchent des papillons monarques d'octobre à février.

**Seymour Marine Discovery Center** MUSÉE
(831-459-3800 ; http://seymourcenter.ucsc.edu ; au bout de Delaware Ave ; adulte/enfant 6/4 $ ; 10h-17h mar-sam, 12h-17h dim ; ). Géré par l'université, le Long Marine Lab propose des expositions scientifiques interactives pour les enfants, dont des aquariums où l'on peut toucher les poissons. À l'extérieur, on peut voir le plus grand squelette de baleine bleue au monde.

**Sanctuary Exploration Center** MUSÉE
(831-421-9993 ; http://montereybay.noaa.gov ; 35 Pacific St ; 10h-17h mer-dim ; ). GRATUIT Exploration virtuelle des forêts de varech et des canyons sous-marins du Bay National Marine Sanctuary dans un mini-musée pédagogique près du quai.

**Venture Quest** KAYAK
(831-425-8445, 831-427-2267 ; www.kayaksantacruz.com ; quai municipal ; location kayak à partir de 30 $). Découvrez le littoral escarpé, les grottes marines et la faune marine lors d'un circuit en kayak (adulte/enfant à partir de 60/35 $), au clair de lune ou à destination d'Elkhorn Slough.

**Roaring Camp Railroads** TRAIN À VAPEUR
(831-335-4484 ; www.roaringcamp.com ; adulte/enfant à partir de 26/19 $ ; ) Pour une sortie en famille, grimpez à bord d'un train à vapeur sur voie étroite dans la forêt de séquoias ou dans un train sur voie standard partant de la promenade.

**O'Neill Surf Shop** SURF
(831-475-4151 ; www.oneill.com ; 1115 41st Ave ; location combinaison/planche de surf 10/20 $ ; 9h-20h lun-ven, 8h-20h sam-dim). À Capitola, à l'est, la maison-mère d'un fabriquant de planches de renommée mondiale. Petite succursale au centre-ville, 110 Cooper St.

**Santa Cruz Surf School** SURF
(831-426-7072 ; www.santacruzsurfschool.com ; 131 Center St ; cours collectifs/privés à partir de 90/120 $ ; ). Des professeurs sympathiques vous apprennent à surfer (combinaison et équipement compris dans les tarifs).

## Où se loger

Des motels bordent Ocean St, près du centre-ville, Mission St, à côté du campus de l'université, et la Hwy 1, en direction du sud. Réservez dans les **campings** (800-444-7275 ; www.reserveamerica.com ; empl 35-65 $ ; ) des parcs d'État, sur les plages près de la Hwy 1 et dans les forêts près de la Hwy 9.

**HI Santa Cruz Hostel** AUBERGE DE JEUNESSE **$**
(831-423-8304 ; www.hi-santacruz.org ; 321 Main St ; dort 26-29 $, ch 60-110 $ ; réception 17h-22h ; @). Bonne adresse pour les voyageurs à petit budget, cette jolie auberge (sdb communes uniquement) se situe dans un jardin fleuri des Carmelita Cottages, à deux rues de la plage. Il faut réserver. Parking 2 $.

**Adobe on Green B&B** B&B **$$**
(831-469-9866 ; www.adobeongreen.com ; 103 Green St ; ch avec petit-déj 149-219 $ ; ). Paix et tranquillité sont les maîtres mots dans cet hôtel. Les gérants sont pratiquement invisibles, mais leurs attentions sont partout : des aménagements raffinés dans les chambres claires et spacieuses, alimentées à l'énergie solaire, aux ingrédients bio du petit-déjeuner.

**Pelican Point Inn** AUBERGE **$$**
(831-475-3381 ; www.pelicanpointinn-santacruz.com ; 21345 E Cliff Dr ; ste 109-199 $ ; ). Parfaites pour les familles, ces vastes suites de style appartement, proches de Twin Lakes Beach (une plage adaptée aux enfants), possèdent tout le nécessaire pour des vacances détendues, dont une kitchenette. Parfois bruyant.

**Dream Inn** HÔTEL **$$$**
(866-774-7735, 831-426-4330 ; www.dreaminnsantacruz.com ; 175 W Cliff Dr ; ch 200-380 $ ; @). À flanc de colline au-dessus du quai, cet rétro d'une certaine élégance propose des chambres bien équipées à quelques pas de la plage. Venez pour l'happy hour au bar du restaurant Aquarius, qui donne sur l'océan. Parking 24 $.

## Où se restaurer

De nombreux cafés, juste corrects, se regroupent dans le centre-ville. Pour les plats à emporter bon marché et la cuisine internationale explorez Mission St, près du campus, et la 41st Ave dans la municipalité voisine de Capitola.

**Picnic Basket** TRAITEUR, BOULANGERIE **$**
(http://thepicnicbasketsc.com ; 125 Beach St ; 3-8 $ ; 7h-21h, ferme plus tôt hors saison ; ).

Les produits locaux sont à l'honneur dans cet établissement en face de la promenade en front de mer. Sandwichs originaux, soupes, sodas fruités et délices maison.

**Penny Ice Creamery** GLACIER $
(http://thepennyicecreamery.com ; 913 Cedar St ; 2-4 $ ; 12h-23h). Glacier artisanal proposant des glaces loufoques aux ingrédients locaux, souvent bio, comme de l'avocat, du citron Meyer et du miel de fleurs sauvages.

**Hula's Island Grill** FUSION $$
(831-426-4852 ; www.hulastiki.com ; 221 Cathcart St ; dîner plats 11-20 $ ; 11h30-21h30 dim et mar-jeu, 11h30-23h ven-sam, 16h30-21h30 lun). Sirotez un cocktail tropical au bar hawaïen de cet établissement décoré façon paillote. Tacos de poisson, thon aux noix de macadamia et porc *luau* rassasieront les surfeurs.

**Laili** AFGHAN $$$
(831-423-4545 ; www.lailirestaurant.com ; 101 Cooper St ; dîner plats 13-26 $ ; 11h30-15h et 17h-22h). Les saveurs de la route de la Soie à déguster dans un cadre chic : aubergine aux graines de grenade, kebab d'agneau, soupe de lentilles au yaourt et pains plats. Un délice.

**Soif** BISTROT $$$
(831-423-2020 ; www.soifwine.com ; 105 Walnut Ave ; petites assiettes 5-17 $, plats 19-26 $ ; 17h-21h dim-jeu, 17h-22h ven-sam). Dans le centre-ville, les bons vivants se retrouvent dans ce bar à vins qui offre une sélection de 45 crus internationaux vendus au verre et une carte saisonnière sophistiquée européano-californienne.

## Où prendre un verre et sortir

Le centre-ville compte d'innombrables bars (certains programmant des concerts), clubs discrets et cafés. Consultez le tabloïd gratuit *Santa Cruz Weekly* (www.santacruzweekly.com) pour d'autres adresses et les événements du moment.

**Santa Cruz Mountain Brewing** BRASSERIE
(www.scmbrew.com ; 402 Ingalls St ; 12h-22h). De robustes bières bio à l'ouest du centre-ville, près de Mission St, entre des salles de dégustation de vins des Santa Cruz Mountains.

**Caffe Pergolesi** CAFÉ
(www.theperg.com ; 418 Cedar St ; 7h-23h ; ). Sur une véranda verdoyante en bordure de trottoir, savourez un bon café, un jus de fruits bio ou une bière.

**Surf City Billiards & Café** BAR
(http://surfcitybilliardscafe.com ; 931 Pacific Ave ; 17h-minuit dim-jeu, 17h-2h ven-sam). Jeux de fléchettes, TV à grand écran et délicieuse cuisine de pub.

**Catalyst** MUSIQUE LIVE
(831-423-1338 ; www.catalystclub.com ; 1011 Pacific Ave). Salle de concerts emblématique du centre-ville qui a vu passer de grands noms, de Nirvana aux Cold War Kids.

## Renseignements

**KPIG 107.5 FM** Diffuse les classiques de Santa Cruz : Bob Marley, Janis Joplin, Willie Nelson...

**Santa Cruz Visitor Center** (800-833-3494, 831-425-1234 ; www.santacruzca.org ; 303 Water St ; 9h-16h lun-ven, 10h-15h sam-dim ; )

## Depuis/vers Santa Cruz

Les bus régionaux de **Santa Cruz Metro** (831-425-8600 ; www.scmtd.com ; trajet/forfait journée 2/6 $) convergent vers le centre-ville au **Metro Center** (920 Pacific Ave). De là, Greyhound propose quelques bus quotidiens pour San Francisco (16 $, 3 heures), San Luis Obispo (42 $, 4 heures), Santa Barbara (53 $, 6 heures) et LA (59 $, 9 heures). Tous les jours d'été et les week-ends d'automne, un trolley (25 ¢) circule entre le centre-ville et le quai.

# De Santa Cruz à San Francisco

Bien plus jolie qu'une autoroute, ce tronçon sinueux de la Hwy 1 est bordé sur 110 km de plages sauvages, de fermes bio et de villages battus par les embruns.

À environ 32 km au nord-ouest de Santa Cruz, l'**Año Nuevo State Park** (réservation circuit 800-444-4445 ; www.parks.ca.gov ; entrée 10 $/voiture, circuit 7 $/pers ; 8h30-17h, dernière entrée 15h30 avr-août, 8h30-16h, dernière entrée 15h sept-nov, circuits uniquement de mi-déc à mars) protège la plus grande colonie de reproduction au monde d'éléphants de mer du Nord. Appelez pour réserver la promenade guidée de 5 km (2 heures 30) pendant la saison hivernale des naissances et des accouplements.

Sur une hauteur tranquille battue par les vents plus au nord, la **HI Pigeon Point Lighthouse Hostel** (650-879-0633 ; www.norcalhostels.org/pigeon ; 210 Pigeon Point Rd ; dort 26-30 $, ch 75-180 $, sdb communes uniquement ; réception 15h30-22h30 ; ), une auberge de jeunesse écologique, occupe l'ancienne maison du gardien de phare. Elle est très prisée, aussi vaut-il mieux réserver. Pour plus de confort, dormez dans une tente-bungalow ou une maisonnette avec cheminée à **Costanoa** (☎877-262-7848, 650-879-1100 ; www.costanoa.com ; 2001 Rossi Rd ; tente/maisonnette sdb commune à partir de 89/179 $ ; ).

À 8 km au nord de Pigeon Point, **Pescadero State Beach** (www.parks.ca.gov ; 8 $/voiture ; 8h-crépuscule) attire amateurs de plage et d'oiseaux dans sa réserve naturelle marécageuse voisine. Faites vos provisions à quelques kilomètres de la côte, au village de Pescadero et à la boulangerie-traiteur de l'**Arcangeli Grocery Co** (www.normsmarket.com ; 287 Stage Rd ; 10h-18h). À côté, la fromagerie familiale **Harley Farms Cheese Shop** (☎650-879-0480 ; www.harleyfarms.com ; 250 North St ; 10h-17h jeu-dim ; ) propose des visites de son élevage de chèvres sur réservation.

À moins de 24 km plus au nord, la Half Moon Bay, très fréquentée, est bordée par la jolie **Half Moon Bay State Beach** (www.parks.ca.gov ; 10 $/voiture ; ), longue de 6,5 km, et de beaux emplacements de **camping** (☎800-444-7275 ; www.reserveamerica.com ; empl 35-50 $). Pour vous aventurer sur l'eau, adressez-vous à **Half Moon Bay Kayak** (☎650-773-6101 ; www.hmbkayak.com ; Pillar Point Harbor ; location kayak/circuit à partir de 25/75 $). Établissement luxueux en bordure d'océan, l'**Inn at Mavericks** (☎650-728-1572 ; www.innatmavericks.com ; 364 Princeton Ave ; ch à partir de 209 $ ; ) offre des chambres spacieuses et romantiques. Il domine Pillar Point Harbor, qui abrite un pub-brasserie correct avec un patio, parfait au coucher du soleil. Dans le centre pittoresque de Half Moon Bay, cafés accueillants, restaurants et boutiques éclectiques bordent Main St, près de la Hwy 1 vers l'intérieur des terres. Le **Flying Fish Grill** (☎650-712-1125 ; www.flyingfishgrill.net ; 211 San Mateo Rd ; plats 5-17 $ ; 11h-20h30 mer-lun ; ) est le meilleur restaurant de poisson.

Au nord du port, près de la Hwy 1, suivez les panneaux jusqu'à la **Moss Beach Distillery** (www.mossbeachdistillery.com ; 140 Beach Way ; 12h-20h30 dim-jeu, 12h-21h ven-sam), un ancien bar de bootleggers avec terrasse, et sirotez un verre en regardant le coucher du soleil sur l'océan. Juste au nord, la **Fitzgerald Marine Reserve** (www.fitzgeraldreserve.org ; au bout de California Ave ; 8h-coucher du soleil ; ) GRATUIT protège des bassins de marée, habitats de créatures colorées ; prévoyez une visite à marée basse. À 1,5 km au nord, la **HI Point Montara Lighthouse Hostel** (☎650-728-7177 ; www.norcalhostels.org/montara ; 16th St et Hwy 1 ; dort 27-30 $, ch 74-110 $, sdb communes uniquement ; réception 15h30-22h30 ; ) est une auberge de jeunesse soucieuse de l'environnement, devant une petite plage privée (réservation indispensable). De là, il reste moins de 32 km pour rejoindre San Francisco via Pacifica et les Devil's Slide Tunnels.

# SAN FRANCISCO ET RÉGION DE LA BAIE

## San Francisco

Drogues psychédéliques, technologies de pointe, activisme gay, initiatives écologiques, liberté d'expression et innovation culinaire font depuis longtemps partie du quotidien de San Francisco. Après 160 années alternant périodes fastes et déclins, ôter la chemise est devenu un des passe-temps favoris lors de la course Bay to Breakers (vêtements facultatifs), de la Gay Pride et les dimanches à Baker Beach par beau temps. Adieu inhibitions, bonjour San Francisco !

### Histoire

Avant la fièvre de l'or, San Francisco n'était qu'une petite mission espagnole construite par des conscrits des peuples amérindiens Ohlone et Miwok. Dépourvus d'immunité face aux maladies européennes, quelque 5 000 d'entre eux y succombèrent ; ils sont enterrés près de Mission Dolores, la "Mission des Douleurs" du XVIIIe siècle.

En 1849, la ruée vers l'or transforma un village de 800 âmes en une ville portuaire de 100 000 prospecteurs, escrocs, prostituées et citoyens honnêtes. Quand l'or australien envahit le marché en 1854, ce fut la panique. Des mineurs en colère se retournèrent contre la communauté chinoise de San Francisco, que des lois contraignirent à vivre et à travailler à Chinatown de 1877 à 1943. Des années 1860 à 1890, les travailleurs chinois n'avaient guère d'autre choix que de s'engager dans la construction dangereuse du chemin de fer pour le compte des requins de la finance de San Francisco, qui dynamitèrent, creusèrent et déboisèrent le Golden West, avant d'ériger de magnifiques demeures sur Nob Hill.

Les grandioses ambitions de la ville s'écroulèrent lors du séisme et de l'incendie de 1906, qui laissèrent la ville à l'état de décombres. Les San-Franciscains reconstruisirent alors 15 bâtiments par jour ! Et, en 1915, la ville accueillit en grande pompe l'exposition universelle.

Pendant la Seconde Guerre mondiale, des soldats accusés d'homosexualité et d'insubordination furent renvoyés à San Francisco, cimentant la réputation de contre-culture de la ville. Le Summer of Love apporta nourriture gratuite, amour et musique dans le quartier hippie de Haight, et des activistes gays fondèrent une communauté active et ouverte au Castro.

La mentalité anticonformiste de San Francisco envahit le web dans les années 1990 et se retrouve aujourd'hui derrière l'explosion des médias sociaux, des applis mobiles et des biotechnologies. Bienvenue dans le tourbillon de San Francisco !

## À voir

Avec 43 collines, plus de 80 galeries d'art et des vues époustouflantes, San Francisco sollicite les jambes et l'imagination. Les sites du centre-ville sont accessibles à pied depuis Market St, mais restez sur vos gardes, surtout vers South of Market (SoMa) et le Tenderloin (de 5th St à 9th St).

### SoMa

**Cartoon Art Museum** MUSÉE
(carte p.132 ; ☎415-227-8666 ; www.cartoonart.org ; 655 Mission St ; tarif plein/étudiant 7/5 $ ; ⏲11h-17h mar-dim ; Ⓜ Montgomery, Ⓑ Montgomery). Fondé grâce au réalisateur et dessinateur de bandes dessinées originaire de la Baie Charles M. Schultz, l'auteur de *Peanuts*, cet audacieux musée va des œuvres des années 1970 de Robert Crumb aux dessins politiques de *The Economist*. Conférences et vernissages permettent de rencontrer des légendes de la bande dessinée, des dirigeants des studios Pixar et des collectionneurs compulsifs. Le premier mardi du mois, les visiteurs fixent le prix d'entrée.

**Contemporary Jewish Museum** MUSÉE
(carte p.132 ; ☎415-344-8800 ; www.thecjm.org ; 736 Mission St ; adulte/enfant 10 $/gratuit, après 17h jeu 5 $ ; ⏲11h-17h ven-mar, 13h-20h jeu ; Ⓜ Montgomery, Ⓑ Montgomery). Cette boîte renversée en acier brossé n'est pas une sculpture mais une galerie aux fascinantes expositions magnifiquement présentées. Idées et idéaux sont présentés au travers des trajectoires d'artistes aussi divers qu'Andy Warhol, Gertrude Stein ou Harry Houdini.

**Museum of the African Diaspora** MUSÉE
(MoAD ; carte p.132 ; ☎415-358-7200 ; www.moadsf.org ; 685 Mission St ; tarif plein/étudiant/enfant 10/5 $/gratuit ; ⏲11h-18h mer-sam, 12h-17h dim ; Ⓜ Montgomery, Ⓑ Montgomery). Suivant quatre grands thèmes – les origines, le

**SAN FRANCISCO EN...**

**Un jour**

Depuis la ruée vers l'or, l'aventure à San Francisco commence à **Chinatown**, où l'on trouve encore la fortune – dans les biscuits chinois du moins. Direction la librairie **City Lights** pour savourer la poésie de la Beat Generation dans le texte, puis passez par la **Transamerica Pyramid** avant de déguster des raviolis au **City View**. Visitez les **galeries** du centre, puis l'**Asian Art Museum**, pour un voyage artistique à travers les siècles et les océans. Participez à une visite nocturne d'**Alcatraz** et échappez-vous à temps pour dîner au **Ferry Building** avant d'aller danser dans les clubs de **SoMa**.

**Deux jours**

Commencez la journée par les peintures murales qui couvrent les portes des garages dans **Balmy Alley**, puis achetez une panoplie de pirate au **826 Valencia** et des antiquités et regardez les cabrioles des poissons du Fish Theater. Faites une pause pour des *burritos* et rejoignez le Haight pour des flashbacks dans les boutiques vintage et au **Golden Gate Park**, le site du *Summer of Love*. Admirez le Golden Gate Bridge du haut du **MH de Young Museum**, flânez dans la forêt tropicale sous le dôme de la **California Academy of Sciences**, puis savourez un festin marocain bio à l'**Aziza.**

# San Francisco et région de la Baie

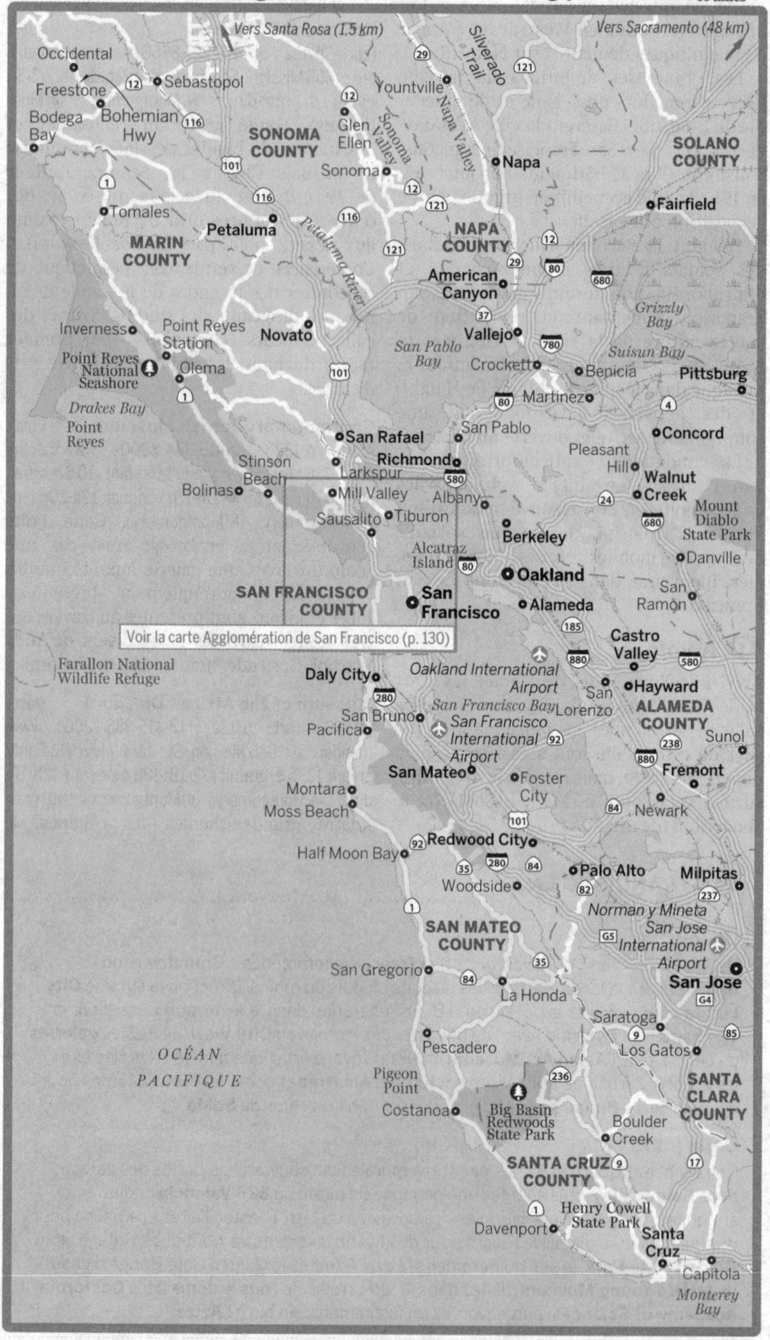

N 0 — 20 km
0 — 10 miles



Vers Santa Rosa (1,5 km)
Vers Sacramento (48 km)
Occidental
Sebastopol
Freestone
Bohemian Hwy
Bodega Bay
Silverado Trail
Yountville
Napa Valley
Sonoma Valley
Glen Ellen
SONOMA COUNTY
SOLANO COUNTY
Napa
Sonoma
Fairfield
Tomales
Petaluma
Petaluma River
MARIN COUNTY
NAPA COUNTY
American Canyon
Grizzly Bay
Inverness
Point Reyes Station
Novato
Vallejo
San Pablo Bay
Suisun Bay
Point Reyes National Seashore
Olema
Crockett
Benicia
Pittsburg
Drakes Bay
Martinez
Point Reyes
San Pablo
Concord
San Rafael
Stinson Beach
Richmond
Pleasant Hill
Larkspur
Walnut Creek
Bolinas
Mill Valley
Albany
Mount Diablo State Park
Sausalito
Tiburon
Berkeley
Alcatraz Island
Oakland
Danville
SAN FRANCISCO COUNTY
San Francisco
Alameda
San Ramon
Voir la carte Agglomération de San Francisco (p. 130)
Castro Valley
Farallon National Wildlife Refuge
Daly City
Oakland International Airport
San Lorenzo
Hayward
San Bruno
San Francisco Bay
ALAMEDA COUNTY
Pacifica
San Francisco International Airport
Sunol
San Mateo
Foster City
Fremont
Montara
Moss Beach
Newark
Redwood City
Half Moon Bay
Palo Alto
Milpitas
Woodside
Norman y Mineta San Jose International Airport
SAN MATEO COUNTY
San Jose
San Gregorio
La Honda
Saratoga
Pescadero
Los Gatos
OCÉAN PACIFIQUE
Pigeon Point
SANTA CLARA COUNTY
Costanoa
Big Basin Redwoods State Park
Boulder Creek
SANTA CRUZ COUNTY
Henry Cowell State Park
Davenport
Santa Cruz
Capitola
Monterey Bay

mouvement, l'adaptation et la transformation –, le MoAD retrace l'histoire de la diaspora africaine, avec, entre autres, une vidéo poignante de récits d'esclaves racontés par Maya Angelou, célèbre militante afro-américaine.

## Union Square

Bordée par des grands magasins haut de gamme, Union Sq (circonscrit par les intersections de Geary St, Powell St, Post St et Stockton St) tient son nom des rassemblements de l'Union tenus ici lors de la guerre de Sécession. Dégustez un expresso à l'Emporio Rulli en profitant du spectacle de la place, et procurez-vous des billets de théâtre à moitié prix au kiosque de la TIX Bay Area.

**Terminus du *cable car* de Powell St** SITE REMARQUABLE

(carte p. 132 ; angle Powell St et Market St ; Ⓜ Powell, Ⓑ Powell). Des opérateurs doivent retourner les trams manuellement sur une plateforme tournante au terminus des lignes de Powell St. Les trams de la ligne Powell-Mason arrivent plus rapidement au Wharf, mais l'itinéraire des trams Powell-Hyde a plus de relief.

## Civic Center

**Asian Art Museum** MUSÉE

(carte p. 132 ; ☎ 415-581-3500 ; www.asianart.org ; 200 Larkin St ; tarif plein/étudiant/enfant 12/8 $/gratuit, 1er dim du mois gratuit ; ⏲ 10h-17h mar-dim, 10h-21h jeu fév-sept ; Ⓜ Civic Center, Ⓑ Civic Center). Des anciennes miniatures persanes à la mode japonaise avant-gardiste, 6 000 ans d'art asiatique sont présentés sur 3 étages. Outre la plus grande collection hors de l'Asie – 18 000 œuvres –, le musée offre d'excellents programmes, du théâtre d'ombres à des sets interculturels de DJ.

**City Hall** MONUMENT HISTORIQUE

(carte p. 132 ; ☎ info expos d'art 415-554-6080, infos visites 415-554-6023 ; www.ci.sf.ca.us/cityhall ; 400 Van Ness Ave ; ⏲ 8h-20h lun-ven, circuits 10h, 12h et 14h ; ♿ ; Ⓜ Civic Center, Ⓑ Civic Center). GRATUIT Cet impressionnant dôme de style Beaux-Arts a couvert les grandes ambitions et les alternances politiques de San Francisco. Conçu en 1915 pour rivaliser avec Paris et le dôme du capitole de Washington, la Rotunda de San Francisco est restée instable jusqu'à sa mise aux normes après le séisme de 1989.

## Financial District

Si les costumes-cravate y sont légion, le "FiDi" compte aussi des originalités, comme ce bosquet de séquoias ayant pris racine dans d'anciens baleiniers, en contrebas de la **Transamerica Pyramid** (carte p. 132 ; www.thepyramidcenter.com ; 600 Montgomery St ; ⏲ 9h-18h lun-ven ; Ⓜ Embarcadero, Ⓑ Embarcadero), en forme de fusée. Les collectionneurs excentriques descendent de leurs belles demeures pour les vernissages du First Thursday (premier jeudi) dans les galeries **14 Geary**, **49 Geary** et **77 Geary** gérées par la **San Francisco Art Dealers Association** (SFADA ; www.sfada.com ; ⏲ galeries 10h30-17h30 mar-ven, 11h-17h sam).

**Ferry Building** SITE REMARQUABLE

(carte p. 132 ; ☎ 415-983-8000 ; www.ferrybuildingmarketplace.com ; Market St et l'Embarcadero ; ⏲ 10h-18h lun-ven, 9h-18h sam, 11h-17h dim ; 🚌 2, 6, 9, 14, 21, 31, Ⓜ F, J, K, L, M, N, T). Dans ce centre de transit transformé en paradis des gourmets, on manque joyeusement son ferry en savourant des huîtres et du champagne. Des chefs réputés viennent aux marchés fermiers des mardis, jeudis et samedis toute l'année.

## Chinatown

Siège de la communauté chinoise depuis 1848, Chinatown a survécu aux émeutes, aux séismes, aux gangsters de la Prohibition et aux tentatives politiciennes de la déplacer plus loin.

**Chinese Historical Society of America** MUSÉE

(CHSA ; carte p. 132 ; ☎ 415-391-1188 ; www.chsa.org ; 965 Clay St ; adulte/enfant 5/2 $, gratuit 1er jeu du mois ; ⏲ 12h-17h mar-ven, 11h-16h sam ; 🚌 1, 30, 45, 🚋 California St). Découvrez la vie des Chinois en Amérique durant la ruée vers l'or, la construction du chemin de fer transcontinental ou les beaux jours de la Beat Generation à San Francisco. Remarquable, le bâtiment est l'ancien YWCA de Chinatown construit en 1932 par Julia Morgan, l'architecte du Hearst Castle.

**Waverly Place** RUE

(carte p. 132 ; 🚌 30, 🚋 California St, Powell-Mason). Les temples ornés de drapeaux de Waverly Place furent en activité à compter de 1852, et l'étaient encore en 1906, après le séisme et l'incendie de San Francisco. Les lois raciales du XIXe siècle imposèrent aux habitants de construire les temples au-dessus des salons de coiffure, laveries et restaurants bordant la rue.

## North Beach

**Beat Museum** MUSÉE

(carte p. 132 ; 1-800-537-6822 ; www.kerouac.com ; 540 Broadway ; tarif plein/réduit 8/5 $ ; 10h-19h mar-dim ; ; 10, 12, 30, 41, 45, Powell-Hyde, Powell-Mason). L'esprit Beat souffle sur cette collection dédiée à la scène littéraire de San Francisco des années 1950-1969. L'édition interdite du *Howl* d'Allen Ginsberg trône en bonne place, à côté de poupées à tête mobile représentant Jack Kerouac.

**Jack Kerouac Alley** RUE

(carte p. 132 ; entre Grant Ave et Columbus Ave ; 1, 10, 12, 30, 45, Powell-Hyde, Powell-Mason). "L'air était si doux, les étoiles si belles et si grande la promesse de toutes les ruelles pavées..." Cet extrait de *Sur la route* est gravé dans la ruelle Jack Kerouac, entre les bars de Chinatown et North Beach, à deux pas de la librairie City Lights.

## Russian Hill et Nob Hill

**Grace Cathedral** ÉGLISE

(carte p. 132 ; 415-749-6300 ; www.gracecathedral.org ; 1100 California St ; don suggéré adulte/enfant 3/2 $, dim gratuit pendant les messes ; 8h-18h, messes 8h30 et 11h dim ; 1, California St). Cette église épiscopale fut trois fois reconstruite depuis la ruée vers l'or. L'actuelle cathédrale gothique en béton arbore des vitraux à la gloire des efforts de l'humanité, avec notamment Albert Einstein au milieu de particules atomiques.

**Lombard St** RUE

(carte p. 132 ; 900 block of Lombard St ; Powell-Hyde). Les virages fleuris de Lombard Street apparaissent dans le *Vertigo* d'Hitchcock et le jeu vidéo Pro Skater de Tony Hawk. Dans les années 1920, les 27% d'inclinaison de Lombard St, trop raides pour les automobiles, incitèrent les propriétaires à aménager huit virages dans cette rue de briques rouges.

## Agglomération de San Francisco

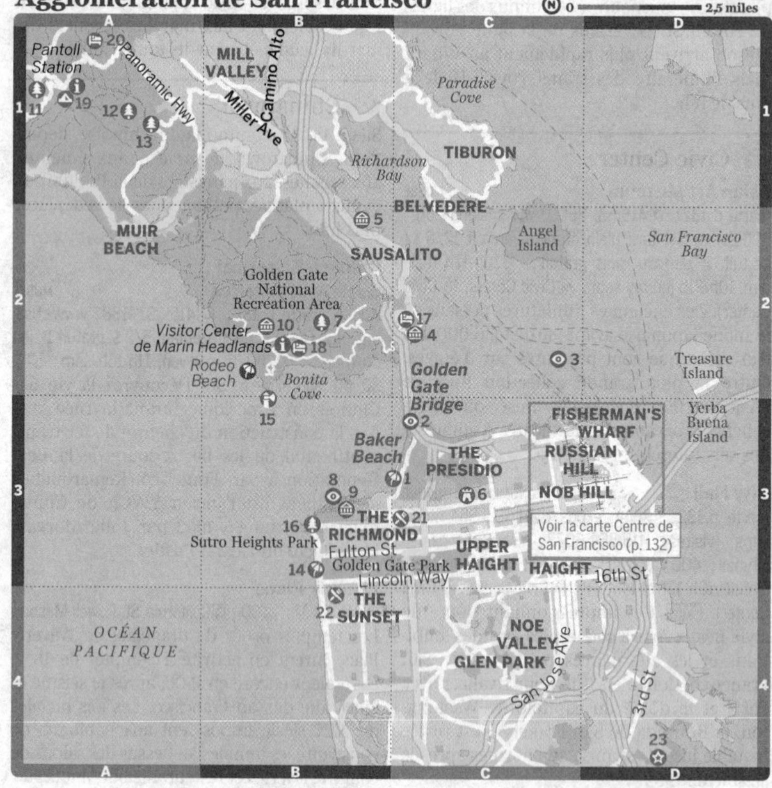

## Fisherman's Wharf

**Exploratorium** MUSÉE

(carte p. 132 ; 415-528-4444 ; www.exploratorium.edu ; Pier 15 ; adulte/enfant 25/19 $, jeu soir 15 $ ; 10h-17h mar-dim, 10h-22h mer, plus de 18 ans seulement jeu 18h-22h ; ; F). Écoutez le sel chanter, stimulez votre appétit avec des couleurs et découvrez ce que voient les vaches grâce aux expositions interactives imaginées par des lauréats du Prix MacArthur. Le physicien nucléaire Frank Oppenheimer fonda l'Exploratorium en 1969 pour explorer la perception humaine et scientifique. Le Tactile Dome vous ramène d'ailleurs parfois vers les années 1960.

**Musée Mécanique** GALERIE DE JEUX

(carte p. 132 ; www.museemechanique.org ; Pier 45, Shed A ; 10h-19h ; ; 47, Powell-Mason, Powell-Hyde, F). Où ailleurs pourrez-vous guillotiner un homme pour 25 cents ? Ici, des jeux glaçants du XIX^e siècle, comme la macabre Exécution française, rivalisent avec le diabolique Ms Pac-Man.

**Maritime Museum** MUSÉE

(Aquatic Park Bathhouse ; carte p. 132 ; www.maritime.org ; 900 Beach St ; 10h-16h ; ; 19, 30, 47, Powell-Hyde). GRATUIT Musée en forme de bateau profilé, l'Aquatic Park Bathhouse de 1939 expose une sculpture de phoque espiègle par Beniamino Bufano, des fresques sous-marines d'Hilaire Hiler et des reliefs de Richard Ayer. Les mosaïques de la véranda et la porte en ardoise sculptée sont l'œuvre de l'artiste afro-américain avant-gardiste Sargent Johnson.

**USS Pampanito** SITE HISTORIQUE

(carte p. 132 ; 415-775-1943 ; www.maritime.org/pamphome.htm ; Pier 45 ; adulte/enfant 12/6 $ ; 9h-20h jeu-mar, 9h-18h mer ; ; 19, 30, 47, Powell-Hyde, F). Explorez un sous-marin restauré de la Seconde Guerre mondiale qui a survécu à six missions, en écoutant de passionnants récits de sous-mariniers lors d'une visite audioguidée (2 $) ; vous apprécierez de remonter en surface.

**Bateaux historiques du Hyde Street Pier** SITE HISTORIQUE

(carte p. 132 ; 415-447-5000 ; www.nps.gov/safr ; 499 Jefferson St et Hyde St ; adulte/enfant 5 $/gratuit ; 9h-17h ; F, Powell-Hyde). Visitez les navires du XIX^e siècle amarrés dans le Maritime National Historical Park, dont le **Balclutha**, un trois-mâts de 1886, et l'**Eureka**, un vapeur de 1890 ; des croisières sont proposées en été à bord de l'**Alma** (juin-nov ; adulte/enfant 40/20 $), une élégante goélette datant de 1891.

**Otaries du Pier 39** OTARIES

(carte p. 132 ; 981-1280 ; www.pier39.com ; Beach St et Embarcadero, Pier 39 ; jan-juil ; 15, 37, 49, F). Depuis que les lois californiennes exigent des bateaux qu'ils cèdent le passage aux mammifères marins, les propriétaires de yacht abandonnent de précieuses places aux centaines d'otaries qui s'installent sur les quais de janvier à juillet, et toutes les fois qu'elles ont envie de bronzer tranquilles.

## Marina et Presidio

**Crissy Field** PARC

(www.crissyfield.org ; 1199 East Beach ; P ; 30, PresidioGo Shuttle). L'aérodrome militaire

### Agglomération de San Francisco

**Les incontournables**

1 Baker Beach ........ C3
2 Golden Gate Bridge ........ C3

**À voir**

3 Alcatraz ........ C2
4 Bay Area Discovery Museum ........ C2
5 Bay Model Visitor Center ........ B2
6 California Palace of the Legion of Honor ........ C3
7 Golden Gate National Recreation Area ........ B2
8 Lands End ........ B3
9 Legion of Honor ........ B3
10 Marine Mammal Center ........ B2
11 Mt Tamalpais State Park ........ A1
12 Muir Woods ........ A1
13 Muir Woods National Monument ........ A1
14 Ocean Beach ........ B3
15 Point Bonita Lighthouse ........ B3
16 Sutro Baths ........ B3

**Où se loger**

17 Cavallo Point ........ C2
18 HI Marin Headlands Hostel ........ B2
19 Pantoll Campground ........ A1
20 West Point Inn ........ A1

**Où se restaurer**

21 Aziza ........ C3
22 Outerlands ........ B4

**Où sortir**

23 San Francisco 49ers ........ D4

## Centre de San Francisco

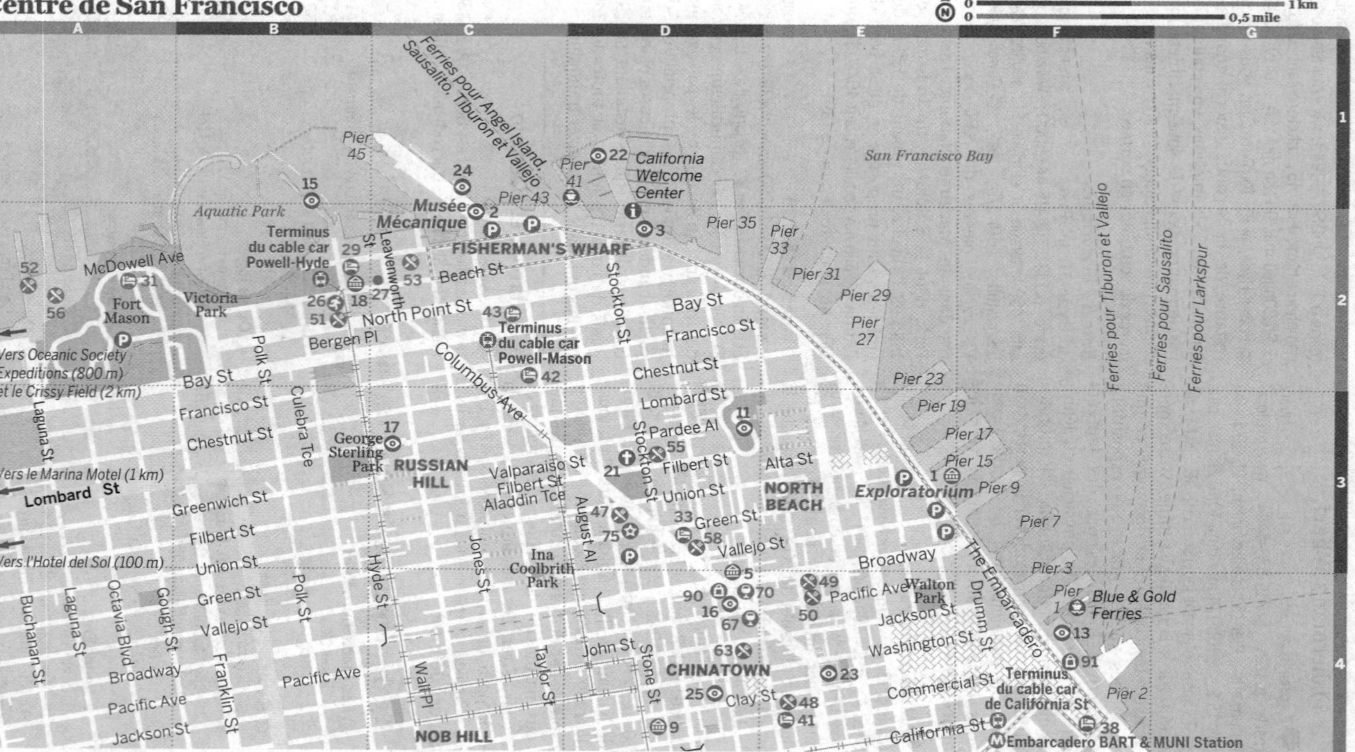

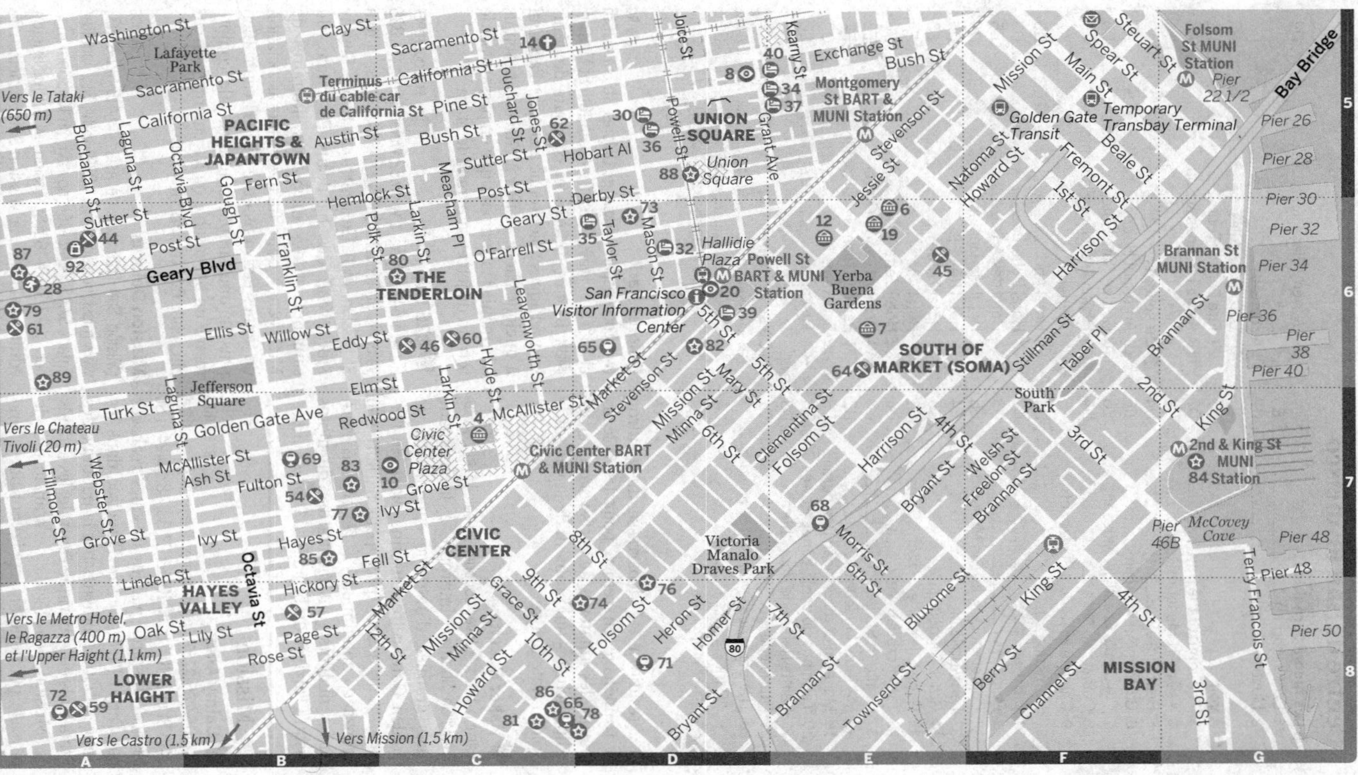
Washington St
Lafayette Park
Clay St
Sacramento St
California St
Terminus du cable car de California St
Pine St
Bush St
Sutter St
Post St
Geary St
O'Farrell St
Touchard St
Jones St
Hobart Al
Derby St
Taylor St
Mason St
Powell St
Joice St
UNION SQUARE
Union Square
Grant Ave
Kearny St
Exchange St
Montgomery St BART & MUNI Station
Mission St
Spear St
Main St
Steuart St
Folsom St MUNI Station
Pier 22 1/2
Bay Bridge
Golden Gate Transit
Temporary Transbay Terminal
Pier 26
Pier 28
Pier 30
Pier 32
Pier 34
Pier 36
Pier 38
Pier 40
Pier 48
Pier 50
Vers le Tataki (650 m)
PACIFIC HEIGHTS & JAPANTOWN
Austin St
Buchanan St
Laguna St
Octavia Blvd
Gough St
Fern St
Hemlock St
Polk St
Larkin St
Meacham Pl
Stevenson St
Jessie St
Natoma St
Howard St
Fremont St
Beale St
1st St
Harrison St
Brannan St MUNI Station
Sutter St
Post St
Geary Blvd
Franklin St
THE TENDERLOIN
Leavenworth St
Hallidie Plaza
Powell St BART & MUNI Station
San Francisco Visitor Information Center
Yerba Buena Gardens
Ellis St
Willow St
Eddy St
Hyde St
5th St
Brannan St
Stillman St
Taber Pl
SOUTH OF MARKET (SOMA)
Jefferson Square
Elm St
Market St
Stevenson St
Mission St
Mary St
Minna St
Clementina St
Folsom St
South Park
2nd St
King St
Turk St
Golden Gate Ave
Redwood St
McAllister St
Civic Center Plaza
Civic Center BART & MUNI Station
6th St
Harrison St
4th St
Welsh St
Freelon St
Bryant St
3rd St
2nd & King St MUNI
84 Station
Vers le Chateau Tivoli (20 m)
Fillmore St
Webster St
Ash St
Fulton St
Grove St
Ivy St
Hayes St
CIVIC CENTER
Victoria Manalo Draves Park
Morris St
6th St
Pier 46B
McCovey Cove
Terry Francois St
Linden St
HAYES VALLEY
Octavia St
Hickory St
Fell St
8th St
9th St
Grace St
Bluxome St
King St
4th St
Vers le Metro Hotel, le Ragazza (400 m) et l'Upper Haight (1,1 km)
Oak St
Lily St
Page St
Rose St
12th St
Minna St
10th St
Heron St
Homer St
7th St
Brannan St
Townsend St
Berry St
Channel St
MISSION BAY
LOWER HAIGHT
Howard St
Bryant St
80
Vers le Castro (1,5 km)
Vers Mission (1,5 km)
A
B
C
D
E
F
G
5
6
7
8

## Centre de San Francisco

**Les incontournables**
1 Exploratorium .......... E3
2 Musée Mécanique .......... C2

**À voir**
3 Aquarium of the Bay .......... D2
4 Asian Art Museum .......... C7
5 Beat Museum .......... D4
6 Cartoon Art Museum .......... E6
7 Children's Creativity Museum .......... E6
8 Chinatown Gate .......... D5
9 Chinese Historical Society of America .......... D4
10 City Hall .......... C7
11 Coit Tower .......... D3
12 Contemporary Jewish Museum .......... E6
13 Ferry Building .......... F4
14 Grace Cathedral .......... C5
15 Hyde Street Pier Historic Ships .......... B1
16 Jack Kerouac Alley .......... D4
17 Lombard St .......... C3
18 Maritime Museum .......... B2
19 Museum of the African Diaspora .......... E6
20 Terminus du cable-car de Powell St .......... D6
21 Saints Peter and Paul Church .......... D3
22 Otaries du Pier 39 .......... D1
23 Transamerica Pyramid et Redwood Park .......... E4
24 USS Pampanito .......... C1
25 Waverly Place .......... D4

**Activités**
26 Blazing Saddles .......... B2
27 Fire Engine Tours .......... C2
28 Kabuki Springs & Spa .......... A6

**Où se loger**
29 Argonaut Hotel .......... B2
30 Golden Gate Hotel .......... D5
31 HI San Francisco Fisherman's Wharf .......... A2
32 Hotel Abri .......... D6
33 Hotel Bohème .......... D3
34 Hotel des Arts .......... E5
35 Hotel Monaco .......... D6
36 Hotel Rex .......... D5
37 Hotel Triton .......... E5
38 Hotel Vitale .......... F4
39 Hotel Zetta .......... D6
40 Orchard Garden Hotel .......... E5
41 Pacific Tradewinds Hostel .......... E4
42 San Remo Hotel .......... C2
43 Tuscan Inn .......... C2

**Où se restaurer**
44 Benkyodo .......... A6
45 Benu .......... E6
46 Brenda's French Soul Food .......... C6

de Presidio a été débarrassé du goudron et réaménagé en refuge pour les oiseaux marins, les amateurs de cerfs-volants et les véliplanchistes qui profitent de la vue sur le Golden Gate Bridge.

**♥ Baker Beach** PLAGE
(carte p. 130 ; lever-coucher du soleil ; P ; 29, PresidiGo Shuttle). Impropre à la baignade mais gratifiée d'une vue superbe sur le Golden Gate, cette ancienne plage de l'armée est un endroit prisé pour parfaire son bronzage, notamment à l'extrémité nord où les maillots sont facultatifs – du moins jusqu'à l'arrivée du brouillard l'après-midi.

## Mission

**♥ Balmy Alley** ART DE RUE
(415-285-2287 ; www.precitaeyes.org ; entre 24th St et 25th St ; 10, 12, 27, 33, 48, B 24th St Mission). Inspirés par les fresques réalisées par Diego Rivera à San Francisco dans les années 1930 et indignés par la politique des États-Unis en Amérique centrale, les artistes de Mission ont décidé de transformer le paysage politique en repeignant une à une des portes de garage.

**Dolores Park** PARC
(www.doloresparkworks.org ; Dolores St, entre 18th et 20th Sts ; ; 14, 33, 49, B 16th St Mission, M J). Bronzage, tacos et concours de Jésus sexy à Pâques : bienvenue à Dolores Park, qui a quelque chose à offrir à chacun, du tennis à la manifestation politique en passant par le terrain de jeu et sa pyramide maya.

**♥ 826 Valencia** SITE CULTUREL
(415-642-5905 ; www.826valencia.org ; 826 Valencia St ; 12h-18h ; ; 14, 33, 49, B 16th St Mission, M J). L'excentrique Pirate Supply Store vend des bandeaux de pirate, du saindoux et des magazines littéraires de McSweeney pour financer une association de jeunes écrivains et le Fish Theater. Bien plus qu'une simple boutique, elle compte même un bac à sable où les enfants peuvent chercher des trésors de pirates.

**Mission Dolores** ÉGLISE
(Misión San Francisco de Asís ; 415-621-8203 ; www.missiondolores.org ; 3321 16th St ; adulte/enfant 5/3 $ ; 9h-16h nov-avr, 9h-16h30pm mai-oct ; 22, 33, B 16th St Mission, M J). Plus ancien édifice de la ville, la Misión San Francisco de Asis, en adobe blanchi à la chaux, fut fondée

47 Cinecittà ........ D3
48 City View ........ E4
49 Coi ........ E4
50 Cotogna ........ E4
51 Gary Danko ........ B2
Gott's Roadside ........ (voir 13)
52 Greens ........ A2
Hog Island Oyster Company ........ (voir 13)
53 In-N-Out Burger ........ C2
54 Jardinière ........ B7
55 Liguria Bakery ........ D3
Mijita ........ (voir 13)
56 Off the Grid ........ A2
57 Rich Table ........ B8
58 Ristorante Ideale ........ D3
59 Rosamunde Sausage Grill ........ A8
60 Saigon Sandwich Shop ........ C6
Slanted Door ........ (voir 13)
61 State Bird Provisions ........ A6
62 Sweet Woodruff ........ C5
63 Z & Y ........ D4
64 Zero Zero ........ E6

**Où prendre un verre et faire la fête**

65 Aunt Charlie's ........ D6
66 Bar Agricole ........ C8
67 Comstock Saloon ........ D4
68 EndUp ........ E7
69 Smuggler's Cove ........ B7
70 Specs Museum Cafe ........ D4
71 Stud ........ D8
72 Toronado ........ A8

**Où sortir**

73 American Conservatory Theater ........ D6
74 AsiaSF ........ D8
75 Beach Blanket Babylon ........ D3
76 Cat Club ........ D8
77 Davies Symphony Hall ........ B7
78 DNA Lounge ........ D8
79 Fillmore Auditorium ........ A6
80 Great American Music Hall ........ C6
81 Honey Soundsystem ........ C8
82 Mezzanine ........ D6
83 San Francisco Ballet ........ B7
84 San Francisco Giants ........ G7
San Francisco Opera ........ (voir 83)
85 SFJAZZ Center ........ B7
86 Slim's ........ C8
87 Sundance Kabuki Cinema ........ A6
88 TIX Bay Area ........ D5
89 Yoshi's ........ A6

**Achats**

90 City Lights ........ D4
91 Ferry Plaza Farmers Market ........ F4
92 New People ........ A6

en 1776 et reconstruite en 1782 par des Ohlone et des Miwok ; remarquez le plafond aux motifs inspirés des paniers amérindiens.

## Castro

**GLBT History Museum** MUSÉE

(☎415-777-5455 ; www.glbthistory.org/museum ; 4127 18th St ; 5 $ ; 11h-19h lun-sam, 12h-17h dim ; M Castro). Le premier musée de l'histoire des gays, lesbiennes, bi et trans d'Amérique présente la littérature de campagne d'Harvey Milk, des pochettes d'allumettes de bains publics aujourd'hui disparus, des interviews audiovisuelles avec l'auteur Gore Vidal et des extraits du Code pénal des années 1950 interdisant l'homosexualité.

## Haight

**Alamo Square Park** PARC

(Hayes St et Scott St ; ; 5, 21, 22, 24). GRATUIT Gravissez Alamo Sq pour voir le centre encadré par des toits à pignon victoriens et des pins sculptés par le vent. Les demeures victoriennes pastel de **Postcard Row** semblent bien pâles à côté de leurs voisines bariolées, notamment la Westerfield House verte et dorée de 1889, qui a survécu à des propriétaires bootleggers tsaristes, des communautés hippie, et même aux rituels du fondateur de l'Église de Satan, Anton LaVey.

### COIT TOWER

Point d'exclamation dans le paysage de San Francisco, la **Coit Tower** (carte p. 132 ; ☎415-362-0808 ; http://sfrecpark.org/destination/telegraph-hill-pioneer-park/coit-tower ; Telegraph Hill Blvd ; ascenseur (non-résidents) adulte/enfant 7/5 $ ; 10h-17h30 mars-sept, 9h-16h30 oct-fév ; 39) promet un magnifique panorama, bien mérité après l'ascension des éprouvantes **Filbert St Steps**. De la plateforme, vous découvrirez un panorama à 360° du centre-ville. Dans le hall, des peintures murales des années 1930 glorifient les travailleurs de San Francisco ; jadis taxées de communistes, ce sont aujourd'hui des œuvres admirées. Pour découvrir les fresques cachées dans la cage d'escalier, suivez la visite guidée gratuite le samedi à 11h.

# Alcatraz

Réservez une place de ferry au Pier 33 et traversez les 2,5 km de baie qui vous séparent de l'ancienne prison la plus célèbre des États-Unis. La traversée offre une vue magnifique sur la ville. Une fois sur le **quai** 1, rejoignez, à pied – ou en petit train (toutes les 30 min) si vous n'êtes pas en état –, le sommet de l'île et la prison, à 500 m environ de là.

À mesure de votre ascension jusqu'au **Guardhouse** 2 (corps de garde), observez les versants escarpés de l'île : avant d'être une prison, Alcatraz était un fort. Dans les années 1850, les militaires taillèrent les côtes rocheuses en falaises à pic. Les navires ne pouvaient amarrer qu'à un seul quai, séparé des bâtiments principaux par un port surveillé (avec pont-levis et fossés dans ce qui est devenu le corps de garde). À l'intérieur, la prison d'origine.

L'**Officer's Row Gardens** 3 (jardins du quartier des officiers), très bien tenu, contraste avec les rosiers touffus qui entourent la carcasse incendiée de la **Warden's House** 4 (maison du directeur). Près de l'entrée principale de la **Main Cellhouse** 5 (prison principale), de superbes vues se déploient sur le **Golden Gate Bridge** 6. Ne manquez pas **les graffitis et inscriptions historiques** 7 avant de pénétrer dans la prison, où vous découvrirez la **cellule de Frank Morris** 8, le plus célèbre évadé d'Alcatraz.

## À SAVOIR

➡ Pour les visites audioguidées en journée (p. 140), réservez au moins deux semaines à l'avance ; plus tôt encore pour les visites de nuit avec guide. Pour les visites du jardin, consultez le site www.alcatrazgardens.org.

➡ Préparez-vous à marcher ; un sentier escarpé mène à la prison. Comptez 2-3 heures sur l'île. Réservation nécessaire à l'aller mais pas au retour pour les ferries.

➡ Eau en vente sur place ; vous pouvez emporter vos provisions. Il n'est autorisé de pique-niquer qu'au débarcadère. Le temps change vite et il y a souvent beaucoup de vent.

JOHN A VLAHIDES ©

**Graffitis et inscriptions historiques**
Durant l'occupation de 1969-1971, les Amérindiens ont laissé des inscriptions sur le château d'eau : "Foyer du territoire indien libre". Au-dessus de l'entrée de la prison, vous verrez le blason arborant un aigle et le drapeau dont les rayures rouges et blanches ont été modifiées pour former le mot "Free" (libre).

**Warden's House (maison du directeur)**
Pendant l'occupation indienne, des incendies détruisirent divers bâtiments, dont la maison du directeur. Le gouvernement accusa les Amérindiens qui, de leur côté, accusèrent des agents provocateurs agissant sur les ordres de l'administration Nixon pour saper la sympathie du public.

**Parade Grounds (place d'Armes)**

DAVID CLAPP / GETTY IMAGES ©

**Quai des ferries**
Un plan géant, sur le mur, permet de vous repérer. À l'intérieur du bâtiment 64 adjacent, de courts films et des expositions relatent l'histoire de la prison et détaillent l'épisode de l'occupation amérindienne.

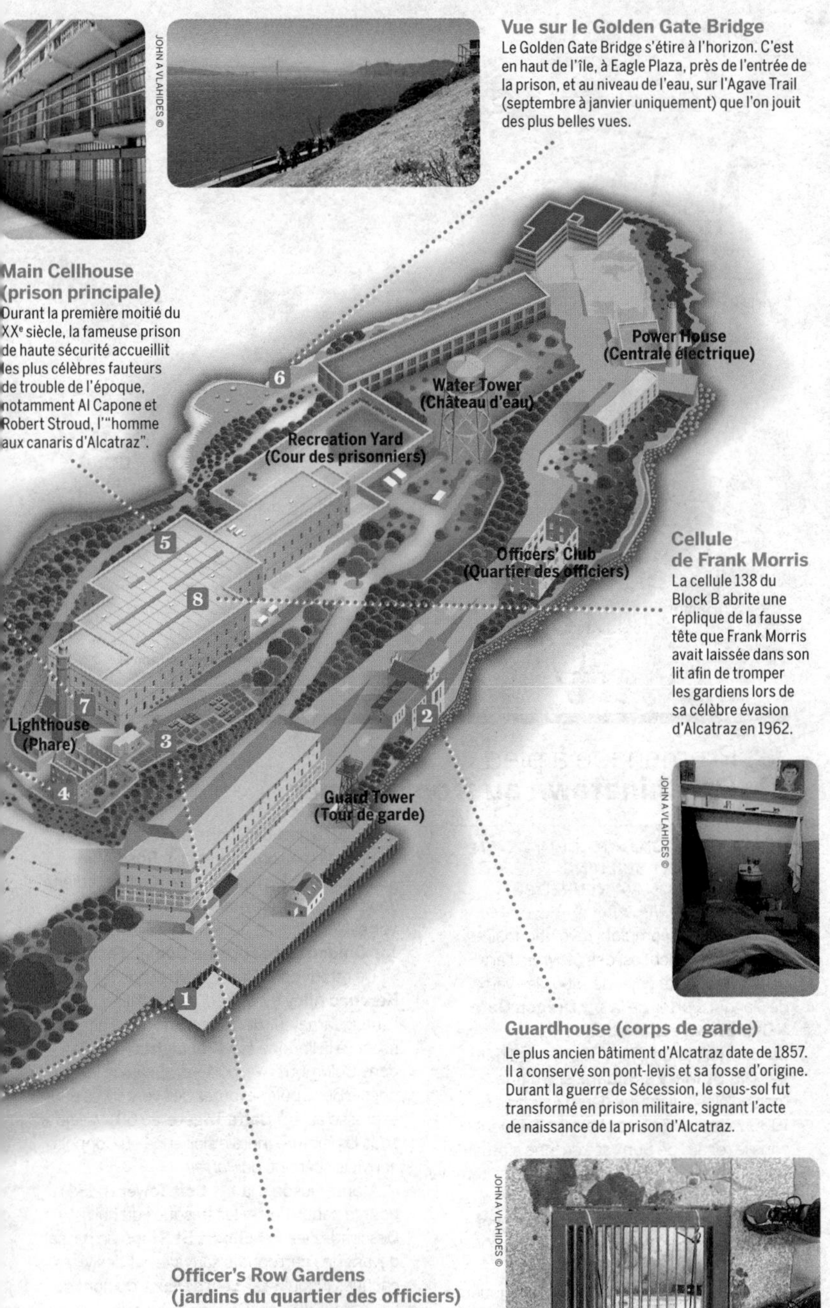


JOHN A VLAHIDES ©

### Vue sur le Golden Gate Bridge

Le Golden Gate Bridge s'étire à l'horizon. C'est en haut de l'île, à Eagle Plaza, près de l'entrée de la prison, et au niveau de l'eau, sur l'Agave Trail (septembre à janvier uniquement) que l'on jouit des plus belles vues.

### Main Cellhouse (prison principale)

Durant la première moitié du XXe siècle, la fameuse prison de haute sécurité accueillit les plus célèbres fauteurs de trouble de l'époque, notamment Al Capone et Robert Stroud, l'"homme aux canaris d'Alcatraz".

### Cellule de Frank Morris

La cellule 138 du Block B abrite une réplique de la fausse tête que Frank Morris avait laissée dans son lit afin de tromper les gardiens lors de sa célèbre évasion d'Alcatraz en 1962.

JOHN A VLAHIDES ©

### Guardhouse (corps de garde)

Le plus ancien bâtiment d'Alcatraz date de 1857. Il a conservé son pont-levis et sa fosse d'origine. Durant la guerre de Sécession, le sous-sol fut transformé en prison militaire, signant l'acte de naissance de la prison d'Alcatraz.

JOHN A VLAHIDES ©

### Officer's Row Gardens (jardins du quartier des officiers)

Au XIXe siècle, des soldats importèrent de la terre pour embellir l'île par des jardins. Des détenus "de confiance" furent plus tard embauchés pour entretenir les jardins. Elliott Michener affirmait, par exemple, que cela lui permettait de garder l'esprit "sain".

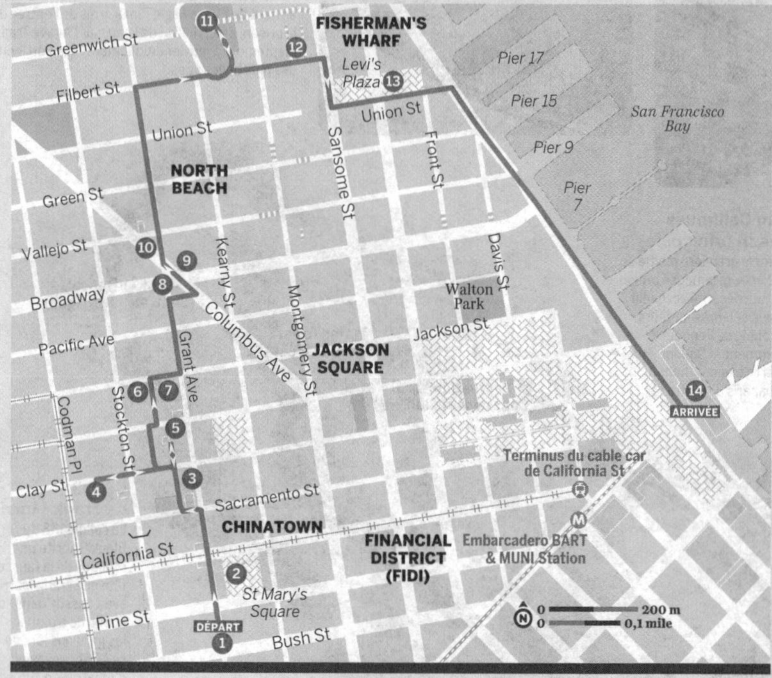


# Promenade à pied
# De Chinatown au front de mer

**DÉPART** DRAGON GATE, CHINATOWN
**ARRIVÉE** FERRY BUILDING
**DISTANCE** 2,9 KM (4 HEURES 30)

Découvrez des complots révolutionnaires, des fortunes cachées, des œuvres d'art controversées et déjeunez sous les yeux de Gandhi. Partez de la 1 **Dragon Gate à Chinatown** et passez sous les lampes de dragon dorées de Grant St pour rejoindre 2 **Old St Mary's Square**, site d'une maison close disparue dans l'incendie de 1906. Aujourd'hui, des skateurs évoluent sous le regard de Sun Yat-sen, une statue de Beniamino Bufano de 1929. Longez les temples de 3 **Waverly Place**, puis gagnez le musée de la 4 **Chinese Historical Society of America** (p. 129), dans le majestueux YWCA de Chinatown, œuvre de Julia Morgan.

Prenez 5 **Spofford Alley**, où les joueurs de mahjong côtoient orchestres chinois et coiffeurs – difficile de croire que les bootleggers de la Prohibition s'y affrontèrent, et que Sun Yat-sen prépara au n°36 le renversement de la dernière dynastie chinoise en 1911. Autrefois bordée de maisons closes, 6 **Ross Alley** apparaît dans les films *Karate Kid II* et *Indiana Jones et le Temple maudit*. Au n°56, lisez votre avenir, caché dans un biscuit chaud de la 7 **Golden Gate Fortune Cookie Factory**.

De retour dans Grant, coupez par 8 **Jack Kerouac Alley** (p. 130), où échouait souvent l'auteur, amateur de boissons fortes. Faites escale à la librairie 9 **City Lights** (p. 152), dans Columbus Ave, porte-drapeau de la poésie Beat, puis savourez des vers libres et un expresso au 10 **Caffe Trieste**, au 601 Vallejo St, sous la peinture murale sicilienne où Coppola écrivit le scénario du *Parrain*.

Montez jusqu'à la 11 **Coit Tower** (p 135) pour le panorama et les fresques du hall. Descendez les 12 **Filbert St Steps** en passant devant des perroquets sauvages et des villas cachées jusqu'à 13 **Levi's Plaza**, du nom de l'inventeur du jean. Continuez tout droit jusqu'à l'Embarcadero et le 14 **Ferry Building** (p. 129) pour un déjeuner au bord de la baie, sous le regard d'un Gandhi en bronze.

**Haight et Ashbury** SITE REMARQUABLE
(🚌6, 33, 37, 43, 71). La légendaire intersection psychédélique des années 1960 reste un aimant de la contre-culture, où l'on peut signer des pétitions du Green Party, commander des poèmes, écouter Hare Krishna au clavier et Bob Dylan au banjo. L'horloge indique 16h20 – référence au 420, symbole international des amateurs d'herbe.

## Golden Gate Park et ses environs

San Francisco était en avance sur son époque en 1865, quand la municipalité vota la transformation de 400 ha de dunes de sable en l'espace vert urbain le plus grand au monde, le **Golden Gate Park**. L'architecte du parc William Hammond Hall préféra se consacrer à cette réserve naturelle plutôt qu'à des hôtels et des casinos. Le parc s'arrête à **Ocean Beach** (carte p. 130 ; ☎415-561-4323 ; www.parksconservancy.org ; Great Hwy ; ⏲aube-crépuscule ; 🚌5, 18, 31, ⓂN), où le restaurant **Cliff House** domine les splendides ruines des **Sutro Baths** (carte p. 130 ; www.nps.gov/goga/historyculture/sutro-baths.htm ; Point Lobos Ave ; ⏲aube-crépuscule ; Visitor Center 9h-17h ; Ⓟ ; 🚌5, 31, 38) 🍃 GRATUIT. Suivez le sentier partiellement bitumé autour de **Lands End** pour voir des épaves et le Golden Gate Bridge.

**California Academy of Sciences** MUSÉE
(☎415-379-8000 ; www.calacademy.org ; 55 Music Concourse Dr ; adulte/enfant 35/25 $, réduction 3 $ avec billet Muni ; ⏲9h30-17h lun-sam, 11h-17h dim ; 👪 ; 🚌5, 6, 31, 33, 44, 71, ⓂN). 🍃 Édifice écologique de l'architecte Renzo Piano, l'Académie des sciences abrite 38 000 animaux étranges et merveilleux, une forêt tropicale sur 4 étages et un aquarium, le tout sous une toiture végétalisée à base de fleurs sauvages californiennes. Quand les pingouins s'assoupissent commence la soirée Pyjama réservée aux enfants, et les Nuits du jeudi pout les plus de 21 ans.

**MH de Young Museum** MUSÉE
(☎415-750-3600 ; www.famsf.org/deyoung ; 50 Hagiwara Tea Garden Dr ; adulte/enfant 10/6 $, réduction 2 $ avec billet Muni, 1er mar du mois gratuit, frais de réservation en ligne 1 $ par billet ; ⏲9h30-17h15 mar-dim, 9h30-20h45 ven mi-jan à nov ; 🚌5, 44, 71, ⓂN). Suivez la ligne de faille du sculpteur Andy Goldsworthy le long du trottoir jusqu'à l'élégant bâtiment recouvert de cuivre de Herzog & de Meuron, et élargissez votre horizon artistique en passant des masques de cérémonie d'Océanie aux cathédrales d'Al Farrow construites avec des balles de fusil.

### LES QUARTIERS DE SAN FRANCISCO

**North Beach**. Poésie et perroquets, terrasses de café et restaurants italiens.

**Fisherman's Wharf**. Joyeuses otaries, jeux vidéo vintage, expéditions à Alcatraz.

**Downtown (centre-ville) et Financial District**. Boutiques de luxe et bistrots de chef, vernissages et soldes.

**Chinatown**. Pagodes, *dim sum* et fortunes trouvées et perdues dans des ruelles historiques.

**Hayes Valley et Civic Center**. Bâtiments grandioses et spectacles inoubliables, trouvailles gastronomiques et créateurs locaux.

**Tenderloin**. Théâtres, Skid Row, bars de quartier et restaurants de nouilles.

**SoMa**. La haute technologie rencontre le grand art, et tout le monde se retrouve sur les dancefloors.

**Mission**. Un livre dans une main, un *burrito* dans l'autre, et des fresques partout.

**Castro**. Samba, drapeaux arc-en-ciel et culture LGBT.

**Haight**. Flashbacks années 1960, mode alternative, musique gratuite et skateboards coûteux.

**Japantown et Fillmore**. Sushis, shopping et rock au Fillmore.

**Marina et Presidio**. Boutiques, cuisine bio, nature et naturisme dans une ancienne base militaire.

**Golden Gate Park et ses environs**. Le grand coin de nature de San Francisco, entouré de restaurants de surfeurs gastronomes.

**À NE PAS MANQUER**

**ALCATRAZ**

Pendant 150 ans, **Alcatraz** (carte p. 130 et p. 136 ; ☎Alcatraz Cruises 415-981-7625 ; www.alcatrazcruises.com ; visites journée adulte/enfant/famille 30/18/92 $, visites nuit adulte/enfant 37/22 $ ; ⏲centre d'appels 8h-19h, départ des ferries du Pier 33 toutes les 30 min 9h-15h55, visites nuit 18h10 et 18h45) fut la première prison militaire du pays, un pénitencier de haute sécurité pour les criminels les plus dangereux comme Al Capone, et un territoire amérindien très disputé. Aucun prisonnier ne s'échappa vivant d'Alcatraz, mais les gardiens et le ravitaillement coûtant très cher, la prison fut fermée en 1963.

Dans la journée, les visites comprennent, outre la croisière aller-retour, de captivants audioguides, avec des prisonniers et des gardiens racontant la vie sur "le Rocher", tandis que les visites de nuit sont conduites par un ranger du parc ; réservez au moins deux semaines à l'avance.



**Legion of Honor** MUSÉE
(carte p. 130 ; ☎415-750-3600 ; http://legionofhonor.famsf.org ; 100 34th Ave ; adulte/enfant 10/6 $, réduction 2 $ avec le billet Muni, 1er mar du mois gratuit ; ⏲9h30-17h15 mar-dim ; ♿ ; 🚌1, 18, 38). Musée excentrique et éclairant, tout à fait dans le ton de San Francisco. La collection, très éclectique, se promène des *Nymphéas* de Monet aux paysages sonores de John Cage, en passant par des ivoires irakiens et des dessins de Robert Crumb.

**Conservatory of Flowers** SITE NATUREL
(☎infos 415-831-2090 ; www.conservatoryofflowers.org ; 100 John F Kennedy Dr ; adulte/enfant 7/5 $ ; ⏲10h-16h30 mar-dim ; 🚌71, Ⓜ N). Récemment restaurée, cette serre victorienne de 1878 renferme de somptueuses orchidées, des nénuphars et des plantes carnivores.

**Japanese Tea Garden** JARDIN
(☎réservations cérémonie du thé 415-752-1171 ; www.japaneseteagardensf.com ; 75 Hagiwara Tea Garden Dr ; adulte/enfant 7/5 , avant 10h lun, mer et ven gratuit ; ⏲9h-18h mars-oct, 9h-16h45 nov-fév ; 🚌5, 44, 71, Ⓜ N). Depuis 1894, ce beau jardin de 2 ha, doté d'un bosquet de bonsaïs, rosit au printemps lors de la floraison des cerisiers et vire au rouge flamboyant en automne grâce aux feuilles des érables. Le temps semble s'être arrêté dans le jardin zen.

**San Francisco Botanical Garden** JARDIN
(Strybing Arboretum ; ☎415-661-1316 ; www.strybing.org ; 1199 9th Ave ; adulte/enfant 7/5 $, 2e mar du mois gratuit ; ⏲9h-18h avr-oct, 9h-17h nov-mars, librairie 10h-16h ; ♿ ; 🚌6, 43, 44, 71, Ⓜ N). Savourez les senteurs du monde dans ce jardin de 22 ha. Tout pousse ou presque dans le microclimat du Golden Gate Park, des herbes de la savane africaine aux magnolias japonais.

## San Francisco Bay

**♥ Golden Gate Bridge** PONT
(carte p. 130 ; www.goldengatebridge.org/visitors ; près de Lincoln Blvd ; gratuit vers le nord, 6 $ vers le sud ; 🚌28, tous les bus Golden Gate Transit). La marine faillit préférer des pylônes de béton à rayures jaunes au pont suspendu de San Francisco. L'ingénieur Joseph B. Strauss, les architectes Gertrude et Irving Murrow et des ouvriers intrépides créèrent en 1937 cet emblème orange de réputation internationale. Le péage pour le sud facture automatiquement grâce à votre plaque. Détails sur www.goldengate.org/tolls.

## Activités

**♥ Kabuki Springs & Spa** SPA
(carte p. 132 ; ☎415-922-6000 ; www.kabukisprings.com ; 1750 Geary Blvd ; 25 $ ; ⏲10h-21h45, mixte mar, femmes mer, ven et dim, hommes lun, jeu et sam ; 🚌22, 38). Gommage au sel dans le hammam, bassin chaud, bassin froid et sauna. Le silence invite à la méditation – un coup de gong signifie qu'il faut baisser d'un ton !

**♥ 18 Reasons** CUISINE
(☎415-568-2710 ; www.18reasons.org ; 3674 18th St ; cours et événements 5-35 $ ; ⏲variables ; ♿ ; 🚌22, 33, Ⓜ J). Apprendre avec délice : dégustation de shochu, maniement du couteau, fabrication de fromage et cours de cuisine californienne. Souper ouvert aux familles le mercredi soir et happy hour le jeudi.

**Blazing Saddles** VÉLO
(carte p. 132 ; ☎415-202-8888 ; www.blazingsaddles.com ; 2715 Hyde St ; location de vélo 8-15 $/heure, 32-88 $/jour ; vélos électriques 48-88 $/jour ; ⏲8h-19h30 ; ♿ ; 🚋Powell-Hyde). Ce prestataire loue des vélos électriques, avec sacs et tendeurs, commodes pour parcourir l'Embarcadero ou le Golden Gate Bridge. Retour possible 24h/24.

**À NE PAS MANQUER**

**JAPANTOWN ET PACIFIC HEIGHTS**

Au-dessus de chaque comptoir de sushis de Japantown, un *maneki neko*, un chat en porcelaine, lève une patte en signe de bienvenue : vous êtes invité à faire du shopping chez New People (p. 152), à vous détendre avec un massage shiatsu au Kabuki Springs & Spa (p. 140), à assister à un spectacle garanti écologique au Sundance Kabuki Cinema (p. 151), à écouter un concert de jazz de classe internationale au Yoshi's (p. 150) ou des sessions de rock endiablé au Fillmore (p. 149).

## Circuits organisés

**Precita Eyes Mission Mural Tours** CIRCUITS
(☎415-285-2287 ; www.precitaeyes.org ; adulte 15-20 $, enfant 5 $ ; ⏲calendrier des visites sur Internet ; 👪). Des muralistes proposent des circuits de deux heures à pied ou à vélo pour découvrir 60 à 70 fresques dans un rayon de 6 à 10 blocs le long de Balmy Alley. Les bénéfices financent l'entretien des fresques de cette association artistique à but non lucratif.

**Chinatown Alleyway Tours** CIRCUITS
(☎415-984-1478 ; www.chinatownalleywaytours.org ; tarif plein/étudiant 18/12 $ ; ⏲11h sam-dim ; 👪). Des adolescents du quartier guident, pour une association communautaire à but non lucratif, des promenades de 2 heures qui explorent le passé de Chinatown (quand le temps le permet). Réservez 5 jours à l'avance ou payez le double le samedi sans réservation ; paiement en espèces uniquement.

**Oceanic Society Expeditions** CIRCUITS
(☎415-474-3385 ; www.oceanicsociety.org ; 3950 Scott St ; observation des baleines 120-125 $/pers ; ⏲bureau 8h30-17h lun-ven, expéditions sam-dim ; 🚌30). Expéditions en bateau le week-end, guidées par des naturalistes au départ de Yacht Harbor. À partir de 10 ans. Sur réservation.

**Public Library City Guides** CIRCUITS
(www.sfcityguides.org ; don/pourboires appréciés). GRATUIT Circuits par quartiers et par thèmes organisés par des historiens locaux bénévoles : ruée vers l'or, secrets de Fisherman's Wharf, l'escalier de Telegraph Hill, etc.

## Fêtes et festivals

**Défilé du Nouvel An chinois** CULTURE
(www.chineseparade.com ; ⏲fév). Poursuivez un dragon de 60 m, admirez les lions danseurs et les bambins des cours de kung-fu lors du défilé dans Chinatown.

**SF International Film Festival** FILM
(www.sffs.org ; ⏲avr). Les stars défilent et les réalisateurs présentent des avant-premières lors du plus ancien festival de cinéma du pays.

**Bay to Breakers** SPORT
(www.baytobreakers.com ; inscription 58-90 $ ; ⏲mai). Courez habillé ou tout nu d'Embarcadero à Ocean Beach le 3e dimanche de mai, tandis que des joggeurs déguisés en saumon courent en sens inverse.

**Carnaval** CULTURE
(www.carnavalsf.com ; ⏲mai). Déguisez-vous pour fêter le carnaval à Mission, le dernier week-end de mai.

**SF Pride Celebration** CULTURE
(⏲juin). Un jour ne suffit pas pour célébrer la fierté homosexuelle de San Francisco : juin commence par l'**International LGBT Film Festival** (www.frameline.org) et se termine en beauté le dernier week-end avec la **Dyke March** (www.dykemarch.org) du Samedi rose et la joyeuse **Pride Parade** (www.sfpride.org), qui attire des foules.

**Folsom Street Fair** FÊTE DE RUE
(www.folsomstreetfair.com ; ⏲sept). Sortez les cuirs et laissez-vous fesser en public (pour la bonne cause) lors de ce festival de bondage réservé aux adultes. Le dernier week-end de septembre.

**Hardly Strictly Bluegrass** MUSIQUE
(www.strictlybluegrass.com ; ⏲oct). San Francisco célèbre ses racines avec 3 jours de concerts gratuits au Golden Gate Park début octobre et des vedettes allant d'Elvis Costello à Gillian Welch.

**Litquake** LITTÉRATURE
(www.litquake.com ; ⏲sept). Dédicaces et rencontres avec des auteurs autour d'un verre.

**Green Festival** CULTURE
(www.greenfestivals.org ; ⏲mi-nov). Sous le feu des projecteurs (à économie d'énergie bien sûr), cuisine, technologies, mode et alcool écologiques sont à l'honneur pendant trois jours à la mi-novembre.

## SAN FRANCISCO AVEC DES ENFANTS

Bien que le pourcentage d'enfants par habitant y soit plus faible que dans toute autre ville des États-Unis, San Francisco offre d'innombrables distractions pour les petits, dont le Golden Gate Park, l'Exploratorium, la California Academy of Sciences, le Cartoon Art Museum et le Musée Mécanique. **American Child Care** (415-285-2300 ; www.americanchildcare.com ; 580 California St, Suite 1600) facture 20 $ l'heure de baby-sitting plus pourboire, avec un minimum de 4 heures.

Au **Children's Creativity Museum** (carte p. 132 ; 415-820-3320 ; www.zeum.org ; 221 4th St ; 11 $ ; 10h-16h mer-dim sept-mai, mar-dim juin-août ; ; M Powell, B Powell), la technologie est à la portée de tous : robots, jeux vidéo, clips à réaliser soi-même et ateliers d'animation en 3D avec des créatifs de la Silicon Valley.

À l'**Aquarium of the Bay** (carte p. 132 ; www.aquariumofthebay.com ; Pier 39 ; adulte/enfant/famille 18/10/50 $ ; 9h-20h en été, 10h-18h en hiver ; ; 49, Powell-Mason, M F), parcourez des tunnels de verre sous-marins sur des tapis roulants, tandis que des requins nagent au-dessus de votre tête.

Les **Fire Engine Tours** (carte p. 132 ; 415-333-7077 ; www.fireenginetours.com ; départ Beach St et Cannery ; adulte/enfant 50/30 $ ; départ des circuits 9h, 11h, 13h, 15h) propose un trajet de 1 heure 15 dans un ancien camion de pompiers à ciel ouvert sur le Golden Gate Bridge.

## Où se loger

C'est à San Francisco qu'est né le concept de boutique-hôtel. Ces établissements proposent des chambres chics entre 120 et 200 $ en catégorie moyenne, plus 15,5% de taxe hôtelière (sauf en auberge de jeunesse) et un parking entre 35 et 50 $ la nuit. Pour les disponibilités et les promotions, consultez le service réservations du San Francisco Visitor Information Center (p. 153) et **Bed & Breakfast San Francisco** (415-899-0060 ; www.bbsf.com).

### Union Square et Civic Center

**Orchard Garden Hotel** BOUTIQUE-HÔTEL **$$**
(carte p. 132 ; 888-717-2881, 415-399-9807 ; www.theorchardgardenhotel.com ; 466 Bush St ; ch 189-259 $ ; ; 2, 3, 30, 45, B Montgomery). Le premier hôtel entièrement écologique de San Francisco utilise du bois de plantations durables, des produits d'entretien naturels et des tissus de luxe recyclés dans des chambres au calme apaisant. Ne manquez pas la terrasse du toit.

**Hotel Rex** BOUTIQUE-HÔTEL **$$**
(carte p. 132 ; 415-433-4434, 800-433-4434 ; www.jdvhotels.com ; 562 Sutter St ; ch 159-229 $ ; ; Powell-Hyde, Powell-Mason, M Powell, B Powell). Ambiance new-yorkaise des années 1920 et belles chambres décorées d'abat-jour peints à la main et d'œuvres d'art locales. Les lits somptueux sont parés de linge de qualité et d'oreillers de plumes. Les chambres sur la rue sont lumineuses mais bruyantes. Demandez la climatisation.

**Hotel Triton** BOUTIQUE-HÔTEL **$$**
(carte p. 132 ; 800-800-1299, 415-394-0500 ; www.hoteltriton.com ; 342 Grant Ave ; ch 175-275 $, ste 350 $ ; ; M Montgomery, B Montgomery). Le hall coloré façon comics donne accès à des chambres tendance aux détails très San Francisco – comme du papier peint au motif du *Sur la route* de Kerouac. Détails écologiques, lits confortables et glaces à volonté. Verre de vin offert en fin d'après-midi avec lecture des tarots et massages...

**Hotel Zetta** HÔTEL **$$**
(carte p. 132 ; 855-212-4187, 415-543-8555 ; www.hotelzetta.com ; 55 5th St ; ch 189-249 $ ; ; B Powell St, M Powell St). Cet établissement éco-responsable ouvert en 2013 attire les amateurs de technologie dernier cri. Billard, table de palets et Plinko surdimensionné (jeu le plus populaire de l'émission *The Price is Right*, version américaine et d'origine du *Juste Prix* français) sont installés au-dessus du hall décoré d'œuvres d'art. Grandes chambres aux têtes de lit en cuir noir, lits sur plateforme et écrans plats avec accès Internet.

**Golden Gate Hotel** HÔTEL **$$**
(carte p. 132 ; 800-835-1118, 415-392-3702 ; www.goldengatehotel.com ; 775 Bush St ; ch avec/sans sdb 175/115 $ ; ; 2, 3, Powell-Hyde, Powell-Mason). Les sympathiques

propriétaires et l'ameublement dépareillé donnent à cet hôtel édouardien de 1913 des allures de vénérable pension. Petites chambres confortables, avec sdb privatives pour la plupart. Les cookies maison et le chat créent une ambiance familiale.

**Hotel Abri** HÔTEL $$
(carte p.132 ; 415-392-8800, 888-229-0677 ; www.hotelabrisf.com ; 127 Ellis St ; ch 169-249 $ ; ; M Powell, B Powell). Le contemporain-chic se décline ici dans les tons marron et noir, avec lits surélevés et oreillers de plume, stations d'accueil pour iPod, écrans plats et grands bureaux. Seules quelques sdb disposent d'une baignoire, mais les douches à effet pluie compensent.

**Hotel des Arts** HÔTEL ARTY $$
(carte p.132 ; 800-956-4322, 415-956-3232 ; www.sfhoteldesarts.com ; 447 Bush St ; ch avec sdb 119-159 $, sans sdb 79-99 $ ; ; M Montgomery, B Montgomery). Cet hôtel économique pour amateurs d'art est orné de fresques fascinantes réalisées par des artistes underground. Inconvénients : draps fins, bruit et séjour 7 nuits minimum pour les chambres avec sdb.

**Hotel Monaco** BOUTIQUE-HÔTEL $$
(carte p.132 ; 415-292-0100, 866-622-5284 ; www.monaco-sf.com ; 501 Geary St ; ch 179-269 $ ; ; 38, Powell-Hyde, Powell-Mason). Hôtel agréable proposant des chambres colorées, des draps de qualité, des espaces de travail ergonomiques et de grands placards. Parmi les plus : le spa avec Jacuzzi, la salle de gym, un verre de vin en soirée et des vélos.

## Financial District et North Beach

**San Remo Hotel** HÔTEL $
(carte p.132 ; 800-352-7366, 415-776-8688 ; www.sanremohotel.com ; 2237 Mason St ; d sdb commune 79-129 $ ; ; 30, 47, Powell-Mason). Cette charmante auberge de 1906, au mobilier d'époque, est une des adresses les plus avantageuses de la ville. Les chambres les moins chères donnent sur le couloir, et les suites familiales accueillent jusqu'à 5 personnes. Pas d'ascenseur.

**Pacific Tradewinds Hostel** AUBERGE DE JEUNESSE $
(carte p.132 ; 888-734-6783, 415-433-7970 ; www.sanfranciscohostel.org ; 680 Sacramento St ; dort 30 $ ; ; 1, California St, B Montgomery). L'auberge de jeunesse la plus élégante de San Francisco (dortoirs uniquement) décline un thème marin bleu et blanc. Cuisine tout équipée, douches impeccables en briques de verre, pas de couvre-feu, service parfait. Au troisième étage sans ascenseur.

**Hotel Bohème** BOUTIQUE-HÔTEL $$
(carte p.132 ; 415-433-9111 ; www.hotelboheme.com ; 444 Columbus Ave ; ch 174-224 $ ; ; 10, 12, 30, 41, 45). Hommage à l'époque Beat, avec des tons orange, noir et vert évoquant les années 1950, des lampes à abat-jour et des photos vintage. Les chambres sont petites et certaines font face à la bruyante Columbus Ave, mais on est au cœur de l'animation de North Beach.

**Hotel Vitale** BOUTIQUE-HÔTEL $$$
(carte p.132 ; 888-890-8688, 415-278-3700 ; www.hotelvitale.com ; 8 Mission St ; ch à partir de 255 $ ; ; M Embarcadero, B Embarcadero). Hôtel tendance derrière des vitres teintées, aux équipements luxueux : draps soyeux, spa et Jacuzzis sur le toit. Certaines chambres ont une vue magnifique sur le pont.

## Fisherman's Wharf et Marina

**HI San Francisco Fisherman's Wharf** AUBERGE DE JEUNESSE $
(carte p.132 ; 415-771-7277 ; www.sfhostels.com ; Bldg 240, Fort Mason ; dort petit-déj compris 30-40 $, ch 65-100 $ ; P ; 28, 30, 47, 49). Cet ancien hôpital militaire, doté d'une immense cuisine, loue des chambres privatives et des dortoirs (parfois mixtes) de 4 à 22 lits à un prix intéressant. Il n'y a pas de chauffage en journée : prévoyez des vêtements chauds. Parking gratuit limité. Pas de couvre-feu.

**Hotel del Sol** MOTEL $$
(415-921-5520, 877-433-5765 ; www.thehoteldelsol.com ; 3100 Webster St ; d $189-269 ; P ; 22, 28, 30, 43). Motel chic (adapté aux enfants) sur le thème tropical des années 1950, avec cour bordée de palmiers et piscine extérieure chauffée. Les suites familiales ont des lits gigognes et des jeux de société. Parking gratuit.

**Tuscan Inn** BOUTIQUE-HÔTEL $$
(carte p.132 ; 800-648-4626, 415-561-1100 ; www.tuscaninn.com ; 425 North Point St ; ch 169-299 $ ; ; 47, Powell-Mason, M F). Établissement de la chaîne tendance

Kimpton, louant de vastes chambres à la vraie personnalité. Nintendo pour les enfants, vin en fin d'après-midi pour les parents.

**Marina Motel** MOTEL **$$**
(☎800-346-6118, 415-921-9406 ; www.marinamotel.com ; 2576 Lombard St ; ch 139-199 $ ; P 📶 🐾 ; 🚌28, 30, 41, 43, 45). Hôtel vintage de 1939 au look espagnol, orné d'une cour fleurie de bougainvillées. Des chambres chaleureuses et bien entretenues, parfois avec cuisine (supplément 10-20 $).

♥ **Argonaut Hotel** BOUTIQUE-HÔTEL **$$$**
(carte p. 132 ; ☎866-415-0704, 415-563-0800 ; www.argonauthotel.com ; 495 Jefferson St ; ch 205-325 $, avec vue 305-550 $ ; ❄ 📶 👪 🐾 ; 🚌19, 47, 49, 🚋Powell-Hyde). 🍃 Ancienne conserverie bâtie en 1908, la meilleure auberge de Fisherman's Wharf joue sur les poutres et les briques apparentes, et sur le thème nautique, miroirs en forme de hublots compris. Lits ultraconfortables, stations pour iPod. Certaines chambres sont minuscules et peu lumineuses – magnifique vue sur la baie avec supplément.

## Mission

**Inn San Francisco** B&B **$$**
(☎415-641-0188, 800-359-0913 ; www.innsf.com ; 943 S Van Ness Ave ; ch petit-déj compris 185-295 $, sdb commune 135-185, cottage 325-385 $ ; P @ 📶 ; 🚌14, 49). 🍃 Demeure victorienne italianisante de 1872 parfaitement entretenue, dotée d'antiquités, de fleurs fraîches et de lits de plumes moelleux. Baignoires-Jacuzzi dans certaines chambres. Jardin anglais et Jacuzzi en séquoia dehors. Parking limité (pensez à réserver). Pas d'ascenseur.

## Castro

**Parker Guest House** B&B **$$**
(☎888-520-7275, 415-621-3222 ; www.parkerguesthouse.com ; 520 Church St ; ch petit-déj compris 159-269 $ ; @ 📶 ; 🚌33, Ⓜ J). Le plus majestueux des établissements gays du Castro occupe deux demeures édouardiennes mitoyennes partageant un jardin et un sauna. Lits confortables et couettes en plumes, sdb étincelantes. Pas d'ascenseur.

## Haight

**Metro Hotel** HÔTEL **$**
(☎415-861-5364 ; www.metrohotelsf.com ; 319 Divisadero St ; ch 88-138 $ ; @ 📶 ; 🚌6, 24, 71). Hôtel central du Haight, aux chambres propres et bon marché, avec sdb privative et patio fleuri. La pizzeria Ragazza (p. 147) occupe le rez-de-chaussée. Pas d'ascenseur.

**Red Victorian Bed, Breakfast & Art** B&B **$**
(☎415-864-1978 ; www.redvic.net ; 1665 Haight St ; ch petit-déj compris 159-189 $, sans sdb 99-139 $ ; 📶 ; 🚌33, 43, 71). 🍃 Les psychédéliques années 1960 revivent dans les chambres à thème – Sunshine, Flower Children, Summer of Love… – de cet hôtel victorien de 1904. Quatre seulement sur les 18 ont des sdb privatives, mais toutes comprennent le petit-déjeuner bio au Peace Café.

**Chateau Tivoli** B&B **$$**
(☎800-228-1647, 415-776-5462 ; www.chateautivoli.com ; 1057 Steiner St ; ch petit-déj compris 170-215 $, sans sdb 115-135 $, ste 275-300 $ ; 📶 ; 🚌5, 22). Ce glorieux château près d'Alamo Sq, qui vit passer Isadora Duncan et Mark Twain, ne manque pas de caractère, avec ses tourelles, corniches, boiseries et même, selon la rumeur, le fantôme d'une diva victorienne. Pas d'ascenseur, ni de TV.

# Où se restaurer

San Francisco possède 10 fois plus de restaurants par habitant que les autres villes américaines. La plupart des restaurants haut de gamme étant assez petits, il faut réserver. On peut manger sans se ruiner dans les *taquerias* de Mission, les restaurants de *dim sum* de Chinatown et les traiteurs de North Beach.

## SOMA, Union Square et Civic Center

**Saigon Sandwich Shop** VIETNAMIEN **$**
(carte p. 132 ; ☎415-474-5698 ; saigon-sandwich.com ; 560 Larkin St ; sandwichs 3,50 $ ; ⏲7h-17h ; 🚌19, 31). On attend sur le trottoir pour déguster des sandwichs baguette débordant de porc rôti, poulet, pâté, boulettes et/ou tofu, carottes marinées, coriandre, *jalapeño* et oignon.

**Brenda's French Soul Food** CALIFORNIEN, CRÉOLE **$$**
(carte p. 132 ; ☎415-345-8100 ; www.frenchsoulfood.com ; 652 Polk St ; plats déj 9-13 $, dîner 11-17 $ ; ⏲8h-15h lun-mar, 8h-22h mer-sam, 8h-20h dim ; 🚌19, 31, 38, 47, 49). La chef et propriétaire Brenda Buenviaje sert des classiques californiens-créoles : *Hangtown fry* (œufs, bacon

et huîtres frites), *po' boys* aux crevettes, poulet rôti au chou, gelée de piments et thé glacé à la pastèque.

**Rich Table** CALIFORNIEN $$$

(carte p. 132 ; ☎415-355-9085 ; http://richtablesf.com ; 199 Gough St ; repas 30-40 $ ; ⏲17h30-22h dim-jeu, 17h30-22h30 ven-sam ; 🚌5, 6, 21, 47, 49, 71, Ⓜ Van Ness). Dégustez une savoureuse soupe d'abricots à la pancetta et des cannellonis au lapin à la crème de capucine. Les chefs et propriétaires Sarah et Evan Rich inventent des plats californiens intéressants comme le Dirty Hippie : crémeuse panna cotta de chèvre surmontée de chanvre. Réservez 2 à 4 semaines à l'avance (appelez directement le restaurant).

**Sweet Woodruff** CAFÉ, CALIFORNIEN $$

(carte p. 132 ; ☎415-292-9090 ; www.sweetwoodruffsf.com ; 798 Sutter St ; plats 8-13 $ ; ⏲11h-21h45 ; 🚌2, 3, 27). Le petit frère de l'étoilé Sons & Daughters utilise des ingrédients régionaux et saisonniers dans ses petites assiettes, tels les piments de Padrón rôtis au fromage blanc, ou les oursins, pommes de terre au four et bacon. Pas de serveur ni de fourneau – juste un four, une plaque et de l'imagination.

**Zero Zero** PIZZA $$

(carte p. 132 ; ☎415-348-8800 ; www.zerozerosf.com ; 826 Folsom St ; pizzas 10-19 $ ; ⏲11h30-14h30 et 17h30-22h lun-jeu, 17h30-23h ven, 11h30-23h sam, 11h30-22h dim ; Ⓜ Powell, Ⓑ Powell). La farine "00" est celle utilisée pour les pizzas napolitaines, solide référence pour la pâte garnie ici de délices locales. La Geary mêle palourdes japonaises, bacon et piments, tandis que la populaire Castro met en vedette la saucisse maison.

**Benu** CALIFORNIEN, FUSION $$$

(carte p. 132 ; ☎415-685-4860 ; www.benusf.com ; 22 Hawthorne St ; plats 26-42 $ ; ⏲17h30-22h mar-sam ; 🚌10, 12, 14, 30, 45). Si San Francisco connaît la cuisine fusion depuis plus de 150 ans, rien ne rivalise avec le talent de Corey Lee (ex-chef de French Laundry, à Napa), qui mélange, dans un esprit écolo, plats de base et saveurs du bord du Pacifique avec la finesse d'un DJ de SoMa. Crabe de Dungeness et crème de truffes rehaussent ainsi la soupe aux faux ailerons de requin.

**Jardinière** CALIFORNIEN $$$

(carte p. 132 ; ☎415-861-5555 ; www.jardiniere.com ; 300 Grove St ; plats 19-37 $ ; ⏲17h-22h30 mar-sam, 17h-22h dim-lun ; 🚌5, 21, 47, 49, Ⓜ Van Ness). Le chef plusieurs fois primé Traci Des Jardins maîtrise l'art d'accommoder les légumes bio californiens, les viandes fermières et les poissons issus de la pêche responsable. Les tagliatelles maison sont rehaussées de moelle et les coquilles Saint-Jacques fondantes sont parées d'oursins. Le lundi, menu de trois plats avec vin à 49 $.

## Financial District, Chinatown et North Beach

**Liguria Bakery** BOULANGERIE $

(carte p. 132 ; ☎415-421-3786 ; 1700 Stockton St ; focaccia 4-5 $ ; ⏲8h-13h lun-ven, 7h-13h sam ; 🚌8X, 30, 39, 41, 45, 🚋Powell-Mason). Étudiants en art et grands-mères italiennes font la queue dès 8h pour déguster les *focaccie* cannelle-raisins secs sorties du four centenaire. À 9h, il reste les classiques à l'ail et au romarin, à 11h, plus grand-chose. Espèces uniquement.

**City View** CHINOIS $

(carte p. 132 ; ☎415-398-2838 ; 662 Commercial St ; plats 3-8 $ ; ⏲11h-14h30 lun-ven, à partir de 10h sam-dim ; 🚌8X, 10, 12, 30, 45, 🚋California St). Dans une salle à manger ensoleillée, des chariots véhiculent de délicates bouchées de crevettes et poireau, du brocoli chinois à l'ail, des travers de porc acidulés, du flan coco et autres appétissantes préparations chinoises.

**Cinecittà** PIZZA $

(carte p. 132 ; ☎415-291-8830 ; www.cinecittarestaurant.com ; 663 Union St ; pizza 12-15 $ ; ⏲12h-22h dim-jeu, 12h-23h ven-sam ; 🚌8X, 30, 39, 41, 45, 🚋Powell-Mason). Restaurant de 22 couverts servant de fines pizzas romaines, notamment la classique Travestere (mozzarella, roquette et *prosciutto*) et la napolitaine O Sole Mio (câpres, olives, mozzarella et anchois). Bières locales à la pression, vin de la maison à 5 $ de 15h à 19h, et le meilleur tiramisu de SF.

**Cotogna** ITALIEN $$

(carte p. 132 ; ☎415-775-8508 ; www.cotognasf.com ; 470 Pacific Ave ; plats 14-26 ; ⏲11h30-23h30 lun-sam, 11h30-14h30 et 17h-21h dim ; 🚌10, 12). Depuis que le chef Michael Tus a remporté le prix James Beard, ce restaurant rustique ne désemplit pas (tout comme son homologue plus chic le Quince). Pâtes merveilleuses, pizzas au feu de bois et viandes à la cuisson parfaite.

## CINQ DÉLICIEUSES RAISONS DE MANQUER LE FERRY

Plutôt que rater son bateau en s'attardant dans un restaurant quelconque, profitez des spécialités locales qu'offre le Ferry Building.

- Les prises du jour à l'**Hog Island Oyster Company** (carte p. 132 ; 415-391-7117 ; www.hogislandoysters.com ; 1 Ferry Bldg ; 6 huîtres 16-20 $ ; 11h30-20h lun-ven, 11h-18h sam-dim ; Embarcadero, Embarcadero), et des huîtres à 1 $ pendant l'happy hour.
- Des provisions pour un pique-nique raffiné au **marché fermier** (carte p. 132 ; 415-291-3276 ; www.cuesa.org ; 10h-14h mar et jeu, 8h-14h sam), tels les viandes de 4 505 Meats, les *tamales* de Donna et les tacos coréens de Namu Gaji.
- Les en-cas *nuevos* mexicains du chef primé Traci Des Jardins à **Mijita** (carte p. 132 ; 415-399-0814 ; www.mijitasf.com ; 1 Ferry Bldg ; plats 4-8 $ ; 10h-19h lun-jeu, 10h-20h ven-sam, 8h30-15h dim ; ; Embarcadero, Embarcadero).
- Burgers de bœuf et frites de patate douce au **Gott's Roadside** (carte p. 132 ; www.gotts.com ; 1 Ferry Bldg ; burgers 8-11 $ ; 10h30-22h ; ; Embarcadero, Embarcadero).
- Crabe de Dungeness sur des nouilles transparentes au **Slanted Door** (carte p. 132 ; 415-861-8032 ; www.slanteddoor.com ; 1 Ferry Bldg ; déj 15-28 $, dîner 19-42 $ ; 11h-14h30 et 17h30-22h lun-sam, 11h30-15h et 17h30-22h dim ; Embarcadero, Embarcadero), tenu par la famille de Charles Phan.

**Z & Y** CHINOIS $$

(carte p. 132 ; 415-981-8988 ; www.zandyrestaurant.com ; 655 Jackson St ; plats 9-18 $ ; 11h-22h lun-jeu, 11h-23h ven-dim ; 8X, Powell-Mason, Powell-Hyde). Sensationnelle cuisine du Sichuan : bouchées au porc épicées, haricots verts sautés, nouilles *tan tan* maison à la sauce arachide relevée, et poisson poché dans de l'huile pimentée et recouvert de piments du Sichuan. Venez tôt et soyez patient.

**Ristorante Ideale** ITALIEN $$

(carte p. 132 ; 415-391-4129 ; www.idealerestaurant.com ; 1315 Grant Ave ; pâtes 15-18 $ ; 17h30-22h30 lun-jeu, 17h30-23h ven-sam, 17h-22h dim ; 8X, 10, 12, 30, 41, 45, Powell-Mason). Le chef romain Maurizio Bruschi sert d'authentiques *bucatini ammatriciana* (pâtes tubulaires sauce tomates-pecorino et pancetta maison), des raviolis et des gnocchis faits main. Demandez au personnel toscan des conseils pour le vin abordable.

♥ **Coi** CALIFORNIEN $$$

(carte p. 132 ; 415-393-9000 ; www.coirestaurant.com ; 373 Broadway ; menu 175 $ ; 17h30-22h mer-sam ; P ; 8X, 30, 41, 45, Powell-Mason). Daniel Patterson, chef et propriétaire, propose un menu dégustation de 8 plats imaginatifs : des pétales colorés ornent la langue de canard chaude, et des ormeaux de Monterey Bay nagent dans une mer de pois germés. Un bonheur.

## Fisherman's Wharf et Marina

**Off the Grid** FOOD TRUCK $

(carte p. 132 ; www.offthegridsf.com ; plats 5-10 $ ; 17h-22h ven ; 22, 28). Trente *food trucks* s'installent à Fort Mason. Arrivez avant 18h30 pour éviter les 20 minutes de queue que méritent par ailleurs les sandwichs de Chairman Bao au canard et à la mangue, le poulet rôti fermier aux herbes de Roli Roti et les desserts de Crème Brûlée Man. Espèces uniquement.

**In-N-Out Burger** BURGERS $

(carte p. 132 ; 800-786-1000 ; www.in-n-out.com ; 333 Jefferson St ; repas moins de 10 $ ; 10h30-1h dim-jeu, 10h30-1h30 ven-sam ; ; 30, 47, Powell-Hyde). Bœuf savoureux haché sur place, frites et milk-shakes. Tentez le burger "animal style", cuit dans la moutarde et accompagné d'oignons grillés.

♥ **Greens** VÉGÉTARIEN, CALIFORNIEN $$

(carte p. 132 ; 415-771-6222 ; www.greensrestaurant.com ; Bldg A, Fort Mason Center, angle Marina Blvd et Laguna St ; déj 15-17 $, dîner 17-24 $ ; 11h45-14h30 et 17h30-21h mar-ven, à partir de 11h sam, 10h30-14h et 17h30-21h dim, 17h30-21h lun ; ; 28). Même les inconditionnels de viande n'en remarquent pas l'absence dans le chili à la crème fraîche et *jalapeños* marinés ni dans le panini aux aubergines rôties. Les ingrédients viennent d'une ferme bio et zen. Vente à emporter, réservez les week-ends en soirée ou pour le brunch du dimanche.

**Gary Danko** CALIFORNIEN $$$
(carte p. 132 ; ☎415-749-2060 ; www.garydanko.com ; 800 North Point St ; menu 3/5 plats 73/107 $ ; 17h30-22h ; 19, 30, 47, Powell-Hyde). Derrière les vitres fumées de cet établissement récompensé, dégustez homards rôtis aux pleurotes, aiguillettes de canard à la compote de rhubarbe, délicieux fromages et un trio de crèmes brûlées. Réservation nécessaire.

## Mission

**La Taqueria** MEXICAIN $
(☎415-285-7117 ; 2889 Mission St ; burritos 6-8 $ ; 11h-21h lun-sam, 11h-20h dim ; ; 12, 14, 48, 49, B 24th St Mission). Le parfait *burrito* de La Taqueria se contente de viande grillée à la perfection, de haricots mijotés et d'une sauce classique, *tomatillo* ou *mesquite*, dans une tortilla de blé. Légumes marinés relevés et *crema* (crème aigre mexicaine) complètent le tableau.

**Namu Gaji** CORÉEN, CALIFORNIEN $$
(☎415-431-6268 ; www.namusf.com ; 499 Dolores St ; petites assiettes 8-22 $ ; 11h30-22h mar-jeu, 11h30-23h ven-sam ; 22, 33, M J, B 16th St Mission). Cuisine d'inspiration coréenne tirant parti de tous les avantages de la Californie, des produits bio à la créativité de la Silicon Valley. Laissez-vous tenter par les exquises bouchées aux shiitakes, la langue de bœuf marinée ou le steak des Marin Sun Farms sur un riz brûlant, servi dans un bol en pierre.

**Commonwealth** CALIFORNIEN $$$
(☎415-355-1500 ; www.commonwealthsf.com ; 2224 Mission St ; petites assiettes 11-16 $ ; 17h30-22h dim-jeu, 17h30-23h ven-sam ; ; 14, 22, 33, 49, B 16th St Mission). Les dîners fins les plus imaginatifs de Californie sont servis dans ce bar en parpaing reconverti. Le chef Jason Fox sert des fraises vertes et des radis noirs au pollen de fenouil, des huîtres pochées sur plantes succulentes et de la glace à la rhubarbe. Sur les 75 $ du menu, 10 $ sont redistribués à des organisations caritatives.

### GASTRONOMIE À EMPORTER

**Bi-Rite** (☎415-241-9760 ; www.biritemarket.com ; 3639 18th St ; sandwichs 7-10 $ ; 9h-21h ; ; 14, 22, 33, 49, B 16th St Mission). Alliée des gastronomes économes ou maladroits aux fourneaux, l'épicerie Bi-Rite du quartier de Mission propose des chocolats artisanaux, des charcuteries de producteurs responsables et de somptueux fruits bio, sans oublier d'excellents vins et fromages californiens. Rien de tel que de déguster un de ses sandwichs à Dolores Park.

## Castro

**Chilango** MEXICAIN $$
(☎415-552-5700 ; www.chilangorestaurantsf.com ; 235 Church St ; plats 8-12 $ ; 11h-22h ; M Church). Restaurant mexicain bio servant des tacos au filet mignon, du *mole* de poulet (sauce cacao) et de délicieuses *carnitas* (porc rôti).

**Starbelly** CALIFORNIEN, PIZZA $$
(☎415-252-7500 ; www.starbellysf.com ; 3583 16th St ; plats 6-19 $ ; 11h30-23h dim-jeu, 11h30-minuit ven-sam ; M Castro). Prenez place dans le patio chauffé pour déguster vos *salumi* (charcuteries italiennes), des salades fraîches, de délicieux pâtés, des moules rôties aux saucisses maison et des pizzas à pâte fine.

**Frances** CALIFORNIEN $$$
(☎415-621-3870 ; www.frances-sf.com ; 3870 17th St ; plats 27-28 $ ; 17h-22h30 mar-dim ; M Castro). La chef-propriétaire Melissa Perello met à l'honneur saveurs saisonnières et textures luxueuses : légers gnocchis de ricotta à la chapelure croquante et *broccolini*, calmars grillés au citron de Meyer confit et vin artisanal de la Sonoma Valley.

## Haight

**Rosamunde Sausage Grill** FAST-FOOD $
(carte p. 132 ; ☎415-437-6851 ; http://rosamundesausagegrill.com ; 545 Haight St ; saucisses 4-6 $ ; 11h30-22h ; 6, 22, 71, M N). Toute une gamme de savoureuses saucisses à déguster accompagnées de poivrons, d'oignons grillés, de moutarde à l'ancienne et chutney de mangue. À côté, le Toronado propose une centaine de bières.

**Ragazza** PIZZA $$
(☎415-255-1133 ; www.ragazzasf.com ; 311 Divisadero St ; pizza 13-18 $ ; 17h-22h lun-jeu, 17h-22h30 ven-sam ; ; 6, 21, 24, 71). Essayez la pizza poireau-pomme de terre, l'Amatriciana au pecorino, bacon et œuf ou la pizza à la poitrine de porc, piment calabrais et fanes

de betterave. Venez tôt pour une table dans le patio-jardin.

**Magnolia Brewpub** CALIFORNIEN, AMÉRICAIN $$
(☎415-864-7468 ; www.magnoliapub.com ; 1398 Haight St ; plats 11-20 $ ; ⏲11h-minuit lun-jeu, 11h-1h ven, 10h-1h sam, 10h-minuit dim ; 🚌6, 33, 43, 71). Cuisine de pub bio et bière artisanale à déguster aux tables communes. Les burgers du Prather Ranch satisfont les plus gros appétits dans les box.

## Japantown et Pacific Heights

**Benkyodo** JAPONAIS $
(carte p. 132 ; ☎415-922-1244 ; www.benkyodo-company.com ; 1747 Buchanan St ; plats 1-10 $ ; ⏲8h-17h lun-sam ; 🚌2, 3, 22, 38). On peut s'installer au comptoir rétro pour commander un sandwich au pastrami ou un œuf-salade à l'ancienne pour 5 $, mais la vraie vedette est le *mochi* maison (gâteau de riz japonais) à 1,25 $ – venez tôt pour avoir le choix parmi les parfums comme thé vert et fraises fourrées au chocolat. Espèces uniquement.

**Tataki** JAPONAIS, SUSHI $$
(☎415-931-1182 ; www.tatakisushibar.com ; 2815 California St ; plats 12-20 $ ; ⏲11h30-14h et 17h30-22h30 lun-jeu, 17h30-23h30 ven, 17h-23h30 sam, 17h-21h30 dim ; 🚌1, 24). Kin Lui et Raymond Ho proposent de vrais délices marines issues de la pêche responsable : le soyeux omble de l'Arctique au yuzu remplace le saumon sauvage menacé, et le Golden State Roll se compose de coquilles Saint-Jacques bien relevées, de thon du Pacifique, de tranches de pommes bio et d'or comestible 24 carats.

**State Bird Provisions** CALIFORNIEN $$
(carte p. 132 ; ☎415-795-1272 ; statebirdsf.com ; 1529 Fillmore St ; ⏲17h30-22h lun-jeu, 17h30-23h ven-sam ; 🚌22, 38). Graines de citrouille et chapelure de baguette accommodent la caille, spécialité de ce restaurant branché mais sans chichis, qui a reçu le James Beard Award 2013 du meilleur nouveau restaurant d'Amérique. Réservez ou attendez au bar dès 17h.

## Richmond

♥ **Outerlands** CALIFORNIEN $$
(carte p. 130 ; ☎415-661-6140 ; www.outerlandssf.com ; 4001 Judah St ; sandwichs et petites assiettes 8-9 $, plats 12-27 $ ; ⏲11h-15h et 18h-22h mar-ven, 10h-15h et 17h30-22h sam-dim ; 👪 ; 🚌18, Ⓜ N). Après avoir essuyé les vents d'Ocean Beach, un peu de réconfort s'impose dans ce bistrot de plage. Crêpes à la ricotta maison pour le petit-déjeuner, fromages artisanaux et soupe fermière pour 12 $ à midi, et gigot sur pain plat le soir. Réservez.

♥ **Aziza** MAROCAIN, CALIFORNIEN $$$
(carte p. 130 ; ☎415-752-2222 ; www.aziza-sf.com ; 5800 Geary Blvd ; plats 16-29 $ ; ⏲17h30-22h30 mer-lun ; 🚌1, 29, 31, 38). L'inspiration du chef Mourad Lahlou est marocaine, ses ingrédients californiens et bio et ses saveurs extra-terrestres : le confit de canard de Sonoma fond dans l'oignon caramélisé et la pâte feuilletée de la pastilla, et le safran infuse un agneau mijoté sur de l'orge.

## Où prendre un verre et faire la fête

Si vous souhaitez enchaîner les verres, choisissez les saloons de North Beach ou les bars de Mission autour de Valencia et de 16th St. Les meilleurs chefs servent des cocktails maison dans le centre, Hayes Valley compte des bars à vin et le Tenderloin mêle bars de quartier et *speakeasies*. Les bars gays historiques se trouvent au Castro et les autres à SoMa, tandis que ceux de Marina sont BCBG et hétéros. Les établissements de Haight attirent une clientèle alternative.

♥ **Bar Agricole** BAR
(carte p. 132 ; ☎415-355-9400 ; www.baragricole.com ; 355 11th St ; ⏲18h-22h dim-mer, 18h-tard jeu-sam ; 🚌9, 12, 27, 47). Faites votre choix parmi les cocktails recherchés, tels le Bellamy Scotch Sour au blanc d'œuf ou l'excellent Tequila Fix avec citron vert, ananas et *hell-fire bitters*. Son design moderne utilisant des matériaux naturels et sa terrasse chic lui ont valu un James Beard Award.

♥ **Smuggler's Cove** BAR
(carte p. 132 ; ☎415-869-1900 ; www.smugglerscovesf.com ; 650 Gough St ; ⏲17h-1h15 ; 🚌5, 21, 49, Ⓜ Van Ness). Angostura, rhum du Nicaragua, porto mordoré et liqueur de vanille composent le Dead Reckoning, à déguster dans une ambiance de piraterie. Peut-être même votre gosier de flibustier supportera-t-il de partager une coupe de l'ardent Scorpion Bowl. Quoi qu'il en soit, avec 400 rhums et 70 cocktails du monde entier, vous ne resterez pas longtemps en rade.

♥ **Comstock Saloon** BAR
(carte p. 132 ; ☎415-617-0071 ; www.comstocksaloon.com ; 155 Columbus Ave ; ⏲16h-2h sam-jeu,

12h-2h ven ; 8X, 10, 12, 30, 45, Powell-Mason). Les cocktails de ce saloon victorien sont tout à fait dans le ton de l'établissement : le Pisco Punch comporte du jus d'ananas et le Martinez, précurseur du martini, du gin, du vermouth, du bitter et du marasquin. Appelez pour réserver un box ou une place dans le boudoir de velours.

**Toronado** PUB
(carte p. 132 ; 415-863-2276 ; www.toronado.com ; 547 Haight St ; 11h30-2h ; 6, 22, 71, M N). Plus de 50 bières à la pression et des centaines d'autres en bouteille, notamment des bières artisanales de saison, attendent les amateurs. Espèces uniquement. Commandez des saucisses chez Rosamunde à côté, pour accompagner une trappiste.

**Specs Museum Cafe** BAR
(carte p. 132 ; 415-421-4112 ; 12 William Saroyan Pl ; 17h-2h ; 8X, 10, 12, 30, 41, 45, Powell-Mason). Les murs sont couverts d'objets liés à la marine marchande, et les loups de mer qui fréquentent l'endroit ne sont pas du genre à flancher. Et un broc d'Anchor Steam, un !

**Elixir** BAR
(415-522-1633 ; www.elixirsf.com ; 3200 16th St ; 15h-2h lun-ven, 12h-2h sam-dim ; B 16th St Mission). Faites une fleur à la planète et prenez un verre dans le premier bar certifié écologique de San Francisco, dans un authentique saloon de 1858. Les cocktails puissants, mixant des ingrédients frais et bio, et des alcools de série limitée, vous feront tanguer jusqu'au génial jukebox.

**Zeitgeist** BAR
(415-255-7505 ; www.zeitgeistsf.com ; 199 Valencia St ; 9h-2h ; 22, 49, B 16th St Mission). Vous avez deux secondes pour commander une des 40 bières à la pression auprès de barmaids habituées à remettre les bikers machos à leur place. Les habitués vont directement s'attabler dans l'immense *beer garden* pour s'en griller une. Prévoyez des espèces pour le bar et les vendeurs qui proposent des en-cas en nocturne.

**Trick Dog** BAR
(415-471-2999 ; www.trickdogbar.com ; 3010 20th St ; 15h-2h ; 12, 14, 49). On choisit sa boisson en fonction de sa couleur : le Razzle Dazzle Red mêle vodka et remontant maison, fraise et citron, tandis que le Gypsy Tan allie Rittenhouse et Fernet, citron-gingembre et muscade.

**El Rio** CLUB
(415-282-3325 ; www.elriosf.com ; 3158 Mission St ; entrées 3-8 $ ; 13h-2h ; 12, 14, 27, 49, B 24th St Mission). Comme ses clients, la musique d'El Rio est éclectique, intrépide, funky et sexy (quelle que soit votre orientation). Puissantes margaritas, mix disco-post-punk et flirt dans le jardin. Espèces uniquement.

## ☆ Où sortir

**TIX Bay Area** (carte p. 132 ; www.tixbayarea.org) vend des billets de théâtre à moitié prix à la dernière minute. On trouve des programmes de sorties dans le *7x7 magazine* (www.7x7.com), l'hebdomadaire *SF Bay Guardian* (www.sfbg.com), l'hebdomadaire *SF Weekly* (www.sfweekly.com) et sur le blog **Squid List** (www.squidlist.com/events).

### Musique live

**SFJAZZ Center** JAZZ
(carte p. 132 ; 866-920-5299 ; www.sfjazz.org ; 201 Franklin St ; horaires variables ; 5, 7, 21, M Van Ness). De grands noms du jazz US et du monde entier se produisent dans la plus récente, la plus grande et la plus écologique des salles de jazz d'Amérique. Le San Francisco Jazz Festival se tient en juillet, mais toute l'année des légendes comme McCoy Tyner, Regina Carter, Bela Flek et Tony Bennett s'y produisent. Les places les moins chères donnent droit à ce qui s'apparente à des tabourets, mais permettent de voir la scène.

**Fillmore Auditorium** MUSIQUE LIVE
(carte p. 132 ; 415-346-6000 ; http://thefillmore.com ; 1805 Geary Blvd ; 15-50 $ ; billetterie 10h-16h dim 19h30-22h les soirs de spectacle ; 22, 38). Jimi Hendrix, Janis Joplin, les Doors, tous ont joué ici. Vous entendrez peut-être les Indigo Girls, Duran Duran ou Tracy Chapman dans cette salle chargée d'histoire de 1 250 places. Ne manquez pas les posters psychédéliques des années 1960 dans la galerie supérieure.

**Slim's** MUSIQUE LIVE
(carte p. 132 ; 415-255-0333 ; www.slims-sf.com ; 333 11th St ; 12-30 $ ; 17h-2h ; 9, 12, 27, 47). Gogol Bordello, Tenacious D ou les Expendables vous réservent un bon moment dans ce club de taille moyenne, propriété de la star du R'n'B Boz Skaggs. Des spectacles pour tous les âges, mais les petits ont une visibilité réduite quand l'avant-scène se déchaîne. Réservez le dîner pour 25 $ et prenez place sur le petit balcon.

## SAN FRANCISCO GAY, LESBIEN, BI ET TRANS

Peu importe votre origine et votre orientation sexuelle, vous êtes ici chez vous. Le Castro forme le cœur de la scène gay, mais South of Market (SoMa) ne manque pas de clubs animés. Mission est le quartier préféré des lesbiennes, des trans FTM (Female to Male) et des femmes bisexuelles. Le *Bay Area Reporter* (ou BAR ; www.ebar.com) publie des actualités et des adresses de la communauté ; le *San Francisco Bay Times* (www.sfbaytimes.com) offre aussi de bons renseignements pour les transsexuels. Gratuit, le *Gloss Magazine* (www.glossmagazine.net) couvre la vie nocturne. Pour les soirées itinérantes, voyez **Honey Soundsystem** (carte p. 132 ; www.honeysoundsystem.com), **Juanita More** (www.juanitamore.com) et **Sisters of Perpetual Indulgence** (www.thesisters.org). San Francisco compte d'excellents lieux LGBT.

**Stud** (carte p. 132 ; 415-252-7883 ; www.studsf.com ; 399 9th St ; 5-8 $ ; 17h-3h ; 12, 19, 27, 47). On y fait la fête depuis 1966 : spectacles de drag-queens le mardi, humour grivois le mercredi, et le vendredi, fêtes avec travestis de minuit, créations artistiques sur table de billard et danse. **Aunt Charlie's** (carte p. 132 ; 415-441-2922 ; www.auntcharlieslounge.com ; 133 Turk St ; 5 $ ; M Powell, B Powell). Bouge vintage proposant des spectacles de drag-queens le vendredi et le samedi (réservez par téléphone) et des soirées Tubesteak Connection le jeudi (5 $), avec porno vintage et disco années 1980.

**EndUp** (carte p. 132 ; www.theendup.com ; 401 6th St ; 5-20 $ ; 22h-4h lun-jeu, 23h-11h ven, 22h sam-4h lun ; 12, 27, 47). Quiconque est dans la rue après 2 heures du matin le week-end est irrémédiablement attiré par les sessions de danse marathoniennes d'EndUp et ses thés dansants gays du dimanche, un succès depuis 1973.

**Lexington Club** (415-863-2052 ; www.lexingtonclub.com ; 3464 19th St ; 15h-2h ; 14, 33, 49, B 16th St Mission). Bar exclusivement lesbien avec flipper, billard et combats de pouces. Si vous vous faites battre par une experte tatouée, faites la moue et elle vous offrira peut-être une bière à 4 $.

**Cafe Flore** (415-621-8579 ; www.cafeflore.com ; 2298 Market St ; 7h-minuit dim-jeu, 7h-2h ven-sam ; ; M Castro). Une visite du Castro n'est complète qu'en faisant un tour sur le patio ensoleillée du Flore. Sympathique happy hour, avec deux margaritas pour le prix d'une. Wi-Fi en semaine uniquement, pas de prises de courant.

**Mezzanine** MUSIQUE LIVE
(carte p. 132 ; 415-625-8880 ; www.mezzaninesf.com ; 444 Jessie St ; 10-40 $ ; M Powell, B Powell). Cette salle compte l'un des meilleurs sound systems de la ville. Wyclef Jean, Quest Love, Method Man, Nas et Snoop Dogg ont électrisé le lieu, de même que d'autres artistes, hip-hop, R'n'B et alternatifs.

**Great American Music Hall** MUSIQUE LIVE
(carte p. 132 ; 415-885-0750 ; www.gamh.com ; 859 O'Farrell St ; 12-35 $ ; billetterie 10h30-18h lun-ven et soirs de spectacle ; 19, 38, 47, 49). Ancienne maison close, cette salle rococo possède un balcon avec des tables, une sonorisation parfaite, ainsi que des boissons et des plats à prix raisonnable. Du rock alternatif au métal en passant par le jazz et le bluegrass.

**Yoshi's** JAZZ, MUSIQUE LIVE
(carte p. 132 ; 415-655-5600 ; www.yoshis.com ; 1300 Fillmore St ; spectacle 20h et/ou 22h mar-dim, dîner mar-dim ; 22, 31). Le club de jazz le plus réputé de San Francisco attire les talents du monde entier, accueille des artistes comme Leon Redbone et Nancy Wilson, et programme parfois du classique et du gospel. Réduction de 50% pour les étudiants.

**Cafe du Nord/ Swedish American Hall** MUSIQUE LIVE
(415-861-5016 ; www.cafedunord.com ; 2170 Market St ; prix variable ; M Church). Rockeurs, chanteurs, humoristes et conteurs se produisent chaque soir dans cet ancien *speakeasy* en sous-sol, avec bar et scène de spectacle, qui n'a pas changé depuis les années 1930.

### Drag-queens

**Cat Club** TRAVESTIS
(carte p. 132 ; www.catclubsf.com ; 1190 Folsom St ; après 22h 5 $ ; 21h-3h mar-dim ; M Civic Center, B Civic Center). On ne connaît jamais vraiment ses amis tant qu'on ne les a pas vus

se déhancher sur *Take on Me* de A-ha lors du 1984, la soirée rétro du Cat Club, le jeudi. Mardi karaoké, mercredi Bondage-a-Go-Go, vendredi Goth, et samedi années 1990 – à vérifier en ligne, pour ne pas se tromper de costume !

**DNA Lounge** TRAVESTIS
(carte p. 132 ; www.dnalounge.com ; 375 11th St ; 3-25 $ ; 21h-3h ven-sam, autres soirs variables ; 12, 27, 47). L'un des derniers méga-clubs de San Francisco accueille des concerts et des soirées à thème : Bootie (mix de dance music), Trannyshack (travestissements épiques) et Goth Death Guild le lundi pour les plus de 18 ans. N'arrivez pas trop tôt.

**AsiaSF** CABARET, DRAG-QUEENS
(carte p. 132 ; 415-255-2742 ; www.asiasf.com ; 201 9th St ; à partir de 39 $/pers ; 19h-23h mer-jeu, 19h-2h ven, 17h-2h sam, 19h-22h dim, réservations 13h-20h ; M Civic Center, B Civic Center). Cocktails et plats d'inspiration asiatique servis par des drag-stars. Toutes les heures, elles dansent sur le bar au grand plaisir de leurs copines et des hommes d'affaires hétéros rougissant. Plus tard, tout le monde se retrouve en bas sur la piste de danse.

### Musique classique et opéra

**♥ Davies Symphony Hall** MUSIQUE CLASSIQUE
(carte p. 132 ; 415-864-6000 ; www.sfsymphony.org ; 201 Van Ness Ave ; M Van Ness, B Civic Center). Salle de l'orchestre symphonique de San Francisco, 9 fois récompensé d'un Grammy et conduit par Michael Tilson Thomas. La saison dure de septembre à juillet.

**♥ San Francisco Opera** OPÉRA
(carte p. 132 ; 415-864-3330 ; www.sfopera.com ; War Memorial Opera House, 301 Van Ness Ave ; 10-350 $ ; B Civic Center, M Van Ness). San Francisco aime l'opéra depuis la ruée vers l'or et s'y adonne de juillet à décembre. Le mardi attire les mondains locaux, en robe longue et smoking. Après 10h, la billetterie vend 150 places debout (10 $ ; espèce uniquement) ; investissez les places libres après l'entracte.

**San Francisco Ballet** DANSE
(carte p. 132 ; 415-861-5600, billets 415-865-2000 ; www.sfballet.org ; War Memorial Opera House, 301 Van Ness Ave ; 10-120 $ ; M Van Ness). La plus ancienne compagnie de ballet d'Amérique fut la première à donner *Casse-Noisettes*. Elle se produit régulièrement à la War Memorial Opera House.

### Théâtre

**♥ American Conservatory Theater** THÉÂTRE
(ACT ; carte p. 132 ; 415-749-2228 ; www.act-sf.org ; 415 Geary St ; 38, Powell-Mason, Powell-Hyde). Les spectacles à succès débutent au Geary Theater (une salle du début du XXe siècle) de l'ACT, qui a lancé *Angels in America* de Tony Kushner, et *Black Rider* de Robert Wilson, sur un livret de William S. Burroughs et une musique de Tom Waits. Le **Strand Theater** (1127 Market St) doit ouvrir fin 2014.

**Beach Blanket Babylon** CABARET
(BBB ; carte p. 132 ; 415-421-4222 ; www.beachblanketbabylon.com ; 678 Green St ; 25-100 $ ; spectacles 20h mer-ven, 18h30 et 21h30 sam, 14h et 17h dim ; 8X, Powell-Mason). Blanche-Neige cherche son prince dans ce cabaret parodiant les histoires de Disney depuis 1974, où les blagues sont salaces et les perruques démesurées.

### Cinéma

**♥ Castro Theatre** CINÉMA
(415-621-6120 ; www.thecastrotheatre.com ; 429 Castro St ; adulte/enfant 11/8,50 $ ; mar-dim ; M Castro). Le majestueux orgue Wurlitzer émerge de la fosse d'orchestre de ce cinéma Art déco avant la projection, qui se conclue par une chanson évoquant SF que les spectateurs sont invités à reprendre.

**♥ Roxie** CINÉMA
(415-863-1087 ; www.roxie.com ; 3117 16th St ; projections régulières/matinées 10/7 $ ; 14, 22, 33, 49, B 16th St Mission). Petit cinéma associatif de quartier proposant des premières de films indépendants, des documentaires et des films polémiques bannis ailleurs. Pas de publicité et une introduction à chaque film.

**Sundance Kabuki Cinema** CINÉMA
(carte p. 132 ; 415-929-4650 ; www.sundancecinemas.com ; 1881 Post St ; adulte 9,50-15 $, enfant 9 $ ; 2, 3, 22, 38). Multiplexe à l'initiative du Sundance Institute de Robert Redford projetant grands films et festivals, avec chocolat chaud et bière. Sièges écologiques en fibres recyclées.

### Sports

**San Francisco Giants** BASE-BALL
(carte p. 132 ; http://sanfrancisco.giants.mlb.com ; AT&T Park ; billets 5-135 $). Découverte du championnat des World Series.

**San Francisco 49ers** FOOTBALL AMÉRICAIN
(carte p. 130 ; ☎415-656-4900 ; www.sf49ers.com ; Levi's Stadium à partir de 2014 ; billets 25-100 $ sur www.ticketmaster.com ; Ⓜ T). Les 49ers furent la dream team de la National Football League de 1981 à 1994, remportant 5 Superbowls. Après des décennies incertaines, ils espèrent renaître en 2014 dans leur nouveau stade : le flambant neuf Levi's Stadium de Santa Clara.

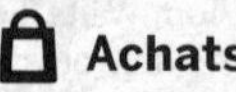

## Achats

**City Lights** LIVRES
(carte p. 132 ; ☎415-362-8193 ; www.citylights.com ; 261 Columbus Ave ; ⊙10h-minuit ; 🚌8X, 10, 12, 30, 41, 45, 🚋Powell-Mason, Powell-Hyde). À l'étage de cette librairie fondée par le "poète lauréat de San Francisco" Lawrence Ferlinghetti, la poésie vous accueille dans la lumineuse **Poetry Room**, avec ses vers fraîchement composés, sa **Poet's Chair** et sa vue sur Jack Kerouac Alley.

**New People** VÊTEMENTS, CADEAUX
(carte p. 132 ; www.newpeopleworld.com ; 1746 Post St ; ⊙12h-19h lun-sam, 12h-18h dim ; 🚌2, 3, 22, 38). Tout est *kawaii* (mignon en japonais) dans cette galerie marchande : T-shirts manga et mode Lolita façon *Alice au pays des merveilles* au **Baby the Stars Shine Bright** du 2e niveau, chaussures de ninja au graphisme innovant chez **Sou-Sou**, art contemporain à la **Superfrog Gallery** et gâteaux au **Crown & Crumpet**.

**Betabrand** VÊTEMENTS
(☎800-694-9491 ; www.betabrand.com ; 780 Valencia St ; ⊙11h-18h lun-jeu, 11h-19h ven-sam, 12h-18h dim ; 🚌14, 22, 33, 49, Ⓑ16th St Mission). Chez Betabrand des créations expérimentales sont présentées aux suffrages en ligne et les vêtements gagnants sont produits en édition limitée : veste d'intérieur réversible, anoraks en boules disco et pantalons pour le vélo avec bandes réfléchissantes.

### LES MEILLEURES ADRESSES SHOPPING

Repaires chics et vintage, armoires remplies d'épices et vêtements fabuleux vous attendent dans différents quartiers de San Francisco.

**Hayes Valley**. Créateurs locaux indépendants, décoration d'intérieur, friandises, chaussures.

**Valencia St**. Librairies, associations de créateurs locaux, galeries d'art, bric-à-brac ancien.

**Haight St**. Boutiques de fumeurs, musique, antiquités, équipements pour le skate, la neige et le surf.

**Upper Fillmore St et Union St**. Vêtements de soirée, accessoires féminins, vins et design.

**Powell St et Market St**. Grands magasins, grandes marques, solderies, Apple Store.

**Grant St**. Des souvenirs de Chinatown aux boutiques excentriques de North Beach.

**Ferry Building**. Cuisine locale, vins et ustensiles de cuisine.

## Renseignements

### ACCÈS INTERNET

Nombre d'endroits offrent l'accès Wi-Fi gratuit dans toute la ville ; consultez www.openwifispots.com. Connectez-vous gratuitement à Union Sq, dans la plupart des cafés et des halls d'hôtel.

**Apple Store** (www.apple.com/retail/sanfrancisco ; 1 Stockton St ; ⊙9h-21h lun-sam, 10h-20h dim ; @📶 ; ⓂPowell St). Wi-Fi et terminaux connectés à Internet gratuits.

**San Francisco Main Library** (www.sfpl.org ; 100 Larkin St ; ⊙10h-18h lun et sam, 9h-20h mar-jeu, 12h-17h ven et dim ; @📶 ; ⓂCivic Center). Terminaux avec 15 minutes d'accès Internet gratuit ; accès Wi-Fi intermittent.

### ARGENT

**Bank of America** (www.bankamerica.com ; 1 Market Plaza ; ⊙9h-18h lun-ven)

### MÉDIAS

**KALW 91.7 FM** (www.kalw.org). Affiliée à National Public Radio (NPR).

**KPFA 94.1 FM** (www.kpfa.org). Actualités et musique alternatives.

**KPOO 89.5 FM** (www.kpoo.com). Radio communautaire avec jazz, rhythm and blues, blues et reggae.

**KQED 88.5 FM** (www.kqed.org). Affiliée à NPR et Public Broadcasting (PBS) ; offre podcasts et vidéos en streaming.

**San Francisco Bay Guardian** (www.sfbg.com). Hebdomadaire gratuit de San Francisco traitant de politique et répertoriant théâtres, concerts, événements artistiques et cinémas.

**San Francisco Chronicle** (www.sfgate.com). Principal quotidien : actualités, divertissements et calendrier des événements.

### OFFICES DU TOURISME

**San Francisco Visitor Information Center** (carte p. 132 ; ☎415-391-2000, hotline événements 415-391-2001 ; www.onlyinsanfrancisco.com ; Market St et Powell St, niveau bas, Hallidie Plaza ; ⌚9h-17h lun-ven, 9h-15h sam-dim ; 🚋Powell-Mason, Powell-Hyde, Ⓜ Powell St, Ⓑ Powell St). Renseignements touristiques, brochures sur papier glacé et hotline 24h/24 consacrée à l'évènementiel.

### POSTE

**Rincon Center Post Office** (carte p. 132 ; ☎800-275-8777 ; www.usps.gov ; 180 Steuart St ; ⌚8h-18h lun-ven, 9h-14h sam ; Ⓜ Embarcadero, Ⓑ Embarcadero). Services postaux et fresques historiques dans une aile du bâtiment qui l'abrite.

### SITES INTERNET

Les plateformes de médias sociaux **Craigslist** (http://sfbay.craigslist.org), **Twitter** (www.twitter.com) et **Yelp** (www.yelp.com) furent toutes inventées à San Francisco et sont de véritables institutions. Consultez-les pour les nouvelles boutiques, les spectacles gratuits et les critiques de bars et de restaurants, etc.

### URGENCES ET SERVICES MÉDICAUX

**American College of Traditional Chinese Medicine** (☎415-282-9603 ; www.actcm.edu ; 450 Connecticut St ; ⌚8h30-21h lun-jeu, 9h-17h30 ven-sam ; 🚌10, 19, 22). Acupuncture, phytothérapie et autres traitements chinois traditionnels à petits prix.

**Haight Ashbury Free Clinic** (☎415-762-3700 ; www.healthright360.org ; 558 Clayton St ; ⌚sur rendez-vous ; 🚌6, 33, 37, 43, 71, Ⓜ N). Clinique sur rendez-vous uniquement. Services toxicomanie et santé mentale.

**Police, pompiers et ambulance** (☎911, non-urgent 311)

**San Francisco General Hospital** (☎urgences 415-206-8111, hôpital principal 415-206-8000 ; www.sfdph.org ; 1001 Potrero Ave ; ⌚24h/24 ; 🚌9, 10, 33, 48). Soins aux patients sans assurance, notamment en psychiatrie ; seule la carte d'identité est demandée.

**Trauma Recovery & Rape Treatment Center** (☎415-437-3000 ; www.traumarecoverycenter.org). Assistance téléphonique viol 24h/24.

**Walgreens** (☎415-861-3136 ; www.walgreens.com ; 498 Castro St, angle 18th St ; ⌚24h/24 ; 🚌24, 33, 35, Ⓜ F, K, L, M). Pharmacie présente dans des dizaines d'endroits en ville.

## ℹ Depuis/vers San Francisco

### AVION

Le **San Francisco International Airport** (SFO ; www.flysfo.com) est à 22 km au sud du centre-ville par la Hwy 101 ; il est desservi par le Bay Area Rapid Transit (BART). L'**Oakland International Airport** (OAK ; ☎510-563-3300 ; www.oaklandairport.com) couvre principalement des destinations intérieures. Il est à environ 50 minutes en voiture ou en BART de San Francisco, de l'autre côté de la baie.

### BUS

Jusqu'en 2017, le carrefour des transports interurbains reste le **Temporary Transbay Terminal** (carte p. 132 ; Howard St et Main St), où vous pouvez prendre des bus **AC Transit** (☎511 ; www.actransit.org) pour East Bay, **Golden Gate Transit** (carte p. 132 ; www.goldengatetransit.org) pour les comtés de Marin et Sonoma au nord, et SamTrans pour Palo Alto et la côte pacifique au sud. Des bus **Greyhound** (☎800-231-2222 ; www.greyhound.com) partent tous les jours pour Los Angeles (59 $, 8-12 heures), Truckee près du Lake Tahoe (31 $, 5 heures 30) et d'autres destinations.

### TRAIN

**Amtrak** (☎800-872-7245 ; www.amtrakcalifornia.com) propose des forfaits ferroviaires valables pour sept jours de voyage en Californie sur une période de 21 jours (à partir de 159 $). Le *Coast Starlight* effectue un trajet spectaculaire de 35 heures de Los Angeles à Seattle et fait halte à Oakland. Le *California Zephyr* relie Chicago et Oakland (51 heures) en passant par les Rocheuses. Les deux trains disposent de couchettes et de wagons restaurant-salon avec fenêtres panoramiques. Amtrak propose des navettes gratuites jusqu'au Ferry Building et la gare CalTrain de San Francisco.

**CalTrain** (www.caltrain.com ; angle 4th St et King St) relie San Francisco aux carrefours de la Silicon Valley et à San Jose.

## ℹ Comment circuler

Pour les transports et leurs horaires dans la région de la baie de San Francisco, appelez le ☎511 ou consultez www.511.org.

### DEPUIS/VERS LE SAN FRANCISCO INTERNATIONAL AIRPORT

Un taxi pour le centre de San Francisco coûte entre 35 et 50 $.

**BART** (Bay Area Rapid Transit ; www.bart.gov ; aller simple 8,25 $). Comptez 30 minutes pour aller dans le centre de San Francisco depuis la gare SFO BART du terminal international.

**SamTrans** (www.samtrans.com ; aller simple 5 $). Les bus express KX mettent environ 30 minutes à atteindre le Temporary Transbay Terminal.

**SuperShuttle** (☎800-258-3826 ; www.supershuttle.com). Minibus collectifs pour le centre de San Francisco, 17 $.

### DEPUIS/VERS L'OAKLAND INTERNATIONAL AIRPORT

Depuis l'Oakland International Airport, prenez la navette AirBART (3 $) direction la station Coliseum pour prendre un BART jusqu'au centre de San Francisco (3,85 $) ; un minibus collectif pour le centre pour 27-35 $ avec SuperShuttle ; sinon, un taxi vous coûtera entre 55 et 70 $.

### BATEAU

**Blue & Gold Ferries** (carte p. 132 ; www.blueandgoldfleet.com) gère le ferry Alameda-Oakland du Pier 41 et du Ferry Building. Le **Golden Gate Ferry** (www.goldengateferry.org) part du Ferry Building pour Sausalito et Larkspur, dans le Marin County.

### TAXI

Comptez environ 2,75 $ par mile (1,6 km) ; la prise en charge s'élève à 3,50 $.

**DeSoto Cab** (☎415-970-1300)

**Green Cab** (☎415-626-4733 ; www.626green.com). Coopérative de chauffeurs avec des taxis hybrides.

**Luxor** (☎415-282-4141)

**Yellow Cab** (☎415-333-3333)

### TRANSPORTS PUBLICS

**MUNI** (Municipal Transit Agency ; ☎511 ; www.sfmta.com) offre des bus, des tramways et des *cable car* ; la *MUNI Street & Transit Map*, une carte détaillée, est disponible gratuitement en ligne. Le billet standard pour les bus et les tramways vaut 2 $ ; un trajet en *cable car* revient à 6 $. Le **MUNI Passport** (1/3/7 jours 14/22/28 $) permet des trajets illimités sur tous les transports MUNI, *cable cars* compris ; il est vendu au San Francisco Visitor Information Center et au kiosque TIX Bay Area sur Union Sq. Le **City Pass** (www.citypass.com ; adulte/enfant 84/59 $) comprend les transports Muni et l'accès à 4 sites.

Le BART relie San Francisco et l'East Bay, passe sous Market St, descend Mission St et rejoint SFO et Millbrae au sud, où il offre la correspondance avec CalTrain.

### VOITURE

Évitez de conduire à San Francisco si possible : les places de stationnement sont difficiles à trouver et les contractuelles, impitoyables. Dans le centre-ville, vous trouverez des parkings à l'Embarcadero Center, dans 5th St et Mission St, à Union Sq et dans Sutter St et Stockton St. Les agences nationales de location de voitures disposent de bureaux à l'aéroport et dans le centre-ville.

# Marin County

De majestueux séquoias s'accrochent aux collines côtières de l'autre côté du Golden Gate Bridge dans le **comté de Marin** (www.visitmarin.org), prospère et détendu. **Sausalito**, la ville la plus au sud, est une minuscule destination au bord de la baie, à rejoindre à vélo en traversant le pont (revenez en ferry à San Francisco). Au port, le **San Francisco Bay-Delta Model** (carte p. 130 ; ☎415-332-3871 ; www.spn.usace.army.mil ; 2100 Bridgeway Blvd, Sausalito ; don à l'entrée ; ⏲9h-16h mar-ven, 10h-17h sam-dim fin mai-début sept, 9h-16h mar-sam début sept-fin mai ; 👪) est une reconstitution hydraulique géante de la baie et du delta.

## Marin Headlands

Des chemins de randonnée sillonnent ces promontoires accidentés et venteux, offrant des vues panoramiques sur la ville et la baie. Pour rejoindre le **Visitor Center** (carte p. 130 ; ☎415-331-1540 ; www.nps.gov/goga/marin-headlands.htm ; Fort Barry, Bldg 948 ; ⏲9h30-16h30 sam-lun avr-sept), empruntez la sortie Alexander Ave après avoir franchi le Golden Gate Bridge vers le nord, tournez à gauche sous l'autoroute dans Bunker Rd et suivez les panneaux.

Parmi les attractions proches figurent le phare **Point Bonita Lighthouse** (carte p. 130 ; www.nps.gov/goga/pobo.htm ; près de Field Rd ; ⏲12h30-15h30 sam-lun) GRATUIT, **Rodeo Beach** et le pédagogique **Marine Mammal Center** (carte p. 130 ; ☎415-289-7325 ; www.tmmc.org ; 2000 Bunker Rd ; sur don ; ⏲10h-17h ; 👪) 🍃 à Fort Cronkite. À l'est de la Hwy 101 à Fort Baker, l'interactif **Bay Area Discovery Museum** (carte p. 130 ; ☎415-339-3900 ; www.baykidsmuseum.org ; 557 McReynolds Rd, Sausalito ; 11 $, 1er mer du mois gratuit ; ⏲9h-17h mar-dim ; 👪) réjouit les enfants.

Près du Visitor Center, la **HI Marin Headlands Hostel** (carte p. 130 ; ☎415-331-2777 ; www.norcalhostels.org/marin ; Fort Barry, Bldg 941 ; dort 26-30 $, ch sans sdb 72-92 $ ; @) 🍃, une auberge de jeunesse éco-responsable, occupe deux bâtiments historiques de 1907 sur une colline boisée, et loue des chambres privative dans une ancienne maison d'officier. Pour un luxe teinté d'histoire, prenez une chambre avec cheminée et vue sur la baie, à l'écologique **Cavallo Point** (carte p. 130 ; ☎415-339-4700, 888-651-2003 ; www.cavallopoint.com ; 601 Murray Circle ; ch à partir de 379 $ ; ❄📶🏊👪🐾) 🍃 de Fort Baker.

## Mt Tamalpais State Park

Le majestueux Mt Tam (783 m) est un terrain boisé prisé des randonneurs et des cyclistes. Le **Mt Tamalpais State Park** (carte p. 130 ; ☎415-388-2070 ; www.friendsofmttam.org ; 8 $/voiture), d'une superficie de 2 500 ha, compte plus de 320 km de sentiers ; ne manquez pas de monter en voiture au point de vue de l'East Peak Summit. La Panoramic Hwy grimpe de la Hwy 1 à travers le parc jusqu'à **Stinson Beach**, une plaisante station balnéaire avec une plage de sable en forme de croissant.

Les bureaux du parc sont situé à **Pantoll Station** (carte p. 130 ; ☎415-388-2070 ; 801 Panoramic Hwy, Mill Valley ; ⏰8h-19h ven-dim, horaires réduits l'hiver ; 📶), à la jonction de nombreux sentiers, où se trouve un **camping** (pas de réservation ; carte p. 130 ; empl tente 25 $). Réservez longtemps à l'avance les bungalows rustiques (ni eau ni électricité) ou présentez-vous pour camper à **Steep Ravine** (☎800-444-7275 ; www.reserveamerica.com ; empl tente 25 $, bungalow 100 $), près de la Hwy 1 au sud de Stinson Beach. Sinon, venez avec votre nourriture, un sac de couchage et votre serviette dans la **West Point Inn** (carte p. 130 ; ☎infos 415-388-9955, réservations 415-646-0702 ; www.westpointinn.com ; 100 Old Railroad Grade Fire Rd, Mill Valley ; ch 50/25 $ par adulte/enfant) isolée – réservations requises.

## Muir Woods National Monument

Déambulez au milieu des plus hauts arbres du monde dans les 210 hectares du **Muir Woods National Monument** (carte p. 130 ; ☎415-388-2595 ; www.nps.gov/muwo ; Muir Woods Rd, Mill Valley ; adulte/enfant 7 $/gratuit ; ⏰8h-19h30, ferme plus tôt début sept à mi-mars) à 15 km au nord-ouest du Golden Gate Bridge. Des sentiers faciles décrivent des boucles entre les séquoias millénaires à Cathedral Grove. À côté de l'entrée, un **café** sert boissons et déjeuners légers. Venez en semaine pour éviter la foule, sinon tôt le matin ou en fin d'après-midi. Prenez la Hwy 101 jusqu'à la sortie Hwy 1, puis suivez les panneaux.

La **Muir Woods Shuttle** (Marin Transit Bus 66 ; ☎415-455-2000 ; www.goldengatetransit.org ; aller-retour adulte/enfant 5 $/gratuit) circule le week-end et les jours fériés de début mai à fin octobre, partant toutes les 10 à 20 minutes de Marin City, avec des correspondances limitées avec le terminal des ferries de Sausalito.

## Point Reyes National Seashore

La péninsule venteuse de **Point Reyes National Seashore** (www.nps.gov/pore) s'avance sur 15 km dans la mer sur une autre plaque tectonique, et protège plus de 250 km² de plages, lagunes et collines boisées. À 1,5 km à l'ouest d'Olema, le **Bear Valley Visitor Center** (☎415-464-5100 ; www.nps.gov/pore ; ⏰10h-17h lun-ven, 9h-17h sam-dim) divulgue des cartes et des renseignements, notamment sur l'histoire naturelle. L'**Earthquake Trail**, sentier d'un km traversant la faille de San Andreas, débute non loin.

À l'extrémité ouest de la péninsule, le **Point Reyes Lighthouse** (au bout de Sir Francis Drake Blvd ; ⏰14h30-16h jeu-lun, selon météo) GRATUIT est un phare idéal pour observer les baleines en hiver. Près de Pierce Point Rd, le sentier de 15 km **Tomales Point Trail** passe par des promontoires venteux au milieu de groupes de wapitis nains jusqu'à l'extrémité nord de la péninsule. Oiseaux marins et phoques batifolent à Tomales Bay. **Blue Waters Kayaking** (☎415-669-2600 ; www.bwkayak.com ; location/excursions à partir de 50/70 $ ; 👪) part d'Inverness et de Marshall (réservez).

Les amoureux de la nature opteront pour la seule auberge du parc, **HI Point Reyes Hostel** (☎415-663-8811 ; www.norcalhostels.org/reyes ; 1390 Limantour Spit Rd ; dort 24 $, ch sans sdb 82-120 $ ; ⏰réception 14h30-22h ; @👪) 🍃, située à 12 km du Visitor Center. À côté d'une zone humide et marécageuse, le **Motel Inverness** (☎866-453-3839, 415-236-1967 ; www.motelinverness.com ; 12718 Sir Francis Drake Blvd ; ch 99-190 $ ; 📶) propose des chambres agréables et un salon avec cheminée et billards. La **West Marin Chamber of Commerce** (☎415-663-9232 ; www.pointreyes.org) vérifie les disponibilités des auberges, cottages et B&B.

À 3 km au nord d'Olema, la minuscule **Point Reyes Station** compte de sympathiques boulangeries, cafés et restaurants. Achetez votre pique-nique chez **Tomales Bay Foods & Cowgirl Creamery** (www.cowgirlcreamery.com ; 80 4th St ; sandwichs 6-12 $ ; ⏰10h-18h mer-dim ; 🥕) 🍃 ou dégustez une cuisine italo-californienne maison à l'**Osteria Stellina** (☎415-663-9988 ; http://osteriastellina.com ; 11285 Hwy 1 ; plats 14-24 $ ; ⏰11h30-14h30 et 17h-21h ; 🥕) 🍃.

# Berkeley

Berkeley n'a guère changé depuis la grande époque des manifestations contre la guerre du Vietnam dans les années 1960 ; les autocollants "Pas de sang pour le pétrole" ont remplacé les pancartes "Faites l'amour, pas la guerre". Si l'on ne peut plus se promener nu sur le campus, "Berserkeley" demeure le foyer contestataire de la région de la Baie, peuplé d'étudiants, de skateurs et de hippies vieillissants.

## À voir et à faire

Conduisant à la porte sud du campus, **Telegraph Avenue** est aussi jeune et commerciale que Haight St à San Francisco, bordée de cafés, de restaurants bon marché, de librairies et de disquaires.

**University of California, Berkeley** UNIVERSITÉ
(www.berkeley.edu). "Cal", l'une des meilleures universités du pays, accueille plus de 35 000 étudiants d'horizons diverses, à la forte conscience politique. Le **Visitor Services Center** (510-642-5215 ; http://visitors.berkeley.edu ; 101 Sproul Hall ; visites généralement 10h lun-sam, 13h dim) propose des visites gratuites du campus (réservation indispensable). Prenez l'ascenseur jusqu'en haut de l'emblématique **Campanile** (Sather Tower ; adulte/enfant 2/1 $ ; 10h-15h45 lun-ven, 10h-16h45 sam, 10h-13h30 et 15h-16h45 dim ; ) de 1914. La **Bancroft Library** expose la pépite d'or qui déclencha la ruée vers l'or californienne de 1848.

**UC Berkeley Art Museum** MUSÉE
(510-642-0808 ; www.bampfa.berkeley.edu ; 2626 Bancroft Way ; adulte/enfant 10/7 $ ; 11h-17h mer-dim). Ce musée comprend 11 galeries qui présentent un large éventail d'œuvres, de l'art chinois ancien aux réalisations américaines avant-gardistes. En face, son **Pacific Film Archive** (PFA ; 510-642-5249 ; www.bampfa.berkeley.edu ; 2575 Bancroft Way ; adulte/enfant 9,50/6,50 $), de renommée mondiale, projette des films indépendants et d'avant-garde peu connus. Tous deux doivent déménager dans Oxford St entre Center St et Addison St.

**Tilden Regional Park** PARC
(www.ebparks.org/parks/tilden). Les Berkeley Hills déroulent 65 km de sentiers de randonnée et de VTT. Jardins botaniques, baignades au Lake Anza et, pour les petits, manège et train à vapeur.

## Où se loger

Les motels bordent University Ave, à l'ouest du campus.

**YMCA** AUBERGE DE JEUNESSE $
(510-848-6800 ; www.ymca-cba.org/downtown-berkeley ; 2001 Allston Way ; s/d sans sdb à partir de 49/81 $ ; ). Récemment rénovée, cette auberge centenaire est l'adresse la plus avantageuse de Berkeley. Les tarifs des chambres privatives austères comprennent l'accès à la piscine, au centre de fitness et à la cuisine.

**Downtown Berkeley Inn** MOTEL $$
(510-843-4043 ; www.downtownberkeleyinn.com ; 2001 Bancroft Way ; ch à partir de 109 € ; ). Motel chic proposant 27 chambres de bonne taille au confort moderne. Parking gratuit.

**Hotel Durant** BOUTIQUE-HÔTEL $$$
(510-845-8981 ; www.hoteldurant.com ; 2600 Durant Ave ; ch 195-309 $ ; ). À un bloc du campus, le hall de cet hôtel de 1928 est orné de portraits d'étudiants et les petites chambres de pipes à eau transformées en lampes de chevet. Parking 16 $ (gratuit pour les voitures hybrides).

## Où se restaurer

**Cream** DESSERTS $
(www.creamnation.com ; 2399 Telegraph Ave ; 2-4 $ ; 12h-minuit lun-mer, 12h-2h jeu-ven, 11h-2h sam, 11h-23h dim). Choisissez le parfum de votre biscuit à la glace créatif : biscuits *snickerdoodles* et glace caramel au beurre salé, par exemple. Espèces uniquement.

**Cheese Board Pizza** PIZZERIA $
(http://cheeseboardcollective.coop ; 1512 Shattuck Ave ; part/demi-pizza 2,50/10 $ ; 11h30-15h et 16h30-20h mar-sam ; ). Croustillante pizza végétarienne, différente chaque jour, dans cette pizzeria coopérative programmant souvent de la musique live le soir.

**Bette's Oceanview Diner** DINER $$
(www.bettesdiner.com ; 1807 4th St ; plats 6-13 $ ; 6h30-14h30 lun-ven, 6h30-16h sam-dim). On peut attendre longtemps son tour chez ce spécialiste du petit-déjeuner, près de l'I-80 Fwy, mais les pancakes cuits à la perfection en valent la peine.

**Chez Panisse** CALIFORNIEN $$$
(café 510-548-5049, restaurant 510-548-5525 ; 1517 Shattuck Ave ; plats dîner du café 18-29 $, dîner prix-fixe du restaurant 65-100 $ ; café 11h30-14h45 et 17h-22h30 lun-jeu, 11h30-15h et 17h-23h30 ven-sam ; services restaurant 18h-18h30

et 20h30-21h15 lun-sam). Temple d'Alice Waters, le berceau de la cuisine californienne reste au sommet de la gastronomie de la Baie. Réservez un mois à l'avance pour ses légendaires repas d'inspiration saisonnière à prix fixe (sans changement possible), ou dans le café à l'étage, avec des plats à la carte.

### Où prendre un verre et sortir

**Caffe Strada** CAFÉ
(2300 College Ave ; 6h-minuit ; ). Les étudiants se retrouvent dans le patio en plein air pour étudier, discuter ou flirter.

**Freight & Salvage Coffeehouse** MUSIQUE LIVE
(510-644-2020 ; http://thefreight.org ; 2020 Addison St ; 5-30 $). Ce légendaire club datant des années 1960 contestataires programme des spectacles pour tous les âges de folk et de world music.

**Berkeley Repertory Theatre** THÉÂTRE
(510-647-2949 ; www.berkeleyrep.org ; 2025 Addison St ; billets 35-100 $). Une compagnie très respectée, qui produit d'audacieuses interprétations de pièces classiques et contemporaines depuis 1968.

### Comment s'y rendre et circuler

AC Transit (p. 153) gère des bus locaux circulant dans Berkeley (2,10 $), ainsi qu'à destination d'Oakland (2,10 $) et San Francisco (4,20 $). Des trains **BART** (511, 510-465-2278 ; www.bart.gov) relient le centre de Berkeley – à courte distance à pied du campus –, et Oakland (1,75 $) et San Francisco (3,70 $).

# NORD DE LA CALIFORNIE

Le Golden State devient sauvage dans le nord de la Californie, avec ses séquoias émergeant de la brume, ses vignobles du Wine Country et ses mares de boue. À la croisée de la terre et de l'eau vie une population pour le moins disparate : barons de l'exploitation forestière et hippies câlinant les arbres, rastas coiffés de dreadlocks et ranchers sensibles au biodynamisme, cultivateurs d'herbe et radicaux politiques de toutes obédiences. Venez pour le paysage et restez pour le délicieux vin et les restaurants aux produits frais, les balades parmi les plus hauts arbres du monde, une baignade nu dans les sources chaudes et d'interminables conversations décousues commençant par un cordial “Hey, dude!”

## Wine Country

Une mosaïque de vignobles s'étend de la vallée ensoleillée de Napa, dans l'arrière-pays, à celle plus venteuse de Sonoma, sur la côte. C'est la principale région viticole de Californie. Napa possède des salles de dégustation conçues par de grands architectes et décorées d'œuvres d'art, avec des prix à l'avenant ; à Sonoma, plus simple, vous goûterez le vin dans des remises en caressant le chien du vigneron. Le Wine Country est à au moins une heure de voiture au nord de San Francisco via la Hwy 101 ou l'I-80.

## Napa Valley

Plus de 200 vignobles couvrent les 50 km de la Napa Valley sur trois grands itinéraires. Embouteillée le week-end, la Hwy 29 est bordée d'exploitations renommées. Parallèle et moins encombré, le Silverado Trail est jalonné d'établissements viticoles à l'architecture recherchée, renommés pour les cabernets sauvignons. À l'ouest vers Sonoma, la Hwy 121 (Carneros Hwy) dessert des exploitations incontournables spécialisées dans les vins pétillants et le pinot noir.

À l'extrémité sud de la vallée, **Napa** – centre de vie de la vallée – manque de caractère mais compte des restaurants tendance et des salles de dégustation. Faites une halte au **Napa Valley Welcome Center** (855-333-6272, 707-251-5895 ; www.visitnapavalley.com ; 600 Main St ; 9h-17h sept-avr, 9h-17h lun-jeu, 9h-18h ven-dim mai-oct) pour vous procurer des forfaits dégustation et des cartes des exploitations.

Au nord sur la Hwy 29, l'ancien poste de diligence de la minuscule **Yountville** compte davantage de restaurants étoilés au Michelin par habitant que n'importe quelle autre ville américaine. À 15 km au nord s'étend la charmante **St Helena** – le Beverly Hills de Napa – où il fait doux se promener et faire les magasins, à condition de trouver à se garer.

À l'extrémité nord de la vallée, **Calistoga**, la ville la moins embourgeoisée de Napa, possède des spas alimentés par des sources thermales et des établissements de bains de boue, qui utilisent les cendres volcaniques du mont St Helena voisin.

### À voir et à faire

La plupart des établissements viticoles de Napa nécessitent la réservation. Organisez un premier rendez-vous et élaborez votre journée à partir de là. Ne prévoyez pas plus de quelques salles de dégustation chaque jour.

**Hess Collection** DOMAINE VITICOLE, GALERIE
(707-255-8584 ; www.hesscollection.com ; 4411 Redwood Rd, Napa ; dégustation 10 $ ; 10h-17h). Au nord-ouest du centre de Napa, cette exploitation responsable marie de somptueux cabernets avec des œuvre d'art moderne de Robert Rauschenberg, entre autres. Réservation recommandée.

**di Rosa Art + Nature Preserve** GALERIE, JARDIN
(707-226-5991 ; www.dirosaart.org ; 5200 Hwy 121, Napa ; 5 $, visites 12-15 $ ; 10h-16h mer-dim, 10h-18h mer-dim avr-oct). Quand vous apercevrez des moutons en métal recyclé paissant dans les vignes de Carneros, vous aurez repéré l'une des plus belles collections d'art de la région. Réservation recommandée pour les visites guidées.

**Frog's Leap** DOMAINE VITICOLE
(707-963-4704 ; www.frogsleap.com ; 8815 Conn Creek Rd, Rutherford ; dégustation 15 $, visite comprise 20 $ ; 10h-16h ; ). Des chemins serpentent dans un jardin autour d'une grange de 1884 dans cet établissement écologique, réputé pour son sauvignon blanc et son cabernet. Réservez les visites bien à l'avance.

**Pride Mountain** DOMAINE VITICOLE
(707-963-4949 ; www.pridewines.com ; 3000 Summit Trail, St Helena ; dégustation 10 $, visite comprise 15-75 $ ; sur rdv). Établissement culte à la frontière des vallées de Sonoma et de Napa, Price offre de fantastiques cabernets, merlots, viogniers et chardonnays dans un domaine sans prétention au sommet d'une colline ; aires de pique-nique spectaculaires.

**Casa Nuestra** DOMAINE VITICOLE
(866-844-9463 ; www.casanuestra.com ; 3451 Silverado Trail, St Helena ; dégustation 10 $ ; 10h-16h30 sur rdv). Un drapeau de la paix et le portrait d'Elvis accueillent les visiteurs dans ce petit domaine familial alimenté à l'énergie solaire, réputé pour ses crus inhabituels. Des chèvres gambadent près de l'aire de pique-nique.

**Castello di Amorosa** DOMAINE VITICOLE, CHÂTEAU
(707-967-6272 ; www.castellodiamorosa.com ; 4045 Hwy 29, Calistoga ; entrée et dégustation 18-28 $, visite guidée comprise 33-69 $ ; 9h30-18h, 9h30-17h nov-fév). Visitez cette reconstitution de château toscan du XIIIe siècle, dont le donjon-salle de dégustation regorge de crus italiens.

**Indian Springs Spa** SPA
(707-942-4913 ; www.indianspringscalistoga.com ; 1712 Lincoln Ave, Calistoga ; sur rdv 9h-20h). Réservez pour un bain de boue volcanique dans cette station thermale du XIXe siècle. Les soins comprennent l'accès aux bassins thermaux.

## Où se loger

Les tarifs les plus avantageux de la vallée sont offerts, en semaine, dans les motels peu enthousiasmants de Napa.

**Bothe-Napa Valley State Park** CAMPING $
(800-444-7275 ; www.reserveamerica.com ; 3801 Hwy 128, Calistoga ; empl tente et camping-cars 35 $ ; ). À flanc de colline. Piscine d'été, douches chaudes à pièces et sentiers de randonnée sous des chênes moussus.

**Chablis Inn** MOTEL $$
(707-257-1944 ; www.chablisinn.com ; 3360 Solano Ave, Napa ; ch 105-179 $ ; ). En banlieue de Napa, des chambres spacieuses, modernes et impeccables, profitent même, pour certaines, de baignoires à jets pour couple.

**EuroSpa & Inn** MOTEL $$
(707-942-6829 ; www.eurospa.com ; 1202 Pine St, Calistoga ; ch avec petit-déj 145-195 $ ; ). Motel d'un seul niveau, immaculé, dans une petite rue tranquille. Treize chambres avec baignoires à remous pour deux et cheminées au gaz. Évitez le spa.

**Indian Springs Resort** COMPLEXE $$$
(707-942-4913 ; www.indianspringscalistoga.com ; 1712 Lincoln Ave, Calistoga ; ch/cottage à partir de 199/229 $ ; ). On est choyé dans le plus harmonieux des complexes thermaux de Calistoga, où de charmants bungalows (parfois avec cuisine) s'ouvrent sur une vaste pelouse plantée de palmiers. Jeux de palets et de boules, hamacs et BBQ. Prêt de vélos.

## Où se restaurer

Nombre de restaurants du Wine Country ferment plus tôt en hiver et au printemps.

**Oxbow Public Market** MARCHÉ $
(707-226-6529 ; www.oxbowpublicmarket.com ; 644 1st St, Napa ; plats à partir de 3 $ ; 9h-19h lun-sam, 10h-17h dim). Des produits

artisanaux et responsables sont proposés par une vingtaine de vendeurs. Délicieuses huîtres de Hog Island, muffins chez Model Bakery, pizzas croustillantes chez Ca' Momi's ou glace bio chez Three Twins.

**Gott's Roadside** AMÉRICAIN **$$**
(☎707-963-3486 ; http://gotts.com ; 933 Main St, St Helena ; plats 3-14 $ ; ⏲7h-21h, 7h-22h mai-sept ; 🚸). *Diner* drive-in des années 1950 adapté aux goûts du XXI[e] siècle : burgers de bœuf 100% naturel, poulet bio ou thon de haute qualité, sont accompagnés de frites de patates douces saupoudrées de piment et de milk-shakes maison.

**Oakville Grocery** TRAITEUR, MARCHÉ **$$**
(☎707-944-8802 ; www.oakvillegrocery.com ; 7856 Hwy 29, Oakville ; sandwichs 9-14 $ ; ⏲6h30-17h). Denrées pour pique-nique ou repas gastronomique à emporter. Sandwichs à base d'ingrédients artisanaux et desserts succulents. Une autres enseigne est ouverte dans le centre de Healdsburg.

**Wine Spectator Greystone Restaurant** CALIFORNIEN **$$$**
(☎707-967-1010 ; www.ciarestaurants.com ; 2555 Main St, St Helena ; dîner plats 22-34 $ ; ⏲11h30-14h30 et 17h-21h lun-ven, 11h30-21h sam, 12h-19h15 dim ; 📶). Château en pierre de 1889 abritant le restaurant gastronomique du Culinary Institute of America, une boulangerie-café et une boutique de gadgets. Réservez pour les démonstrations culinaires du week-end et les cours de dégustation de vins.

**Ad Hoc** CALIFORNIEN **$$$**
(☎707-944-2487 ; www.adhocrestaurant.com ; 6476 Washington St, Yountville ; dîner à partir de 52 $ ; ⏲17h-22h mer-dim, plus 10h-13h dim). Pas de carte dans la cuisine "expérimentale" du chef Thomas Keller. Le dîner de style familial de 4 plats change chaque jour, sans substitution possible (sauf pour raison de santé). Des mets réconfortants, délicieux et de qualité.

♥ **French Laundry** CALIFORNIEN **$$$**
(☎707-944-2380 ; www.frenchlaundry.com ; 6640 Washington St, Yountville ; dîner prix-fixe 270 $ ; ⏲services 11h-13h ven-dim et 17h30-21h15 tlj). Trois étoiles au Michelin pour ce restaurant de haute volée culinaire plein de fantaisie. Réservez exactement deux mois à l'avance : appelez à 10h (ou essayez OpenTable.com à minuit). Optez sinon pour la brasserie française **Bouchon** du chef Thomas Keller ou les pâtisseries de la **Bouchon Bakery**.

## Sonoma Valley

Plus décontractée, moins commerciale que Napa, la Sonoma Valley comprend plus de 70 domaines viticoles le long de la Hwy 12, qui, contrairement à ceux de Napa, acceptent généralement les pique-niqueurs. Sachez qu'il existe trois Sonoma : la ville, la vallée et le comté.

### À voir et à faire

Le centre de Sonoma fut la capitale de l'éphémère Bear Flag Republic. Aujourd'hui la **Sonoma Plaza** – la place la plus vaste de l'État – est bordée de boutiques chics, de bâtiments historiques et d'un **Visitor Center** (☎866-996-1090, 707-996-1090 ; www.sonomavalley.com ; 453 1st St E ; ⏲9h-17h lun-sam, 10h-17h dim).

**Jack London State Historic Park** PARC
(☎707-938-5216 ; www.jacklondonpark.com ; 2400 London Ranch Rd, Glen Ellen ; 8 $/voiture, visite adulte/enfant 4/2 $ ; ⏲9h30-17h jeu-lun). C'est ici que l'aventurier et romancier Jack London construisit la maison de ses rêves – qui brûla juste avant d'être achevée en 1913. Visitez le cottage d'origine de l'écrivain ou explorez le petit musée établi dans un bosquet de séquoias. Trente kilomètres de sentiers de randonnée et de VTT sillonnent les 560 hectares du parc.

♥ **Bartholomew Park Winery** DOMAINE VITICOLE
(☎707-939-3024 ; www.bartpark.com ; 1000 Vineyard Lane, Sonoma ; dégustation 10 $, visite comprise 20 $ ; ⏲11h-16h30). 🍃 Dans une réserve naturelle de 160 hectares, idéale pour pique-niquer, les vignes familiales cultivées depuis 1857 sont aujourd'hui certifiée bio. Elles produisent un sauvignon blanc aux tons d'agrumes et un puissant merlot.

**Gundlach-Bundschu Winery** DOMAINE VITICOLE
(☎707-939-3015 ; www.gunbun.com ; 2000 Denmark St, Sonoma ; dégustation 10 $, visite comprise 20-50 $ ; ⏲11h-16h30, 11h-17h30 juin à mi-oct). 🍃 À l'ouest du centre-ville, cette exploitation éco-responsable qui date de 1858 ressemble à un château de conte de fées. Les vignerons produisent le légendaire tempranillo et d'excellents gewurztraminers.

**Kunde** DOMAINE VITICOLE
(☎707-833-5501 ; www.kunde.com ; 9825 Hwy 12, Kenwood ; dégustation et visite 10-40 $ ; ⏲10h30-17h). 🍃 Réservez une visite dans cette

exploitation responsable, une randonnée guidée ou une exquise dégustation de cabernet, zinfandel et sauvignon blanc maison.

**Kaz Winery** DOMAINE VITICOLE
(707-833-2536 ; www.kazwinery.com ; 233 Adobe Canyon Rd, Kenwood ; dégustation 5 $ ; 11h-17h ven-lun, sur rdv mar-jeu ; ). Quittez la Hwy 12 pour savourer des vins originaux et bio, servis sur un couvercle de tonneau dans une grange.

**Ravenswood Winery** DOMAINE VITICOLE
(707-933-2332 ; www.ravenswoodwinery.com ; 18701 Gehricke Rd, Sonoma ; dégustation 10 $, visite comprise 15 $ ; 10h-16h30). Cette salle de dégustation animée propose toutes sortes de zinfandels. Novices bienvenus.

**Cornerstone Sonoma** JARDIN
(707-933-3010 ; www.corenerstonegardens.com ; 23570 Arnold Dr, Sonoma ; 10h-16h). GRATUIT Rien de traditionnel dans ces jardins paysagers d'avant-garde à 8 km au sud du centre de Sonoma.

## Où se loger

Les motels et hôtels les moins chers se trouvent à Santa Rosa, à l'extrémité nord de la vallée.

**Sugarloaf Ridge State Park** CAMPING $
(800-444-7275 ; www.reserveamerica.com ; 2605 Adobe Canyon Rd, Kenwood ; camping et empl camping-car 35 $ ; ). Près des domaines du milieu de la vallée, campez dans un pré à proximité d'un ruisseau et de sentiers boisés. Douches chaudes à pièce.

**Sonoma Hotel** HÔTEL HISTORIQUE $$
(800-468-6016, 707-996-2996 ; www.sonomahotel.com ; 110 W Spain St, Sonoma ; ch avec petit-déj 115-240 $). Chambres désuètes imbriquées dans un bâtiment du XIXe siècle donnant sur la place. Ni ascenseur, ni parking. Séjour deux nuits minimum la plupart des week-ends.

**Beltane Ranch** B&B $$$
(707-996-6501 ; www.beltaneranch.com ; 11775 Hwy 12, Glen Ellen ; d avec petit-déj 150-265 $ ; ). Les vastes vérandas sont équipées de balancelles et de chaises en rotin blanc dans cette maison de ranch jaune de 1890, entourée de pâtures. Pas de téléphone ni de TV.

**Gaige House Inn** B&B $$$
(800-935-0237, 707-935-0237 ; www.gaige.com ; 13540 Arnold Dr, Glen Ellen ; d avec petit-déj à partir de 275 $ ; ). Près des vignobles, cette demeure historique abrite des chambres au chic asiatique et des suites avec cheminée. Courettes de méditation en galets près de la piscine. Autres adresses à Sonoma, Healdsburg et Yountville.

## Où se restaurer

**Fremont Diner** AMÉRICAIN $$
(707-938-7370 ; http://thefremontdiner.com ; 2698 Fremont Dr, Sonoma ; petit-déj et déj plats 6-14 $ ; 8h-15h lun-mer, 8h-21h jeu-dim ; ). Cuisine aux accents sudistes élaborée avec des produits fermiers, dans un *diner* simple doté de tables de pique-nique à l'extérieur. Venez tôt pour éviter une longue attente.

**Fig Cafe & Winebar** FRANÇAIS $$
(707-938-2130 ; www.thefigcafe.com ; 13690 Arnold Dr, Glen Ellen ; plats 10-20 $ ; 10h-15h sam-dim, 17h30-21h tlj). Imaginez une cuisine réconfortante d'inspiration française, comme des moules vapeur et du cassoulet de canard, dans une salle conviviale aux plafonds voûtés. Pas de réservation ni de droit de bouchon.

**Red Grape** ITALIEN $$
(707-996-4103 ; http://theredgrape.com ; 529 1st St W, Sonoma ; plats 10-20 $ ; 11h30-22h ; ). Pizzeria inondée de soleil servant des pizzas à pâte fine garnies de fromage local, des paninis et des pâtes accompagnées de petits vins de Sonoma.

**Cafe La Haye** CALIFORNIEN $$$
(707-935-5994 ; www.cafelahaye.com ; 140 E Napa St, Sonoma ; plats 20-30 $ ; 17h30-21h mar-sam). Ce petit bistrot, avec cuisine ouverte, élabore une nouvelle cuisine américaine avec des ingrédients locaux. On mange au coude-à-coude. Réservez bien à l'avance.

# Russian River Valley

Les séquoias dominent les petits vignobles de la Russian River Valley, à 120 km au nord-ouest de San Francisco (via les Hwy 101 et 116), dans l'ouest de **Sonoma County**.

Célèbre pour ses pommeraies et ses excursions de ferme en ferme, **Sebastopol** est imprégnée d'une aura new age avec ses librairies du centre-ville, galeries d'art, boutiques et brocantes, plus au sud. Offrez-vous une pinte et mangez un morceau dans le *beer garden* de l'**Hopmonk Tavern** (707-829-9300 ; www.hopmonk.com ; 230 Petaluma Ave ; plats 12-23 $ ; 11h30-21h dim-mer, 11h30-21h30 jeu-sam, bar jusqu'à 1h30 ; ), où la

CALIFORNIE WINE COUNTRY

world music résonne le soir venu. À 6 km au nord-ouest, le **Willow Wood Market Cafe** (707-823-0233 ; www.willowwoodgraton.com ; 9020 Graton Rd, Graton ; plats 7-17 $ ; 8h-21h lun-sam, 8h-15h dim ; ) propose des petits-déjeuners, et de délicieux sandwichs chauds à midi.

Les moteurs de Harley et les bars gay-friendly assurent l'animation à **Guerneville**, la principale ville fluviale. Admirez les séquoias anciens de l'**Armstrong Redwoods State Reserve** (707-869-2015 ; www.parks.ca.gov ; 17000 Armstrong Woods Rd ; 8 $/voiture ; 8h-crépuscule ; ), à côté du camping sans réservation **Bullfrog Pond Campground** (www.stewardsofthecoastandredwoods.org ; empl 25 $ ; ). Descendez la rivière au milieu des hérons et des loutres avec **Burke's Canoe Trips** (707-887-1222 ; www.burkescanoetrips.com ; 8600 River Rd, Forestville ; location canoë, navette comprise 60 $). Dirigez-vous vers le sud pour siroter un vin pétillant à la dégustation en plein air des **Iron Horse Vineyards** (707-887-1507 ; www.ironhorsevineyards.com ; 9786 Ross Station Rd, Sebastopol ; dégustation 15 $, visite comprise 20 $ ; 10h-16h30). D'autres excellents domaines viticoles longent Westside Rd, qui suit la rivière jusqu'à Healdsburg. Le **Visitor Center** (877-644-9001, 707-869-9000 ; www.russianriver.com ; 16209 1st St ; 10h-17h) de Guerneville fournit des cartes des vignobles et des informations sur les hébergements. Les meilleurs repas se font au très californien **Boon Eat + Drink** (707-869-0780 ; http://eatatboon.com ; 16248 Main St ; dîner plats 15-26 $ ; 11h-15h lun-mar et jeu-ven, 17h-21h lun-ven, 10h-15h et 17h-22h sam-dim), qui gère le chic **Boon Hotel + Spa** (707-869-2721 ; www.boonhotels.com ; 14711 Armstrong Woods Rd ; ch 165-275 $ ; ) , oasis écologique minimaliste pourvue d'une piscine d'eau salée.

La Bohemian Hwy s'étire sur 16 km au sud de la rivière jusqu'à la minuscule **Occidental**, où le **Howard Station Cafe** (www.howardstationcafe.com ; 3811 Bohemian Hwy ; plats 6-11 $ ; 7h-14h30 lun-ven, 7h-15h sam-dim ; ) sert de solides petits-déjeuners, comme des pancakes de maïs aux myrtilles (espèces uniquement), et où la **Barley & Hops Tavern** (707-874-9037 ; www.barleynhops.com ; 3688 Bohemian Hwy ; 16h-21h30 lun-mer, 11h-21h30 jeu et dim, 11h-22h ven-sam) propose des bières artisanales. Cinq kilomètres au sud, **Freestone** recèle la remarquable boulangerie **Wild Flour Bread** (www.wildflourbread.com ; 140 Bohemian Hwy ; à partir de 3 $ ; 8h30-18h ven-lun) et **Osmosis** (707-823-8231 ; www.osmosis.com ; 209 Bohemian Hwy ; sur rv), qui propose des bains d'enzymes libérés par les copeaux de cèdre dans lesquels vous êtes plongé.

## De Healdsburg à Boonville

Plus de 100 domaines viticoles jalonnent les vallées dans un rayon de 32 km autour de **Healdsburg**, dont la place de style espagnol est entourée de restaurants haut de gamme, de salles de dégustation de vin et d'hôtels élégants. Pour des forfaits dégustation et des cartes, rendez-vous au **Visitor Center** (800-648-9922, 707-433-6935 ; www.healdsburg.org ; 217 Healdsburg Ave, Healdsburg ; 9h-17h lun-ven, 9h-15h sam, 10h-14h dim). Dînez avec des Californiens chics amateurs de produits locaux dans le verdoyant patio de **Barndiva** (707-431-0100 ; www.barndiva.com ; 231 Center St ; dîner plats 25-36 $ ; 12h-14h mer-sam, 11h-14h dim et 17h30-21h30 mer-dim, 17h30-22h ven-sam), ou déjeunez près des vignobles de l'Alexander Valley au très country **Jimtown Store** (707-433-1212 ; www.jimtown.com ; 6706 Hwy 128 ; sandwichs 6-14 $ ; 7h30-16h lun-jeu, 7h30-17h ven-dim). Séjournez ensuite au **L&M Motel** (707-433-6528 ; www.landmmotel.com ; 70 Healdsburg Ave ; ch 85-165 $ ; ) ou aux très romantiques **Healdsburg Modern Cottages** (866-964-0110 ; www.healdsburgcottages.com ; 425 Foss St ; d à partir de 250 $ ; ), au charme rétro. De charmantes exploitations viticoles se nichent dans la **Dry Creek Valley**, à l'ouest de la Hwy 101 en venant du centre de Healdsburg. Partez à vélo déguster les zinfandels des **Truett Hurst Vineyards** (707-433-9545 ; www.truetthurst.com ; 5610 Dry Creek Rd ; dégustations 5-10 $ ; 10h-17h) et des **Bella Vineyards & Wine Caves** (707-473-9171 ; www.bellawinery.com ; 9711 West Dry Creek Rd ; dégustation 10 $ ; 11h-16h30), ou allez en voiture vers la Russian River et les **Porter Creek Vineyards** (707-433-6321 ; www.portercreekvineyards.com ; 8735 Westside Rd ; dégustation 10 $ ; 10h30-16h30) pour leur pinot noir et leur viognier servis au bar fabriqué avec une piste de bowling.

Au nord d'Healdsburg, suivez la Hwy 128 dans l'**Anderson Valley**, réputée pour ses vergers et ses remarquables exploitations viticoles comme **Navarro** (707-895-3686 ; www.navarrowine.com ; 5601 Hwy 128, Philo ; 9h-17h, 9h-18h mai-sept) et **Husch** (800-554-8724 ; www.huschvineyards.com ; 4400 Hwy 128, Philo ; 10h-17h). À l'extérieur de

**Boonville**, qui compte, en bord de route, des cafés, des boulangeries, des traiteurs et des glaciers, faites une pause pour une partie de disc-golf et une bière à l'**Anderson Valley Brewing Company** (707-895-2337 ; www.avbc.com ; 17700 Hwy 253 ; 11h-18h sam-jeu, 11h-19h ven, visites 13h30 et15h30 tlj, fermé mar-mer jan-mars), un établissement fonctionnant à l'énergie solaire.

## Comment s'y rendre et circuler

Venir dans le Wine Country et y circuler en transports en commun est possible mais lent.

Pour Napa, prenez le **Vallejo Baylink Ferry** (877-643-3779 ; www.baylinkferry.com) depuis le Ferry Building de San Francisco (13 $, 1 heure). À Vallejo, prenez un bus **Vine Transit** de la Napa Valley (707-251-2800 ; www.ridethevine.com) pour Napa (1,50-3,25 $, 40-55 minutes), qui a des correspondances limitées pour Yountville, St Helena et Calistoga. Sinon, prenez un BART direction El Cerrito del Norte, puis, en semaine, changez pour le bus n°29 de Vine Transit, direction Napa (3,25 $, 1 heure 15) ; le week-end, prenez le bus n°80 de **SolTrans** (707-648-4666 ; www.soltransride.com) direction Vallejo (1,75 $, 25 min), puis le bus Vine Transit n°11 pour Napa (1,50 $, 55 min).

Pour Sonoma, des bus **Greyhound** (800-231-2222 ; www.greyhound.com) relient San Francisco et Santa Rosa (24 $, 1 heure 45). **Golden Gate Transit** (415-455-2000, 511 ; http://goldengate.org) relie aussi San Francisco et Santa Rosa (10,75 $, 2-3 heures). De Santa Rosa, les bus **Sonoma County Transit** (800-345-7433, 707-576-7433 ; www.sctransit.com) vont à Sonoma (3,05 $, 1 heure 10) via les villes de la Sonoma Valley.

On peut louer des vélos (30-85 $/jour) auprès de **Napa River Vélo** (707-258-8729 ; www.naparivervelo.com ; 680 Main St, Napa), **Wine Country Cyclery** (707-966-6800 ; www.winecountrycyclery.com ; 262 W Napa St, Sonoma), **Calistoga Bike Shop** (707-942-9687 ; www.calistogabikeshop.com ; 1318 Lincoln Ave, Calistoga) ou **Spoke Folk Cyclery** (707-433-7171 ; www.spokefolk.com ; 201 Center St, Healdsburg).

# Côte nord

La métropole de San Francisco n'est qu'à quelques heures de route mais semble à des années-lumière des vagues écumantes et glaciales du Pacifique et des minuscules bourgades de cette partie déchiquetée du continent. Des vallées couvertes de séquoias côtoient les vagues et les fermes de la côte nord, foyer des hippies, des microbrasseries et des arbres parmi les plus hauts du monde. À mesure que vous la parcourez, la route étroite et sinueuse du littoral se fait de plus en plus belle.

## De Bodega Bay à Fort Bragg

Comparé au fameux littoral de Big Sur, le tronçon sinueux de la Hwy 1 le long de la côte nord est plus difficile et plus isolé, mais aussi plus *authentique :* il passe par des fermes, des villes de pêcheurs et des plages cachées. Les automobilistes s'arrêtent sur le bas-côté pour scruter l'horizon à la recherche de baleines et se promener le long des formations rocheuses côtières, battues par les flots. Dans la journée, comptez au moins 3 heures de route sans arrêts pour parcourir les 177 km entre Bodega Bay et Fort Bragg. Dans le brouillard nocturne, il faut des nerfs d'acier et beaucoup plus de temps.

**Bodega Bay**, la première perle d'un chapelet de somnolentes villes de pêcheurs, a servi de cadre au film d'Hitchkock *Les Oiseaux* en 1963. Les mouettes assoiffées de sang ont disparu mais gardez un œil sur votre panier de pique-nique en explorant les rochers, les criques secrètes et les promontoires couverts de fleurs du **Sonoma Coast State Park** (www.parks.ca.gov ; 8 $/voiture), dont les plages s'étendent au-delà de Jenner, à 15 km au nord. **Bodega Bay Charters** (707-875-3495 ; http://bodegacharters.com ; Eastshore Rd) organise des expéditions d'observation des baleines (adulte/enfant 50/35 $). **Bodega Bay Surf Shack** (707-875-3944 ; http://bodegabaysurf.com ; 1400 N Hwy 1 ; location planche/combinaison/kayak à partir de 17/17/45 $) loue des planches de surf, des combinaisons et des kayaks. Randonnez sur Bodega Head ou sellez un cheval aux **Chanslor Riding Stables** (707-785-8849 ; www.chanslorranch.com ; 2660 N Hwy 1 ; balade à partir de 40 $).

Au croisement de la paresseuse Russian River et du Pacifique, **Jenner**, grappe de boutiques et de restaurants à flanc de colline, n'a pas grand-chose à offrir. Des bénévoles bien renseignés protègent la colonie de veaux marins vivant à l'embouchure de la rivière pendant la saison des naissances, entre mars et août.

À 20 km au nord de Jenner, les bâtiments érodés par le sel du **Fort Ross State Historic Park** (707-847-3286 ; www.fortrossstatepark.org ; 19005 Hwy 1 ; 8 $/voiture ; 10h-16h sam-dim, aussi 10h-16h ven fin mai-début sept) conservent un comptoir marchand de 1812 et une église orthodoxe russe. Cet endroit paisible fut jadis le poste américain le plus méridional des expéditions commerciales de la Russie tsariste. Le petit musée, aux senteurs boisées, offre des expositions historiques et un abri aux falaises venteuses.

À 11 km au nord, le **Salt Point State Park** (☎707-847-3321 ; 8 $/voiture ; ⏲Visitor Center 10h-15h sam-dim avr-oct) offre nombre de sentiers de randonnées et de bassins de marée, et compte deux **campings** (☎800-444-7275 ; www.reserveamerica.com ; empl 35 $, empl sans réservation 25 $ ; ). Dans la **Kruse Rhododendron State Reserve** voisine, des fleurs roses ponctuent les bois verts et brumeux au printemps. Les vaches paissent dans les prés jonchés de pierres sur les promontoires menant au nord à **Sea Ranch**, où des sentiers accessibles au public partant des parkings conduisent à de petites plages.

À 3 km au nord de la ville de Point Arena, faites un détour par le phare venteux **Point Arena Lighthouse** (☎707-882-2777 ; www.pointarenalighthouse.com ; 45500 Lighthouse Rd ; adulte/enfant 7,50/1 $ ; ⏲10h-15h30, 10h-16h30 fin mai-début sept), érigé en 1908. Montez les 145 marches pour observer la lentille de Fresnel et admirer le magnifique panorama. À 12 km au nord du passage de Little River sur la Hwy 128 s'étend le **Van Damme State Park** (☎707-937-5804 ; www.parks.ca.gov ; 8 $/voiture), où le **Fern Canyon Trail** de 8 km passe par un canyon luxuriant planté de jeunes séquoias, et se poursuit sur 1,5 km vers une forêt naine. Le **camping** (☎800-444-7275 ; www.reserveamerica.com ; empl sans/avec voiture 25/35 $ ; ) du parc possède des douches chaudes à pièces.

À **Mendocino**, village historique perché sur un magnifique promontoire, on déambule parmi les maisons en bois, les B&B Nouvelle-Angleterre, les boutiques pittoresques et les galeries d'art. Des sentiers bordés de mûriers, de fleurs sauvages et de cyprès bordent les falaises et les vagues déchaînées du **Mendocino Headlands State Park** (www.parks.ca.gov) GRATUIT. Renseignez-vous au **Ford House Museum & Visitor Center** (☎707-537-5397 ; http://mendoparks.org ; 735 Main St ; ⏲11h-16h) sur les promenades guidées à la découverte de la nature. Au sud de la ville, remontez l'estuaire de Big River grâce à **Catch a Canoe & Bicycles Too!** (☎707-937-0273 ; www.catchacanoe.com ; Stanford Inn, 44850 Comptche-Ukiah Rd ; location kayak et canoë adulte/enfant à partir de 28/14 $ ; ⏲9h-17h).

Seize kilomètres plus au nord, **Fort Bragg** tente de séduire les touristes aisés, mais n'a pas le charme de Mendocino. Vous y trouverez de l'essence bon marché et l'historique **Skunk Train** (☎707-964-6371 ; www.skunktrain.com ; au pied de Laurel St ; adulte/enfant à partir de 20/10 $ ; ), dont les locomotives Diesel et à vapeur offrent une agréable promenade d'une demi-journée dans la forêt.

## Où se loger

Il semble qu'un édifice sur deux soit un B&B à Mendocino, et même si l'on en dénombre des dizaines, il faut impérativement réserver. Fort Bragg, à 16 km au nord, compte de nombreux motels.

**Gualala Point Regional Park** CAMPING $
(http://parks.sonomacounty.ca.gov ; 42401 Hwy 1, Gualala ; empl tente et camping-car 30-45 $ ; ). Ombragé par des séquoias et d'odorants lauriers de Californie, un court sentier relie ce camping au bord d'un ruisseau à la plage balayée par le vent. Roulez jusqu'aux sites pour camping-cars ou marchez pour trouver les emplacements pour tente plus isolés. Douches chaudes à pièces.

**Andiorn** COTTAGES $$
(☎800-955-6478, 707-937-1543 ; http://theandiorn.com ; 6051 N Hwy 1, Little River ; cottages pour la plupart 109-199 $ ; ). Cette grappe de cottages des années 1950 repose les yeux après l'ambiance rose et dentelles de Mendocino. Les maisonnettes en duplex, certaines avec kitchenette et cheminés, déclinent des thèmes fantaisistes.

♥ **Mar Vista Cottages** COTTAGES $$$
(☎877-855-3522, 707-884-3522 ; www.marvista-mendocino.com ; 35101 S Hwy 1, Gualala ; cottages 175-295 $ ; ). Cottages années 1930, restaurés et équipés de cuisines, pour un havre marin tranquille à Anchor Bay. Les draps sèchent sur la lavande, on peut cueillir son dîner dans le potager bio et les poulets déambulent dans la propriété en pondant le petit-déjeuner. Deux nuits minimum.

**Brewery Gulch Inn** B&B $$$
(☎800-578-4454, 707-937-4752 ; www.brewerygulchinn.com ; 9401 N Hwy 1, Mendocino ; d petit-déj compris 245-495 $ ; ). Au sud de Mendocino, une auberge luxueuse, sereine et écologique proposant des chambres modernes avec cheminée. Les hôtes vous

servent généreusement lors de l'apéritif et laissent des en-cas dans les chambres. Petits-déjeuners sur commande dans une petite salle donnant sur la mer.

## Où se restaurer et prendre un verre

Même les petites villes côtières ont une boulangerie, un traiteur, un marché et quelques cafés et restaurants au bord de la route.

**Spud Point Crab Company** POISSON $
(www.spudpointcrab.com ; 1910 Westshore Rd, Bodega Bay ; plats 4-11 $ ; 9h-17h ; ). Traditionnel petit restaurant de fruits de mer, servant des cocktails de crabe sucrés-salés et une *véritable* soupe de palourdes sur des tables de pique- nique, devant la marina.

**Franny's Cup & Saucer** BOULANGERIE $
(www.frannyscupandsaucer.com ; 213 Main St, Point Arena ; à partir de 2 $ ; 8h-16h mer-sam). Pâtisserie de conte de fées servant des tartes colorées, des cookies maison et des délices chocolatés exposés dans une petite vitrine.

**GoodLife Cafe** CAFÉ $
(http://goodlifecafemendo.com ; 10485 Lansing St, Mendocino ; 3-10 $ ; 8h-16h). Expresso bio bien fort, pâtisseries au beurre, *empanadas* salées, soupes maison, salades fraîches et jus de fruits.

**Piaci Pub & Pizzeria** ITALIEN $$
(www.piacipizza.com ; 120 W Redwood Ave, Fort Bragg ; plats 8-18 $ ; 11h-21h30 lun-jeu, 11h-22h ven-sam, 16h-21h30 dim). Conversez avec les habitants devant des bières locales, et des pizzas cuites au feu de bois, des calzones et des *focaccie* pesto-chèvre ou *prosciutto*-pommes de terre. Minuscule, bruyant et sympathique.

**Café Beaujolais** CALIFORNIEN $$$
(707-937-5614 ; www.cafebeaujolais.com ; 961 Ukiah St, Mendocino ; dîner plats 23-35 $ ; 11h30-14h30 mer-dim, dîner à partir de 17h30 tlj). L'emblématique restaurant franco-californien de Mendocino occupe une ferme de 1896 changée en salle chic et romantique. Menu saisonnier, raffiné et inspiré.

**North Coast Brewing Co** BRASSERIE
(707-964-3400 ; www.northcoastbrewing.com ; 444 N Main St, Fort Bragg ; 16h-21h30 mer-jeu et dim, 16h-22h ven-sam). *Fish and chips* onéreux et frites à l'ail n'arrivent pas à la hauteur des magnifiques bières maison comme la Red Seal Ale et la "Brother Thelonious" de style belge servies à la pression.

## Comment s'y rendre et circuler

Ni Greyhound ni Amtrak ne desservent les villes de la Hwy 1. Le bus n°65 de **Mendocino Transit Authority** (MTA ; 800-696-4682 ; www.mendocinotransit.org) circule quotidiennement entre Fort Bragg et Santa Rosa (21 $, 2 heures 30) via Ukiah. De Santa Rosa, le bus n°101 de **Golden Gate Transit** (415-455-2000 ; http://goldengate.org) part toutes les heures pour San Francisco (10,75 $, 2 heures 45). En semaine, le bus MTA n°60 fait plusieurs fois la navette entre Fort Bragg et Mendocino (1,25 $, 1 heure), avec une correspondance pour Point Arena et Gualala.

# D'Ukiah à Garberville

Si la Hwy 1 est une route côtière idéale pour flâner, la plupart des véhicules qui empruntent la Hwy 101 à l'intérieur des terres filent vers les régions isolées situées au-delà du "Redwood Curtain". En chemin, vous aurez l'occasion d'admirer les vignobles autour d'Ukiah, les luxuriantes forêts de séquoias au nord de Leggett et les étendues sauvages de la Lost Coast.

Si on ne s'arrête à **Ukiah** que pour un repas ou le plein d'essence, le **Vichy Springs Resort** (707-462-9515 ; www.vichysprings.com ; 2605 Vichy Springs Rd ; pass 2 heures/jour 30/50 $) voisin offrent les seuls bains d'eau minérale naturellement gazeuse d'Amérique du Nord (maillot obligatoire).

Au nord de la minuscule **Leggett** sur la Hwy 101, on peut se baigner ou pêcher dans l'Eel River à la **Standish-Hickey State Recreation Area** (707-925-6482 ; www.parks.ca.gov ; 69350 Hwy 101 ; 8 $/voiture ; ), où 14 km de sentiers de randonnée sinuent dans des forêts de séquoias – cherchez le Miles Standish, de 68 m de haut. À 11 km au sud de **Garberville** sur la Hwy 101, le **Richardson Grove State Park** (707-247-3318 ; www.parks.ca.gov ; 8 $/voiture) protège 800 hectares de forêts de séquoias. Les deux parcs ont aménagé des **campings** (800-444-7275 ; www.reserveamerica.com ; empl 35-45 $ ; ).

La **Lost Coast** couronne un itinéraire de randonnée exigeant, jalonné d'hébergements rudimentaires donnant sur la côte escarpée. La côte s'est "perdue" (*lost*) quand la nationale contourna les montagnes de la King Range (1 220 m), qui s'élève à plusieurs kilomètres de l'océan, laissant la région très peu développée. De Garberville, une mauvaise route de 37 km conduit à **Shelter Cove**, le principal point de ravitaillement, qui ne compte toutefois qu'un magasin général, des cafés et des motels. Respectez les panneaux "no trespassing" quand vous vous promenez, sous peine d'avoir affaire à des cultivateurs de marijuana extrêmement attachés à leur propriété privée.

Le long de la Hwy 101, le **Humboldt Redwoods State Park** (www.humboldtredwoods.org) GRATUIT, d'une superficie de 212 km², abrite certains des plus vieux séquoias et 80% des 137 plus hauts arbres au monde ; ces arbres magnifiques rivalisent avec ceux du Redwood National Park, loin plus au nord. Si vous n'avez pas le temps pour une randonnée, parcourez en voiture l'extraordinaire **Avenue of the Giants**, une route à double sens de 50 km parallèle à la Hwy 101.

Réservez un **emplacement de camping** (800-444-7275 ; www.reserveamerica.com ; empl 20-35 $ ; ). Procurez-vous renseignements et cartes de randonnées au **Visitor Center** (707-946-2263 ; 9h-17h avr-oct, 10h-16h nov-mars).

## Où se loger et se restaurer

Campings et parcs à camping-cars abondent le long de la Hwy 101, où la moindre bourgade compte au moins une boutique d'alimentation saine et un traiteur, un café en drive-in, un café hippie et une poignée de motels. Les complexes composés de chalets en bois et les motels de l'Avenue of the Giants sont médiocres.

**Benbow Inn** HÔTEL HISTORIQUE **$$$**
(707-923-2124, 800-355-3301 ; www.benbowinn.com ; 445 Lake Benbow Dr, Garberville ; ch/cottage à partir de 180/230 $ ; ). Malgré une décoration très chargée, ce manoir de 1926 de style Tudor n'en est pas moins agréable. Thé offert l'après-midi et *sherry* (vin de Xérès) dans chaque chambre. Le restaurant aux nappes blanches et le bar tout en boiseries sont idéaux les soirs de brume.

**Ardella's** DINER **$**
(77 S Main St, Willits ; plats 6-11 $ ; 7h-14h45 mer-sam, 8h-14h dim ; ). Sur la Hwy 101, autostoppeurs hippies, camionneurs et touristes se régalent de ses omelettes géantes, purées, salades et soupes maison comme la carotte-gingembre-curry. Espèces uniquement.

## Comment s'y rendre et circuler

Des bus Greyhound quotidiens relient San Francisco et Ukiah (43 $, 3 heures), Willitts (43 $, 3 heures 30) et Garberville (58 $, 5 heures 30). Le **Redwood Transit System** (707-443-0826 ; www.hta.org ; ) gère quelques rares bus en semaine entre Garberville et Eureka (5 $, 1 heure 45).

## D'Eureka à Crescent City

Au-delà des galeries marchandes qui débordent en périphérie, Old Town, le cœur d'**Eureka**, est constitué de jolis bâtiments victoriens, de brocantes et de restaurants. Faites une croisière dans le port sur le **Madaket** (707-445-1910 ; www.humboldtbaymaritimemuseum.com ; à partir de 10 $ ; juin-début oct), bateau bleu et blanc de 1910 partant du bout de C St. À bord, le plus petit bar licencié de l'État vous servira, au coucher du soleil, le cocktail de la croisière. Le **Visitor Center** (800-356-6381, 707-442-3738 ; www.eurekachamber.com ; 2112 Broadway ; 8h30-17h lun-ven ; ) est sur la Hwy 101, au sud du centre.

Au nord d'Humboldt Bay, **Arcata** est un bastion de hippies contestataires. Des camions fonctionnant au biocarburant viennent chaque semaine au **marché de producteurs** (www.humfarm.org ; Arcata Plaza ; 9h-14h mi-avr à mi-oct ; ) sur la place centrale, entourée de galeries d'art, de boutiques, de cafés et de bars. Réservez pour transpirer au **Finnish Country Sauna & Tubs** (707-822-2228 ; http://cafemokkaarcata.com ; angle 5th et J Sts ; 30 min 10/2 $ par adulte/enfant ; 12h-23h dim-jeu, 12h-1h ven-sam). Au nord-est du centre s'étend le campus de la **Humboldt State University** (www.humboldt.edu).

**Trinidad**, ville de pêcheurs à 26 km au nord d'Arcata, s'étend sur un promontoire surplombant un port magnifique. Parcourez les plages de sable ou faites de courtes balades à Trinidad Head après avoir découvert les créatures marines des bassins de marée au **HSU Telonicher Marine Laboratory** (707-826-3671 ; www.humboldt.edu/marinelab ; 570 Ewing St ; don 1 $ ; 9h-16h30 lun-ven, plus 12h-16h sam-dim mi-sept à mi-mai ; ). Au nord de la ville, Patrick's Point Dr est jalonnée de campings boisés, de chalets et de lodges. Le **Patrick's Point State Park** (707-677-3570 ; www.parks.ca.gov ; 4150 Patrick's Point Dr ; 8 $/voiture) compte d'impressionnants promontoires rocheux, des plages pour chasseurs de trésors, des animaux et une reproduction de village Yurok. Son **camping** (☎800-444-7275 ; www.reserveamerica.com ; empl 35-45 $ ; ) possède des douches chaudes à pièces.

Vers le nord, la Hwy 101 passe par le **Thomas H Kuchel Visitor Center** (☎707-465-7765 ; www.nps.gov/redw ; Hwy 101, Orick ; 9h-17h, 9h-16h nov-mars ; ) du Redwood National Park. Le parc national et 3 parcs d'État – Prairie Creek, Del Norte et Jedediah Smith – sont classés au Patrimoine mondial et protègent plus de 40% de toutes les forêts de séquoias survivantes. Le parc national est gratuit ; certains secteurs des parcs d'État font payer 8 $ de frais de parking durant la journée et disposent de **campings** (☎800-444-7275 ; www.reserveamerica.com ; empl 35 $ ; ) aménagés.

Ce patchwork de parcs, gérés à différents niveaux, s'étend jusqu'à l'Oregon au nord, entrecoupé par plusieurs villes. Le plus au sud est le **Redwood National Park**, où un sentier de 1,5 km traverse Lady Bird Johnson Grove. Prenez une autorisation (gratuite, premier arrivé premier servi) au Thomas H Kuchel Visitor Center pour visiter Tall Trees Grove, où se dressent certains des plus hauts arbres du monde.

À 10 km au nord d'Orick, le Newton B Drury Scenic Parkway longe la Hwy 101 sur 15 km à travers le **Prairie Creek Redwoods State Park**. Des wapitis nains paissent devant le **Visitor Center** (☎707-488-2039 ; www.parks.ca.gov ; 9h-17h mai-oct, 10h-16h nov-avr), où débutent plusieurs sentiers ensoleillés. À 5 km en retournant vers le sud, la piste Davison Rd part au nord-ouest jusqu'à Gold Bluffs Beach, pour finir au luxuriant Fern Canyon, que l'on voit dans *Le Monde perdu : Jurassic Park*.

Au nord de la minuscule Klamath, la Hwy 101 passe par les **Trees of Mystery** (☎800-638-3389 ; www.treesofmystery.net ; 15500 Hwy 101 ; adulte/enfant 15/8 $ ; 8h-18h30 juin-août, 9h30-16h30 sept-mai ; ), une attraction kitsch avec télécabines. Le **Del Norte Coast Redwoods State Park** protège des bosquets de séquoias et 13 km de côte vierge. Les 8 km du circuit Damnation Creek Trail descendent sur 90 m de dénivelé au milieu de séquoias géants jusqu'à une plage rocheuse secrète, plus visible à marée basse. Le sentier débute à l'embranchement du parking sur la Hwy 101, près du Mile 16.

Crescent City, une morne bourgade le long d'une baie incurvée, est la seule localité côtière d'importance au nord d'Arcata. Un raz-de-marée a détruit en 1964 plus de la moitié de la ville, reconstruite sans charme. À marée basse, vous pouvez visiter le **Battery Point Lighthouse** (☎707-467-3089 ; www.delnortehistory.org ; adulte/enfant 3/1 $ ; 10h-16h mer-dim avr-oct), un phare de 1865, en partant de l'extrémité sud d'A St.

Le **Jedediah Smith Redwoods State Park** est le plus au nord des parcs, à 8 km de Crescent City. Les bosquets de séquoias y sont si denses que les sentiers sont rares, mais quelques promenades faciles débutent près des points de baignade au bord de la rivière le long de la Hwy 199 et de la piste Howland Hill Rd, laquelle permet une jolie balade en voiture de 17 km. Le **Visitor Center** (☎707-458-3496 ; www.parks.ca.gov ; Hwy 199, Hiouchi ; 9h-17h mi-mai à mi-sept) dispense cartes et renseignements.

## Où se loger et se restaurer

Toutes sortes de motels jalonnent la Hwy 101, notamment à Eureka, Arcata et Crescent City. À Arcata les restaurants sont plus variés, des bars à jus bio aux cafés végétariens en passant par les bistrots fusion.

**Requa Inn** B&B $$

(☎707-482-1425 ; www.requainn.com ; 451 Requa Rd, Klamath ; ch 119-199 $ ; ). Cette auberge simple de 1914 convient aux baroudeurs, avec son copieux petit-déjeuner et ses chambres désuètes donnant sur la rivière. Ni TV ni téléphone.

**Carter House Inns** B&B $$$

(☎800-404-1390, 707-444-8062 ; http://carterhouse.com ; 301 L St, Eureka ; ch petit-déj compris 189-385 $ ; ). L'option la plus confortable près de l'Old Town d'Eureka. Chambres et suites victoriennes amoureusement entretenues, souvent avec cheminée romantique. Vin, lait et cookies offerts. La cuisine franco-californienne du **Restaurant 301** (dîner plats 20-30 $ ; 18h-21h) est la plus gastronomique de la région.

**Wildberries Marketplace** MARCHÉ, TRAITEUR $

(www.wildberries.com ; 747 13th St, Arcata ; sandwichs 4-10 $ ; 6h-minuit ; ). La meilleure épicerie naturelle de la côte nord est assortie d'un rayon traiteur très sain et d'un bar à smoothies. Parfait pour vos pique-niques.

**Samoa Cookhouse** AMÉRICAIN $$

(☎707-442-1659 ; www.samoacookhouse.net ; 908 Vance Ave, Samoa ; repas à volonté 11-16 $ ;

7h-21h ; ). Sur la Samoa Peninsula de Humboldt Bay, ce restaurant populaire fut construit dans les années 1890 pour un campement de bûcherons. Aujourd'hui, les automobilistes et les hippies s'y régalent aux tables recouvertes de toile cirée. Demi-tarif pour les enfants.

**Lost Coast Brewery** BRASSERIE $$
(707-445-4480 ; www.lostcoast.com ; 617 4th St, Eureka ; plats 9-15 $ ; 11h-22h dim-jeu, 11h-23h ven-sam ; ). Les bières Downtown Brown et Great White méritent une halte dans cette légendaire brasserie de la côte nord, mais la cuisine ne propose que des ailes de poulet, des *nachos* et autres plats moyens. Les vrais amateurs de bière passeront par la brasserie bio Eel River Brewing à Fortuna, Redwood Curtain Brewing à Arcata, Six Rivers Brewery à McKinleyville et Mad River Brewing Company à Blue Lake.

### Comment s'y rendre et circuler

Des bus quotidiens démarent de l'**arrêt Greyhound** (925 E St) d'Arcata pour San Francisco (57 $, 7 heures) via Eureka, Garberville, Willits et Ukiah. Chaque jour, plusieurs bus **Redwood Transit System** (707-443-0826 ; www.hta.org) de la ligne Trinidad-Scotia s'arrêtent à Eureka et Arcata (2,75 $, 2 heures 30).

## Sacramento

Sacramento, première localité européenne non missionnaire de Californie, fut aussi la première à profiter de la ruée vers l'or. Pourtant, la capitale de l'État est une ville plate et banale ombragée d'arbres, caniculaire en été et traversée par des nationales congestionnées.

En 1839, John Sutter, excentrique immigrant suisse, bâtit un fort à cet endroit. La population de la ville explosa lorsqu'on découvrit de l'or sur les contreforts de la Sierra en 1848. En 1854, après plusieurs années de tergiversations législatives, la ville devint la capitale de la Californie.

Le vieux Sacramento, un quartier en bord de fleuve avec des trottoirs en bois surélevés, constitue son principal "attrait touristique". Vous trouverez une meilleure cuisine et plus d'authenticité dans les rues du centre-ville et de Midtown, où une scène artistique naissante compense peu à peu une réputation provinciale.

### À voir

**California Museum** MUSÉE
(www.californiamuseum.org ; 1020 O St ; adulte/enfant 8,50/6 $ ; 10h-17h lun-sam, 12h-17h dim). Ce musée moderne abrite le California Hall Of Fame, sans doute le seul endroit où l'on peut rencontrer simultanément Cesar Chavez, Mark Zuckerberg et Amelia Earhart. L'exposition *California Indians : Making A Difference* donne un aperçu des traditions et de la culture, passées et présentes, des Amérindiens.

**California State Capitol** BÂTIMENT HISTORIQUE
(916-324-0333 ; http://capitolmuseum.ca.gov ; 1315 10th St ; 8h-17h lun-ven, 9h-17h sam-dim, visites toutes les heures 9h-16h). GRATUIT Le Capitole du XIXe siècle est le scintillant joyau blanc qui émerge du Capitol Mall. À l'intérieur on peut voir des expositions artistiques et historiques, ainsi que des salles au mobilier d'époque. L'Assemblée et le Sénat sont ouverts au public.

**California State Railroad Museum** MUSÉE
(916-445-6645 ; www.californiastaterailroadmuseum.org ; 125 I St ; adulte/enfant 10/5 $, avec circuit en train 20/10 $ ; 10h-17h, circuits en train avr-sept ; ). Permet de grimper dans des dizaines de locomotives à diesel ou vapeur méticuleusement restaurées. Le musée se situe près du fleuve, dans **Old Sacramento** (www.oldsacramento.com), un quartier qui peut se découvrir à pied, avec ses bâtiments anciens et ses petits musées.

**Sutter's Fort State Historic Park** SITE HISTORIQUE
(916-445-4422 ; www.parks.ca.gov ; 2701 L St ; adulte/enfant 5/3 $ ; 10h-17h). À l'intérieur de ce fort restauré, on peut voir un canon d'origine et un forgeron au travail tout droit sortis des années 1850. À côté, visitez le petit mais fascinant **California State Indian Museum** (916-324-0971 ; www.parks.ca.gov ; 2618 K St ; adulte/enfant 3/2 $ ; 10h-17h mer-dim).

**Crocker Art Museum** MUSÉE
(916-264-5423 ; www.crockerartmuseum.org ; 216 O St ; adulte/enfant 10/5 $ ; 10h-17h mar-mer et ven-dim, 10h-21h jeu). À côté de la magnifique résidence d'un juge de la Cour suprême datant du XIXe siècle, des galeries modernes exposent des œuvres d'art californiennes, anciennes et modernes.

## Où se loger et se restaurer

Les hôtels de Sacramento accueillant des hommes d'affaires, les tarifs sont plus avantageux le week-end. Les autoroutes et banlieues autour de la ville regorgent d'hébergements de chaîne. Vous trouverez d'autres restaurants et bars à Midtown, surtout dans J St à l'est de 16th St.

**HI Sacramento Hostel** AUBERGE DE JEUNESSE **$**
(916-443-1691 ; http://norcalhostels.org/sac ; 925 H St ; dort 30-36 $, ch avec/sans sdb à partir de 76/58 $ ; réception14h-22h ; ). Pas très loin du Capitole, une demeure victorienne rénovée aux agréables espaces communs et aux dortoirs spacieux. Le personnel est bien renseigné sur la vie nocturne.

**Delta King** B&B **$$**
(800-825-5464, 916-444-5464 ; www.deltaking.com ; 100 Front St ; d petit-déj compris à partir de 139 $ ; ). Montez à bord des chambres compactes du *Delta King*, un bateau à aubes de 1927 amarré à Old Sacramento. Bar et restaurant sur le thème nautique. Parking 18 $.

**Citizen Hotel** BOUTIQUE-HÔTEL **$$$**
(infos 916-447-2700, réservations 916-492-4460 ; www.jdvhotels.com ; 926 J St ; ch 139-269 $ ; ). Élégantes chambres dans un immeuble de bureau du centre datant des années 1920. Linge luxueux, tissus originaux et stations pour iPod. Des caricatures politiques vintage ornent les murs, et on peut emprunter des films politiques. Au rez-de-chaussée, **Grange** (916-492-4450 ; www.grangesacramento.com ; 926 J St ; dîner plats 19-39 $ ; 6h30-10h30 et 11h30-14h lun-ven, 8h-14h sam et dim, 17h30-22h lun-jeu, 17h30-23h ven-sam, 17h30-22h dim ; ) sert des plats californiens composés d'ingrédients en provenance directe de la ferme. Parking de l'hôtel 25 $.

**La Bonne Soupe Cafe** TRAITEUR **$**
(916-492-9506 ; 920 8th St ; 4-8 $ ; 11h-15h lun-ven). Sandwichs divins et soupes maison, élaborés avec amour par un chef, attirent de nombreux employés du quartier.

**Tower Cafe** ÉCLECTIQUE **$$**
(916-441-0222 ; www.towercafe.com ; 1518 Broadway ; plats 7-18 $ ; 8h-22h dim-jeu, 8h-23h ven-sam). La meilleure adresse pour de copieux petits-déjeuners – pain perdu à la crème et aux fruits, chorizo aux œufs – dans un cinéma Art déco de 1938.

**Mulvaney's B & L** CALIFORNIEN **$$$**
(916-441-6022 ; www.mulvaneysbl.com ; 1215 19th St ; plats dîner 26-38 $ ; 11h30-14h30 mar-ven, 17h-22h mar-sam). Aménagé dans une caserne de pompiers des années 1890, c'est sans doute le restaurant le plus chic de la ville. Il propose un menu saisonnier d'inspiration européenne changeant quotidiennement.

## Où prendre un verre et sortir

**Temple Coffee** CAFÉ
(www.templecoffee.com ; 1010 9th St ; 6h-23h ; ). Sirotez, à l'une des tables communes en bois, un café issu du commerce équitable et torréfié localement.

**Rubicon Brewing Company** BRASSERIE
(916-448-7032 ; www.rubiconbrewing.com ; 2004 Capitol Ave ; 11h-23h30 lun-jeu, 11h-0h30 ven-sam, 11h-22h dim). Bières primées, ailes de poulet et frites au fromage et chili.

**Sacramento River Cats** SPORTS
(www.milb.com ; Raley Field, 400 Ballpark Dr ; billets 5-65 $ ; avr-sept). L'équipe de base-ball de Minor League joue au Raley Field, avec vue superbe sur le Tower Bridge.

## Comment s'y rendre et circuler

À environ 18 km au nord-ouest du centre près de l'I-5, le **Sacramento International Airport** (919-929-5411 ; www.sacairports.org ; 6900 Airport Blvd) gère principalement des vols intérieurs.

De la **gare ferroviaire** (877-974-3322 ; www.capitolcorridor.org ; 401 I St) du centre, Amtrak propose de fréquents trains *Capitol Corridor* desservant la baie de San Francisco (28-38 $, 1 heure 30 à 3 heures) ; deux fois par jour des trains *San Joaquin* avec correspondance en bus pour Yosemite Valley (37 $, 5 heures), et tous les jours les trains longue distance *Coast Starlight* et *California Zephyr*. Plusieurs bus quotidiens **Greyhound** (420 Richards Blvd) vont à San Francisco (27 $, 2 heures) et Los Angeles (78 $, 7 heures 30-9 heures).

**Sacramento Regional Transit** (www.sacrt.com ; trajet/forfait jour 2,25/6 $) gère un système de bus et de train (*light rail*) urbains.

# Gold Country

Tout a commencé ici : les paisibles villes de montagne et les chemins bordés de chênes recèlent l'histoire violente et sauvage de la Californie. Peu après que James Marshall eut aperçu un reflet doré dans Sutter's Creek en 1848, la ruée vers l'or amena 300 000 orpailleurs, les "forty-niners" (49ers), dans les contreforts de la Sierra. Si le décorum guindé de la société victorienne ne parvint pas à dompter la soif de l'or, il ne reste que peu de traces des ravages environnementaux et des villes sans foi ni loi.

Les passionnés d'histoire apprécieront les sites qui évoquent règlements de compte ou banditisme, mais le voyageur trouvera autant de plaisir à plonger dans un trou d'eau, sillonner des chemins à VTT ou descendre en rafting les courants glacés des American, Stanislaus et Tuolumne Rivers. Dans la Central Valley, **All-Outdoors California Whitewater Rafting** (☎800-247-2387 ; www.aorafting.com) organise des expéditions de rafting d'un ou deux jours pour tous niveaux, du printemps à l'automne.

La Hwy 50 sépare les mines du Nord et celles du Sud. La sinueuse Hwy 49, connectée à toute la région, est ponctuée de détours et de points de vue dans les collines environnantes. **The Gold Country Visitors Association** (www.calgold.org) pourra vous suggérer de nombreux autres circuits touristiques.

## Mines du Nord

Surnommée la "reine des mines du Nord", **Nevada City** possède des rues étroites rehaussées d'édifices amoureusement restaurés, de petits théâtres, de galeries d'art, de cafés et d'échoppes. Le **Visitor Center** (☎530-265-2692 ; www.nevadacitychamber.com ; 132 Main St ; ⏲9h-17h lun-ven, 11h-16h sam, 11h-15h dim) procure des renseignements et des cartes pour les randonnées. Sur la Hwy 49, les **Tahoe National Forest Headquarters** (☎530-265-4531 ; www.fs.usda.gov/tahoe ; 631 Coyote St ; ⏲8h-16h30 lun-ven) vous renseignent sur le camping, la randonnée et le VTT, ainsi que sur les autorisations nécessaires.

À 6 km au sud, **Grass Valley** est le pendant commercial de Nevada City, où artistes, hippies et ranchers viennent se ravitailler. À un peu plus de 1,6 km de la Hwy 49, l'**Empire Mine State Historic Park** (☎530-273-8522 ; www.empiremine.org ; 10791 E Empire St ; adulte/enfant 7/3 $ ; ⏲10h-17h), un parc paysager, occupe le site d'une des plus riches mines de Californie. De 1850 à 1956, elle a produit plus de 158 tonnes d'or, l'équivalent de 5 milliards de dollars sur le marché actuel.

Dans la canicule de l'été, une rangée de voitures garées le long de la Hwy 49 vous signale à coup sûr un bassin de baignade. L'un des meilleurs est à l'endroit où les bras nord et sud de l'American River se séparent, à quelques kilomètres à l'est d'**Auburn**, un arrêt ravitaillement sur l'I-80, à 40 km au sud de Grass Valley.

C'est à **Coloma** qu'a débuté la ruée vers l'or californienne. Le **Marshall Gold Discovery State Historic Park** (☎530-622-3470 ; www.parks.ca.gov ; 6/8 $ par pers/voiture ; ⏲parc 8h-17h, 8h-19h fin mai-début sept, musée 10h-15h, 10h-16h mars-nov ; 👪) rend hommage à la découverte de James Marshall avec une reproduction de la scierie de Sutter's Mill, des bâtiments restaurés et des séances d'orpaillage. Un monument est érigé à la gloire de Marshall qui, ironie du sort, mourut dans la misère.

## Où se loger et se restaurer

Nevada City possède le plus grand nombre de restaurants et de vieux B&B. Les motels jalonnent la Hwy 49 à Grass Valley et l'I-80 à Auburn.

**Broad Street Inn** AUBERGE **$$**
(☎530-265-2239 ; www.broadstreetinn.com ; 517 E Broad St, Nevada City ; ch 110-120 $ ; ❄📶🐾). Contrairement à des dizaines de B&B pleins de fioritures du Gold Country, cette auberge de 6 chambres modernes, joliment meublées et ensoleillées, a su rester simple.

**Outside Inn** MOTEL, COTTAGES **$$**
(☎530-265-2233 ; www.outsideinn.com ; 575 E Broad St, Nevada City ; ch 79-155 $, cottage 200 $ ; ❄📶🏊👪🐾). Plus sympathiques que dans les motels de chaîne, ces chambres aux murs de pin (parfois avec kitchenette) profitent d'espace barbecue et de l'amabilité des propriétaires, amateurs de grand air.

**Treats** DESSERTS **$**
(http://treatsnevadacity.com ; 110 York St, Nevada City ; 2-5 $ ; ⏲12h-21h dim-jeu, 12h-22h ven-sam, horaires plus restreints l'hiver ; 👪). Glaces faites main, souvent bio, sorbets de saison et autres délices glacés.

**Ikedas** MARCHÉ **$**
(www.ikedas.com ; 13500 Lincoln Way, Auburn ; à partir de 3 $ ; ⏲8h-19h, 8h-20h sam-dim). Près de l'I-80 dans le nord d'Auburn, les voyageurs à destination du lac Tahoe s'arrêtent pour déguster des fruits frais, des tartes maison et s'approvisionner pour leurs pique-niques.

**Ike's Quarter Cafe** CRÉOLE, CALIFORNIEN $$
(☎530-265-6138 ; www.ikesquartercafe.com ; 401 Commercial St, Nevada City ; plats 7-15 $ ; ⏲8h-15h mer-lun ; 👪). Savourez un copieux petit-déjeuner comme le "Hangtown Fry," repas de mineurs composé d'huîtres panées au maïs et bacon, ou encore des sandwichs *muffaletta* de la Nouvelle-Orléans dans le patio avec fontaine. Espèces uniquement.

## Mines du Sud

Les villes des mines du Sud, de Placerville à Sonora, sont moins fréquentées et leurs rues poussiéreuses conservent une allure de Far West. Motards en Harley, chercheurs d'or (tenaces !) et outsiders de la viticulture les arpentent aujourd'hui. Certaines villes comme **Plymouth** (Ole Pokerville) et **Mokelumne Hill** sont quasiment des villes fantômes tombant lentement en ruine. D'autres, comme **Sutter Creek**, **Murphys** et **Angels Camp**, ont retrouvé leurs airs de ville américaine du XIX^e^. Sortez des sentiers battus en visitant des vignobles tenus en famille et des grottes souterraines, parsemées de boutiques de souvenirs en surface.

À l'écart de la Hwy 49, le **Columbia State Historic Park** (☎209-588-9128 ; www.parks.ca.gov ; 11255 Jackson St, Columbia ; ⏲musée 9h-16h30 avr-oct, 10h-16h30 nov-mars ; 👪) GRATUIT protège quatre blocs de bâtiments authentiques des années 1850, avec marchands et musiciens de rue en costume ; ils sont littéralement pris d'assaut par les écoliers. Toujours près de Sonora, le **Railtown 1897 State Historic Park** (☎209-984-3953 ; www.railtown1897.org ; 18115 5th Ave, Jamestown ; musée adulte/enfant 5/3 $, train compris 15/8 $ ; ⏲9h30-16h30 avr-oct, 10h-15h nov-mars, circuits train 11h-15h sam-dim avr-oct ; 👪) propose des excursions en train dans les collines avoisinantes où furent filmés des westerns comme *Le train sifflera trois fois*.

### Où se loger et se restaurer

Presque toutes les villes comptent B&B à froufrous, cafés et glaciers. C'est à Sonora, ville animée à une heure du Yosemite National Park, et à Placerville que les motels sont les plus nombreux.

**Indian Grinding Rock State Historic Park Campground** CAMPING $
(www.parks.ca.gov ; 14881 Pine Grove-Volcano Rd, Pine Grove ; empl et sites camping-car 30 $ ; ⏲mi-mars à sept ; 👪🐾). À 15 km au nord-est de Sutter Creek, le camping de ce parc compte 22 emplacements au milieu des arbres et des douches chaudes à pièce. Sans réservation.

**Gunn House Hotel** HÔTEL HISTORIQUE $$
(☎209-532-3421 ; www.gunnhousehotel.com ; 286 S Washington St, Sonora ; ch avec petit-déj 79-115 $ ; ❄🏊). Un hôtel d'époque aux chambres charmantes avec décoration dans le ton. Les soirs d'été, détendez-vous dans les rocking-chairs de la véranda.

**City & Fallon Hotels** HÔTELS HISTORIQUES $$
(☎800-532-1479 ; www.briggshospitalityllc.com ; 22768 Main St, Columbia ; ch avec petit-déj sans sdb 105-175 $ ; ❄📶). Hôtels d'époque jumeaux, dans l'historique ville de Columbia, restaurés et magnifiquement meublés. En soirée, offrez-vous un whisky au What Cheer Saloon ou allez voir une pièce au théâtre Fallon.

**Volcano Union Inn** HÔTEL HISTORIQUE $$
(☎209-296-7711 ; www.volcanounion.com ; 21375 Consolation St, Volcano ; ch avec petit-déj 119-149 $ ; ❄📶). Des quatre chambres amoureusement rénovées, deux ont des balcons sur la rue. En bas, à l'**Union Pub** (plats 10-19 $ ; ⏲17h-20h jeu et lun, 15h-21h ven, 12h-21h sam, 10h-20h dim), on peut jouer au billard, aux palets, aux fléchettes et savourer une bonne cuisine de pub.

**Cozmic Café & Pub** DIÉTÉTIQUE $
(www.ourcoz.com ; 594 Main St, Placerville ; 4-10 $ ; ⏲7h-18h mar-mer, 7h-20h jeu-dim ; 📶🌱). Café de Placerville, bio et diététique, aménagé dans le tunnel d'une mine. Microbières à la pression et musique live le week-end.

**Magnolia Cafe** CAFÉ $$
(☎209-728-2186 ; www.magnoliacafemurphys.com ; 64 Mitchler St, Murphys ; plats 7-13 $ ; ⏲8h-15h mer-dim). Savourez les petits-déjeuners du chef Devon, sandwichs œufs-chorizo et pain perdu à la vanille, ou, à midi, des *burritos* de porc aux épices asiatiques et des sandwichs steak-aïoli-moutarde.

♥ **Taste** CALIFORNIEN $$$
(☎209-245-3463 ; www.restauranttaste.com ; 9402 Main St, Plymouth ; plats dîner 27-43 $ ; ⏲11h30-14h sam-dim, dîner à partir de 17h jeu-ven, 16h30 sam-dim). Des plats soignés, frais et saisonniers aux influences européennes, qui s'harmonisent à merveille avec les vins des vignobles de l'Amador County.

## Comment s'y rendre et circuler

Un réseau de bus publics dessert sporadiquement certaines villes. Pour les mines du Nord, les bus **Gold Country Stage** (☎888-660-7433, 530-477-0103 ; www.mynevadacounty.com ; 1,50-3 $) relient Nevada City, Grass Valley et Auburn, tandis que les bus **Placer County Transit** (☎530-885-2877 ; www.placer.ca.gov/transit ; 1,25 $) relient Auburn et Sacramento. Dans les mines du Sud, en semaine, seul **Amador Transit** (☎209-267-9395 ; http://amadortransit.com ; 1-2 $) gère des bus entre Sutter Creek et Sacramento, Jackson et Plymouth. Les bus **Calaveras Transit** (☎209-754-4450 ; http://transit.calaverasgov.us ; 2 $) desservent Angels Camp, Jackson et Murphys. Les bus et trolley de **Tuolumne County Transit** (☎209-532-0404 ; www.tuolumnecountytransit.com ; 1,50 $) circulent en boucle entre Sonora, Columbia et Jamestown.

# Montagnes du Nord

Lointaines, désertes et d'une étrange beauté, les montagnes du Nord sont peu visitées ; elles offrent un spectacle sans fin de merveilles géologiques, de lacs alpins, de rivières bouillonnantes et de déserts d'altitude. Les pics majeurs – Lassen, Shasta et les Trinity Alps – permettent tous de faire du camping sauvage sous un ciel étoilé. Si elles ont peu d'attraits, les villes isolées parsemant la région constituent de bonnes bases pour faire le plein entre deux aventures.

## De Redding à Yreka

La majeure partie de la route au nord de Redding est dominée par le **Mt Shasta**, géant enneigé de 4 316 m à l'extrémité sud de la volcanique Cascades Range. Ses pentes au dénivelé spectaculaire attirent les alpinistes. Près de l'I-5, on s'approvisionne au **California Welcome Center** (☎800-474-2784, 530-365-1180 ; www.shastacascade.com ; 1699 Hwy 273, Anderson ; ⏱9h-17h lun-sam, 10h-16h dim), à 20 km au sud de Redding, au centre commercial Shasta Outlets.

Ne croyez pas les brochures touristiques : **Redding**, la plus grande ville de la région, est endormie. La meilleure raison pour sortir de l'I-5 est le **Sundial Bridge**, merveille piétonne au sol de verre conçue par l'architecte espagnol Santiago Calatrava. Il chevauche la Sacramento River au **Turtle Bay Exploration Park** (☎800-887-8532 ; www.turtlebay.org ; 844 Sundial Bridge Dr ; adulte/enfant 14/10 $, après 15h30 9/5 $ ; ⏱9h-17h lun-sam et 10h-17h dim, ferme 1 heure plus tôt oct-mars ; 👪), un centre scientifique doté de jardins botaniques, parfait pour les enfants.

À environ 10 km à l'ouest de Redding sur la Hwy 299, explorez une vraie ville de la ruée vers l'or au **Shasta State Historical Park** (☎520-243-8194 ; www.parks.ca.gov ; musée adulte/enfant 3/2 $ ; ⏱10h-17h ven-dim). À 3 km plus à l'ouest, la **Whiskeytown National Recreation Area** (☎530-246-1225 ; www.nps.gov/whis ; 5 $/voiture ; ⏱Visitor Center 9h-17h fin mai-début sept, 10h-16h début sept-fin mai) GRATUIT comprend le Whiskeytown Lake, des plages de sable, des sentiers, des cascades et des possibilités de camping et de sports nautiques.

À **Weaverville**, à 55 km à l'ouest de Whiskeytown, le **Joss House State Historic Park** (☎530-623-5284 ; www.parks.ca.gov ; angle Hwy 299 et Oregon St ; visite adulte/enfant 4/2 $ ; ⏱10h-17h jeu-dim, visite toutes les heures jusqu'à 16h) conserve un temple d'immigrants chinois de 1874. La **Weaverville Ranger Station** (☎530-623-2121 ; www.fs.usda.gov/stnf ; 360 Main St ; ⏱8h-16h30 lun-ven) délivre des autorisations d'accès aux étendues sauvages des **Trinity Alps**.

Au nord de Redding, l'I-5 traverse le **Shasta Lake**, d'un bleu profond. C'est le plus grand réservoir de Californie, formé par le haut barrage **Shasta Dam** (☎530-275-4463 ; www.usbr.gov/mp/ncao/shasta/ ; 16349 Shasta Dam Blvd ; ⏱Visitor Center 8h-17h, visites 9h-15h) GRATUIT. Il est entouré de sentiers et de parcs à camping-cars. Haut perchées parmi les mégalithes de calcaires à l'extrémité nord du lac, visitez les **Lake Shasta Caverns** (☎800-795-2283, 530-238-2341 ; http://lakeshastacaverns.com ; 20359 Shasta Caverns Rd ; adulte/enfant 24/14 $ ; ⏱visites 9h-16h fin mai-début sept, 9h-15h avr-fin mai et sept, 10h-14h oct-mars ; 👪), des grottes préhistoriques – les visites guidées comprennent un tour en catamaran.

À 55 km au nord sur l'I-5, **Dunsmuir** est une minuscule ville ferroviaire dont le centre pittoresque compte des galeries d'art et des cafés animés. Remplissez votre gourde à la fontaine publique : Dunsmuir revendique la meilleure eau du monde. Au sud de l'I-5, le **Castle Crags State Park** (☎530-235-2684 ; www.parks.ca.gov ; 8 $/voiture) compte un **camping** (☎800-444-7275 ; www.reserveamerica.com ; empl 15-30 $ ; 👪🐾) boisé. Admirez la magnifique vue sur le mont Shasta depuis le sommet du **Crags Trail**, un sentier de 5,4 km.

À 16 km au nord de Dunsmuir, la **ville de Mt Shasta** attire grimpeurs, hippies et amoureux de la nature, révérant tous la majestueuse montagne qui les surplombe. L'**Everitt Memorial Hwy** gravit la montagne jusqu'à un perchoir parfait pour observer le coucher du soleil, à presque 2 500 m ; quittez simplement la ville par l'est sur Lake St et roulez sur 22 km. Pour monter au-delà de 3 000 m, les grimpeurs chevronnés doivent se procurer un Summit Pass (20 $) auprès de la **Mt Shasta Ranger Station** (☎530-926-4511 ; www.fs.usda.gov/stnf ; 204 W Alma St ; ⏲8h-16h30 lun-ven), qui informe sur la météo et vend des cartes topographiques. En ville, **Fifth Season** (☎530-926-3606 ; http://thefifthseason.com ; 300 N Mt Shasta Blvd) loue des équipements sportifs. **Shasta Mountain Guides** (☎530-926-3117 ; http://shastaguides.com) propose des excursions d'alpinisme de plusieurs jours (à partir de 500 $).

## Où se loger et se restaurer

Les motels abondent partout sauf dans le Nord-Est. C'est Redding qui possède le plus grand nombre de motels et d'hôtels de chaîne, regroupés près des grandes routes. Les campings ne manquent pas, surtout sur les domaines publics.

**McCloud River Mercantile Hotel** AUBERGE $$
(☎530-964-2330 ; www.mccloudmercantile.com ; 241 Main St, McCloud ; ch 139-250 $ ; 📶). Fleurs fraîches et lits de plumes vous accueillent après un bon bain. Briques apparentes et antiquités marient parfaitement classe traditionnelle et panache moderne, et le comptoir des années 1930 mijote petits-déjeuners et déjeuners country (plats 6-10 $). À 16 km à l'est de la ville de Mt Shasta près de la Hwy 89.

**Railroad Park Resort** AUBERGE, CAMPING $$
(☎530-235-4440, 800-974-7245 ; www.rrpark.com ; 100 Railroad Park Rd, Dunsmuir ; empl tente/camping-car à partir de 29/37 $, d 115-150 $ ; ❄📶🏊👪🐾). Un séjour mémorable dans un wagon lambrissé, près de l'I-5 juste au sud de la ville.

**Sengthongs** THAÏ, VIETNAMIEN $$
(☎530-235-4770 ; http://sengthongs.com ; 5855 Dunsmuir Ave, Dunsmuir ; plats 11-20 $ ; ⏲généralement 17h-20h30 jeu-dim). Restaurant asiatique apprécié, avec musique live dans la Blue Sky Room, une salle voisine.

**Café Maddalena** BISTROT $$$
(☎530-235-2725 ; www.cafemaddalena.com ; 5801 Sacramento Ave, Dunsmuir ; plats 14-25 $ ; ⏲17h-22h jeu-dim fév-nov). Le chef Bret LaMott entretient l'excellente réputation de son confortable restaurant avec des spécialités méditerranéennes et une cave bien pourvue. Réservation recommandée.

## Comment s'y rendre et circuler

Les trains Amtrak *Coast Starlight* s'arrêtent à Redding et Dunsmuir, au milieu de la nuit. Les bus Greyhound desservent Redding et Weed. Les bus **Siskyou County STAGE** (☎800-247-8243, 530-842-8295 ; www.co.siskiyou.ca.us/GS/stage.aspx ; 2,50-4 $) parcourent l'I-5 plusieurs fois par jour, reliant Dunsmuir, Mt Shasta et Weed.

## Zone nord-est

Site de la dernière grande guerre amérindienne de Californie, et de 500 000 ans de destruction volcanique, le **Lava Beds National Monument** (☎530-667-8113 ; www.nps.gov/labe ; entrée 7 jours 10 $/voiture) comporte des coulées de lave, des cratères, des cendres et des cônes volcaniques, et plus de 500 tunnels de lave. La guerre des Modoc se déroula dans ce lieu, dont certaines grottes comportent des pétroglyphes amérindiens. Le **Visitor Center** (☎530-667-8113 ; 1 Indian Well, Tulelake ; ⏲8h-18h fin mai-début sept, 8h30-17h mi-sept à mi-mai) fournit des renseignements, des cartes et des torches. Non loin, le **camping** (empl 10 $) accueille tentes et petits camping-cars, et propose de l'eau potable.

Au nord, le **Klamath Basin National Wildlife Refuge Complex** (www.fws.gov/klamathbasinrefuges) se compose de 6 refuges distincts qui constituent une étape importante pour les oiseaux migrateurs et un havre hivernal pour les pygargues à tête blanche. Le **Visitor Center** (☎530-667-2231 ; 4009 Hill Rd, Tulelake ; ⏲8h-16h30 lun-ven, 9h-16h sam-dim) est près de la Hwy 161, à 6 km au sud de la frontière de l'Oregon. Des balades autoguidées en voiture de 16 km dans les réserves de Lower Klamath et du Tule Lake offrent d'excellentes occasions de voir des oiseaux. Pour l'essence, la nourriture et l'hébergement, rendez-vous à Klamath Falls, Oregon.

La **Modoc National Forest** (☎530-233-5811 ; www.fs.usda.gov/modoc) s'étend sur près de 8 000 km². Le camping est gratuit et sans réservation, et il faut une autorisation pour faire du feu. Le **Medicine Lake**, à une heure de route au sud-ouest du Lava Beds National Monument, est un lac volcanique bleu étincelant entouré de pins, près de formations volcaniques et d'agréables campings isolés. Plus à l'est, **Glass Mountain** servait de carrière d'obsidienne aux Indiens. À l'est de Cedarville via la Hwy 299, près de la frontière du Nevada, le désert d'altitude de **Surprise Valley** donne accès aux sauvages **Warner Mountains** – la chaîne montagneuse la moins visitée de Californie.

L'impressionnant **Lassen Volcanic National Park** (☎530-595-4444 ; www.nps.gov/lavo ; entrée 7 jour 10 $/voiture) recèle des bassins d'eau sulfureuse, des mares de boue bouillantes et des bassins fumants, visibles depuis la passerelle **Bumpass Hell**. À 3 200 m, le **Lassen Peak** est le plus grand cumulo-volcan du monde. Le parc a deux entrées : à une heure de route à l'est de Redding par la Hwy 44, près du populaire **Manzanita Lake Campground** (☎877-444-6777 ; www.recreation.gov ; empl 10-18 $, chalets 59-84 $), et au nord-ouest du Lake Almanor par la Hwy 89, près du **Kohm Yah-ma-nee Visitor Center** (☎530-595-4480 ; www.nps.gov/lavo ; ⏲9h-17h, fermé mar-mer nov-mars). La Hwy 89 traversant le parc est souvent déneigée et ouverte aux voitures de mai ou juin à octobre ou novembre (raquettes et ski de fond autorisés l'hiver).

# SIERRA NEVADA

L'imposante Sierra Nevada, appelée la "chaîne de lumière" par le naturaliste John Muir, forme l'épine dorsale de la Californie. Ces 600 kilomètres de pics escarpés, modelés par les glaciers et l'érosion, enchanteront (et éprouveront) les amateurs de sports de plein air. Chevauchant trois parcs nationaux (Yosemite, Sequoia et Kings Canyon), la Sierra est un pays merveilleux où la nature est reine, où se trouvent le point culminant des États-Unis (Mt Whitney), les plus hautes chutes d'eau d'Amérique du Nord (les Yosemite Falls) et les plus vieux et les plus anciens arbres du monde (d'immémoriaux pins Bristlecone et des séquoias géants).

## Yosemite National Park

De vertigineux pics de granit, des cascades grondantes noyées dans la brume, des prairies parsemées de fleurs sauvages, les silhouettes massives d'El Capitan et du Half Dome qui se détachent sur un ciel d'un bleu intense, ce paysage grandiose nous fait sentir tout petits. Malheureusement, les bus touristiques qui déversent leur cargaison de visiteurs rompent le charme. Voici comment échapper au gros de la foule :

➡ Évitez l'été dans la vallée. Le printemps est la meilleure saison, surtout en mai quand les cascades bouillonnent. L'automne est merveilleusement paisible, et les jours de neige en hiver peuvent être magiques.

➡ Garez-vous et marchez – une courte distance sur la plupart des chemins vous éloignera des nombreux visiteurs qui ne sortent pas de leur voiture.

➡ Levez-vous tôt, ou effectuez une randonnée au clair de lune pour contempler des millions d'étoiles.

### À voir

Les principales entrées du **parc** (☎209-372-0200 ; www.nps.gov/yose ; entrée 7 jours 20 $/voiture) se situent à Arch Rock (Hwy 140), Wawona (Hwy 41) et Big Oak Flat (Hwy 120 ouest). Le col de Tioga (Hwy 120 est) n'ouvre qu'en fonction de la saison.

### Yosemite Valley

Cette vallée spectaculaire traversée par les méandres de la Merced River est d'une grande beauté : prairies verdoyantes, pins majestueux, bassins impassibles reflétant d'immenses monolithes de granite et impétueuses cascades d'eau glacée. Souvent embouteillé, **Yosemite Village** accueille le principal Visitor Center du parc (p. 177), un musée, une galerie de photos, une épicerie et nombre d'autres services. **Curry Village** propose des douches publiques et des boutiques louant et vendant du matériel, notamment pour camper.

Au printemps, la fonte des neiges transforme les célèbres cascades de la vallée en cataractes grondantes, puis la plupart se réduisent à un filet d'eau à la fin de l'été. Les **Yosemite Falls**, les plus hautes chutes d'Amérique du Nord, dévalent sur 739 m en 3 niveaux. Un sentier accessible en fauteuil

### L'INFRANCHISSABLE COL DE TIOGA

La Hwy 120, la seule route qui relie le parc national de Yosemite et l'Eastern Sierra, passe par le col de Tioga (Tioga Pass ; 3 031 m). La plupart des cartes indiquent que la route est fermée en hiver. En réalité, la Tioga Rd est habituellement fermée à partir des premières grosses chutes de neige en octobre ou novembre et ne rouvre pas avant mai ou juin. Ne prévoyez pas de franchir le col au printemps. Appelez le ☎209-372-0200 ou consultez www.nps.gov/yose/planyourvisit/conditions.htm pour connaître l'état de la route.

roulant mène au pied des chutes. Pour une perspective différente et plus de solitude, grimpez l'exténuant sentier en lacets jusqu'au sommet (11,6 km aller-retour). Non moins impressionnantes, d'autres cascades parsèment la vallée. Un escalier de granit escarpé monte le long de la **Vernal Fall** et offre du sommet une vue verticale sur la cascade et les arcs-en-ciel dans les nuages de brume.

Impossible de passer outre le monumental **El Capitan** (2 300 m), bien connu des grimpeurs. Le **Half Dome** (2 695 m) domine la vallée, tel le cœur spirituel du Yosemite. Faites une photo panoramique à **Tunnel View** sur la Hwy 41, en arrivant dans la vallée. En début ou fin de journée, au printemps ou au début de l'été, parcourez les 3 km aller-retour depuis l'est de la vallée jusqu'au **Mirror Lake** pour admirer le reflet du Half Dome.

## Glacier Point

S'élevant à 975 m au-dessus de la vallée, le spectaculaire **Glacier Point** (2 199 m) met pratiquement le regard au niveau du Half Dome. Comptez une heure en voiture de la Yosemite Valley le long de Glacier Point Rd (habituellement ouverte de fin mai jusqu'à novembre) près de la Hwy 41, ou engagez-vous dans une marche épuisante le long du **Four Mile Trail** (7,7 km aller) ou du **Panorama Trail** (13,7 km aller), moins fréquenté et jalonné de cascades. Pour descendre à pied de Glacier Point, réservez une place sur la navette des randonneurs (p. 177).

## Wawona

À Wawona, à près de 1 heure de voiture de la Yosemite Valley, visitez le **Pioneer Yosemite History Center**, qui comprend un pont couvert, des cabanes de pionniers et un vieux bureau de Wells Fargo. Plus au sud, promenez-vous dans le **Mariposa Grove** où se dressent le Grizzly Giant et d'autres séquoias géants. Des navettes gratuites vont jusqu'au bosquet depuis Wawona du printemps à l'automne ; l'hiver, la route d'accès est fermée aux véhicules mais on peut la parcourir en raquettes.

## Tuolumne Meadows

À 1 heure 30 de Yosemite Valley, les hautes **Tuolumne Meadows** attirent randonneurs, routards et grimpeurs dans les étendues sauvages du nord du parc. Avec des fleurs sauvages, des lacs bleu azur, des pics et des dômes polis de granit, et des températures plus fraîches que dans la vallée, la plus grande prairie subalpine de la Sierra Nevada (2 621 m) est un paradis pour les randonneurs et les alpinistes ; les lacs sont des lieux de baignade et de pique-nique prisés. Empruntez Tioga Rd (Hwy 120), une route panoramique – ouverte seulement en saison, voir ci-contre – qui suit une piste de chariots du XIX^e^ siècle et un ancien itinéraire commercial amérindien. À l'ouest des Tuolumne Meadows et du **Tenaya Lake**, faites halte à **Olmsted Point** pour une vue splendide du Half Dome.

## Hetch Hetchy

Site du barrage le plus controversé de l'histoire des États-Unis, la Hetch Hetchy Valley reste séduisante, bien que dénaturée. À 64 km de route au nord-ouest de Yosemite, elle est relativement peu fréquentée. Une marche qui traverse le barrage et un tunnel (8,6 km aller-retour) conduit au pied des **Wapama Falls**, une cataracte qui se déverse dans le réservoir étincelant. Au printemps, vous serez trempé.

## Activités

Avec plus de 1 300 km de chemins de randonnée, vous n'aurez que l'embarras du choix. Pour échapper à la foule qui emprunte les itinéraires faciles, au fond de la vallée, grimpez dans les hauteurs. La plus belle randonnée conduit au sommet du **Half Dome** (22,5 km aller-retour) ; elle est épuisante et des **permis** (www.nps.gov/yose/planyourvisit/hdpermits.htm, à partir de 12,50 $) sont désormais requis, même pour les marches d'une journée. La grimpée jusqu'au sommet de la **Vernal Fall** (5 km aller-retour) ou de la **Nevada Fall** (5.8 km aller-retour) via le **Mist Trail** est superbe. Un itinéraire plus long conduit au Half Dome en suivant une section moins escarpée du **John Muir Trail**.

Toute l'année, un **permis** (☎209-372-0826 ; www.nps.gov/yose/planyourvisit/wildpermits.htm ; à partir de 10 $) est requis pour camper en chemin. Un système de quota limite le nombre de randonneurs sur chaque sentier. Réservez jusqu'à 24 semaines à l'avance ou tentez votre chance au Yosemite Valley Wilderness Center ou auprès d'une autre station délivrant des autorisations, à partir de 11h la veille de votre expédition.

**Yosemite Mountaineering School** ESCALADE
(☎209-372-8344 ; www.yosemitemountaineering.com ; Curry Village ; ⏲avr-oct). Cours pour débutants et grimpeurs chevronnés, escalades guidées et location de matériel. Également présent aux Tuolumne Meadows en été.

**Badger Pass** SKI
(☎209-372-8430 ; www.badgerpass.com ; forfait adulte/enfant 42/23 $ ; ⏲9h-16h mi-déc à mars). Des pentes douces, parfaites pour skieurs et snowboardeurs débutants. Les skieurs de fond peuvent profiter de 40 kilomètres de pistes damées et 145 kilomètres de sentiers balisés, également accessibles en raquettes. Location d'équipement et cours pour tous âges.

**À NE PAS MANQUER**

### DES FORÊTS DE GÉANTS

En Californie, vous verrez les arbres les plus anciens (des pins Bristlecone) et les plus hauts (séquoias à feuilles d'if) au monde, mais ceux qui battent les records en termes de volume sont les séquoias géants *(Sequoiadendron giganteum)*. Ils ne poussent que sur le versant ouest de la Sierra Nevada et sont plus nombreux dans les parcs nationaux de Sequoia, Kings Canyon et Yosemite. John Muir les appelait les "chefs-d'œuvre forestiers de la nature" et tous ceux qui les ont admirés sont sans doute du même avis. Ces arbres peuvent atteindre 90 m de haut et presque 30 m de diamètre, avec une écorce de 60 cm d'épaisseur. Le Giant Forest Museum (p. 177), dans le Sequoia National Park, présente la curieuse écologie de ces arbres.

## Où se loger et se restaurer

**DNC** (☎801-559-4884 ; www.yosemitepark.com) détient un monopole sur les établissements hôteliers du parc, y compris sur les espaces de restauration et les snack-bars, médiocres. Réservez absolument en haute saison (de mai à septembre, jusqu'à un an à l'avance). L'été, DNC dresse de simples bungalows en toile près de la rivière au **Housekeeping Camp** (d à partir de 95 $) à Yosemite Valley ; à l'animé **Tuolumne Meadows Lodge** (d à partir de 120 $), à 1 heure 30 de route de la vallée ; et au plus tranquille **White Wolf Lodge** (d à partir de 120 $) près de Tioga Rd, à une heure de la vallée.

**Curry Village** CHALETS **$$**
(d sans sdb à partir de 95 $ ; ). Des centaines de chalets au milieu des hauts arbres de la Yosemite Valley dans une ambiance très colonie de vacances. Les chalets en toile, avec leurs couvertures qui grattent, ressemblent à des baraquements de la guerre de Sécession. Ceux en bois sont plus petits mais douillets.

**Wawona Hotel** HÔTEL HISTORIQUE **$$**
(ch avec/sans sdb avec petit-déj à partir de 225/155 $ ; ). Hôtel victorien plein de charme pourvu de vastes vérandas, de pelouses impeccables, de courts de tennis et d'un parcours de golf. La moitié des chambres aux cloisons minces partagent des sdb. Trois repas juste corrects sont servis chaque jour (plats du dîner 19-34 $). Wawona est à 45 minutes de route au sud de la vallée.

**Ahwahnee Hotel** HÔTEL HISTORIQUE **$$$**
(ch à partir de 470 $ ; @). Steve Jobs, Eleanor Roosevelt et JFK sont passés par cet hôtel bâti en 1927. Détendez-vous sous les poutres en pin à sucre près de la cheminée. À la salle à manger formelle proposant de la cuisine californienne surévaluée (plats du dîner 26-46 $), préférez le bar et ses cocktails inspirés.

**Yosemite Lodge at the Falls** LODGE **$$$**
(ch à partir de 220 $ ; @). Les chambres spacieuses disposent d'un patio

ou d'un balcon donnant sur Yosemite Falls, les prairies ou le parking. Le restaurant Mountain Room (plats du dîner 18-35 $), ouvert tous les soirs (sans réservation), sert des truites de la rivière et des légumes bio. Le lounge d'à côté permet de déguster bière et en-cas.

**Degnan's Deli & Loft** TRAITEUR, PIZZERIA **$$**
(plats 8-12 $ ; ⊙traiteur 7h-17h toute l'année, pizzeria généralement 17h-21h avr-sept ; ). Achetez un sandwich et un paquet de chips avant votre randonnée. Le soir, montez à l'étage pour savourer bières et pizzas croustillantes.

## En dehors du Yosemite National Park

Fish Camp, Oakhurst, El Portal, Midpines, Mariposa, Groveland et Lee Vining, toutes les localités autour du parc disposent de divers motels, hôtels, lodges et B&B.

**♥ Yosemite Bug Rustic Mountain Resort** AUBERGE DE JEUNESSE, CHALETS **$**
(866-826-7108, 209-966-6666 ; www.yosemitebug.com ; 6979 Hwy 140, Midpines ; dort 23-26 $, bungalow en toile 45-75 $, ch avec/sans sdb à partir de 75/65 $ ; ⊙café 7h-16h et 18h-20h30 ; ). Nichée dans la forêt à 45 km à l'ouest de la Yosemite Valley, cette auberge de montagne accueille des routards qui apprécient les chambres propres, le modeste spa, la cuisine et la laverie. Le café sert d'excellents repas bio et végétariens (plats 5-18 $).

**♥ Evergreen Lodge Resort** CHALETS, CAMPING **$$$**
(209-379-2606 ; www.evergreenlodge.com ; 33160 Evergreen Rd, Groveland ; tentes 80-120 $, chalets 210-380 $ ; ). Près d'Hetch Hetchy, ce complexe des années 1920 accueille familles et couples dans des tentes équipées et de confortables chalets de montagne. Les activités de plein air abondent, on peut louer des équipements et une salle de jeux est prévue. Épicerie, taverne avec billard et restaurant country (plats du dîner 18-30 $) servant trois copieux repas par jour.

## Renseignements

Les boutiques de Yosemite Village, Curry Village et Wawona possèdent toutes des DAB. Faites le plein d'essence avant d'entrer dans le parc ; elle est chère toute l'année à Wawona et Crane Flat, ainsi qu'aux Tuolumne Meadows en été. Les téléphones portables fonctionnent de manière aléatoire dans le parc. Des kiosques Internet peu fiables sont aménagés près du Degnan's Deli et au Yosemite Lodge, qui propose un Wi-Fi lent et payant.

**Wawona Branch Library** (www.mariposalibrary.org ; Chilnualna Falls Rd ; ⊙13h-18h lun-ven, 10h-15h sam fim mai-début sept, 12h-17h lun, mer et ven, 10h-15h sam début sept-fin mai ; ). Internet gratuit.

### CAMPER À YOSEMITE

De mars à octobre, de nombreux campings du parc requièrent des **réservations** (518-885-3639, 877-444-6777 ; www.recreation.gov), qui peuvent s'effectuer jusqu'à 5 mois à l'avance. Les emplacements sont habituellement tous vendus en ligne en quelques minutes. Tous les campings disposent de casiers résistant aux ours et de foyers pour les feux de camp ; la plupart offrent de l'eau potable.

Ils sont généralement bruyants et bondés en été, notamment **North Pines** (empl 20 $ ; ⊙avr-oct ; ), **Lower Pines** (empl 20 $ ; ⊙avr-oct ; ) et, toute l'année, **Upper Pines** (empl 20 $ ; ) dans la Yosemite Valley, **Tuolumne Meadows** (empl 20 $ ; ⊙mi-juil à fin sept ; ) près de Tioga Rd, à 1 heure 30 de voiture de la vallée et **Wawona** (empl 20 $ ; ), en bord de rivière, à moins de 1 heure de route de la vallée.

**Camp 4** (empl tente partagée 5 $/pers), un repaire de grimpeurs dans la vallée fonctionnant toute l'année, **Bridalveil Creek** (empl 14 $ ; ⊙ mi-juil à début sept), à 45 min de voiture de la vallée près de Glacier Point Rd, et **White Wolf** (empl 14 $ ; ⊙juil à mi-sept ; ), à une heure de route de la vallée près de Tioga Rd, n'acceptent pas les réservations et affichent souvent complet à midi, surtout le week-end.

Pour plus de calme et de charme, essayez des campings rudimentaires (sans eau potable) comme **Tamarack Flat** (empl 10 $ ; ⊙juil-sept), **Yosemite Creek** (empl 10 $ ; ⊙juil à mi-sept ; ) et **Porcupine Flat** (empl 10 $ ; ⊙juil-sept ; ) près de Tioga Rd. Tous appliquent la règle du premier arrivé, premier servi.

**Yosemite Medical Clinic** (☎209-372-4637 ; 9000 Ahwahnee Dr ; ⏰9h-19h tlj fin mai-fin sept, 9h-17h lun-ven fin sept-fin mai). Soins d'urgence dans Yosemite Valley.

**Yosemite Valley Branch Library** (www.mariposalibrary.org ; Girls Club Bldg, 9000 Cedar Ct ; ⏰9h-12h lun, 8h30-12h30 mar, 15h-19h mer et 16h-19h jeu ; @). Terminaux Internet gratuits.

**Yosemite Valley Visitor Center** (☎209-372-0200 ; www.nps.gov/yose ; ⏰9h-18h, 9h-17h en hiver). Les centres des visiteurs plus petits de Wawona, Tuolumne Meadows et Big Oak Flat sont ouverts en saison.

**Yosemite Valley Wilderness Center** (☎209-372-0826 ; www.nps.gov/yose ; ⏰8h-17h mai-oct, 7h30-17h juil-août). Permis de camper et location de containers résistant aux ours ; disponibles en saison à Wawona, Tuolumne Meadows et Big Oak Flat.

## Comment s'y rendre et circuler

Les gares Greyhound et Amtrak les plus proches se situent à Merced. Des bus **YARTS** (☎877-989-2787 ; www.yarts.com) circulent toute l'année entre Merced et la Yosemite Valley via la Hwy 140 et font halte aux localités en chemin. En été, des bus YARTS relient la Yosemite Valley et Mammoth Lakes via Tuolumne Meadows le long de la Hwy 120. L'aller simple avec l'entrée au parc coûte 12,50 $ depuis Merced, et 18 $ depuis Mammoth Lakes.

Des navettes gratuites sillonnent la Yosemite Valley et, en été, les secteurs de Tuolumne Meadows et de Wawona/Mariposa Grove. **DNC** (☎209- 372-4386 ; www.yosemitepark.com) propose des bus de randonneurs de la vallée à Tuolumne Meadows (aller/aller-retour 15/23 $) et Glacier Point (aller/aller-retour 25/41 $). Vous pourrez louer, en saison, des vélos dans la vallée (11/32 $ par heure/jour) au Yosemite Lodge et au Curry Village.

En hiver, les nationales qui desservent les parcs restent ouvertes (sauf Tioga Rd/Hwy 120, voir p. 174) – bien que des chaînes puissent alors être nécessaires à n'importe quel moment. Pendant la saison de ski, une navette gratuite relie 2 fois par jour la Yosemite Valley et le Badger Pass.

# Sequoia National Park et Kings Canyon National Park

Dans ces parcs voisins, les séquoias géants sont plus hauts et plus nombreux qu'ailleurs dans la Sierra Nevada. Certains couvrent la surface de deux voies d'autoroute et atteignent une hauteur de 30 étages. Les montagnes sont tout aussi imposantes, avec le Mt Whitney (4 421 m), le point culminant des États-Unis hors Alaska. Enfin, le profond Kings Canyon a été creusé dans le granit par d'anciens glaciers et un fleuve puissant. Si vous recherchez la solitude, le calme et l'observation de la faune, dont des ours noirs, suivez l'un des nombreux chemins et perdez-vous dans cette sereine nature sauvage.

## À voir

Sequoia fut classé parc national en 1890 et Kings Canyon, en 1940. Distincts, les deux **parcs** (☎559-565-3341 ; www.nps.gov/seki ; entrée 7 jours 20 $/voiture) sont gérés comme une entité avec un seul droit d'entrée valable 7 jours (20 $ en voiture, 10 $ à moto, vélo ou à pied). Du sud, la Hwy 198 pénètre dans le Sequoia National Park après la ville de Three Rivers à Ash Mountain, puis elle grimpe les lacets de la Generals Hwy vers la Giant Forest. En venant de l'ouest, la Hwy 180 entre dans le Kings Canyon National Park près de Grant Grove, puis plonge dans le canyon direction Cedar Grove.

### Sequoia National Park

La **Giant Forest**, d'une superficie de 8 km², protège les plus grands séquoias du parc ; le **General Sherman Tree** est le plus volumineux au monde. Éloignez-vous de la foule en empruntant le vaste réseau de sentiers du parc (emportez une carte).

**Giant Forest Museum** MUSÉE
(☎559-565-4480 ; Generals Hwy ; ⏰9h-16h30 ou 18h mi-mai à mi-oct ; 👪). Non loin en voiture ou en navette au sud de Lodgepole Village, ce minuscule musée présente des expositions sur les séquoias géants et la protection des animaux. Pour un panorama à 360°, gravissez l'escalier raide de 400 m jusqu'au **Moro Rock**, près de Crescent Meadow Rd.

**Crystal Cave** GROTTE
(☎info 559-565-3759 ; www.sequoiahistory.org ; Crystal Cave Rd ; visites adulte/enfant à partir de 15/8 $ ; ⏰mi-mai à nov ; 👪). Découverte en 1918, cette grotte renferme des formations de marbre vieilles de 10 000 ans. Les billets (sans réservation) pour la visite de 45 minutes ne se vendent qu'aux centres des visiteurs de Lodgepole et Foothills, *pas* à la grotte. Prévoyez une veste.

**Mineral King** SITE HISTORIQUE
(Mineral King Rd). Entouré de pics escarpés et de lacs alpins, Mineral King Valley (2 286 m), un camp de mineurs et de bûcherons de la fin du XIXe siècle, mérite le détour. La belle route en sens unique de 40 km, avec quelque 700 lacets, est habituellement ouverte de mi-mai à fin octobre.

## Kings Canyon National Park et Scenic Byway

Juste au nord de Grant Grove Village s'élèvent les géants majestueux du **General Grant Grove**. Au-delà, la Hwy 180 entame sa descente de 48 km dans le **Kings Canyon**, serpentant le long de parois rocheuses ciselées, sillonnées de cascades. La route rejoint la Kings River, qui gronde entre des falaises de granit hautes de plus de 2 438 m, au fond d'un des plus profonds canyons d'Amérique du Nord. La route panoramique (Scenic Byway) passant par Hume Lake pour rejoindre Cedar Grove Village est généralement fermée de la mi-novembre à la mi-avril.

**Cedar Grove** PLEIN AIR
Cedar Grove Village est le dernier bastion de la civilisation avant la majesté sauvage de l'arrière-pays de la Sierra Nevada. Partez à pied de **Roads End**, sa plage et ses bassins de baignades estivaux, jusqu'aux écumantes **Mist Falls** (13 km aller-retour). Prisé des ornithologues, un sentier facile de 2,4 km fait le tour de **Zumwalt Meadow**, juste à l'ouest de Roads End.

**À NE PAS MANQUER**

### LE TOP DES ROUTES PANORAMIQUES DE LA SIERRA NEVADA

**Tioga Road** (Hwy 120). À travers les hauteurs du Yosemite.

**Generals Highway** (Hwy 198). Une voie légendaire parmi des séquoias géants.

**Kings Canyon Scenic Byway** (Hwy 180). Plongée dans l'un des canyons les plus profonds d'Amérique du Nord.

**Mineral King Rd**. Haute vallée de la Sierra.

**Eastern Sierra Scenic Byway** (US 395). Dans le désert à l'ombre des montagnes enneigées.

**Boyden Cavern** GROTTE
(www.boydencavern.com ; Hwy 180 ; visites adulte/enfant à partir de 13/8 $ ; mai à mi-nov ; ). Plus petite et moins impressionnante que la Crystal Cave du Sequoia National Park, la visite des superbes et curieuses formations ne nécessite pas d'acheter le billet à l'avance.

## Activités

La randonnée est la principale activité, avec plus de 1 350 km de chemins balisés. Cedar Grove et Mineral King offrent les meilleurs accès à l'arrière-pays. Les chemins commencent habituellement à ouvrir au début du printemps, mais on peut marcher toute l'année dans la région de Foothills. Un **permis** (559-565-3766 ; www.nps.gov/seki/planyourvisit/backpacking.htm ; 15 $/excursion) est requis ; il est délivré selon un système de quota de fin mai à fin septembre, et doit donc être demandé bien à l'avance.

En été, vous pourrez nager dans le **Hume Lake**, dans la forêt nationale près de la Hwy 180, et dans les bassins au bord des rivières dans les deux parcs. En hiver, vous pourrez vous déplacer en skis de fond ou en raquettes parmi les séquoias géants. Grant Grove Village et le Wuksachi Lodge louent des équipements. Avec des pistes balisées, le Montecito Sequoia Lodge, près de la Generals Hwy entre les deux parcs, est le meilleur endroit pour s'adonner au ski de fond entre autres sports d'hiver.

## Où se loger et se restaurer

Les **réservations** (518-885-3639, 877-477-6777 ; www.recreation.gov) ne sont possibles que l'été aux campings de Lodgepole et de Dorst du Sequoia National Park, mais pas dans la dizaine d'autres campings du parc (empl 10-20 $). Lodgepole, Azalea, Potwisha et South Fork sont ouverts toute l'année. Le camping sauvage est autorisé dans la Sequoia National Forest.

Les marchés de Grant Grove, Lodgepole et Cedar Grove ne sont pas très fournis. Lodgepole et Cedar Grove ont des snack-bars servant des repas basiques et avantageux ; Grant Grove compte un restaurant simple, une pizzeria ouverte seulement en saison et un kiosque à café.

Devant l'entrée sud de Sequoia, motels fatigués, chalets rustiques et restaurants basiques bordent la Hwy 198 qui traverse la ville de Three Rivers.

**John Muir Lodge et Grant Grove Cabins** LODGE, CHALETS $$
(☎559-335-5500, 866-522-6966 ; www.sequoia-kingscanyon.com ; Hwy 180 ; chalets sans sd 65-95 $, ch 120-190 $ ; ). À Grant Grove Village, ce lodge des bois propose de vastes chambres sobres et un salon avec cheminée et jeux de société. Les chalets, disparates, vont de simples bungalows en toile à de jolis cottages anciens.

**Cedar Grove Lodge** LODGE $$
(☎559-335-5500, 866-522-6966 ; www.sequoia-kingscanyon.com ; Hwy 180 ; ch 129-135 $ ; ⊙mi-mai à début oct ; ). Une vingtaine de chambres simples et fatiguées partagent des vérandas donnant sur la Kings River. La meilleure adresse dans les parages.

**Montecito Sequoia Lodge** LODGE $$
(☎559-565-3388, 800-227-9900 ; www.mslodge.com ; 63410 Generals Hwy ; chalets avec/sans sdb à partir de 159/79 $, ch 99-249 $ ; ). Les campements familiaux assurent une joyeuse ambiance en été. Patin à glace et *snowtubing* (glissade sur neige dans une grosse bouée) en hiver. Les chambres sommaires du lodge et les chalets rustiques se situent entre les deux parcs. Les repas sont compris.

**Wuksachi Lodge** LODGE $$$
(☎559-565-4070, 866-807-3598 ; www.visitsequoia.com ; 64740 Wuksachi Way, près de Generals Hwy ; ch à partir de 225 $ ; ). Ne vous laissez pas impressionner par la somptueuse réception, les chambres de style motel n'ont rien d'extraordinaire. Le **Peaks Restaurant** (☎559-565-4070 ; www.visitsequoia.com ; dîner plats 17-32 $ ; ⊙petit-déj, déj et dîner tlj, horaire variables) est une adresse chic qui souffre néanmoins d'un manque d'organisation (réservez le soir). Les plus courageux parcourront à pied les 18 km jusqu'au **Bearpaw High Sierra Camp** (☎866-807-3598, 801-559-4930 ; www.visitsequoia.com ; bungalows de toile pension complète s/d 175/225 $ ; ⊙mi-juin à mi-sept), où il faut réserver longtemps à l'avance.

## ℹ Renseignements

Lodgepole Village et Grant Grove Village sont les principaux carrefours commerciaux des parcs. Les deux ont des centres des visiteurs, des postes, des marchés, des DAB, des laveries à pièce et des douches publiques (uniquement l'été).

Le **Lodgepole Visitor Center** (☎559-565-4436 ; ⊙9h-16h30 ou 18h tlj, horaires réduit l'hiver) au Lodgepole Village, le **Foothills Visitor Center** (☎559-565-4212 ; ⊙8h-16h30) à Ash Mountain et le **Kings Canyon Visitor Center** (☎559-565-4307 ; ⊙8h ou 9h-16h30 ou 17h, horaires réduit l'hiver) à Grant Grove restent ouverts toute l'année. Le **Cedar Grove Visitor Center** (☎559-565-4307 ; ⊙8h ou 9h-16h30 ou 17h fin mai-début sept) à Kings Canyon et la **Mineral King Ranger Station** (☎559-565-3768 ; ⊙8h-16h fin mai-début sept) à Sequoia ouvrent en saison. Consultez le journal gratuit du parc pour les autres services.

De l'essence est vendue au prix fort à Hume Lake (toute l'année) et à Stony Creek (l'été seulement) en dehors du parc dans le domaine de la forêt d'État.

## ℹ Comment s'y rendre et circuler

De fin mai à début septembre, des bus gratuits sillonnent la Giant Forest et Lodgepole Village dans le Sequoia National Park, tandis que la **Sequoia Shuttle** (☎877-287-4453 ; www.sequoiashuttle.com) relie le parc à Three Rivers et Visalia (l'aller-retour comprend l'entrée au parc de 15 $, réservation nécessaire), avec des correspondances pour Amtrak depuis Visalia. Il n'y a pas de transports en commun au Kings Canyon National Park.

# Est de la Sierra Nevada

Vaste, vide et majestueux, le désert du Grand Bassin est hérissé de pics déchiquetés, composant un paysage fabuleux. La Hwy 395 longe la Sierra Nevada sur toute sa longueur, avec des embranchements vers des forêts de pins, des prairies fleuries, des lacs placides, des sources thermales et des canyons creusés par les glaciers. Randonneurs, campeurs, cyclistes, pêcheurs et skieurs adorent s'y évader. Les principaux carrefours des visiteurs sont Mammoth Lakes et Bishop.

Au **Bodie State Historic Park** (☎760-647-6445 ; www.bodiefoundation.org ; Hwy 270 ; adulte/enfant 7/5 $ ; ⊙9h-18h mi-mai à oct, 9h-15h nov à mi-mai), une ville fantôme de la ruée vers l'or est conservée dans un état de "délabrement arrêté". Les bâtiments érodés sont gelés dans le temps sur une plaine poussiéreuse et venteuse. Suivez la Hwy 270 vers l'est sur 20 km (piste sur les 5 derniers kilomètres), à environ 11 km au sud de Bridgeport. La route d'accès est souvent coupée par la neige en hiver.

Plus au sud, au **Mono Lake** (www.monolake.org), de curieuses tours de tuf se dressent de l'eau alcaline comme de fragiles châteaux de sable. Près de la Hwy 395, le **Mono Basin**

À NE PAS MANQUER

### LE TOP DES SITES EN PLEIN AIR DANS L'EST DE LA SIERRA

**Bodie State Historic Park** (p. 179). Une ville fantôme de la ruée vers l'or.

**Mono Lake** (p. 179). Formations minérales surnaturelles.

**Mammoth Mountain** (ci-dessous). Sports d'hiver et VTT en altitude.

**Ancient Bristlecone Pine Forest** (ci-contre). Les plus vieux arbres au monde.

**Manzanar National Historic Site** (ci-contre). L'histoire non censurée des camps d'internement de la Seconde Guerre mondiale.

**Scenic Area Visitor Center** (☎760-647-3044 ; ⏲8h-17h avr-nov) propose d'excellentes expositions et le programme des randonnées guidées et des conférences. La rive sud de la **South Tufa Area** (adulte/enfant 3 $/gratuit) offre le meilleur point de vue pour une photo. De la ville proche de Lee Vining, la Hwy 120 se dirige vers l'ouest dans le Yosemite National Park via le Tioga Pass ouvert ou fermé selon la saison (p. 174).

En suivant la Hwy 395 vers le sud, faites un détour de 25 km par le **June Lake Loop** ou continuez jusqu'à **Mammoth Lakes**, une station fréquentée toute l'année au pied de la **Mammoth Mountain** (☎800-626-6684 ; www.mammothmountain.com ; 10001 Minaret Rd), haute de 3 369 m, qui constitue un secteur privilégié pour le ski. Les pentes se transforment en pistes de VTT en été, moment où l'on peut aussi camper, pêcher et marcher aux alentours du Mammoth Lakes Basin et de Reds Meadow. À proximité se dressent les colonnes de basalte hautes de 18 m du **Devils Postpile National Monument** (☎760-934-2289 ; www.nps.gov/depo ; forfait journée navette adulte/enfant 7/4 $ ; ⏲fin mai-oct), d'origine volcanique. Les amateurs de sources thermales peuvent se baigner dans des bassins près de Benton Crossing Rd ou contempler les geysers au **Hot Creek Geological Site** (www.fs.usda.gov/inyo ; Hot Creek Hatchery Rd ; ⏲lever-coucher du soleil) GRATUIT tous deux près de la Hwy 395 au sud-est de la ville. En ville, la **Mammoth Lakes Welcome Center & Ranger Station** (☎866-466-2666 ; www.visitmammoth.com ; 2510 Main St ; ⏲8h-17h) fournit des cartes utiles et des informations.

Plus au sud, la Hwy 395 descend dans l'Owens Valley et rejoint **Bishop**, une bourgade au parfum de frontière avec des galeries d'art et un **musée du rail** (☎760-873-5950 ; www.lawsmuseum.org ; Silver Canyon Rd ; don 5 $ ; ⏲10h-16h ; 👪). Bishop constitue le principal point de départ pour des excursions avec chevaux de bât, et donne accès aux meilleurs sites de pêche et d'escalade de l'Eastern Sierra.

Comptez une demi-journée pour parcourir la magnifique route jusqu'à l'**Ancient Bristlecone Pine Forest** (☎760-873-2500 ; www.fs.usda.gov/inyo ; 6 $/voiture ; ⏲généralement mi-mai à nov). Ces arbres noueux surréalistes se dressent à plus de 3 000 m sur les versants des White Mountains. Leur doyen, Mathusalem, a plus de 4 700 ans. La route (coupée par la neige en hiver et au printemps) est bitumée jusqu'au Visitor Center à Schulman Grove, d'où partent des sentiers de randonnée. De la Hwy 395 à Big Pine, prenez la Hwy 168 vers l'est sur 21 km, puis montez la White Mountain Rd sur 16 km.

La Hwy 395 continue vers le sud jusqu'à Independence et le **Manzanar National Historic Site** (☎760-878-2194 ; www.nps.gov/manz ; 5001 Hwy 395, Independence ; ⏲aube-crépuscule, Visitor Center 9h-16h30) GRATUIT qui commémore le camp où furent injustement internés quelque 10 000 Américains d'origine japonaise après l'attaque de Pearl Harbor. Une exposition et un court métrage racontent la vie dans le camp, illustrée par une visite routière autoguidée.

Plus au sud, à Lone Pine, vous apercevrez le **Mt Whitney** (4 418 m ; www.fs.usda.gov/inyo), le point culminant des États-Unis hors Alaska. La **Whitney Portal Road** (fermée en hiver), longue de 19 km, est spectaculaire. Très prisée, l'ascension du mont nécessite un **permis** (www.recreation.gov ; 15 $/pers) délivré selon un système de loterie. À l'ouest de Lone Pine, les rochers aux formes bizarres des **Alabama Hills** ont séduit des réalisateurs de westerns d'Hollywood. Découvrez des souvenirs et d'anciennes affiches de film au **Museum of Lone Pine Film History** (☎760-876-9909 ; www.lonepinefilmhistorymuseum.org ; 701 S Main St ; adulte/enfant 5 $/gratuit ; ⏲10h-18h lun-mer, 10h-19h jeu-sam, 10h-16h dim). Au sud de la ville, l'**Eastern Sierra InterAgency Visitor Center** (☎760-876-6222 ; www.fs.fed.us/r5/inyo ; Hwy 395 et Hwy 136 ; ⏲8h-17h, plus longtemps été) délivre des autorisations de camping sauvage, fournit des informations sur les activités de plein air et vend des livres et des cartes.

## Où se loger

L'est de la Sierra est jalonné de campings ; le camping sauvage nécessite une autorisation, réservable à l'avance et disponible dans les stations de rangers. La plupart des motels sont regroupés à Bishop, Lone Pine et Bridgeport. Mammoth Lakes compte quelques motels et une dizaine d'auberges, B&B, appartements et locations saisonnières. Il faut toujours réserver l'été.

**El Mono Motel** MOTEL $
(760-647-6310 ; www.elmonomotel.com ; 51 Hwy 395, Lee Vining ; ch avec/sans sdb à partir de 89/69 $ ; mi-mai à oct ; ). Chambres de motel douillettes jouxtant un café près de Mono Lake, non loin en voiture de l'entrée du Yosemite National Park, côté Tioga Pass.

**Whitney Portal Hostel** AUBERGE DE JEUNESSE $
(760-876-0030 ; www.whitneyportalstore.com ; 238 S Main St, Lone Pine ; dort/q 25/84 $ ; ). Auberge rudimentaire aux dortoirs moquettés, prisée avant d'attaquer l'ascension du mont Whitney. Douches (5 $).

**Tamarack Lodge** LODGE, CHALETS $$
(800-626-6684, 760-934-2442 ; www.tamaracklodge.com ; 163 Twin Lakes Rd, Mammoth Lakes ; ch avec/sans sdb à partir de 149/99 $, chalets à partir de 169 $ ; @). Complexe lacustre louant depuis 1924 des chambres et des chalets avec cuisine, rustiques ou luxueuses, parfois avec cheminée.

**Dow Hotel & Dow Villa Motel** HÔTEL, MOTEL $$
(800-824-9317, 760-876-5521 ; www.dowvillamotel.com ; 310 S Main St, Lone Pine ; ch 85-150 $, sans sdb 70 $ ; @). John Wayne et Errol Flynn ont dormi dans cet hôtel de 1922 au charme rustique. Les chambres de motel modernes sont plus confortables.

## Où se restaurer et prendre un verre

**Good Life Café** AMERICAIN $
(http://mammothgoodlifecafe.com ; 126 Old Mammoth Rd, Mammoth Lakes ; plats 7-10 $ ; 6h30-15h). Petits-déjeuners copieux, burgers musclés, *burritos* mexico-californiens, wraps végétariens, grandes salades et patio ensoleillé assurent une affluence constante.

**Raymond's Deli** TRAITEUR $
(http://raymondsdeli.com ; 206 N Main St, Bishop ; 5-9 $ ; 10h-17h30 ; ). Repaire kitsch doté d'un flippeur, proposant des sandwichs copieux aux noms fantaisistes. Goûtez les bières artisanales californiennes.

**Whoa Nellie Deli** CALIFORNIEN $$
(760-647-1088 ; Tioga Gas Mart, 22 Vista Point Rd, près de la Hwy 120, Lee Vining ; plats 7-20 $ ; 7h-21h fin avr-début nov ; ). De l'excellente cuisine dans une station-service ! Le chef Matt Toomey propose tacos de poisson, pains de viande au bison et côte de bœuf grillée.

**Skadi** EUROPÉEN $$$
(760-934-3902 ; http://skadirestaurant.com ; 587 Old Mammoth Rd, Mammoth Lakes ; plats 24-32 $ ; 17h30-21h30). Devant un magnifique panorama montagneux, dégustez une "cuisine alpine" scandinave : saumon grillé croustillant, magrets de canard au genièvre et airelles, le tout accompagné de vins exceptionnels.

**Mammoth Brewing Company Tasting Room** BRASSERIE
(www.mammothbrewingco.com ; 94 Berner St, Mammoth Lakes ; 10h-18h). Goûtez gratuitement une douzaine de crus avant d'acheter des bouteilles d'IPA 395 ou de Double Nut Brown.

**Looney Bean Coffee** CAFÉ
(www.looneybean.com ; 399 N Main St, Bishop ; 6h-18h lun-sam, 7h-17h dim ; ). Café fraîchement torréfié, smoothies et pâtisseries. Également présent à Mammoth Lakes.

# Lake Tahoe

Scintillant d'une myriade de reflets verts et bleus, le Lake Tahoe est le deuxième lac le plus profond du pays. En faire le tour en voiture (115 km) permet de découvrir ses rives spectaculaires : calme et chic au nord, accidentée et désuète à l'ouest, sauvage à l'est, animée par les familles et les casinos tape-à-l'œil. Les pics (1 897 m) qui entourent le lac, à cheval sur la frontière Californie-Nevada, attirent les amateurs de plein air en toutes saisons.

Le Tahoe est bondé en été, les week-ends d'hiver et pendant les vacances, quand les réservations sont indispensables. La **Lake Tahoe Visitors Authority** (800-288-2463 ; www.tahoesouth.com) et les **North Lake Tahoe Visitors' Bureaus** (888-434-1262 ; www.gotahoenorth.com) gèrent plusieurs centres d'information des visiteurs. On peut camper dans les **parcs d'État** (800-444-7275 ; www.reserveamerica.com ; empl 35-50 $ ; ) sur les **domaines de l'USFS** (877-444-6777, 518-885-3639 ; www.recreation.gov ; empl 20-40 $ ; ).

## South Lake Tahoe et rive ouest

Avec des motels et restaurants rétro qui bordent la Hwy 50, South Lake Tahoe est bondée. Les hôtels-casinos de Stateline, juste après la frontière du Nevada, attirent des milliers de joueurs, tout comme la station de ski de classe internationale de **Heavenly** (☎775-586-7000 ; www.skiheavenly.com ; 3860 Saddle Rd ; ). En été, un trajet en **téléphérique** (adulte/enfant 38/20 $) à partir de Heavenly offre une vue fabuleuse sur le lac et **Desolation Wilderness**, un paysage splendide de pics de granit, de vallées creusées par des glaciers et de lacs alpins, qui fait la joie des randonneurs. Pour des cartes, des informations et des **permis** (☎877-444-6777 ; www.recreation.gov ; 5-10 $/adulte), adressez-vous à l'**USFS Taylor Creek Visitor Center** (☎530-543-2674 ; www.fs.usda.gov/ltbmu ; Hwy 89 ; ⏲tlj fin mai–oct, horaires variables). Il se situe à 5 km au nord du croisement en Y des Hwys 50/89, au **Tallac Historic Site** (Tallac Rd ; entrée libre, visite adulte/enfant 5/3 $ ; ⏲10h-16h30 mi-juin à sept, ven-sam seulement fin mai à mi-juin ; ), qui préserve des résidences secondaires du début du XXe siècle.

Depuis la plage de sable **Zephyr Cove** (propice à la baignade), en face de la frontière du Nevada, ou depuis la Ski Run Marina en ville, les **Lake Tahoe Cruises** (☎800-238-2463 ; www.zephyrcove.com ; adulte/enfant à partir de 47/10 $) sillonnent le lac toute l'année. Sur la rive vous attendent des motels chics comme l'**Alder Inn** (☎530-544-4485 ; www.thealderinn.com ; 1072 Ski Run Blvd ; ch 85-229 $ ; ) et le tendance **Basecamp Hotel** (☎530-208-0180 ; http://basecamphotels.com ; 4143 Cedar Ave ; ch petit-déj compris 115-239 $ ; ), qui possède un Jacuzzi sur le toit. Restaurez-vous chez **Sprouts** (3123 Harrison Ave ; plats 6-10 $ ; ⏲8h-21h ; ), proposant plats végétariens et naturels, ou optez pour un burger surmonté de beurre de cacahouète avec des frites à l'ail au **Burger Lounge** (☎530-542-2010 ; www.burgerloungeintahoe.com ; 717 Emerald Bay Rd ; 4-9 $ ; ⏲10h-20h, moins tard oct-mai ; ).

La Hwy 89 se faufile au nord-ouest, longeant la rive ouest boisée jusqu'à l'**Emerald Bay State Park** (☎530-541-6498 ; www.parks.ca.gov ; 8-10 $/voiture ; ⏲tlj fin mai-sept), où les falaises de granit et les pins sertissent une crique étincelante. Un sentier de 1,5 km descend jusqu'au **Vikingsholm Castle** (visites adulte/enfant 10/8 $ ; ⏲10h30 ou 11h-16h tlj fin mai-sept). Depuis cette demeure de style scandinave des années 1920, le **Rubicon Trail** serpente au nord sur 7,2 km le long de la rive en passant par de jolies criques jusqu'au **DL Bliss State Park** (☎530-525-7277 ; www.parks.ca.gov ; 10 $/voiture ; ⏲généralement fin mai-sept ; ) et ses plages de sable. Plus au nord, les **Tahoma Meadows B&B Cottages** (☎866-525-1533, 530-525-1553 ; www.tahomameadows.com ; 6821 W Lake Blvd, Homewood ; cottages avec petit-déj 109-199 $ ; ) loue de séduisants chalets rustiques.

## Rives nord et est

Centre marchand de la rive nord, **Tahoe City** est pratique pour se ravitailler et louer des équipements sportifs. Elle se situe non loin de **Squaw Valley USA** (☎800-403-0206 ; www.squaw.com ; 1960 Squaw Valley Rd, Olympic Valley ; ), une immense station de ski qui a accueilli les Jeux olympiques d'hiver en 1960. À Tahoe City, vous pourrez vous régaler de bière et de burgers à la **Bridgetender Tavern** (www.tahoebridgetender.com ; 65 W Lake Blvd ; plats 8-12 $ ; ⏲11h-23h, 11h-minuit ven-sam). Au petit-déjeuner, dégustez des œufs Bénédicte et du saumon fumé maison au confortable **Fire Sign Cafe** (www.firesigncafe.com ; 1785 W Lake Blvd, Sunnyside ; plats 7-11 $ ; ⏲7h-15h ; ), à 3 km au sud sur la rive.

L'été, adonnez-vous à la baignade ou au kayak à **Tahoe Vista** ou **Kings Beach**. Séjournez au **Franciscan Lakeside Lodge** (☎800-564-6754, 530-546-6300 ; http://franciscanlodge.com ; 6944 N Lake Blvd, Tahoe Vista ; d 95-285 $ ; ), dont les chalets simples, cottages et suites profitent de kitchenette, ou à l'**Hostel Tahoe** (☎530-546-3266 ; http://hosteltahoe.com ; 8931 N Lake Blvd, Kings Beach ; dort 32 $, ch 65-80 $ ; ⏲réception16h-19h ; @), une auberge de jeunesse bien tenue aux chambres fonctionelles. À l'est des restaurants informels de Kings Beach, la Hwy 28 file vers le Nevada. Vous pouvez assister à un spectacle musical au **Crystal Bay Club Casino** (☎775-833-6333 ; www.crystalbaycasino.com ; 14 Hwy 28, Crystal Bay), mais pour des bars et des bistrots plus animés, continuez jusqu'à **Incline Village**.

Des plages immaculées, des lacs et des kilomètres de chemins font du **Lake Tahoe-Nevada State Park** (http://parks.nv.gov ; 7-12 $/voiture) la principale attraction de la rive est. En été, les vacanciers se baignent dans les eaux turquoise de **Sand Harbor**. Le **Flume Trail**, un chemin de 21,7 km prisé des cyclistes, se termine plus au sud à **Spooner Lake**.

À Incline Village, **Flume Trail Bikes** (☎775-298-2501 ; www.flumetrailtahoe.com ; 1115 Tunnel Creek Rd ; location vélo 35-90 $/jour, navette 10-15 $) propose location de vélos et navettes vers le départ des sentiers.

## Truckee et ses environs

Au nord du Lake Tahoe près de l'I-80, Truckee est une ville de montagne florissante, avec des cafés, des boutiques branchées et des restaurants dans le centre historique. Les skieurs ont le choix entre plusieurs stations : **Northstar-at-Tahoe** (☎800-466-6784 ; www.northstarattahoe.com ; 5001 Northstar Dr ; 👪), glamour, **Sugar Bowl** (☎530-426-9000 ; www.sugarbowl.com ; 629 Sugar Bowl Rd, Norden ; 👪), familiale et cofondée par Walt Disney, et **Royal Gorge** (☎530-426-3871 ; www.royalgorge.com ; 9411 Pahatsi Rd, Soda Springs ; 👪), paradis du ski de fond.

À l'ouest de la Hwy 89, Donner Summit est l'endroit où l'expédition Donner fut piégée pendant le terrible hiver 1846-1847 ; moins de la moitié du groupe survécut certains en mangeant leurs compagnons morts. Cette histoire est contée dans le musée du **Donner Memorial State Park** (www.parks.ca.gov ; Donner Pass Rd ; 8 $/voiture ; ⏲musée 10h-17h, fermé mar-mer sept-mai ; 👪), où le **Donner Lake** est prisé des nageurs et des pagayeurs.

Randonneurs et skieurs prêts à mettre la main à la pâte choisiront le rustique **Clair Tappan Lodge** (☎800-679-6775, 530-426-3632 ; www.sierraclub.org/outings/lodges/ctl ; 19940 Donner Pass Rd, Norden ; dort avec repas adulte/enfant à partir de 60/30 $ ; 👪) 🌿 de Sierra Club, hors de la ville. En lisière de Truckee, l'écologique **Cedar House Sport Hotel** (☎866-582-5655, 530-582-5655 ; www.cedarhousesporthotel.com ; 10918 Brockway Rd ; ch avec petit-déj 170-290 $ ; 📶🐾) 🌿 propose des chambres chics et un Jacuzzi extérieur. Vous pourrez vous offrir quelques pintes de "Donner Party Porter" au **Fifty Fifty Brewing Co** (www.fiftyfiftybrewing.com ; 11197 Brockway Rd ; ⏲11h-21h, 11h-21h30 ven-sam) 🌿.

### ℹ Comment s'y rendre et circuler

**South Tahoe Express** (☎866-898-2463, 775-325-8944 ; www.southtahoeexpress.com ; aller/aller-retour 30/53 $) propose plusieurs navettes quotidiennes entre le **Reno-Tahoe International Airport** au Nevada et Stateline. **North Lake Tahoe Express** (☎866-216-5222, 775-786-3706 ; www.northlaketahoeexpress.com ; aller/aller-retour 45/85 $) relie l'aéroport de Reno à Truckee, Northstar, Squaw Valley et les villes de la rive nord.

Du **dépôt Amtrak** (10065 Donner Pass Rd) de Truckee, des trains quotidiens partent pour Sacramento (50 $, 4 heures 30) et Reno (16 $, 1 heure 30), et des bus Greyhound desservent 2 fois par jour Reno (18 $, 1 heure), Sacramento (45 $, 2 heures 30) et San Francisco (41 $, 6 heures). Des bus Amtrak relient Sacramento et South Lake Tahoe (34 $, 2 heures 30).

**Tahoe Area Regional Transit** (TART ; ☎800-736-6365, 530-550-1212 ; www.placer.ca.gov/tart ; billet/forfait jour 1,75/3,50 $) gère des bus locaux de Truckee aux rives nord et ouest. Le sud du Lake Tahoe est desservi par les bus **BlueGO** (☎530-541-7149 ; www.bluego.org ; billet/forfait jour à partir de 2/5 $). Le trolley Nifty 50 de BlueGO ne circule que l'été et remonte la rive ouest jusqu'à Tahoma, et fait la correspondance avec le TART.

En voiture, il faut souvent des chaînes en hiver sur l'I-80, la US 50 et autres routes de montagne, qui ferment parfois temporairement en cas de fortes chutes de neige.

# Nord-Ouest pacifique

## Dans ce chapitre ➡



## Le top des restaurants

- Cascina Spinasse (p. 200)
- Saffron Mediterranean Kitchen (p. 218)
- Ox (p. 226)
- New Sammy's Cowboy Bistro (p. 240)

## Le top des hébergements

- Sun Mountain Lodge (p. 213)
- Kennedy School (p. 224)
- Oxford Hotel (p. 238)
- Hotel Five (p. 198)

## Pourquoi y aller

Si le nord-ouest des États-Unis est une région, c'est aussi un état d'esprit, une terre de sous-cultures, de nouvelles tendances et d'innovation, au paysage de résineux et de volcans enneigés. Il fait bon se promener dans les villes modernes et sans cesse changeantes que sont Portland et Seattle ; les petits stands de nourriture, les tramways, les microbrasseries, la ceinture de verdure, les cafés de connaisseurs et les – étranges – sculptures urbaines font indéniablement partie de leur charme.

Depuis l'époque de l'Oregon Trail, le Nord-Ouest fascine les entrepreneurs et les rêveurs. Ici, l'air est si pur qu'on devrait le mettre en bouteille, les arbres plus anciens que certains palais Renaissance de Rome et la côte qui marque la fin du continent s'ouvre sur le plus vaste océan du monde. Avis aux cow-boys : si le Far West existe, il est ici.

## Quand partir

### Seattle

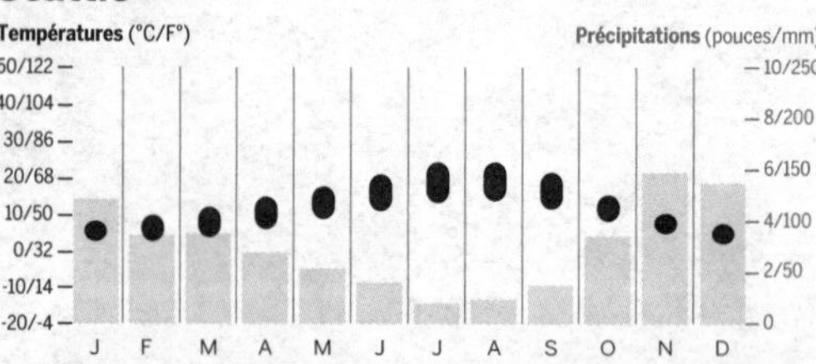


**Jan-mars** Neige et ski dans les Cascades et au-delà.

**Mai** Saison des festivals : Portland Rose, Seattle International Film Festival et Oregon Shakespeare.

**Juil-sept** Idéal pour randonner, après la fonte des neiges et avant les rafales automnales.

## Grunge et autres sous-cultures

Reflet des angoisses de la génération X, le grunge a éclaté sur la scène musicale de Seattle au début des années 1990 comme un coup de tonnerre par un bel après-midi ensoleillé. La colère montait depuis des années. Le punk hardcore est né à Portland à la fin des années 1970, sous la houlette des Wipers, dont les partisans anti-mode se rassemblaient dans des bars louches comme le Satyricon. Un autre courant musical est apparu à Olympia, où les Beat Happening inventèrent le "lo-fi", prônant l'autoproduction et l'indépendance face aux grandes compagnies de l'industrie du disque. Rassemblant les divers courants de la culture jeune, Seattle devint rapidement le lieu d'expression du grunge, avec des groupes comme Pearl Jam, Soundgarden et Alice in Chains. La vague déferla dans le monde entier quand, en 1991, l'album *Nevermind* de Nirvana détrôna Michael Jackson du top des ventes. Mais ce mouvement qui n'était pas fait pour le succès ne survécut pas au prestige. Depuis le milieu des années 1990, le Nord-Ouest pacifique garde en grande partie ses sous-cultures pour lui, bien que sa musique ne soit pas moins intéressante.

### MICROBRASSERIES

La dégustation de bière est devenue un véritable phénomène de société, mais c'est dans le Nord-Ouest pacifique qu'est né dans les années 1980 le courant visant à retrouver la saveur de cette boisson industrielle.

La dynamique Cartwright Brewing Company, née à Portland en 1980, fut une des premières microbrasseries du pays. Le premier pub-brasserie fut le regretté Grant's, inauguré à Yakima dans le Washington en 1982. L'épidémie se propagea en 1984 avec l'inauguration de la Bridgeport Brewing Company à Portland, suivie un an plus tard par le Beervana des frères Mike et Brian McMenamin, brasseurs à l'ancienne, dont l'empire décalé demeure l'incarnation par excellence de la brasserie dans la région.

Aujourd'hui, le Washington et l'Oregon comptent près de 300 microbrasseries (Portland en totalise à elle seule plus de 50). Toutes emploient des ingrédients naturels – malt, houblon, levure – pour produire une bière de qualité en petites quantités.

## Le top des parcs d'État

- **Moran State Park** Orcas Island
- **Ecola State Park** Cannon Beach
- **Deception Pass State Park** Whidbey Island
- **Fort Worden State Park** Port Townsend
- **Lime Kiln Point State Park** San Juan Island
- **Cape Perpetua State Park** Près de Yachats
- **Smith Rock State Park** Près de Bend

### À NE PAS MANQUER

À eux deux, le Washington et l'Oregon regroupent quatre des plus beaux parcs nationaux des États-Unis : Mt Rainier (fondé en 1899), Crater Lake (1902), Olympic (1938) et North Cascades (1968).

## En bref

- **Villes principales** Seattle (621 000 hab.), Portland (594 000 hab.)
- **Distances depuis Seattle** Portland (277 km), Vancouver (225 km)
- **Fuseau horaire** heure du Pacifique

## Le saviez-vous ?

Durant l'hiver 1998-1999, la station de ski du Mt Baker, dans le nord-ouest du Washington, a reçu 28 m de neige, le plus gros enneigement annuel jamais recensé.

## Sites Web

- **Washington State Parks & Recreation Commission** (www.parks.wa.gov)
- **Oregon State Parks & Recreation Dept** (www.oregonstateparks.org)
- **Washington State Tourism Office** (www.tourism.wa.gov)
- **Oregon Tourism Commission** (www.traveloregon.com)

## À ne pas manquer

1. Les coins les plus tranquilles des **San Juan Islands** (p. 210), à vélo ou en kayak.
2. La magnifique **côte de l'Oregon** (p. 244), de la belle Astoria au discret hameau de Port Orford.
3. Les arbres plusieurs fois centenaires de l'**Olympic National Park** (p. 205) dans l'État de Washington.
4. Le **Pike Place Market** (p. 190) de Seattle, pour le plus beau spectacle à ciel ouvert du Nord-Ouest pacifique.
5. Les quartiers tranquilles et verdoyants de **Portland** (p. 218), avec quelques pauses pour une bière, un café ou un en-cas à un stand de rue.
6. Les eaux incroyablement bleues et les vues magnifiques du **Crater Lake National Park** (p. 239).

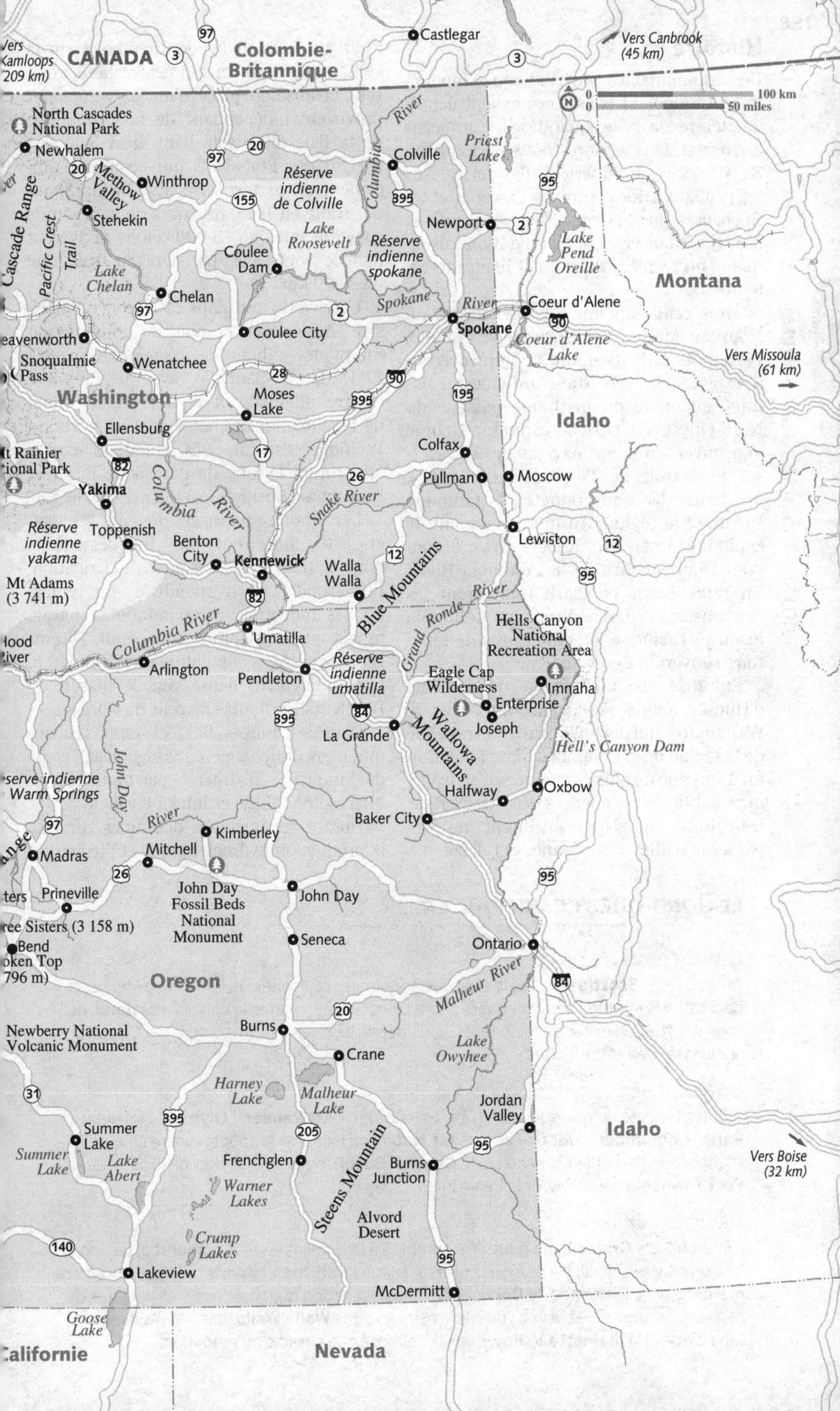

Vers Kamloops (209 km)
CANADA
Colombie-Britannique
Castlegar
Vers Canbrook (45 km)
100 km
50 miles
North Cascades National Park
Newhalem
Methow Valley
Winthrop
Stehekin
Cascade Range
Pacific Crest Trail
Lake Chelan
Chelan
Réserve indienne de Colville
Columbia River
Lake Roosevelt
Colville
Priest Lake
Newport
Lake Pend Oreille
Montana
Coulee Dam
Réserve indienne spokane
Spokane River
Coeur d'Alene
Spokane
Coeur d'Alene Lake
Coulee City
Leavenworth
Snoqualmie Pass
Wenatchee
Vers Missoula (61 km)
Washington
Moses Lake
Ellensburg
Idaho
Colfax
Mt Rainier National Park
Pullman
Moscow
Yakima
Columbia River
Snake River
Réserve indienne yakama
Toppenish
Benton City
Kennewick
Lewiston
Walla Walla
Blue Mountains
Mt Adams (3 741 m)
Hood River
Columbia River
Umatilla
Grand Ronde River
Hells Canyon National Recreation Area
Arlington
Pendleton
Réserve indienne umatilla
Eagle Cap Wilderness
Imnaha
Enterprise
Joseph
La Grande
Wallowa Mountains
Hell's Canyon Dam
Réserve indienne Warm Springs
John Day River
Halfway
Oxbow
Baker City
Kimberley
Madras
Mitchell
John Day Fossil Beds National Monument
John Day
Prineville
Three Sisters (3 158 m)
Seneca
Ontario
Bend
Broken Top (2 796 m)
Oregon
Malheur River
Burns
Newberry National Volcanic Monument
Crane
Lake Owyhee
Harney Lake
Malheur Lake
Jordan Valley
Idaho
Summer Lake
Summer Lake
Lake Abert
Frenchglen
Steens Mountain
Burns Junction
Vers Boise (32 km)
Warner Lakes
Alvord Desert
Crump Lakes
Lakeview
McDermitt
Goose Lake
Californie
Nevada

## Histoire

Des communautés amérindiennes, notamment Chinook et Salish, occupaient depuis longtemps la côte quand les Européens arrivèrent dans le Nord-Ouest pacifique au XVIIIe siècle. À l'intérieur des terres, sur les plateaux arides entre les Cascades et les Rocheuses, les Spokane, les Nez-Percés et d'autres tribus vivaient de migration saisonnière entre vallées fluviales et hautes terres tempérées.

Trois cents ans après la découverte du Nouveau Monde par Christophe Colomb, Espagnols et Britanniques commencèrent à explorer la côte du Nord-Ouest pacifique en quête du mythique passage du Nord-Ouest. En 1792, le capitaine George Vancouver, premier navigateur à traverser le détroit de Puget (Puget Sound), proclama la souveraineté britannique sur toute la région. Au même moment, le capitaine américain Robert Gray découvrait l'embouchure de la Columbia River. En 1805, Lewis et Clark franchirent les Rocheuses et descendirent la Columbia jusqu'au Pacifique, étendant ainsi le territoire souverain des États-Unis.

En 1824, la Compagnie de la Baie d'Hudson fonda Fort Vancouver dans le Washington, qui devint le centre névralgique de la région de la Columbia. Cette fondation fut à l'origine de plusieurs vagues d'arrivants mais eut des conséquences désastreuses sur les cultures indigènes, qui furent frappées par les maladies européennes et l'alcool.

En 1843, les colons de Champoeg, sur la Willamette River au sud de Portland, votèrent la mise en place d'un gouvernement provisoire indépendant de la Compagnie de la Baie d'Hudson, liant ainsi leur sort à celui des États-Unis qui acquirent officiellement ce territoire aux Britanniques par traité en 1846. Au cours de la décennie suivante quelque 53 000 colons arrivèrent dans le Nord-Ouest par l'Oregon Trail, long de 3 200 km.

L'arrivé du rail dans la région fut décisive. Agriculture et bois de construction furent les piliers de l'économie jusqu'à 1914, date à laquelle, avec la Première Guerre mondiale et l'ouverture du canal de Panama, le commerce vers les ports du Pacifique s'accrût. Des chantiers navals apparurent le long du détroit de Puget et l'entreprise Boeing s'installa près de Seattle.

Les grands barrages des années 1930 et 1940 fournirent une hydroélectricité bon marché et des sources d'irrigation. La Seconde Guerre mondiale vint renforcer les industries aéronautique et navale tandis que l'agriculture prospérait. Durant l'après-guerre, la population du Washington, particulièrement dense vers le détroit de Puget, était le double de celle de l'Oregon.

Dans les années 1980 et 1990, l'économie a encore changé de visage avec l'essor de l'industrie high-tech, personnifiée par Microsoft à Seattle et Intel à Portland.

Durant les quelques décennies passées, la production hydroélectrique et l'irrigation

### LE NORD-OUEST PACIFIQUE EN...

#### Quatre jours

Atterrissez à **Seattle** et faites le tour des principales curiosités de Pike Place Market et de Seattle Center les deux premiers jours. Le troisième, mettez le cap sur **Portland**, où vous pourrez, à l'instar des habitants, vous déplacer à vélo pour rejoindre bars, cafés, stands de rues et boutiques.

#### Une semaine

Ajoutez la visite de quelques sites phares, comme le **Mt Rainier**, l'**Olympic National Park**, la **Columbia River Gorge** et le **Mt Hood** ; ou explorez la spectaculaire côte de l'Oregon, en particulier le secteur de **Cannon Beach**, ou encore le port historique de **Port Townsend**, sur l'Olympic Peninsula.

#### Deux semaines

L'innoubliable **Crater Lake** peut-être combiné à une découverte d'**Ashland** et de son Shakespeare Festival. Ne manquez ni les sublimes **San Juan Islands** près de la frontière maritime avec le Canada, ni **Bend**, principale destination régionale pour les activités de plein air. Si vous aimez le vin, vous serez aux anges à **Walla Walla**, dans le Washington, tandis que la **Willamette Valley**, dans l'Oregon, est le paradis du pinot noir.

massive le long de la Columbia River ont mis en danger l'écosystème de cette rivière et l'abattage des arbres a laissé des traces. Mais la région a su redorer son blason écologique en attirant des entreprises particulièrement soucieuses d'environnement. Comptant certaines des villes les plus vertes des États-Unis, elle fait désormais figure de vitrine nationale en matière de lutte contre le réchauffement climatique.

## Culture locale

De l'habitant du Nord-Ouest pacifique, on a l'image d'un citadin qui s'habille décontracté, boit du café *latte*, conduit une Prius, vote démocrate et se balade avec un iPod rempli de rock indé dans la lignée de Nirvana. La réalité est beaucoup plus complexe.

Connus pour leurs cafés élégants et les pubs à bières de leurs microbrasseries, Seattle et Portland sont les pôles urbains les plus emblématiques de la région. Dans l'intérieur des terres, plus sec et moins vert, les racines culturelles ont une couleur plus traditionnelle. Le long de la Columbia River Valley ou parmi les steppes arides du sud-est du Washington, de petites villes organisent des rodéos endiablés, les centres touristiques mettent en avant la culture cow-boy et le café se sert noir, loin des *chaï latte* et autres cafés frappés en vogue à Seattle.

La vie dans l'Ouest est plus décontractée et moins frénétique que sur la Côte Est, comme à New York ou à Boston. Dans l'idée, les habitants de l'Ouest préfèrent travailler pour vivre que vivre pour travailler. D'ailleurs, après les abondantes pluies hivernales, les habitants du Nord-Ouest pacifique saisissent la première occasion pour prendre la clef des champs quelques heures voire quelques jours. Fin mai, début juin, les premiers beaux jours déclenchent un exode massif de randonneurs et de cyclistes vers les parcs nationaux et espaces sauvages qui font la réputation de la région.

La région est particulièrement créative, autant en matière de musique rock que d'informatique. Le Nord-Ouest pacifique ne se contente plus de vivre dans l'ombre de la Californie ou de Hong Kong : au cours des dernières décennies, il s'est réaffirmé au plan international grâce à des séries télévisées (*Frasier*, *Grey's Anatomy*), des personnalités emblématiques (Bill Gates) et une scène musicale révolutionnaire qui va du rock grunge au riot grrrl féministe.

La société du Nord-Ouest pacifique se montre particulièrement tolérante sur des sujets allant de la drogue à usage récréatif aux droits des gays en passant par le suicide médicalement assisté. La population vote généralement démocrate aux présidentielles et adhère aux choix écologiques comme le recyclage généralisé, les restaurants bio et les excursions d'observation des baleines en bateau propulsé au biodiesel. Écologiste de la première heure, Greg Nickels, ancien maire de Seattle, est devenu un défenseur du climat, tandis que Portland figure régulièrement en tête de liste des villes les plus respectueuses du développement durable et des cyclistes aux États-Unis.

## Comment s'y rendre et circuler

### AVION

Le Seattle-Tacoma International Airport (p. 203), ou "Sea-Tac", et le Portland International Airport (p. 230), les principaux aéroports de la région, desservent la plupart des destinations d'Amérique du Nord et proposent quelques vols vers l'étranger.

### BATEAU

Les Washington State Ferries (WSF ; p. 203) relient Seattle à Bainbridge et aux Vashon Islands. D'autres partent de Whidbey Island pour Port Townsend sur l'Olympic Peninsula, et d'Anacortes pour Sidney (Colombie-Britannique) via les San Juan Islands. Victoria Clipper (p. 203) propose des traversées entre Seattle et Victoria (Colombie-Britannique), et d'autres ferries pour Victoria partent de Port Angeles. Les ferries **Alaska Marine Highway** (AMHS ; ☎800-642-0066 ; www.ferryalaska.com) partent de Bellingham (Washington) pour l'Alaska.

### BUS

**Greyhound** (www.greyhound.com) assure la liaison le long de l'I-5 entre Bellingham, dans le nord du Washington, jusqu'à Medford, dans le sud de l'Oregon, avec des correspondances pour le reste des États-Unis et le Canada. Les lignes est-ouest partent vers Spokane, Yakima, le Tri-Cities (Kennewick, Pasco et Richland dans le Washington), Walla Walla et Pullman dans le Washington, et Hood River et Pendleton dans l'Oregon. Des compagnies de bus privées desservent la majeure partie des plus petites villes de la région, assurant souvent des correspondances avec Greyhound ou Amtrak.

### TRAIN

**Amtrak** (www.amtrak.com) propose une desserte vers le nord (jusqu'à Vancouver au Canada) et le sud (jusqu'à la Californie) reliant Seattle, Portland et d'autres grands centres urbains avec les lignes *Cascades* et *Coast Starlight*. Le fameux *Empire Builder* part de Seattle et Portland vers l'est et Chicago (les deux lignes se rejoignent à Spokane).

### VOITURE

Disposer d'un véhicule est de loin le meilleur moyen de visiter le Nord-Ouest pacifique. Des compagnies de location, plus ou moins grandes, sont présentes dans toute la région. L'I-5 est le principal axe routier nord-sud. Dans le Washington, l'I-90 dessert l'est entre Seattle et Spokane et rejoint l'Idaho. Dans l'Oregon, l'I-84 bifurque vers l'est après Portland et longe la Columbia River Gorge pour rejoindre Boise dans l'Idaho.



# WASHINGTON

Traversé par la chaîne des Cascade Mountains, l'État de Washington est moins une terre de contrastes que d'oppositions. La zone occidentale et côtière, centrée autour de Seattle, est humide, urbaine, libérale et célèbre pour ses épaisses forêts d'arbres à feuilles persistantes ; étalées à l'est entre Spokane et Yakima, les plaines de l'intérieur sont arides, rurales, conservatrices et couvertes de steppes broussailleuses.

Si l'ouest de l'État recèle les sites exceptionnels, l'est, plus isolé, moins vanté et plus discret, réserve de multiples surprises.

### LE WASHINGTON EN BREF

**Surnom** Evergreen State (l'État toujours vert)

**Population** 6 897 000 hab.

**Superficie** 184 575 km²

**Capitale** Olympia (47 266 hab.)

**Autres villes** Seattle (620 778 hab.), Spokane (210 103 hab.), Yakima (95 512 hab.), Bellingham (81 862 hab.), Walla Walla (32 148 hab.)

**TVA** 6,5%

**Lieu de naissance de** Bing Crosby (1903-1977), Jimi Hendrix (1942-1970), Bill Gates (né en 1955), Kurt Cobain (1967-1994)

**Patrie** du Mt St Helens, de Microsoft, Starbucks, Nordstrom et de l'Evergreen State College

**Politique** Gouverneur démocrate, sénateurs démocrates, vote démocrate aux présidentielles depuis 1988

**Célèbre pour** le grunge, son café, *Grey's Anatomy*, *Twilight*, ses volcans, ses pommes, son vin, ses précipitations

**Légume local** L'oignon doux de Walla Walla

**Distances routières** Seattle-Portland : 280 km ; Spokane-Port Angeles : 587 km

## Seattle

Croisez l'intelligence de Portland (Oregon) avec la beauté de Vancouver (Colombie-Britannique) et vous aurez une idée de Seattle. On a peine à croire que la plus grande métropole du Nord-Ouest pacifique a été considérée comme une ville "secondaire" jusqu'aux années 1980. Mélange d'innovation audacieuse et d'individualisme décomplexé, elle est devenue à l'heure des dotcom une cité où les tendances se créent, sous la houlette de fous d'informatique qui carburent au café et de musiciens nombrilistes. Réinventer est le mot d'ordre actuel de cette ville qui vit naître le grunge. Et si Starbucks y vit le jour, l'enseigne doit désormais faire face à la concurrence d'une foule de cafés indépendants, tout aussi bien implantés sur le marché.

Tantôt étonnamment élégante, tantôt branchée et décontractée, Seattle est connue pour ses quartiers de caractère, ses universités d'excellence, ses embouteillages monstrueux et ses maires dynamiques tendance écolo. Bien qu'elle ait accouché de sa propre culture pop, elle n'a pas encore forgé son propre mythe comme Paris ou New York. Le Mt Rainier, "la Montagne", masse de roche et de glace haute de 4 392 m sert de symbole de ralliement à la ville et lui rappelle en permanence le caractère sauvage de la nature et les catastrophes volcaniques potentielles.

### À voir

#### Downtown (centre-ville)

**Pike Place Market** MARCHÉ
(www.pikeplacemarket.org ; entre Virginia St et Union St et 1st Ave et Western Ave ; 9h-18h lun-sam, 9h-17h dim ; Westlake). Prenez une poignée de petits commerces et saupoudrez-en généreusement un quai encombré de restaurateurs nouvelle vague, d'écologistes, d'étudiants contestataires, d'artistes, de musiciens de rue et d'artisans. Le résultat se nomme Pike Place Market, festival de bruits, d'odeurs, de personnages et de théâtre

urbain presque aussi cosmopolite que Londres. En effervescence depuis 1907, Pike Place est un condensé de Seattle qui montre la vraie nature de cette ville : ouverte, éclectique et fière de sa singularité.

**Seattle Art Museum** MUSÉE
(SAM ; www.seattleartmuseum.org ; 1300 1st Ave ; adulte/enfant 17/11 $ ; 10h-17h mar, mer, sam-dim, 10h-21h jeu-ven ; University St). S'il ne peut être comparé aux grands musées de New York et de Chicago, le musée d'Art de Seattle ne manque pas pour autant de dynamisme et se modernise sans cesse. Ces dix dernières années, il a gagné près de 10 000 m$^2$ de surface d'exposition et a fait pour près d'un milliard de dollars d'acquisitions, parmi lesquelles des œuvres de Zurbarán et de Murillo. Le musée est réputé pour ses importantes collections d'objets amérindiens et de travaux de l'école du Nord-Ouest, en particulier de Mark Tobey (1890-1976). L'art moderne américain est également bien représenté.

**Belltown** QUARTIER
Des immeubles de verre bordent désormais cette petite avenue piétonne, ancien quartier industriel. C'est dans ce secteur que naissaient les tendances nocturnes dans les années 1990 et deux de ses bars-clubs, le Crocodile (p. 201) et le Shorty's (p. 201), sont restés dignes de leur légende. Il y a aussi les restaurants – plus d'une centaine – pas tous hors de prix. Belltown couvre une superficie d'approximativement 10 pâtés de maison sur 6, entre le centre-ville et le Seattle Center.

**Olympic Sculpture Park** PARC, SCULPTURES
(2901 Western Ave ; lever-coucher du soleil ; 13). GRATUIT Suspendu au-dessus de voies ferrées, entre l'océan et la très animée Elliott Ave, l'Olympic Sculpture Park est une surprenante oasis de 3,5 ha – et de 85 millions de dollars. Intéressant ne serait-ce que pour la vue que l'on a sur les Olympic Mountains, de l'autre côté d'Elliott Bay, ce parc a métamorphosé selon un plan à long terme une friche industrielle en y installant nombre d'œuvres d'art et de plantes.

## International District

Par "international", comprenez asiatique. À l'est de Pioneer Sq, boutiques et commerces sont principalement chinois, vietnamiens et philippins.

VAUT LE DÉTOUR

### PIONEER SQUARE

Pioneer Sq est le plus vieux quartier de Seattle. Reconstruits après l'incendie de 1889 (qui détruisit 25 pâtés de maisons, dont l'intégralité du quartier d'affaires central), la plupart des bâtiments sont de style roman richardsonien, style néoroman en brique rouge en vogue à l'époque. Aux débuts de Pioneer Sq, les grosses fortunes du quartier transformèrent Yesler Way, l'artère principale, en un "skid row" – allusion aux grumes tirées au bas de la colline jusqu'à la scierie de Henry Yesler, près de la jetée. Avec le déclin du bois d'œuvre, cette artère devint le refuge des sans-logis et son nom devint synonyme de quartier déshérité dans tout le pays.

Le quartier a évité la démolition dans les années 1960 grâce à l'action conjointe d'habitants soucieux de leur patrimoine historique et est aujourd'hui protégé sous le nom de Pioneer Sq-Skid Rd Historic District.

Mélange d'éléments restaurés et délabrés, il compte des musées, des cafés et des établissements nocturnes. Son bâtiment le plus emblématique est la **Smith Tower** (angle 2nd Ave S et Yesler Way ; terrasse panoramique adulte/enfant 7,50/5 $ ; 10h-crépuscule), tour de 42 étages achevée en 1914 et plus haut édifice à l'ouest du Mississippi jusqu'en 1931. Notez aussi la **Pergola** de 1909, un abri décoratif en fer qui rappelle les stations de métro parisien, et l'**Occidental Park**, qui contient des totems du sculpteur chinook Duane Pasco.

Le **Klondike Gold Rush National Historical Park** (www.nps.gov/klse ; 117 S Main St ; 9h-17h ; International District/Chinatown) est un musée extraordinaire, géré avec brio par l'US National Park Service. Il propose des expositions, des photos et des coupures de presse datant de la ruée vers l'or dans le Klondike en 1897, quand Seattle servait de poste de ravitaillement aux chercheurs d'or en route vers le Yukon, au Canada. Incroyable mais vrai, l'entrée est gratuite !

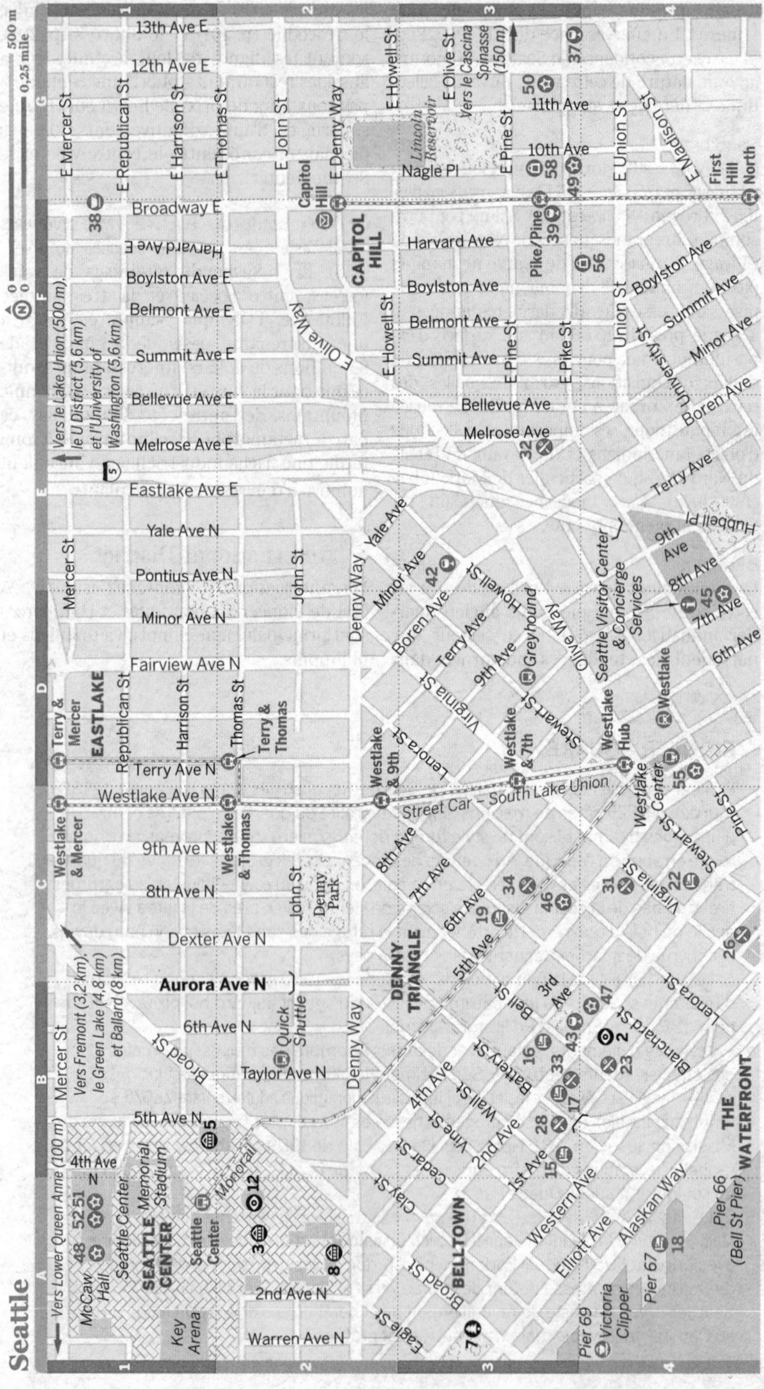

# Seattle

0 — 500 m
0 — 0,25 mile

SEATTLE CENTER
BELLTOWN
DENNY TRIANGLE
EASTLAKE
CAPITOL HILL
THE WATERFRONT

Vers Lower Queen Anne (100 m)
Vers Fremont (3,2 km), le Green Lake (4,8 km) et Ballard (8 km)
Vers le Lake Union (500 m), le U District (5,6 km) et l'University of Washington (5,6 km)
Vers le Cascina Spinasse (150 m)

McCaw Hall
Key Arena
Seattle Center
Memorial Stadium
Monorail
Quick Shuttle
Denny Park
Lincoln Reservoir
Greyhound
Seattle Visitor Center & Concierge Services
Westlake Center
Westlake Hub
Street Car – South Lake Union
Pier 66 (Bell St Pier)
Pier 67
Pier 69
Victoria Clipper

Westlake & Mercer
Terry & Mercer
Westlake & Thomas
Terry & Thomas
Westlake & 9th
Westlake & 7th
Westlake
Capitol Hill
Pike/Pine
First Hill North

Mercer St
Broad St
Denny Way
Aurora Ave N
Warren Ave N
2nd Ave N
4th Ave N
5th Ave N
Taylor Ave N
6th Ave N
Dexter Ave N
8th Ave N
9th Ave N
Westlake Ave N
Terry Ave N
Fairview Ave N
Minor Ave N
Pontius Ave N
Yale Ave N
Eastlake Ave E
Melrose Ave E
Bellevue Ave E
Summit Ave E
Belmont Ave E
Boylston Ave E
Harvard Ave E
Broadway E
10th Ave
11th Ave
12th Ave E
13th Ave E
E Mercer St
E Republican St
E Harrison St
E Thomas St
E John St
E Denny Way
E Howell St
E Olive St
E Olive Way
Nagle Pl
E Pine St
E Pike St
E Union St
E Madison St
Republican St
Harrison St
Thomas St
John St
Harvard Ave
Boylston Ave
Belmont Ave
Summit Ave
Bellevue Ave
Melrose Ave
Union St
University St
Minor Ave
Boren Ave
Terry Ave
Hubbell Pl
9th Ave
8th Ave
7th Ave
6th Ave
5th Ave
4th Ave
3rd Ave
2nd Ave
1st Ave
Western Ave
Elliott Ave
Alaskan Way
Yale Ave
Howell St
Olive Way
Stewart St
Virginia St
Lenora St
Pine St
Blanchard St
Bell St
Battery St
Wall St
Vine St
Cedar St
Clay St
Broad St
Eagle St

2, 3, 5, 7, 8, 12, 15, 16, 17, 18, 19, 22, 23, 26, 28, 31, 32, 33, 34, 37, 38, 39, 42, 43, 45, 46, 47, 48, 49, 50, 51, 52, 55, 56, 58

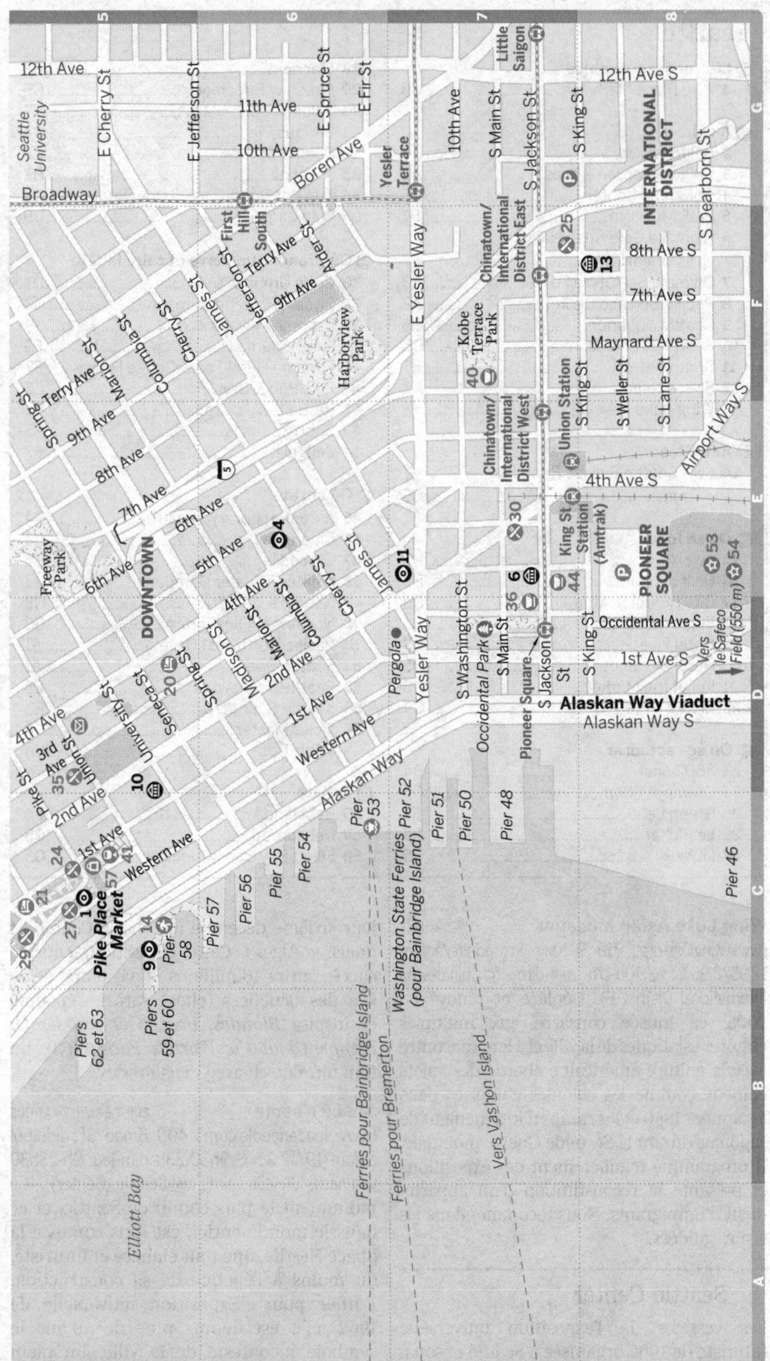
12th Ave
E Cherry St
E Jefferson St
11th Ave
10th Ave
E Spruce St
E Fir St
Seattle University
Broadway
Boren Ave
Yesler Terrace
10th Ave
S Main St
S Jackson St
Little Saigon
12th Ave S
S King St
INTERNATIONAL DISTRICT
S Dearborn St
First Hill
South
Terry Ave
Alder St
Jefferson St
James St
9th Ave
Harborview Park
E Yesler Way
Chinatown/ International District East
8th Ave S
7th Ave S
Kobe Terrace Park
Maynard Ave S
Spring St
Terry Ave
Marion St
Columbia St
Cherry St
9th Ave
8th Ave
7th Ave
6th Ave
5th Ave
4th Ave
Chinatown/ International District West
Union Station
S King St
S Weller St
S Lane St
Airport Way S
4th Ave S
Freeway Park
6th Ave
DOWNTOWN
King St Station (Amtrak)
PIONEER SQUARE
Occidental Ave S
1st Ave S
Vers le Safeco Field (550 m)
S Washington St
Occidental Park
S Main St
S Jackson St
Pioneer Square
Yesler Way
Pergola
Alaskan Way Viaduct
Alaskan Way S
4th Ave
3rd Ave
Union St
University St
Seneca St
Spring St
Madison St
Marion St
Columbia St
2nd Ave
1st Ave
Western Ave
Pike St
2nd Ave
1st Ave
Western Ave
Alaskan Way
Pike Place Market
Pier 58
Pier 57
Pier 56
Pier 55
Pier 54
Pier 53
Pier 52
Pier 51
Pier 50
Pier 48
Pier 46
Piers 59 et 60
Piers 62 et 63
Washington State Ferries (pour Bainbridge Island)
Ferries pour Bainbridge Island
Ferries pour Bremerton
Vers Vashon Island
Elliott Bay
A
B
C
D
E
F
G
5
6
7
8

## Seattle

**Les incontournables**
1 Pike Place Market ........ C5

**À voir**
2 Belltown ........ B4
3 Chihuly Garden & Glass ........ A2
4 Columbia Center ........ E6
5 EMP Museum ........ B1
6 Klondike Gold Rush National Historical Park ........ E7
7 Olympic Sculpture Park ........ A3
8 Pacific Science Center ........ A2
9 Seattle Aquarium ........ C5
10 Seattle Art Museum ........ D5
11 Smith Tower ........ E7
12 Space Needle ........ A2
13 Wing Luke Asian Museum ........ F8

**Activités**
14 SBR Seattle Bicycle Rental & Tours ........ C5

**Où se loger**
15 Ace Hotel ........ B3
16 Belltown Inn ........ B3
17 City Hostel Seattle ........ B3
18 Edgewater ........ A4
19 Hotel Five ........ C3
20 Hotel Monaco ........ D5
21 Inn at the Market ........ C5
22 Moore Hotel ........ C4

**Où se restaurer**
23 360 Local ........ B4
24 Crumpet Shop ........ C5
25 Green Leaf ........ F7
26 Le Pichet ........ C4
27 Lowells ........ C5
28 Macrina ........ B3
29 Piroshky Piroshky ........ C5
30 Salumi ........ E7
31 Serious Pie ........ C4
32 Sitka & Spruce ........ E3
33 Tavolàta ........ B3
34 Top Pot Hand-Forged Doughnuts ........ C3
35 Wild Ginger ........ D5

**Où prendre un verre et faire la fête**
36 Caffè Umbria ........ D7
37 Elysian Brewing Company ........ G3
38 Espresso Vivace at Brix ........ F1
39 Neighbours ........ F3
40 Panama Hotel Tea & Coffee House ........ F7
41 Pike Pub & Brewery ........ C5
42 Re-Bar ........ E3
43 Shorty's ........ B3
44 Zeitgeist ........ E7

**Où sortir**
45 A Contemporary Theatre ........ D4
46 Cinerama ........ C3
47 Crocodile ........ B4
48 Intiman Theater Company ........ A1
49 Neumo's ........ G3
50 Northwest Film Forum ........ G3
51 Pacific Northwest Ballet ........ A1
52 Seattle Opera ........ A1
53 Seattle Seahawks ........ E8
54 Seattle Sounders ........ E8
55 TicketMaster ........ D4
Triple Door ........ (voir 35)

**Achats**
56 Babeland ........ F4
57 DeLaurenti's ........ C5
58 Elliott Bay Book Company ........ G3

**Wing Luke Asian Museum** MUSÉE
(www.wingluke.org ; 719 S King St ; adulte/enfant 12,95/8,95 $ ; 10h-17h mar-dim ; Chinatown/International District E). Déplacé et rénové en 2008, ce musée consacré aux multiples cultures asiatiques de la ville et à leur rencontre avec la culture américaine aborde des sujets épineux comme les colonies chinoises dans les années 1880 et les camps d'internement de Japonais durant la Seconde Guerre mondiale. Il programme régulièrement des expositions et présente la reconstitution d'un appartement d'immigrants. Nous recommandons les visites guidées.

## Seattle Center

Les vestiges de l'exposition universelle futuriste de 1962 organisée à Seattle et sous-titrée "exposition du XXIe siècle" entament leur sixième décennie au Seattle Center. Et quels vestiges ! Cette exposition, énorme succès, attira 10 millions de visiteurs, dégagea des bénéfices (chose rare à l'époque) et inspira *Blondes, brunes et rousses* (*It Happened at the World's Fair*, 1963), un film ultrakitsch avec Elvis Presley.

**Space Needle** ÉDIFICE EMBLÉMATIQUE
(www.spaceneedle.com ; 400 Broad St ; adulte/enfant 19/12 $ ; 9h30-23h dim-jeu, 9h-23h30 ven-sam, 9h-23h dim ; Seattle Center). Le monument le plus connu de Seattle, et ce dans le monde entier, est sans conteste la Space Needle, une tour élancée et futuriste, du moins à l'époque de sa construction. Édifiée pour l'Exposition universelle de 1962, elle est depuis plus de 50 ans le symbole incontesté de la ville. En plein cœur du site de l'Exposition universelle,

devenu depuis le Seattle Center, cette "aiguille" continue d'attirer, malgré le prix très élevé de l'entrée, plus d'un million de visiteurs par an, venus découvrir la vue depuis sa terrasse d'observation aux airs de soucoupe volante.

**EMP Museum** MUSÉE

(www.empsfm.org ; 325 5th Ave N ; adulte/enfant 20/14 $ ; ⌚10h-19h juin à mi-sept, 10h-17h mi-sept à mai ; Ⓜ Seattle Center). Récemment rebaptisée EMP Museum, cette alliance spectaculaire d'architecture hypermoderne et d'histoire du rock and roll a été inaugurée sous le nom d'Experience Music Project (EMP) en 2000. Créé par Paul Allen, cofondateur de Microsoft, ce bâtiment a été inspiré par la musique de Jimi Hendrix. À l'origine entièrement dédié à ce guitariste culte né à Seattle, le musée a toutefois vu sa collection s'agrandir à d'autres musiciens locaux.

**Chihuly Garden & Glass** MUSÉE

(☎206-753-3527 ; www.chihulygardenandglass.com ; 305 W Harrison St ; adulte/enfant 19/12 $ ; ⌚11h-19h dim-jeu, 11h-20h ven-sam ; Ⓜ Seattle Center). Il n'est pas si fréquent qu'une ville de la taille de Seattle ajoute un musée de cette qualité à la liste de ses sites d'intérêt. Cette superbe exposition sur la vie et l'œuvre de Dale Chihuly, sculpteur sur verre de la région, est à couper le souffle. Inauguré en mai 2012, le musée est vite devenu un site incontournable de la ville rivalisant avec la Space Needle.

## Capitol Hill

Quartier impertinent où se mêlent millionnaires et musiciens gothiques, Capitol Hill est un secteur aisé mais libéral, renommé à juste titre pour son théâtre marginal, sa scène musicale alternative, ses cafés indépendants et sa culture gay et lesbienne. On peut emmener son chien prendre un bain de tisane, acheter des objets ethniques sur Broadway ou se joindre aux jeunes punks et aux vieux hippies sur l'éclectique Pike-Pine Corridor. Le carrefour entre Broadway et E John St est au cœur des restaurants, bars à bière, boutiques et petits bars défraîchis mais pas crasseux.

## Fremont

Rassemblant jeunes branchés et vieux hippies, Fremont se veut, avec Capitol Hill, le quartier le plus irrévérencieux de Seattle. Il se caractérise par ses nombreuses boutiques de babioles, ses sculptures urbaines et un côté farfelu assumé.

**PAROLE D'EXPERT**

### PLUS HAUT QUE LA SPACE NEEDLE

Tout le monde se précipite vers la Space Needle, facilement reconnaissable. Ce n'est ni le site le plus haut, ni le moins onéreux pour prendre des photos. Cet honneur revient à la rutilante tour de verre teinté du **Columbia Center** (701 5th Ave ; tarif plein/réduit 9/6 $ ; ⌚8h30-16h30 lun-ven), plus grand building du Nord-Ouest pacifique avec ses 284 m de haut, édifié en 1985. Depuis sa luxueuse terrasse d'observation au 73e étage, on domine les ferries, les voitures, les îles, les toits et… la Space Needle !

**Sculptures publiques** SCULPTURES

L'art de rue n'est nulle part aussi provocateur qu'à Fremont. Repérez **Waiting for the Interurban** (angle N 34th St et Fremont Ave N). Cette sculpture en aluminium représente des personnes attendant un train qui n'arrive jamais, l'interurbain qui reliait Seattle à Everett jusque dans les années 1930 (la ligne a repris en 2001 mais emprunte un autre itinéraire). Remarquez le visage humain du chien : c'est celui d'Armen Stepanian, ancien maire honoraire de Fremont, qui commit l'erreur de s'opposer à la sculpture. Tout aussi étonnant, le **Fremont Troll** (angle N 36th St et Troll Ave) est un troll inquiétant de 5,5 m qui écrase une coccinelle Volkswagen dans sa main. La **Fremont Rocket** (angle Evanston Ave et N 35th St) est une fusée retrouvée à Belltown en 1993 et accrochée à l'angle d'un bâtiment. L'œuvre la plus controversée de Fremont reste la **statue de Lénine** (angle N 36th St et Fremont Pl N) récupérée en Slovaquie après avoir été renversée durant la révolution de 1989. Admirez l'œuvre – et l'audace !

## U District

U-dub, le quartier du magnifique et verdoyant campus de l'université de Washington, peuplé de jeunes et studieux étudiants, voisine "the Ave" (l'avenue), une rue éclectique bordée de boutiques bon marché, de bars et de restaurants de cuisines d'ailleurs.

À NE PAS MANQUER

### DISCOVERY PARK

Ancienne installation militaire reconvertie en parc côtier sauvage, le **Discovery Park** (www.seattle.gov/parks/environment/discovery.htm ; 🚌33) est une création relativement récente dans le paysage de la ville : il ne fut inauguré officiellement qu'en 1973, et les militaires américains ne quittèrent les lieux qu'en 2012. Formant le plus vaste espace vert de la ville, les 216 ha du parc sont émaillés de falaises, de prairies, de dunes de sable, de forêts et de plages, qui offrent une agréable bouffée d'air aux citadins oppressés et constituent un couloir vital pour les animaux. Des cartes détaillant les sentiers et les routes du parc sont disponibles au **Discovery Park Environmental Learning Center** (☎206-386-4236 ; 3801 W Government Way ; ⏲8h30-17h), près de l'entrée du Government Way. Le Discovery Park se trouve à 8 km au nord-ouest du centre de Seattle, dans le quartier de Magnolia. Pour vous y rendre, prenez le bus n°33 à l'angle de 3rd Ave et d'Union St, dans le centre-ville.

**University of Washington** UNIVERSITÉ
(www.washington.edu ; 🚌70). Presque aussi vieille que la ville elle-même, l'université de Seattle, fondée en 1861, est réputée dans le monde entier (le prestigieux magazine *Times Higher Education* l'a classée à la 24e position des meilleures universités de la planète en 2013). S'étirant sur 280 ha en lisière du Lake Union, à environ 5 km au nord-est du centre-ville, le campus actuel, qui se caractérise par des arbres imposants et une superbe architecture, offre une vue exceptionnelle sur le Mt Rainier.

**Burke Museum** MUSÉE
(www.burkemuseum.org ; angle 17th Ave NE et NE 45th St ; adulte/enfant 10/7,50 $ ; ⏲10h-17h ; 🚌70). Des deux musées situés sur le site de l'université de Washington, le Burke est le plus intéressant. La collection principale contient une impressionnante quantité de fossiles, dont ceux d'un tigre à dents de sabre vieux de 20 000 ans. Un autre espace passionnant est dédié à 17 cultures amérindiennes.

## Ballard

Ancienne communauté de marins au riche héritage scandinave, Ballard a gardé son atmosphère de petite ville absorbée par une localité plus grande. Même s'il se transforme peu à peu en zone résidentielle, il n'en demeure pas moins un agréable endroit pour déguster une bière artisanale et assister à un concert.

**Hiram M Chittenden Locks** JARDINS
(3015 NW 54th St ; ⏲écluses 24h/24, échelle et jardins 7h-21h, Visitor Center 10h-18h mai-sept ; 🚌62). Les jours de beau temps, Seattle prend des airs de peinture impressionniste aux Hiram M Chittenden Locks. Là, les eaux douces du Lake Washington et du Lake Union empruntent les 13 km du Lake Washington Ship Canal avant de rejoindre, près de 7 m plus bas, les eaux salées du Puget Sound. Du côté sud des écluses, des salles sous-marines équipées de vitres permettent d'observer les poissons qui empruntent l'échelle de circulation qui leur est destinée. Jouxtant le côté nord des Carl English Jr Botanical Gardens se trouvent un petit musée et un Visitor Center qui retracent l'histoire des écluses.

## Activités

### Cyclotourisme

Très prisé, le **Burke-Gilman Trail** serpente sur 26,5 km entre Ballard et Log Boom Park à Kenmore, dans l'est de Seattle. Il rejoint ensuite le **Sammamish River Trail** (17,7 km), qui passe devant le domaine viticole de Chateau Ste Michelle, à Woodinville, avant d'aboutir au Marymoor Park de Redmond.

De nombreux cyclistes parcourent la boucle autour du **Green Lake**, juste au nord de Fremont et 8 km au nord du centre-ville. Depuis Belltown, l'**Elliott Bay Trail** rejoint Smith Cove en longeant le Waterfront sur 4 km.

Procurez-vous la *Seattle Bicycling Guide Map*, carte publiée par le **Transportation Bicycle & Pedestrian Program** (www.cityofseattle.net/transportation/bikemaps.htm) de la ville de Seattle, en ligne ou chez les marchands de vélos.

Pour louer ou faire réparer un vélo, contactez **Recycled Cycles** (www.recycledcycles.com ; 1007 NE Boat St ; location 6/24 heures 20/40 $ ; ⏲10h-20h lun-ven, 10h-18h sam-dim ; 👪 ; 🚌66), une enseigne accueillante du U District, qui loue aussi des remorques et des vélos suiveurs pour les enfants, ou **SBR Seattle Bicycle Rental & Tours** (☎800-349-0343 ;

## SEATTLE AVEC DES ENFANTS

Allez tout droit, de préférence en monorail, au Seattle Center, où vous ne verrez pas passer le temps parmi les stands d'alimentation, artistes de rue, fontaines et espaces verts. Le **Pacific Science Center** (www.pacsci.org ; 200 2nd Ave N ; adulte/enfant expositions seulement 18/13 $, avec IMAX 22/17 $ ; 10h-17h lun-ven, 10h-18h sam-dim ; M Seattle Center) est un lieu incontournable où l'on se divertit en apprenant grâce aux expositions de réalité virtuelle, spectacles laser, hologrammes, au cinéma Imax et au planétarium – les parents ne s'ennuient pas non plus.

Dans Downtown sur le Pier 59, le **Seattle Aquarium** (www.seattleaquarium.org ; 1483 Alaskan Way, Pier 59 ; adulte/enfant 19/12 $ ; 9h30-17h ; University St) permet de s'instruire agréablement sur la nature dans le Nord-Ouest pacifique. Plus intéressant encore, le **Woodland Park Zoo** (206-684-4800 ; www.zoo.org ; 5500 Phinney Ave N ; adulte/enfant oct-avr 12,50/8,75 $, mai-sept 18,75/11,75 $ ; 9h30-16h oct-avr, 9h3-18h mai-sept ; 5), dans le quartier de Green Lake, est l'un des plus grands sites touristiques de Seattle – il figure invariablement parmi les 10 meilleurs zoos du pays.

www.seattlebicyclerentals.com ; Pier 58 ; location par heure/jour 10/40 $ ; 11h-19h mer-lun ; University St), qui propose des tarifs raisonnables et des circuits tous les jours (réservation en ligne).

### Sports nautiques

Seattle ne se résume pas à son réseau de sentiers pédestres et cyclables. Avec son centre-ville aux allures de Venise, elle est aussi sillonnée de canaux adaptés au kayak. Le **Lakes to Locks Water Trail** relie le Lake Sammamish au Lake Washington, au Lake Union et – via l'écluse d'Hiram M Chittenden – au Puget Sound. Pour connaître les lieux de mise à l'eau et les plans, visitez le site de la **Washington Water Trails Association** (www.wwta.org).

**Northwest Outdoor Center Inc** (www.nwoc.com ; 2100 Westlake Ave N ; location kayaks 14-22 $/heure ; 62) loue des kayaks au Lake Union, et organise des circuits et des cours, en mer et en eaux vives.

## Circuits organisés

**Seattle Free Walking Tours** PROMENADE À PIED
(www.seattlefreewalkingtours.org). Une organisation à but non lucratif créée en 2012 par un couple de grands voyageurs habitant à Seattle. Les circuits de 2 heures partent tous les jours à 11h à l'angle de Western Ave et de Virginia St. Don suggéré de 15 $ si vous êtes content de la visite (ce qui est très probable).

**Seattle by Foot** PROMENADE À PIED
(206-508-7017 ; www.seattlebyfoot.com ; circuits 20-25 $). Cette société organise quelques circuits dont l'incontournable "Coffee Crawl", lors duquel vous ferez le plein de caféine, recevrez toutes sortes d'explications sur les subtilités dans l'art du *latte* et découvrirez les coulisses de l'essor de Starbucks. Le circuit coûte 25 $ dégustations comprises. Les inscriptions commencent à 9h50 du jeudi au dimanche devant le Seattle Art Museum.

**Savor Seattle** CIRCUIT GASTRONOMIQUE
(206-209-5485 ; www.savorseattletours.com ; circuits 59,99 $). Plusieurs circuits gastronomiques, dont le "Booze-n-Bites" de 2 heures, qui démarre tous les jours à 16h à l'angle de Western Ave et de Virginia St.

## Fêtes et festivals

**Seattle International Film Festival** CINÉMA
(SIFF ; www.siff.net ; billets 13-30 $ ; mi-mai). Le principal festival du film de Seattle réquisitionne une demi-douzaine de salles en plus de son cinéma attitré dans le Nesholm Family Lecture Hall du McCaw Hall.

**Seafair** NAUTISME
(www.seafair.com ; juil/août). Une foule immense assiste à ce festival nautique avec courses d'hydroglisseurs, défilé aux flambeaux, spectacle aérien, musique et carnaval.

**Bumbershoot** MUSIQUE, LITTÉRATURE
(www.bumbershoot.com ; Sept). Important événement artistique et culturel au Seattle Center le week-end du Labor Day en septembre. Musique live, lectures et beaucoup d'autres distractions inclassables.

## Où se loger

De mi-novembre à fin mars, la plupart des hôtels du centre proposent des Seattle Super Saver Packages – généralement une remise de 50%, et des coupons de réduction sur les restaurants, les achats et les attractions. Réservez sur www.seattlesupersaver.com.

**Moore Hotel** HÔTEL $

(206-448-4851 ; www.moorehotel.com ; 1926 2nd Ave ; s/d avec sdb commune 68/80 $, avec sdb privée 85/97 $ ; ; Westlake). Prétendument hanté, cet hôtel au charme d'antan possède un guichet de réception plaisant et un excellent emplacement. Si cela ne suffit pas à vous séduire, consultez ses tarifs. Agréable petit café sur place et, à côté, le Nitelite Lounge, un bar un peu louche. Le Pike Place Market est à deux pas de là.

**City Hostel Seattle** AUBERGE DE JEUNESSE $

(206-706-3255 ; www.hostelseattle.com ; 2327 2nd Ave ; dort 6/4 pers 28/32 $, d 73 $, toutes avec petit-déj ; ; Rapid Ride D-Line). Dormir dans une galerie d'art pour trois fois rien, qui plus est à Belltown, c'est ce que vous offre cette nouvelle "auberge de jeunesse artistique", en comparaison de laquelle les auberges de jeunesse de papa paraissent carrément spartiates. En plus des dortoirs, vous y trouverez une salle commune, un Jacuzzi, une salle de cinéma (DVD gratuits) et un petit-déjeuner à volonté.

**Hotel Five** HÔTEL DE CHARME $$

(206-441-9785 ; www.hotelfiveseattle.com ; 2200 5th Ave ; ch à partir de 165 $ ; ; 13). Cette merveilleuse réincarnation de l'ancien Ramada Inn, sur la Fifth Ave, dans Belltown, mélange meubles rétro des années 1970 et palette de couleurs vives afin de créer un cadre résolument moderne. L'endroit est également fonctionnel : les lits ultraconfortables satisferont les pires des insomniaques et les sièges de la réception invitent à la détente, en particulier en fin d'après-midi lorsque l'équipe offre des petits gâteaux et du café.

**Maxwell Hotel** BOUTIQUE-HÔTEL $$

(206-286-0629 ; www.themaxwellhotel.com ; 300 Roy St ; ch à partir de 179 $ ; ; Rapid Ride D-Line). Le Maxwell est un somptueux boutique-hôtel du quartier de Lower Queen Anne. Rien que son immense hall d'entrée, au design le plus chic, est une incitation imparable à desserrer les cordons de sa bourse. Promotions régulières sur Internet.

**Ace Hotel** HÔTEL $$

(206-448-4721 ; www.acehotel.com ; 2423 1st Ave ; ch avec sdb commune/privée 109/199 $ ; ; 13). Presque à la hauteur de son cousin branché de Portland, l'Ace affiche un décor minimaliste et futuriste (tout est blanc ou en inox, même les TV), des couvertures anciennes de l'armée française, des préservatifs à la place des bonbons sur la table de chevet et le *Kama-sutra* à la place de la Bible. Parking 15 $.

**Belltown Inn** HÔTEL $$

(206-529-3700 ; www.belltown-inn.com ; 2301 3rd Ave ; s/d 159/164 $ ; ; Rapid Ride D-Line). Très abordable vu son excellent emplacement, cet hôtel offre des chambres propres et fonctionnelles avec kitchenettes bien conçues, une terrasse sur le toit, des vélos gratuits et la possibilité d'un très bon dîner sous un parasol.

**Mediterranean Inn** HÔTEL $$

(206-428-4700 ; www.mediterranean-inn.com ; 425 Queen Anne Ave N ; ch à partir de 159 $ ; ; Rapid Ride D-Line). Situation en bord de Belltown pour cet hôtel au personnel accueillant. Les chambres, avec kitchenette, sont d'une propreté immaculée. Petite salle de sport du rez-de-chaussée. L'hôtel n'a rien de méditerranéen, mais n'en est pas moins particulièrement plaisant.

**Edgewater** HÔTEL $$$

(206-728-7000 ; www.edgewaterhotel.com ; Pier 67, 2411 Alaskan Way ; ch 420-750 $ ; ; 13). Cet hôtel au bord de la jetée fut autrefois l'antre de la gloire et de la notoriété. Tous les grands groupes de rock y sont descendus, des Beatles aux Rolling Stones en passant par Led Zeppelin qui, prenant au pied de la lettre le slogan "pêchez depuis la fenêtre de votre chambre", avait introduit des requins dans leur suite.

**Hotel Monaco** BOUTIQUE-HÔTEL $$$

(206-621-1770 ; www.monaco-seattle.com ; 1101 4th Ave ; d/ste 339/399$ ; ; University St). Cet hôtel central, plein de fantaisie et ponctué de touches d'élégance européenne, mérite largement ses quatre étoiles. On y dort dans un décor de papier peint à motif et de lourdes tentures.

**Inn at the Market** BOUTIQUE-HÔTEL $$$

(206-443-3600 ; www.innatthemarket.com ; 86 Pine St ; ch avec/sans vue sur le détroit 370/255 $ ; ; Westlake). Unique hôtel du vénérable Pike Place Market, cet élégant établissement comprend 70 chambres spacieuses dont beaucoup ont une vue sur le marché et le Puget Sound. Parking 20 $.

## Où se restaurer

C'est au Pike Place Market qu'on se restaure le mieux à moindres frais. Faites votre choix de fruits et légumes frais, viennoiseries, plats de traiteurs et spécialités d'ailleurs à emporter.

**♥ Top Pot Hand-Forged Doughnuts** CAFÉ $
(www.toppotdoughnuts.com ; 2124 5th Ave ; doughnuts à partir de 1,50 $ ; 6h-19h ; 13). Top Pot est connu pour offrir les meilleurs des doughnuts et pour le cadre qu'occupent ses enseignes : ici, une ancienne concession automobile garnie de livres du sol au plafond et de panneaux Art déco. Le café vous laissera aussi une forte impression.

**♥ Piroshky Piroshky** PÂTISSERIE $
(www.piroshkybakery.com ; 1908 Pike Pl ; en-cas 2-7 $ ; 8h-18h30 oct-avr, 7h30-18h30 mai-sept ; Westlake). Preuve que tous les commerces prisés de Pike Place ne cèdent pas à la mondialisation (à la Starbucks), Piroshky prépare toujours les mêmes délectables tartes (sucrées ou salées) et pâtisseries russes dans un espace minuscule. Joignez-vous à la mêlée et commandez quelque chose "à emporter".

**♥ Salumi** SANDWICHS $
(www.salumicuredmeats.com ; 309 3rd Ave S ; sandwichs 7-10 $ ; 11h-16h mar-ven ; International District/Chinatown). La file d'attente qui s'étire devant Salumi fait depuis longtemps partie du paysage. Cette adresse a même donné naissance à une communauté de fans de ses sandwichs gastronomiques qui discutent de leurs impressions sur Internet (via des forums, des blogs ou Twitter). Le fait qu'il soit tenu par le père du célèbre chef Mario Batali explique peut-être en partie son succès.

**♥ Pie** TARTES $
(206-436-8590 ; www.sweetandsavorypie.com ; 3515 Fremont Ave N ; tartes 5,95 $ ; 9h-21h lun-jeu, 9h-2h ven-sam, 10h-18h dim ; 26). Dans un décor décontracté aux couleurs vives, ce café de Fremont sert des tartes sucrées et salées, confectionnées sur place le jour même. C'est l'endroit parfait pour un repas sur le pouce ou pour un petit plaisir gourmand.

**♥ Green Leaf** VIETNAMIEN $
(206-340-1388 ; www.greenleaftaste.com ; 418 8th Ave S ; pho 7,95$, plat du jour 11,95 $ ; 11h-22h ; Chinatown/International District E). Cet établissement tout en longueur, toujours bondé, prépare rapidement des plats dans sa minuscule cuisine. Assis à des tables noires, les clients ne jurent que par les énormes bols de *pho* (soupe de nouilles) traditionnel ou végétarien et une version à se pâmer du *bahn xeo* – plat à mi-chemin entre la crêpe et l'omelette.

**Crumpet Shop** CRUMPETS $
(1503 1st Ave ; crumpets 3-6 $ ; 7h-17h ; Westlake). Création culinaire britannique très appréciée, le *crumpet* est ici revisité à la mode américaine (avec des garnitures très copieuses), et c'est une raison suffisante pour venir prendre le petit-déjeuner ou le déjeuner au Pike Place Market.

**Macrina** BOULANGERIE $
(206-448-4032 ; 2408 1st Ave ; pâtisserie 2-3,75 $ ; 7h-19h ; 13). Les clients ne s'y trompent pas : le pain artisanal est ici délicieux (on peut voir les boulangers pétrir la pâte à travers la vitre). La longue file se divise en deux, celle pour les pâtisseries à emporter (sans doute les meilleures de tout Seattle), et la seconde pour le café, où l'on peut s'installer et déguster de succulents en-cas, comme les sandwichs et les soupes. Ne vous privez pas !

**Lowells** DINER $
(www.eatatlowells.com ; 1519 Pike Pl ; plats 6-9 $ ; 7h-18h ; Westlake). Le *fish and chips* est un plat simple souvent mal préparé. Sauf ici. Commandez votre cabillaud de l'Alaska à l'entrée et allez le déguster à l'étage, pour profiter de la vue sur le Puget Sound. On y sert aussi du corned-beef haché et une excellente soupe aux palourdes.

**♥ Serious Pie** PIZZA $$
(www.tomdouglas.com ; 316 Virginia St ; pizzas 16-18 $ ; 11h-23h ; Westlake). Tom Douglas, grand chef de la région, a remporté avec brio son pari audacieux de transformer les simples pizzas italiennes en véritables plats gastronomiques. Dans les locaux bondés du Serious Pie, vous pourrez savourer de succulentes pizzas garnies d'ingrédients originaux, comme des palourdes, du chou frisé, des pommes de terre, des pommes, des pistaches, etc. Un vrai délice.

**♥ Wild Ginger** ASIATIQUE $$
(www.wildginger.net ; 1401 3rd Ave ; plats 15-28 $ ; 11h-15h et 17h-23h lun-sam, 16h-21h dim ; University St). La cuisine fait le tour du Pacifique, via la Chine, l'Indonésie, la Malaisie, le Vietnam et Seattle, bien sûr : tel est le vaste programme de ce restaurant fusion très couru du centre. Le canard, le plat vedette de la maison, s'accompagne à merveille d'un verre de riesling. Le restaurant fournit également les repas servis dans le club très chic du sous-sol, le **Triple Door** (206-838-4333 ; www.thetripledoor.net ; 216 Union St ; University St).

**♥ Toulouse Petit** CAJUN $$

(☎206-432-9069 ; 601 Queen Anne Ave N ; plats 13-17 $ ; ⏲8h-2h ; 🚌13). Sorte de phénomène à Seattle, le Toulouse Petit est réputé pour ses généreux happy hours, ses brunchs bon marché et son atmosphère joyeuse ; les gens y affluent constamment (et bruyamment). À l'origine de tout ce brouhaha se trouve les spécialités de la maison qui font bien plus que rendre un simple hommage à la Nouvelle-Orléans.

**360 Local** NORD-OUEST $$

(☎206-441-9360 ; www.local360.org ; angle 1st Ave et Bell St ; plats 16-26 $ ; ⏲11h-tard lun-ven, 8h-tard sam-dim ; 🚌13). S'approvisionnant, pour 90% de ses ingrédients, dans un rayon de 580 km, ce nouveau restaurant est fidèle à l'ambitieux mouvement "locavore". Les exploitations agricoles d'où proviennent les viandes sont indiquées sur le tableau noir avec le menu du jour, et la salle, avec ses nombreuses boiseries, fait penser à une grange. La cuisine y est originale : goûtez le lapin, les huîtres ou le cake aux pois chiches.

**Le Pichet** FRANÇAIS $$

(www.lepichetseattle.com ; 1933 1st Ave ; déj/plats 9/18 $ ; ⏲8h-minuit ; 🚇Westlake). Juste au-dessus de Pike Place Market, ce bistrot très français propose des pâtés, des fromages, du vin et du chocolat dans une ambiance raffinée.

**♥ Cascina Spinasse** ITALIEN $$$

(☎206-251-7673 ; www.spinasse.com ; 1531 14th Ave ; repas 2 plats 40 $ ; ⏲17h-22h dim-jeu, 17h-23h ven-sam ; 🚌11). Derrière les rideaux en dentelle se cache le restaurant le plus raffiné de Seattle. Le Spinasse est spécialisé dans la cuisine du Piedmont, dans le nord de l'Italie. Au menu : raviolis préparés d'une main de maître, risottos crémeux (aux orties), boulettes de lapin et artichauts rôtis.

**♥ Sitka & Spruce** NORD-OUEST $$$

(☎206-324-0662 ; www.sitkaandspruce.com ; 1531 Melrose Ave E ; petite assiette 8-24 $ ; ⏲11h30-14h et 17h30-22h ; 🚌10). Ce grand restaurant, qui a rouvert ses portes dans un nouveau local de Capitol Hill, a été salué pour son atmosphère décontractée, son menu qui se renouvelle constamment, sa belle carte des vins et son chef et propriétaire très impliqué – il apporte lui-même le pain à votre table. Tous les ingrédients proviennent de producteurs de la région, et l'idée générale est de composer un repas à partir de différents plats de la taille d'une entrée.

**Tavolàta** ITALIEN $$$

(☎206-838-8008 ; 2323 2nd Ave ; repas 40-75 $ ; ⏲17h-23h ; 🚌13). Manger tous autour d'une seule et même grande table était autrefois une habitude des auberges de jeunesse. Devenu tendance, le concept est repris par les restaurants branchés de Belltown, comme le Tavolàta, propriété d'Ethan Stowell, grand chef de Seattle. Dans un décor industriel, vous dégusterez des spécialités de trattoria (comme les pâtes maison) avec des touches du Nord-Ouest (comme les orties).

## 🍷 Où prendre un verre et faire la fête

La culture du café est très développée à Seattle, et Starbucks n'est que la partie émergée de l'iceberg. La ville compte une foule de petites chaînes indépendantes, dont beaucoup torréfient elles-mêmes leur café. Repérez les enseignes Uptown Espresso, Caffe Ladro et Espresso Vivace.

Vous trouverez des bars à cocktails, des clubs et des lieux de concerts sur Capitol Hill. La principale artère de Ballard aligne des tavernes en briques récentes ou anciennes, fréquentées par des buveurs d'âge mûr la journée et par des rockers indé le soir. Belltown est passé du grunge au négligé chic, mais comprend des rues entières de bars.

**Zeitgeist** CAFÉ

(www.zeitgeistcoffee.com ; 171 S Jackson St ; ⏲6h-19h lun-ven, à partir de 8h sam-dim ; 📶 ; 🚇Pioneer Sq). Dans la jolie salle en briques du Zeitgeist, animée par l'agréable murmure de la conversation, rares sont les clients accaparés par l'écran de leur ordinateur. Ils préfèrent discuter de l'incroyable onctuosité de leur *doppio macchiato* ou de la saveur de leur succulent croissant aux amandes.

**♥ Pike Pub & Brewery** BRASSERIE

(www.pikebrewing.com ; 1415 1st Ave ; ⏲11h-minuit ; 🚇University St). Chef de file de la révolution des microbrasseries, ce *brewpub* a ouvert dès 1989 sous Pike Place Market. Aujourd'hui, il sert toujours une cuisine de pub raffinée et des bières très houblonnées dans un espace néo-industriel aménagé sur plusieurs niveaux, véritable paradis pour les amateurs de bière. La brasserie propose une visite gratuite (tous les jours à 14h).

**♥ Espresso Vivace at Brix** CAFÉ

(www.espressovivace.com ; 532 Broadway E ; ⏲6h-23h ; 🚌60). Apprécié tant pour son stand très pratique sur Broadway et son nouveau café (une grande salle rétro avec un magnifique comptoir), le Vivace est réputé pour être un maître dans l'art du *latte*. Toutefois, il ne se contente pas de concocter des préparations artistiques, et nombre d'experts de Seattle considèrent ses expressos comme les meilleurs de la ville.

**♥ Fremont Brewing** BRASSERIE
(www.fremontbrewing.com ; 3409 Woodland Park Ave N ; 11h-19h lun-mer, 11h-20h jeu-sam, 11h-18h dim ; 26). Absolument pas conventionnel (c'est Fremont après tout !), cette brasserie, inaugurée en 2008, abrite un "Urban Beer Garden", un espace où les clients s'assoient à quelques tables communes pour déguster des bières artisanales (qui on vite été reconnues comme figurant parmi les meilleures de la ville).

**♥ Shorty's** BAR
(www.shortydog.com ; 2222 2nd Ave ; 12h-2h ; 13). Un bar alliant bières, flippers et musique – principalement du punk et du metal. Véritable vestige de l'époque plus grunge de Belltown refusant de se voir taxé d'anachronisme, le Shorty's maintient un éclairage faible (pour cacher la crasse ?) et pousse la musique au maximum. Les flippers sont intégrés dans les tables et des en-cas très basiques (hot dogs, *nachos*) permettent d'éponger la bière.

**♥ Noble Fir** BAR
(206-420-7425 ; www.thenoblefir.com ; 5316 Ballard Ave NW ; 16h-23h lun-mer, 16h-1h jeu-sam, 12h-23h dim ; 17). Sans doute le premier bar dédié à la randonnée en pleine nature, le Noble Fir est un nouvel établissement lumineux de Ballard affichant une incroyable liste de bières qui pourrait bien vous faire renoncer à votre sortie au grand air. Au fond, un coin bibliothèque dispose de guides d'activités et de cartes qui vous redonneront l'envie de bouger.

**Elysian Brewing Company** BRASSERIE
(www.elysianbrewing.com ; 1221 E Pike St ; 11h30-2h ; Pike-Pine). Doté d'une immense baie vitrée permettant de profiter du mouvement de la rue, ce *brewpub* est l'un des meilleurs de Seattle, et il est particulièrement apprécié pour ses bières épicées à la citrouille. Autre adresse similaire : le Tangletown Pub, près de Green Lake.

**Panama Hotel Tea & Coffee House** CAFÉ
(607 S Main St ; 8h-19h lun-sam, 9h-19h dim ; Chinatown/International District W). Ce bâtiment historique de 1910 qui renferme le dernier bain japonais des États-Unis est aussi un mémorial des Japonais du quartier qui ont été internés dans des camps pendant la Seconde Guerre mondiale. Le café, à l'ambiance détendue, propose une large sélection de thés. C'est l'un des rares établissements où l'on vend du café Lavazza.

**Caffè Umbria** CAFÉ
(www.caffeumbria.com ; 320 Occidental Ave S ; 6h-18h lun-ven, 7h-18h sam, 8h-17h dim ; Pioneer Sq). Avec ses grands cappuccinos, ses clients volubiles, ses jolies mosaïques italiennes et ses pains d'une fraîcheur telle qu'on les croirait venus à l'instant de Milan, l'Umbria dégage une atmosphère européenne incomparable. Parfait pour les amoureux de l'Italie et les détracteurs de Starbucks.

**Blue Moon** BAR
(712 NE 45th St ; 14h-tard ; 66). Ouvert en 1934 pour célébrer la fin de la Prohibition, ce bar proche de l'université est devenu un rendez-vous légendaire de la contre-culture. Il fait d'ailleurs grand cas de ses anciens clients, et les noms de Dylan Thomas, Allen Ginsberg et Tom Robbins sont souvent mentionnés.

**Re-Bar** CLUB GAY
(www.rebarseattle.com ; 1114 Howell St ; 70). Ce club-discothèque à plusieurs niveaux, qui a programmé d'importants événements culturels de Seattle (comme la sortie des albums de Nirvana), accueille aussi les gays, les hétéros, les bi et les indécis sur sa piste de danse.

**Neighbours** CLUB GAY
(www.neighboursnightclub.com ; 1509 Broadway Ave E ; Pike-Pine). Visitez ce club-discothèque toujours bondé, où les clubbeurs gays et leur cortège de filles hétéros assurent l'ambiance du dancefloor.

## ☆ Où sortir

Consultez le *Stranger*, *Seattle Weekly* ou les quotidiens pour connaître les programmes. Les billets pour les événements importants sont en vente sur **TicketMaster** (www.ticketmaster.com). Les billets se retirent dans les boutiques d'électronique Fred Meyer. Les adresses locales sont répertoriées sur le site Internet de TicketMaster.

### Musique live

**♥ Crocodile** MUSIQUE LIVE
(www.thecrocodile.com ; 2200 2nd Ave ; 13). Sorte d'institution à Seattle, le Crocodile est une salle de concerts animée de 560 places qui a ouvert ses portes pour la première

fois en 1991, juste à temps pour profiter de l'explosion du grunge. Tous les groupes de la scène alternative de Seattle s'y sont produits depuis, comme Nirvana qui, en 1992, entra sur scène à l'improviste pour soutenir Mudhoney alors à l'affiche.

**Neumo's** MUSIQUE LIVE
(www.neumos.com ; 925 E Pike St ; Pike-Pine). Dédié au punk, au hip-hop et aux musiques alternatives, Neumo's, anciennement Moe's, a déjà accueilli Radiohead et Bill Clinton (pas ensemble) et se montre à la hauteur de la salle originelle. Oui, la salle peut être chauffée à blanc et oui, la file d'attente aux toilettes est longue à l'entracte, mais on est rock and roll ou on ne l'est pas !

**Tractor Tavern** MUSIQUE LIVE
(206-789-3599 ; www.tractortavern.com ; 5213 Ballard Ave NW ; 17). Principale salle pour la musique folk et acoustique, l'élégante Tractor Tavern, à Ballard, accueille aussi des compositeurs et des groupes de la région, comme Richmond Fontaine, ainsi que des artistes en tournée, comme John Doe et Wayne Hancock. La salle est superbe et le son de grande qualité.

### Cinéma

**Northwest Film Forum** CINÉMA
(www.nwfilmforum.org ; 1515 12th Ave ; Pike-Pine). Cinéma d'art et d'essai doté de deux écrans, qui offre une programmation impeccable, des classiques restaurés aux films d'avant-garde indépendants en passant par les films internationaux. À Capitol Hill, naturellement !

**Cinerama** CINÉMA
(www.cinerama.com ; 2100 4th Ave ; 13). Salle la plus fréquentée de Seattle, le Cinerama est l'un des 3 seuls cinémas de ce type encore existant dans le monde (avec un écran géant incurvé). Des rénovations régulières (la dernière ayant eu lieu en 2010) lui ont permis de rester dans la course. Nouvelles sorties et classiques en 70 mm partagent l'affiche.

### Arts de la scène

♥ **A Contemporary Theatre** THÉÂTRE
(ACT ; www.acttheatre.org ; 700 Union St ; University St). L'ACT, une des trois grandes compagnies de la ville, remplit sa salle à 30 millions de dollars sur la Kreielsheimer Place grâce à des représentations données par les meilleurs acteurs de Seattle et parfois de très grands noms. Les sièges en gradins encerclent une scène centrale et l'architecture intérieure est magnifique.

**Intiman Theater Company** THÉÂTRE
(206-269-1900 ; www.intiman.org ; 201 Mercer St ; billetterie 12h-17h mar-dim ; Seattle Center). Détenteur d'un Tony Award, ce théâtre, a soudainement fermé ses portes en avril 2011, victime de la crise financière. Heureusement, la ville n'abandonne pas ses icones, et le théâtre a pu collecter le million de dollars qui était nécessaire à sa réouverture. Depuis 2012, il a donc replongé dans son domaine d'excellence : les remarquables mises en scène de Shakespeare et d'Ibsen. À quand le second Tony ?

**Seattle Opera** MUSIQUE CLASSIQUE
(www.seattleopera.org ; Seattle Center). Cette salle programme chaque saison 4 ou 5 grands opéras dans le McCaw Hall du Seattle Center, notamment un cycle du *Ring* de Wagner qui affiche complet en été.

**On the Boards** THÉÂTRE
(206-217-9888 ; www.ontheboards.org ; 100 W Roy St ; 13). Voici *le* théâtre pour des spectacles avant-gardistes. Entreprise à but non lucratif, On the Boards est installé dans le Behnke Center for Contemporary Performance, dans le quartier de Lower Queen Anne. Il accueille des représentations de danse et des concerts, innovants et parfois étranges.

**Pacific Northwest Ballet** DANSE
(www.pnb.org ; Seattle Center). La principale troupe du Nord-Ouest propose plus de 100 spectacles par saison, de septembre à juin, au McCaw Hall du Seattle Center.

### Sports

**Seattle Mariners** BASE-BALL
(www.mariners.org ; billets 7-60 $). Fondés en 1977, les Mariners, qui n'ont encore jamais gagné les World Series, jouent au Safeco Field.

**Seattle Seahawks** FOOTBALL AMÉRICAIN
(www.seahawks.com ; billets 42-95 $). Seconds derrière les Pittsburgh Steelers lors du Super Bowl de 2006, les Seahawks jouent au CenturyLink Field.

**Seattle Sounders** FOOTBALL
(206-622-3415 ; www.seattlesounders.net ; billets à partir de 37 $). Partageant le CenturyLink Field avec les Seahawks, les Sounders sont l'équipe de la Major League Soccer la plus soutenue, avec en moyenne 43 000 spectateurs par match.

## Achats

Les magasins de grandes marques se trouvent principalement au centre entre 3rd Ave, Stewart St, 6th Ave et University St. Pike Place Market est un dédale de boutiques d'artisanat, de galeries et de petites échoppes. Pioneer Sq et Capitol Hill comptent des boutiques de cadeaux et d'articles d'occasion. Les adresses suivantes sont de celles qu'on ne trouve qu'à Seattle.

**Elliott Bay Book Company** LIVRES
(www.elliottbaybook.com ; 1521 10th Ave ; ⌚10h-22h lun-ven, 10h-23h sam, 11h-21h dim ; 🚌Pike-Pine). Pourvu que l'e-book ne sonne jamais le glas des libraires ! Qu'adviendra-t-il alors des délicieux dimanches après-midi chez Elliott, dont les 150 000 titres suscitent des lectures, des discussions, des critiques et des heures d'heureuses trouvailles au détour d'une page ?

♥ **DeLaurenti's** ALIMENTATION
(☎206-622-0141 ; angle 1st Ave et Pike Pl ; ⌚9h-18h lun-sam, 10h-17h dim ; 🚌University St). Étape incontournable de toute visite au marché. L'épicerie offre non seulement une incroyable sélection de fromages, saucisses, jambons et pâtes, mais elle dispose en outre du plus grand choix de câpres, d'huiles d'olive et d'anchois des États-Unis.

♥ **Bop Street Records** MUSIQUE
(www.bopstreetrecords.com ; 2220 NW Market St ; ⌚12h-20h mar-mer, 12h-22h jeu-sam, 12h-17h dim ; 🚌17). Avec ses quelque 500 000 disques couvrant tous les genres de musique (on y trouve même de vieux 78 tours), Bop Street Records, installé dans le quartier de Ballard, au nord de Seattle, possède une impressionnante collection de vinyles.

**Babeland** ACCESSOIRES ÉROTIQUES
(www.babeland.com ; 707 E Pike St ; ⌚11h-22h lun-sam, 12h-19h dim ; 🚌Pike-Pine). Fantaisies et accessoires érotiques.

## Renseignements

### ARGENT

**Travelex-Thomas Cook Currency Services** Aéroport (⌚6h-20h) ; Westlake Center (400 Pine St, niveau 3 ; ⌚9h30-18h lun-sam, 11h-17h dim). Le bureau situé dans le terminal principal de l'aéroport se trouve derrière le comptoir Delta Airlines.

**American Express** (Amex ; 600 Stewart St ; ⌚8h30-17h30 lun-ven)

### MÉDIAS

**KEXP 90.3 FM** station locale, légende de la musique indépendante.

**Seattle Times** (www.seattletimes.com). Le plus grand quotidien de l'État.

**The Stranger** (www.thestranger.com). Hebdo impertinent publié par le fameux Dan Savage de "Savage Love".

### OFFICE DU TOURISME

**Seattle Visitor Center & Concierge Services** (☎206-461-5840 ; www.visitseattle.org ; Washington State Convention Center, E Pike St et 7th Ave ; ⌚9h-17h)

### POSTE

**Bureau de poste** (301 Union St ; ⌚8h30-17h30 lun-ven)

### URGENCES ET SERVICES MÉDICAUX

**45th St Community Clinic** (☎206-633-3350 ; 1629 N 45th St). Services médicaux et dentaires.

**Harborview Medical Center** (☎206-731-3000 ; 325 9th Ave). Centre médical complet avec service d'urgences.

**Police de Seattle** (☎206-625-5011)

**Washington State Patrol** (☎425-649-4370). Police de la circulation de l'État.

## Depuis/vers Seattle

### AVION

Le **Seattle-Tacoma International Airport** (Sea-Tac ; ☎206-787-5388 ; www.portseattle.org/sea-tac ; 17801 International Blvd), 20 km au sud de Seattle sur l'I-5, dessert quotidiennement l'Europe, l'Asie, le Mexique et diverses villes des États-Unis et du Canada, avec des vols fréquents depuis/vers Portland (OR) et Vancouver (Colombie-Britannique).

### BATEAU

**Victoria Clipper** (www.clippervacations.com) propose plusieurs ferries rapides de passagers pour Victoria (Colombie-Britannique) et les San Juan Islands. La compagnie organise aussi des circuits que l'on peut réserver sur son site Internet. Elle assure jusqu'à 6 liaisons quotidiennes entre Seattle et Victoria (aller-retour adulte/enfant 149/74,50 $).

Le site Internet des **Washington State Ferries** (www.wsdot.wa.gov/ferries) propose des cartes, tarifs, horaires, planificateurs d'itinéraires, informations météorologiques et une estimation des temps d'attente pour les lignes les plus fréquentées. Les tarifs dépendent de la ligne, de la taille de l'embarcation et de la durée de la traversée. Selon le terminal de départ, on peut acheter des allers simples ou des allers-retours.

### BUS

Plusieurs bus interurbains desservent Seattle en s'arrêtant à différents endroits en ville.

Les bus **Greyhound** (www.greyhound.com ; 811 Stewart St ; ⏲6h-minuit) relient Seattle à d'autres villes dans tout le pays, dont Chicago (aller 228 $, 2 jours, 2/jour), Spokane (51 $, 8 heures, 3/jour), San Francisco (129 $, 20 heures, 3/jour) et Vancouver, Colombie-Britannique (32 $, 4 heures, 5/jour). La compagnie possède sa propre gare routière dans le Denny Triangle, facilement accessible à pied depuis le centre-ville.

Rapide et efficace, la compagnie **Quick Shuttle** (www.quickcoach.com ; ) met à disposition 5 à 6 bus par jour pour Vancouver (43 $). On monte à bord devant le Best Western Executive Inn, dans Taylor Ave N, près du Seattle Center. Rejoignez le centre en monorail ou à pied. Wi-Fi gratuit à bord.

**Bellair Airporter Shuttle** (www.airporter.com) propose des bus à destination de Yakima, Bellingham et Anacortes, et s'arrête à la gare de King Street (pour Yakima) et, dans le centre, au Convention Center (pour Bellingham et Anacortes).

### TRAIN

Trois grandes lignes **Amtrak** (www.amtrak.com) desservent **King Street Station** (303 S Jackson St ; ⏲6h-22h30, guichet 6h15-20h) à Seattle : *Amtrak Cascades* (Vancouver-Seattle-Portland-Eugene), la superbe *Coast Starlight* (Seattle-Oakland-Los Angeles) et l'*Empire Builder* (qui joue les montagnes russes à travers le continent jusqu'à Chicago).

**Chicago, IL** (à partir de 227 $, 46 heures, tlj)
**Oakland, CA** (131 $, 23 heures, tlj)
**Portland, OR** (25 $, 3-4 heures, 5/jour)
**Vancouver, BC** (30 $, 3-4 heures, 5/jour)

## Comment circuler

### DEPUIS/VERS L'AÉROPORT

Plusieurs moyens de transport permettent de circuler entre l'aéroport et le centre-ville de Seattle, à 21 km. Le plus efficace est le *light rail* de Sound Transit (voir plus loin).

Le **Shuttle Express** (☎800-487-7433 ; www.shuttleexpress.com) dispose d'un arrêt pour les montées et les descentes au 3e niveau du parking de l'aéroport. Il coûte environ 18 $ et se révèle pratique si vous avez beaucoup de bagages.

Des taxis attendent au 3e niveau du parking. La course vers le centre revient en moyenne à 42 $.

### TAXI

Tous les taxis de Seattle observent la même tarification, déterminée par le King County : 2,50 $ à la prise en charge, puis de 2,70 $ le mile.

**Orange Cab Co** (☎206-444-0409 ; www.orangecab.net).

**Yellow Cab** (☎206-622-6500 ; www.yellowtaxi.net).

### TRANSPORTS PUBLICS

Les bus sont gérés par **Metro Transit** (www.metro.kingcounty.gov), qui fait partie du King County Department of Transportation. Tarif fixe de 2,50 $ (2,25 $ en dehors des périodes de pointe).

Le **Seattle Street Car** (tramway ; www.seattlestreetcar.org) circule sur 4 km entre Westlake Center et Lake Union. Ses 11 arrêts s'articulent avec de nombreuses correspondances de bus. Un second itinéraire reliant Pioneer Square à Capitol Hill via First Hill ouvrira en 2014.

Le Link Light Rail de Seattle géré par **Sound Transit** (www.soundtransit.org), circule entre l'aéroport de Sea-Tac et le centre-ville (Westlake Center) toutes les 15 minutes de 5h à minuit. Le trajet dure 36 minutes et coûte 3 $. Il y a aussi des arrêts à Pioneer Sq et dans l'International District.

### VOITURE ET MOTO

Piégée dans un corridor étroit entre mer et montagne, Seattle est un goulet d'étranglement redoutable, célèbre pour ses embouteillages monstres. L'I-5 comporte une voie réservée aux véhicules transportant au moins 2 personnes. Sinon, tâchez de circuler en dehors des très longues heures de pointe.

# Environs de Seattle

## Olympia

Petite par la taille mais grande par l'influence, Olympia, capitale de l'État, est un centre musical, politique et sportif. Il n'est que de voir les artistes de rue sur 4th Ave qui jouent du grunge acoustique, les bureaucrates tirés à quatre épingles qui traversent la pelouse du Parlement d'État ou les sportifs en Gore-Tex qui y passent la nuit avant de partir pour les Olympic Mountains. En vérité, malgré son nom évoquant la Grèce antique, Olympia n'a rien de classique. L'Evergreen State College, une université progressiste, imprègne depuis longtemps la ville d'une ambiance artistique (Matt Groening, créateur des *Simpsons*, y a étudié), et ses bars et marchands de guitares d'occasion offrent un théâtre unique aux musiques riot grrrl et grunge.

### À voir et à faire

**Washington State Capitol** MONUMENT
(⏲8h-16h30). GRATUIT Dans son parc de 12 ha surplombant Capitol Lake, le Capitole aux allures de temple grec domine la ville. Le joyau du complexe est le magnifique

**Legislative Building** (1927), surmonté d'un dôme de 87 m à peine plus petit que celui de son homologue de Washington, DC. Visites guidées gratuites.

**State Capital Museum** MUSÉE
(211 W 21st Ave ; 2 $ ; 10h-16h mar-ven, 12h-16h sam). Conservatoire de l'histoire de l'État de Washington, de la tribu Nisqually à nos jours.

**Olympia Farmers Market** MARCHÉ
(700 Capitol Way N ; 10h-15h jeu-dim avr-oct, sam-dim nov-déc). Ce marché à l'extrémité nord de Capitol Way, un des meilleurs de l'État, propose des fruits et légumes locaux, de l'artisanat et de la musique live.

## Où se loger et se restaurer

**Phoenix Inn Suites** HÔTEL $$
(360-570-0555 ; www.phoenixinn.com ; 415 Capitol Way N ; ch 139-179$ ; ). L'hôtel le plus haut de gamme de la ville est un établissement pratique, habitué à une clientèle exigeante d'officiels.

**Traditions Cafe & World Folk Art** AMÉRICAIN $
(www.traditionsfairtrade.com ; 300 5th Ave SW ; sandwichs 8,25 $ ; 9h-18h lun-ven, 10h-17h sam-dim ; ). Cette enclave hippie soucieuse de commerce équitable propose des salades, des sandwichs (à la viande, végétariens et végétaliens), quelques plats mexicains et italiens, du café et une sélection de tisanes. Jetez aussi un coup d'œil à la boutique éclectique d'art folklorique attenante.

## Où prendre un verre et faire la fête

La musique locale fait encore des vagues sur 4th Ave dans le nouveau décor de la **4th Avenue Tavern** (210 4th Ave E) ou au milieu des graffitis du **Voyeur** (404 4th Ave E), bar anarchiste et végétarien dont la porte est gardée par un musicien de rue. Goûtez au célèbre café torréfié localement chez **Batdorf & Bronson** (Capitol Way S ; 6h-19h lun-ven, 7h-18h sam-dim).

**Fish Tale Brew Pub** BRASSERIE
(515 Jefferson St). Sa carte classique de bières bio, de cidres bruts et d'India Pale Ales fait du Fish Brewing l'une des microbrasseries les plus réputées de l'État de Washington.

**Burial Grounds** CAFÉ
(406 Washington St SE ; "latte" spéciaux 3,50 $ ; 10h-12h lun-sam, 10h-22h dim). Commandez de fantastiques boissons au café, comme le Zombie Attacker Latte (deux tasses avec de la noix de muscade et de l'amande), sur la mousse duquel est dessiné une tête de mort. Le décor gothique ressemble à une chambre d'adolescent obsédé par les films d'horreur.

## Renseignements

Le **State Capitol Visitor Center** (angle 14th Ave et Capitol Way ; 10h-14h oct-avr, 10h-16h mai-sept) fournit des renseignements sur le campus du Capitole, les environs d'Olympia et l'État de Washington.

# Olympic Peninsula

Entourée par la mer de trois côtés et pas loin, dans ses caractéristiques, d'une île véritable, l'Olympic Peninsula est une péninsule isolée qui évoque à la perfection l'Ouest sauvage. Elle manque de cow-boys mais pas d'espèces animales rares et protégées, ni de forêt primitive. L'intérieur dépourvu de routes est occupé majoritairement par les zones humides de l'Olympic National Park, tandis que la périphérie est le fief des bûcherons, des réserves d'Amérindiens et de quelques petites villes éparpillées mais intéressantes, en particulier Port Townsend. Sur la côte ouest, tout aussi sauvage, qui marque l'extrémité du continent, se rencontrent en toute harmonie les tempêtes océanes et la forêt humide, ancienne et brumeuse.

## Olympic National Park

Nommés monument national en 1909 et parc national en 1938, les 3 641 km² de l'**Olympic National Park** (www.nps.gov/olym) protègent l'une des rares forêts humides tempérées du monde ainsi que 92 km de côte sauvage sur le Pacifique, ajoutés en 1953. Il existe de très nombreuses possibilités de le visiter en indépendant et de pratiquer des activités allant de la randonnée à la pêche en passant par le kayak et le ski.

### ENTRÉES EST

La Dosewallips River Rd, une route gravillonnée, suit la rivière depuis l'US 101 (bifurquez environ 1 km au nord du Dosewallips State Park) sur 24 km jusqu'à la **Dosewallips Ranger Station**, où débutent les sentiers de randonnée ; appelez le 360-565-3130 pour connaître l'état de la route. Cette vallée vaut le détour même si vous ne parcourez qu'une petite section des deux longs sentiers, y compris le Dosewallips River Trail de 23,9 km de long, qui offrent une vue superbe du **Mt Anderson** et de ses glaciers. Il existe une autre entrée à l'est pour les randonneurs à la **Staircase Ranger Station** (☎360-877-5569 ; ⊙mai-sept), juste en pénétrant dans le parc, à 24 km d'Hoodsport sur l'US 101. Deux parcs d'État à la lisière est du parc national sont appréciés des campeurs : le **Dosewallips State Park** (☎888-226-7688 ; empl tente/camping-car 23/32 $) et le **Lake Cushman State Park** (☎888-226-7688 ; empl tente/camping-car 22/28 $). Tous deux possèdent l'eau courante, des toilettes et quelques branchements pour camping-cars. Réservation possible.

### ENTRÉES NORD

L'accès le plus facile et donc le plus fréquenté est **Hurricane Ridge**, à 29 km au sud de Port Angeles. Au bout de la route, un centre d'interprétation offre une vue extraordinaire du Mt Olympus (2427 m) et de dizaines d'autres pics. À 1 500 m d'altitude, le temps est parfois peu clément et les vents (comme le suggère le nom de l'endroit) déchaînés. En plus des diverses possibilités de randonnée, ce secteur comporte l'une des deux seules pistes de ski comprises dans un parc national américain, gérée par la petite station familiale d'**Hurricane Ridge Ski & Snowboard Area** (www.hurricaneridge.com ; 🚸).

Apprécié pour le bateau et la pêche, le **Lake Crescent** est le site du plus ancien **lodge** (☎360-928-3211 ; www.olympicnationalparks.com ; 416 Lake Crescent Rd ; ch lodge 153 $, cottages 162-300 $ ; ⊙mai-oct ; P❄📶) du parc et celui qui pratique les tarifs les plus raisonnables. Le restaurant écolo du lodge propose une délicieuse cuisine bio-équitable. Depuis la **Storm King Information Station** (☎360-928-3380 ; ⊙mai-sept), sur la rive sud du lac, une randonnée de 1,6 km à travers la forêt ancienne mène aux Marymere Falls.

> **DISCOVER PASS POUR L'ÉTAT DE WASHINGTON**
>
> Pour les parkings donnant accès aux milliers d'hectares d'espaces de loisirs de l'État de Washington, des parcs d'État aux sentiers de randonnées, vous devrez acheter un Discover Pass (un jour/un an 10/30 $). Ceux-ci sont en vente aux guichets automatiques de la plupart des grands parkings, au siège des parcs d'État "lorsque le personnel est disponible", ou sur Internet (www.fishhunt.dfw.wa.gov, mais il vous en coûtera 10% supplémentaires).

Le long de la Sol Duc River, le **Sol Duc Hot Springs Resort** (☎360-327-3583 ; www.northolympic.com/solduc ; 12076 Sol Duc Hot Springs Rd, Port Angeles ; empl camping-car 33 $, ch 131-189 $ ; ⊙fin mars-oct ; ❄🏊) 🌿 propose l'hébergement, le couvert, des massages et, bien sûr, ses eaux chaudes thermales (tarif plein/réduit 10/7,50 $) ainsi que de belles randonnées d'une journée.

### ENTRÉES OUEST

Isolé par l'éloignement et par son microclimat extrêmement humide, le côté Pacifique du parc reste le plus sauvage. Seule l'US 101 permet d'accéder à ses forêts humides tempérées et à sa côte préservée. La **Hoh River Rainforest**, qui termine les 30,5 km de la Hoh River Rd, est un dédale de fougères et d'arbres couverts de mousse digne de Tolkien. Le **Hoh Visitor Center and Campground** (☎360-374-6925 ; empl 12 $ ; ⊙9h-18h juil-août, 9h-16h30 sept-juin) fournit des informations sur les randonnées guidées et les excursions plus longues à l'intérieur des terres. Il n'y a ni branchements, ni douches, ni réservation possible.

Un peu plus au sud, le **Lake Quinault**, est un beau lac glaciaire entouré de pics boisés. Apprécié pour la pêche, le bateau et la nage, il comporte certains des plus vieux arbres du pays. Le **Lake Quinault Lodge** (☎360-288-2900 ; www.olympicnationalparks.com ; 345 S Shore Rd ; ch 202-305 $ ; ❄📶🏊) est un lodge de luxe des années 1920 typique de la "parkitecture". Il comporte une piscine chauffée, un sauna, une cheminée et une salle à manger inoubliable. Moins cher dans les environs, essayez la très accueillante **Quinault River Inn** (☎360-288-2237 ; www.quinaultriverinn.com ; 8 River Dr ; ch 79-119 $ ; ❄📶) de l'Amanda Park, appréciée des pêcheurs à la ligne.

De nombreux sentiers courts débutent à côté du Lake Quinault Lodge. L'**Enchanted Valley Trail** est un sentier de 21 km et de difficulté moyenne qui part du poste de rangers de Graves Creek, à l'extrémité de South Shore Rd, et grimpe jusqu'à une vaste prairie parsemée de fleurs sauvages et de bosquets d'aulnes.

## ℹ Renseignements

L'entrée, valable 1 semaine, coûte 5/15 $ par personne/véhicule et se paie aux entrées du parc. Beaucoup de centres d'accueil des visiteurs du parc sont aussi des postes de rangers du United States Forestry Service (USFS) où l'on peut se procurer un permis de camping dans le parc (5 $ par groupe, valable jusqu'à 14 jours, plus 2 $ par personne et par nuit).

**Forks Visitor Information Center** (1411 S Forks Ave ; ⏲10h-16h). Suggestion d'itinéraires et informations saisonnières.

**Olympic National Park Visitor Center** (3002 Mt Angeles Rd, Port Angeles ; ⏲9h-17h). Le meilleur centre généraliste, à la sortie Hurricane Ridge, à 1,6 km de la Hwy 101 à Port Angeles.

**Wilderness Information Center** (3002 Mt Angeles Rd, Port Angeles ; ⏲7h30-18h dim-jeu, 7h30-20h ven-sam mai-sept, 8h-16h30 tlj oct-avr). Juste derrière l'Olympic National Park Visitor Center, vous y trouverez des plans, permis et renseignements sur les sentiers.

## Port Townsend

Les vestiges historiques sont rares dans le Nord-Ouest pacifique, ce qui rend Port Townsend d'autant plus intéressant. Cette petite ville nostalgique à la vie culturelle intense est un musée de l'architecture victorienne des années 1890. Ce "New York manqué de l'Ouest" connut un plein essor qui s'effondra au début du XXe siècle et dut attendre 70 ans avant d'être sauvé par un groupe de visionnaires locaux. Port Townsend offre aujourd'hui des restaurants créatifs, d'élégants hôtels fin de siècle et des festivals originaux.

### À voir

**Jefferson County Historical Society Museum** MUSÉE
(210 Madison St ; tarif plein/réduit jusqu'à 12 ans 4/1 $ ; ⏲11h-16h mars-déc). La société historique locale gère ce bel espace d'exposition qui comprend une reproduction de tribunal et de cellule de prison d'époque, ainsi que tous les détails sur l'essor, le déclin et la renaissance de cette passionnante ville portuaire.

**Fort Worden State Park** PARC
(www.parks.wa.gov/fortworden ; 200 Battery Way). Ce beau parc situé à l'intérieur de la ville est un vestige du vaste système de fortifications édifié dans les années 1890. Les immenses jardins et l'ensemble des édifices historiques ont été récemment transformés en hébergement et en parc naturel et historique. Le **Commanding Officer's Quarters** (4 $ ; ⏲10h-17h tlj juin-août, 13h-16h sam-dim mars-mai et sept-oct), demeure de 12 chambres, se visite. Une partie d'une des casernes est devenue le **Puget Sound Coast Artillery Museum** (2 $ ; ⏲11h-16h mar-dim), qui retrace l'histoire des premières fortifications côtières du Pacifique.

Des sentiers à la pointe de la péninsule conduisent jusqu'à la **Point Wilson Lighthouse Station** et de magnifiques plages balayées par les vents.

### Où se loger

**Palace Hotel** HÔTEL HISTORIQUE $
(☎360-385-0773 ; www.palacehotelpt.com ; 1004 Water St ; ch 59-109 $ ; ❄📶). Ce beau bâtiment victorien édifié en 1889 est une ancienne maison close autrefois tenue par madame Marie, célébrité locale qui gérait ses affaires depuis sa suite à l'angle du 2e étage. Il est depuis devenu un séduisant hôtel historique avec baignoires sur pieds et mobilier ancien.

**Waterstreet Hotel** HÔTEL $
(☎360-385-5467 ; www.waterstreethotelporttownsend.com ; 635 Water St ; ch 60-160 $ ; ❄📶). De tous les hôtels des anciens docks de Port Townsend, le Waterstreet est le meilleur marché de la ville. Les nombreuses chambres logent de 2 à 6 pers. Sdb communes pour certaines.

### Où se restaurer

**Waterfront Pizza** PIZZERIA $$
(951 Water St ; grandes pizzas 11-21 $). Cette pizzeria qui vend ses pizzas à la part attire une clientèle locale fidèle et satisfait les palais les plus difficiles. Son secret : sa pâte croustillante ou ses garnitures originales ? À vous de le dire.

♥ **Sweet Laurette Cafe & Bistro** FRANÇAIS $$
(1029 Lawrence St ; plats 12-28 $ ; ⏲8h-17h mer et jeu, 8h-21h ven-sam, 8h-15h dim). Cet adorable café français au chic décontracté sert des petits-déjeuners, des déjeuners et des dîners, ainsi que de délicieux cafés et pâtisseries entre les repas.

### Renseignements

Pour connaître tous les détails sur l'histoire de la ville, ses splendeurs et ses misères, rendez-vous au **Visitor Center** (www.ptchamber.org ; 2437 E Sims Way ; ⏲9h-17h lun-ven, 9h-16h sam-dim).

### Depuis/vers Port Townsend

Depuis Seattle, une correspondance ferry/bus permet de rejoindre Port Townsend. Au départ de Colman Dock, à Seattle, prenez le ferry qui effectue la traversée jusqu'à Bainbridge Island. De là, prenez le bus n°90 jusqu'à Poulsbo puis le bus n°7 jusqu'à Port Townsend. Les **Washington State Ferries** (☎206-464-6400 ; www.wsdot.wa.gov/ferries) circulent depuis/vers Coupeville sur Whidbey Island (voiture plus conducteur 10,25 $/piéton 3,10 $, 35 min).

### SUR LES TERRES DE TWILIGHT

Forks, petite ville de bûcherons sur la Hwy 101, n'était qu'une poussière sur la carte de l'État de Washington jusqu'à ce que Stephenie Meyer y situe sa désormais célèbre saga de vampires *Twilight* en 2003. Après la sortie du premier film *Twilight*, en 2008, Forks aurait assisté à une hausse de la fréquentation touristique de 600%. Toutefois, depuis que la saga est terminée, ces chiffres sont en baisse. La majorité des visiteurs est composée d'adolescents de moins de 15 ans très surpris de découvrir que Forks n'est qu'une ville terriblement ordinaire (et humide).

Les fans de vampires s'amuseront dans les quelques boutiques *Twilight* et lors des **Twilight Tours** (adulte/enfant 39/25 $ ; ⏲8h, 11h30, 15h et 18h), circuits quotidiens qui passent par la plupart des lieux mentionnés dans les livres de Meyer.

Il existe d'autres coins où l'on peut suivre la trace des livres et des films *Twilight*, comme Port Angeles, l'Ecola State Park, le Silver Falls State Park et l'antre du loup-garou de La Push (en fait une réserve indienne des Quileute, qui, selon la légende, seraient des loups transformés en humains).

## Port Angeles

Dédié à l'industrie du bois et adossé aux abruptes Olympic Mountains, Port Angeles n'a, malgré son nom, rien d'espagnol ni de particulièrement angélique. Les visiteurs ne viennent pas ici pour découvrir la ville mais pour prendre le ferry pour Victoria (Colombie-Britannique) ou organiser des excursions dans l'Olympic National Park. Le **Visitor Center** (www.portangeles.org ; 121 E Railroad Ave ; ⏲8h-20h mi-mai à mi-oct, 10h-16h mi-oct à mi-mai) est adjacent au terminal des ferries. Pour des renseignements sur le parc national, adressez-vous à l'Olympic National Park Visitor Center (p. 207) juste à la sortie de la ville.

L'**Olympic Discovery Trail** (www.olympicdiscoverytrail.com) 🍃 est un sentier de randonnée pédestre et cycliste hors route de 48 km entre Port Angeles et Sequim qui débute au bout d'**Ediz Hook**, la langue de sable qui encercle la baie. On peut louer des vélos chez **Sound Bikes & Kayaks** (www.soundbikeskayaks.com ; 120 Front St ; location vélo heure/journée 9/30 $).

L'hôtel le plus confortable de Port Angeles est l'**Olympic Lodge** (☎360-452-2993 ; www.olympiclodge.com ; 140 Del Guzzi Drive ; ch à partir de 119 $ ; ❄@📶🏊), avec sa piscine, son bistrot, ses chambres comme neuves, son lait et ses biscuits offerts. Les routards trouveront leur bonheur à la **Toadlily House** (☎360-797-3797 ; www.toadlilyhouse.com ; 105 E 5th St ; 25 $/pers ; 📶), un établissement très récent, bien tenu et plaisant.

♥ **Bella Italia** (118 E 1st St ; plats 12-20 $ ; ⏲à partir de 16h) était là bien avant Bella, l'héroïne de *Twilight*, mais sa mention dans le livre comme l'endroit où Bella et Edward Cullen sortent ensemble pour la première fois a fait de ce restaurant déjà fréquenté une véritable icône. Goûtez les *linguine* aux palourdes, le poulet au marsala ou le magret de canard fumé.

Le **Coho Vehicle Ferry** (www.cohoferry.com ; passager/voiture 15,50/55 $) assure la liaison depuis/vers Victoria (Colombie-Britannique). La traversée dure 1 heure 30. **Olympic Bus Lines** (www.olympicbuslines.com) dessert Seattle 2 fois par jour (39 $) depuis le centre des transports publics à l'angle de Oak St et Front St. Les bus **Clallam Transit** (www.clallamtransit.com) rejoignent Forks et Sequim, où l'on peut prendre d'autres bus pour faire le tour de l'Olympic Peninsula.

## Northwest Peninsula

Plusieurs réserves d'Amérindiens s'accrochent à l'extrême pointe nord-ouest du continent et accueillent les visiteurs intéressés. Battue par les intempéries, la petite bourgade de Neah Bay, sur la Hwy 112, se situe dans la Makah Indian Reservation. Le **Makah Museum** (www.makah.com ; 1880 Bayview Ave ; 5 $ ; ⏲10h-17h) expose des artefacts issus des fouilles du village Makah d'Ozette, vieux de 500 ans, qui figurent parmi les trouvailles archéologiques les plus importantes d'Amérique du Nord. À plusieurs kilomètres du musée, un petit chemin en planches conduit au superbe **Cape Flattery**, promontoire de 91 m qui constitue l'extrême nord-ouest des 48 États au sud du Canada.

Bien placée par rapport à la Hoh River Rainforest et à la côte, **Forks** est une petite ville de bûcherons devenue célèbre grâce à *Twilight*. Elle constitue une base centrale pour l'exploration de l'Olympic National Park. Côté hébergement la **Miller Tree Inn** (360-374-6806 ; www.millertreeinn.com ; 654 E Division St ; ch 115-230 $ ; ) est un bon choix.

# Nord-ouest du Washington

Coincé entre Seattle, les Cascades et le Canada, le nord-ouest du Washington subit leur triple influence. Le quartier universitaire de Bellingham constitue le centre urbain tandis que le vaste archipel verdoyant des San Juan Islands chatoie comme une photo sépia d'une autre époque. Anacortes est le principal point de transit des ferries pour les San Juan Islands et Victoria (Colombie-Britannique).

## Whidbey Island

Moins indépendante (un pont la relie à Fidalgo Island en son point le plus au nord) et plus conformiste que les San Juan Islands, Whidbey Island offre un cadre de vie plus calme et plus pastoral. Elle comporte en outre 6 parcs d'État, d'innombrables B&B, 2 villages historiques de pêcheurs (Langley et Coupeville), des palourdes renommées et une communauté artistique très active.

Le **Deception Pass State Park** (360-675-2417 ; 41229 N State Hwy 20) enjambe le bras de mer encaissé éponyme qui sépare Whidbey Island et Fidalgo Island et comprend des lacs, des îles, des campings et 43 km de sentiers de randonnée.

Les 7 000 ha de l'**Ebey's Landing National Historical Reserve** (www.nps.gov/ebla ; 8h-17h mi-oct à mars, 6h30-22h avr à mi-oct) GRATUIT englobent des fermes en activité, des plages abritées, 2 parcs d'État et **Coupeville**. Cette petite localité, une des plus anciennes du Washington, possède un joli front de mer, des boutiques d'antiquaires et de nombreuses auberges anciennes, dont la **Coupeville Inn** (800-247-6162 ; www.thecoupevilleinn.com ; 200 Coveland St ; ch avec/sans balcon petit-déj compris 150/110 $ ; ), un "motel à la française" décoré de meubles fantaisie, où l'on déguste un copieux petit-déjeuner. Pour goûter les fameuses palourdes locales, rendez-vous au **Christopher's** (www.christophersonwhidbey.com ; 103 NW Coveland St ; plats 15-23 $ ; 11h30-14h lun-ven, 12h-14h30 sam-dim, en soirée à partir de 17h).

Les **Washington State Ferries** (www.wsdot.wa.gov/ferries) relient Clinton à Mukilteo (voiture plus conducteur 8 $/piéton gratuit, 20 min, toutes les 30 min) et Coupeville à Port Townsend (voiture plus conducteur 10,25 $/piéton 3,10 $, 35 min, toutes les 45 min). Les bus gratuits **Island Transit** (www.islandtransit.org) traversent Whidbey dans toute sa longueur toutes les heures, quotidiennement sauf le dimanche, au départ du quai des ferries de Clinton.

## Bellingham

Bienvenue dans cette ville écolo, libérale et réputée pour sa qualité de vie qui a accommodé l'esprit libertaire et ouvert de la "City of Roses" (Portland) à la mode du Washington. Douce par les comportements et par son climat, cette "ville de l'excitation discrète" comme l'a qualifiée un de ses maires, offre un curieux mélange d'étudiants, de retraités, de triathloniens s'entraînant par tous les temps et de *peaceniks* agitant des pancartes. Des publications comme *Outside Magazine* louent en outre ses activités de plein air.

### Activités

Bellingham offre une pléthore d'activités de plein air. Le **Whatcom Falls Park** est une zone naturelle sauvage qui coupe en deux les faubourgs est. Le dénivelé est souligné par quatre chutes d'eau dont les **Whirlpool Falls**, appréciées pour la baignade en été. Les sentiers intra-urbains s'étendent au sud jusqu'au Larabee State Park, avec une section de 4 km très fréquentée le long du front de mer postindustriel. **Fairhaven Bike & Mountain Sports** (www.fairhavenbike.com ; 1103 11th St) loue des vélos à partir de 40 $ la journée et procure des informations (et des cartes) sur les itinéraires locaux.

**Victoria/San Juan Cruises** (www.whales.com ; 355 Harris Ave) organise des excursions d'observation des baleines en direction des San Juan Islands. Les bateaux partent du Bellingham Cruise Terminal à Fairhaven.

### Où se loger

**Guesthouse Inn** MOTEL $
(360-671-9600 ; www.bellinghamvaluinn.com ; 805 Lakeway Dr ; ch à partir de 95 $ ; ). Pension propre et pleine de charme juste en retrait de l'I-5 et à 15 minutes à pied du centre de Bellingham. La Bellair Airporter Shuttle Vancouver-Seattle (p. 204) s'arrête ici, ce qui en fait une base idéale pour ceux qui souhaiteraient passer la nuit sur place pour explorer la région.

♥ **Hotel Bellwether** BOUTIQUE-HÔTEL $$$
(☎360-392-3100 ; www.hotelbellwether.com ; 1 Bellwether Way ; ch 165-284 $, phare à partir de 398 $ ; ❄📶🐾). Le plus beau et le plus charismatique des hôtels de Bellingham est situé sur le front de mer et offre une belle vue sur Lummi Island. Il se distingue surtout par sa suite de plus de 80 m² occupant les 3 niveaux d'un phare reconverti – au sommet, la plateforme privative est inoubliable.

## Où se restaurer

**Old Town Cafe** CAFÉ $
(316 W Holly St ; plats 6-9 $ ; ⊙6h30-15h). Une adresse classique pour le petit-déjeuner, où les habitués se retrouvent autour d'une pâtisserie, d'un expresso et d'excellents *huevos rancheros*. Des musiciens passent régulièrement, renforçant l'ambiance bohème et décontractée du lieu.

♥ **Pepper Sisters** AMÉRICAIN MODERNE $$
(www.peppersisters.com ; 1055 N State St ; plats 9-16 $ ; ⊙à partir de 17h mar-dim ; 👪). Les clients viennent de très loin pour visiter cet établissement culte aux alcôves bleu turquoise. Essayez les *quesadillas* coriandre/pesto, les *rellenos* (piments farcis) au maïs bleu et les *burritos* aux pommes de terre aillées.

## Renseignements

Au centre-ville, c'est le **Visitor Info Station** (www.downtownbellingham.com ; 1304 Cornwall St ; ⊙9h-18h) qui dispense les meilleures infos touristiques.

## Depuis/vers Bellingham

Les ferries **Alaska Marine Highway** (AMHS ; www.dot.state.ak.us/amhs ; 355 Harris Ave) desservent Juneau (60 heures) et d'autres ports du sud-est de l'Alaska (à partir de 326 $ sans voiture). Le Bellair Airporter Shuttle (p. 204) rejoint l'aéroport de Sea-Tac (34 $), et permet de prendre des correspondances pour Anacortes et Whidbey Island.

# San Juan Islands

Prendre le ferry à l'ouest d'Anacortes donne un peu l'impression de changer de monde. À mille lieues de l'agitation urbaine du Puget Sound, l'archipel des San Juan évoque un autre âge et paraît souvent aussi américain que canadien (le Canada le borde sur deux côtés).

Ce vaste archipel compte 172 îles mais, à moins de pouvoir s'offrir un yacht ou un hydravion, on doit se contenter des quatre principales, San Juan, Orcas, Shaw et Lopez, toutes desservies quotidiennement par les Washington State Ferries. Elles sont globalement réputées pour leur tranquillité, l'observation des baleines, le kayak de mer et leur esprit non conformiste.

Kayak de mer et vélo sont les meilleurs moyens de les découvrir. Une excursion avec guide d'une demi-journée coûte entre 45 $ et 65 $. À vélo, Lopez offre une étendue plate et champêtre, San Juan une boucle facile sur une journée et Orcas un relief vallonné ainsi qu'une montée abrupte de 8 km jusqu'au sommet du Mt Constitution.

## Comment s'y rendre et circuler

**San Juan Airlines** (www.sanjuanairlines.com) et **Kenmore Air** (www.kenmoreair.com) sont deux des compagnies aériennes desservant les San Juan.

Les **Washington State Ferries** (WSF ; www.wsdot.wa.gov/ferries) partent d'Anacortes pour San Juan ; certains continuent jusqu'à Sidney (Colombie-Britannique) près de Victoria. Ils desservent Lopez Island (45 min), Orcas Landing (60 min) et Friday Harbor, sur San Juan Island (75 min). Les tarifs varient selon les saisons ; on ne peut acheter l'aller-retour que pour les trajets en direction de l'ouest (sauf les retours depuis Sidney, Colombie-Britannique). Pour visiter toutes les îles, il est moins coûteux de rejoindre d'abord Friday Harbor puis de revenir en passant par les autres îles.

Des navettes sillonnent Orcas et San Juan en été.

## San Juan Island

San Juan Island, capitale officieuse de l'archipel, offre un mélange harmonieux de collines basses et boisées et de fermes rurales marquées par les événements du XIXe siècle. La seule véritable localité est Friday Harbor. Sa **Chamber of Commerce** (www.sanjuanisland.org ; 135 Spring St ; ⊙10h-17h lun-ven, 10h-16h sam-dim), qui abrite le Visitor Center, se trouve dans une petite galerie marchande près de l'artère principale.

## À voir et à faire

**San Juan Island National Historical Park** SITE HISTORIQUE
(www.nps.gov/sajh ; ⊙8h30-16h, Visitor Center 8h30-16h30 jeu-dim, tlj juin-sept). GRATUIT San Juan Island a connu un des conflits politiques les plus étranges du XIXe siècle, la guerre dite des Cochons entre les États-Unis

et la Grande-Bretagne. Cette curieuse guerre froide est évoquée dans deux parcs historiques à chaque extrémité de l'île, où se trouvaient les garnisons respectives des deux belligérants. À l'extrémité sud, l'**American Camp** comporte le petit **Visitor Center**, les vestiges d'un fort, des plages désolées et plusieurs sentiers d'interprétation. À l'extrémité opposée, l'**English Camp**, 14,5 km au nord-ouest de Friday Harbor, abrite les restes des installations militaires britanniques des années 1860.

**Lime Kiln Point State Park** PARC
(8h-17h mi-oct à mars, 6h30-22h avr à mi-oct). Accroché aux rochers de la côte ouest de l'île, ce beau parc surplombant le Haro Strait est, dit-on, un des meilleurs rivages au monde pour observer les baleines.

## Où se loger et se restaurer

On trouve des hôtels, B&B et complexes hôteliers un peu partout sur l'île, mais c'est à Friday Harbor qu'ils sont les plus nombreux.

**Wayfarer's Rest** AUBERGE DE JEUNESSE $
(360-378-6428 ; 35 Malcolm St ; dort 35 $, ch 65-80 $ ; ). La seule auberge bon marché de l'île se trouve non loin du terminal des ferries. Les voyageurs à petit budget adoreront ses dortoirs confortables et ses chambres privatives bon marché, mais attention, l'établissement affiche rapidement complet.

**Roche Harbor Resort** COMPLEXE HÔTELIER $$
(800-451-8910 ; www.rocheharbor.com ; Roche Harbor ; ch avec sdb commune 149 $, appart 1 à 3 chambres 275-450 $, maison 2 chambres 499 $ ; ). Propriété du magnat de la chaux John McMillin, ce "village" en bord de mer offre une escapade sympathique. La pièce centrale est l'ancien Hotel de Haro, dont les chambres exiguës ont pour seul intérêt d'avoir accueilli John Wayne.

**Juniper Lane Guest House** AUBERGE $$
(360-378-7761 ; www.juniperlaneguesthouse.com ; 1312 Beaverton Valley Rd ; ch 85-135 $ ; ). Les chambres lambrissées sont ornées d'un assortiment coloré et éclectique de meubles et d'œuvres d'art rénovées ou recyclées. Résultat : un très agréable panaché entre auberge de jeunesse haut de gamme et gîte classique.

**Market Chef** TRAITEUR $
(225 A St ; 10h-18h). Les habitants viennent ici par centaines pour les sandwichs gastronomiques, particulièrement originaux, qui sont la spécialité maison. Vous pourrez voir le personnel les préparer avec des ingrédients frais et locaux pendant que vous ferez la queue.

# Orcas Island

Accidentée, âpre et sauvage, Orcas Island, icône émeraude des San Juan, est une terre de randonnée et, depuis peu, de gastronomie. Le terminal des ferries se trouve à Orcas Landing, 13 km au sud d'Eastsound, le principal village. Le lobe oriental de l'île forme le **Moran State Park** (6h30-crépuscule avr-sept, 8h-crépuscule oct-mars), dominé par le Mt Constitution (734 m), avec ses 64 km de sentiers et son extraordinaire vue panoramique au sommet du mont.

Les eaux calmes de l'île sont un rêve pour le kayak. **Shearwater** (www.shearwaterkayaks.com ; 138 North Beach Rd, Eastsound), qui possède l'équipement et le savoir-faire, propose des excursions guidées de 3 heures à partir de 75 $.

## Où se loger

**Doe Bay Village Resort & Retreat** AUBERGE DE JEUNESSE, COMPLEXE $
(360-376-2291 ; www.doebay.com ; dort 55 $, bungalow d à partir de 90 $, yourte à partir de 120 $ ; ). Doe Bay mêle l'ambiance d'une retraite pour hippies à celle d'un village d'artistes. Divers hébergements sont proposés : camping proche de l'eau, petite auberge avec dortoir et chambres privatives, bungalows variés et yourtes, le plus souvent avec vue sur la mer.

**Golden Tree Hostel** AUBERGE DE JEUNESSE $
(360-317-8693 ; www.goldentreehostel.com ; 1159 North Beach Rd, Eastsound ; dort/d avec sdb commune 38/88 $ ; ). Une demeure historique des années 1890, rénovée de manière très tendance, avec sauna et Jacuzzi. Dortoirs unisexes très propres de 6 lits et belles chambres particulières.

**Outlook Inn** HÔTEL $
(360-376-2200 ; www.outlookinn.com ; 171 Main St, Eastsound ; ch avec sdb commune/privative à partir de 79/119 $ ; ). Véritable institution sur l'île, l'Outlook Inn (1888) s'est agrandie au fil du temps pour devenir finalement ce majestueux (quoique modeste) complexe balnéaire blanc. Sympathique New Leaf Cafe sur place.

## Où se restaurer et prendre un verre

**Mijita's** MEXICAIN $$

(310 A St, Eastsound ; plats 13-22 $ ; 16h-21h mer-dim). Au menu : une savoureuse cuisine mexicaine familiale, avec des plats comme les plates-côtes braisées au *mole* de mûres ou les gâteaux de quinoa végétariens aux champignons, au fromage de chèvre, aux amandes et au *pipian* (sauce mexicaine épicée).

**Island Hoppin' Brewery** BRASSERIE

(www.islandhoppinbrewery.com ; 33 Hope Lane, Eastsound ; 16h-21h mar-dim). Une adresse incontournable pour les amateurs de bière, avec 6 bières différentes à la pression. Concerts fréquents le week-end.

### Lopez Island

Si vous vous rendez à Lopez – ou "Slow-pez", comme l'appellent ses habitants – procurez-vous un vélo. Son relief modéré est idéal pour pédaler et les habitants vous saluent au passage (le célèbre salut local avec trois doigts). On peut en faire le tour dans la journée et passer une nuit agréable près de la marina au **Lopez Islander Resort** (800-736-3434 ; www.lopezfun.com ; Fisherman Bay Rd ; ch à partir de 139 $ ; ), équipé d'un restaurant, d'une salle de sport, d'une piscine et d'un parking gratuit à Anacortes (une autre bonne raison de laisser la voiture). Si vous n'avez pas de vélo, **Village Cycles** (360-468-4013 ; www.villagecycles.net ; 9 Old Post Rd ; location par heure/jour à partir de 7/30 $ ; 10h-16h mer-dim) pourra vous en louer un pour rejoindre le terminal des ferries.

# North Cascades

Géologiquement différentes de leurs homologues méridionales, les North Cascade Mountains sont parsemées de pics déchiquetés, de vastes glaciers avec une prépondérance de roches métamorphiques complexes. Apparemment imprenables, les North Cascades sont restées un mystère jusqu'à peu. La région n'a de route que depuis 1972 et reste, aujourd'hui encore, un des secteurs les plus isolés du Nord-Ouest.

### Mt Baker

Dressé comme une sentinelle fantomatique au-dessus des eaux étincelantes du Puget Sound supérieur, le Mt Baker fascine depuis des siècles les visiteurs du Nord-Ouest. Volcan en sommeil depuis les années 1850, son pic de 3286 m comprend 12 glaciers et a enregistré en 1999 des chutes de neige record de 29 m. La Hwy 542, une belle route surnommée "Mt Baker Scenic Byway", grimpe de 1554 m jusqu'à **Artist Point**, à 90 km de Bellingham. Non loin, vous découvrirez le **Heather Meadows Visitor Center** (Mile 56, Mt Baker Hwy ; 8h-16h30 mai-sept) et une foule de sentiers dont les 12 km du Chain Lakes Loop, qui rejoint des lacs entourés de prés à myrtilles.

Domaine skiable le plus enneigé d'Amérique du Nord, la **Mt Baker Ski Area** (www.mtbakerskiarea.com) comprend 38 pistes, 8 remontées et un dénivelé de 457 m. Cette station est devenue culte parmi les adeptes du snowboard, qui y viennent depuis 1985 en janvier pour le Legendary Baker Banked Slalom.

Durant la centaine de jours par an où les nuages se dissipent, la terrasse de l'**Inn at Mt Baker** (360-599-1359 ; www.theinnatmtbaker.com ; 8174 Mt Baker Hwy ; ch 155-165 $ ; ), à 11 km à l'est de Maple Falls, offre des vues saisissantes. En remontant la montagne, vous pourrez vous arrêter manger un morceau dans un bon vieux bar-restaurant, le **Graham's** (9989 Mt Baker Hwy ; plats 4-14 $ ; dîner lun-dim, petit-déj et déj sam-dim ; horaires variables) et acheter quelque chose à grignoter pour la journée à la **Wake & Bakery** (6903 Forest St, Glacier ; à partir de 4 $ ; 7h30-17h), tous deux dans la localité de Glacier.

### Leavenworth

Non, ce n'est pas une hallucination. Leavenworth, ancienne ville de bûcherons, s'est transformée en bourgade bavaroise dans les années 1960, quand le changement d'itinéraire du train transcontinental menaçait d'anéantir son activité. Passant du bois au tourisme, Leavenworth a réussi sa reconversion en village traditionnel romantique, avec bière, saucisses et habitants en *lederhosen* (25% sont allemands). Le décor digne de *La Mélodie du bonheur* y contribue, tout comme le fait que Leavenworth soit la principale base pour les expéditions dans l'Alpine Lakes Wilderness.

La **Leavenworth Ranger Station** (600 Sherbourne St ; 7h30-16h30 tlj mi-juin à mi-oct, 7h45-16h30 lun-ven mi-oct à mi-juin) peut vous renseigner sur les activités de plein air. **Castle Rock**, dans le Tumwater Canyon, offre les plus belles ascensions du Washington à environ 5 km au nord-ouest de Leavenworth près de l'US 2.

Le Devil's Gulch est un sentier de VTT (40 km, 4-6 heures) très prisé. **Der Sportsmann** (☎509-548-5623 ; www.dersportsmann.com ; 837 Front St ; location de vélos/skis de fond à partir de 25/14 $ par jour ; ⏲9h-18h) loue des VTT.

## Où se loger et se restaurer

**Hotel Pension Anna** HÔTEL **$$**
(☎509-548-6273 ; www.pensionanna.com ; 926 Commercial St ; ch avec petit-déj 155-250 $, ste dans la chapelle 240-360 $). Un authentique coin de Bavière en pleine ville, avec un véritable décor autrichien dans chaque chambre et des petits-déjeuners d'inspiration européenne à vous faire pousser des yodles de joie. La chapelle St Joseph adjacente (que les propriétaires ont sauvée des bulldozers pour la déménager ici en 1992), est adaptée aux familles.

**Enzian Inn** HÔTEL **$$**
(☎509-548-5269 ; www.enzianinn.com ; 590 Hwy 2 ; d 110-205 $, ste 215-375 $ ; ). Également sur le thème germanique, l'Enzian ne manque pas de séduire avec son golf 18 trous, son court de racquetball, sa salle à manger ensoleillée et son patron en *lederhosen* qui joue du cor alpin de bon matin.

♥ **München Haus** ALLEMAND **$**
(www.munchenhaus.com ; 709 Front St ; en-cas à partir de 6 $ ; ⏲11h-23h mai-oct, fermé lun-ven nov-avr ; ). Ce bar à bières en plein air sert d'excellentes saucisses bavaroises grillées au feu de bois.

## Lake Chelan

Le long et étroit Lake Chelan est la base nautique centrale du Washington. Le **Lake Chelan State Park** (☎509-687-3710 ; S Lakeshore Rd ; empl tente/camping-car 23/32 $) comprend 144 emplacements ; plusieurs campings au bord du lac ne sont accessibles qu'en bateau. Si vous préférez dormir dans un vrai lit, essayez le **Midtowner Motel** (☎509-682-4051 ; www.midtowner.com ; 721 E Woodin Ave ; ch 65-120 $ ; ), en ville, qui est d'un excellent rapport qualité/prix. Principal centre d'hébergements et de services, la localité de **Chelan**, à la pointe sud-est du lac, dispose d'un **poste de rangers de l'USFS** (428 Woodin Ave). Plusieurs producteurs de vin sont également apparus dans la région et beaucoup possèdent un excellent restaurant. Essayez par exemple **Tsillan Cellars** (www.tsillancellars.com ; 3875 Hwy 97A ; ⏲12h-17h dim-jeu, 12h-18h ven-sam).

Les bus **Link Transit** (www.linktransit.com) relient Chelan à Wenatchee et Leavenworth (1 $).

À la pointe nord du lac, la jolie ville de **Stehekin** n'est accessible qu'en **bateau** (www.ladyofthelake.com ; aller-retour depuis Chelan 39 $), en **hydravion** (www.chelanseaplanes.com ; aller-retour depuis Chelan 159 $) ou à pied en franchissant le Cascade Pass, à 45 km du lac. Vous trouverez de nombreux renseignements sur la randonnée, le camping et la location de chalets sur www.stehekin.com. La plupart des infrastructures sont ouvertes de mi-juin à mi-septembre.

## Methow Valley

Grâce à son abondance de poudreuse en hiver et de soleil en été, la vallée est devenue un des principaux lieux de loisirs du Washington. Vélo, marche et pêche sont au menu l'été. L'hiver, on y pratique le ski de fond sur le deuxième plus vaste réseau de pistes des États-Unis.

Les 200 km de pistes sont entretenus par la **Methow Valley Sport Trails Association** (MVSTA ; www.mvsta.com ; 209 Castle Ave, Winthrop) , organisme à but non lucratif qui, en hiver, propose le réseau skiable le plus complet de refuge à refuge (et d'hôtel à hôtel) d'Amérique du Nord. Cerise sur le gâteau, peu de touristes semblent au courant pour l'instant. Au charmant **Sun Mountain Lodge** (☎509-996-2211 ; www.sunmountainlodge.com ; Box 1000, Winthrop ; ch 175-375 $, chalets 150-750 $ ; ⏲fermé 21 oct-7 déc ; ), 16 km à l'ouest de Winthrop, vous trouverez un hébergement classique avec accès facile aux pistes de ski et aux sentiers pédestres et cyclables. Si les chambres et les équipements, de style chalet (beaucoup d'animaux empaillés en décoration), sont confortables, ce sont les vues et le choix infini de pistes de randonnée et de ski de fond que l'on trouve dans les environs qui rendent l'endroit si spécial.

## North Cascades National Park

Desolation Peak, Mt Despair, Mt Terror... Rien que par leurs noms, les spectaculaires montagnes du **North Cascades National Park** (www.nps.gov/noca), peu fréquenté, donnent une impression de nature sauvage et indomptable. Pas étonnant que cette région englobe des terrains d'aventure parmi les meilleurs de l'arrière-pays en dehors de l'Alaska.

Le **North Cascades Visitor Center** (502 Newhalem St ; 9h-16h30 mi-avr à oct, fermé lun-ven nov-mars) dans la petite bourgade de Newhalem sur la Hwy 20, est la meilleure halte pour les visiteurs, qui y trouveront des rangers capables de leur indiquer les sites incontournables du parc.

Construits dans les années 1930 pour les bûcherons qui travaillaient dans la vallée plus tard innondée par le barrage de Ross Dam, les chalets flottants du **Ross Lake Resort** (206-386-4437 ; www.rosslakeresort.com ; chalets 155-315 $ ; mi-juin à oct) sur la rive ouest du lac éponyme, sont les hébergements les plus singuliers du Washington. En l'absence de route, il faut soit emprunter à pied un sentier de 3 km partant de la Hwy 20, soit monter à bord du remorqueur-navette qui part du parking près du barrage de Diablo Dam.

# Nord-est du Washington

## Spokane

Deuxième bassin de population du Washington, Spokane est une ville surprenante qui tranche agréablement avec les zones d'érosion dénudées de l'Est. Située au cœur de "l'empire intérieur" du Nord-Ouest pacifique, cette ville discrète se niche sur les rives de la Spokane River, près de l'endroit où les négociants en fourrure britanniques fondèrent leur éphémère comptoir en 1810. Bien que rarement vantée dans les magazines touristiques, Spokane accueille la plus grande course à pied du monde (Bloomsday, en mai).

### À voir et à faire

**Riverfront Park** PARC
(www.spokaneriverfrontpark.com ; ). Sur l'ancien site de l'Exposition universelle de 1974, ce parc comporte, entre autres, une **promenade des sculptures** en 17 haltes, de nombreux ponts et sentiers pour satisfaire les innombrables coureurs amateurs de la ville, et les **Spokane Falls**, bouillonnante combinaison de chutes et de rapides. Il existe plusieurs points de vue sur la rivière, dont une brève **promenade en gondole** (11h-18h dim-jeu, 11h-22h ven-sam avr-sept) qui mène juste au-dessus des chutes. Marcheurs et coureurs occupent le **Spokane River Centennial Trail** (www.spokanecentennialtrail.org), sentier interurbain qui s'étend sur 60 km jusqu'à la frontière de l'Idaho et au-delà. Le parc comprend aussi une patinoire, un cinéma IMAX et un carrousel ; consultez le site Internet pour plus de détails.

**Northwest Museum of Arts & Culture** MUSÉE
(www.northwestmuseum.org ; 2316 W 1st Ave ; tarif plein/réduit 7/5 $ ; 10h-17h mer-dim). Enchâssé dans un immeuble ultramoderne du quartier chic de Browne's Addition, ce musée possède probablement une des plus belles collections d'artefacts amérindiens du Nord-Ouest.

### Où se loger et se restaurer

**Hotel Ruby** BOUTIQUE-MOTEL $
(509-747-1041 ; www.hotelrubyspokane.com ; 901 W 1st Ave ; ch 68-110 $ ; ). Outre sa belle décoration tendance jouant sur le rouge et le blanc, ce motel offre l'avantage d'être très bien situé dans le centre, en face du Davenport.

**Davenport Hotel** HÔTEL HISTORIQUE $$
(509-455-8888 ; www.thedavenporthotel.com ; 10 S Post St ; Davenport Hotel/Davenport Tower ch à partir de 130/120 $ ; ). Cet établissement historique (ouvert en 1914) est considéré comme l'un des meilleurs hôtels des États-Unis. Si les chambres sont au-dessus de vos moyens, vous pourrez profiter au moins un moment de son ravissant hall. Le Davenport Tower, adjacent, est une version plus moderne du même luxe, avec un thème "jungle" étonnamment sophistiqué.

**Mizuna** FUSION $$
(509-747-2004 ; 214 N Howard St ; plats déj/dîner 10/28 $ ; 11h-22h lun-sam, 16h-22h dim ; ). Un ancien bâtiment de briques, bien éclairé, doté d'un mobilier en bois simple et de tables décorées de fleurs fraîches. La carte affiche des plats tels que le curry vert de citronnelle aux saint-jacques et clams ou des spécialités végétariennes tout aussi savoureuses, à accompagner d'excellents vins. Une merveille.

### Où prendre un verre et sortir

Avec la population estudiantine de la Gonzaga University, la nuit ne manque pas d'animation à Spokane.

**Northern Lights Brewing Company** BRASSERIE
(www.northernlightsbrewing.com ; 1003 E Tren Ave). Près du campus universitaire, découvrez la meilleure microbrasserie de Spokane.

VAUT LE DÉTOUR

### LE BARRAGE DE GRAND COULEE

Alors que le Hoover Dam (qui a l'avantage d'être situé entre Las Vegas et le Grand Canyon) reçoit près de 1,6 million de visiteurs chaque année, le barrage de Grand Coulee (qui est loin de tout), pourtant quatre fois plus grand et important, apparaît à peine sur les cartes touristiques. C'est la plus grande structure de béton des États-Unis et aussi le plus gros producteur d'électricité de tout le pays.

Le **Grand Coulee Visitor Arrival Center** (☎509-633-9265 ; ⏲9h-17h) retrace l'histoire du barrage et de la région au travers de films, de photos et d'expositions interactives. Des **visites** guidées gratuites des infrastructures ont lieu toutes les heures de 10h à 17h (de mai à septembre). Elles permettent de prendre un ascenseur en verre pour descendre sur 140 m jusqu'à la troisième centrale électrique, d'où vous pourrez voir le sommet des générateurs depuis une plateforme d'observation.

Tous les soirs, un formidable **spectacle laser** (⏲mai-sept la nuit tombée) – qui serait le plus grand du monde – illustre l'histoire de la Columbia River et de ses divers barrages d'une manière saisissante.

**Bing Crosby Theater** THÉÂTRE
(www.mettheater.com ; 901 W Sprague Ave). Dans son cadre plutôt intime, l'ancien Met, rebaptisé du nom du héros local, programme des concerts, des pièces, des festivals de cinéma et le Spokane Opera.

## Renseignements

Le **Spokane Area Visitor Information Center** (www.visitspokane.com ; 201 W Main Ave au niveau de Browne St ; ⏲8h30-17h30 lun-ven, 9h-18h sam-dim) n'est jamais à court d'informations.

## Depuis/vers Spokane

Bus et trains partent de la **Spokane Intermodal Transportation Station** (221 W 1st Ave). **Amtrak** (www.amtrak.com) assure un service quotidien le long de l'Empire Builder pour Seattle (53 $, 7 heures 30), Portland (53 $, 9 heures 30) et Chicago (163 $, 45 heures).

# South Cascades

Plus élevées mais moins ramassées que celles du nord, les South Cascades s'étendent du Snoqualmie Pass, à l'est de Seattle, jusqu'à la Columbia River, à la frontière de l'Oregon. Leur point culminant à plus d'un titre est le Mt Rainier (4 392 m). Tout aussi fascinant mais pour d'autres raisons, le Mt St Helens (2 549 m) se remet de l'éruption dévastatrice de 1980. Moins connu, le Mt Adams (3 741 m) est remarquable pour les myrtilles et fleurs sauvages qui recouvrent ses prairies pendant l'été, lequel est court mais ardent.

## Mt Rainier National Park

Quatrième pic des États-Unis (en dehors de l'Alaska), le majestueux Mt Rainier est aussi l'un des plus beaux. Situés dans un parc national de 953 km² (le cinquième parc national au monde lors de son inauguration en 1899), son sommet enneigé et ses versants boisés recèlent de nombreux sentiers de randonnée, de vastes prairies tapissées de fleurs et un pic conique qui défie les aspirants alpinistes.

Le **Mt Rainier National Park** (www.nps.gov/mora ; piéton/voiture 5/15 $) possède quatre entrées. Appelez le ☎800-695-7623 pour connaître l'état des routes. Le site du National Park Service (NPS) propose des cartes téléchargeables et la description de 50 sentiers. Le plus célèbre est le très difficile Wonderland Trail (150 km) qui fait le tour complet du Mt Rainier et nécessite 10 à 12 jours de marche.

Pour y passer la nuit, demandez un permis de camping (gratuit) aux postes de rangers ou dans les Visitor Centers. Les 6 campings du parc possèdent l'eau courante et des toilettes mais pas de branchements pour les camping-cars. Les réservations dans les **campings du parc** (☎800-365-2267 ; www.mount.rainier.national-park.com/camping.htm ; empl réservé 12-15 $), fortement recommandées en été, peuvent s'effectuer jusqu'à 2 mois à l'avance par téléphone ou en ligne.

**Evergreen Escapes** (www.evergreenescapes.com ; circuit 10 heures 195 $) organise des circuits guidés en bus luxueux et écologiques au départ de Seattle.

### ENTRÉE DE NISQUALLY

Entrée la plus fréquentée et la plus commode au Mt Rainier National Park, Nisqually se trouve sur la Hwy 706 via Ashford, près de l'angle sud-ouest du parc. Elle est ouverte toute l'année. À Longmire, 11 km après l'entrée de Nisqually, se trouve un **musée-centre d'information** (9h-18h juin-sept, 9h-17h oct-mai) GRATUIT, de nombreux départs de sentiers et le rustique **National Park Inn** (360-569-2275 ; www.mtrainierguestservices.com ; ch avec sdb commune/privée 116/164 $, bungalow 244 $ ; P ❄), doté d'un excellent restaurant. D'autres randonnées et sentiers d'interprétation démarrent 19 km plus à l'est à Paradise, où se situent l'intéressant **Henry M Jackson Visitor Center** (360-569-2211, poste 2328 ; Paradise ; 10h-19h tlj juin-oct, 10h-17h sam-dim oct-déc) et le **Paradise Inn** (360-569-2275 ; www.mtrainierguestservices.com ; ch avec sdb commune/privée à partir de 69/114 $ ; mai-oct), auberge historique construite en 1916. Les ascensions du sommet du Mt Rainier partent de l'auberge. **Rainier Mountaineering Inc** (www.rmiguides.com ; 30027 SR706 E, Ashford ; ascensions 4 jours 991 $) propose de formidables ascensions guidées de 4 jours.

### AUTRES ENTRÉES

Les trois autres entrées au Mt Rainier National Park sont **Ohanapecosh**, via la Hwy 123, accessible par la ville de Packwood, où vous trouverez des hébergements ; **White River**, près de la Hwy 410, qui passe par le point le plus haut (1 950 m) jusqu'au magnifique point de vue de la **Sunrise Lodge Cafeteria** (360-569-2425 ; en-cas 5-7 $ ; 10h-19h 30 juin -16 sept) ; et **Carbon River**, la plus éloignée, à l'angle nord-ouest, qui donne accès à la forêt humide du parc.

## Mt St Helens National Volcanic Monument

Ce qui lui manque en altitude, le Mt St Helens le possède en sinistre réputation : 57 personnes y ont péri le 18 mai 1980, lors d'une éruption d'une force équivalent à l'explosion de 1 500 bombes atomiques. Cette catastrophe a débuté par un tremblement de terre de 5,1 sur l'échelle de Richter, qui a déclenché le plus gros glissement de terrain de l'histoire de l'humanité et enseveli près de 600 km² de forêt sous des millions de tonnes de roche volcanique et de cendre. Aujourd'hui, le paysage de forêts renaissantes, de vallées nouvelles et de versants recouverts de cendres est absolument fascinant. Droit d'entrée de 8 $.

Si vous n'êtes pas motorisé, le Mt St Helens peut se visiter en bus dans la journée depuis Portland avec **Eco Tours of Oregon** (www.ecotours-of-orgeon.com ; 3127 SE 23rd Ave, Portland ; 59,50 $). Sinon, il y a trois entrées menant à la montagne et quantité de randonnées, courtes ou longues, en chemin. De mi-juin à fin septembre environ, la Hwy 25 est ouverte et relie les entrées est et sud-est.

### ENTRÉE NORD-EST

En venant de la principale entrée nord-est sur la Hwy 504, faites halte au **Silver Lake Visitor Center** (3029 Spirit Lake Hwy ; 3 $ ; 9h-17h), qui propose des films, des expos et de la documentation gratuite sur la montagne (dont des cartes des sentiers). Pour observer de plus près la puissance destructrice de la nature, rejoignez le **Johnston Ridge Observatory** (10h-18h mi-mai à fin oct) au bout de la Hwy 504 et regardez directement dans la bouche du volcan.

Bienvenu dans ce secteur pauvre en hébergement, l'**Eco Park Resort** (360-274-6542 ; www.ecoparkresort.com ; 14000 Spirit Lake Hwy ; empl 20 $, yourtes 75 $, chalets 100-110 $) propose 7 chambres dans une grande bâtisse en face du Silver Lake Visitor Center.

### ENTRÉES SUD-EST ET EST

L'entrée sud-est, accessible via la ville de **Cougar**, sur la Hwy 503, présente de spectaculaires paysages de lave, dont l'**Ape Cave**, une grotte de lave de 3 km de long que l'on peut explorer toute l'année, mais préparez-vous à affronter la fraîcheur des lieux, car la température demeure constante à 5°C. Apportez deux lampes torches par adulte ou louez des lanternes au **Apes' Headquarters** (8303 Forest Rd ; 10h30-17h juin-sept) moyennant 5 $.

L'entrée est s'avère être la plus éloignée, mais depuis le point de vue de **Windy Ridge**, particulièrement difficile d'accès, les visiteurs pourront ressentir la puissance dévastatrice de l'explosion. Elle est souvent fermé jusqu'en juin. Quelques kilomètres plus bas, vous pourrez emprunter le **Harmony Trail** (1,5 km ; randonnée n°224) qui parcourt 182 m de dénivelé jusqu'au Spirit Lake.

## Centre et sud-est du Washington

Ensoleillées et sèches, rappelant un peu la Californie, les régions centrale et sud-est du Washington possèdent une arme (relativement) secrète : le vin. Les terres fertiles qui bordent les vallées de la Yakima et de la Columbia sont couvertes de nouveaux domaines qui produisent du raisin de qualité désormais en concurrence avec ceux des vallées de Napa et de Sonoma. Les localités de Yakima et de la plus attrayante Ellensburg étaient traditionnellement en tête, mais aujourd'hui les lauriers vont à Walla Walla, que des restaurateurs talentueux et une municipalité dynamique transforment en une destination œnologique par excellence.

### Yakima et Ellensburg

Située dans la vallée de la rivière éponyme, Yakima est une ville marchande plutôt morne, peu en harmonie avec son surnom de "Palm Springs du Washington". Les principales raisons de s'y arrêter sont les nombreux domaines viticoles installés entre Yakima et Benton City ; procurez-vous une carte au **Yakima Valley Visitors & Convention Bureau** (www.visityakima.com ; 10 N 8th St ; 9h-17h lun-sam, 10h-16h dim).

Plus séduisante, la petite bourgade d'Ellensburg, située 58 km au nord-ouest, organise le plus grand rodéo de l'État (chaque Labor Day) et son centre compte le plus grand nombre de cafés par habitant du monde (paraît-il). Prenez un café chez le torréfacteur local **D&M Coffee** (www.dmcoffee.com ; 301 N Pine St ; 7h-17h) et passez la nuit dans la charmante pension de style victorien **Guesthouse Ellensburg** (509-962-3706 ; www.guesthouseellensburg.com ; 606 Main St ; ch 145 $), dans le centre, qui tient aussi l'excellent **Yellow Church Cafe** (www.yellowchurchcafe.com ; 111 S Pearl St ; brunch 8-10 $, dîner 13-23 $ ; 11h-20h lun-ven, 8h-20h sam-dim).

Les bus **Greyhound** (www.greyhound.com) relient les deux villes à Seattle, Spokane et d'autres villes en chemin.

### Walla Walla

Au cours de la dernière décennie, Walla Walla, obscur village agricole connu pour ses oignons doux et son pénitencier, est devenu la zone viticole la plus dynamique en dehors de la Californie. Si le vénérable Whitman College est son volet culturel le plus évident, on y trouve aussi des bars insolites et d'agréables salles de dégustation, des témoignages de l'architecture Queen Anne et un marché fermier animé.

#### À voir

Inutile d'avoir abusé du vin pour apprécier l'héritage historique et culturel de Walla Walla. Sa Main Street a reçu d'innombrables distinctions et la **Chamber of Commerce** (www.wallawalla.org ; 29 E Sumach St ; 8h30-17h lun-ven, 9h-16h sam-dim mai-sept) propose d'intéressantes visites guidées avec documentation et plans. Pour des renseignements sur la vie viticole de la région, consultez **Walla Walla Wine News** (www.wallawallawinenews.com).

**Fort Walla Walla Museum** MUSÉE
(755 Myra Rd ; adulte/enfant 7/3 $ ; 10h-17h ; ). Village pionnier comptant 17 bâtiments historiques et un musée aménagé dans d'anciennes écuries de cavalerie. Il présente des outils agricoles et ce qui pourrait bien être la plus grande réplique en plastique d'un attelage de mules.

**Waterbrook Wine** DOMAINE VITICOLE
(www.waterbrook.com ; 10518 W US 12 ; 11h-18h lun-jeu, 11h-20h ven-sam). Près d'un étang, le patio de ce grand domaine situé à 16 km à l'ouest de la ville est l'endroit idéal pour profiter d'un grand choix de vins par beau temps. Excellents tacos (2 pour 6 $) servis les vendredis et samedis.

**Amavi Cellars** DOMAINE VITICOLE
(3796 Peppers Bridge Rd ; 10h-16h). Au sud de Walla Walla, au cœur d'un beau paysage composé de vignobles et de pommeraies, dégustez certains des vins les plus appréciés de la vallée (goûtez au syrah et au cabernet sauvignon). Le patio, chic et confortable, a vue sur les Blue Mountains.

#### Où se loger et se restaurer

**Colonial Motel** MOTEL $
(509-529-1220 ; www.colonial-motel.com ; 2279 Isaacs Ave ; ch à partir de 70 $ ; ). Tenu en famille, ce motel simple et accueillant se trouve à mi-chemin de l'aéroport. Idéal pour les cyclistes avec son local à vélos et ses nombreuses cartes de la région.

**Marcus Whitman Hotel** HÔTEL $$
(509-525-2200 ; www.marcuswhitmanhotel.com ; 6 W Rose St ; ch 119-325 $ ; ). En accord avec l'image préservée de la ville, ce bel immeuble en brique rouge de 1928

À NE PAS MANQUER

### CIRCUIT ŒNOLOGIQUE DANS LA YAKIMA VALLEY

Si vous êtes sur la route entre Ellensburg et Walla Walla, faites-vous plaisir et offrez-vous une dégustation de professionnel : en faisant tourner le vin en bouche avant de le recracher, vous pourrez goûter le vin sans faire grimper votre taux d'alcoolémie dans le sang. La région viticole américaine (American Viticultural Area ou AVA) de la Yakima Valley est la plus ancienne, la plus vaste et la plus variée de tout l'État. Le site Internet www.wineyakimavalley.org est une bonne source d'informations sur les meilleurs établissements viticoles.

**Bonair Winery** (www.bonairwine.com ; 500 S Bonair Rd, Zillah ; ⏲10h-17h). Dans les Rattlesnake Hills, près de Zillah. Doté d'un joli jardin, ce domaine est un lieu décontracté où l'on déguste de délicieux rouges.

**Terra Blanca** (www.terrablanca.com ; 34715 N DeMoss Rd, Benton City ; ⏲11h-18h). Superbement situé, ce domaine, le plus chic de la région de Red Mountain, jouit d'une belle vue sur la vallée. Parfait pour savourer des vins doux sur le patio.

**Maison Bleue** (☎509-378-6527 ; www.mbwines.com ; 357 Port Ave, Studio D, Prosser ; ⏲sur rdv uniquement). Produit des vins réputés qui rappellent ceux de la vallée du Rhône. Ils peuvent être dégustés au Vintner's Village, à Prosser. Le village n'a pas vraiment de charme, mais les vins y sont bons.

élégamment rénové comporte des chambres spacieuses dans les tons rouille et chocolat décorées de mobilier italien.

**Graze** CAFÉ **$**
(5 S Colville St ; sandwichs à partir de 8 $ ; ⏲10h-19h30 lun-sam, 10h-15h30 dim ; ✎). Des sandwichs divins à déguster dans le café tout ce qu'il y a de plus simple ou à emporter en pique-nique. Le panini à la courge butternut, mozzarella, ail, sauge et *provolone* et le *flank steak torta* avec steak, piments marinés, avocat, tomate, coriandre et sauce *chipotle* ne vous décevront pas.

♥ **Saffron Mediterranean Kitchen** MÉDITERRANÉEN **$$$**
(☎509-525-2112 ; www.saffronmediterraneankitchen.com ; 125 W Alder St ; plats 15-27 $ ; ⏲14h-22h, 14h-21h en hiver). Au Saffron, les ingrédients locaux de saison sont transformés… en or. La carte d'inspiration méditerranéenne propose du faisan, des gnocchis à la ricotta, d'extraordinaires pitas et de surprenantes soupes au yoghourt et au concombre dignes des meilleures tables de Seattle.

### ℹ Depuis/vers Walla Walla

Quatre vols quotidiens d'Alaska Airlines relient le **Walla Walla Regional Airport** (www.wallawallaairport.com) à Seattle.

Les bus **Greyhound** (www.greyhound.com) assurent une liaison quotidienne avec Seattle via Yakima et Ellensburg. Correspondance à Pasco pour aller vers l'est jusqu'à Spokane et au-delà.

# OREGON

Impossible de trouver un qualificatif unique qui caractériserait la géographie de l'Oregon, et il en va de même pour sa population. Littoral déchiqueté, denses forêts de conifères, déserts arides parsemés de fossiles, volcans et glaciers le composent. Quant à ses habitants, ils vont des conservateurs en faveur de l'exploitation forestière aux écologistes fervents…. Ils ont en commun, toutefois, un esprit indépendant, un véritable amour du grand air et un immense attachement à leur État.

## Portland

Dotée de nombreux surnoms – PDX, Stumptown, City of Roses, Bridge City, Beervana ou Portlandia –, Portland mérite bien des éloges. C'est une ville dotée d'un centre-ville très animé, de jolis quartiers résidentiels, d'ambitions écologiques et de personnalités loufoques. Ici, les progressistes idéalistes sont plus nombreux que les conservateurs, les restaurants chics acceptent les clients en tenue décontractée et personne ne dénigre les innombrables *brewpubs* (bistrots-brasseries), les cafés, les clubs de tricot ou de lecture ni les soirées lesbiennes. Portland est une destination dans le vent, et une étape incontournable et plaisante lors de votre périple dans le Nord-Ouest pacifique.

## À voir

### Downtown (centre-ville)

**Tom McCall Waterfront Park** PARC

Ce parc, qui sinue sur 3 km le long de la rive ouest de la Willamette River est à la fois un stade informel pour les coureurs de midi et un carrefour important pour les myriades de cyclistes locaux. C'est aussi un lieu parfait pour un pique-nique. Il accueille de grands festivals l'été.

**Pioneer Courthouse Square** LIEU EMBLÉMATIQUE

Cœur du centre-ville, cette place en brique à circulation réduite attire touristes, amateurs de bains de soleil, employés en pause déjeuner, artistes de rue et activistes politiques. Ancien hôtel chic, puis parking, la place accueille aujourd'hui concerts, festivals, rassemblements et marchés de producteurs. De l'autre côté de 6th Ave, la massive **Pioneer Courthouse** est le plus ancien bâtiment fédéral du Nord-Ouest pacifique.

**Portland Building** BÂTIMENT EMBLÉMATIQUE

(angle SW 5th Ave et SW Main St). Dans un centre dépourvu de gratte-ciel se détache le Portland Building, édifice emblématique conçu en 1980 par Michael Graves. Triomphe du post-modernisme pour certains, ou du manque de prise en compte de l'usager pour d'autres, ses 15 étages s'ornent de la statue **Portlandia**, qui représente la déesse du Commerce, et qui est la plus grande statue en cuivre martelé des États-Unis, après la statue de la Liberté.

**Oregon Historical Society** MUSÉE

(503-222-1741 ; www.ohs.org ; 1200 SW Park Ave ; adulte/6-18 ans 11/5 $ ; 10h-17h lun-sam, 12h-17h dim). Le long des South Park Blocks bordés d'arbres, voici le premier musée d'Histoire de l'État, dont l'espace est principalement dédié à l'histoire de l'Oregon et à ses pionniers. D'intéressantes sections sont consacrées aux tribus amérindiennes et à la construction de l'Oregon Trail.

**Portland Art Museum** MUSÉE

(www.portlandartmuseum.org ; 1219 SW Park Ave ; adulte/enfant 15 $/gratuit ; 10h-17h mar, mer et sam, 10h-20h jeu-ven, 12h-17h dim). Situé dans les South Park Blocks, ce musée d'art expose notamment des sculptures amérindiennes, des œuvres asiatiques et américaines, et de l'argenterie anglaise. Il abrite également le Whitsell Auditorium, une excellente salle qui programme souvent des films rares ou étrangers.

**Aerial Tram** TÉLÉPHÉRIQUE

(www.gobytram.com ; 3303 SW Bond Ave ; aller-retour 4 $ ; 5h30-21h30 lun-ven, 9h-17h sam). Ce "tramway aérien" relie le sud du Waterfront (à l'arrêt du tramway) à Marquam Hill. Il grimpe un dénivelé de 150 m sur un trajet de 1 km. La course dure 3 minutes. Inauguré en 2007, il a dépassé le budget prévisionnel et déclenché une grande controverse dans la population.

### Old Town et Chinatown

Cœur du Portland exubérant des années 1890, Old Town était autrefois un quartier mal fréquenté. Aujourd'hui, les reines du disco sont plus présentes que les dealers. C'est l'un des quartiers les plus animés de la ville en soirée, lorsque les clubs et les bars ouvrent leurs portes et que les jeunes branchés font leur apparition.

#### L'OREGON EN BREF

**Surnom** Beaver State (État du castor)

**Population** 3 900 000 habitants

**Superficie** 251 417 km²

**Capitale** Salem (157 000 habitants)

**Autres villes** Portland (594 000 hab.), Eugene (157 000 hab.), Bend (78 000 hab.)

**TVA** Aucune

**Lieu de naissance** du président Herbert Hoover (1874-1964), de l'écrivain Ken Kesey (1935-2001), de l'actrice et danseuse Ginger Rogers (1911-1995), de Matt Groening (né en 1954), créateur des *Simpsons*, et du réalisateur Gus Van Sant (né en 1952)

**Patrie** de l'Oregon Shakespeare Festival, de Nike, du Crater Lake

**Politique** Gouverneur démocrate, membres du Congrès majoritairement démocrates, vote démocrate aux élections présidentielles depuis 1984

**Célèbre pour** ses forêts, sa pluie, ses bières artisanales, son café et le Death with Dignity Act, légalisant l'euthanasie.

**Boisson de l'État** Le lait (les laiteries y sont nombreuses)

**Route** Interdiction de se servir soi-même à la pompe ; Portland-Eugene 177 km, Portland-Astoria 155 km

**Shanghai Tunnels** SITE HISTORIQUE
(www.shanghaitunnels.info ; tarif plein/réduit 13/8 $). Sous les rues d'Old Town, ces souterrains cachaient dans les années 1850 des individus peu scrupuleux prêts à enlever ou "shanghaïser" des hommes ivres, afin de les vendre à des capitaines de navires en mal de main-d'œuvre. Les visites ont lieu les vendredis et samedis à 18h30 et 20h. Réservations en ligne.

**Chinatown** QUARTIER
Très décorées, les **Chinatown Gates** (angle W Burnside St et NW 4th Ave) marquent la limite sud du quartier chinois de Portland, qui compte quelques restaurants chinois (la plupart bordant 82nd Ave vers l'est) pour faire bonne mesure. La principale attraction locale est le **Classical Chinese Garden** (☎503-228-8131 ; www.lansugarden.org ; 239 NW Everett St ; adulte/enfant 8/7 $ ; ⏲10h-18h), paisible ensemble d'étangs et d'espaces verts très bien entretenu.

**Saturday Market** MARCHÉ
(☎503-222-6072 ; www.portlandsaturdaymarket.com ; SW Ankeny St et Naito Pkwy ; ⏲10h-17h sam, 11h-16h30 dim mars-déc). Le week-end est le meilleur moment pour se promener le long de la rivière et voir ce célèbre marché, avec ses artisans, ses artistes de rue et ses stands de restauration.

**Skidmore Fountain** FONTAINE
(SW 1st Ave et Ankeny St). Située sous le Burnside Bridge, la Skidmore Fountain, datant de l'époque victorienne (1888), présente des vasques installées sur trois niveaux : la plus haute était destinée aux hommes, celle du milieu aux chevaux, et les plus basses aux chiens.

## Pearl District et Northwest

**Pearl District** QUARTIER
(www.explorethepearl.com). Au nord-ouest du centre, le Pearl District est un ancien quartier industriel dont les entrepôts sont devenus des lofts coûteux, des boutiques de luxe et des restaurants originaux. Le premier jeudi de chaque mois, les nombreuses **galeries d'art** du secteur ferment plus tard le soir et le quartier prend des allures de fête. Le **Jamison Square Fountain** (810 NW 11th Ave) est l'un des plus beaux espaces urbains du secteur. Ne manquez pas le **Museum of Contemporary Craft** (☎503-223-2654 ; www.museumofcontemporarycraft.org ; 724 NW Davis St ; 4 $ ; ⏲11h-18h mar-sam, 11h-20h 1er jeu du mois), qui possède de nombreuses et belles poteries.

**Northwest 23rd Ave** QUARTIER
NW 23rd Ave ("Trendy-third") est une rue commerçante huppée, près du quartier de West Hills, remplie de boutiques de mode ou de décoration et de cafés. Les restaurants – dont quelques-unes des meilleures tables de Portland – bordent NW 21st Ave qui lui est parallèle. Ce quartier est idéal pour se balader, faire du lèche-vitrines, boire un café et admirer de magnifiques demeures.

## West Hills

Situé derrière le centre-ville, West Hills est célèbre pour ses demeures somptueuses, ses parcs immenses et sa vue sur plusieurs volcans des Cascades.

♥ **Forest Park** PARC
(www.forestparkconservancy.org). Peu de villes possèdent 2 000 ha de forêt humide tempérée sur leur territoire. Adossé à l'ouest du Washington Park, le Forest Park, beaucoup plus sauvage, se distingue par sa faune, sa flore et sa communauté de marcheurs acharnés. La **Portland Audubon Society** (☎503-292-6855 ; www.audubonportland.org ; 5151 NW Cornell Rd ; ⏲9h-17h, boutique nature 10h-18h lun-sam, 10h-17h dim) s'occupe d'une librairie, d'un refuge pour animaux et de 6 km de sentiers dans son sanctuaire de Forest Park.

Le principal édifice du parc est **Pittock Mansion** (☎503-823-3623 ; www.pittockmansion.org ; 3229 NW Pittock Dr ; adulte/6-18 ans 8,50/5,50 $, parc gratuit ; ⏲11h-16h), demeure édifiée en 1914 par Henry Pittock, qui relança le journal *Oregonian*, basé à Portland. La visite (gratuite) de son parc vaut le détour rien que pour la vue splendide – apportez votre pique-nique.

**Washington Park** PARC
(www.washingtonparkpdx.org). À l'ouest de Forest Park, les 160 ha de verdure de Washington Park comptent plusieurs sites intéressants. Le **Hoyt Arboretum** (☎503-865-8733 ; www.hoytarboretum.org ; 4000 Fairview Blvd ; ⏲sentiers 6h-22h, Visitor Center 9h-16h lun-ven, 11h-15h sam-dim) GRATUIT regroupe plus de 1 000 essences d'arbres exotiques et endémiques ainsi que 19 km de sentiers. Le spectacle est grandiose à l'automne. Offrant une vue superbe sur la ville, les **International Rose Test Gardens** (☎503-823-3636 ; www.rosegardenstore.org/rose-gardens.cfm ; 400 SW Kingston Ave ; ⏲7h30-21h) GRATUIT

constituent la pièce maîtresse de la "Cité des Roses" ; on peut y admirer plus de 500 variétés de rosiers. Plus haut sur la colline, le **Japanese Garden** (☎503-223-1321 ; www.japanesegarden.com ; 611 SW Kingston Ave ; adulte/6-17 ans 9,50/6,75 $ ; ⏲12h-19h lun, 9h-19h mar-ven et dim, 9h-21h sam) est une autre oasis de tranquillité.

## Northeast et Southeast

De l'autre côté de la Willamette en venant du centre-ville, la galerie marchande **Lloyd Center**, la plus grande de l'Oregon, est le lieu où Tonya Harding, célèbre patineuse artistique américaine, a fait ses premiers pas sur la glace. Quelques pâtés de maison plus au sud-ouest se trouvent les "incontournables" tours de verre de l'**Oregon Convention Center**, et, non loin, le **Moda Center** (appelé auparavant Rose Garden Arena) – fief des Trail Blazers, l'équipe de basket-ball professionnelle locale.

En remontant la Willamette, **N Mississippi Avenue**, autrefois bordée d'immeubles décrépits, est désormais un ensemble de boutiques et de restaurants tendance. Au nord-est, **NE Alberta Street** étale sa ribambelle de galeries d'art, boutiques et cafés (la manifestation d'art urbain Last Thursday, qui a lieu le dernier jeudi de chaque mois est un événement auquel il faut absolument participer). **SE Hawthorne Boulevard** (près de SE 39th Ave) est un territoire bohème huppé avec boutiques de souvenirs, cafés et deux enseignes des librairies Powell. À 1,6 km de là vers le sud, **SE Division Street**, bordée de nombreux excellents restaurants, bars et pubs, est devenue une destination prisée des gourmets. Il en va de même pour **E Burnside at NE 28th Avenue**, où l'atmosphère est cependant plus chic.

## Activités

### Randonnée

Les 129 km de sentiers du Forest Park (p. 220) – qui ressemble parfois plus aux contreforts du Mt Hood qu'à un parc dans la ville –, sont particulièrement propices à la randonnée. Le **Wildwood Trail** commence au Hoyt Arboretum et serpente à travers 48 km de forêt ; de nombreux sentiers secondaires permettent de revenir sur ses pas. D'autres sentiers forestiers partent des extrémités ouest de NW Thurman St et NW Upshur St.

### Vélo

Portland a plusieurs fois été élue "ville des États-Unis la plus adaptée aux cyclistes" dans différents médias, comme CNN Travel, NBC News et *Bicycling Magazine*. Nombre de rues sont aménagées pour les vélos et les automobilistes sont habitués à être attentifs aux deux-roues. Rouler le long des quais dans le centre ville est un excellent moyen de découvrir la ville.

À l'est, **Springwater Corridor** démarre près de l'Oregon Museum of Science & Industry (comme un prolongement de l'Eastbank Esplanade) et rejoint le faubourg de Boring 33 km plus loin. Au nord-ouest, **Leif Erikson Drive** est une ancienne route de bûcherons de 17 km qui mène dans Forest Park et offre quelques vues de la ville.

Pour admirer la campagne, gagnez **Sauvie Island**, 16 km au nord-ouest de Portland-centre. Paradis des cyclistes, cette île plate et relativement dépourvue de circulation est en grande partie un parc naturel.

Pour louer des vélos, adressez-vous à **Waterfront Bicycle Rentals** (☎503-227-1719 ; www.waterfrontbikes.com ; 10 SW Ash St ; 40 $/jour). L'office du tourisme et les boutiques de vélos distribuent de bonnes cartes indiquant les pistes cyclables.

### Kayak

Proche de la confluence entre la Columbia et la Willamette, Portland comprend des kilomètres de canaux navigables. **Portland Kayak Company** (☎503-459-4050 ; www.portlandkayak.com ; 6600 SW Macadam Ave) propose des locations de kayak, des cours et des excursions, notamment le tour de Ross Island sur la Willamette River (3 heures). Pour des locations, cours et circuits sur le thème de la nature dans les environs de Sauvie Island, rendez-vous chez **Scappoose Bay Kayaking** (☎503-397-2161 ; www.scappoosebaykayaking.com ; 57420 Old Portland Rd), situé dans Scappoose, à 32 km au nord-ouest de Portland.

## Circuits organisés

**Pedal Bike Tours** VÉLO
(☎503-243-2453 ; www.pedalbiketours.com ; 133 SW 2nd Ave). Circuits à vélo sur toutes sortes de thèmes : histoire, gastronomie, bières, etc. Possibilité de se rendre sur la côte ou dans une gorge.

**Portland Walking Tours** PROMENADE À PIED
(☎503-774-4522 ; www.portlandwalkingtours.com). Excursions orientées sur la gastronomie,

le chocolat, le mouvement underground et même les fantômes.

**Forktown** CIRCUIT GASTRONOMIQUE
(☎503-234-3663 ; www.forktown.com). Découvrez les restaurants de quartier en faisant travailler vos papilles.

**Pubs of Portland Tours** BIÈRE
(☎512-917-2464 ; www.pubsofportlandtours.com). Visitez plusieurs brasseries et *brewpubs* avec des guides qui vous feront découvrir le brassage, les différents styles de bière et, évidemment, la manière de déguster ces nectars.

## Portland

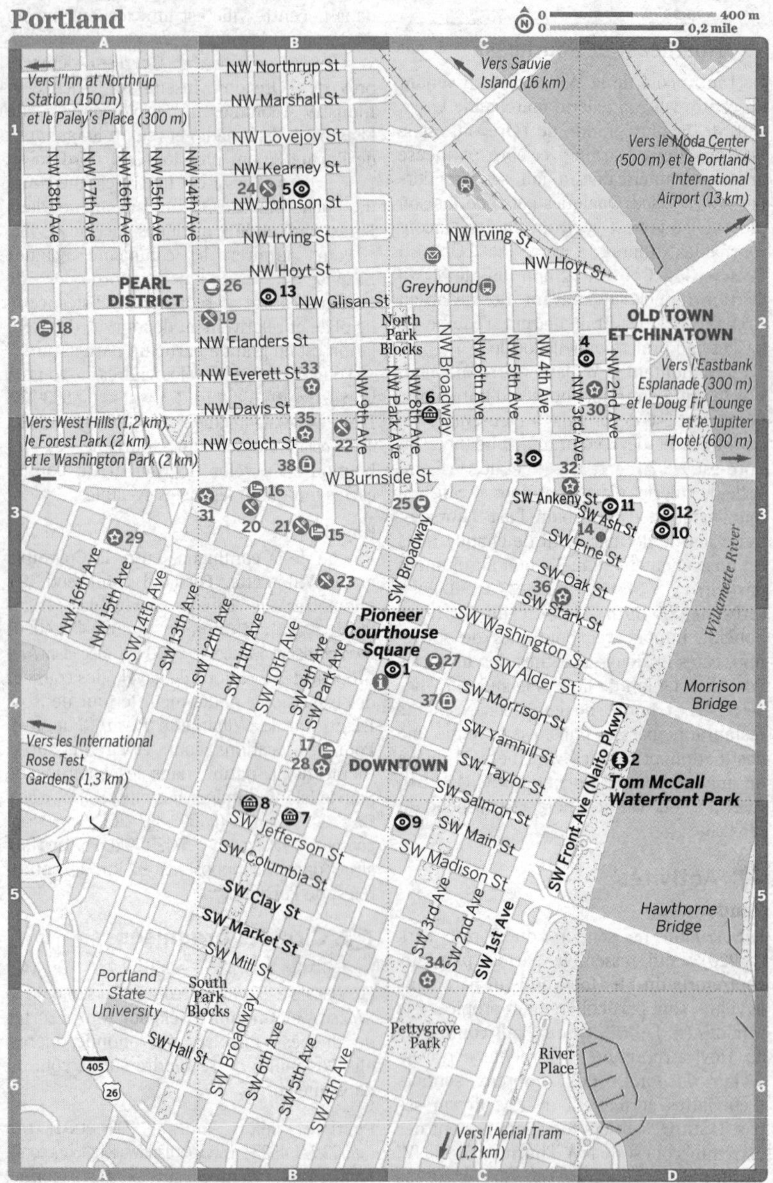

## Fêtes et festivals

**Portland Rose Festival** FÊTE DE LA ROSE
(www.rosefestival.org ; fin mai à mi-juin). Chars couverts de roses, courses de bateaux-dragons, feux d'artifice, débarquement de matelots et couronnement de la Rose Queen en font la plus grande fête de Portland.

**Oregon Brewers Festival** FÊTE DE LA BIÈRE
(www.oregonbrewfest.com ; juil et déc). Dégustez des bières artisanales dans le Tom McCall Waterfront Park en été (fin juillet) et, en hiver (début décembre), sur Pioneer Courthouse Sq.

**Bite of Oregon** GASTRONOMIE
(www.biteoforegon.com ; début août). Tous les aliments et les bières imaginables provenant, pour la majeure partie, d'excellents restaurants locaux et, pour le reste, des stands ambulants qui font la réputation de Portland. Bonnes bières artisanales également. Bite of Oregon sponsorise Special Olympics Oregon.

**Art in the Pearl** ART
(www.artinthepearl.com ; 1er lun de sept et le week-end précédent). Durant le week-end du Labor Day, plus de 100 artistes choisis avec soin se réunissent pour exposer et vendre leurs œuvres. Les occasions de se restaurer et les concerts ne manquent pas.

## Où se loger

Il faut réserver bien à l'avance en été.

**Hawthorne Portland Hostel** AUBERGE DE JEUNESSE $
(503-236-3380 ; www.portlandhostel.org ; 3031 SE Hawthorne Blvd ; dort 28 $, d avec sdb commune 60 $ ; ). Cette auberge de jeunesse profite d'une agréable ambiance et d'un bon emplacement, dans Hawthorne. Les chambres privatives sont correctes et les dortoirs spacieux. L'été, soirées "scène libre" dans le jardin arrière. Location de vélos. Très écologique, cet établissement composte et recycle ses déchets, utilise l'eau de pluie dans les toilettes et possède un toit végétalisé. Remises proposées aux cyclistes. Supplément de 3 $ pour les non-membres HI.

**Northwest Portland Hostel** AUBERGE DE JEUNESSE $
(503-241-2783 ; www.nwportlandhostel.com ; 425 NW 18th Ave ; dort 20-29 $, d avec sdb commune

NORD-OUEST PACIFIQUE PORTLAND

### Portland

**Les incontournables**
1 Pioneer Courthouse Square ........ C4
2 Tom McCall Waterfront Park ........ D4

**À voir**
3 Chinatown Gates ........ C3
4 Classical Chinese Gardens ........ D2
5 Jamison Square Fountain ........ B1
6 Museum of Contemporary Craft ........ C2
7 Oregon Historical Society ........ B5
8 Portland Art Museum ........ B5
9 Portland Building ........ C5
10 Saturday Market ........ D3
11 Shanghai Tunnels ........ D3
12 Skidmore Fountain ........ D3
13 The Pearl District ........ B2

**Activités**
14 Pedal Bike Tours ........ D3

**Où se loger**
15 Ace Hotel ........ B3
16 Crystal Hotel ........ B3
17 Heathman Hotel ........ B4
18 Northwest Portland Hostel ........ A2

**Où se restaurer**
19 Andina ........ B2
20 Jake's Famous Crawfish ........ B3
21 Kenny & Zuke's ........ B3
22 Little Big Burger ........ B3
23 Nong's Khao Man Gai ........ B3
24 Piazza Italia ........ B1

**Où prendre un verre et faire la fête**
25 Bailey's Taproom ........ C3
26 Barista ........ B2
27 Departure Lounge ........ C4

**Où sortir**
28 Arlene Schnitzer Concert Hall ........ B4
29 Artists Repertory Theatre ........ A3
30 CC Slaughters ........ D2
31 Crystal Ballroom ........ B3
32 Dante's ........ C3
Darcelle XV ........ (voir 30)
33 Jimmy Mak's ........ B2
34 Keller Auditorium ........ C5
35 Portland Center Stage ........ B3
36 Silverado ........ C3

**Achats**
37 Pioneer Place ........ C4
38 Powell's City of Books ........ B3

65 $ ; ). Très bien située entre le Pearl District, NW 21st Ave et 23rd Ave, cette auberge conviviale et propre occupe 4 vieux bâtiments et comprend de nombreux espaces communs (dont une petite terrasse). Les dortoirs sont spacieux et les chambres privatives peuvent valoir celles d'hôtels, bien que les sdb soient communes et à l'extérieur. Location de vélos. Supplément de 3 $ pour les non-membres HI.

**Ace Hotel** BOUTIQUE-HÔTEL **$$**
(503-228-2277 ; www.acehotel.com ; 1022 SW Stark St ; d avec sdb commune/privative à partir de 135/185 $ ; ). Hébergement le plus tendance de Portland, cet hôtel mêle les styles classique, industriel, minimaliste et rétro. Du photomaton au salon dans le hall en passant par les tissus et les meubles recyclés dans les chambres, l'Ace offre une belle déclinaison de l'esprit loft. Le café Stumptown sur place est un plus. Parking 25 $.

**Crystal Hotel** HÔTEL **$$**
(503-972-2670 ; www.mcmenamins.com/CrystalHotel ; 303 SW 12th Ave ; ch 85-165 $ ; ). Les chambres qui mélangent styles psychédélique et victorien annoncent que vous êtes bien dans le dernier-né des hôtels McMenamins. Le Crystal abrite 51 chambres (les moins chères avec sdb au bout du couloir), chacune à la décoration inspirée d'une chanson. Fantastique petit bassin d'eau de mer au sous-sol.

**Jupiter Hotel** BOUTIQUE-MOTEL **$$**
(503-230-9200 ; www.jupiterhotel.com ; 800 E Burnside ; d à partir de 159 $ ; ). Adresse la plus branchée de la ville, ce motel chic et réaménagé est accessible à pied depuis le centre-ville et se trouve juste à côté du Doug Fir Lounge (p. 228), une salle de concerts haut de gamme. Les chambres standards sont exiguës, préférez les Metropolitan, et demandez à ne pas être trop prêt du patio de bambou si vous ne voulez pas veiller tard. Kitchenettes et location de vélos disponibles. Réduction si vous arrivez sans réservation après minuit.

**Clinton St Guesthouse** PENSION **$$**
(503-234-8752 ; www.clintonstreetguesthouse.com ; 4220 SE Clinton St ; d 100-145 $ ; ). Quatre chambres simples mais superbes (2 avec sdb commune) sont installées dans cette belle maison d'artiste d'un quartier résidentiel. Les meubles sont élégants, le linge de maison raffiné et les hôtes particulièrement aimables. De nombreux restaurants sont accessibles à pied.

**McMenamins Edgefield** HÔTEL **$$**
(503-669-8610 ; www.mcmenamins.com/54-edgefield-home ; 2126 SW Halsey St, Troutdale ; dort 30 $, d avec sdb commune 70-115 $, avec sdb privative 120-155 $ ; ). Cette ancienne ferme restaurée par les frères McMenamin est devenue un complexe hôtelier doté d'une étourdissante gamme de services, le tout sur 15 ha. On peut déguster du vin et de la bière maison, jouer au golf, regarder des films, faire des achats à la boutique de cadeaux, écouter de la musique live, arpenter les vastes jardins et manger dans plusieurs restaurants. À environ 20 minutes de voiture à l'est du centre-ville.

**Kennedy School** HÔTEL **$$**
(503-249-3983 ; www.mcmenamins.com ; 5736 NE 33rd Ave ; d 115-155 $ ; ). Véritable institution locale, le Kennedy occupe une ancienne école élémentaire, et les chambres sont aménagées dans des salles de classe. L'hôtel comprend un restaurant, plusieurs bars, une microbrasserie et une salle de cinéma. Il y a aussi un bassin pour faire trempette et toute l'école est décorée de mosaïques, de tableaux fantastiques et de photos historiques.

**Inn at Northrup Station** BOUTIQUE-HÔTEL **$$**
(503-224-0543 ; www.northrupstation.com ; 2025 NW Northrup St ; d à partir de 174 $ ; ). Presque excessif à force de couleurs vives et de décoration originale, cet hôtel archi-branché propose d'immenses suites stylées, dont beaucoup sont dotées d'un patio ou d'un balcon, et toutes d'une kitchenette ou d'une cuisine équipée. Agréable patio orné de plantes sur le toit. Billets de tramway (qui passe juste devant l'hôtel) offerts.

**Heathman Hotel** HÔTEL DE LUXE **$$$**
(503-241-4100 ; www.heathmanhotel.com ; 1001 SW Broadway ; d à partir de 249 $ ; ). Autre institution de Portland, le Heathman offre un service de haut vol et abrite l'un des meilleurs restaurants de la ville. Ses chambres sont somptueuses, et son emplacement très central. Il propose aussi un thé complet l'après-midi, du jazz en soirée et une bibliothèque remplie d'ouvrages dédicacés par les auteurs qui ont séjourné ici. Parking 32 $.

## Où se restaurer

La scène culinaire évolue rapidement à Portland et a abandonné les conventions pour se diversifier dans d'innombrables genres et sous-genres. On y trouve en abondance des tables végétariennes, des brunchs, de la cuisine asiatique fusion et des représentants du courant "Nord-Ouest pacifique", aux concepts un peu flous. Il y aussi les célèbres stands d'alimentation de la ville, qui proposent des dizaines de cuisines et divers plats loufoques.

**Little Big Burger** BURGERS **$**
(☎503-274-9008 ; www.littlebigburger.com ; 122 NW 10th Ave ; burgers 4 $ ; ⏲11h-22h). Avec son menu simple de 6 mini-burgers préparés à partir d'ingrédients de haute qualité, cette adresse est un cran au-dessus des autres fast-foods. Goûtez le burger au bœuf recouvert de cheddar, de *Swiss cheese* (sorte d'emmental américain), de chèvre ou de bleu, servi avec des frites à la truffe. Au dessert, optez pour le succulent *root-beer float* (soda à la glace). Plusieurs restaurants à Portland ; consultez le site Internet.

**Pok Pok** THAÏLANDAIS **$$**
(☎503-232-1387 ; www.pokpokpdx.com ; 3226 SE Division St ; plats 11-16 $ ; ⏲11h30-22h). Cette adresse réputée qui sert de la cuisine de rue thaïlandaise épicée un peu améliorée attire les foules en quête de saveurs fortes. Ne manquez pas les ailes de poulet. Pendant que vous faites la queue, dégustez une boisson concoctée par le bar du restaurant, le Whiskey Soda Lounge, non loin. Deuxième restaurant au 1469 NE Prescott St.

**Navarre** EUROPÉEN **$$**
(☎503-232-3555 ; www.navarreportland.blogspot.com ; 10 NE 28th Ave ; petites assiettes 4-8 $, grandes assiettes 10-18 $ ; ⏲16h30-22h30 lun-jeu, 16h30-23h30 ven, 9h30-23h30 sam, 9h30-22h30 dim). La carte – une simple feuille de papier – de ce restaurant au décor industriel élégant affiche plusieurs petites assiettes (ne les appelez pas tapas), qui changent tous les jours – à part quelques plats très appréciés. Attendez-vous à une déclinaison simple mais délicieuse de recettes comme le gâteau de crabe, l'agneau ou les légumes grillés. Le week-end, le brunch est tout aussi bon.

**Piazza Italia** ITALIEN **$$**
(☎503-478-0619 ; www.piazzaportland.com ; 1129 NW Johnson St ; pâtes 13-17 $ ; ⏲11h30-15h et 17h-21h lun-jeu, 17h-22h ven-dim). Vous vous rappelez cet excellent *ragù* (sauce à la viande) dégusté à Bologne et ces inoubliables *vongole* (palourdes) savourées en Sicile ? Vous pourrez retrouver les mêmes saveurs



## LES STANDS DE RUE DE PORTLAND

L'un des moyens les plus plaisants de découvrir la cuisine de Portland est de se restaurer à l'un de ses stands de rue. Ces cuisines roulantes semi-sédentaires installées sur les parkings se regroupent généralement autour de tables communes, de DAB et de toilettes. Leurs propriétaires étant souvent des immigrants récents (qui ne peuvent s'offrir un vrai restaurant pour débuter), ces stands sont de véritables Babels culinaires. Les emplacements de ces stands varient, mais le regroupement le plus important se trouve au carrefour entre SW Alder St et SW 9th Ave.

Pour avoir la liste des stands actuels et quelques renseignements, consultez le site www.foodcartsportland.com. Quelques adresses qui se distinguent dans la concurrence acharnée :

**Nong's Khao Man Gai** (☎971-255-3480 ; www.khaomangai.com ; SW 10th et SW Alder St ; plats 7 $ ; ⏲10h-16h lun-ven). Tendre poulet avec du riz… Rien de plus ! Autres adresses au 411 SW College St et au 609 SE Ankeny St.

**Viking Soul Food** (www.vikingsoulfood.com ; 4262 SE Belmont Ave ; plats 5-6 $ ; ⏲12h-20h mar-jeu, 11h30-21h30 ven-sam, 11h30-20h30 dim). Délicieux wraps sucrés et salés.

**Rip City Grill** (www.ripcitygrill.com ; angle SW Moody et Abernathy, South Waterfront ; sandwichs 5-7 $ ; ⏲10h-14h lun-ven). Le sandwich à l'aiguillette de bœuf (*tri-tip*) est à ne rater sous aucun prétexte.

**Thrive Pacific NW** (www.thrivepacificnw.com ; plats 5-8 $). Bols de nourriture exotique bio et sans gluten. Voir le site Internet pour leur emplacement (qui change souvent) et les heures d'ouverture.

**Pepper Box** (www.pepperboxpdx.com ; 2737 NE Martin Luther King Jr Blvd ; tacos et quesadillas 3,50-4 $ ; ⏲9h-14h mar-ven, 9h-13h sam). Excellents tacos pour le petit-déjeuner et *quesadillas* originales.

dans cet authentique restaurant italien qui réussit là où tant d'autres échouent : reproduire en Amérique du Nord l'essence même de la cuisine italienne.

**Pambiche** CUBAIN **$$**
(☎503-233-0511 ; www.pambiche.com ; 2811 NE Glisan St ; plats 12-17 $ ; ⏲11h-22h lun-jeu, 11h-minuit ven, 9h-minuit sam, 9h-22h dim). La meilleure cuisine cubaine de Portland servie dans un environnement coloré et animé. On peut y déguster toutes les spécialités, notamment une *ropa vieja* (bœuf haché à la sauce tomate), et de succulents desserts. L'happy hour est très avantageux (de 14h à 18h du lundi au vendredi, de 22h à minuit les vendredis et samedis). En soirée, l'attente peut être longue.

**Kenny & Zuke's** TRAITEUR **$$**
(☎503-222-3354 ; www.kennyandzukes.com ; 1038 SW Stark St ; sandwichs 10-15 $ ; ⏲7h-20h lun-jeu, 7h-22h ven, 8h-22h sam, 8h-20h dim). L'unique adresse de Portland où l'on peut acheter de véritables plats juifs : bagels, hareng mariné, légumes en saumure maison et *latkes*. Mais son point fort est le pastrami maison, détaillé à la demande, qui sert à préparer l'un des meilleurs sandwichs *Reuben* qui nous ait été donné l'occasion de goûter. Les petits-déjeuners attirent aussi du monde. Autre adresse dans le nord de Portland.

♥ **Ox** GRILL **$$$**
(☎503-284-3366 ; www.oxpdx.com ; 2225 Martin Luther King Jr Blvd ; plats 19-38 $ ; ⏲17h-22h mar-dim). Ce grill haut de gamme aux accents argentins est le restaurant le plus couru d'une ville pourtant réputée pour son amour de la cuisine végétarienne. Optez pour le "Gusto" (côte de bœuf nourri à l'herbe ; 38 $) ou, si vous êtes deux, l'*asado* – une bonne idée pour goûter à plusieurs morceaux différent (60 $). Réservez et préparez-vous à alléger votre bourse.

**Paley's Place** FRANÇAIS, FUSION **$$$**
(☎503-243-2403 ; www.paleysplace.net ; 1204 NW 21st Ave ; plats 23-36 $ ; ⏲17h30-22h lun-jeu, 17h30-23h ven-sam, 17h-22h dim). Ouvert par Vitaly et Kimberly Paley, ce restaurant, l'un des plus sélects de la ville, propose un mariage créatif de la cuisine française et de celle du Nord-Ouest pacifique. Que vous vous délectiez d'un flétan d'Alaska ou de ris de veau à la purée de fèves, vous profiterez d'ingrédients ultra-frais et d'un excellent service.

**Andina** PÉRUVIEN **$$$**
(☎503-228-9535 ; www.andinarestaurant.com ; 1314 NW Glisan St ; déj plats 14-17 $, dîner plats 22-30 $ ; ⏲11h30-14h30 et 17h-21h30 dim-jeu, 17h-22h30 ven-sam). L'Andina propose une cuisine péruvienne traditionnelle remise au goût du jour pour ravir les clients avec des mets délicieux, comme les coquilles Saint-Jacques en croûte de quinoa et sur lit d'épinards séchés, ou le gigot d'agneau cuit lentement dans une sauce coriandre et bière noire. Pour un repas plus léger, préférez le bar à tapas et ses excellents cocktails avec des musiciens jouant des rythmes latino-américains.

**Jake's Famous Crawfish** POISSON ET FRUITS DE MER **$$$**
(☎503-226-1419 ; 401 SW 12th Ave ; déj plats 10-16 $, dîner plats 19-39 $ ; ⏲11h30-22h lun-jeu, 11h30-minuit ven-sam, 15h-22h dim). Certains des meilleurs produits de la mer de Portland sont servi dans cette élégante salle à l'ancienne : les huîtres sont exquises, les gâteaux de crabe une révélation et le flétan sauvage en croûte de noix de macadamia absolument divin. Tarifs plus abordables pendant l'happy hour.

## Où prendre un verre et faire la fête

Portland est réputée pour son café et elle compte une bonne cinquantaine de brasseries, plus qu'aucune autre ville au monde. Elle possède aussi un grand choix d'excellents bars, allant des vieux bistrots aux bars ultra-tendance en passant par les pubs et les lounges modernes. Bref, vous trouverez toujours un endroit où vous désaltérer sur votre chemin.

♥ **Barista** CAFÉ
(☎503-274-1211 ; www.baristapdx.com ; 539 NW 13th Ave ; ⏲6h-18h lun-ven, 7h-18h sam-dim). Propriété de Billy Wilson, *barista* primé, c'est l'un des meilleurs cafés de Portland réputé pour ses *latti*. Ses grains proviennent d'un torréfacteur spécialisé. Autres cafés au 529 SW 3rd Ave et au 1725 NE Alberta St.

**Amnesia Brewing** BRASSERIE
(☎503-281-7708 ; www.amnesiabrews.com ; 832 N Beech St ; ⏲15h-minuit lun, 12h-minuit mar-dim). Dans la branchée Mississippi Street (bien que son adresse officielle soit Beech St), cette brasserie a des tables de pique-nique installées à l'extérieur et affiche une très grande décontraction. La Desolation IPA, l'Amnesia

Brown et la Wonka Porter sont excellentes et mémorables (malgré leur nom !). Dehors, un grill sert des burgers et des saucisses. Concerts le week-end.

**Horse Brass Pub** PUB

(www.horsebrass.com ; 4534 SE Belmont St ; ⏲11h-2h30). Le pub anglais le plus authentique de Portland. On l'aime pour ses boiseries sombres, ses excellents *fish and chips* et sa quarantaine de bières pression. On peut jouer aux fléchettes, regarder un match de foot à la TV ou simplement savourer l'ambiance.

**Coava Coffee** CAFÉ

(☎503-894-8134 ; www.coavacoffee.com ; 1300 SE Grand Ave ; ⏲6h-18h lun-ven, 7h-18h sam, 8h-18h dim). Le décor est néo-industriel à outrance, mais cela ne semble pas déplaire à la majorité des clients, et de toute façon, le Coava connaît son métier. Il sert de bons cafés-filtre, dont un fantastique Java, ainsi que des expressos exceptionnels.

**Bailey's Taproom** BRASSERIE

(☎503-295-1004 ; www.baileystaproom.com ; 213 SW Broadway ; ⏲14h-minuit). Un bar-brasserie unique et très fréquenté qui propose une sélection changeante de 20 bières éclectiques, provenant de l'Oregon et des États voisins. Pratique, la carte numérique vous permet de tout savoir sur les bières et la quantité qu'il reste en stock. On n'y sert pas à manger, mais vous pouvez apporter votre repas avec vous.

**Belmont Station** BRASSERIE

(☎503-232-8538 ; www.belmont-station.com ; 4500 SE Stark St ; ⏲12h-23h). Un simple "café à bière" proposant plus de 20 excellentes bières à la pression (qui changent régulièrement), à déguster en terrasse. À côté se trouve une cave d'exception, qui vend quelque 1 200 bières et fait une petite réduction lorsque ses clients paient en espèces.

**Departure Lounge** BAR

(☎503-802-5370 ; www.departureportland.com ; 525 SW Morrison St ; ⏲16h-minuit dim-jeu, 16h-1h ven-sam). Installé sur le toit au-dessus du Nines Hotel et de ses 15 étages, le Departure Lounge est un bar-restaurant branché qui jouit d'une vue inoubliable, ce qui manquait dans le centre-ville. L'endroit est ultra-moderne, avec des canapés design et un éclairage soigné. Pour sortir des sentiers battus, essayez le cocktail épicé Tasho Macho.

**Ristretto Roasters** CAFÉ

(☎503-288-8667 ; www.ristrettoroasters.com ; 3808 N Williams Ave ; ⏲6h30-18h lun-sam, 7h-18h dim). Les grains de café, achetés en petite quantité et moyennement torréfiés, donnent un café doux et subtil. Séances de dégustation gratuites le vendredi à 13h. Autres adresses au 555 NE Couch St et au 2181 NW Nicolai St (dans le superbe bâtiment de la Schoolhouse Electric).

**Breakside Brewery** BRASSERIE

(☎503-719-6475 ; www.breakside.com ; 820 NE Dekum St ; ⏲15h-22h lun-jeu, 12h-23h ven-sam, 12h-22h dim). Plus de 20 bières, à la pression, expérimentales et goûteuses, à base de fruits, de légumes et d'épices. Parmi les bières déjà proposées figurent une kolsch au citron Meyer, une IPA à la mangue et une bière de betterave au gingembre. Pour le dessert, optez pour la *milk stout* au caramel salé, s'ils en ont en stock. Bons plats et agréable terrasse.

**Stumptown Coffee Roasters** CAFÉ

(☎503-230-7702 ; www.stumptowncoffee.com ; 4525 SE Division St ; ⏲6h-19h lun-ven, 7h-19h sam-dim). Le premier torréfacteur artisanal de Portland, qui a valu à la ville sa place dans le monde de la caféine, est toujours son café le plus réputé. Le Stumptown est fier de traiter directement avec les producteurs de café afin de s'assurer de la qualité des grains. Consultez le site Internet pour les adresses des autres cafés Stumptown à Portland (et aux États-Unis).

**Green Dragon** BRASSERIE

(☎503-517-0660 ; www.pdxgreendragon.com ; 928 SE 9th Ave ; ⏲11h-23h dim-mer, 11h-1h jeu-sam). Bien qu'elle appartienne aux Rogue Breweries, le Green Dragon offre un choix éclectique de 62 bières à la pression. Il sert aussi de bons plats de pub. La brasserie est installée dans un vaste entrepôt avec patio pour les beaux jours.

**Rontoms** BAR

(☎503-236-4536 ; 600 E Burnside St ; ⏲16h30-2h30). Dans ce bar tendance au décor industriel, les plats sont tout juste corrects, le service peut être médiocre et seuls les plus branchés auront l'impression d'être à leur place. Mais par beau temps, le patio à l'arrière est *le* lieu pour prendre un verre au soleil. Il se trouve à l'angle d'E Burnside et de 6th (le bar est évidemment trop dans le coup pour avoir une enseigne...).

### PORTLAND GAY ET LESBIEN

Pour connaître les dernières adresses, consultez *Just Out*, bimensuel gay gratuit de Portland. Stark St, autour de SW 10th St, est bordée de quelques bars gay.

**CC Slaughters** (☎503-248-9135 ; www.ccslaughterspdx.com ; 219 NW Davis St). Ouvert de longue date, ce club prisé possède une immense piste de danse avec lumières laser et DJ. Spectacle de travestis le dimanche soir et soirées à thème. Le lounge offre une atmosphère décontractée idéale pour discuter.

**Darcelle XV** (☎503-222-5338 ; www.darcellexv.com ; 208 NW 3rd Ave ; spectacles mer-sam). Ce cabaret accueille le principal spectacle de drag-queens de Portland, avec grandes perruques, faux bijoux et soutiens-gorge rembourrés. Strip-teases masculins à minuit le week-end.

**Silverado** (☎503-224-4493 ; www.silveradopdx.com ; 318 SW 3rd Ave). Strip-tease masculins presque tous les soirs (soirée karaoké le lundi). Clientèle mixte. Au programme : boissons bon marché, mains baladeuses et danseurs musclés... pensez à prendre beaucoup de petites coupures !

**Hopworks Urban Brewery** BRASSERIE
(☎503-232-4677 ; www.hopworksbeer.com ; 2944 SE Powell Blvd ; 11h-23h dim-jeu, 11h-minuit ven-sam). Les bières bio brassées à partir d'ingrédients locaux sont servies dans un bâtiment écologique décoré de cadres de vélo. Bonne sélection de plats à déguster dans une ambiance familiale. La terrasse, à l'arrière, est merveilleuse par beau temps. Autre bar au 3947 N Williams Ave.

**Sterling Coffee Roasters** CAFÉ
(www.sterlingcoffeeroasters.com ; 417 NW 21st Ave ; 7h-16h lun-ven, 8h-16h sam-dim). Petit mais élégant, ce café torréfie des grains pleins de saveurs et de complexité. Carte simple, délicieux cappuccinos et expressos, et *baristi* de talent. Autre adresse au 1951 W Burnside (où il s'appelle Coffeehouse Northwest).

## ☆ Où sortir

Gratuit, le *Willamette Week* (www.wweek.com), qui paraît le mercredi, est le meilleur guide consacré aux sorties. Il donne la liste des représentations théâtrales, des concerts, des discothèques, des films à l'affiche et des diverses manifestations de la ville. Consultez aussi le *Portland Mercury* (www.portlandmercury.com).

Pour assister à un concert estival en plein air, renseignez-vous sur le programme de l'Oregon Zoo.

### Musique live

**Doug Fir Lounge** MUSIQUE LIVE
(☎503-231-9663 ; www.dougfirlounge.com ; 830 E Burnside St). Offrant un décor à la fois rustique et futuriste, cette salle ultra-tendance programme des artistes d'avant-garde, difficiles à obtenir. Toutes sortes de spectateurs y affluent, des jeunes tatoués aux yuppies des banlieues. Le restaurant, aux horaires d'ouverture étendus, est satisfaisant. À côté du Jupiter Hotel.

**Dante's** MUSIQUE LIVE
(☎503-345-7892 ; www.danteslive.com ; 350 W Burnside St). Ce bar rouge programme des spectacles de variétés et des artistes nationaux comme les Dandy Warhols et Concrete Blonde. Le dimanche, la soirée éclectique Sinferno Cabaret vaut le détour.

**Crystal Ballroom** MUSIQUE LIVE
(☎503-225-0047 ; www.mcmenamins.com ; 1332 W Burnside St). De grands concerts ont été donnés dans cette immense salle de bal historique, notamment par les Grateful Dead, James Brown et Jimi Hendrix. La piste de danse "flottante" vous fera tourner la tête. Si vous aimez la musique des années 1980, rendez-vous dans la Lola's Room, au sous-sol, le vendredi soir.

**Mississippi Studios** MUSIQUE LIVE
(☎503-288-3895 ; www.mississippistudios.com ; 3939 N Mississippi Ave). Une salle intime, parfaite pour découvrir de nouveaux talents férus d'acoustique et écouter des groupes musicaux alternatifs plus établis. Excellente sono. Un bon bar-restaurant avec patio se trouve à côté.

**Jimmy Mak's** MUSIQUE LIVE
(☎503-295-6542 ; www.jimmymaks.com ; 221 NW 10th Ave ; musique à partir de 20h). Le premier club de jazz de Portland propose une bonne cuisine méditerranéenne dans une salle à manger chic. Le sous-sol abrite un bar décontracté avec tables de billard et jeux de fléchettes.

## Cinéma

**Kennedy School** CINÉMA
(☎503-249-3983 ; www.mcmenamins.com ; 5736 NE 33rd Ave). Dans la première salle des McMenamin à Portland, des films sont projetés dans un ancien gymnase (3 $).

**Bagdad Theater** CINÉMA
(☎503-249-7474 ; www.mcmenamins.com ; 3702 SE Hawthorne Blvd). Beau cinéma des McMenamin, avec des séances à petit prix.

**Laurelhurst Theater** CINÉMA
(☎503-232-5511 ; www.laurelhursttheater.com ; 2735 E Burnside St). De délicieuses pizzas gastronomiques et bières artisanales sont servies dans ce cinéma, au cœur de l'animation nocturne.

**Cinema 21** CINÉMA
(www.cinema21.com ; 616 NW 21st Ave). Principale salle d'art et d'essai et de films étrangers.

## Arts de la scène

**Portland Center Stage** THÉÂTRE
(☎503-445-3700 ; www.pcs.org ; 128 NW 11th Ave). La principale troupe théâtrale de Portland joue désormais au Portland Armory, un édifice restauré du Pearl District doté d'équipements dernier cri.

**Arlene Schnitzer Concert Hall** MUSIQUE CLASSIQUE
(☎503-228-1353 ; www.pcpa.com/schnitzer ; 1037 SW Broadway). L'Oregon Symphony joue dans cette belle salle du centre, à l'acoustique moyenne.

**Artists Repertory Theatre** THÉÂTRE
(☎503-241-1278 ; www.artistsrep.org ; 1515 SW Morrison St). Quelques-unes des meilleures pièces programmées à Portland et des premières régionales sont données dans deux salles intimes.

**Keller Auditorium** THÉÂTRE
(☎503-248-4335 ; www.pcpa.com/keller ; 222 SW Clay St). Le Portland Opera et l'Oregon Ballet Theatre se produisent ici. On peut y assister aussi à certaines productions de Broadway.

## Sports

Les Trail Blazers (basket) de Portland jouent au **Moda Center** (☎503-235-8771 ; www.rosequarter.com ; 300 N Winning Way). L'équipe de foot de ligue A de la ville sont les **Timbers** (www.portlandtimbers.com), qui jouent au Jeld-Wen Field tout comme l'équipe féminine, les **Thorns** (www.portlandtimbers.com/thornsfc), qui ont gagné le championnat inaugural de la ligue en 2013. Parmi les autres équipes sportives importantes figurent les **Winter Hawks** (www.winterhawks.com), qui jouent au hockey sur glace au Moda Center, et les **Rose City Rollers** (www.rosecityrollers.com), une équipe de roller derby que l'on peut voir au Hangar de l'Oaks Amusement Park.

# Achats

Le quartier commerçant du centre de Portland s'étend sur deux pâtés de maisons à partir de Pioneer Courthouse Sq et comporte les enseignes habituelles. **Pioneer Place** (☎503-228-5800 ; www.pioneerplace.com ; 700 SW 5th Ave ; ⏲10h-20h lun-sam, 11h-18h dim), une galerie marchande chic, se trouve à l'est de la place. Le Pearl District est parsemé de galeries, et de boutiques de mode et de décoration haut de gamme. Le week-end, faites un tour au Saturday Market (p. 220), près de Skidmore Fountain. NW 23rd Ave est une rue commerçante chic et agréable.

L'East Side comprend de nombreuses rues branchées dotées de commerces, de restaurants et de cafés. SE Hawthorne Blvd est la plus grande, N Mississippi Ave la plus récente et NE Alberta St la plus bohème. Au sud, Sellwood est réputé pour ses antiquaires.

# ℹ Renseignements

### ACCÈS INTERNET

**Backspace** (☎503-248-2900 ; www.backspace.bz ; 115 NW 5th Ave ; ⏲7h-minuit lun-ven, 10h-minuit sam-dim). Adresse dédiée aux jeunes avec jeux d'arcade, café, ouverture tardive et même concerts.

À NE PAS MANQUER

### LA CITÉ DES LIVRES

**Powell's City of Books** (☎503-228-4651 ; www.powells.com ; 1005 W Burnside St ; ⏲9h-23h), empire de la lecture qui occupe un pâté de maisons entier et plusieurs étages, se vantait jadis d'être "la plus grande librairie indépendante du monde". Ne manquez pas de la visiter durant votre séjour à Portland. C'est une véritable institution locale et un endroit agréable où passer quelques heures – c'est en tout cas le temps qu'il faut pour la traverser. Il y a des succursales dans la ville et à l'aéroport, mais aucune n'est aussi grande que celle-ci.

**Central Library** (bibliothèque centrale ; ☎503-988-5123 ; www.multcolib.org ; 801 SW 10th Ave). En centre-ville ; addresses des annexes sur le site Internet.

### ARGENT

**Travelex** (⏲5h30-16h30) Downtown (900 SW 6th Ave) ; Portland International Airport (☎503-281-3045 ; ⏲5h30-16h30). Bureaux de change.

### MÉDIAS

**KBOO 90.7 FM** (www.kboo.fm). Station locale progressiste tenue par des bénévoles ; actualités et points de vue alternatifs.

**Portland Mercury** (www.portlandmercury.com). Hebdo gratuit parent du *Stranger* de Seattle.

**Willamette Week** (www.wweek.com). Bimensuel gratuit sur l'actualité locale et la culture.

### OFFICE DU TOURISME

**Portland Oregon Visitors Association** (www.travelportland.com ; 701 SW 6th Ave ; ⏲8h30-17h30 lun-ven, 10h-16h sam, jusqu'à 14h dim). Sur Pioneer Courthouse Sq. Un film de 12 minutes sur la ville est projeté dans une petite salle. Ce local comporte aussi des bureaux des bus Tri-Met et du *light rail*.

### POSTE

**Poste** (☎503-525-5398 ; www.usps.com ; 715 NW Hoyt St ; ⏲8h-18h30 lun-ven, 8h30-17h sam). C'est le bureau principal, mais il y a de nombreux autres bureaux dans tout Portland.

### SITES INTERNET UTILES

**Oregon Live** (www.oregonlive.com). Site Internet du journal *The Oregonian*. Actualités, sports et loisirs.

**Portland Food & Drink** (www.portlandfoodanddrink.com). Des critiques impartiales des restaurants de Portland et d'autres articles spécialisés.

**Portland Monthly** (www.portlandmonthlymag.com). Site Internet du magazine *Portland Monthly* au contenu intéressant sur la région.

**Travel Portland** (www.travelportland.com). Un site de tourisme s'intéressant aux destinations, aux activités et aux moyens de ne pas trop dépenser.

### URGENCES ET SERVICES MÉDICAUX

**Legacy Good Samaritan Medical Center** (☎503-413-7711 ; www.legacyhealth.org ; 1015 NW 22nd Ave)

**Police de Portland** (☎503-823-0000 ; www.portlandoregon.gov/police ; 1111 SW 2nd Ave)

## ℹ Depuis/vers Portland

### AVION

**Portland International Airport** (PDX ; ☎503-460-4234 ; www.flypdx.com ; 7000 NE Airport Way). L'aéroport international de Portland assure des vols quotidiens vers tous les États-Unis et vers plusieurs destinations internationales. Il se trouve à l'est de l'I-5 au bord de la Columbia (à 20 minutes de route du centre en direction du nord-est via le Steel Bridge). Il est notamment équipé de bureaux de change, restaurants, librairies (dont trois succursales de Powell's) et de services comme le Wi-Fi gratuit.

### BUS

**Greyhound** (☎503-243-2361 ; www.greyhound.com ; 550 NW 6th Ave). Greyhound relie Portland à des villes situées le long de l'I-5 et de l'I-84, notamment Chicago, Boise, Denver, San Francisco, Seattle et Vancouver (Colombie-Britannique).

**Bolt Bus** (☎877-265-8287 ; www.boltbus.com). Cette compagnie met à disposition des grands bus, dotés du Wi-Fi et de prises électriques, pour relier Portland à Seattle et Vancouver (Colombie-Britannique).

### TRAIN

**Amtrak** (☎503-273-4865 ; www.amtrak.com ; 800 NW 6th Ave) dessert toute la côte ouest. L'*Empire Builder* relie Chicago, tandis que le *Cascades* va à Vancouver et le *Coast Starlight* circule entre Seattle et Los Angeles.

## ℹ Comment circuler

### DEPUIS/VERS L'AÉROPORT

Le Portland International Airport (PDX) se trouve à 16 km environ au nord-est du centre-ville, à proximité de la Columbia. En *light rail* MAX, géré par Tri-Met, comptez 40 minutes environ pour relier le centre-ville à l'aéroport. Si vous préférez le bus, **Blue Star** (☎503-249-1837 ; www.bluestarbus.com) propose des navettes entre PDX et plusieurs arrêts du centre de Portland.

La course en taxi de l'aéroport au centre-ville revient à 34 $ environ (pourboire non compris).

### CYCLOPOUSSE

Pour vous déplacer écologiquement, optez pour une des sociétés de cyclopousses, comme **PDX Pedicab**. (☎503-828-9888 ; www.pdxpedicab.com). Le service comprend le "conducteur" qui pédalera pour vous dans le centre-ville.

### SERVICE DE LOCATION

Pour louer un bus ou un van et réserver des circuits, contactez **EcoShuttle** (☎503-548-4480 ; www.ecoshuttle.net). Leurs véhicules fonctionnent entièrement au biodiesel.

### TAXI

On peut appeler un taxi 24h/24. Au centre, il suffit souvent de les héler. Essayez **Broadway Cab** (☎503-333-3333 ; www.broadwaycab.com) ou **Radio Cab** (☎503-227-1212 ; www.radiocab.net).

### TRANSPORTS PUBLICS

Portland possède un bon système de transports publics, constitué par les bus locaux, les tramways et le *light rail* MAX. Tous sont gérés par **TriMet** (☎503-238-7433 ; www.trimet.org ; 701 SW 6th Ave), qui dispose d'un centre d'information sur Pioneer Courthouse Sq.

Les billets pour les divers transports publics sont utilisables sur l'ensemble du réseau dans les deux heures qui suivent l'achat. Les tickets pour les bus locaux sont en vente aux machines situés à l'entrée du bus, ceux des tramways peuvent s'acheter dans les gares de tramway ou directement dans le véhicule. Les billets du MAX doivent être achetés dans les machines des stations MAX (avant de monter dans le *light rail*) – il n'y a ni conducteur ni distributeur de billets à bord (mais il y a des contrôleurs).

Les noctambules se méfieront, car il y a moins de service la nuit, et seuls quelques véhicules circulent après 1h. Consultez le site Internet pour plus de détails sur les lignes qui vous intéressent.

### VÉLO

Il n'y a rien de plus simple que de se déplacer en deux-roues dans Portland, souvent élue "ville d'Amérique la plus adaptée au vélo".

Parmi les agences de location, citons **Clever Cycles** (☎503-334-1560 ; www.clevercycles.com/rentals ; 900 SE Hawthorne Blvd) et Waterfront Bicycle Rentals (p. 221).

### VOITURE

La plupart des grandes compagnies de location de véhicules ont des comptoirs dans le centre-ville et à l'aéroport international de Portland (PDX). La plupart d'entre elles disposent de véhicules hybrides. **Zipcar** (www.zipcar.com) est une société prisée de voitures en libre-service, mais il en existe beaucoup d'autres. Les emplacements bon marché dans le centre sont indiqués sur le site Internet www.portlandoregon.gov/transportation/35272.

# Willamette Valley

La Willamette Valley, bassin agricole fertile de 96 km de large, fut une terre de cocagne pour les pionniers qui empruntèrent l'Oregon Trail il y a plus de 150 ans. C'est aujourd'hui le grenier de l'État avec plus de 100 variétés de cultures, dont les fameux cépages du pinot noir (p. 232). Salem, capitale de l'Oregon, est à environ une heure de route de Portland à l'extrémité nord de la vallée, et tous les autres sites intéressants de la région peuvent également être visités sur la journée. Au sud, Eugene, ville universitaire dynamique, mérite quelques jours de halte.

## Salem

Centre législatif de l'Oregon, Salem (pas celui de la chasse aux sorcières, qui se trouve dans le Massachusetts) est renommée pour ses cerisiers, son Capitole Art déco et la Willamette University.

Installé dans l'université, le **Hallie Ford Museum of Art** (900 State St ; adulte/-12 ans 3 $/gratuit ; ⏲10h-17h mar-sam, 13h-17h dim) présente la meilleure collection d'art du Nord-Ouest pacifique de tout l'Oregon, notamment une impressionnante galerie consacrée à l'art amérindien.

L'**Oregon State Capitol** (900 Court St NE) GRATUIT construit en 1938, ressemble au décor d'un film de Cecil B. DeMille ; des visites gratuites sont organisées. La vaste **Bush House** (☎503-363-4714 ; www.salemart.org ; 600 Mission St SE ; adulte/6-15 ans 6/3 $ ; ⏲13h-16h mer-dim, fermé jan-fév), demeure italianisante du XIX^e siècle aujourd'hui conservée en tant que musée, possède encore des éléments d'époque comme ses papiers peints et cheminées en marbre.

Vous trouverez les renseignements nécessaires au **Visitors Information Center** (www.travelsalem.com ; 181 High St NE ; ⏲8h30-17h lun-ven, 10h-16h sam).

Salem est desservie tous les jours par les bus **Greyhound** (☎503-362-2428 ; www.greyhound.com ; 500 13th St SE) et les trains **Amtrak** (☎503-588-1551 ; www.amtrak.com ; 500 13th St SE).

## Eugene

Ville éclectique, Eugene (également surnommée "Tracktown") la libérale, réputée pour ses champions d'athlétisme (Nike est né ici, après tout), déborde d'énergie. La population de la ville, bigarrée, comprend des ouvriers travaillant dans l'exploitation forestière et la construction, d'anciens activistes hippies, des anarchistes écologistes, des entrepreneurs huppés et des chefs d'entreprises spécialisées dans les hautes technologies.

Eugene possède une fantastique scène artistique, de très grands restaurants, des kilomètres de sentiers en bord de fleuve et plusieurs ravissants parcs, et accueille des festivals très animés. C'est un lieu exceptionnel qui plaît autant aux voyageurs énergiques qu'aux citoyens qui y résident.

## À voir

**Alton Baker Park** PARC
(100 Day Island Rd). Bordé par le fleuve, ce parc fréquenté de 160 ha est un paradis pour les cyclistes et les joggeurs. Il donne accès au **Ruth Bascom Riverbank Trail System**, une piste cyclable de 19 km qui longe les deux rives de la Willamette. Le parc est divisé en deux moitiés à peu près égales, l'une sauvage et l'autre paysagère. Le long de la Willamette River, il est relié aux sentiers urbains par trois passerelles. Juste au nord-ouest de l'Alton Baker Park, sur la rive opposée, la colline de **Skinner Butte** (207 m) est dotée de pelouses, de sentiers de randonnée et d'une vue superbe sur la ville.

**University of Oregon** UNIVERSITÉ
(541-346-1000 ; www.uoregon.edu). Établie en 1872, l'Université de l'Oregon est l'établissement d'enseignement supérieur le plus éminent de l'État, avec des spécialisations plutôt axées sur les arts, les sciences et le droit. Le campus est parsemé de bâtiments historiques recouverts de lierre et comprend le **Pioneer Cemetery**, dont les pierres tombales offrent un aperçu poignant de la vie – et de la mort – des premiers habitants de la région. Site d'intérêt, le **Jordan Schnitzer Museum of Art** (541-346-3027 ; www.jsma.uoregon.edu ; 1430 Johnson Lane ; adulte/enfant 5 $/gratuit ; 11h-17h mar-dim, 11h-20h mer) propose une collection tournante d'œuvres de classe internationale, allant des manuscrits coréens à des toiles de Rembrandt. Le **Museum of Natural and Cultural History** (541-346-3024 ; http://natural-history.uoregon.edu ; 1680 E 15th Ave ; adulte/3-18 ans 3/2 $, gratuit mer ; 11h-17h mer-dim) mérite aussi une visite pour son exposition consacrée aux Amérindiens.

## Où se loger

Eugene compte les habituels hôtels et motels de chaîne. Les tarifs montent en flèche au moment des matchs de football les plus importants et de la remise des diplômes.

**Campus Inn** MOTEL $
(541-343-3376 ; www.campus-inn.com ; 390 E Broadway ; d 70-80 $ ; ). Motel très plaisant avec de spacieuses chambres de



### RÉGION VITICOLE DE LA WILLAMETTE VALLEY

Dans la Willamette Valley, à une heure de route seulement de Portland, se trouvent des centaines de domaines viticoles, qui produisent des vins de renommée mondiale, essentiellement à base de pinot noir. C'est à McMinnville, Newberg et Dundee que vous trouverez la plupart des services intéressants dans la région : bons restaurants, boutiques, B&B et salles de dégustation. Consultez www.willamettewines.com pour plus de renseignements sur les vignobles de la région.

Flâner d'une dégustation à l'autre sur les petites routes qui serpentent parmi les collines verdoyantes est une merveilleuse manière d'occuper son après-midi (assurez-vous seulement que le chauffeur reste sobre). Si vous préférez un circuit guidé, **Grape Escape** (503-283-3380 ; www.grapeescapetours.com) en offre de bons. Et si vous aimez faire du vélo, Pedal Bike Tours (p. 221), basé à Portland, propose des circuits de 5 heures.

L'**Evergreen Aviation Museum** (503-434-4180 ; www.evergreenmuseum.org ; 500 NE Captain Michael King Smith Way ; adulte/5-16 ans 25/23 $ (avec film 3D) ; 9h-17h ; ) à McMinnville permet de découvrir le **Spruce Goose** d'Howard Hughes, le plus grand avion à armature en bois du monde. Le musée comprend aussi une copie du *Flyer* des frères Wright, ainsi qu'un cinéma 3D et, bizarrement, un excellent parc aquatique.

Si vous cherchez un hôtel intéressant, essayez le **McMenamins Hotel Oregon** (503-472-8427 ; www.mcmenamins.com ; 310 NE Evans St, McMinnville ; d 75-145 $ ; ), bâtiment ancien transformé en un charmant hôtel doté d'un fantastique bar sur le toit. Pour ce qui est des restaurants, le **Joel Palmer House** (503-864-2995 ; www.joelpalmerhouse.com ; 600 Ferry St, McMinnville ; prix fixe 49-80 $ ; 4h30-21h30 mar-sam) est le plus spectaculaire. Ses plats sont parsemés de champignons sauvages récoltés localement par les chefs eux-mêmes !

type hôtel d'affaires et un décor simple mais élégant. Pour 10 $ de plus, vous obtiendrez une chambre plus vaste encore et un plus grand lit. Petite salle de sport, Jacuzzi et patio à l'étage.

**Eugene Whiteaker Hostel** AUBERGE DE JEUNESSE $
(541-343-3335 ; www.eugenehostels.com ; 970 W 3rd Ave ; dort avec petit-déj 25 $, ch avec petit-déj 40-70 $ ; ). Une auberge de jeunesse installée dans une immense demeure ancienne. Ambiance bohème et décontractée, patios avant et arrière parfaits pour se détendre, et petit-déjeuner gratuit. Emplacements de camping disponibles (15 $/pers). Annexe en bas de la rue.

♥ **C'est La Vie Inn** B&B $$
(541-302-3014 ; www.cestlavieinn.com ; 1006 Taylor St ; d 150-170 $ ; ). Cette magnifique maison victorienne, tenue par une aimable Française et son mari américain, est l'adresse phare du quartier. De superbes meubles anciens décorent le salon et la salle à manger, et les 3 chambres joliment aménagées offrent luxe et confort. Une incroyable suite avec kitchenette (260 $) est également disponible.

## Où se restaurer

**Sweet Life Patisserie** CAFÉ, BOULANGERIE $
(541-683-5676 ; www.sweetlifedesserts.com ; 755 Monroe St ; pâtisseries 2-5 $ ; 7h-23h lun-ven, 8h-23h sam-dim). Meilleure pâtisserie d'Eugene. Au choix : brioches aux noix de pécan, croissants salés et pains au chocolat. Même les desserts de la veille, vendus à moitié prix, sont délicieux. Propose aussi du café bio.

**Belly Taquería** MEXICAIN $
(541-687-8226 ; www.eatbelly.com ; 291 E 5th Ave ; tacos 3-4 $, tostadas 5-6 $ ; 17h-21h lun-jeu, 17h-22h ven-sam). La spécialité maison sont les tortillas de maïs que l'on peut garnir de *carnitas* (porc cuit lentement), *camarones* (crevettes), saint-jacques (panées à la bière et frites) ou *lengua* (langue).

♥ **Beppe & Gianni's Trattoria** ITALIEN $$
(541-683-6661 ; www.beppeandgiannis.net ; 1646 E 19th Ave ; plats 15-25 $ ; 17h-21h dim-jeu, 17h-22h ven-sam). L'une des tables favorites d'Eugene et sûrement le restaurant italien le plus coté de la ville. Les pâtes maison sont les vedettes de cette trattoria, et les desserts sont excellents. Attendez-vous à une longue file d'attente.

**McMenamins North Bank** AMÉRICAIN $$
(541-343-5622 ; www.mcmenamins.com ; 22 Club Rd ; plats 9-20 $ ; 11h-23h dim-jeu, 11h-minuit ven-sam). Superbement situé sur les rives de la majestueuse Willamette, ce pub-restaurant bénéficie d'une vue absolument superbe d'Eugene. Par beau temps, installez-vous à une table de la terrasse, en bord de fleuve, et commandez un cheeseburger accompagné d'une Hammerhead (pale ale)... on ne peut plus chic !

VAUT LE DÉTOUR

### SOURCES CHAUDES

L'Oregon possède de nombreuses sources chaudes, dont certaines se trouvent à proximité de Salem. À deux heures de route à l'est de la ville vous attendent les bains semi-privés et rustiques des **Bagby Hot Springs** (www.bagbyhotsprings.org ; 5 $/pers), dotés de baignoires en bois. On y accède via un joli sentier de randonnée de 2,4 km. Depuis Estacada, descendez 42 km vers le sud sur la Hwy 224. Lorsqu'elle devient la Forest Rd 46, continuez encore tout droit sur 5,6 km. Tournez à droite dans Forest Rd 63 et poursuivez sur 5,8 km jusqu'à l'USFS Rd 70. Tournez de nouveau à droite et rejoignez le parking, 9,5 km plus loin.

Il existe d'autres agréables bains aux **Terwilliger Hot Springs** (ou Cougar Hot Springs), superbe succession de bassins extérieurs en terrasse entourés de gros rochers (6 $/pers). Ils sont rustiques mais bien entretenus. Plus vous montez, plus les eaux sont chaudes. Depuis le parking, il faut faire 0,4 km pour rejoindre les sources. Pour vous y rendre, tournez vers le sud dans Aufderheide Scenic Byway depuis la Hwy 126 et roulez sur 12 km.

Pour une expérience plus haut de gamme, les **Breitenbush Hot Springs** (503-854-7174 ; www.breitenbush.com) forment un spa luxueux avec massages, yoga et nourriture végétarienne. L'établissement est à l'est de Salem sur la Hwy 46, juste après la ville de Detroit.

## Renseignements

Pour plus de renseignements, rendez-vous au **Visitor Center** (www.eugenecascadecoast.org ; 754 Olive St ; 8h-17h lun-ven).

## Comment s'y rendre et circuler

De la **gare ferroviaire Amtrak** (541-687-1383 ; www.amtrak.com ; angle E 4th Ave et Willamette St) partent des trains quotidiens pour Vancouver, BC, Los Angeles et toutes les destinations intermédiaires, sur les lignes *Cascade* et *Coast Starlight*. Des bus **Greyhound** (541-344-6265 ; www.greyhound.com ; 987 Pearl St) partent vers Salem et Portland, au nord, et Grants Pass et Medford, au sud. Un bus quotidien de **Porter Stage Lines** (www.kokkola-bus.com) part de la gare ferroviaire en direction de la côte.

La desserte locale en bus est assurée par **Lane Transit District** (541-682-6100 ; www.ltd.org ; 3500 E 17th Ave). On peut louer des vélos chez **Paul's Bicycle Way of Life** (152 W 5th St ; 9h-19h lun-ven, 10h-17h sam-dim).

# Columbia River Gorge

Quatrième fleuve des États-Unis par le volume, la puissante Columbia River parcourt 2 000 km entre Alberta (Canada) et le Pacifique à l'ouest d'Astoria. Sur les 497 derniers kilomètres de sa course, elle est équipée de nombreux barrages, marque la frontière entre le Washington et l'Oregon et traverse les Cascade Mountains via la spectaculaire Columbia River Gorge. Dotés de nombreux écosystèmes, chutes d'eau et panoramas splendides, les abords du fleuve, classés National Scenic Area, sont fréquentés par les véliplanchistes, les pêcheurs et les randonneurs.

Non loin de Portland, les **Multnomah Falls** sont une destination très touristique, tandis que **Vista House** offre une vue spectaculaire sur la gorge. Si vous souhaitez vous dégourdir les jambes, l'**Eagle Creek Trail** est le principal sentier de la région… à condition que vous n'ayez pas le vertige !

## Hood River et ses environs

Réputée pour les vergers et les vignobles qui l'entourent, la petite ville de Hood River, à 101 km à l'est de Portland sur l'I-84, est aussi un paradis pour les véliplanchistes et les kitesurfeurs. Les forts courants fluviaux, les vents d'ouest dominants et la large Columbia River fournissent les conditions parfaites pour ces sports de glisse.

### À voir et à faire

En service depuis 1906, les 35 km de la **Mount Hood Railroad** (800-872-4661 ; www.mthoodrr.com ; 110 Railroad Ave) furent construits pour acheminer le bois jusqu'à la Columbia River. Aujourd'hui, en été, ce sont les touristes que promène la voie ferrée à l'ombre du sommet enneigé du Mt Hood et au milieu des vergers. Réservez bien à l'avance.

Les amateurs de vins pourront faire une dégustation non loin, au **Cathedral Ridge Winery** (800-516-8710 ; www.cathedralridgewinery.com ; 4200 Post Canyon Dr).

Si vous souhaitez pratiquer un sport de glisse sur la Hood River, contactez **Hood River Waterplay** (541-386-9463 ; www.hoodriverwaterplay.com ; Port of Hood River Marina), qui propose des locations et des cours. La région est également propice au **VTT** ; locations et renseignements auprès de **Discover Bicycles** (541-386-4820 ; www.discoverbicycles.com ; 210 State St ; 10h-18h lun-sam, 10h-17h dim).

### Où se loger et se restaurer

**Inn of the White Salmon** AUBERGE, AUBERGE DE JEUNESSE **$$**
(509-493-2335 ; www.innofthewhitesalmon.com ; 172 West Jewett Blvd ; d 129-189 $ ; ). De l'autre côté de la Columbia River, à White Salmon (Washington), cette auberge agréable et contemporaine abrite 18 confortables chambres et un joli dortoir de 8 lits (lit superposé simple 29 $, lit superposé 2 pers 40 $). Espace kitchenette accessible à tous et ravissant jardin avec terrasse à l'arrière.

**Hood River Hotel** HÔTEL HISTORIQUE **$$**
(541-386-1900 ; www.hoodriverhotel.com ; 102 Oak St ; d 99-179 $ ; ). Dans le centre de Hood River, ce bel hôtel de 1913 loue des chambres rétro mais confortables avec de minuscules sdb. Les suites jouissent des meilleurs équipements et de la plus belle vue. Kitchenettes disponibles.

**Double Mountain Brewery** BREWPUB **$**
(541-387-0042 ; www.doublemountainbrewery.com ; 8 4th St ; sandwichs 7,50-10 $, pizzas 16-22 $ ; 11h30-23h dim-jeu, 11h30-minuit ven-sam). Cette brasserie-restaurant prisée est parfaite pour un sandwich savoureux, d'excellentes pizzas cuites dans un four en brique et une bière artisanale. Concerts le week-end.

## Renseignements

Pour tout renseignement, contactez la **Chamber of Commerce** (541-386-2000 ; www.hoodriver.org ; 720 E Port Marina Dr ; 9h-17h lun-ven toute l'année, 10h-17h sam-dim avr-oct).

## Depuis/vers Hood River

Hood River est reliée à Portland par des bus **Greyhound** (541-386-1212 ; www.greyhound.com ; 110 Railroad Ave) quotidiens. **Amtrak** (www.amtrak.com) circule côté Washington.

# Oregon Cascades

Les Oregon Cascades présentent de spectaculaires volcans isolés qui dominent l'horizon à des kilomètres à la ronde. Plus haut sommet de l'État, le Mt Hood, qui surplombe la Columbia River Gorge, offre des pistes skiables toute l'année et une ascension relativement simple. En allant vers le sud, on passe devant le Mt Jefferson et les Three Sisters avant d'atteindre Crater Lake, fantôme de l'ancien Mt Mazama qui s'est effondré sur lui-même après une éruption il y a environ 7000 ans.

## Mt Hood

Point culminant de l'État, visible, par beau temps, depuis la majeure partie du nord de l'Oregon, le Mt Hood (3 425 m) attire de façon presque magnétique les skieurs, les randonneurs et les promeneurs. L'été, les fleurs sauvages tapissent les versants de la montagne et l'eau cristalline des étangs cachés scintillent, laissant des souvenirs impérissables aux marcheurs. En hiver, les visiteurs ne jurent que par le ski alpin et le ski de fond.

Le Mt Hood est accessible toute l'année depuis Portland par l'US 26 et depuis Hood River par la Hwy 35. Avec la Columbia River Hwy, ces itinéraires constituent le Mt Hood Loop, une superbe route très prisée. Situé au niveau du col du Mt Hood, Government Camp est le centre d'activités de la montagne.

### Activités

#### Ski

Le Mt Hood est une destination culte pour le ski. Il comprend 6 domaines skiables, dont **Timberline** (503-272-3158 ; www.timberlinelodge.com ; forfait adulte/15-17 ans/7-14 ans 68/56/42 $), dont les pistes, les seules des États-Unis skiables toute l'année, attirent les amoureux de la neige. Plus proche de Portland, **Mt Hood SkiBowl** (503-272-3206 ; www.skibowl.com ; forfait tarif plein/7-12 ans 49/30 $), le plus grand domaine skiable en nocturne du pays, est prisé des citadins qui viennent goûter la poudreuse en fin de journée. **Mt Hood Meadows** (503-337-2222 ; www.skihood.com ; forfait tarif plein/7-14 ans 74/39 $) est le plus grand domaine skiable du Mt Hood et celui qui offre généralement les meilleures conditions.

#### Randonnée

La Mt Hood National Forest protège pas moins de 1 932 km de sentiers. Le Northwest Forest Pass (5 $) est demandé à l'entrée de la plupart.

Une boucle de 11 km débute près du village de Zigzag pour rejoindre les belles **Ramona Falls**, qui dévalent des colonnes basaltiques moussues. Une autre boucle qui part de l'US 26 grimpe sur 2,4 km jusqu'au **Mirror Lake**, contourne le lac sur 800 m, puis rejoint une crête en 3,2 km.

Long de 66 km, le **Timberline Trail** fait le tour du Mt Hood à travers des paysages sauvages. Les plus beaux tronçons sont notamment la marche jusqu'à McNeil Point et la brève ascension jusqu'à Bald Mountain. Le Zigzag Canyon Overlook est à 7,2 km aller-retour du Timberline Lodge. Lors de notre passage, toutefois, une partie du sentier était fermé à cause d'inondations, et aucune date de réouverture n'était prévue.

L'ascension du Mt Hood doit être soigneusement préparée car il y survient parfois des accidents mortels. Cette ascension peut se faire sur une longue journée. Contactez **Timberline Mountain Guides** (541-312-9242 ; www.timberlinemtguides.com) pour louer les services d'un guide.

### Où se loger et se restaurer

Réservez votre **emplacement de camping** (877-444-6777 ; www.reserveusa.com ; empl 12-18 $) en été. Les campings de Tollgate et Camp Creek, en bordure de rivière, se trouvent le long de l'US 26. Vaste et fréquenté, celui de Trillium Lake offre une vue splendide sur le Mt Hood.

**Huckleberry Inn** AUBERGE $
(503-272-3325 ; www.huckleberry-inn.com ; 88611 E Government Camp Loop ; ch 85-180 $ ; ). Cette auberge rustique, qui jouit d'un fantastique emplacement central dans Government Camp, propose des

chambres simples et confortables, dont un dortoir de 14 lits. Elle abrite un restaurant décontracté (qui fait office de réception). Durant les vacances, les tarifs augmentent de 20%.

**♥ Timberline Lodge** LODGE $$
(☎800-547-1406 ; www.timberlinelodge.com ; d 115-290 $ ; ). Loin de n'être qu'un hôtel, ce lodge est un véritable trésor local. Installé dans un superbe édifice historique en bois datant des années 1930, il comporte diverses chambres, allant des dortoirs de 10 lits aux chambres "deluxe" avec cheminée. D'imposantes poutres couronnent certaines cheminées, la piscine extérieure est chauffée toute l'année et les téléphériques sont à deux pas. Le Timberline jouit d'une vue exceptionnelle sur le Mt Hood, donne sur les sentiers de randonnée des environs et possède 2 bars ainsi qu'une bonne salle à manger. Incontournable.

**♥ Rendezvous Grill & Tap Room** AMÉRICAIN $$
(☎503-622-6837 ; www.rendezvousgrill.net ; 67149 E US 26, Welches ; déj plats 9-16 $, dîner plats 13-22 $ ; 11h30-21h). Un restaurant excellent, unique à Mt Hood, qui prépare des plats d'exception, comme le curry de saumon sauvage aux agrumes et les côtes de porc cuites au gril accompagnées d'un chutney pomme-fenouil. Au menu du déjeuner : sandwichs, burgers et salades gastronomiques servis sur la terrasse.

**Ice Axe Grill** BREWPUB $$
(☎503-272-3172 ; www.iceaxegrill.com ; 87304 E Government Camp Loop, Government Camp ; plats 12-18 $ ; 11h-22h). Unique brasserie-restaurant de Government Camp, l'Ice Axe offre une atmosphère conviviale et des plats typiques de pub, notamment de bonnes pizzas, du hachis parmentier et des burgers de haut vol. Propose aussi du chili végétarien et des burgers aux lentilles.

## ℹ Renseignements

Si vous venez de Hood River, adressez-vous à la **Hood River Ranger Station** (☎541-352-6002 ; 6780 Hwy 35, Parkdale ; 8h-16h30 lun-ven). La **ZigZag Ranger Station** (☎503-622-3191 ; 70220 E Hwy 26 ; 7h45-16h30 lun-sam) est plus commode si vous venez de Portland. À Government Camp voyez le **Mt Hood Information Center** (☎503-272-3301 ; 88900 E US 26 ; 9h-17h). Le temps change vite dans le secteur ; ayez des chaînes en hiver.

## ℹ Depuis/vers le Mt Hood

Mt Hood est à 1 heure de route (90 km) de Portland par la Hwy 26. Sinon, un itinéraire plus long mais plus pittoresque passe par la Hwy 84 jusqu'à Hood River, puis la Hwy 35 vers le sud (1 heure 45, 126 km). Le **Central Oregon Breeze** (☎800-847-0157 ; www.cobreeze.com) circule entre Bend et Portland et s'arrête brièvement à Government Camp, à 9,7 km du Timberline Lodge. Des **navettes** (www.skihood.com) régulières depuis Portland desservent les domaines skiables en hiver.

# Sisters

À cheval sur les Cascades et le désert d'altitude, Sisters se trouve à l'endroit où les pinèdes des montagnes rencontrent les genévriers et la sauge du désert. Ancien arrêt pour diligences et ville de négoce pour les bûcherons et les propriétaires de ranch, c'est aujourd'hui une destination touristique animée, dont la rue principale est bordée de boutiques, de galeries d'art et de restaurants cachés derrière des façades de style Far West. Les visiteurs sont particulièrement attirés par les paysages de montagne, les superbes sentiers de randonnée, les excellentes manifestations culturelles et l'agréable climat (beaucoup de soleil et peu de précipitations). Et si l'atmosphère de la ville est quelque peu huppée, la population n'en demeure pas moins sympathique, et les rues secondaires ne sont pas assez construites pour empêcher les cerfs de venir manger dans les jardins de quartier.

À l'extrémité sud de Sisters, le parc municipal dispose d'**emplacements de camping** (15 $) sans douches. Pour un hébergement ultraconfortable, optez pour le luxueux **Five Pine Lodge** (☎866-974-5900 ; www.fivepinelodge.com ; 1021 Desperado Trail ; d 170-257 $, chalets 179-317 $ ; ). Plus calme et moins cher, le **Sisters Motor Lodge** (☎541-549-2551 ; www.sistersmotorlodge.com ; 511 W Cascade St ; ch 119-225 $ ; ) propose 11 chambres cosy (certaines avec kitchenette) joliment décorées.

Vous pourrez vous offrir un repas gastronomique au **Porch** (☎541-549-3287 ; www.theporch-sisters.com ; 243 N Elm St ; petites assiettes 6-12 $, plats 15-17 $ ; 17h-21h mar-sam), qui prépare des plats légers, comme des frites aux truffes et un risotto crémeux à la courge butternut. Ne manquez pas le **Three Creeks Brewing** (☎541-549-1963 ; www.threecreeksbrewing.com ; 721 Desperado Ct ;

11h30-22h dim-jeu, 11h30-23h ven-sam) si vous souhaitez déguster une bière maison et un plat typique de pub.

Pour des informations sur la région, adressez-vous à la **Chamber of Commerce** (541-549-0251 ; www.sisterscountry.com ; 291 Main St ; 10h-16h lun-sam).

Les bus de **Valley Retriever** (www.kokkola-bus.com/VRBSchedule.html) relient Sisters à Bend, Newport, Corvallis, Salem, McMinnville et Portland. Ils s'arrêtent à l'angle de Cascade St et de Spruce St.

## Bend

Bend est la destination que tous les amateurs de sports de plein air devraient privilégier : on peut y skier dans la poudreuse le matin, faire du kayak dans l'après-midi et jouer au golf en soirée. Mais les environs permettent aussi de faire du VTT, de la randonnée, de l'alpinisme, du stand up paddle, de la pêche à la mouche ou de la varappe. Par ailleurs, il est peu probable que ces activités soient gâchées par le mauvais temps, puisque la région est ensoleillée presque 300 jours par an.

Traversée par la ravissante Deschutes River, Bend bénéficie aussi d'un centre-ville animé et plaisant, rempli de boutiques, de galeries et de restaurants haut de gamme. Au sud du centre, l'Old Mill District a été rénové et reconverti en une vaste zone commerciale, où se concentrent de grandes enseignes, des tables chics et des cinémas modernes. Bend est également devenue un paradis pour les amateurs de bière : avec plus d'une dizaine de brasseries, elle affiche le plus grand nombre d'établissements brassicoles par habitant de tout l'Oregon.

### À voir

**High Desert Museum** MUSÉE
(541-382-4754 ; www.highdesertmuseum.org ; 59800 S US 97 ; adulte/5-12 ans mai-oct 15/9 $, nov-avr 12/7 $ ; 9h-17h ; ). Ne manquez pas cet excellent musée situé à 5 km environ au sud de Bend, sur l'US 97. Il retrace l'exploration et le peuplement de l'Ouest grâce à la reconstitution d'un campement amérindien, d'une mine et d'une vieille ville du Far West. Il est également consacré à l'histoire naturelle de la région. Les enfants aimeront l'exposition sur les serpents, les tortues et les truites, et regarder les oiseaux de proie et les loutres est toujours amusant.

### Activités

#### Escalade

À environ 40 km au nord-est de Bend, le **Smith Rock State Park** (800-551-6949 ; www.oregonstateparks.org ; 9241 NE Crooked River Dr ; 5 $/jour) et ses falaises de 240 m surplombant la Crooked River offrent de superbes voies d'escalade. Les quelque 1 800 routes du parc figurent parmi les meilleures du pays. **Smith Rock Climbing Guides Inc** (www.smithrockclimbingguides.com) propose les services de guides.

#### Ski

Bend comporte les meilleures pistes skiables d'Oregon, 35 km au sud-ouest de la ville, dans le magnifique **Mount Bachelor Ski Resort** (800-829-2442 ; www.mtbachelor.com ; forfait tarif plein/6-12 ans/13-18 ans 59/36/49 $), célèbre pour sa poudreuse "sèche", sa longue saison (jusqu'à fin mai) et son vaste domaine skiable (le plus grand du Nord-Ouest pacifique). La station défend depuis longtemps le ski de fond comme le ski de piste et possède 56 km de pistes damées.

#### Vélo

Avec son remarquable réseau de pistes cyclables (plusieurs centaines de kilomètres), Bend est une excellente base pour les amateurs de VTT. Disponible, entre autres, à l'office du tourisme Visit Bend, la *Bend, Central Oregon Mountain Biking and XC Skiing* (12 $) est une bonne carte détaillant les pistes de VTT.

Les meilleurs itinéraires font partie du réseau **Phil's Trail**, qui comprend une variété d'excellents sentiers forestiers rapides à une voie à quelques minutes de la ville. Si vous aimez les frissons, optez pour la **Whoops Trail**.

**Cog Wild** (www.cogwild.com ; 255 SW Century Dr) loue des vélos et organise des navettes et des circuits sur les meilleures pistes.

### Où se loger

**Mill Inn** AUBERGE $
(877-748-1200, 541-389-9198 ; www.millinn.com ; 642 NW Colorado Ave ; dort 35 $, d avec petit-déj 90-130 $ ; ). Un boutique-hôtel de 10 petites chambres élégantes ornées de rideaux et d'édredons en velours. Quatre d'entre elles partagent une sdb en plein air. Petit-déjeuner complet et accès au Jacuzzi compris. Agréable patio à l'arrière et salle de repos au sous-sol. Les voyageurs au budget serré opteront pour le dortoir (exigu).

**McMenamins Old St Francis School** HÔTEL $$
(☎541-382-5174 ; www.mcmenamins.com ; 700 NW Bond St ; d 135-175 $, cottages 185-395 $ ; ). L'un des meilleurs établissements des McMenamin, cette ancienne école a été transformée en hôtel chic de 19 chambres, dont deux possèdent 2 baignoires sur pieds côte à côte. Le superbe bain turc d'eau de mer, aux décorations murales de faïence, mérite à lui seul qu'on y séjourne (entrée pour les non résidents 5 $). Un pub-restaurant, 3 autres bars, un cinéma et des œuvres d'art créatives complètent le tableau.

**Oxford Hotel** BOUTIQUE-HÔTEL $$$
(☎877-440-8436 ; www.oxfordhotelbend.com ; 10 NW Minnesota Ave ; d 289-549 $ ; ). Très prisé, l'Oxford possède d'immenses chambres (les plus petites mesurent 43 m²) meublées de manière écologique avec matelas en mousse de soja et parquet en liège. Les fans de high-tech apprécieront les stations iPod et l'ingénieux bureau en bois. Des suites avec cuisine et douche hammam sont disponibles, et un restaurant chic occupe le sous-sol.

## Où se restaurer et prendre un verre

**Chow** AMÉRICAIN $$
(☎541-728-0256 ; www.chowbend.com ; 1110 NW Newport Ave ; plats 8-14 $ ; 7h-14h). Délicieux et superbement présentés, les œufs pochés, plat vedette de ce restaurant, sont accompagnés de gâteau au crabe, jambon fumé maison et tomates panées à la farine de maïs (nous recommandons aussi les sauces épicées de la maison). Vous aimerez sans doute aussi le pain perdu à la banane caramélisée et les *biscuits* au bacon et au thym. Le midi sont proposés des sandwichs gastronomiques et des salades, à base de légumes du jardin. Bons cocktails.

**Jackson's Corner** AMÉRICAIN $$
(☎541-647-2198 ; www.jacksonscornerbendor.com ; 845 NW Delaware Ave ; plats 10-26 $ ; 7h-21h ; ). Dans cet accueillant restaurant de quartier, apprécié par les familles, règne une ambiance de marché. Les pizzas et pâtes maison sont toujours délicieuses, tout comme les salades bio qui accompagnent du poulet, un steak ou des crevettes. Menu enfant. La terrasse est idéale par beau temps, mais il faut commander au comptoir.

**Deschutes Brewery & Public House** BRASSERIE
(☎541-382-9242 ; www.deschutesbrewery.com ; 1044 NW Bond St ; 11h-23h lun-jeu, 11h-minuit ven-sam, 11h-22h dim). La première microbrasserie de Bend sert des bières artisanales, dont la Mirror Pond Pale Ale, la Black Butte Porter et l'Obsidian Stout, ainsi que de nombreux plats dans le splendide restaurant aménagé sur 2 étages avec des tables sur le balcon. Visites gratuites tous les jours de 13h à 16h à la brasserie, au 901 SW Simpson Ave.

**Crux** BRASSERIE
(☎541-385-3333 ; www.cruxfermentation.com ; 50 SW Division St ; 11h30-22h mar-dim). *Brewpub* le plus en vue actuellement à Bend, installé dans un quartier industriel (ne vous arrêtez pas aux panneaux "route privée"). Les cuves de fermentation que l'on voit derrière la vitre contiennent des bières expérimentales uniques. L'ambiance décontractée est plaisante, tout comme la terrasse. Les familles y sont les bienvenues. Bonne sélection de plats préparés à la bière.

## Renseignements

Pour tout renseignement sur la ville, contactez l'office du tourisme **Visit Bend** (☎800-949-6086 ; www.visitbend.com ; 750 NW Lava Rd ; 9h-17h lun-ven, 10h-16h sam).

## Depuis/vers Bend

Central Oregon Breeze (p. 236) dessert Portland au moins 2 fois par jour. Valley Retriever (p. 237) et **Porter Stage Lines** (www.kokkola-bus.com/PSLSchedule.html) relient Sisters, les villes de la Willamette Valley et de la côte.

Les bus de **High Desert Point** (www.highdesert-point.com) circulent entre Bend et Chemult, où se trouve la gare ferroviaire la plus proche (105 km au sud). High Desert Point relie aussi Eugene, Ontario et Burns.

La compagnie de bus régionale de Bend, **Cascades East Transit** (www.cascadeseasttransit.com) dessert La Pine, Mt Bachelor, Sisters, Prineville et Madras. Elle gère aussi les transports urbains dans Bend.

# Newberry National Volcanic Monument

Le Newberry National Volcanic Monument (accès 5 $/jour) témoigne de 400 000 ans d'activité sismique. Commencez votre visite au **Lava Lands Visitor Center**

(☎541-593-2421 ; 58201 S Hwy 97 ; ⏲9h-17h mi-juin au week-end du Labor Day, horaires limités hors saison), 21 km au sud de Bend. À proximité, vous découvrirez notamment la **Lava Butte**, cône parfait de 152 m d'altitude, et la **Lava River Cave**, le plus long tunnel de lave de l'Oregon. Six kilomètres et demi à l'ouest du Visitor Center, **Benham Falls** est un bon site de pique-nique au bord de la Deschutes River.

**Newberry Crater** fut l'un des volcans les plus actifs d'Amérique du Nord, jusqu'à ce qu'une forte éruption donne naissance à une caldeira. Non loin, les **Paulina Lake** et **East Lake** sont des lacs profonds riches en truites, dominés par le **Paulina Peak** (2 434 m).

## Crater Lake National Park

Attendez-vous à avoir le souffle coupé en apercevant les eaux d'un bleu intense du Crater Lake. Par beau temps, elles reflètent les falaises environnantes comme un miroir. Le paysage est de toute beauté. Crater Lake est le seul parc national d'Oregon (10 $/voiture).

Le phénomène tient à la pureté de l'eau : le lac n'est alimenté par aucun cours d'eau mais uniquement par la pluie et la fonte des neiges. Sa profondeur exceptionnelle de 594 m en fait aussi le lac le plus profond des États-Unis. Le circuit classique consiste à faire le tour du cratère en voiture (53 km, ouvert à peu près de juin à mi-octobre), mais le site offre aussi d'exceptionnelles possibilités de randonnées et de ski de fond. L'endroit bénéficiant d'un des plus forts enneigements d'Amérique du Nord, le tour du cratère et l'entrée nord sont parfois fermés jusqu'à début juillet.

De fin mai à début octobre, on peut passer la nuit aux **Cabins at Mazama Village** (☎541-830-8700 ; www.craterlakelodges.com ; d 140 $ ; 🚭) ou au majestueux **Crater Lake Lodge** (☎888-774-2728 ; www.craterlakelodges.com ; d 165-292 $ ; 🚭📶), ouvert depuis 1915. Ses installations ont été modernisées mais l'endroit a conservé son élégance d'époque. Les campeurs logent au **Mazama Campground** (☎888-774-2728 ; www.craterlakelodges.com ; empl tente/camping-car à partir de 21/29 $ ; 📶🐾).

Pour plus d'informations sur le parc, rendez-vous au **Steel Visitor Center** (☎541-594-3100 ; ⏲9h-17h mai-oct, 10h-16h nov-avr).

# Sud de l'Oregon

Doté du climat chaud et ensoleillé de la Californie voisine, le sud de l'Oregon est la région tropicale de l'État. Ses paysages découpés, ses belles rivières et quelques villes intéressantes constituent ses autres atouts.

## Ashland

L'Oregon n'était pas connu des explorateurs contemporains de William Shakespeare. Il peut donc paraître étrange que cette jolie localité soit devenue la seconde patrie du dramaturge anglais. Shakespeare n'aurait probablement pas manqué de le relever lui-même, lui qui a déclaré : "Le monde est une scène". C'est ainsi que l'on vient de partout assister au célèbre Shakespeare Festival d'Ashland, perpétué sous différentes formes depuis les années 1930. Le terme "festival" est trompeur puisque les spectacles ont lieu durant neuf mois de l'année et attirent jusqu'à 400 000 spectateurs par saison.

Même sans cela, Ashland est une ville séduisante qui compte plusieurs domaines viticoles, des B&B haut de gamme et des restaurants gastronomiques.

### À voir et à faire

**Lithia Park** PARC

(59 Winburn Way). Adjacents aux trois splendides théâtres d'Ashland (dont un en plein air), ces 38 ha qui serpentent le long de l'Ashland Creek au-dessus du centre-ville forment l'un des plus jolis parcs municipaux de l'Oregon. Inscrits au National Register of Historic Places (rares sont les parcs qui le sont), il est orné de fontaines, fleurs, belvédères et d'une patinoire (en hiver seulement).

**Schneider Museum of Art** MUSÉE

(☎541-552-6245 ; www.sou.edu/sma ; 1250 Siskiyou Blvd ; don suggéré 5 $ ; ⏲10h-16h lun-sam). Comme tout bon musée d'art de l'Oregon, celui-ci se trouve sur le campus universitaire et présente des toiles, sculptures et objets du monde entier.

**Jackson Wellsprings** SPA

(☎541-482-3776 ; www.jacksonwellsprings.com ; 2253 Hwy 99 ; ⏲8h-minuit, horaires réduits en hiver). Pour faire trempette, essayez cet établissement new age décontracté, équipé d'une piscine d'eau thermale à 29°C et de bassins individuels à 39°C. À environ 1,6 km au nord de la ville.

**Mt Ashland Ski Resort** STATION DE SKI
(☎541-482-2897 ; www.mtashland.com ; forfait tarif plein/7-12 ans 43/33 $). La poudreuse est étonnamment abondante dans cette station, à 29 km au sud-ouest d'Ashland, sur le Mt Ashland (2 296 m), qui comporte de bonnes pistes pour skieurs confirmés.

**Siskiyou Cyclery** LOCATION DE VÉLOS
(☎541-482-1997 ; www.siskiyoucyclery.com ; 1729 Siskiyou Blvd ; ⏲10h-18h lun-sam, 11h-16h dim). On peut louer un vélo pour découvrir la campagne en empruntant le Bear Creek Greenway, piste cyclable partiellement achevée de 34 km entre Ashland et la ville de Central Point.

## Où se loger

Réservez en été, saison où les festivaliers affluent.

**Manor Motel** MOTEL $
(☎541-482-2246 ; www.manormotel.net ; 476 N Main St ; d 87-129 $ ; ). Joli motel abritant 12 agréables chambres et des appartements de une ou deux chambres près du centre-ville. Kitchenettes disponibles. La Garden Suite a son propre jardin.

**Ashland Hostel** AUBERGE DE JEUNESSE $
(☎541-482-9217 ; www.theashlandhostel.com ; 150 N Main St ; dort 28 $, d 45-94 $ ; ). Auberge de jeunesse centrale et plutôt haut de gamme (pas de chaussures à l'intérieur). La plupart des chambres privatives ont une sdb commune ; certaines sont reliées aux dortoirs. Le confortable salon du sous-sol et la véranda ombragée, à l'avant, sont parfaits pour se détendre. Alcool et cigarettes interdits dans l'établissement. Téléphonez avant d'arriver, les horaires de la réception étant limités.

**Ashland Commons** APPARTEMENTS, AUBERGE DE JEUNESSE $
(☎541-482-6753 ; www.ashlandcommons.com ; 437 Williamson Way ; dort 26 $, s 45-65 $, d 60-80 $ ; ). Hébergement plaisant en dortoir ou en chambre particulière, qui occupent 3 grands appartements. Tous dégagent une atmosphère différente et disposent de 2 ou 4 chambres, d'une cuisine et d'un coin salon. Option idéale pour les groupes qui pourront louer un appartement entier.

**The Palm** BOUTIQUE-HÔTEL $$
(☎541-482-2636 ; www.palmcottages.com ; 1065 Siskiyou Blvd ; d 98-239 $ ; ). Fabuleux petit motel reconverti en 16 charmantes chambres et suites (certaines avec cuisine) donnant sur un jardin. Près d'une rue fréquentée, c'est une oasis de verdure, dont la pelouse s'orne d'une piscine d'eau de mer. Une maison comporte 3 suites spacieuses (299 $).

**Columbia Hotel** HÔTEL $$
(☎541-482-3726 ; www.columbiahotel.com ; 262 1/2 E Main St ; d 89-179 $ ; ). Superbement situé, cet hôtel est l'établissement offrant le meilleur rapport qualité/prix du centre-ville d'Ashland. Il possède 24 chambres rétro originales et sans TV, la plupart partageant des sdb extérieures, et un joli hall d'entrée chargé d'histoire. Les chambres se trouvent au 1er étage (pas d'ascenseur).

## Où se restaurer et prendre un verre

Ashland, qui impose une taxe sur les restaurants de 5%, ne manque pas d'excellentes tables. Si vous voulez dîner dehors l'été, il est prudent, dans les établissements les plus chics, de réserver.

♥ **Morning Glory** CAFÉ $
(☎541-488-8636 ; www.morninggloryrestaurant.com ; 1149 Siskiyou Blvd ; plats 11-13 $ ; ⏲8h-13h30). Ce café coloré à l'ambiance décontracté est l'un des meilleurs d'Ashland à l'heure du petit-déjeuner. Plats créatifs, comme l'omelette au crabe de l'Alaska, pommes de terre sautées aux piments rôtis et gâteaux de crevettes aux œufs pochés. Au déjeuner, il sert des salades et des sandwichs gastronomiques. Arrivez tôt ou tard pour éviter une longue attente.

**Ashland Food Cooperative** FAIRE SES COURSES $
(☎541-482-2237 ; www.ashlandfood.coop ; 237 N 1st St ; ⏲7h-21h). Rendez-vous dans cette excellente coopérative si votre chambre d'hôtel est équipée d'une kitchenette. Tous les produits habituels pour une alimentation saine y sont vendus. Petit traiteur-café et plats à emporter.

♥ **New Sammy's Cowboy Bistro** FRANÇAIS, AMÉRICAIN $$$
(☎541-535-2779 ; 2210 S Pacific Hwy, Talent ; plats 25-28 $, menu 45 $ ; ⏲12h-13h30 et 17h-21h mer-dim). L'un des meilleurs restaurants de l'Oregon. Il ne possède que quelques tables mais affiche une exceptionnelle carte des vins. Les plats sont peu nombreux, mais les combinaisons de saveurs peuvent être incroyables. La majorité des légumes sont cultivés dans le jardin. Il se trouve à Talent,

## OREGON SHAKESPEARE FESTIVAL

L'une des plus importantes attractions du sud de l'Oregon est le très couru Oregon Shakespeare Festival (OSF) d'Ashland. Bien qu'il soit profondément enraciné dans les drames shakespeariens et élisabéthains, le festival propose également quantité de reprises et de pièces de théâtre contemporaines du monde entier.

Les représentations sont données de février à octobre dans trois théâtres situés près de Main St et Pioneer St : l'**Elizabethan Theatre** (en plein air, ouvert de juin à octobre), l'**Angus Bowmer Theatre** et le **Thomas Theatre**, plus intime. Les enfants de moins de 6 ans ne sont pas acceptés. Il n'y a pas de représentation les lundis.

Les places se vendent vite : achetez vos billets sur le site www.osfashland.org. La **billetterie** (☎541-482-4331 ; 15 S Pioneer St ; billets 25-95 $) vend aussi des places de dernière minute. Si vous voulez découvrir les coulisses, réservez votre **circuit** (tarif plein/6-17 ans 15/11 $) bien à l'avance.

Renseignez-vous auprès de l'**OSF Welcome Center** (76 N Main St ; ⌚10h-18h mar-dim) pour les autres manifestations, qui peuvent inclure des conférences universitaires, des lectures de pièces, des concerts et des discussions en première partie de spectacle.

environ 3 km au nord d'Ashland. Pour y dîner, réservez une semaine à l'avance.

**Caldera Tap House** BREWPUB
(☎541-482-4677 ; www.calderabrewing.com ; 31 Water St ; ⌚14h-tard). Un *brewpub* simple et apprécié, avec une terrasse extérieure sous un pont. Les plats de pub typiques accompagnent ales et lagers récompensées. Concerts 2 à 3 fois par semaine. Restaurant plus chic au 590 Clover St.

### ℹ Renseignements

Pour tout renseignement, contactez la **Chamber of Commerce** (☎541-482-3486 ; www.ashlandchamber.com ; 110 E Main St ; ⌚9h-17h lun-ven).

## Jacksonville

Cette adorable ancienne petite ville de chercheurs d'or, la plus vieille ville du sud de l'Oregon, est classée monument historique. L'artère principale est bordée d'édifices bien conservés des années 1880, aujourd'hui transformés en boutiques et galeries d'art. Les amateurs de musique ne manqueront pas le **Britt Festival** (www.brittfest.org ; ⌚juin-sept), qui accueille en septembre les plus grands interprètes. Renseignez-vous à la **Chamber of Commerce** (☎541-899-8118 ; www.jacksonvilleoregon.org ; 185 N Oregon St ; ⌚10h-17h lun-ven, 11h-15h sam-dim).

Jacksonville compte de nombreux B&B élégants ; les motels pour voyageurs à petit budget se trouvent à Medford, 9,5 km à l'est. Le **Jacksonville Inn** (☎541-899-1900 ; www.jacksonvilleinn.com ; 175 E California St ; d 159-199 $ ; ), l'hôtel le plus agréable, occupe un bâtiment de 1863. Ses chambres luxueuses sont décorées d'antiquités et l'hôtel comporte un restaurant.

## Wild Rogue Wilderness

Compris entre la ville de Grants Pass, sur l'I-5, et Gold Beach, sur la côte de l'Oregon, la zone de Wild Rogue Wilderness est traversée par la tumultueuse Rogue River, qui franchit 64 km de canyons dépourvus de route. Le secteur est connu pour la difficulté de son rafting en eaux vives (classes III et IV) et ses longues randonnées.

La modeste ville de **Grants Pass** constitue la porte d'entrée aux aventures sur la Rogue River. Pour des informations, la **Chamber of Commerce** (☎541-450-6180 ; www.visitgrantspass.org ; 1995 NW Vine St ; ⌚8h-17h lun-ven) se trouve près de la sortie 58 de l'I-5. Géré par le Bureau of Land Management, le **Smullin Visitor Center** (☎541-479-3735 ; www.blm.gov/or/resources/recreation/rogue ; 14335 Galice Rd, Galice ; ⌚7h-15h) de Galice, 26 km au nord-ouest de Grant Pass, procure des permis de rafting et des conseils aux randonneurs.

La descente de la Rogue en rafting ou en kayak est une expérience exceptionnelle mais éprouvante. Une descente normale dure 3 jours et coûte 780 $ minimum. **Rogue Wilderness Adventures** (☎800-336-1647 ; www.wildrogue.com ; 325 Galice Rd, Merlin) est une bonne adresse pour s'équiper et l'organiser. Pour des conseils sur la descente en kayak, contactez **Sundance Kayak** (☎541-386-1725 ; www.sundancekayak.com).

Autre point fort de la région, le **Rogue River Trail**, un sentier de 67,5 km, autrefois route d'approvisionnement depuis Gold Beach. Il faut 4 à 5 jours pour le parcourir entièrement ; pour les randonnées d'une journée, on peut rejoindre Whiskey Creek Cabin, une boucle de 10 km aller-retour au départ de Grave Creek. Ce sentier est jalonné de lodges rustiques (110-160 $/pers, repas inclus ; réservation obligatoire) comme le **Black Bar** (541-479-6507 ; www.blackbar-lodge.com ; Merlin). Vous trouverez aussi des campings spartiates en chemin.

## North Umpqua River

Cette rivière sauvage et spectaculaire est un site exceptionnel pour la pêche à la mouche, la randonnée et le camping tranquille. Long de 127 km, le **North Umpqua Trail** démarre près d'Idleyld Park, 5 km à l'est de Glide, et traverse Steamboat pour rejoindre le Pacific Crest Trail. Les jolies sources thermales d'**Umpqua Hot Springs**, à l'est de Steamboat près du Toketee Lake, sont une halte appréciée. Non loin de là, les **Toketee Falls** (34 m) tombent en deux temps le long de colonnes basaltiques, tandis que les **Watson Falls** (83 m) sont une des plus hautes chutes de l'Oregon. Pour des renseignements, faites halte à Glide au **Colliding Rivers Information Center** (541-496-0157 ; 18782 N Umpqua Hwy, Glide ; 9h-17h mai-sept). Le **North Umpqua Ranger District** (541-496-3532 ; 18782 N Umpqua Hwy ; 8h-16h30 lun-ven) se trouve juste à côté.

Des dizaines de campings sont installés en bord de rivière entre Idleyld Park et Diamond Lake, notamment le **Susan Creek** et le spartiate **Boulder Flat** (sans eau). Les hébergements du secteur sont vite remplis en été ; essayez les chambres type chalet du **Dogwood Motel** (541-496-3403 ; www.dogwoodmotel.com ; 28866 N Umpqua Hwy ; d 70-75 $ ; ).

## Oregon Caves National Monument

Cette grotte très appréciée (il n'y en a qu'une) se trouve à 30,5 km à l'est de Cave Junction sur la Hwy 46. On peut visiter 5 km de passages durant une visite de 90 minutes qui emprunte 520 marches et des excavations dégoulinantes le long de la rivière Styx. Habillez-vous chaudement, portez des chaussures antidérapantes et attendez-vous à être mouillé.

Cave Junction, 45 km au sud de Grants Pass sur l'US 199 (Redwood Hwy), regroupe les services de la région – même si le meilleur hébergement de la région est à l'**Holiday Motel** (541-592-3003 ; 24810 Redwood Hwy ; d 68-78 $ ; ), à 3 km au nord, à Kerby. L'**Oregon Caves Chateau** (541-592-3400 ; www.oregoncaveschateau.com ; 20000 Caves Hwy ; ch 109-199 $ ; mi-mai à fin sept ; ) est un hôtel plus luxueux juste à côté de la grotte, où l'on se sert des milk-shakes grâce à une vieille fontaine à sodas. Les campeurs prendront la direction du **Cave Creek Campground** (541-592-4000 ; empl 10 $), 22,5 km plus loin sur la Hwy 46, à 6 km environ de la grotte.

# Est de l'Oregon

L'Oregon à l'est des Cascades n'a rien à voir avec sa partie occidentale, géographiquement et culturellement parlant. La région est peu peuplée – Pendleton, la plus grande ville, ne compte que 20 000 habitants – et comprend des hauts plateaux, des collines aux couleurs inhabituelles, des lacs alcalins asséchés et les gorges les plus profondes du pays.

## John Day Fossil Beds National Monument

Dans les roches tendres et les sols friables du John Day gît une des plus importantes collections de fossiles au monde, formée il y a 6 à 50 millions d'années, à l'époque où les nimravidés à dents de sabre, les chevaux miniatures, les chiens-ours et autres mammifères hantaient les forêts.

Ce parc national de 57 km² comprend trois sites : Sheep Rock Unit, Painted Hills Unit et Clarno Unit, tous dotés de sentiers de randonnée et de panneaux explicatifs. Tout visiter en un jour vous obligera à faire beaucoup de voiture ; plus de 160 km de routes sinueuses séparant les gisements de fossiles, il est préférable de prendre son temps et de passer une nuit à proximité.

Visitez l'excellent **Thomas Condon Paleontology Center** (541-987-2333 ; www.nps.gov/joda ; 32651 Hwy 19, Kimberly ; 10h-17h, parfois fermé en cas de manque de personnel), 3 km au nord de l'US 26 sur le site de Sheep Rock Unit. Il présente notamment un cheval à trois doigts et des pelotes de bousier pétrifiées ainsi que de nombreux autres fossiles et des expositions sur l'histoire géologique. Pour marcher un peu, rejoignez le Blue Basin Trail.

Le **Painted Hills Unit**, près de la ville de Mitchell, se compose de collines basses striées de couleur formées il y a environ 30 millions d'années. Le **Clarno Unit**, plus vieux de 10 millions d'années, comprend des coulées de boue qui recouvrirent une forêt de l'éocène et que l'érosion transforma en falaises blanches surmontées de flèches et de tourelles de pierre.

Le rafting est une activité prisée sur la John Day River, la plus longue rivière sans barrage de l'État. **Oregon River Experiences** (☎800-827-1358 ; www.oregonriver.com) propose des sorties pouvant durer jusqu'à 5 jours. C'est aussi un bon endroit pour pêcher l'achigan à petite bouche et la truite arc-en-ciel – renseignez-vous auprès de l'**Oregon Department of Fish & Wildlife** (www.dfw.state.or.us).

La plupart des villes du secteur comptent au moins un hôtel. À Mitchell, vous trouverez l'**Historic Oregon Hotel** (☎541-462-3027 ; 104 E Main St ; dort 20 $, d 45-69 $ ; 📶), plein de cachet, et à John Day (qui regroupe la majorité des services de la région) se trouve le **Dreamers Lodge** (☎800-654-2849 ; 144 N Canyon Blvd ; d à partir de 63 $ ; 🚭❄📶🐾), bon marché. Parmi les campings publics des environs, citons ceux de Lone Pine et de Big Bend (emplacements 5 $) sur la Hwy 402.

## Wallowa Mountains

Avec leurs pics sertis de glaciers et leurs lacs cristallins, les Wallowa Mountains comptent parmi les plus beaux espaces naturels de l'Oregon. Leur seul défaut est la quantité de visiteurs qu'elles attirent en été, surtout autour du Wallowa Lake. Vous échapperez à la foule sur les longs sentiers menant à l'**Eagle Cap Wilderness**, comme le parcours de 9,5 km jusqu'à **Aneroid Lake** ou les 13 km de l'**Ice Lake Trail**.

Juste au nord de ces montagnes, dans la Wallowa Valley, **Enterprise** est une agréable ville d'arrière-pays dotée de plusieurs motels comme le **Ponderosa** (☎541-426-3186 ; 102 E Greenwood St ; d 70-80 $ ; ❄📶🐾). Amateurs de bières et de bonne cuisine, ne manquez pas **Terminal Gravity Brewing** (☎541-426-3000 ; www.terminalgravitybrewing.com ; 803 SE School St ; plats 9-12 $ ; ⏲11h-21h dim-mar, 11h-22h mer-sam), la microbrasserie locale. À 9,5 km au sud, **Joseph** est le pendant chic d'Enterprise. De coûteuses galeries de sculptures, des boutiques d'art et de bons restaurants bordent l'artère principale.

## Hells Canyon

Les gorges fluviales les plus profondes d'Amérique du Nord (encore plus profondes que le Grand Canyon, lorsqu'on les mesure en partant du plus haut sommet de la montagne) constituent l'un des paysages sauvages les plus magnifiques que les visiteurs auront l'occasion de voir. La puissante Snake River, qui creuse son passage depuis 13 millions d'années dans les hauts plateaux de l'est de l'Oregon, a atteint une profondeur de 2 438 m. Ce canyon totalement sauvage et dépourvu de routes est ouvert aux curieux et aux intrépides.

Pour prendre du recul, parcourez les 48 km vers le nord-ouest qui séparent Joseph d'Imnaha, où une route gravillonnée de 38 km conduit (lentement) au point de vue de **Hat Point**. De là, on peut admirer les Wallowa Mountains, les Seven Devils d'Idaho, l'Imnaha River et le canyon. Cette route est ouverte de fin mai aux premières neiges ; prévoyez 2 heures pour l'aller seulement.

Pour pratiquer les sports en eaux vives et admirer un paysage spectaculaire, gagnez le **Hells Canyon Dam**, à 40 km au nord du village d'Oxbow. Quelques kilomètres après le barrage, la route s'arrête au **Hells Canyon Visitor Center** (☎541-785-3395 ; ⏲8h-16h mai-sept) où vous trouverez de bons conseils sur les campings et sentiers du secteur. Au-delà, la Snake River descend un dénivelé de 400 m par des rapides praticables uniquement en hors-bord ou en raft. **Hells Canyon Adventures** (☎800-422-3568 ; www.hellscanyonadventures.com) est le principal organisateur de sorties en raft et en hors-bord de mai à septembre (sur réservation).

Les campings sont nombreux dans le secteur. À la sortie d'Imnaha, l'**Imnaha River Inn** (☎866-601-9214 ; www.imnahariverinn.com ; 73946 Rimrock Rd ; s/d à partir de 70/130 $), est un B&B rempli de trophées de chasse. À Oxbow, le **Hells Canyon B&B** (☎541-785-3373 ; www.hcbb.us ; 49922 Homestead Rd ; d 80 $ ; 🚭❄📶) offre un rapport qualité/prix intéressant. Enterprise, Joseph et Halfway proposent plus de services.

## Steens Mountain et Alvord Desert

Le plus haut sommet du sud-est de l'Oregon, la Steens Mountain (2 979 m) fait partie d'un imposant massif de 48 km de long composé de rochers de faille, qui a été formé il y a quelque 15 millions d'années. Sur le versant ouest, des glaciers préhistoriques ont creusé de larges tranchées formant des gorges et des vallées suspendues en U. À l'est, les "Steens" – comme est habituellement appelée la chaîne montagneuse – plongent dans le Alvord Desert, 1 524 m plus bas.

La **Steens Mountain Loop Rd**, route gravillonnée de 90 km qui commence à Frenchglen (12 habitants), est la route la plus haute de l'Oregon. Depuis ses points de vue, elle offre des panoramas magnifiques de la chaîne, et conduit à des campings et des sentiers de randonnée. Vous traverserez des étendues recouvertes d'armoise, de genévriers et de forêts de trembles, pour arriver, au sommet, dans une toundra fragile sur sol rocheux. Le **point de vue de Kiger Gorge**, à 40 km de Frenchglen, est particulièrement saisissant. Le circuit nécessite 2 heures de trajet si vous ne vous arrêtez pas, mais si vous souhaitez profiter du paysage, consacrez beaucoup plus de temps à cette promenade. Vous pouvez également explorer le versant est des Steens via la route Fields-Denio, qui traverse l'**Alvord Desert** entre la Hwy 205 et la Hwy 78. Faites le plein d'essence et d'eau et préparez-vous à de brusques changements de temps, quelle que soit la saison.

Frenchglen accueille le charmant **Frenchglen Hotel** (☎541-493-2825 ; fghotel@yahoo.com ; 39184 Hwy 205, Frenchglen ; d 75-115 $ ; ⊙mi-mars à oct ; ), avec sa petite salle à manger (réservation nécessaire pour le dîner), une petite boutique faisant fonctionner une pompe à essence en saison et pas grand-chose de plus. Plusieurs campings bordent Steens Mountain Loop Rd, comme le joli **Page Springs** du BLM (Bureau of Land Management), ouvert toute l'année. Il existe quelques autres campings agréables (empl 6-8 $) plus loin le long de la route, mais ils ne sont ouverts qu'en été. Tous ces terrains ont l'eau courante. Le camping sauvage (gratuit) est également autorisé dans les Steens.

## Côte de l'Oregon

Grâce à la perspicacité du gouvernement des années 1910, les 585 km de côte pacifique de l'Oregon sont classés territoire public. L'US 101 longe ce littoral splendide en traversant des villes, des stations balnéaires, des parcs nationaux (plus de 70) et des espaces sauvages. Tout le monde, des campeurs aux gastronomes, trouvera une multitude de façons de profiter de cette région exceptionnelle.

### Astoria

Située à l'embouchure de 8 km de large de la Columbia River, Astoria fut la première colonie américaine de l'ouest du Mississippi. Riche d'une longue histoire en lien avec la mer, la ville a vu le quartier du vieux port, où vivaient autrefois les artistes et écrivains sans le sou, attirer ces dernières années hôtels et restaurants chics. Vers l'intérieur des terres se dressent de nombreuses demeures historiques joliment restaurées, notamment de l'époque victorienne, dont certaines ont été transformées en charmants B&B.

#### À voir

Autre élément architectural du paysage urbain d'Astoria, l'Astoria-Megler Bridge (6,6 km) est le plus long pont continu en treillis d'Amérique du Nord. Il enjambe la Columbia River pour rejoindre le Washington. Vous pourrez l'admirer depuis l'Astoria Riverwalk, qui suit la route du trolleybus. Le Pier 39 est un intéressant ponton couvert où sont installés un modeste musée de la conserverie et deux restaurants.

♥ **Columbia River Maritime Museum** MUSÉE
(☎503-325-2323 ; www.crmm.org ; 1792 Marine Dr ; tarif plein/6-17 ans 12/5 $ ; ⊙9h30-17h). Ce beau musée en forme de vague interprète l'histoire maritime de la ville. Il est difficile de rater le bateau des garde-côtes, figé en plein action, à travers l'immense vitre extérieure. L'exposition s'intéresse également à l'industrie de conditionnement du saumon, aux phares de la région et à l'histoire commerciale du fleuve. Ne manquez pas non plus l'exposition du Columbia River Bar et le cinéma en 3D.

**Flavel House** BÂTIMENT HISTORIQUE
(www.cumtux.org ; 441 8th St ; tarif plein/6-17 ans 5/4 $ ; ⊙10h-17h). La Flavel House fut construite dans le style Queen Anne par le capitaine George Flavel, un citoyen d'importance à Astoria dans les années 1880.

**Astoria Column** MONUMENT
(☎503-325-2963 ; www.astoriacolumn.org ; Coxcomb Hill ; parking 1 $). Couronnant Coxcomb Hill, l'Astoria Column (1926) est une tour de 38 m décorée de scènes représentant la découverte et le peuplement de l'Ouest. Le sommet de la tour (après une ascension de 164 marches) offre une vue fantastique des alentours.

**Fort Stevens State Park** PARC
(☎503-861-1671 ; www.oregonstateparks.org ; 100 Peter Iredale Rd, Hammond ; journée 5 $). À 16 km à l'ouest d'Astoria, ce parc renferme l'installation militaire qui gardait autrefois l'embouchure de la Columbia River. Près du **Military Museum** (☎503-861-2000 ; ⊙10h-18h mai-sept, 10h-16h oct-avr) GRATUIT sont enterrées dans le sable des batteries – vestiges intéressants des bâtiments militaires du fort qui ont le plus soufferts. On y trouve une plage fréquentée sur laquelle trône la petite épave du *Peter Iredale* (1906), un camping et près de 20 km de pistes cyclables.

## Où se loger et se restaurer

**Norblad Hotel & Hostel** HÔTEL, AUBERGE DE JEUNESSE $
(☎503-325-6989 ; www.norbladhotel.com ; 443 14th St ; dort 30 $, d 59-89 $ ; ). Cette option centrale loue 6 chambres simples mais élégantes, la plupart avec sdb commune, et une avec sdb privative (74 $). Certaines ont une TV à écran plat et vue sur le fleuve. Quelques dortoirs et une cuisine commune.

♥ **Commodore Hotel** BOUTIQUE-HÔTEL $$
(☎503-325-4747 ; www.commodoreastoria.com ; 258 14th St ; d avec sdb commune/privative à partir de 89/149 $ ; ). Les voyageurs tendance se rueront dans cet hôtel élégant et branché, qui propose de petites chambres chics au décor minimaliste. Choisissez-en une avec sdb privative ou avec lavabo dans la chambre et sdb au bout du couloir. La n°309 jouit de la meilleure vue sur le fleuve. Superbe hall d'entrée digne d'un salon, avec café attenant.

**Blue Scorcher Bakery Café** CAFÉ $
(☎503-338-7473 ; www.bluescorcher.com ; 1493 Duane St ; plats 7-13 $ ; ⊙8h-17h ; ). Café et boulangerie-pâtisserie coopérative bio qui prépare de délectables salades, sandwichs, pizzas et plats d'œufs pour le petit-déjeuner. Les végétariens ne sont pas oubliés.

**Fort George Brewery** BREWPUB $$
(☎503-325-7468 ; www.fortgeorgebrewery.com ; 1483 Duane St ; plats 9-14 $ ; ⊙11h-23h lun-jeu, 11h-minuit ven-sam, 12h-23h dim). Brasserie-restaurant pleine de charme installée dans un bâtiment historique, sur le site des premières constructions d'Astoria. On y savoure aujourd'hui des burgers gastronomiques, des saucisses maison, des salades bio et quelques plats éclectiques. Visites de la brasserie le week-end, dans l'après-midi.

### LEWIS ET CLARK : FIN DU VOYAGE

En novembre 1805, William Clark, son compagnon Meriwether Lewis et quelques dizaines d'autres membres du Corps of Discovery débouchèrent dans une crique abritée de la Columbia River, à 3 km de l'actuel Astoria-Megler Bridge, au terme de ce qui fut la plus grande traversée continentale de l'histoire des États-Unis.

À l'issue d'un vote, le premier réellement démocratique de la jeune nation américaine (même une femme et un esclave noir y participèrent), les explorateurs décidèrent d'installer leur bivouac à 8 km au sud d'Astoria, au Fort Clatsop, où ils passèrent un terrible hiver 1805-1806. Aujourd'hui, le site, rebaptisé **Lewis and Clark National & State Historical Parks** (www.nps.gov/lewi), accueille une copie du Fort Clatsop, un centre pour les visiteurs et des reconstitutions historiques (l'été).

## Renseignements

Informations locales au **Visitor Center** (www.oldoregon.com ; 111 W Marine Dr ; ⊙9h-17h).

## Depuis/vers Astoria

Les bus **Northwest Point** (☎503-484-4100 ; www.northwest-point.com) rallient deux fois par jour Seaside, Cannon Beach et Portland. **Sunset Empire Transit** (☎503-861-7433 ; www.ridethebus.org ; 900 Marine Dr) gère les transports locaux ; les bus desservent aussi Warrenton, Cannon Beach et Seaside.

# Cannon Beach

Plaisante, Cannon Beach est l'une des stations balnéaires les plus prisées et les plus chics de la côte de l'Oregon. Bordées de boutiques et de galeries, les rues sont égayées de fleurs colorées. Les hébergements y sont onéreux et les rues constamment embouteillées. Par temps chaud le samedi après-midi, les visiteurs passent une bonne partie de leur temps à chercher une place de parking.

## À voir et à faire

Photogénique rocher de 90 m planté dans la mer, le **Haystack Rock** est l'élément le

VAUT LE DÉTOUR

## ITINÉRAIRE PANORAMIQUE : LES TROIS CAPS

À mi-chemin entre Cannon Beach et Newport, Cape Meares, Cape Lookout et Cape Kiwanda comptent parmi les caps les plus spectaculaires de la côte. Ils sont reliés les uns aux autres par une petite route sinueuse et cahoteuse de 65 km, alternative à l'US 101. Le trajet est intéressant, mais en mars 2013, une portion de route au nord de Cape Meares a commencé à s'affaisser et a été fermée. Les travaux de réparation pourraient vous obliger à rejoindre Cape Meares via Netarts et Oceanside, puis à revenir sur vos pas.

**Cape Meares** est un cap boisé coiffé d'un phare de 11,6 m (le plus petit de tout l'Oregon) qui offre de belles vues. De courts sentiers mènent au plus grand épicéa de Sitka de l'Oregon et à l'"Octopus Tree" ("arbre pieuvre", un autre épicéa de Sitka en forme de chandelier).

Avec sa vue panoramique à plus de 240 m au-dessus du Pacifique, le **Cape Lookout State Park** et ses falaises constituent une visite incontournable. En hiver, Le bout du cap, qui s'étend sur presque 1,6 km, fait le bonheur des observateurs de baleines. Vous y trouverez de grandes plages sablonneuses, des sentiers de randonnée et un camping prisé au bord de l'eau.

Enfin, **Cape Kiwanda** est un promontoire de grès qui s'élève juste au nord de la petite localité de Pacific City. Vous pourrez faire de la randonnée sur les hautes dunes ou même conduire sur la plage. C'est le plus développé des trois caps, avec de nombreux services à proximité. Ne manquez pas le **Pelican Brewpub** (Cape Kiwanda ; plats 12-32 $ ; ⌚8h-22h dim-jeu, 8h-23h sam-dim) si vous êtes amateur de bière. Observez les bateaux partir à la pêche ou, de retour d'une dure journée de travail, s'échouer aussi haut que possible sur la plage.

plus spectaculaire de la côte de l'Oregon. Il est accessible depuis la plage à marée basse. Les oiseaux affectionnent ses falaises et il est entouré de bassins qui restent remplis à marée basse.

En allant vers le nord, la côte, protégée à l'intérieur de l'**Ecola State Park** (☎503-436-2844 ; 5 $, en journée), représente l'Oregon tel que vous l'avez rêvé : rochers dans la baie, vagues déferlantes, plages secrètes et forêts. Ce parc à 2,5 km de la ville renferme de nombreux sentiers dont une portion de l'Oregon Coast Trail, qui passe par Tillamook Head et conduit à la ville de Seaside.

Les environs de Cannon Beach se prêtent au surf – mais pas Cannon Beach même. Les meilleurs spots sont Indian Beach dans l'Ecola State Park, à 5 km au nord, et Oswald West State Park, à 16 km au sud. **Cleanline Surf Shop** (www.cleanlinesurf.com ; 171 Sunset Blvd) est une enseigne accueillante qui loue des planches et d'indispensables combinaisons.

### Où se loger et se restaurer

**Cannon Beach Hotel** HÔTEL HISTORIQUE $$
(☎503-436-1392 ; www.cannonbeachhotellodgings.com ; 1116 S Hemlock St ; d avec petit-déj 139-269 $ ; 🚭📶). Hôtel chic et central, doté de 10 chambres. Les standards sont ravissantes mais minuscules. Même les suites sont un peu exiguës. Bon petit-déjeuner servi au café de l'hôtel.

**Blue Gull Inn Motel** MOTEL $$
(☎800-507-2714 ; www.haystacklodgings.com ; 487 S Hemlock St ; d 119-219 $ ; 🚭📶🐾). Les chambres de ce motel figurent parmi les plus abordables de la ville. L'atmosphère y est cosy et le décor classique. Hébergements avec kitchenette et Jacuzzi disponibles. Géré par Haystack Lodgings.

**Sleepy Monk Coffee** CAFÉ $
(☎503-436-2796 ; www.sleepymonkcoffee.com ; 1235 S Hemlock St ; ⌚8h-14h lun et mar, 8h-16h ven-dim). 🌿 Pour un café bio et certifié commerce équitable, essayez ce petit établissement de la rue principale. Il tient aussi l'**Irish Table**, un excellent restaurant situé dans le même bâtiment.

♥ **Newman's at 988** FRANÇAIS, ITALIEN $$$
(☎503-436-1151 ; www.newmansat988.com ; 988 S Hemlock St ; plats 22-36 $ ; ⌚17h30-21h tlj 1er juil-15 oct, mar-dim 16 oct-30 juin). Un restaurant de petite taille mais de grande qualité situé dans la rue principale. John Newman, le chef primé, concocte des

plats fusionnant les cuisines française et italienne. Les desserts sont divins.

## Renseignements

Informations disponibles à la **Chamber of Commerce** (503-436-2623 ; www.cannonbeach.org ; 207 N Spruce St ; 10h-17h).

## Depuis/vers Cannon Beach

Les bus **Northwest Point** (www.northwest-point.com) circulent entre Astoria et Portland (et dans le sens inverse) tous les matins, et marquent un arrêt à Cannon Beach. Achetez vos billets au Beach Store, à côté de Cannon Beach Surf.

Le **Cannon Beach Shuttle** (503-861-7433 ; www.ridethebus.org), également appelé "The Bus", remonte tout Hemlock St jusqu'à l'extrémité de Tolovana Beach. Les horaires varient en fonction des saisons. Les deux bus relient aussi Seaside et Astoria.

Les bus **Wave** (www.tillamookbus.com) desservent Manzanita et Lincoln City plusieurs fois par jour.

# Newport

Possédant la plus grande flotte de pêche commerciale de l'Oregon, Newport est une ville touristique vivante dotée de belles plages et d'un splendide aquarium. En 2011, elle est devenue le siège de la NOAA, la National Oceanic and Atmospheric Administration (Administration océanique et atmosphérique nationale). Les bons restaurants - mais aussi les attractions tape-à-l'œil, les boutiques de cadeaux et les otaries bruyantes - sont nombreux dans le quartier historique du front de mer tandis que Nye Beach, plus bohème, offre galeries d'art et atmosphère plus intime. La région fut explorée pour la première fois dans les années 1860 par des pêcheurs qui trouvèrent des bancs d'huîtres à Yaquina Bay.

L'**Oregon Coast Aquarium** (541-867-3474 ; www.aquarium.org ; 2820 SE Ferry Slip Rd ; tarif plein/ 13-17 ans/ 3-12 ans 18,95/16,95/11,95 $ ; 9h-18h ; ), d'envergure internationale, est un site incontournable, qui comprend un bassin de loutres de mer, des aquariums de méduses et des tunnels au milieu des requins. Non loin, le **Hatfield Marine Science Center** (541-867-0100 ; www.hmsc.oregonstate.edu ; 2030 SE Marine Science Dr ; 10h-17h ; ) GRATUIT est beaucoup plus petit mais mérite tout de même une visite. Pour profiter des bassins de marée et du paysage, rendez-vous dans la **Yaquina Head Outstanding Area** (541-574-3100 ; 750 NW Lighthouse Dr ; 7 $ ; lever-coucher du soleil, centre d'interprétation 10h-18h), qui héberge le plus haut phare de la côte et un intéressant centre d'interprétation.

Pour camper, dirigez-vous vers le vaste et populaire **South Beach State Park** (541-867-4715 ; www.oregonstateparks.org ; empl tente/empl camping-car/yourtes 21/27/40 $ ; ), à 3 km au sud sur l'US 101. Les amateurs de lecture peuvent choisir le **Sylvia Beach Hotel** (541-265-5428 ; www.sylviabeachhotel.com ; 267 NW Cliff St ; d avec petit-déj 115-220 $ ; ), dont les chambres simples mais confortables portent des noms d'écrivains ; réservation indispensable.

Si vous souhaitez déguster de délicieux fruits de mer, optez pour **Local Ocean Seafoods** (541-574-7959 ; www.localocean.net ; 213 SE Bay Blvd ; plats 11-23 $ ; 11h-20h30 dim-jeu, 11h-21h ven-sam) – particulièrement agréable le midi, lorsque les parois de verre ouvrent sur le port.

Renseignez-vous à la **Chamber of Commerce** (541-265-8801 ; www.newportchamber.org ; 555 SW Coast Hwy ; 8h-17h lun-ven, 10h-15h sam).

# Yachats et ses environs

L'un des secrets les mieux gardés de la côte de l'Oregon, Yachats (ya-hots) est une petite ville très plaisante. Au sud de la ville, les auberges et B&B isolés accueillent les visiteurs qui veulent se couper du monde, ce qui est chose aisée le long de cette côte assez sauvage.

À 5 km au sud, le vaste **Cape Perpetua** fut découvert par le capitaine Cook en 1778. Des phénomènes volcaniques lui ont conféré une belle côte découpée agrémentée de formations spectaculaires comme le Devil's Churn, où des vagues puissantes viennent se fracasser dans un goulet de 9 m. Pour une randonnée facile, empruntez le **Captain Cook Trail** (circuit de 1,9 km) conduisant à des laisses proches de Cooks Chasm, où, à marée haute, un jet d'eau, appelé le "spouting horn", jaillit d'une grotte marine tel un geyser. Pour tout renseignement, rendez-vous au **Cape Perpetua Visitor Center** (541-547-3289 ; www.fs.usda.gov/siuslaw ; 10h-16h tlj mars-mai et sept-oct, 10h-17h tlj juin-août, fermé mar nov-fév).

À 24 km au sud par l'US 101, on accède par ascenseur aux **Sea Lion Caves** (541-547-3111 ; www.sealioncaves.com ; 91560 US 101 ; adulte/6-12 ans 14/8 $ ; 9h-18h), des grottes touristiques bruyantes, mais amusantes, remplies d'otaries.

On peut camper au **Beachside State Park** (☎800-551-6949 ; www.oregonstateparks.org ; empl tente/empl camping-car/yourtes 21/26/40 $ ; 🐾), à 8 km au nord de Yachats par l'US 101. Le **Ya'Tel Motel** (☎541-547-3225 ; www.yatelmotel.com ; angle US 101 et 6th St ; d 64-84 $ ; ⊖@📶🐾) est une bonne option peu onéreuse, et le **Green Salmon Coffee House** (☎541-547-4409 ; www.thegreensalmon.com ; 220 US 101 ; plats 7-11 $ ; ⏲7h30-14h ; 🌿) est parfait pour manger un morceau.

## Oregon Dunes National Recreation Area

Étiré sur 80 km entre Florence et Coos Bay, l'Oregon Dunes constitue la plus grande étendue de dunes côtières des États-Unis. Elles peuvent atteindre 150 m et pénétrer jusqu'à 5 km dans les terres pour rejoindre les forêts côtières, abritent de curieux écosystèmes et une vie sauvage abondante. Le secteur comprend des sentiers pédestres et équestres ainsi que des aires réservées au bateau et à la baignade ; évitez la zone au sud de Reedsport, envahie par des buggies bruyants. Renseignez-vous au **siège** (☎541-271-3495 ; www.fs.usda.gov/siuslaw ; 855 Highway Ave ; ⏲8h-16h30 lun-ven, 8h-16h sam-dim) de l'Oregon Dunes National Recreation Area à Reedsport.

Parmi les campings des parcs d'État, citons le **Jessie M Honeyman** (☎800-452-5687, 541-997-3641 ; www.oregonstateparks.org ; 84505 US 101 S ; empl tente/empl camping-car/yourtes 21/26/39 $ ; 🐾), à 5 km au sud de Florence, et l'agréable **Umpqua Lighthouse** (☎800-452-5687, 541-271-4118 ; www.oregonstateparks.org ; 460 Lighthouse Rd ; empl tente/empl camping-car/yourtes/chalets/yourtes "deluxe" 19/24/36/39/76 $ ; 🐾), à 6,5 km au sud de Reedsport. Le secteur compte de nombreux autres campings.

## Port Orford

Situé dans un port naturel et doté d'une vue spectaculaire, le hameau de Port Orford occupe une pointe encadrée de deux magnifiques parcs d'État. Le **Cape Blanco State Park**, 14,5 km au nord, est le deuxième point le plus occidental des États-Unis. Hormis les randonnées, on peut visiter le **Cape Blanco Lighthouse** (☎541-332-2207 ; www.oregonstateparks.org ; US 101 ; 2 $ ; ⏲10h-15h30 mer-lun), construit en 1870, le plus haut et le plus vieux phare en fonction de l'Oregon.

À 9,5 km au sud de Port Orford, dans le **Humbug Mountain State Park**, mer et montagne s'affrontent dans un grand fracas de vagues. Un sentier de 5 km escalade le mont de 533 m en traversant de vieux bosquets de cèdres.

Le **Castaway-by-the-Sea Motel** (☎541-332-4502 ; www.castawaybythesea.com ; 545 W 5th St ; d 85-145 $ ; ⊖@📶🐾) vous permettra de faire un séjour abordable. Pour vous restaurer, allez au **Redfish** (☎541-336-2200 ; www.redfishportorford.com ; 517 Jefferson St ; plats 21-29 $ ; ⏲11h-21h lun-ven, 9h-21h sam-dim) 🌿 qui sert les fruits de mer les plus frais de la ville.

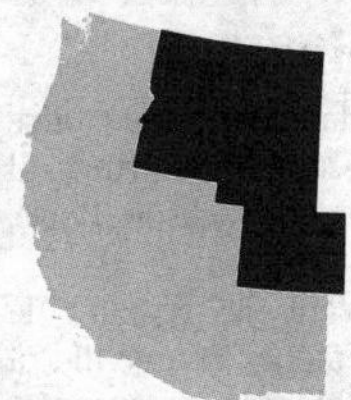

# Rocheuses

**Dans ce chapitre ➡**



## Le top des restaurants

- Root Down (p. 260)
- Salt (p. 266)
- Rickshaw (p. 320)
- Pine Creek Cookhouse (p. 278)
- Silk Road (p. 312)

## Le top des hébergements

- Curtis (p. 259)
- Boise Guest House (p. 317)
- Chautauqua Lodge (p. 264)
- Alpine House (p. 306)
- Old Faithful Inn (p. 301)

## Pourquoi y aller

Véritable colonne vertébrale du pays, la haute chaîne de montagnes des Rocheuses est un coin de nature à l'état brut avec sa rangée de pics enneigés, ses canyons accidentés et ses rivières sauvages dévalant les États de l'Ouest. À voir la beauté et la vitalité de l'endroit, il n'est pas étonnant qu'au siècle dernier les malades s'y rendaient encore en cure.

Les vertus apaisantes des Rocheuses demeurent. Vous y trouverez au choix tranquillité (le Wyoming est l'État le moins peuplé du pays) ou adrénaline. L'action est au cœur de la vie de ses habitants : escalade, ski sur glacier, rafting... Et après l'effort, accordez-vous une détente bien méritée dans une source d'eau chaude à la lueur des étoiles, ou autour d'un délicieux repas à base de produits locaux.

Enfin, ne manquez pas de vous laisser charmer par la démesure des parcs nationaux de Yellowstone, Rocky Mountain, Grand Teton et Glacier, où rodent encore les "Big Five" américains (grizzly, élan, bison, puma et loup).

## Quand partir

### Denver

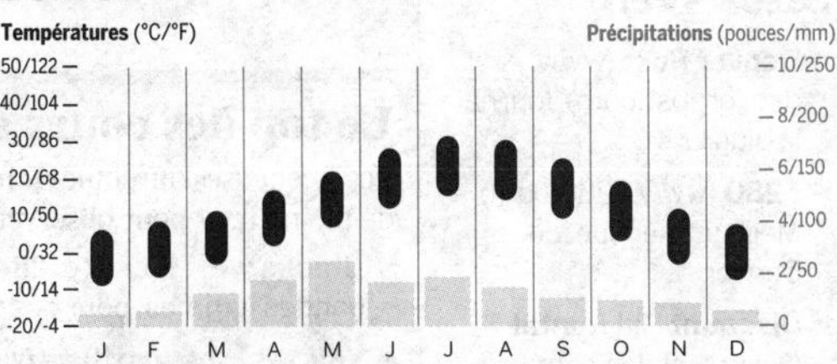


**Juin-août** Longues journées estivales propices au vélo, à la randonnée, la visite de marchés...

**Sept et oct** La chute des feuilles colorées s'accompagne de celle des prix de l'hébergement.

**Jan et fév** Sommets enneigés, poudreuse et soirées animées.

**À NE PAS MANQUER**

Enfilez un Stetson et partez à la découverte des grands espaces du Wyoming et du Montana au galop ! L'été, les ranchs organisent de superbes promenades dans les Rocheuses.

## En bref

- **Principale ville** Denver (600 000 hab.)
- **Montagnes** Le Colorado compte le plus grand nombre de sommets de plus de 4 267 m des États-Unis.
- **Fuseau horaire** Heure des Rocheuses(2 heures de retard sur New York)

## Le saviez-vous ?

En plantant votre tente au Yellowstone National Park, vous dormirez au sommet de l'un des plus grands supervolcans au monde. Il entre en activité tous les 640 000 ans : une éruption est imminente, d'ici 10 000 ans !

## Sites Web

- **Denver Post** (www.denverpost.com) Journal le plus lu
- **5280** (www.5280.com) Meilleur mensuel de Denver
- **Discount Ski Rental** (www.rentskis.com) Disponible dans les principaux centres touristiques
- **14ers** (www.14ers.com) Destiné aux randonneurs des Rocheuses.

## Comment s'y rendre et circuler

L'unique grand aéroport international de la région se trouve à Denver (DEN). Avec l'aéroport de Colorado Springs, il propose des vols sur de petits appareils pour Jackson, Boise, Bozeman et Aspen notamment.

Amtrak gère deux lignes desservant la région : le *California Zephyr* relie quotidiennement Emeryville à Chicago en marquant 6 arrêts dans le Colorado, notamment à Denver, Fraser-Winter Park, Glenwood Springs et Grand Junction ; l'*Empire Builder* circule quotidiennement de Seattle ou Portland à Chicago en marquant 12 arrêts dans le Montana (dont Whitefish, East Glacier et West Glacier) et 1 arrêt dans l'Idaho, à Sandpoint.

Greyhound assure des liaisons dans certaines zones des Rocheuses, mais avoir son propre véhicule est indispensable si l'on désire explorer vraiment la région.

**PARCS NATIONAUX**

La région compte quelques-uns des plus grands parcs nationaux du pays. Dans le Colorado, le **Rocky Mountain National Park** recèle de superbes randonnées à travers les forêts alpines et la toundra. On y trouve aussi le **Great Sand Dunes National Park**, aux allures de Sahara, et le **Mesa Verde National Park**, réserve archéologique dotée de beaux habitats troglodytes.

Le Wyoming s'enorgueillit, avec le **Grand Teton National Park**, de cimes granitiques déchiquetées. Le premier parc national des États-Unis, le **Yellowstone National Park** où abondent geysers volcaniques, sources chaudes et montagnes boisées, se trouve non loin de là. Le Montana n'est pas en reste avec le **Glacier National Park** et sa multitude de pics sédimentaires, de petits glaciers et d'animaux, dont le grizzly. L'Idaho, enfin, abrite la **Hells Canyon National Recreation Area**, où la Snake River a creusé le plus profond canyon d'Amérique du Nord. Le **National Park Service** (NPS ; www.nps.gov) gère une vingtaine d'autres sites historiques, de monuments, de réserves naturelles et de zones nationales de loisirs (*national recreation areas*) à travers tout l'État.

## Le top des cours en plein air

Les Rocheuses offrent le cadre idéal pour s'essayer aux sports de plein air, et pour observer la nature en action.

- **Chicks with Picks** (p. 284). Cours d'escalade sur glace par des femmes, pour des femmes.
- **Yellowstone Institute** (www.yellowstoneassociation.org). Pour étudier les loups, l'écologie ou les arts auprès d'experts.
- **Teton Science Schools Ecology** (p. 305). Une initiation à la nature ; idéal pour les enfants.
- **Colorado Mountain School** (p. 270). Apprentissage des techniques pour escalader en toute sécurité.

## Histoire

Avant l'arrivée des trappeurs français et des Espagnols à la fin du XVIIIe siècle, de nombreuses tribus vivaient dans les Rocheuses (*Rocky Mountains*), notamment les Nez-Percés, les Shoshone, les Crow, les Lakota et les Ute.

En 1803, ayant racheté la Louisiane, les États-Unis acquirent la quasi-totalité du Montana et du Wyoming actuels, ainsi que l'est du Colorado. L'opération fit la renommée de Meriwether Lewis et de William Clark, qui parcoururent quelque 13 000 km en trois ans lors d'une expédition devenue légendaire, ouvrant ainsi la voie à d'autres explorateurs et à une forte immigration. Jusqu'au XXe siècle, les convois de pionniers se succédèrent à travers les montagnes. L'achèvement de la ligne de chemin de fer transcontinentale dans le sud du Wyoming, à la fin des années 1860, ne ralentit que temporairement ce flot humain.

Afin de libérer de l'espace pour les colons, les États-Unis chassèrent les Espagnols, les Britanniques et, au cours d'une sombre page de leur histoire, anéantirent la majorité des Indiens. Le gouvernement signa d'innombrables traités pour apaiser la colère

### LES ROCHEUSES EN...

#### Deux semaines

Débutez votre odyssée dans les Rocheuses par Denver et ses environs. Descendez des rapides en bouée, faites du shopping vintage ou enfourchez un vélo dans la ville de **Boulder** où bohème se conjugue avec plein air, puis asseyez-vous à la terrasse d'un café pour profiter de l'ambiance. Admirez les vues du **Rocky Mountain National Park** avant de prendre l'I-70 vers l'ouest pour profiter des montagnes entourant **Breckenridge**, qui abritent les meilleures pistes pour débutants du Colorado. Rendez-vous à **Steamboat Springs**, véritable paradis du VTT, avant d'entrer dans le Wyoming.

Votre premier arrêt sera **Lander**, incontournable pour les férus d'escalade. Continuez vers le nord jusqu'à la très chic **Jackson** et le fantastique **Grand Teton National Park** avant de rejoindre le **Yellowstone National Park**. Réservez au moins trois jours à l'exploration de cette merveille truffée de geysers.

Entrez dans le Montana et dirigez-vous tranquillement vers le nord-ouest de l'État en vous arrêtant à Bozeman et à Missoula avant de découvrir le **Flathead Lake**. Mettez ensuite le cap sur l'Idaho. En été, descendez les eaux tourmentées du **Hells Canyon National Recreation Area** avant de continuer vers **Boise**, la petite ville qui monte. Terminez par quelques jours de ski à **Sun Valley** et de fête à **Ketchum**. La ville et sa station, bien que servant actuellement de point de ralliement à la jet-set hollywoodienne, restent sans prétention et abordables.

#### Un mois

Avoir un mois à votre disposition vous permettra de sortir des sentiers battus. Suivez l'itinéraire précédent, mais complétez-le d'un tour dans le sud-ouest du Colorado, région viticole en pleine expansion, avant de visiter le Wyoming. Explorez les pistes de 4x4 des environs d'**Ouray**. Profitez de votre passage dans la région pour découvrir le **Mesa Verde National Park** et ses habitats troglodytiques.

Dans le Montana, pourquoi ne pas faire un peu de randonnée dans le **Bob Marshall Wilderness Complex** et visiter le **Glacier National Park** avant que ses glaciers ne disparaissent ? Dans l'Idaho, vous profiterez plus longtemps des plaisirs de **Sun Valley**, et prendrez le temps d'explorer les boutiques, les pubs et les excellents restaurants bio de **Ketchum**. En un mois, vous pourrez également parcourir en voiture quelques-unes des superbes petites routes panoramiques de la région. Un must : la Hwy 75 entre Sun Valley et **Stanley**. Ce superbe village de montagne installé sur les larges berges de la Salmon River est au cœur de zones naturelles protégées. Outre la beauté de ses paysages, Stanley offre des sites de pêche à la truite incomparables et des parcours de rafting de niveau moyen à très difficile. Prenez la Hwy 21 de Stanley à Boise. Cette route panoramique vous fera traverser des kilomètres de forêts de pins. Elle est ponctuée de campings isolés le long de la rivière, certains pourvus de bassins alimentés par des sources chaudes naturelles.

## À ne pas manquer

1. Les geysers, les bisons et les grizzlys du **Yellowstone National Park** (p. 296).
2. Jouer les cow-boys à **Aspen** (p. 277).
3. Les parcours de randonnée et d'escalade dans les espaces sauvages et escarpés du **Grand Teton National Park** (p. 302).
4. Une descente en rafting dans les eaux tumultueuses de la **Middle Fork of the Salmon River** (p. 321).
5. Les plaisirs qu'offre **Boulder** (p. 263), haut lieu des sports de plein air.
6. Un tour des villes pittoresques et très "Far West" du comté de San Juan, dans le **sud du Colorado** (p. 283).

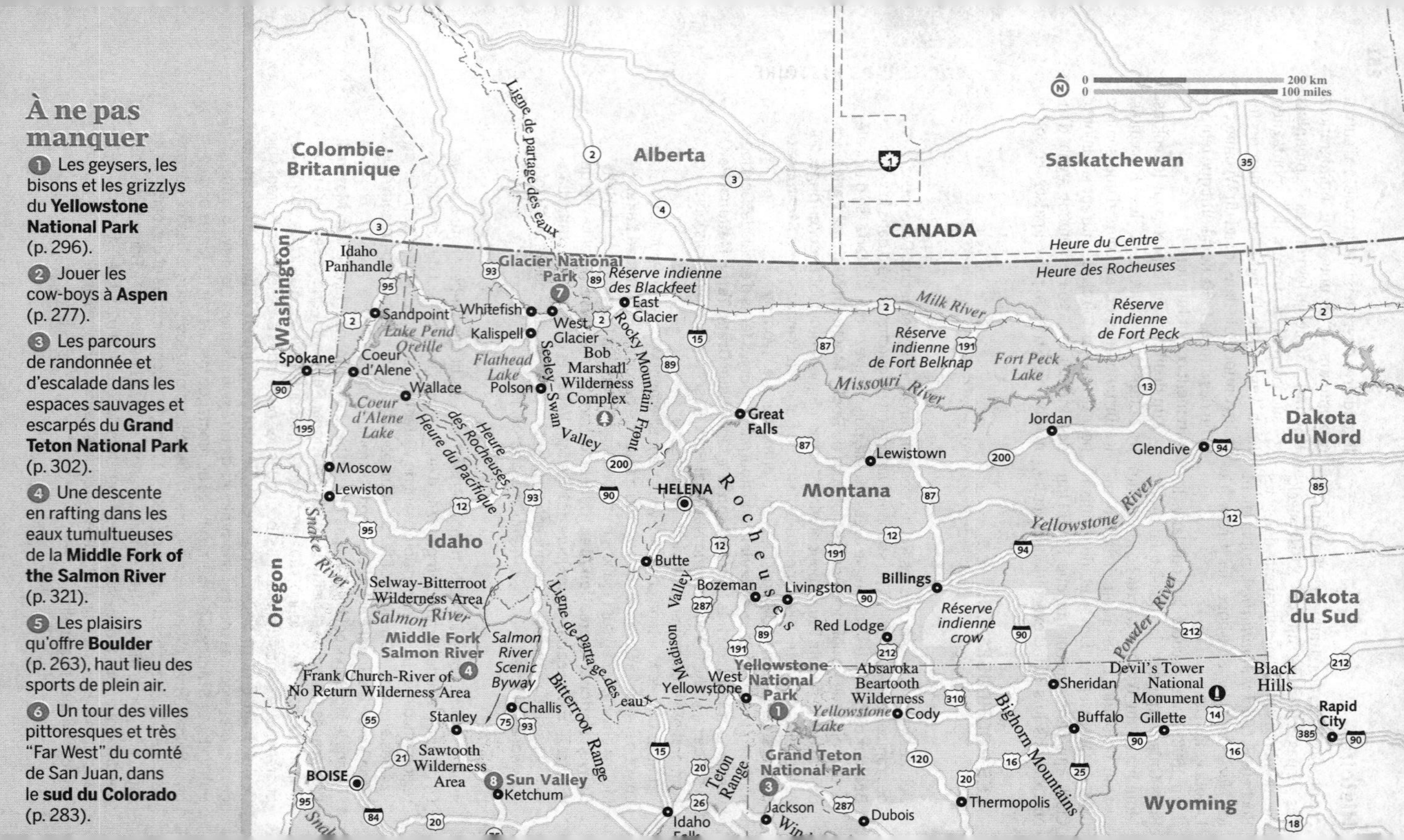

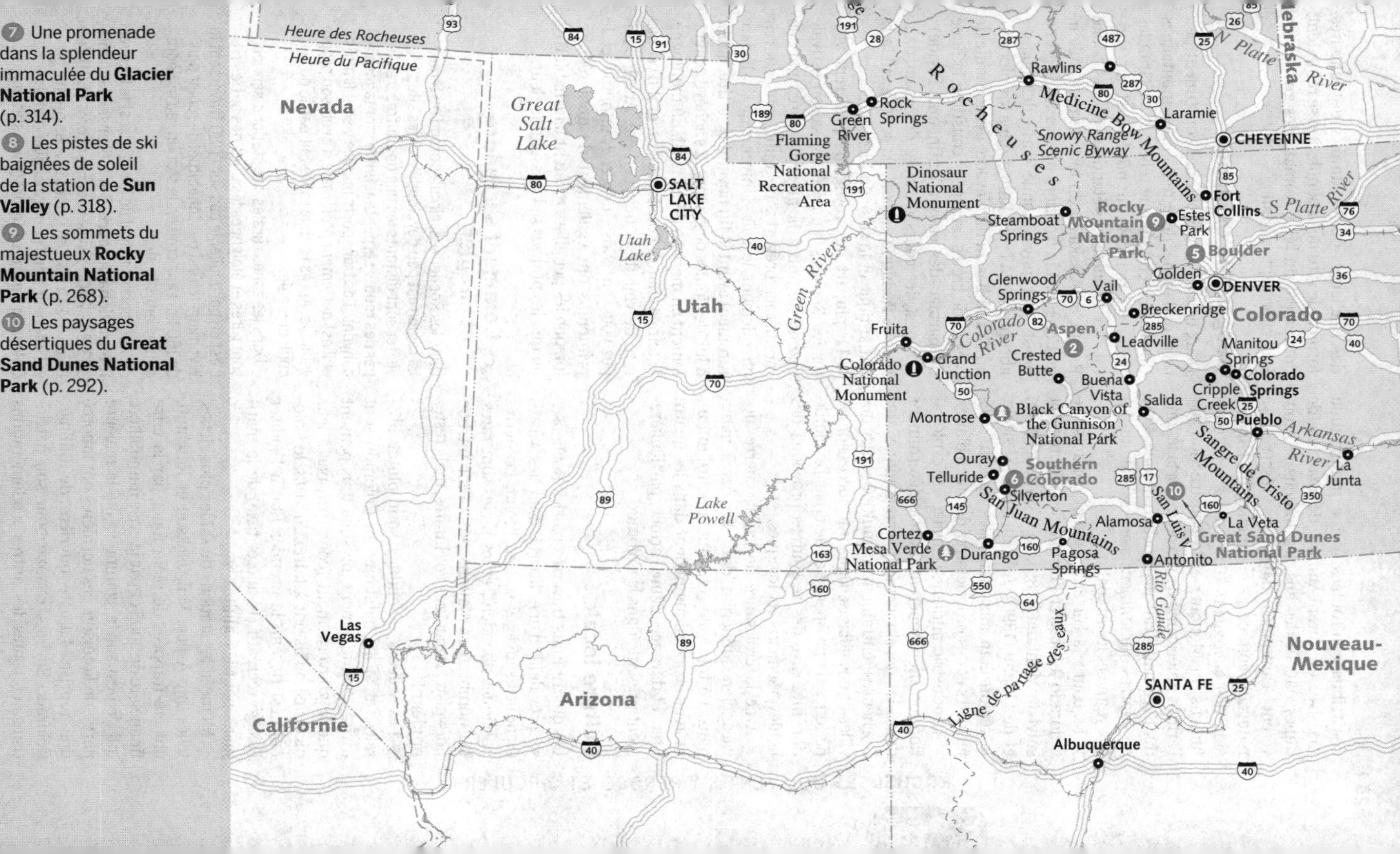


7 Une promenade dans la splendeur immaculée du **Glacier National Park** (p. 314).

8 Les pistes de ski baignées de soleil de la station de **Sun Valley** (p. 318).

9 Les sommets du majestueux **Rocky Mountain National Park** (p. 268).

10 Les paysages désertiques du **Great Sand Dunes National Park** (p. 292).

des tribus confrontées à une immigration massive. Ce furent autant de marchés de dupes : au fil des ans, les Indiens se trouvèrent cantonnés dans des réserves se réduisant comme peau de chagrin. L'incursion des chercheurs d'or sur les territoires indiens du Montana et la construction par l'armée américaine de plusieurs forts le long du Bozeman Trail déclenchèrent une série de guerres, notamment avec les Lakota, les Cheyenne et les Arapaho.

La course à l'or et à l'argent conduisit le Colorado à intégrer l'Union en 1876, bientôt suivi du Montana (1889), du Wyoming (1890) et de l'Idaho (1890). À la fin du XIXe siècle, la région était aux mains des mineurs, des fermiers et des propriétaires de ranch blancs.

L'industrie minière, l'élevage et l'exploitation forestière jouèrent un rôle déterminant dans le développement économique des Rocheuses, entraînant la multiplication des villes et des villages. Dans une succession de périodes de prospérité et de crise, l'exploitation intensive des ressources provoqua des bouleversements écologiques.

Avec la croissance de l'après-guerre, des vacanciers affluèrent dans les parcs nationaux. Le tourisme constitue aujourd'hui un moteur économique majeur dans les quatre États et devance même l'armée, particulièrement présente dans le Colorado.

## Culture locale

Les quatre États traversés par les Rocheuses se prévalent d'une liberté dont les vastes étendues sauvages se font l'écho. Les terres publiques abondent, et les règles sont rares. De nombreuses stations proposent un bon hors-piste. Repoussez vos limites, mais restez prudent !

Les valeurs défendues sont plutôt libérales, et si les habitants du Colorado sont divisés politiquement, presque tous pensent que le gouvernement fédéral n'a pas à leur dicter ce qu'ils ont à faire. En 2013, le Colorado est devenu le premier État à légaliser l'usage récréatif (régulé et taxé) de la marijuana pour les adultes.

Même si les stations de ski les plus riches, telles que Aspen, Vail, Jackson et Ketchum, ont été frappées de plein fouet par la crise financière de 2008 et par la crise immobilière qui s'en est suivie, comme l'a été la majeure partie de la région, ces dernières ont amorcé une reprise. La cité ouvrière de Billings, Colorado Springs, connue pour son patriotisme, et toutes les autres agglomérations des Rocheuses où les familles de militaires forment le gros de la population se remettent doucement du bilan humain des guerres en Irak et en Afghanistan.

## Géographie et climat

Deux entités géographiques constituent peu ou prou le relief de la région : les montagnes Rocheuses, en tant que telles, et les Grandes Plaines. Orientées du nord-ouest au sud-est, les Rocheuses s'étendent de la Brooke Range, en Alaska, et du territoire du Yukon, au Canada, à la frontière mexicaine. D'est en ouest, leur physionomie varie des falaises abruptes de la Front Range, dans le Colorado, au Grand Bassin du Nevada. Cette chaîne de pics et de crêtes escarpées constitue la ligne de partage des eaux (Continental Divide) : à l'ouest, les cours d'eau se déversent dans l'océan Pacifique ; à l'est, ils se dirigent vers l'Atlantique et le golfe du Mexique.

La plupart des voyageurs préfèrent visiter les Rocheuses en été. La saison estivale s'étend de juin à la mi-septembre, mais en montagne, prévoyez de quoi vous couvrir chaudement le soir. L'hiver, qui se déclare rarement avant la fin novembre, attire, quant à lui, des foules de skieurs. Il s'achève généralement en mars ou début avril. En montagne, le temps change constamment, et il n'est pas rare de voir de la neige en été. Aussi, équipez-vous en conséquence. L'automne et le printemps ont également de quoi séduire, lorsque les peupliers revêtent leur habit d'or, ou que les prairies se tapissent de fleurs.

## Comment s'y rendre et circuler

Dans les Rocheuses, circuler prend du temps. La région est peu développée, et les sites à visiter sont distants les uns des autres, reliés par des routes serpentant entre montagnes et canyons. Les transports publics y sont limités, et il est nettement préférable d'avoir son propre véhicule. Après tout, la route fait partie de la couleur locale.

Dans les zones rurales, les stations-service sont rares et éloignées les unes des autres ; c'est en particulier le cas sur l'I-80 traversant le Wyoming. Il n'est pas inhabituel de rouler plus de 160 km sans croiser de station : au moindre doute, faites le plein.

L'aéroport principal de la région est le **Denver International Airport** (DIA ; ☎ renseignements 303-342-2000 ; www.flydenver.com ; 8500 Peña Blvd ; ⏲ 24h/24 ; wifi), mais si vous prenez un vol intérieur, vous pourrez choisir d'atterrir au **Colorado Springs Airport** (www.springsgov.

com/airportindex.aspx), de taille plus réduite, presque aussi pratique, et aux tarifs souvent inférieurs. Ces deux aéroports proposent des vols sur de petits appareils vers les principales agglomérations de la région, dont Jackson, Boise, Bozeman et Aspen.

**Greyhound** (☎800-231-2222 ; www.greyhound.com) possède le réseau de bus le plus complet de la région, et assure des liaisons à travers les Rocheuses.

Les lignes Amtrak (p. 263) ci-après comptent plusieurs trains vers la région et à l'intérieur :

**California Zephyr**. Service quotidien entre Emeryville en Californie (dans la baie de San Francisco) et Chicago dans l'Illinois, avec 6 arrêts dans le Colorado dont Denver, Fraser-Winter Park, Glenwood Springs et Grand Junction.

**Empire Builder**. Circule chaque jour de Seattle ou de Portland à Chicago, avec 12 arrêts dans le Montana (dont Whitefish, East glacier et West Glacier) et un dans l'Idaho, à Sandpoint.

## COLORADO

De ses pistes couvertes d'une poudreuse d'exception à son café serré, tout dans cet État affiche une singulière vigueur. Fort du plus grand nombre de hauts sommets (culminant à plus de 4 267 m) aux États-Unis, le Colorado ne se résume pour autant pas aux sports de plein air. Les universités et les hautes technologies constituent une autre facette de l'État, industrielle cette fois. Mais même les plus travailleurs peuvent se laisser distraire aux premières chutes de neige.

Ce n'est pas un hasard si cette région ensoleillée attire autant de visiteurs venus de la Côte Est et de Californie. Les Latino-Américains ont également répondu présents pour venir travailler dans l'importante industrie qu'est le tourisme. Et s'ils sont étiquetés conservateurs pour l'essentiel, les habitants du Colorado ont une réelle conscience écologique et font preuve d'un volontarisme aimable.

### Renseignements

**Conditions routières au Colorado** (☎877-315-7623 ; www.state.co.us). Informations routières.

**Denver Post** (www.denverpost.com). Principal quotidien de Denver.

**Office du tourisme du Colorado** (☎800-265-6723 ; www.colorado.com)

**Parcs d'État du Colorado** (☎303-470-1144 ; www.parks.state.co.us). Emplacement tente et caravane de 10 à 24 $ la nuit en fonction des commodités. Certains parcs offrent des bungalows au confort sommaire et des yourtes, souvent équipées de poêles à bois toute l'année. Il est possible de réserver un emplacement à l'avance moyennant 10 $ (non remboursables). Comptez 6 $ pour modifier une réservation.

### LE COLORADO EN BREF

**Surnom** Centennial State (État du centenaire des États-Unis)

**Population** 5 millions d'habitants

**Superficie** 270 000 km²

**Capitale** Denver (566 974 hab.)

**Autres villes** Boulder (91 500 hab.), Colorado Springs (372 400 hab.)

**TVA** 2,9 % (taxe d'État) plus les taxes propres à chaque ville

**Lieu de naissance de** Ouray, chef ute (1833-1880), Trey Parker, créateur de South Park (né en 1969), l'actrice Amy Adams (née en 1974), l'alpiniste Aron Ralston du film *127 Heures* (né en 1975), Tommy Caldwell, grimpeur (né en 1978)

**Patrie** de l'université de Naropa (fondée par des poètes de la Beat Generation), du mouflon des Rocheuses, des bières de luxe

**Politique** État pivot

**Célèbre pour** son ensoleillement (300 jours par an), ses vignobles d'altitude et la plus longue descente de ski des États-Unis continentaux.

**Souvenir le plus kitsch** Un ouvre-bouteille en sabot de cerf

**Distances routières** Denver-Vail : 161 km, Boulder-Rocky Mountain National Park : 61 km

## Denver

L'intérêt pour Denver, située à 1 609 m d'altitude, ne cesse de s'accroître dans toute la région avec ses tours étincelantes du centre, ses pubs-brasseries, ses dispensaires de cannabis, ses sentiers, ses trekkeurs à la peau tannée et son cosmopolitisme croissant qui a favorisé l'essor de la scène artistique et la création d'excellents restaurants et de bars tendance.

## Denver

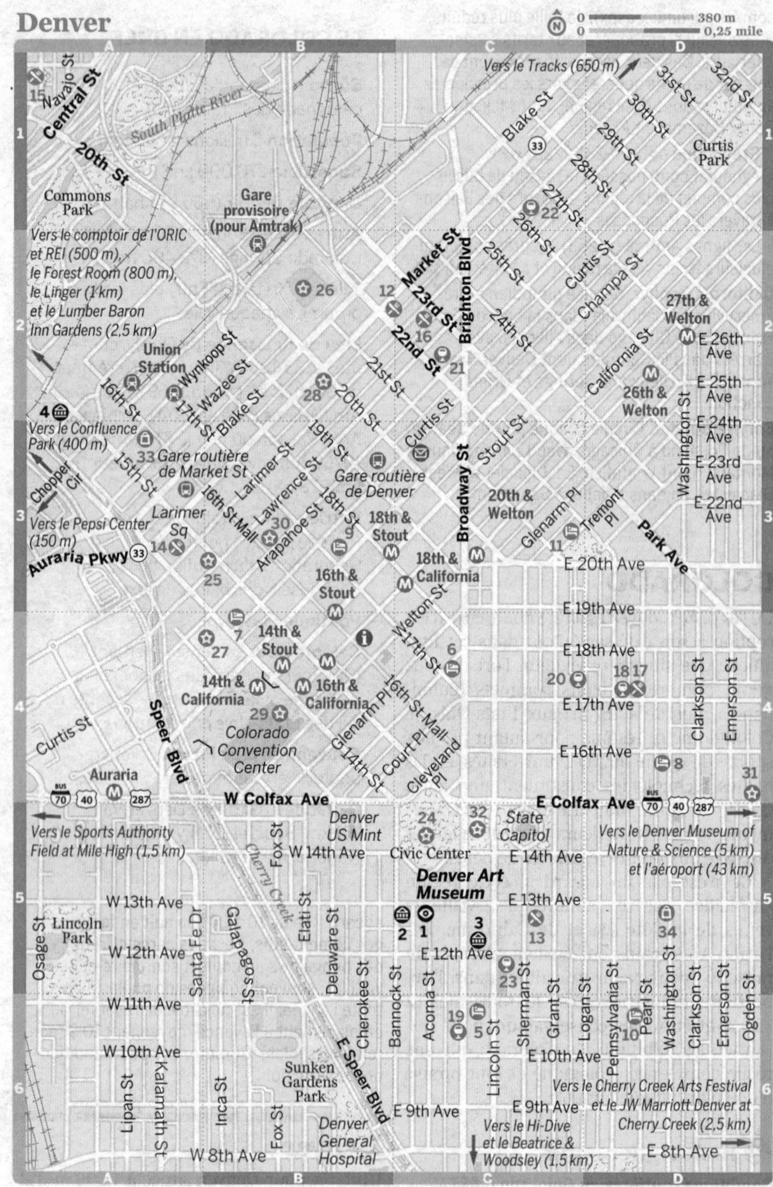


Si l'animation touristique se concentre essentiellement dans les quartiers de Downtown (centre-ville) et de Lower Downtown (LoDo), les voyageurs qui connaissent la ville se dirigent dans d'autres quartiers comme Highlands, Washington Park, Cherry Creek, Five Points, South Santa Fe et River North (RiNo) pour plonger au cœur de la vie nocturne effervescente de Denver.

À ces atouts s'ajoutent un accès facile aux Rocheuses, l'un des meilleurs réseaux de VTT hors-piste des États-Unis, ainsi que de nombreux parcs, espaces verts et promenades en bord de fleuve.

## Denver

**Les incontournables**
1 Denver Art Museum .......... C5

**À voir**
2 Clyfford Still Museum .......... C5
3 History Colorado Center .......... C5
4 Museum of Contemporary Art .......... A2

**Où se loger**
5 11th Avenue Hotel .......... C6
6 Brown Palace Hotel .......... C4
7 Curtis .......... B4
8 Denver International Youth Hostel .......... D4
9 Hotel Monaco .......... B3
10 Patterson Historic Inn .......... D6
11 Queen Anne Bed & Breakfast Inn .......... C3

**Où se restaurer**
12 Buenos Aires Pizzeria .......... B2
13 City O' City .......... C5
14 Rioja .......... A3
15 Root Down .......... A1
16 Snooze .......... C2
17 Steuben's Food Service .......... D4

**Où prendre un verre et faire la fête**
18 Ace .......... D4
19 Bar Standard .......... C6
20 Denver Wrangler .......... C4
21 Great Divide Brewing Company .......... C2
22 Matchbox .......... C1
23 The Church .......... C5

**Où sortir**
24 Cinco de Mayo .......... C5
25 Comedy Works .......... B3
26 Coors Field .......... B2
27 Denver Performing Arts Complex .......... B4
28 El Chapultepec .......... B2
29 Great American Beer Festival .......... B4
30 Lannie's Clocktower Cabaret .......... B3
31 Ogden Theatre .......... D4
32 Taste of Colorado .......... C5

**Achats**
33 Tattered Cover Bookstore .......... A3
34 Wax Trax Records .......... D5

## À voir et à faire

### Denver Art Museum — MUSÉE

(DAM ; ☎720-865-5000 ; www.denverartmuseum.org ; 100 W 14th Ave ; adulte/enfant/étudiant 13/5/10 $ ; gratuit le 1er sam du mois ; 10h-17h mar-jeu, sam et dim, 10h-20h ven ; P ; 9, 16, 52, 83L RTD). Le DAM abrite l'une des plus grandes collections d'art amérindien du pays et propose des expositions multimédias d'avant-garde. Sa collection consacrée à l'Ouest américain est réputée, à juste titre.

Il ne s'agit pas d'un musée traditionnel, et la meilleure partie de la visite est la découverte des expositions interactives, que les enfants adorent. L'aile Frederic C Hamilton, projet à 110 millions de dollars conçu par Daniel Libeskind, est fantastique. Sa structure cristalline, toute en angles et arêtes, en fait une incroyable œuvre architecturale. À l'intérieur, les formes y changent à chaque instant grâce à une exploitation tout à fait singulière de la lumière naturelle.

### Clyfford Still Museum — MUSÉE

(☎720-354-4880 ; www.clyffordstillmuseum.org ; 1250 Bannock St ; adulte/enfant 10/3 $ ; 10h-17h, 10h-20h ven). Entièrement dévolu au travail de l'expressionniste abstrait américain du XXe siècle Clyfford Still, ce musée fascinant présente plus de 2 400 œuvres de ce maître de l'audace. La ville a construit un musée en son honneur car l'artiste, mort en 1980, avait laissé un testament dans lequel il insistait pour que son travail fût exposé dans un espace unique.

### History Colorado Center — MUSÉE

(☎303-447-8679 ; www.historycoloradocenter.org ; 1200 Broadway ; adulte/étudiant/enfant 10/8/8 $ ; 10h-17h lun-sam, 12h-17h dim ; P). Ce charmant petit musée introduit le visiteur aussi bien aux racines historiques du Colorado qu'aux exploits technologiques dont il tire désormais fierté. Y figurent des expositions interactives, dont des bornes mobiles d'aspect, dites "machines à voyager dans le temps", à promener sur une carte géante de l'État, à la découverte des principaux événements de l'histoire du *Centennial State*.

### Confluence Park — PARC

(2200 15th St ; ; 10 RTD). GRATUIT Ce parc, qui se trouve au confluent de Cherry Creek et de Platte River, est le lieu de rendez-vous favori pour tous les amateurs de soleil. C'est l'endroit parfait pour un pique-nique dans l'après-midi. Petite section de descente en kayak et en canoë gonflable.

De là, suivez le Cherry Creek Trail vers le sud pour rejoindre le Cherry Creek Shopping Center et, plus loin, le Cherry Creek Reservoir. Si vous suivez le Platte Trail vers le sud-ouest, vous finirez par arriver au Chatfield Reservoir. En partant vers le nord, on rattrape le Clear Creek Trail qui conduit à Golden.

VAUT LE DÉTOUR

## RANDONNÉES À LA JOURNÉE

Des centaines de sentiers de randonnée vous attendent à moins d'une heure de Denver. La plupart des visiteurs choisissent d'aller dans les parcs de Boulder ou à Colorado Springs pour la journée.

**Jefferson County Open Space Parks** (www.jeffco.us/openspace ; 👪). Les meilleures randonnées sont celles de Matthews Winters, du Mount Falcon, d'Elk Meadow et de Lair o' the Bear.

**Golden Gate Canyon State Park** (☎303-582-3707 ; www.parks.state.us/parks ; 92 Crawford Gulch Road, Golden ; entrée/camping 7/24 $ ; ⏰5h-22h). À mi-chemin entre Denver et Nederland, cet immense parc de 4 856 ha est accessible en 45 minutes depuis le centre de Denver.

**Staunton State Park** (☎303-816-0912 ; www.parks.state.co.us/parks). Le plus récent des parcs du Colorado s'étire sur le site d'un ranch ancien à quelque 65 km à l'ouest de Denver. Quittez la Hwy 285 entre Conifer et Bailey.

**Waterton Canyon** (☎303-634-3745 ; www.denverwater.org/recreation/watertoncanyon ; Kassler Center). Au sud de la ville, juste à l'ouest du Chatfield Reservoir, ce beau canyon est traversé par un sentier sans difficulté de 10,5 km qui mène au Strontia Springs Dam. De là, le **Colorado Trail** (CTF ; ☎303-384-3729 ; www.coloradotrail.org ; PO Box 260876 ; ⏰9h-17h lun-ven) peut vous conduire jusqu'à Durango !

**Buffalo Creek Mountain Bike Area** (www.frmbp.org ; Pine Valley Ranch Park). Pour qui souhaite s'adonner au VTT, cette zone est sillonnée de quelque 65 km de pistes.



**Museum of Contemporary Art** GALERIE
(☎303-298-7554 ; www.mcadenver.org ; 1485 Delgany St ; adulte/étudiant/enfant/après 17h 8/5/1/5 $ ; ⏰12h-19h mar-jeu, 12h-20h ven, 10h-19h sam-dim ; P ; 🚌6 RTD). Construit dans un esprit d'engagement, ce musée d'art contemporain accueille des expositions temporaires, lesquelles peuvent se révéler tantôt provocantes, intéressantes ou décevantes.

**Denver Museum of Nature & Science** MUSÉE
(☎303-370-6000 ; www.dmns.org ; 2001 Colorado Blvd ; musée adulte/enfant 13/8 $, IMAX 10-8 $, planétarium 5/4 $ ; ⏰9h-17h ; P 👪 ; 🚌20, 32, 40 RTD). Situé à la limite est de City Park, ce muséum des sciences naturelles, très classique et apprécié des enfants, propose d'excellentes expositions temporaires. Le cinéma IMAX et le Gates Planetarium plaisent tout particulièrement.

## Fêtes et festivals

**Cinco de Mayo** FESTIVAL LATINO
(www.cincodemayodenver.com ; ⏰Mai ; 👪). GRATUIT Salsa et margaritas égayent l'une des plus grandes fêtes du *Cinco de mayo* du pays, le premier week-end de mai.

**Cherry Creek Arts Festival** ARTS
(www.cherryarts.org ; angle Clayton St et E 3rd Ave ; 👪). Chaque année, ce gigantesque festival artistique faisant la part belle à la gastronomie attire plus de 250 000 curieux.

**Taste of Colorado** GASTRONOMIE
(☎303-295-6330 ; www.atasteofcolorado.com ; Civic Center Park ; 👪). Le premier lundi de septembre, plus de 50 restaurants préparent leurs spécialités sur des étals en plein air à l'occasion du Labor Day, la fête du Travail. Boissons, concerts et stands d'artisanat complètent les festivités.

**Great American Beer Festival** BIÈRE
(☎303-447-0816 ; www.greatamericanbeerfestival.com ; 700 14th St ; 75 $ ; ⏰début-sept ; 👪 ; 🚌101 D-Line, 101 H-Line, 🚌1, 8, 30, 30L, 31, 48 RTD) 🍃. Le Colorado compte davantage de microbrasseries que n'importe quel autre État américain, et cette fête ultrapopulaire affiche complet avant même les trois jours de festivités, en septembre ou octobre.

## Où se loger

Outre les établissements mentionnés ci-après, divers motels indépendants ou affiliés à une chaîne proposent des chambres à partir de 75 $. Faites des économies en passant par Internet. Les auberges de jeunesse de Denver sont davantage fréquentées par des sans-abri que par les voyageurs sac au dos.

**Denver International Youth Hostel** AUBERGE DE JEUNESSE $
(☎303-832-9996 ; www.youthhostels.com/denver ; 630 E 16th Ave ; dort 19 $ ; P@; 15, 15L, 20 RTD). Si votre budget est très serré, cette auberge de jeunesse pourra vous satisfaire. Très rudimentaire et quelque peu chaotique, elle offre un cadre qui ne manque néanmoins pas de charme et un excellent emplacement dans le centre. Tous les dortoirs ont une sdb et l'espace commun, au sous-sol, est doté d'une TV grand écran, d'une bibliothèque et d'ordinateurs mis à disposition des clients.

**11th Avenue Hotel** HÔTEL $
(☎303-894-0529 ; www.11thavenuehotel.com ; 1112 Broadway ; dort 19-22 $, ch avec/sans baignoire 45/39 $ ; ). Hôtel idéalement situé pour les amateurs d'art dans le quartier de Golden Triangle. Dans les étages, les chambres, certaines avec sdb particulière, sont très simples mais propres. C'est un hôtel sûr et très correct.

**Curtis** BOUTIQUE-HÔTEL $$
(☎303-571-0300 ; www.thecurtis.com ; 1405 Curtis St ; d 159-279 $ ; @; 15 RTD). Un séjour dans ce temple de la culture pop postmoderniste tient d'une immersion dans un monde chamarré à la Andy Warhol. Unique en son genre à Denver, le Curtis prête une attention particulière aux détails, qu'il s'agisse du service ou de la décoration des chambres.

Chacun des 13 étages est décoré de façon à rendre hommage à différents genres de la culture pop américaine. Les chambres sont spacieuses et modernes sans excès d'exubérance. Certains détails ne plairont sans doute pas à tous (on peut se faire réveiller par un appel d'Elvis), mais les voyageurs fatigués des enseignes internationales habituelles seront enthousiasmés par cette adresse originale en plein cœur du centre-ville.

**Queen Anne Bed & Breakfast Inn** B&B $$
(☎303-296-6666 ; www.queenannebnb.com ; 2147 Tremont Pl ; ch avec petit-déj 135-215 $ ; P). Avec la douce musique de chambre qui flotte dans les parties communes, les fleurs, le jardin impeccable et les dégustations de vin en soirée, ce B&B écologique, aménagé dans deux maisons victoriennes de la fin des années 1800, dégage une ambiance romantique. Pourvues de meubles d'époque, de bains à remous privatifs et de belles peintures murales, les chambres ont toutes une personnalité différente.

Parmi les éléments écolos, citons les matelas en matières recyclées, les tissus bio (tout comme les délicieux petits-déjeuners complets), ainsi que des produits et denrées achetés autant que possible auprès de marchands de la région. Prêt de vélos.

**Patterson Historic Inn** HÔTEL HISTORIQUE $$
(☎303-955-5142 ; www.pattersoninn.com ; 420 E 11th Ave ; ch avec petit-déj à partir de 169 $ ; @). Ce somptueux édifice de 1891, ancienne demeure d'un sénateur, abrite aujourd'hui le meilleur hébergement historique de la ville. Le jardin est petit, mais le charme victorien de l'endroit, le délicieux petit-déjeuner et les chambres bien tenues de ce manoir de 9 pièces enchanteront les clients. Peignoirs en soie, édredons en duvet et TV à écran plat.

**Lumber Baron Inn Gardens** B&B $$
(☎303-477-8205 ; www.lumberbaron.com ; 2555 W 37th Ave ; ch 149-239 $ ; P; 38 RTD). Les dîners à thème "meurtres et mystères", ainsi que les suites invitant à la romance, distinguent du lot ce B&B élégant du quartier tendance de Highlands : même la clientèle locale se plaît à y faire une escapade ludique le week-end ! Les 5 suites sont toutes différentes, mais chacune équipée d'un Jacuzzi et d'une TV plasma géant.

**Brown Palace Hotel** HÔTEL HISTORIQUE $$$
(☎303-297-3111 ; www.brownpalace.com ; 321 17th St ; ch à partir de 299 $ ; P@). À contempler sa verrière teintée, on comprend pourquoi le Brown Palace Hotel figure parmi les meilleurs établissements historiques de luxe du pays. Décoré d'œuvres d'art et de marbre importé, il dispose d'un spa 4 étoiles. Le personnel, lui, sait se faire discret.

Ses chambres, qui ont vu passer de nombreux présidents depuis Theodore Roosevelt, ont une élégance surannée, mais se révèlent un peu petites pour les normes actuelles.

**JW Marriott Denver at Cherry Creek** HÔTEL $$$
(☎303-316-2700 ; www.jwmarriottdenver.com ; 150 Clayton Ln ; d à partir de 245 $ ; P; 1, 2, 3, 46 RTD). Les chambres, spacieuses, sont équipées de draps de haute qualité, de lits douillets et de sdb en marbre avec savons et shampoings de luxe. Le bar de l'hôtel est aussi tendance – peut-être y croiserez-vous un joueur des Broncos... Des œuvres d'art locales et des objets en verre soufflé coloré agrémentent les couloirs et les chambres.

**Hotel Monaco** BOUTIQUE-HÔTEL $$$
(303-296-1717, 800-990-1303 ; www.monaco-denver.com ; 1717 Champa St ; ch à partir de 127 $ ; ; 0, 6, 30, 30L, 31, 36, 48, 52 RTD). Cet hôtel de charme ultra-chic est fréquenté par la jet-set. Chambres modernes au style Art déco, arborant des couleurs franches et de superbes lits de plumes. Ne manquez pas, en soirée, l'"Altitude Adjustment Hour", avec vin gratuit et massages de 5 minutes.

## Où se restaurer

Si les restaurants du centre-ville offrent la plus grande variété de cuisines, les habitants se rendent plutôt dans les quartiers aisés à arpenter, comme Highlands, Cherry Creek, South Pearl Street, Uptown, Five Points, Washington Park et Old Town Littleton, dont les petites rues commerçantes abritent certaines des meilleures adresses de Denver. Consultez les sites www.5280.com ou www.diningout.com/denver pour les nouvelles tables.

**Snooze** PETIT-DÉJEUNER $
(303-297-0700 ; www.snoozeeatery.com ; 2262 Larimer St ; plats 6-12 $ ; 6h30-14h30 lun-ven, 7h-14h30 sam et dim ; ). Cette option à la décoration rétro, où sont servis petits-déjeuners et brunchs, est prisée des fêtards au petit matin. On y prépare d'excellents *burritos* et saumon à la bénédictine. Le café y est toujours bon, mais il est possible de jeter son dévolu sur un Bloody Mary matinal. Attention : il peut y avoir jusqu'à une heure d'attente le week-end !

**City O' City** VÉGÉTARIEN, VÉGÉTALIEN $
(303-831-6443 ; www.cityocitydenver.com ; 206 E 13th Ave ; plats 8-15 $ ; 7h-2h lun-ven, 8h-2h sam, 8h-minuit dim ; ; 2, 9, 52 RTD). Très en faveur, ce restaurant végétarien et végétalien allie décor design et préparation innovantes à base de légumes, graines, céréales et "fausse viande". Au menu : tapas, grosses salades, quelques bons plats de pâtes et la meilleure pizza végétarienne de la ville.

**Buenos Aires Pizzeria** ARGENTIN $
(303-296-6710 ; www.bapizza.com ; 1307 22nd St ; empanadas 2,50 $, plats 6-10 $ ; 11h30-22h mars-sam, 12h-20h dim). Cette vaste pizzeria est un authentique coin d'Argentine en plein cœur de Denver. Vous pourrez, au choix, vous y régaler de 2 ou 3 *empanadas* (chaussons salés), d'un délicieux sandwich, de pizzas de grande qualité ou de pâtes. Les amateurs de viande rouge seront en revanche déçus.

**Beatrice & Woodsley** TAPAS $$
(303-777-3505 ; www.beatriceandwoodsley.com ; 38 S Broadway ; petites assiettes 9-13 $ ; 17h-23h lun-ven, 10h-14h, 17h-22h sam-dim ; 0 RTD). Beatrice & Woodsley a l'attrait d'un cadre ingénieusement aménagé, avec des tronçonneuses encastrées dans les murs comme supports d'étagères et un tremble qui pousse au fond de la salle. Ajoutés à d'autres, ces détails confèrent à l'endroit son aspect d'un chalet de montagne envahi de nature. La carte de petites assiettes est originale et d'inspiration continentale.

**Steuben's Food Service** AMÉRICAIN $$
(303-803-1001 ; www.steubens.com ; 523 E 17th Ave ; plats 8-21 $ ; 11h-23h dim-jeu, 11h-minuit ven et sam ; ). Sous ses airs de drive-in des années 1950, le Steuben's apporte un grand soin à la préparation de ses classiques (gratin de macaronis, poulet frit, sandwich au homard) et est équipé d'une cuisine solaire. En été, l'endroit est frais car les baies vitrées donnant sur la rue restent ouvertes. Formule imbattable à partir de 22h : pour 5 $, le hamburger est accompagné de frites maison et d'une bière.

**Root Down** AMÉRICAIN MODERNE $$$
(303-993-4200 ; www.rootdowndenver.com ; 1600 W 33rd Ave ; petites assiettes 7-17 $, plats 18-28 $ ; 17h-22h dim-jeu, 17h-23h ven et sam, brunch 10h-14h30 sam et dim ; ). Établi dans ce qui fut jadis une station-service, le chef Justin Cucci milite pour une cuisine fusion de haut vol, préparée dans le respect d'une éthique écologique. Les produits viennent de la ferme et la carte change à chaque saison ; avec un peu de chance votre visite coïncidera avec le falafel de patate douce ou le confit de canard sauce hoisin.

**Rioja** AMÉRICAIN MODERNE $$$
(303-820-2282 ; www.riojadenver.com ; 1431 Larimer St ; plats 18-29 $ ; 11h30-14h30 mer-ven, 10h-14h30 sam et dim, 17h-22h lun-dim ; ; 2, 12, 15, 16th St Shuttle). L'un des restaurants les plus novateurs de Denver. Chic et animé, le Rioja n'en est pas moins empreint d'une décontraction typique de l'État. Sa spécialité est une cuisine moderne pleine de saveur, inspirée de plats traditionnels italiens et espagnols.

## Où prendre un verre

Plusieurs quartiers ont la faveur des noctambules. Uptown est apprécié de la communauté gay et des jeunes adultes,

LoDo regorge de bars sportifs bruyants et de discothèques où l'alcool coule à flots, River North attire les *hipsters*, Lower Highlands est fréquenté par une foule éclectique qui s'installe en terrasse, Cherry Creek est prisé des plus de 35 ans, et Broadway et Colfax plaisent aux amateurs de vintage.

**Forest Room** BAR
(303-433-7001 ; www.forestroom5.com ; 2532 15th St ; 16h-2h). Ce bar de LoHi (Lower Highlands), l'un des meilleurs de Denver, dispose d'un patio avec feux de camp (où l'on peut fumer), parcouru d'un petit ruisseau.

**Linger** LOUNGE
(303-993-3120 ; www.lingerdenver.com ; 2030 W 30th Ave ; plats 8-14 $ ; 11h30-14h30, 16h-2h mars-sam, 10h-14h30 dim). Cet immense établissement de LoHi occupe l'ancienne morgue Olinger. Le soir, le "O" de son enseigne est caché pour devenir le Linger. Le bar, éclairé de nuit et situé sur le toit, est égayé d'une réplique du véhicule d'assaut du film d'Ivan Reitman, *Les Bleus* (1981), avec Bill Murray et feu Harold Ramis.

**Bar Standard** CLUB
(303-534-0222 ; www.coclubs.com ; 1037 Broadway ; 20h-2h ven et sam ; 0 RTD). Lorsque de bons DJ viennent aux platines, les clients du club viennent mettre le feu à la piste de danse.

Le Milk Bar, adjacent, s'inspire du classique *Orange mécanique* d'Anthony Burgess.

**Tracks** CLUB GAY
(303-863-7326 ; www.tracksdenver.com ; 3500 Walnut St ; 21h-2h ven et sam, horaires variables dim-jeu). Le meilleur club gay de Denver avec des soirées pour les plus de 18 ans le jeudi, des spectacles de drag-queens le vendredi et des soirées lesbiennes, une fois par mois.

**Denver Wrangler** BAR GAY
(303-837-1075 ; www.denverwrangler.com ; 1700 Logan St ; 11h-2h ; 101 RTD). Ce bar, le premier du genre dans le centre de Denver, attire, après les horaires de bureau, une clientèle gay sympathique.

**Great Divide Brewing Company** PUB-BRASSERIE
(www.greatdivide.com ; 2201 Arapahoe St ; 14h-20h lun et mar, 14h-22h mer-sam). Une excellente brasserie locale qui se concentre sur ce qu'elle fait de mieux – produire de délicieuses bières – sans tomber dans le piège de proposer un menu-hamburgers.

**Ace** BAR
(303-800-7705 ; www.acedenver.com ; 501 E 17th Ave ; 11h-minuit lun-ven, 14h-minuit sam-dim). Le meilleur bar de ping-pong de Denver, qui applique ses propres règles au jeu.

**Matchbox** BAR
(www.matchboxdenver.com ; 2625 Larimer St ; 16h-2h lun-ven, 12h-2h sam-dim). Installé dans le très tendance quartier artistique de RiNo (River North), ce petit bar est fréquenté par une clientèle de *hipsters*.

**The Church** CLUB
(www.coclubs.com ; 1160 Lincoln St). Le Church se compose de 3 pistes de danse, 2 salles et même d'un bar à sushis !

## ☆ Où sortir

Pour un aperçu des concerts, des pièces de théâtre et autres manifestations culturelles de Denver, procurez-vous le journal gratuit *Westword* (www.westword.com).

**Denver Performing Arts Complex** SPECTACLES
(720-865-4220 ; www.artscomplex.com ; angle 14th et Champa St). Cet immense complexe occupe quatre pâtés de maison avec ses salles gigantesques et abrite plusieurs grands théâtres, dont l'ancien Ellie Caulkins Opera House et le Seawell Grand Ballroom. Il accueille également l'orchestre symphonique, l'Opéra et le ballet du Colorado, ainsi que la compagnie de théâtre de Denver.

**El Chapultepec** BAR, CONCERTS
(303-295-9126 ; www.thepeclodo.com ; 1962 Market St ; 11h-2h, musique à partir de 21h). Ce petit bar enfumé à l'ancienne attire des amateurs de jazz de tous horizons. Depuis son ouverture en 1951, Frank Sinatra, Tony Bennett et Ella Fitzgerald s'y sont produits, ainsi que les Rolling Stones.

**Red Rocks Amphitheatre** SALLE DE CONCERTS
(303-640-2637 ; 18300 W Alameda Pkwy ; 5h-23h ; ). À 25 km environ au sud-ouest de Denver, cet amphithéâtre est niché entre des falaises de grès rose de plus de 120 m de haut. L'acoustique y est si bonne que des albums live y sont enregistrés.

**Hi-Dive** MUSIQUE LIVE
(303-733-0230 ; www.hi-dive.com ; 7 S Broadway). Les stars de rock locales et les groupes indé en tournée se produisent sur la scène du Hi-Dive, un établissement au cœur de la scène musicale de Denver.

**Grizzly Rose** MUSIQUE LIVE
(☎303-295-1330 ; www.grizzlyrose.com ; 5450 N Valley Hwy ; ⊙à partir de 18h mar-dim ; ♿). Certains cow-boys n'hésitent pas à faire le déplacement depuis Cheyenne pour venir dans ce vaste établissement dévolu à la musique country.

**Bluebird Theater** MUSIQUE LIVE
(☎303-377-1666 ; www.bluebirdtheater.net ; 3317 E Colfax Ave ; ♿ ; 🚌15, 15L RTD). Une salle de taille moyenne sans siège. L'acoustique y est excellente et la vue très bonne depuis le balcon.

**Ogden Theatre** MUSIQUE LIVE
(☎303-832-1874 ; www.ogdentheatre.net ; 935 E Colfax Ave ; ♿ ; 🚌15 RTD). L'une des meilleures salles de concert de Denver.

**Comedy Works** SALLE DE SPECTACLES
(☎303-595-3637 ; www.comedyworks.com ; 1226 15th St ; 🚌6, 9, 10, 15L, 20, 28, 32, 44, 44L RTD). Une excellente salle de spectacle, aménagée dans un sous-sol de Larimer Sq (descendez les marches à l'angle de Larimer et de la 15th).

**Lannie's Clocktower Cabaret** CABARET
(☎303-293-0075 ; www.lannies.com ; 1601 Arapahoe St ; billets 25-40 $ ; ⊙13h-17h mar, 13h-23h mer-jeu, 13h-1h30 ven et sam ; 🚌Arapahoe). Lieu à la fois grivois et étrangement romantique, ce cabaret se démarque des autres salles de spectacles plutôt guindées de LoDo.

**Coors Field** BASE-BALL
(☎800-388-7625 ; www.mlb.com/col/ballpark/ ; 2001 Blake St ; ♿). Les Colorado Rockies disputent leurs matchs sur cet excellent terrain. Les billets pour le terrain extérieur – le Rockpile – ne coûtent que 4 $.

**Sports Authority Field at Mile High** STADE
(☎720-258-3000 ; www.sportsauthorityfieldatmilehigh.com ; 1701 S Bryant St ; ♿). L'équipe de football des Denver Broncos et l'équipe de crosse des Denver Outlaws, toutes deux adulées, jouent dans ce stade, à 1,5 km à l'ouest du centre-ville.

**Pepsi Center** STADE
(☎303-405-1111 ; www.pepsicenter.com ; 1000 Chopper Circle). L'immense Pepsi Center accueille les basketteurs des Denver Nuggets et les hockeyeurs de Colorado Avalanche. Hors saison, de grands concerts s'y déroulent.

## Achats

Pour une séance de shopping dans le centre-ville, cap vers la zone piétonne de 16th St ou à LoDo. Cherry Creek, Highlands Square et South Broadway sont d'autres quartiers commerçants intéressants.

♥ **Tattered Cover Bookstore** LIVRES
(www.tatteredcover.com ; 1628 16th St ; ⊙6h30-21h lun-ven, 9h-21h sam, 10h-18h dim). Librairie indépendante appréciée, aux nombreux fauteuils où s'installer pour feuilleter les livres. Il existe une deuxième enseigne en ville.

♥ **REI** MATÉRIEL DE SPORT ET DE PLEIN AIR
(Recreational Equipment Incorporated ; ☎303-756-3100 ; www.rei.com ; 1416 Platte St ; ♿). Outre d'excellents équipements pour tous sports de plein air, le magasin propose un service de location, des cartes et un mur d'escalade.

**Wax Trax Records** MUSIQUE
(☎303-831-7246 ; www.waxtraxrecords.com ; 638 E 13th Ave ; 🚌2, 10, 15, 15L RTD). La meilleure boutique pour les amateurs de vinyles.

## Renseignements

**Comptoir de l'ORIC** (Outdoor Recreation Information Center ; ☎ligne principale du REI 303-756-3100 ; www.oriconline.org ; 1416 Platte St ; 📶). Avant de partir en excursion, passez au comptoir de l'ORIC situé dans l'enceinte du REI.

**Police** (☎720-913-2000 ; 1331 Cherokee St)

**Poste** (www.ups.com ; 951 20th St ; ⊙8h-18h30 lun-ven, 9h-18h30 sam). Bureau principal.

**University of Colorado Hospital** (☎720-848-0000 ; www.uch.edu ; 12605 E 16th Ave, Aurora ; ⊙24h/24). Service d'urgences.

**Visitors Information Center** (☎303-892-1112 ; www.denver.org ; 1600 California St ; 📶♿ ; 🚌California)

## Depuis/vers Denver

L'aéroport international de Denver (p. 254) est desservi par une vingtaine de compagnies aériennes proposant des vols vers les principales métropoles américaines. Situé à 38 km à l'est du centre-ville, il est relié à la sortie 238 de l'I-70 par l'interminable (19 km) Peña Blvd. Pour des renseignements touristiques et aériens, adressez-vous au **guichet** (☎303-342-2000) dans le hall central du terminal.

Les bus Greyhound s'arrêtent à la **gare routière de Denver** (☎303-293-6555 ; 1055 19th St), point de départ de liaisons vers Boise (à partir de 151 $, 19 heures) et Los Angeles (à partir de 125 $, 22 heures) notamment.

Le **Colorado Mountain Express** (CME ; ☎800-525-6363 ; www.coloradomountainexpress.com ; 📶) assure la liaison entre l'aéroport, le centre-ville de Denver ou Morrison et le Summit County, en particulier Breckenridge et Keystone (35-49 $, 2 heures 30) ainsi que Vail (45-82 $, 3 heures).

Le *California Zephyr* d'Amtrak relie quotidiennement Chicago à San Francisco via Denver, où, au moment de notre passage, il s'arrêtait à une **gare provisoire** (1800 21st St) située derrière Coors Field, en attendant la fin imminente des travaux de l'**Union Station** (☎ Amtrak 303-534-2812 ; www.denverunionstation.org ; angle 17th St et Wynkoop St ; 🚌 31X, 40X, 80X, 86X, 120X RTD). Pour vous renseigner sur les horaires, contactez **Amtrak** (☎ 800-872-7245 ; www.amtrak.com), qui se charge aussi des réservations.

## Comment circuler

### DEPUIS/VERS L'AÉROPORT

Toutes les compagnies de transport disposent d'un comptoir près de la zone de récupération des bagages. Les bus du **Regional Transit District** (RTD ; ☎ 303-299-6000 ; www.rtd-denver.com) assurent toutes les heures un service SkyRide entre le centre-ville et l'aéroport (entre 9 et 13 $, 1 heure). Les bus RTD desservent également Boulder (13 $, 1 heure 30) depuis la **gare routière de Market Street** (angle 16th St et Market St). Les navettes de **Shuttle King Limo** (☎ 303-363-8000 ; www.shuttlekinglimo.com) facturent 65 $ la course entre l'aéroport de Denver et sa banlieue ; tandis que **SuperShuttle** (☎ 303-370-1300 ; www.supershuttle.com) propose des navettes partagées (à partir de 22 $) entre Denver et sa banlieue et l'aéroport.

### TAXI

Services 24h/24.

**Metro Taxi** (☎ 303-333-3333 ; www.metrotaxidenver.com)

**Yellow Cab** (☎ 303-777-7777 ; www.denveryellowcab.com)

### TRANSPORTS PUBLICS

Le RTD assure un service de transports publics dans la communauté urbaine Denver-Boulder. Des navettes gratuites sillonnent 16th St Mall. La ligne de tramway de la RTD possède actuellement 6 lignes desservant 46 arrêts. Les tarifs sont de 2,25 $ pour 1 à 2 arrêts, de 4 $ pour 3 zones tarifaires et de 5 $ pour toutes les zones.

### VÉLO

**BikeDenver.org** (www.bikedenver.org) et **City of Denver** (www.denvergov.org) ont des plans téléchargeables des pistes cyclables de la ville.

**Denver B-Cycle** (denver.bcycle.com) est le premier système de vélos en libre-service des États-Unis. Les instructions sont données aux 80 stations éparpillées dans toute la ville. La location pour moins de 30 minutes est gratuite. Le port du casque (non compris dans la location du vélo) n'est pas obligatoire à Denver.

### VOITURE ET MOTO

Stationner dans la rue peut se révéler compliqué, mais les parkings payants sont nombreux dans le centre-ville et à LoDo. La plupart des grands loueurs de voitures ont un comptoir à l'aéroport, tandis que seuls certains sont présents dans le centre.

# Boulder

Au pied de la chaîne des Flatirons, cette idyllique cité jouit d'un emplacement unique et d'une ambiance portée à l'idéalisme, qui a valu à une kyrielle d'entreprises, d'athlètes et de hippies de s'y installer. Elle abrite aussi l'université du Colorado et celle de Naropa, aux inclinations bouddhiques, fondée par des poètes de la Beat Generation.

En 1967, elle est devenue la première ville américaine à lever des impôts pour préserver ses espaces verts. Aujourd'hui, des foules de cyclistes parcourent son couloir vert multitransports, qui relie le centre aux parcs financés par la communauté. Piétonne, Pearl St Mall est animée et se prête parfaitement aux promenades ; les résidents y flânent souvent jusqu'aux petites heures du jour.

À bien des égards, Boulder est, plus que Denver, le centre touristique de la région. Les deux villes se trouvent à peu près à la même distance de l'aéroport international de Denver avec, pour Boulder, l'avantage d'être plus proche des sentiers de randonnée, des grandes stations de ski (à l'ouest par l'I-70) et du Rocky Mountain National Park.

## À voir et à faire

Les principales zones d'intérêt de Boulder sont Pearl St Mall, au centre, et le quartier d'University Hill (à côté du campus universitaire), le long de Brodway, même si ce dernier est rarement fréquenté par les plus de 25 ans. Les Flatirons, de spectaculaires formations rocheuses, surplombent la ville côté ouest.

♥ **Chautauqua Park** PARC

(www.chautauqua.com ; 900 Baseline Rd ; entrée libre ; 🚌 HOP 2) GRATUIT. Ce parc historique constitue le point de départ vers le plus beau coin de nature de la ville : les Flatirons. Vous y croiserez de nombreux pique-niqueurs, installés sur sa grande pelouse verdoyante, ainsi que des randonneurs, des grimpeurs et des coureurs. Des musiciens de renommée internationale se produisent chaque été dans sa salle de spectacle, et l'endroit compte un bon restaurant.

**Boulder Creek Bike Path** CYCLISME

(accès libre ; 24 h/24 ; ) GRATUIT. La piste cyclable la plus fréquentée de Boulder. Cette allée bétonnée lisse et plutôt droite suit Boulder Creek depuis Foothill Parkway, jusqu'à la fourche de Boulder Canyon et de Four Mile Canyon Rd à l'ouest du centre-ville, soit sur plus de 8 km au total.

**Eldorado Canyon State Park** PARC

(303-494-3943 ; Visitor Center 9h-17h). L'un des meilleurs sites d'escalade du pays, offrant des voies d'escalade cotées de 5.5 à 5.12, et quelques bonnes randonnées. L'entrée du parc se situe dans Eldorado Springs Dr, à l'ouest de la Hwy 93. Vous pourrez vous renseigner au Boulder Rock Club.

**University Bicycles** CYCLISME

(www.ubikes.com ; 839 Pearl St ; location 15 $/4h ; 10h-18h lun-sam, 10h-17h dim). Ce ne sont pas les magasins de location de vélos qui manquent à Boulder, mais celui-ci possède la meilleure offre, et le personnel le plus serviable.

**Boulder Rock Club** ESCALADE

(303-447-2804 ; http://boulderrockclub.com ; 2829 Mapleton Ave ; forfait journalier adulte/enfant 17/10 $ ; 8h-22h lun, 6h-23h mar-jeu, 8h-23h ven, 10h-20h sam et dim ; ). Cet immense entrepôt offrant des parois escarpées de roche artificielle ravira les amateurs d'escalade d'intérieur. Le système d'auto-assurage est idéal pour les grimpeurs en solo. Son personnel, toujours de bon conseil, est une mine de renseignements sur les parcours d'escalade locaux.

### LES INONDATIONS DU MILLÉNAIRE

Après la sécheresse qui a suivi le pire incendie de forêt de l'histoire du Colorado, la Front Range s'est réveillée le 12 septembre 2013 sous des pluies diluviennes, inondant les canyons et isolant les localités des montagnes. Huit personnes ont perdu la vie et des milliers d'autres ont perdu leur maison dans la catastrophe. Cette dernière, autant de par son ampleur que du caractère improbable de sa survenue (de l'ordre de 0,1% quelle que soit l'année) est tenue pour l'inondation du millénaire. Sur ce mois de septembre, les précipitations ont atteint 43 cm, dépassant de loin les 4,5 cm de moyenne. Considérée à ce jour comme la deuxième catastrophe naturelle la plus importante de l'histoire des États-Unis après l'ouragan Katrina, ce cataclysme a touché un territoire presque aussi vaste que le Connecticut et a engendré des pertes estimées à 2 milliards de dollars.

## Fêtes et festivals

**Boulder Creek Festival** MUSIQUE, NOURRITURE

(303-449-3137 ; www.bceproductions.com ; Canyon Blvd, Central Park ; mai ; ; 206, JUMP) GRATUIT. Véritable coup d'envoi de l'été, ce gigantesque festival se tient le week-end de Memorial Day (dernier lundi de mai). L'événement, réparti sur plus de 10 zones, avec 30 scènes de spectacle et 500 stands, est couronné par l'excellent Bolder Boulder. À boire, à manger, de la musique et du soleil : que demander de plus ?

**Bolder Boulder** COURSE

(303-444-7223 ; www.bolderboulder.com ; tarif plein à partir de 59 $ ; mai ; ). La plus grande course à pied de la très sportive Boulder. L'événement ne se prend pas au sérieux : les spectateurs hurlent, certains participants sont costumés et de la musique est diffusée tout le long du parcours. En mai (Memorial Day).

## Où se loger

Les hébergements ne manquent pas à Boulder : vous en trouverez tout le long de Broadway et de la Hwy 36. Les meilleures promotions sont généralement obtenues en ligne.

**Boulder Outlook** HÔTEL $

(303-443-3322, 800-542-0304 ; www.boulderoutlook.com ; 800 28th St ; d avec petit-déj 89-99 $ ; ). Situé à l'extrémité sud de la ville, le Boulder Outlook est tout près de l'autoroute qui relie Denver. Premier établissement sans déchets de Boulder, cet hôtel coloré privilégie le développement durable. Étonnamment, les chambres de type motel sont moins chères que celles situées à l'intérieur du bâtiment. Il abrite une piscine couverte faiblement éclairée et un mur d'escalade.

Le restaurant et le bar accueillent souvent des groupes de blues.

**Chautauqua Lodge** HÔTEL HISTORIQUE $$

(303-442-3282 ; www.chautauqua.com ; 900 Baseline Rd ; ch à partir de 73 $, cottages 125-183 $ ;

(P ; HOP 2). Cet ensemble verdoyant de maisonnettes attenantes aux sentiers de randonnée des Flatirons est notre coup de cœur. Les cottages (de 1 à 3 chambres) sont prolongés d'une véranda et décorés de couvertures en patchwork, et les chambres sont modernes. Une excellente option pour les familles. Toutes sont équipées d'une cuisine complète, bien que l'immense véranda du Chautauqua Dining Hall soit très appréciée à l'heure du petit-déjeuner.

**Hotel Boulderado** BOUTIQUE-HÔTEL **$$$**

(303-442-4344 ; www.boulderado.com ; 2115 13th St ; ch à partir de 264 $ ; P ; HOP, SKIP). Inscrit au patrimoine national, ce charmant hôtel, qui a ouvert ses portes il y a plus d'un siècle, est merveilleusement romantique, avec son élégance victorienne et ses chambres au mobilier ancien. Les vitraux fermant l'atrium et la fontaine agrémentent le hall où flottent généralement des classiques de jazz.

**St Julien Hotel & Spa** HÔTEL **$$$**

(720-406-9696, réservations 877-303-0900 ; www.stjulien.com ; 900 Walnut St ; ch à partir de 309 $ ; P @ ). En plein centre-ville, le plus élégant des établissements quatre étoiles de Boulder, aux chambres cossues (avec peignoirs chics), est moderne et raffiné, avec, sur ses murs de liège, des photographies de scènes de la vie locale, lesquelles participent de l'atmosphère chaleureuse du lieu. La cour arrière jouit d'un splendide panorama sur les Flatirons, et accueille des concerts de musique jazz et du monde, ainsi que des soirées salsa endiablées.

## Où se restaurer

Boulder compte d'innombrables restaurants, essentiellement aux alentours de Pearl Street Mall. Si vous avez des moyens limités, optez plutôt pour le quartier du Hill. Entre 15h30 et 18h30, presque tous les établissements proposent un happy hour avec des boissons et des plats du jour, l'occasion idéale de bien manger à bas prix. Consultez les sites Internet des établissements pour plus de détails.

**Spruce Confections** PÂTISSERIE **$**

(303-449-6773 ; 767 Pearl St ; cookies à partir de 3,25 $ ; 6h30-18h lun-ven, 7h-18h sam et dim ; ; 206). Incontournable, cette boulangerie vend des scones et des cafés au lait à se damner. Le midi, on y sert de bonnes soupes et salades maison.

**Dish** SANDWICHS **$**

(720-565-5933 ; www.dishgourmet.com ; 1918 Pearl St ; plats 10 $ ; 9h-18h lun-ven, 11h-16h sam ; ; 204, HOP). Une clientèle locale afflue dans cette épicerie gastronomique à l'heure du déjeuner. À 10 $ pièce, les sandwichs, certes loin d'être bon marché, se révèlent très bons. Morceaux de dinde rôtie ou de bœuf (notamment poitrine en cuisson longue) garnissent des baguettes tartinées de beurre et agrémentées de fromage.

**Zoe Ma Ma** CHINOIS **$**

(2010 10th St ; plats 5-13 $ ; 11h-22h dim-jeu, 11h-23h ven et sam ; 206, SKIP, HOP). Accoudez-vous au long comptoir extérieur du Zoe Ma Ma, le bar à nouilles le plus branché de Boulder, pour un délicieux repas sur le pouce. Mama, la matriarche taïwanaise du lieu, cuisine Crocs aux pieds en discutant avec ses clients. Les nouilles biologiques sont 100% maison, tout comme les raviolis fondants à l'ail.

**The Sink** PUB **$**

(www.thesink.com ; 1165 13th St ; plats 5-12 $ ; 11h-2h, cuisine ouverte jusqu'à 22h ; ; 203, 204, 225, DASH, SKIP). Le Sink, institution du quartier de Hill depuis 1923 (Robert Redford y aurait même travaillé), mérite le coup d'œil, ne serait-ce que pour les graffitis colorés qui tapissent son intérieur à l'éclairage tamisé. Une fois que vous aurez goûté à son fameux hamburger arrosé d'une gorgée de bière locale, vous ne regretterez pas d'être resté.

**Alfalfa's** MAGASIN D'ALIMENTATION **$**

(www.alfalfas.com ; 1651 Broadway St ; 7h30-22h ; AB, B, JUMP, SKIP). Véritable marché de quartier, Alfalfa's propose un choix succulent de plats préparés (1-16 $), servis dans un espace accueillant, abrité ou en terrasse.

**Cafe Aion** ESPAGNOL **$$**

(303-993-8131 ; www.cafeaion.com ; 1235 Pennsylvania Ave ; tapas 5-13 $ ; 11h-22h mars-ven, 9h-15h sam-dim ; 203, 204, 225, DASH, SKIP). Niché dans une petite rue, ce café original et sans prétention vit au rythme décontracté de l'Espagne et sert des tapas accompagnées d'une succulente sangria maison. Les *patatas bravas* (pommes de terre frites à l'ail) sont bien croustillantes et les oignons grillés et les dolmas sont très frais. Happy hour toute la soirée le mardi.

**Lucile's** CAJUN **$$**

(303-442-4743 ; www.luciles.com ; 2142 14th St ; plats 8-14 $ ; 7h-14h lun-ven, à partir de 8h

## DÉCOUVERTES CULINAIRES DANS LES ROCHEUSES

Commencez par jeter un coup d'œil en ligne aux éditions régionales du magazine *Edible* (www.ediblecommunities.com), une excellente source d'information répertoriant marchés de producteurs et tables innovantes. Il existe des éditions pour la Front Range et pour Aspen.

Boulder mérite la visite depuis qu'elle a été élue "America's Foodiest Small Town" (petite ville américaine où l'on mange le mieux) par le magazine *Bon Appetit*. À Kitchen (ci-contre) le lundi est une journée communautaire : les tables y sont partagées, et le dîner (5 plats), élaboré à partir de produits locaux, est servi dans une ambiance familiale, avec 20 % des recettes reversées à des œuvres caritatives. Découvrez les coulisses de la scène culinaire locale grâce à **Local Table Tours** (☎303-909-5747 ; www.localtabletours.com ; tours 25-70 $), qui propose de découvrir les bonnes tables du coin, pour en apprendre plus sur la gastronomie, le vin, le café et les desserts. Le tour des bars à cocktails remporte un vif succès.

Tenté par un dîner sophistiqué dans un entrepôt ou un hangar à avions ? Hush (www.hushdenver.com), à Denver, organise des repas agréables concoctés par les meilleurs chefs de la région. À contacter en ligne pour recevoir une invitation.

sam et dim ; ; 205, 206, HOP). Ce *diner* façon Nouvelle-Orléans excelle dans l'art du petit-déjeuner. Commencez par des beignets accompagnés d'une tasse fumante de chicorée, puis commandez les œufs à la créole sur lit d'épinards crémeux avec des *cheese grits* (semoule de maïs au fromage) ou une truite grillée. Leur confiture maison est un délice sur un biscuit chaud.

♥ **Salt** AMÉRICAIN MODERNE $$$
(☎303-444-7258 ; www.saltboulderbistro.com ; 1047 Pearl St ; plats 14-28 $ ; 11h-22h lun-mer, 11h-23h jeu-sam, 10h-22h dim ; ; 208, HOP, SKIP). S'il n'est pas rare que les restaurants de Boulder s'approvisionnent directement chez les producteurs, cette adresse n'en sort pas moins du lot. Les raviolis aux pois de senteur, accommodés de beurre blanc au citron et de radis râpés, sont un véritable délice. Préparée de main de maître, la viande est celle de bêtes d'élevage local, nourries au pré. N'hésitez pas à poser des questions, les serveurs connaissent bien leur métier.

L'happy hour est aussi l'un des plus avantageux de la ville, et les en-cas sont bon marché. Le barman de la maison a gagné à plusieurs reprises le titre de meilleur mixologiste de Boulder.

**Kitchen** AMÉRICAIN MODERNE $$$
(☎303-544-5973 ; www.thekitchencafe.com ; 1039 Pearl St ; plats 18-32 $ ; ; 206, HOP). Le cadre aux lignes épurées et les ingrédients frais provenant du marché des producteurs sont les pierres angulaires de ce restaurant qui prépare la cuisine la plus encensée de Boulder. Au menu : tapas de racines de légumes rôties, *prosciutto* tranché fin et moules marinières. Le sandwich au *pulled pork* (porc au barbecue, spécialité de la région) est à tomber, mais gardez de la place pour le pudding au caramel.

Le bar du premier étage, à l'ambiance informelle, attire un public plus jeune, et le Kitchen Next Door, propose des plats moins chers (plats 10 $).

## Où prendre un verre et sortir

Concentrée autour de Pearl St Mall et de Hill, la vie nocturne de Boulder est trépidante avec ses nombreux restaurants faisant aussi bar, quand ils ne se convertissent pas carrément en discothèque après 22h.

♥ **Mountain Sun Pub & Brewery** BRASSERIE
(1535 Pearl St ; 11h-1h ; HOP, 205, 206). La brasserie la plus populaire de Boulder est toujours pleine à craquer d'une clientèle éclectique allant du hippie au yuppie. Vous trouverez entre ses murs tapissés des jeux de société et une cuisine de pub savoureuse (les hamburgers sont délicieux). Des concerts de country bluegrass et des jam sessions sont fréquemment organisés les dimanches et lundis soir. Autre adresse sur 627 S Broadway.

**Bitter Bar** BAR À COCKTAILS
(☎303-442-3050 ; www.thebitterbar.com ; 835 Walnut St ; cocktails 9-15 $ ; 17h-minuit lun-jeu, 17h-2h ven-sam ; HOP). Un bar chic très Prohibition, qui sert des cocktails à tomber par terre.

Ne ratez pas le délicieux Blue Velvet, infusé à la lavande. Superbe patio, cours mensuels de préparation de cocktails et concerts à 21h le jeudi.

**Boulder Dushanbe Teahouse** SALON DE THÉ
(☎303-442-4993 ; 1770 13th St ; plats 8-19 $ ; ⏲8h-22h ; 🚌203, 204, 205, 206, 208, 225, DASH, JUMP, SKIP). Ne quittez pas Boulder sans vous être arrêté ici. Cadeau de Douchanbé, capitale du Tadjikistan jumelée avec Boulder, ce salon de thé est une véritable œuvre d'art multicolore décorée d'artisanat tadjik. La carte, internationale, est moins heureuse que le cadre, mais le lieu n'en est pas moins parfait le temps d'un thé.

**Boulder Theater** SPECTACLES
(☎303-786-7030 ; www.bouldertheatre.com ; 2032 14th St). Ce cinéma historique converti en salle de spectacle propose une programmation éclectique, du célèbre jazzman Charlie Hunter aux rockeurs déjantés de Gogol Bordello, en passant par les divas franco-camerounaises Les Nubians. Des projections de classiques du cinéma et des festivals de court-métrage y sont également organisés.

VAUT LE DÉTOUR

### LE PARADIS DE LA BIÈRE ÉCOLOGIQUE

La **New Belgium Brewing Co** (☎800-622-4044 ; www.newbelgium.com ; 500 Lined St ; ⏲visites guidées 10h-18h, mar-sam) GRATUIT ravit les amateurs de bière avec sa vigoureuse Fat Tire Amber Ale, et ses nombreux autres breuvages comme la 1554, la Trippelle ou encore la Sunshine Wheat. Avec son éolienne de 100 000 kW de puissance, elle se targue d'être l'une des brasseries les plus écologiques au monde. La New Belgium parraine aussi des événements originaux comme un cinéma "bike-in" ou des chasses au trésor sur les pistes. Elle se trouve dans la ville universitaire de Fort Collins qui abrite la Colorado State University, à 50 km au nord de Boulder sur l'I-25 : le trajet en vaut la chandelle, surtout si vous vous rendez dans le Wyoming. Les visites guidées, très prisées, sont suivies d'une dégustation de la bière phare de l'établissement et de ses cuvées spéciales. Pensez à réserver vos tickets sur Internet.

## Achats

Boulder est bien équipée en boutiques et galeries. Le 29th St Mall, un nouveau centre commercial en plein air ayant récemment ouvert entre Canyon St et Pearl St, offre également un cinéma.

**Pearl Street Mall** CENTRE COMMERCIAL
L'artère principale du centre-ville de Boulder est Pearl Street Mall, une zone piétonnière commerçante également bordée de jeux pour enfants, de fontaines, de bars et de restaurants.

**Momentum** ARTISANAT
(www.ourmomentum.com ; 1625 Pearl St ; ⏲10h-19h mar-sam, 11h-18h dim). Vous trouverez chez Momentum une foule de cadeaux faits main provenant du monde entier (des paniers grillagés zoulous, de superbes foulards d'Inde, du Népal et d'Équateur...). Chaque achat bénéficie directement, sous forme de rétribution équitable, aux personnes ayant confectionné l'objet.

**Common Threads** VÊTEMENTS
(www.commonthreadsboulder.com ; 2707 Spruce St ; ⏲10h-18h lun-sam, midi-17h dim). Si vous cherchez un sac Prada ou Jimmy Choo d'occasion ou d'autres articles haute couture vintage, voici l'endroit rêvé. Le magasin est joliment agencé, avec les articles organisés par couleurs et par genres. Organise aussi des cours de couture.

**Boulder Bookstore** LIVRES
(www.boulderbookstore.indiebound.com ; 1107 Pearl St ; 📶👪). La libraire indépendante la plus courue de Boulder abrite en sous-sol un rayon voyages très fourni, et organise divers ateliers et propose des lectures.

## Renseignements

**Boulder Visitor Center** (☎303-442-2911 ; www.bouldercoloradousa.com ; 2440 Pearl St ; ⏲8h30-17h lun-jeu, 8h30-16h ven). Renseignements et accès Internet.

## Comment s'y rendre et circuler

Boulder jouit d'un excellent réseau de transports publics, avec des lignes allant jusqu'à Denver et son aéroport. Des bus écologiques sont affrétés par le **RTD** (☎303-299-6000 ; www.rtd-denver.com ; 2-4,50 $ le trajet ; 👪). Des plans sont disponibles à la **gare de Boulder** (angle 14th St et Walnut St). Ces bus (ligne B) relient la gare de Boulder à la gare routière de Market St à Denver (5 $, 55 min). Les bus SkyRide (ligne AB) desservent l'aéroport international de Denver

(13 $, 1 heure, 1 bus/heure). **SuperShuttle** (☎303-444-0808 ; www.supershuttle.com ; circuit aller 27 $) propose un service de navettes pour les hôtels (27 $) et de porte à porte (34 $) depuis l'aéroport.

**Boulder B-Cycle** (boulder.bcycle.com ; 7 $/24h) est un nouveau programme proposant des vélos à des endroits stratégiques de la ville ; il est nécessaire de s'inscrire en ligne.

# Montagnes du Nord

À cheval sur la ligne de partage des eaux et émaillées d'énormes blocs de granit dans toutes les directions, les Northern Mountains du Colorado sont un terrain de jeu exceptionnel, propice au ski, à la randonnée, au VTT, au rafting sur les nombreuses rivières et aux parties de pêche sous le beau ciel bleu du Colorado.

## Rocky Mountain National Park

Le Rocky Mountain National Park, ce sont de paisibles lacs de montagne et des prairies parsemées de fleurs sauvages dominées par de hauts pics enneigés, attirant chaque année plus de 4 millions de visiteurs : écartez-vous un peu des sentiers battus, et vous jouirez d'une divine solitude. L'élan est l'animal symbole du parc, et vous en verrez même certains s'aventurer jusque sur les pelouses des hôtels. Ouvrez l'œil, vous aurez peut-être la chance d'apercevoir également des mouflons, des marmottes et des ours.

### À voir et à faire

Avec plus de 480 km de sentiers de randonnée qui traversent les divers paysages de ce territoire, le parc convient aux marcheurs de tout niveau.

Les personnes voyageant avec leurs enfants opteront pour les randonnées faciles du Wild Basin, qui conduisent aux Calypso Falls ou aux Gem Lakes, dans le secteur de Lumpy Ridge, ou suivront le sentier qui mène au Twin Sisters Peak, au sud d'Estes Park. Les plus hardis et les plus sportifs seront tentés par l'ascension du Longs Peak.

Toutefois, mieux vaut passer au moins une nuit entre 2 130 et 2 440 d'altitude avant de vous lancer dans l'aventure afin de permettre à votre corps de s'acclimater. Avant juillet, nombre de sentiers sont enneigés et les importants écoulements rendent le passage difficile.

En hiver, les avalanches sont monnaie courantes.

**♥ Moraine Park Museum** MUSÉE
(☎970-586-1206 ; Bear Lake Rd ; ⏰9h-16h30 juin-oct). Construit par le Civilian Conservation Corps en 1923, ce bâtiment abritait le pavillon des visiteurs avant d'être rénové il y a quelques années pour accueillir des expositions sur la géologie, les glaciers et la nature.

### Où se loger et se restaurer

Les campings demeurent le seul moyen de passer la nuit dans le parc. La majorité des restaurants, des motels et des hôtels se trouvent à Estes Park ou Grand Lake, de l'autre côté du Trail Ridge Road Pass (ouvert fin mai à octobre).

Pour camper en dehors des terrains de camping officiels du parc, il vous faudra un permis. Aucun terrain n'est doté de douches, mais vous y trouverez des toilettes avec chasse d'eau en été, et des toilettes sèches en hiver. Ils se composent d'un feu de camp, de tables de pique-nique et d'une aire de stationnement.

**Olive Ridge Campground** CAMPING $
(☎303-541-2500 ; empl 19 $ ; ⏰mi-mai à nov). Un terrain bien entretenu géré par l'USFS, l'agence américaine chargée de la gestion des forêts, à proximité du point de départ de quatre sentiers de randonnée : St Vrain Mountain, Wild Basin, Longs Peak et Twin Sisters. En été, il peut afficher complet, bien que la plupart des emplacements ne soient pas réservables.

**Longs Peak Campground** CAMPING $
(☎970-586-1206 ; MM 9, State Hwy 7 ; empl 20 $ ; P). Le camping de choix pour les randonneurs démarrant tôt l'ascension de Longs Peak. Il ne prend pas les réservations, aussi arrivez tôt la veille de l'ascension si vous comptez y passer la nuit.

**Moraine Park Campground** CAMPING $
(☎877-444-6777 ; www.recreation.gov ; près de Bear Lake Rd ; empl été 20 $). En plein cœur d'une forêt de pins ponderosa, à proximité de Bear Lake Road, ce camping est le plus vaste du parc.

Il est possible, et même conseillé, de réserver de fin mai à fin septembre. Le reste de l'année, le camping n'accepte pas les réservations. L'été, de nombreuses activités vespérales sont organisées par les rangers.

**Aspenglen Campground** CAMPING $
(☎877-444-6777 ; www.recreation.gov ; State Hwy 34 ; empl été 20 $). Avec 54 emplacements pour tentes, dont certains dévolus aux

campeurs arrivant de manière impromptue, ce camping est le plus petit du parc à accepter les réservations.

**Timber Creek Campground** CAMPING $
(Trail Ridge Rd, US Hwy 34 ; empl 20 $). Ce terrain de 100 emplacements reste ouvert l'hiver. C'est le seul terrain établi du côté ouest du parc, à 11 km au nord de Grand Lake. Pas de réservation possible.

**Glacier Basin Campground** CAMPING $
(☎877-444-6777 ; www.recreation.gov ; près de Bear Lake Rd ; empl été 20 $). Ce vaste terrain comporte une zone de camping étendue pour les groupes, et accueille les camping-cars. Il est desservi par les navettes de Bear Lake Rd tout l'été. Réservation en ligne.

## Renseignements

Le billet d'entrée pour les véhicules privés, valable 7 jours, coûte 20 $. Les visiteurs qui accèdent au parc à pied, en vélo, en moto ou en bus paient 10 $ par personne. Tous les visiteurs reçoivent un exemplaire gratuit de la brochure d'information du parc (disponible en anglais, français, allemand, espagnol et japonais), laquelle comprend une très bonne carte du site.

Des permis spéciaux (*backcountry permits* 20 $ pour un groupe de 12 personnes maximum et pour 7 jours) sont exigés pour les visiteurs souhaitant dormir dans l'un des 260 campings *backcountry* du parc. Ils sont délivrés gratuitement du 1er novembre au 30 avril. Les réservations par téléphone ne sont possibles qu'entre le 1er mars et le 15 mai. Il est possible de réserver par courrier postal ou en personne par l'intermédiaire du **Backcountry Office**. (☎970-586-1242 ; www.nps.gov/romo).

Si vous restez sur place la nuit, vous devrez obligatoirement être muni, pour vos vivres, d'une boîte conçue pour résister aux assauts des ours (les campings établis en ont déjà). Il est possible d'en louer pour 5 $ environ par jour auprès de REI (p. 262) ou de l'**Estes Park Mountain Shop** (☎970-586-6548 ; www.estesparkmountainshop.com ; 2050 Big Thompson Ave ; tente 2 pers 10 $, boîte anti-ours 3 $/nuit ; ⏲8h-21h).

**Alpine Visitor Center** (www.nps.gov/romo ; Fall River Pass ; ⏲10h30-16h30 fin mai à mi-juin, 9h-17h fin juin à début sept, 10h30-16h30 début sept à mi-oct ; 👪). Perché à 3 595 m, en plein cœur du parc, il offre un superbe panorama. Cafétéria et renseignements.

**Beaver Meadows Visitor Center** (☎970-586-1206 ; www.nps.gov/romo ; US Hwy 36 ; ⏲8h-21h fin juin à fin août, jusqu'à 16h30 ou 17h le reste de l'année). Office central offrant la meilleure source d'informations si vous arrivez par Estes Park.

**Kawuneeche Visitor Center** (☎970-627-3471 ; 16018 US Hwy 34 ; ⏲8h-18h dernière semaine de mai-Labor Day, 8h-17h Labor Day- sept, 8h-16h30 oct-mai ; 👪). Du côté ouest du parc, le principal centre d'accueil des visiteurs. Projection d'un film sur le parc, randonnées et discussions animées par des rangers, vente de permis et activités familiales.

## Depuis/vers le Rocky Mountain National Park

L'unique route est-ouest à traverser le parc est la Trail Ridge Rd (US 34), fermée en hiver. De Boulder, l'accès le plus direct consiste à prendre l'US 36 via Lyons jusqu'aux entrées est.

Il existe deux entrées côté est : Fall River (US 34) et Beaver Meadows (US 36). Grand Lake Station (US 34) est le seul point d'accès à l'ouest. L'accès peut se faire toute l'année par Kawuneeche Valley, en suivant la source de la Colorado River jusqu'au terrain de camping de Timber Creek. Les zones les plus fréquentées par les visiteurs sont l'Alpine Visitor Center, en haut de Trail Ridge Rd, et la Bear Lake Rd desservant les terrains de camping, le départ des randonnées et le Moraine Park Museum

Au nord d'Estes Park, la Devils Gulch Rd mène à différents sentiers de randonnée. Plus loin sur la même route se trouve le village de Glen Haven, d'où part le sentier d'entrée au parc suivant la fourche nord de la Big Thompson River.

## Comment circuler

En été, des navettes gratuites partent plusieurs fois par jour de l'Estes Park Visitor Center et déposent les randonneurs sur une zone de stationnement d'où il est possible de prendre d'autres navettes. Il en existe une circulant toute l'année, qui part du parking de Glacier Basin et relie Bear Lake, à basse altitude. Lors du pic estival, une seconde navette circule entre le terrain de camping de Moraine Park et la zone de stationnement de Glacier Basin. De la mi-août à la fin septembre, les navettes ne circulent que le week-end.

# Estes Park

En devenant le point de ralliement des amoureux de la nature souhaitant profiter de l'un des espaces sauvages les mieux préservés des États-Unis, Estes Park s'est transformé, comble de l'ironie, en une sorte de Disneyland en plein air. S'il y a quantité de magasins de T-shirts et d'autres souvenirs, une agréable rivière traverse néanmoins l'agglomération, qui possède aussi des parcs plaisants, des restaurants corrects et un hôtel réputé hanté.

## Activités

**Colorado Mountain School** ESCALADE
(☎800-836-4008 ; www.totalclimbing.com ; 341 Moraine Ave ; demi-journée avec guide à partir de 125 $/pers). La meilleure source d'information pour les grimpeurs au Colorado. Les cours d'initiation, comme l'introduction à l'escalade, sont un bon moyen pour les novices de découvrir les Rocheuses. Les plus expérimentés peuvent louer les services d'un guide qui les conduira jusqu'à des sommets voisins plus difficiles. Elle possède un hébergement avec dortoirs.

## Où se loger

Les dizaines d'hôtels d'Estes Park affichent vite complet en été. Vous y trouverez quelques options économiques convenables, mais ses jolis terrains de camping restent la solution la plus économique.

L'**Estes Park Visitor Center** (☎970-577-9900 ; www.estesparkresortcvb.com ; 500 Big Thompson Ave ; 9h-20h juin-août, 8h-17h lun-ven, 9h-17h sam, 10h-16h dim sept-mai), à l'est du croisement avec l'US 36, vous aidera à trouver un hébergement. De nombreux hôtels ferment en hiver.

**Total Climbing Lodge** AUBERGE DE JEUNESSE $
(☎303-447-2804 ; www.totalclimbing.com ; 341 Moraine Ave ; dort 25 $ ; P @ ). Ce refuge animé, prisé des grimpeurs, est la meilleure auberge de la ville. Lits superposés en pin tout simples, table de ping-pong et atmosphère décontractée.

**Estes Park Hostel** AUBERGE DE JEUNESSE $
(☎970-237-0152 ; 211 Cleave St ; dort/s/d 26/38/52 $ ; ). Si cette auberge de jeunesse, forte de plusieurs dortoirs et de quelques chambres privatives, n'est pas d'un chic abouti, au moins a-t-elle l'avantage de posséder une cuisine et d'être gérée par un aimable propriétaire. Les tarifs sont également très corrects.

**YMCA of the Rockies – Estes Park Center** COMPLEXE HÔTELIER $$
(☎970-586-3341 ; www.ymcarockies.org ; 2515 Tunnel Rd ; ch et d à partir de 109 $, chalets à partir de 129 $ ; P ). L'Estes Park Center, qui ne ressemble pas aux établissements YMCA habituels, se révèle un lieu de vacances très apprécié. On y trouve des chambres de type motel haut de gamme et des chalets installés sur un terrain de montagne de plusieurs centaines d'hectares. Réservez.

**Riversong** BOUTIQUE-HÔTEL $$
(☎970 586 4666 ; www.romanticriversong.com ; 1766 Lower Broadview Dr ; d à partir de 165 $ ; P ). Niché au bout d'un chemin de terre en impasse qui domine la Big Thompson River, le Riversong loue 9 chambres romantiques avec baignoire particulière, aménagées dans une maison décorée dans un style artisanal. Deux nuitées minimum. Les prix sont fonction des équipements. À l'ouest de la ville, suivez la Moraine Ave, tournez dans Mary's Lake Rd puis prenez la première à droite.

**Stanley Hotel** HÔTEL $$$
(☎970-577-4000 ; www.stanleyhotel.com ; 333 Wonderview Ave ; ch à partir de 199 $ ; P ). Cette grande maison coloniale blanche contraste avec les immenses sommets du Rocky Mountain National Park qui dessinent la ligne d'horizon. Retraite favorite de la population locale, cet hôtel inspira à Stephen King son roman culte, *Shining*. Le lieu, auquel les lambris des parties communes confèrent un charme suranné, n'en est pas moins pourvu de tout le confort moderne.

## Où se restaurer

**Estes Park Brewery** BRASSERIE
(www.epbrewery.com ; 470 Prospect Village Dr ; 11h-2h lun-dim). Le pub-brasserie d'Estes Park sert des pizzas, des hamburgers et des ailes de poulet, ainsi que pas moins de 8 bières maisons différentes. Billards et terrasse attirent du monde jusque tard dans la soirée.

**Ed's Cantina & Grill** MEXICAIN $$
(☎970-586-2919 ; www.edscantina.com ; 390 E Elkhorn Ave ; plats 9-13 $ ; 11h-tard tlj, 8h-22h sam et dim ; ). Avec son patio à l'air libre donnant directement sur la rivière, Ed's est l'endroit où se détendre, margarita à la main, en picorant en-cas du jour à 3 $ (tortillas frites et roulées, porc haché et guacamole par ex). On y sert les grands classiques des cuisines mexicaine et américaine. Le décor est "rétro moderne" avec des banquettes en cuir et des couleurs vives. Le bar, dans une salle séparée, a des tabourets en bois avec dossier.

## Depuis/vers Estes Park

L'**Estes Park Shuttle** (☎970-586-5151 ; www.estesparkshuttle.com) relie l'aéroport international de Denver quatre fois par jour (aller 45 $, A/R 85 $).

## Steamboat Springs

Avec ses excellentes pistes de ski de forêt et de VTT et son atmosphère détendue, Steamboat l'emporte sur de nombreuses autres stations. Son centre historique invite à la promenade, ses sources d'eau chaude sont divines pour effacer la fatigue de la journée, et ses habitants sont on ne peut plus accueillants.

### À voir et à faire

**Steamboat Mountain Resort** SPORTS D'HIVER
(billeterie 970-871-5252 ; www.steamboat.com ; forfait adulte/enfant 94/59 $ ; billeterie 8h-17h). Réputée pour son dénivelé de 1 100 m, sa poudreuse d'exception et ses pistes adaptées à tous les niveaux, Steamboat est l'un des meilleurs domaines skiables du pays, attirant de nombreux visiteurs. Vous y trouverez une profusion de boutiques de matériel et de restaurants aux prix exagérés.

**Strawberry Park Hot Springs** SOURCES
(970-870-1517 ; www.strawberryhotsprings.com ; 44200 County Rd ; entrée adulte/enfant 10/5 $ ; 10h-22h30 dim-jeu, jusqu'à minuit ven et sam ; ). Les sources les plus prisées de Steamboat se situent en réalité à la lisière de la ville, mais elles offrent une occasion de détente unique. L'eau de ses jolis bassins de pierre alimentés par des cascades est à 40°C. Si vous souhaitez y passer la nuit, il vous faudra choisir entre un emplacement de camping ou un chalet rustique. Pas d'électricité, mais des lanternes à gaz ; draps non fournis.

Réservation indispensable ; séjour de deux nuitées minimum le week-end. Notez que dans les bassins, le port du maillot n'est plus obligatoire après la tombée de la nuit.

**Orange Peel Bikes** LOCATION DE VÉLOS
(970-879-2957 ; www.orangepeelbikes.com ; 1136 Yampa St ; location de vélo 20-65 $/jour ; 10h-18h lun-ven, 10h-17h sam ; ). Cette boutique de cycles, la plus sympathique en ville, loue aussi bien des vélos de randonnée que des VTT. On vous y confiera une excellente carte des itinéraires cyclables et de bons conseils sur les endroits à découvrir à vélo, notamment l'Emerald Mountain (à la sortie de la ville), Spring Creek, Mad Creek et Red Dirt. Avec leurs vélos, les familles pourront emprunter le sentier de 11 km le long de la Yampa qui passe près de la ville.

**Bucking Rainbow Outfitters** RAFTING, PÊCHE
(970-879-8747 ; www.buckingrainbow.com ; 730 Lincoln Ave ; canot gonflable 17 $, rafting 43-100 $, pêche 150-340 $ ; tlj). Cet excellent prestataire propose de nombreuses activités : circuits de rafting sur la Yampa, la Platte, l'Eagle et l'Elk (Classes II-IV), canots et des navettes pour rejoindre les sections relativement planes de la Yampa, en ville, pêche toute l'année, etc.

**Old Town Hot Springs** SOURCES CHAUDES
(970-879-1828 ; www.oldtownhotsprings.org ; 136 Lincoln Ave ; adulte/enfant 16/9 $, toboggans 6 $ ; 5h30-22h lun-ven, 7h-21h sam, 8h-21h dim ; ). Les sources d'eau minérale naturelle les plus chaudes de la région, en plein centre-ville, ont récemment subi des rénovations à hauteur de 5 millions de dollars. Aujourd'hui, on y trouve une nouvelle piscine, deux toboggans de 70 m de long et, peut-être le plus génial, un mur d'escalade aquatique ! Les enfants adorent.

### Où se loger et se restaurer

Vous trouverez nombre d'adresses où loger en ville. Contactez **Steamboat Central Reservations** (877-783-2628 ; www.steamboat.com ; Mt Werner Circle, près de Gondola Sq) pour la location de chalets ou autres à proximité des pistes.

**Hotel Bristol** HÔTEL **$$**
(970-879-3083 ; www.steamboathotelbristol.com ; 917 Lincoln Ave ; d 129-149 $ ; ). Ce bel hôtel loue de petites chambres au style western chic, avec de hautes têtes de lit et d'épaisses et élégantes couvertures de laine. Il dispose d'un Jacuzzi intérieur 6 places, d'un agréable restaurant et d'une navette pour les pistes.

**The Boathouse** AMÉRICAIN MODERNE **$$**
(970-879-4797 ; 609 Yampa St ; 12-20 $ ; restaurant 11h-22h, bar 11h-1h). La vue depuis la terrasse, qui donne sur la rivière, est imbattable et la carte originale donne à voyager à travers les continents au moyen de plats innovants, comme le "When Pigs Fly", une création épicée à base de côte de porc et de wasabi. Idéal pour un après-midi décontracté.

**Carl's Tavern** AMÉRICAIN **$$**
(970-761-2060 ; www.carlstavern.com ; 700 Yampa Ave ; 14-31 $). Prisée de la population locale, la Carl's Tavern a pour attraits une bonne cuisine de bar, un patio mémorable, des concerts, des serveurs sympathiques et une ambiance pétillante.

## Renseignements

**Steamboat Springs Visitor Center** (970-879-0880 ; www.steamboat-chamber.com ; 125 Anglers Drive ; 8h-17h lun-ven, 10h-15h sam)

## Comment s'y rendre et circuler

Les bus reliant Denver et Salt Lake City marquent l'arrêt à la **gare routière Greyhound** (970-870-0504 ; 1505 Lincoln Ave), à environ 800 m à l'ouest de la ville. **Steamboat Springs Transit** (970-879-3717, pour que l'on vienne vous chercher sur les pistes 970-846-1279 ; http://steamboatsprings.net) propose toute l'année des bus gratuits entre la vieille ville et les pistes de ski. Steamboat se trouve à environ 270 km au nord-ouest de Denver par l'US 40.

# Colorado du Centre

Les montagnes du centre du Colorado sont réputées pour leurs nombreuses stations de ski de classe mondiale, leurs randonnées en haute altitude et leurs rivières de neige fondue. Au sud-est se trouvent Colorado Springs et Pikes Peak, au cœur de la Front Range du sud.

## Winter Park

À moins de deux heures de route de Denver, Winter Park est une station sans prétention, très prisée par les habitants de Front Range qui n'hésitent pas à venir de Colorado Springs tous les week-ends pour dévaler ses pistes. Les débutants s'en donneront à cœur joie sur ses kilomètres de piste damée, tandis que les skieurs expérimentés affronteront les bosses de la célèbre Mary Jane. Les commerces se concentrent le long de l'US 40, la principale artère de la station ; vous y trouverez notamment le **Visitor Center** (970-726-4118 ; www.winterpark-info.com ; 78841 Hwy 40 ; 9h-17h tlj).

Au sud de la ville, le **Winter Park Resort** (970-726-1564 ; www.winterparkresort.com ; Hwy 40 ; forfait adulte/enfant 104/62 $ ; ) couvre 5 montagnes, et offre un dénivelé de 800 m. Plus de la moitié de ses pistes sont destinées aux skieurs expérimentés. Les remontées mécaniques desservent également un réseau de 72 km de pistes **VTT** (www.trestlebikepark.com ; forfait journalier adulte/enfant 39/29 $ ; mi-juin à mi-sept), lui-même connecté à 900 km d'autres pistes sillonnant toute la vallée.

♥ **Devil's Thumb Ranch** (800-933-4339 ; www.devilsthumbranch.com ; 3530 County Rd 83 ; baraquement 100-180 $, lodge 240-425 $, chalet à partir de 365 $ ; ) , élégant ranch jouxtant une centaine de kilomètres de pistes, constitue une étape des plus romantiques pour voyageurs dynamiques, dont la conscience écologique sera comblée par le chauffage géothermique, les cheminées peu polluantes et le bois de récupération. C'est l'endroit idéal pour faire du **ski de fond** et des **randonnées équestres** (970-726-5632 ; www.devilsthumbranch.com ; 3530 County Rd 83 ; sentiers adulte/enfant 20/8 $, randonnées équestres 95-175 $ ; ) en altitude.

L'hébergement le plus économique reste le **Rocky Mountain Chalet** (970-726-8256, 866-467-8351 ; www.therockymountainchalet.com ; 15 Co Rd 72 ; dort 30 $, ch été/hiver 89-149 $ ; P), proposant de belles et confortables chambres doubles, des dortoirs et une cuisine impeccable.

### AU PARADIS DES FONDUS DE POUDREUSE

Comptez 5 heures de route depuis Denver pour atteindre **Crested Butte**, mais sa poudreuse et ses superbes terrains ouverts méritent le détour. Cette ancienne mine est aujourd'hui l'une des petites villes les plus décontractées du Colorado.

Si vous manquez de temps, préférez-lui le comté de Summit, plus proche de Denver. Installez votre camp de base à **Breckenridge** pour explorer cinq domaines skiables couverts par un même forfait mixte, notamment celui de **Vail**, gigantesque et très prisé pour ses cuvettes offrant un excellent hors-piste, et le domaine d'Arapahoe Basin, très local, ultra-décontracté et praticable jusqu'en juin, lorsque ski rime avec barbecue.

Depuis Crested Butte, vous pouvez rejoindre **Telluride**, un peu plus au sud ; non loin du comté de Summit et de Vail se trouve également Aspen. Toutes étaient des villes minières à l'époque de la ruée vers l'or. Un petit tour aux boutiques de luxe d'Aspen et aux bars de Telluride vous permettra de goûter à la vie locale dans un paysage de Far West.

Depuis Aspen, prenez un vol intérieur pour rejoindre le domaine skiable de **Jackson Hole**, dans le Grand Teton National Park, avec ses pentes couvertes de poudreuse au formidable dénivelé.

VAUT LE DÉTOUR

## LE RANCH DU BOUT DU MONDE

Isolé au cœur des paysages sauvages de la Never Summer Range, dans le Colorado, le **Vagabond Ranch** (☎303-242-5338 ; www.vagabondranch.com ; 50 $/pers ; 👪) voit passer davantage d'élans que de visiteurs. Pour vous y rendre, il vous faudra suivre une route de terre sur 5 km ; praticable en voiture l'été, en hiver, vous devrez vous garer et poursuivre à skis ou en motoneige.

Encerclée de hauts sommets et d'une forêt de pins, cette ancienne station de diligences perchée à 2 740 m comporte une poignée de chalets confortables, du plus rustique au plus luxueux. Vous y trouverez une cuisine digne d'un chef, une cheminée, un Jacuzzi, de l'énergie solaire et des toilettes à compost. Comme dans tout chalet alpin, l'hébergement peut être partagé, mais les groupes peuvent réserver un chalet entier (le Parkview au charme rétro est tout indiqué pour les couples). Les pistes sont damées en hiver pour le ski de fond et le scooter des neiges. Vous pourrez aussi y suivre des stages de yoga et de méditation.

À 35 km de Granby (à proximité de Winter Park).

Pour stimuler vos papilles, rien de tel que le ragoût de bison ou les hamburgers de chevreuil du **Tabernash Tavern** (☎970-726-4430 ; www.tabernashtavern.com ; 72287 US Hwy 40 ; plats 20-34 $ ; ⏲17h-21h mar-sam) 🍃. Pensez à réserver. L'établissement se trouve au nord de la ville.

## Breckenridge et ses environs

Perchée à 2 926 m au pied d'une splendide chaîne de pics dénués d'arbres, Breck est une ancienne ville minière organisée autour d'un charmant centre historique. D'une élégante simplicité, ses pistes familiales ne déçoivent pas, et attirent toujours les foules. Si d'aventure vous n'y trouviez pas votre bonheur, cinq excellentes stations de ski et des magasins d'usine vous attendent à moins d'une heure de voiture.

### Activités

**Domaine skiable de Breckenridge** SPORTS D'HIVER
(☎800-789-7669 ; www.breckenridge.snow.com ; forfait adulte/enfant 115/68 $ ; ⏲8h30-16h nov à mi-avr ; 👪). S'étendant sur 5 montagnes, il offre les meilleures descentes pour skieurs débutants à moyens (les pistes vertes y sont moins pentues qu'ailleurs), des pentes abruptes pour les plus expérimentés et un parc réputé pour le snowboard.

**Domaine skiable d'Arapahoe Basin** SPORTS D'HIVER
(☎970-468-0718 ; www.arapahoebasin.com ; Hwy 6 ; forfait adulte/enfant 6-14 ans 79/40 $ ; ⏲9h-16h lun-ven, à partir de 8h30 sam et dim). Située à environ 19 km de Breck, la station de ski la plus en altitude d'Amérique du Nord se révèle plus modeste et moins commerciale. Généralement praticable jusqu'à la mi-juin, le domaine d'A-Basin regorge de pentes raides et de parcours de ski de randonnée. Les touristes en voyage organisé y étant peu nombreux, la station attire beaucoup d'habitants de la région.

**Peak 8 Fun Park** PARC D'ATTRACTIONS
(☎800-789-7669; http://www.breckenridge.com/peak-8-fun-park.aspx ; Peak 8 ; forfait journée 3-7 ans/8 ans et plus 34/68 $ ; ⏲9h30-17h30 mi-juin à mi-sept ; 👪). Les mordus d'adrénaline raffolent de ce parc proposant entre autres trampoline, mur d'escalade, parc VTT (location demi-journée/journée 49/59 $) et le grand favori, le SuperSlide, un parcours de luge qui décoiffe. Procurez-vous le forfait journalier, choisissez vos activités à la carte ou optez simplement pour une promenade panoramique dans le téléphérique (sans/avec vélo 10/17 $).

### Fêtes et festivals

**Ullr Fest** CULTURE
(www.gobreck.com ; ⏲début à mi-jan). La Ullr Fest est un festival de 4 jours à la gloire du dieu nordique de l'hiver. Au programme : une parade de choc, une version détournée de *Tournez manège*, une fête sur patins à glace et un feu de joie.

**International Snow Sculpture Championship** SCULPTURE SUR NEIGE
(www.gobreck.com ; ⏲mi-jan ; 👪). Des sculpteurs du monde entier se retrouvent à Breck pour composer d'éphémères chefs-d'œuvre. Le concours dure 2 semaines à partir de la mi-janvier, au Riverwalk.

À NE PAS MANQUER

### POUR COMMENCER EN DOUCEUR

Situé non loin de Breckenridge, **Quandary Peak** (www.fs.usda.gov ; County Rd 851 ; 🚸) est réputé être le plus facile à gravir parmi les *fourteeners* du Colorado (les montagnes de plus de 14 000 pieds, soit 4 270 m environ) ; du haut de ses 4 348 m, c'est la 15e montagne de l'État en hauteur. Vous y croiserez de nombreux enfants et des chiens mais ne vous y trompez pas, il y a cinq kilomètres exténuants jusqu'au sommet. Pour l'explorer, la meilleure période est de juin à septembre.

Le sentier grimpe en direction de l'ouest ; après 10 minutes d'ascension modérée, prenez à droite à la fourche. Bifurquez à gauche en contournant la route. De là, une vue du Mt Helen et de Quandary s'offre à vous, bien que le sommet ne soit pas encore discernable.

Juste en dessous de la ligne des arbres, vous croiserez le sentier en provenance de Monte Cristo Gulch : au retour, prenez garde à ne pas vous tromper d'embranchement. C'est ici que démarre la rude montée menant au sommet. Commencez l'ascension tôt pour redescendre avant que n'éclatent les orages de l'après-midi, très fréquents en été. Comptez entre 7 et 8 heures pour parcourir les 10 km aller-retour. Pour atteindre le point de départ, empruntez la Colorado 9 jusqu'à County Rd 850. Tournez à droite une première, puis une seconde fois sur la 851. Continuez sur près de 2 km jusqu'au point de départ, non signalé. Garez-vous parallèlement au chemin pare-feu.



## Où se loger

Pour un hébergement haut de gamme au pied des pistes, contactez **Great Western Lodging** (☎888-453-1001 ; www.gwlodging.com ; 322 N Main St ; chalets été/hiver à partir de 125/275 $ ; P ❄ 📶). Les campeurs trouveront des **terrains de l'USFS** (☎877-444-6777 ; www.recreation.gov) aux abords de la ville.

**Fireside Inn** B&B, AUBERGE DE JEUNESSE $
(☎970-453-6456 ; www.firesideinn.com ; 114 N French St ; été/hiver dort 30/41 $, été/hiver d 101/140 $ ; P ❄ @ 📶). Bonne affaire pour les voyageurs à petit budget du Summit County, cette adresse conviviale est un vrai bijou. Au retour des pistes, les convives sont accueillis par le chien de la maison et peuvent plonger dans le Jacuzzi, sans chlore. Les propriétaires, britanniques, sont charmants et toujours de bon conseil. Le téléphérique se trouve à 10 minutes de marche (en après-ski).

♥ **Abbet Placer Inn** B&B $$
(☎970-453-6489 ; www.abbettplacer.com ; 205 S French St ; ch été 99-179 $, hiver 119-229 $ ; P ❄ @ 📶). Les 5 vastes chambres de cette maison violette sont équipées de meubles de bois, de stations iPod et de peignoirs moelleux. L'endroit est particulièrement discret. Les hôtes chaleureux vous cuisineront de copieux petits-déjeuners. Le Jacuzzi de la terrasse et la kitchenette commune sont également appréciables. La chambre du dernier étage jouit d'une superbe vue sur les sommets depuis sa terrasse particulière. Check-in de 16h à 19h.

## Où se restaurer et prendre un verre

**Clint's Bakery & Coffee House** CAFÉ $
(131 S Main St ; sandwichs 4,95-7,25 $ ; ⏲7h-20h ; 📶 🚸). À l'ardoise du Clint's, figure un vaste choix de *latte*, de moka et de nombreux thés en vrac. Un petit creux ? Des bagels accompagnés d'œufs et de jambon, de saumon fumé, de saucisse et de fromage, ainsi que de copieux sandwichs sont proposés au sous-sol jusqu'à 15h.

**Hearthstone** AMÉRICAIN MODERNE $$$
(☎970-453-1148 ; hearthstonerestaurant.biz ; 130 S Ridge St ; plats 26-44 $ ; ⏲16h-tard ; 🍷). 🍃 Abrité dans une demeure victorienne datant de 1886, l'établissement phare de Breck sert une cuisine de montagne créative. Au menu par exemple, élan aux mûres et côtes de bison braisé avec *tomatillos* (petites tomates mexicaines), piments rôtis et polenta. L'endroit n'est pas donné mais la nourriture, fraîche et délicieuse, est à la hauteur. Vous pourrez toujours profiter de l'happy hour (entre 16 et 18h) pour des plats arrosés de vin à 5 $. Pensez à réserver.

**Downstairs at Eric's** BAR
(www.downstairsaterics.com ; 111 S Main St ; ⏲11h-minuit ; 🚸). Une institution à Breckenridge. Les habitants se pressent dans cet établissement en sous-sol évoquant une salle de jeux, pour ses bières, ses hamburgers et sa délicieuse purée de pommes de terre. On y propose plus d'une centaine de bières, dont vingt à la pression.

## Achats

**Outlets at Silverthorne** VÊTEMENTS (www.outletsatsilverthorne.com ; ⌚10h-20h lun-sam, 10h-18h dim). À 15 minutes de Breckenridge sur l'I-70, se trouvent trois groupes de magasins d'usine en plein air, parmi lesquels Calvin Klein, Nike, Levi's, Gap et de nombreuses autres marques.

## Renseignements

**Visitor Center** (☎877-864-0868 ; www.gobreck.com ; 203 S Main St ; ⌚9h-21h ; 📶 👪). En partie installé dans un chalet du XIXe siècle, ce centre d'information fournit des renseignements et dispose d'un petit musée intéressant.

## Comment s'y rendre et circuler

Breckenridge sur trouve à quelque 130 km de Denver, à 15 km environ au sud de la I-70 sur la Hwy 9.

**Colorado Mountain Express** (☎800-525-6363 ; www.coloradomountainexpress.com ; adulte/enfant 70/36 $ ; 📶) assure la navette entre Breckenridge et l'aéroport international de Denver.

Des **bus gratuits** (www.townofbreckenridge.com ; ⌚8h-23h45) suivent 4 itinéraires dans la ville.

Pour circuler entre Breckenridge, Keystone et Frisco, empruntez les bus gratuits **Summit Stages** (☎970-668-0999 ; www.summitstage.com ; 150 Watson Ave). Pour vous rendre à Vail, prenez la **navette Fresh Tracks** (☎970-453-4052 ; www.freshtrackstransportation.com ; aller 20 $).

# Vail

Fréquentée par une clientèle huppée et quelques célébrités, Vail ressemble à un parc d'attractions pour adultes, où tout est artificiel, des pelouses de golf aux chutes d'eau d'intérieur. Il est facile de s'y déplacer à pied, mais l'endroit ne jouit pas de l'incroyable beauté naturelle commune aux autres destinations des Rocheuses (de fait, l'I-70 passe à côté). Cela étant, sa poudreuse et ses pistes d'exception lui valent le statut de meilleure station du Colorado, qu'aucun skieur digne de ce nom ne saurait remettre en cause.

## À voir et à faire

**Colorado Ski Museum** MUSÉE (www.skimuseum.net ; ⌚10h-17h ; 👪) GRATUIT. Modeste mais instructif, ce musée aborde aussi bien l'invention du ski que les prouesses de la Tenth Mountain Division, une division alpine de l'armée américaine décorée lors de la Seconde Guerre mondiale, qui s'entraînait là. Vous y verrez également des costumes d'époque hilarants et un panthéon des champions de ski et de snowboard du Colorado. Il se trouve à la sortie du parking souterrain de Vail Village.

♥ **Vail Mountain** SPORTS D'HIVER (☎970-754-8245 ; www.vail.com ; forfait adulte/enfant 129/89 $ ; ⌚9h-16h déc à mi-avr ; 👪). Notre domaine skiable préféré de l'État, avec plus de 2 000 ha, 193 pistes, 3 snowparks… et les tarifs de remontées les plus élevés du pays ; mais si vous n'avez jamais skié dans le Colorado, vous ne regretterez pas la dépense supplémentaire. Surtout s'il fait beau, que le ciel est bleu et la poudreuse au rendez-vous. Les forfaits valables plusieurs jours peuvent être utilisés dans quatre autres stations de ski. Au sommet des pistes, Adventure Ridge propose des activités aux enfants été comme hiver ; il deviendra le plus grand Epic Discovery (www.epicdiscovery.com) à l'été 2015.

**Holy Cross Wilderness** RANDONNÉE (☎970-827-5715 ; www.fs.usda.gov/whiteriver ; 24747 US Hwy 24, Minturn ; ⌚9h-16h lun-ven). Les rangers peuvent vous recommander des randonnées. La région compte 6 terrains de camping. L'épuisant Notch Mountain Trail offre une vue imprenable sur le Mount of the Holy Cross (4 268 m), auquel les randonneurs les plus expérimentés pourront s'attaquer en passant par le Half Moon Pass Trail.

**Piste cyclable de Vail à Breckenridge** CYCLISME (www.fs.usda.gov). Cette piste cyclable goudronnée, interdite aux voitures, s'étire sur 14 km d'East Vail jusqu'au Vail Pass (col de Vail, dénivelé positif 558 m), avant de redescendre pendant 22,5 km jusqu'à Frisco (et 14,5 km supplémentaires si vous rejoignez Breckenridge). Si vous ne souhaitez vous fendre que de la descente, prenez une navette à la **boutique de location de vélos** (☎970-476-5385 ; www.bikevalet.net ; 520 E Lionshead Cir ; location vélo à partir de 30 $/jour ; ⌚10h-17h ; 👪) et profitez la promenade jusqu'à Vail.

## Où se loger

Vail est une des villes les plus chères du Colorado, et les hébergements – généralement des locations dans des copropriétés – n'y sont pas toujours excellents.

**Gore Creek Campground** CAMPING $
(☎877-444-6777 ; www.recreation.gov ; Bighorn Rd ; empl 18 $ ; ⏲mi-mai à sept ; 🐾). Caché dans les bois à proximité du Gore Creek, au bout de Bighorn Rd, ce terrain, équipé d'une table de pique-nique, d'un gril et de toilettes sèches, compte 25 emplacements non réservables. Il se trouve à 10 km à l'est de Vail Village. Quittez l'I-70 en prenant la sortie 180 (East Vail).

♥ **Minturn Inn** B&B $$
(☎970-827-9647 ; www.minturninn.com ; 442 Main St ; ch été/hiver à partir de 100/150 $ ; P 📶 ; 🚌ECO). Si loger au cœur de l'action n'a rien d'obligatoire à vos yeux, cette option rustique vous enchantera. Aménagé dans un bâtiment en bois de 1915, à Minturn (à 13 km de Vail), ce B&B douillet joue sur l'attrait de la montagne, avec lits artisanaux en bois, cheminées en pierre de la rivière et bois de cerf en décoration. Réservez l'une des nouvelles chambres River Lodge pour bénéficier d'un Jacuzzi privatif.

♥ **The Sebastian** HÔTEL $$$
(☎800-354-6908 ; www.thesebastianvail.com ; 16 Vail Rd ; ch été/hiver à partir de 230/500 $ ; P ❄ 📶 🏊 🐾). Luxueux et moderne, cet établissement sophistiqué affiche des œuvres d'art contemporaines et une impressionnante liste de services (du personnel qui s'occupe de vos skis au fantastique espace piscine dotée de Jacuzzis mousseux comme du champagne). Vu les prix à Vail, le Sebastian est celui qui offre le meilleur rapport qualité/prix, mais il est nécessaire de réserver plusieurs mois à l'avance pour profiter des tarifs les plus intéressants.

## Où se restaurer et prendre un verre

♥ **Yellowbelly** MÉRIDIONAL $
(www.yellowbellychicken.com ; 14, 2161 N. Frontage Rd ; assiettes 10 $ ; ⏲11h-20h30 ; P 📶 👪 ; 🚌Vail Transit). Nichée dans une rue commerçante de West Vail, cette option sert un excellent poulet. Nous pourrions vous en vanter le côté sain (volailles élevées en plein air et aux grains, sans OGM), mais c'est surtout la délicieuse friture sans gluten qui vaut au Yellowbelly son succès. Les morceaux tendres et épicés de poulet sont servis avec 2 accompagnements au choix (salade de choux de Bruxelles, salade de quinoa aux agrumes, gratin de macaronis...) et une boisson. Vous pourrez aussi commander un poulet rôti entier pour votre tablée.

♥ **bōl** AMÉRICAIN MODERNE $$
(☎970-476-5300 ; www.bolvail.com ; 141 E Meadow Dr ; plats 14-28 $ ; ⏲17h-1h, à partir de 14h en hiver ; 📶 🌶 👪). À la fois restaurant tendance et bowling, le bōl est de loin l'escale la plus originale de Vail. Vous pourrez aller faire une partie à l'arrière (50 $/heure), mais c'est la carte, étonnamment éclectique, qui remporte tous les suffrages avec des créations comme la copieuse salade de poulet aux gnocchis et les crevettes et gruau de maïs au pamplemousse. Les prix sont relativement abordables pour Vail. Pensez à réserver.

**Matsuhisa** JAPONAIS $$$
(☎970-476-6628 ; www.matsuhisavail.com ; 141 E Meadow Dr ; plats 29-39 $, 2 sushis 8-12 $ ; ⏲18h-22h). Nobu Matsuhisa, chef légendaire, a relevé la barre de la gastronomie de Vail avec son restaurant moderne et spacieux, installé dans l'enceinte du complexe Solaris. Au menu : sushis et tempura traditionnels et sa spécialité, sashimis d'un nouveau genre (Matsuhisa a ouvert son premier restaurant au Pérou et continue d'incorporer des saveurs sud-américaines dans sa cuisine). Parmi les plats vedettes figurent le charbonnier au miso et les noix de Saint-Jacques à la sauce *jalapeño*. Réservation obligatoire.

**Los Amigos** BAR
(400 Bridge St ; ⏲11h30-21h). Pour allier belle vue, tequila et rock and roll au retour des pistes, venez dans ce bar. La cuisine mexicaine est, au mieux, correcte, mais les prix de l'happy hour et les tables proches de la montagne compensent le laisser-aller culinaire.

## Renseignements

**Vail Visitor Center** (☎970-479-1385 ; www.visitvailvalley.com ; 241 S Frontage Rd ; ⏲8h30-17h30 en hiver, 8h30-20h en été ; 📶). Un second bureau dans Lionshead Village.

## Comment s'y rendre et circuler

**Eagle County Airport** (☎970-328-2680 ; www.flyvail.com ; 219 Eldon Wilson Drive), à 56 km à l'ouest de Vail, propose des vols pour différentes destinations nationales (la plupart desquels passent par Denver) et abrite des comptoirs de location de voitures.

**Colorado Mountain Express** (☎800-525-6363 ; www.coloradomountainexpress.com ; 📶) assure la navette depuis/vers l'aéroport international de Denver (92 $) et l'Eagle County Airport (51 $). Les bus Greyhound à destination de Denver (33 $, 2 heures 30) ou de Grand Junction (28 $, 3 heures) s'arrêtent au **Vail Transportation Center** (☎970-476-5137 ; 241 S Frontage Rd).

Des **bus gratuits** (www.vailgov.com ; 6h30-1h50) assurent la liaison entre West Vail, Lionshead et Vail Village. Ils sont généralement équipés de porte-vélos. Les **bus régionaux** (ECO ; www.eaglecounty.us ; 4 $/trajet, 7 $ pour Leadville) desservent aussi Beaver Creek, Minturn et Leadville. Pour aller à Breckenridge et d'autres stations du Summit County, prenez la navette Fresh Tracks (p. 275).

Le petit centre-ville, festonné de restaurants, bars et boutiques haut de gamme, est piétonnier. Les conducteurs doivent laisser leur véhicule au parking de la ville (25 $/jour en hiver, gratuit en été) avant de pénétrer dans la zone piétonne au pied des télésièges. Lionshead est un autre lieu de stationnement, avec parking (mêmes tarifs) à environ 800 m à l'ouest. Il est en général moins fréquenté et donne l'accès direct aux remontées.

## Aspen

Station la plus luxueuse du Colorado, Aspen affiche ouvertement son snobisme et accueille une riche clientèle internationale. Son ravissant centre-ville aux bâtiments de brique rouge n'a d'égal que ses larges pistes. Le grand atout de la station tient toutefois à ses paysages alpins exceptionnels, lesquels se révèlent dans toute leur beauté lorsque les trembles se parent de leurs couleurs automnales, en particulier à la fin septembre et au mois d'octobre.

### À voir et à faire

**♥ Aspen Center for Environmental Studies** RÉSERVE NATURELLE
(ACES ; ☎970-925-5756 ; www.aspennature.org ; Hallam Lake, 100 Puppy Smith St ; 9h-17h lun-ven ; P). GRATUIT L'Aspen Center for Environmental Studies est une réserve de 10 ha qui englobe la Roaring Fork River. Le centre gère 3 autres sanctuaires dans la région et organise des randonnées guidées, des programmes ornithologiques et des circuits en raquette toute l'année. Idéal pour les familles.

**Aspen Art Museum** MUSÉE
(☎970-925-8050 ; www.aspenartmuseum.org ; angle East Hyman Ave et Spring St ; 10h-18h mar-sam, 10h-19h jeu, 12h-18h dim). GRATUIT Ce musée n'accueille aucune collection permanente et uniquement des expositions contemporaines. Sa toute nouvelle maison, qui aura l'atout d'une magnifique vue depuis le toit, était en construction lors de la rédaction de ce guide ; elle devrait avoir rouvert ses portes depuis. Les amateurs d'art ne repartiront pas déçus.

**À NE PAS MANQUER**

**MAROON BELLS À VÉLO**

De l'avis des mordus de cyclisme d'Aspen, la plus belle piste de VTT de la région est celle menant à la splendide chaîne des Maroon Bells. Une épuisante ascension de 18 kilomètres conduit au pied de l'une des zones sauvages les plus pittoresques des Rocheuses. Les sportifs pourront louer un vélo à **Aspen Bike Tours** (☎970-925-9169 ; www.aspenbikerentals.com ; 430 S Spring St ; demi-journée/journée adulte à partir de 33/40 $, enfant 22/29 $ ; 9h-18h ; ).

**♥ Domaine skiable d'Aspen** SPORTS D'HIVER
(☎800-525-6200 ; www.aspensnowmass.com ; forfait adulte/enfant 117/82 $ ; 9h-16h déc à mi-avr ; ). L'Aspen Skiing Company gère les 4 stations de ski de la région – Aspen (niveau intermédiaire/expérimentés), Snowmass (dénivelé le plus long des États-Unis), Buttermilk (débutants/snowparks) et les Highlands (expérimentés) – lesquelles sont éparpillées dans la vallée et reliées par des navettes gratuites. Aspen et Snowmass restent ouvertes l'été (billet télésiège adulte/enfant 28/11 $) pour les promenades, le VTT et les activités pour enfants.

**Maroon Bells** ZONE NATURELLE
Si vous ne pouvez consacrer qu'une journée à la nature, ne manquez pas de la passer à l'ombre des sommets les plus emblématiques du Colorado. Les sentiers de randonnée vont de l'excursion très prisée de 3 km (Crater Lake) à des marches plus difficiles, comme celle du Buckskin Pass (3 798 m). Pour vous y rendre, prenez une **navette** (Aspen Highlands ; adulte/enfant 6/4 $ ; 9h-16h30 tlj 15 juin-août, ven-dim sept-6 oct) depuis les Highlands.

La route d'accès n'est ouverte aux voitures (10 $) que de 17h à 9h et n'est pas déneigée en hiver. Ce coin pouvant être énormément fréquenté, nous vous conseillons de découvrir la Hunter-Fryingpan Wilderness, près de Basalt, si vous préférez la solitude.

**Ashcroft Ski Touring** SPORTS D'HIVER
(☎970-925-1971 ; www.pinecreekcookhouse.com/tours ; 11399 Castle Creek Rd ; forfait adulte/enfant 10/15 $ ; ). Ce domaine de 243 ha,

VAUT LE DÉTOUR

**INDEPENDENCE PASS**

Culminant à 3 686 m, l'Independence Pass, sur la **Hwy 82**, est l'un des cols les plus importants sur la ligne de partage des eaux. La vue qui se déploie depuis cette étroite route est absolument superbe, avec ses neiges éternelles, juste en dessous des sommets escarpés. En chemin, faites une escale dans la ville fantôme d'**Independence** (www.aspenhistorysociety.com ; don apprécié 3 $ ; 10h-18h mi-juin à août) GRATUIT. La **Hwy 82** n'est ouverte que de fin mai à octobre.



au spectaculaire panorama subalpin, est parcouru par 32 km de pistes bien entretenues. Vous y trouverez de quoi louer du matériel de ski de fond (20 $), de ski alpin et des raquettes. Des cours individuels et collectifs (75 $), ainsi que des sorties en raquettes ou à ski sont également proposés tous les jours. Une navette dessert Aspen (35 $).

## Fêtes et festivals

**Aspen Music Festival** MUSIQUE
(970-925-9042 ; www.aspenmusicfestival.com ; juil-août). Chaque été aux mois de juillet et août, des musiciens classiques du monde entier se réunissent à Aspen pour jouer et apprendre de leurs meilleurs homologues.

## Où se loger

Aspen connaît l'affluence toute l'année, aussi réservez très tôt. L'**Aspen Ranger District** (970-925-3445 ; www.fs.usda.gov/whiteriver ; 806 W Hallam St ; 8h-16h30 lun-ven) gère une vingtaine de **campings** (877-444-6777 ; www.recreation.gov ; empl 15-21 $) dans les zones naturelles des Maroon Bells, d'Independence Pass et de Hunter-Fryingpan.

**St Moritz Lodge** AUBERGE DE JEUNESSE $
(970-925-3220 ; www.stmoritzlodge.com ; 334 W Hyman Ave ; dort été/hiver 60/66 $, d été 130-269 $, hiver 155-299 $ ; ). La meilleure des adresses abordables de la ville. Une piscine extérieure chauffée, un barbecue avec vue sur les montagnes d'Aspen ainsi qu'un salon, agrémenté de jeux, de livres et d'un piano, sont à disposition de la clientèle. Ce lodge de style européen offre le choix, du dortoir tranquille à l'appartement deux pièces. Les chambres les moins chères ont une sdb commune. Cuisine au rez-de-chaussée.

**Annabelle Inn** HÔTEL $$
(877-266-2466 ; www.annabelleinn.com ; 232 W Main St ; ch avec petit-déj été/hiver à partir de 169/199 $ ; ). Agréable et sans prétention, l'Annabelle Inn est un établissement central. Douillettes, ses chambres sont équipées d'un écran plat et de couettes bien chaudes. À la tombée de la nuit, rien de tel que de regarder une vidéo de ski depuis le Jacuzzi de la terrasse (l'hôtel en compte deux).

♥ **Limelight Hotel** HÔTEL $$$
(800-433-0832 ; www.limelighthotel.com ; 355 S Monarch St ; ch été/hiver à partir de 245/395 $ ; ). Impeccable et tendance, le Limelight, avec son décor moderniste de briques et de verre, est à l'aune de l'offre huppée d'Aspen. Les chambres, spacieuses, recèlent maints avantages, à l'exemple des cheminées au gaz, des meubles habillés de cuir et de la vue sur la montagne depuis les balcons et les terrasses du toit. Navettes, personnel qui s'occupe des skis des clients et concerts dans le restaurant italien de l'hôtel, la plupart des soirs d'hiver. Petit-déjeuner inclus.

## Où se restaurer et prendre un verre

♥ **Justice Snow's** PUB $$
(970-429-8192 ; www.justicesnows.com ; 328 E Hyman Ave ; plats 10-22 $ ; 11h-2h ; ). Aménagé dans l'ancien opéra Wheeler, le Justice Snow's arbore un cadre rétro dont la décoration marie quelques éléments modernes et des meubles anciens en bois. Bien qu'il s'agisse principalement d'un bar ce sont les plats, bon marché (10 $ pour un hamburger gastronomique… une affaire à Aspen !) et à base d'ingrédients de la région, qui fidélisent la clientèle.

**The Meatball Shack** ITALIEN $$$
(970-925-1349 ; www.themeatballshack.com ; 312 S Mill Rd ; déj 13 $, dîner 21-28 $ ; 11h30-23h30 ; ). Dirigée par le chef florentin Eddie Baida et l'exilé de New York Michael Gurtman, ce restaurant est spécialisé dans les *fettuccine* et les boulettes de viande (poulet ou veau). En soirée, l'endroit est animé, mais on y déguste des plats italiens parmi les meilleurs des Rocheuses.

♥ **Pine Creek Cookhouse** AMÉRICAIN $$$
(970-925-1044 ; www.pinecreekcookhouse.com ; 12700 Castle Creek Rd ; déj et dîner d'été plats 13-41 $, dîner d'hiver prix fixe avec circuit à ski/en traîneau 90/110 $ ; 11h30-14h30 tlj, 14h30-20h30

mer-dim juin-sept, service à 12h et 13h30 tlj, plus 19h mer-dim déc-mars ; ). Cette grande maison en rondins, située à 2,5 km de la ville fantôme d'Ashcroft, au bout de Castle Creek Rd (à environ 30 min d'Aspen), présente le meilleur cadre des environs, à l'ombre de sommets enneigés. L'été, on peut s'y rendre à pied, mais l'hiver, c'est à ski ou en traîneau qu'on y va. Savourez les mets délicats proposés, comme la truite fumée maison, le steak de bison ou l'élan grillé.

**Aspen Brewing Co** BRASSERIE
(www.aspenbrewingcompany.com ; 304 E Hopkins Ave ; 12h-tard tlj ; ). Doté d'une terrasse ensoleillée donnant sur la montagne, cet établissement décontracté est le lieu où se relaxer après une dure journée sur les pistes. Six bières différentes, dont la This Year's Blonde, forte en goût, l'Independence Pass Ale (sa bière IPA), la douce Conundrum Red Ale et la Pyramid Peak Porter, au chocolat.

**Woody Creek Tavern** PUB
(970-923-4585 ; www.woodycreektavern.com ; 2 Woody Creek Plaza, 2858 Upper River Rd ; 11h-22h). Comptant au nombre des bars favoris du journaliste et écrivain américain Hunter S. Thompson, cette fantastique taverne mérite bien de couvrir les 13 km qui la séparent d'Aspen. Pour le déjeuner, la carte affiche des salades bio, des hamburgers juteux mais peu gras et des spécialités mexicaines, dont un bon guacamole. Au dîner, les plats sont moins imaginatifs, mais la carte des alcools, elle, est bien fournie : tous les jours, on y sert plus de 40 litres de margarita... ça ne trompe pas !

## Renseignements

**Aspen Visitor Center** (970-925-1940 ; www.aspenchamber.org ; 425 Rio Grande Pl ; 8h30-17h lun-ven)

## Comment s'y rendre et circuler

À 6,50 km au nord d'Aspen sur la Hwy 82, l'**Aspen-Pitkin County Airport** (970-920-5380 ; www.aspenairport.com ; 233 E Airport Rd ; ) accueille des vols directs en provenance de Denver, Los Angeles, Dallas et Chicago. **Colorado Mountain Express** (800-525-6363 ; www.coloradomountainexpress.com ; adulte/enfant 118/61 $ ; ) propose des navettes fréquentes vers/depuis l'aéroport international de Denver (118 $, 2 heures).

Les bus de la Roaring Fork Transit Agency (www.rfta.com) assurent gratuitement la liaison entre Aspen et les quatre domaines skiables et un service depuis/vers l'Aspen-Pitkin County Airport.

Si vous êtes motorisé, mieux vaut vous garer dans le parking public (15 $/jour) proche du Aspen Visitor Center sur Rio Grande Pl.

# Salida

Doté de l'un des plus grands centres historiques de l'État, Salida est un endroit charmant à explorer, fort en outre d'un cadre magnifique, avec l'Arkansas d'un côté et la rencontre de deux grandes chaînes de montagnes de l'autre. Le mieux est de s'adonner au rafting, au vélo ou à la marche dans la journée puis de faire le plein de grillades et de bières artisanales en ville le soir.

## Activités

La plupart des agences de rafting sont situées au sud de Buena Vista (à 40 km au nord de Salida), près de l'endroit où la Hwy 24 et la Hwy 285 se séparent.

**Buffalo Joe's Whitewater Rafting** RAFTING
(866-283-3563 ; www.buffalojoe.com ; 113 N Railroad St ; demi-journée/journée adulte 64/98 $, enfant 54/78 $ ; mai-sept ; ). Magasin en plein centre de Buena Vista qui fournit du matériel pour les sports de rivière.

**River Runners** RAFTING
(800-723-8987 ; www.riverrunnersltd.com ; 24070 Co Rd 301 ; demi-journée/journée adulte 60/98 $, enfant 50/88 $ ; mai-sept ; ). Autre adresse, à Buena Vista et à Royal Gorge.

**Absolute Bikes** LOCATION DE VÉLOS
(719-539-9295 ; www.absolutebikes.com ; 330 W Sackett Rd ; location de vélos 40-80 $, circuits à partir de 90 $ ; 9h-19h ; ). Monarch Crest, Rainbow Trails et circuits de l'autre côté du fleuve. Cartes, matériel, conseils, circuits guidés et locations.

## Où se loger

L'Arkansas Headwaters Recreation Area gère 6 terrains de camping (apportez vous-même votre eau) le long du fleuve. **Hecla Junction** (800-678-2267 ; http://coloradostateparks.reserveamerica.com ; Hwy 285, MM135 ; 16 $/empl ; ), situé au nord de Salida, est le meilleur d'entre eux. Réservez en été.

**Simple Lodge & Hostel** AUBERGE DE JEUNESSE $
(719-650-7381 ; www.simplelodge.com ; 224 E 1st St ; dort/d/q 24/55/76 $ ; ). Si seulement le Colorado pouvait compter davantage d'endroits à l'aune de celui-ci ! Tenue par un couple sympathique (Jon et Julia), cette

VAUT LE DÉTOUR

### RAFTING SUR L'ARKANSAS

Allant des rapides extrêmes aux eaux les plus calmes, les sources de l'Arkansas comptent parmi les cours d'eau les plus prisés des kayakistes et rafters du pays. La plupart des agences de rafting couvrent toute la portion de Leadville à Royal Gorge, mais les excursions les plus prisées sont celles qui descendent le Brown's Canyon, portion de 35 km incluant des rapides de classes 3 et 4. Si vous êtes avec de jeunes enfants ou que vous cherchez simplement quelque chose de plus doux, le Bighorn Sheep Canyon est une bonne option. Pour plus d'adrénaline, préférez Numbers, en amont, ou Royal Gorge, en aval, tous deux de classe 4/5.

Le débit variant selon les saisons, prévoyez votre visite pour début juin si vous ne voulez pas qu'il soit trop calme – passé août, le niveau de l'eau est généralement assez bas. Si vous faites du rafting avec des enfants, notez qu'ils doivent avoir au moins six ans et peser au minimum 23 kg.



auberge de jeunesse est simple mais élégante, avec une cuisine entièrement équipée et une zone commune confortable, où l'on se sent vite chez soi. C'est une adresse prisée des cyclotouristes suivant la Hwy 50 reliant les deux côtes.

## Où se restaurer et prendre un verre

**Amícas** PIZZERIA, MICROBRASSERIE **$$**
(www.amicassalida.com ; 136 E 2nd St ; pizzas et paninis 8,10-11,55 $ ; 11h30-21h ; ). Pizzas au feu de bois, à pâte fine, et 6 bières artisanales à la pression… que demander de plus ? Ancien funérarium, cette adresse tranquille est l'endroit idéal pour reprendre toutes les calories perdues en journée. La Michelangelo (pesto, saucisse et fromage de chèvre) et la Vesuvio (cœurs d'artichaut, tomates séchées et poivrons) s'accompagnent idéalement d'un verre de bière IPA Headwaters .

**Fritz** TAPAS **$$**
(719-539-0364 ; http://thefritzdowntown.com ; 113 East Sackett St ; tapas 4-8 $, plats 9-14 $ ; 11h-2h ; ). Ce bar sympathique en bord de fleuve sert des tapas inventives à l'américaine : Mac bacon aux trois fromages, frites à l'aïoli de truffes, curry de crevettes ou même os à moelle à la confiture d'oignons rouges. Propose également un excellent hamburger de bœuf ainsi que d'autres sandwichs au déjeuner. Bon choix de bières à la pression.

## Renseignements

**USFS Ranger Office** (719-539-3591 ; www.fs.usda.gov ; 5575 Cleora Rd ; 8h-16h30 lun-ven). Situé à l'est de la ville par la Hwy 50. Renseignements sur la randonnée et le camping dans les chaînes des Collegiates et de Sangre de Cristo.

## Depuis/vers Salida

Salida est située au croisement de la Hwy 285 et de la Hwy 50, à l'ouest de Cañon City et au sud de Leadville. Il est essentiel d'être motorisé pour se rendre sur place.

# Colorado Springs

Nichée au pied du majestueux Pikes Peak, Colorado Springs est l'une des principales destinations touristiques du pays. Entourée de quatre bases militaires, la ville, qui a récemment souffert d'une succession d'incendies dévastateurs, s'est transformée en un patchwork étrange et étendu de quartiers. Les visiteurs auront une meilleure idée de son agencement en la divisant en trois : sur un axe est-ouest, le long de la Hwy 24, se suivent le centre-ville, combinaison insolite d'art, de rêves olympiques et de désespoir, Old Colorado City, dont les maisons closes et les saloons de l'époque du Far West abritent aujourd'hui des restaurants et des boutiques, et Manitou Springs, secteur new age et quartier le plus prisé des touristes en raison de son emplacement à flanc de montagne.

## À voir et à faire

**Pikes Peak** MONTAGNE
(719-385-7325 ; www.springsgov.com ; par la route adulte/enfant 12/5 $ ; 7h30-20h juin-août, 7h30-17h sept, 9h-15h oct-mai ; ). Appelée à l'origine "Montagne du soleil" par les Ute, Pikes Peak (4 300 m) n'est certes pas la plus haute montagne du Colorado, mais c'est sans doute la plus célèbre. Peut-être est-ce dû au fait que son sommet en est desservi par un train à crémaillère… ou que la vue a inspiré à Katherine Bates les paroles de l'hymne *America the Beautiful*, en 1893.

Surgissant des plaines pour culminer à 2 255 m, ce sommet, situé à l'est des 13 autres pics de plus de 4 267 m de l'État, jouit d'une grande renommée, et aujourd'hui, plus d'un demi-million de visiteurs par an viennent se lancer à l'assaut de cette montagne. Le **train à crémaillère** (719-685-5401 ; www.cograilway.com ; 515 Ruxton Ave ; aller-retour adulte/enfant 35/19 $ ; 8h-17h20 mai-oct, horaires restreints le reste de l'année ; ) part de Manitou Springs (aller-retour 3 heures 10 environ), tandis que la Pikes Peak Highway (aller-retour 5 heures environ), qui part de la Hwy 24 à l'ouest de la ville, grimpe sur 30 km jusqu'au sommet. Pour une expérience totalement différente, pensez à entreprendre son ascension à pied (ci-contre).

**Garden of the Gods** PARC
(www.gardenofgods.com ; 1805 N 30th St ; 5h-23h mai-oct, 5h-21h nov-avr ; ). GRATUIT Si cette magnifique chaîne de grès rouge (vieille de quelque 290 millions d'années) apparaît en divers endroits de la Front Range du Colorado, les aiguilles extrêmement fines du Garden of the Gods, avec les montagnes en toile de fond, font de ce parc l'une de ses sections les plus impressionnantes. Vous pourrez y découvrir un grand réseau de sentiers, goudronnés ou non, faire un pique-nique et observer les grimpeurs s'attaquer à ces étranges formations rocheuses.

En été, le **Rock Ledge Ranch** (www.rockledgeranch.com ; adulte/enfant 8/4 $ ; 10h-17h mer-sam juin à mi-août ; ), musée historique proche de l'entrée du parc, passionnera les personnes qui s'intéressent à la vie des Amérindiens et des colons de la région, au XIXe siècle.

**♥ Colorado Springs Fine Arts Center** MUSÉE
(FAC ; 719-634-5583 ; www.csfineartscenter.org ; 30 W Dale St ; tarif plein/étudiant 10/8,50 $ ; 10h-17h mar-dim ; ). Une collection sophistiquée d'art latino-américain : des statues d'argile mexicaines, des paniers ainsi que des patchworks amérindiens, des gravures sur bois et quelques œuvres abstraites d'artistes locaux. L'endroit mérite d'être distingué d'entre les musées d'art de l'État.

**US Air Force Academy** ACADÉMIE MILITAIRE
(719-333-2025 ; www.usafa.af.mil ; I-25 sortie 156B ; Visitor Center 9h-17h ; ). GRATUIT Cette académie militaire, l'une des plus prestigieuses du pays, mérite une visite pour l'aperçu – limité mais fascinant – qu'elle offre de la vie d'un groupe d'élite de cadets. Le Visitor Center fournit des informations générales sur l'académie. De là, vous pourrez vous rendre à la belle chapelle (1963) ou faire un tour du campus en voiture. L'entrée se fait par la porte nord, à 22 km environ au nord de Colorado Springs.

**Barr Trail** RANDONNÉE
(www.barrcamp.com ; Hydro Dr). Le Barr Trail, éprouvant sentier de 20 km, parcourt un dénivelé de 2 255 m avant d'atteindre le sommet de Pikes Peak. La majorité des randonneurs choisissent de faire la randonnée sur 2 jours, en marquant l'arrêt à mi-chemin, à Barr Camp. Si vous préférez couvrir l'ascension en une journée, vous pourrez acheter un aller en train à crémaillère pour Barr Camp (22 $ ; premier ou dernier départ uniquement). Le début du sentier se trouve juste au-dessus de la gare du train à crémaillère de Manitou Springs ; le parking coûte 5 $.

## Fêtes et festivals

**Colorado Balloon Classic** MONTGOLFIÈRE
(719-471-4833 ; www.balloonclassic.com ; 1605 E Pikes Peak Ave ; week-end du Labor Day ; ). Depuis près de 40 ans, des passionnés de montgolfière (professionnels comme amateurs) participent trois jours durant, juste après le lever du soleil, à un lancer de ballons multicolores le week-end du Labor Day (1er lundi de septembre). Il vous faudra vous lever aux aurores pour ne rien rater, mais le spectacle en vaut la peine.

## Où se loger

**Barr Camp** CAMPING $
(www.barrcamp.com ; empl tente 12 $, abri 17 $, dort 28 $ ; ). À mi-chemin du Barr Trail, à une dizaine de kilomètres du sommet de Pikes Peak, ce camping permet de planter une tente, dormir sous un abri ou réserver un chalet au confort sommaire. L'endroit est équipé de douches et d'eau potable. Du mercredi au dimanche, vous pourrez y dîner pour 8 $. Réservation en ligne obligatoire, à faire tôt. Le terrain est ouvert toute l'année.

**Mining Exchange** HÔTEL $$
(719-323-2000 ; www.wyndham.com ; 8 S Nevada Ave ; ch 135-200 $ ; ). Aménagé dans la banque du début du siècle dernier où les prospecteurs de Cripple Creek échangeaient autrefois leur or contre du numéraire (ne manquez pas la porte du coffre-fort dans le hall d'entrée), le Mining Exchange, qui

VAUT LE DÉTOUR

### CRIPPLE CREEK : UNE VILLE QUI VAUT DE L'OR

À seulement une heure de Colorado Springs, Cripple Creek vous fera remonter aux traditions du Far West. En 1952, on y avait découvert pour 413 millions de dollars d'or.

L'alcool coule à flots et la passion du jeu fait toujours fureur, même si les saloons et les maisons closes d'antan ont laissé place aux casinos. Si vous vous passionnez plus pour l'histoire régionale ou désirez simplement vous éloigner un peu des machines à sous, rendez-vous à l'**Heritage Center** (www.visitcripplecreek.com ; 9283 Hwy 67 ; 8h-19h ; ), visitez la **mine d'or** (www.goldminetours.com ; 9388 Hwy 67 ; adulte/enfant 18/10 $ ; 8h45-18h mi-mai à oct ; ) ou prenez le **Narrow Gauge Railroad** (http://cripplecreekrailroad.com ; Bennet Ave ; adulte/enfant 13/8 $ ; 10h-17h mi-mai à mi-oct ; ) jusqu'à la ville historique de Victor.

Cripple Creek se trouve à 80 km au sud-ouest de Colorado Springs sur la Hwy 67. Pour un trajet encore plus spectaculaire, empruntez la vieille Gold Camp Rd (Hwy 336) après Victor sur le chemin du retour. C'est une route étroite et non goudronnée, mais qui offre des vues magnifiques. Le trajet pour revenir à Colorado Springs prend 1 heure 30 environ. Vous pouvez également prendre le bus **Ramblin' Express** (719-590-8687 ; www.ramblinexpress.com ; ticket A/R 25 $ ; 7h-minuit) qui part du 8th St Depot à Colorado Springs.

a ouvert en 2012, est sans conteste l'hôtel le plus chic de Colorado Spring. Ses hauts plafonds, ses murs en briques apparentes et ses meubles garnis de cuir participent d'une ambiance moderne et relaxante, mais son emplacement, dans le centre, n'a pas le charme de Manitou Springs. Excellent rapport qualité/prix.

**Two Sisters Inn** B&B **$$**
(719-685-9684 ; www.twosisinn.com ; 10 Otoe Pl, Manitou Springs ; ch sans baignoire 79-94 $, avec baignoire 135-155 $ ; ). Grand favori des amateurs de B&B, cette maison victorienne rose, édifiée par 2 sœurs en 1919, compte 5 chambres (dont la maisonnette spéciale lune de miel à l'arrière). L'endroit, qui servait à l'époque de foyer pour instituteurs, est un hôtel depuis 1990. Poussez la porte d'entrée ornée de splendides vitraux pour rejoindre le hall, où trône un piano datant de 1896. Le petit-déjeuner a été maintes fois récompensé.

**Broadmoor** COMPLEXE HÔTELIER **$$$**
(855-634-7711 ; www.broadmoor.com ; 1 Lake Ave ; ch à partir de 280-500 $ ; ). Abritant 744 chambres, le Broadmoor, l'un des plus beaux complexes cinq étoiles des États-Unis, jouit d'un cadre idyllique, avec en toile de fond les pentes émeraude de Cheyenne Mountain. Vaste terrain verdoyant agrémenté d'un petit lac. Piscine, golf de niveau international, nombreux bars et restaurants, superbe spa, et chambres plus que confortables (à la décoration, il est vrai, un peu vieillotte) : tout y est charmant.

On comprend pourquoi des centaines de stars hollywoodiennes, les plus grands athlètes et presque tous les présidents depuis Franklin Roosevelt n'ont pas manqué d'y séjourner.

## Où se restaurer et prendre un verre

**Shuga's** CAFÉ **$**
(www.shugas.com ; 702 S Cascade St ; plats 8-9 $ ; 11h-minuit ; ). Si vous en doutiez, sachez que Colorado Springs aussi peut être branchée : le Shuga, un café servant des expressos et des cocktails à tomber par terre en est la preuve. Cette coquette maison blanche décorée de grues en origami et de chaises de vinyle rouge possède également une cour avec quelques tables. De ses sandwichs revisités à coup de brie et de pain au romarin à sa soupe brésilienne crevettes-noix de coco, la nourriture y est un vrai régal. Ne manquez pas les séances de classiques du cinéma le samedi.

**Marigold** FRANÇAIS **$$**
(719-599-4776 ; www.marigoldcafeandbakery.com ; 4605 Centennial Blvd ; déj 8,25-11 $, dîner 9-19 $ ; 11h-14h30 et 17h-21h lun-sam, boulangerie 8h-21h). À proximité du Garden of the Gods, ce bistrot-boulangerie à la française, très animé, enchantera votre palais et votre portefeuille. Régalez-vous de mets délicats comme le poulet rôti à l'ail et au romarin, les salades et les pizzas gourmandes, et n'oubliez pas de garder un peu de place pour le double (ou

le triple !) gâteau à la mousse au chocolat et pour la tarte au citron.

**Adam's Mountain Cafe** AMÉRICAIN MODERNE **$$**
(☎719-685-1430 ; www.adamsmountain.com ; 934 Manitou Ave ; plats 9-19 $ ; ⏲8h-15h tlj, 17h-21h mar-sam ; ). À Manitou Springs, ce café slow food constitue une halte agréable. Pour le petit-déjeuner, laissez-vous tenter par des tartines à l'orange et à l'amande ou des *huevos rancheros* (œufs et haricots sur une tortilla mexicaine). Les cartes du déjeuner et du dîner sont plus éclectiques, avec son poulet marocain, les pâtes *gremolata* (ail, persil et zeste de citron) et la salade à la pastèque grillée, à déguster dans la cour ou dans une salle agréable aux poutres apparentes. Concerts occasionnels.

**Jake & Telly's** GREC **$$**
(☎719-633-0406 ; www.jakeandtellys.com ; 2616 W Colorado Ave ; déj 9-12 $, dîner 16-24,50 $ ; ⏲11h30-21h tlj ; ). L'une des meilleures tables à Old Colorado City. Avec ses peintures murales à thème hellène, et la musique traditionnelle en fond sonore, l'endroit a des allures de restaurant touristique, mais la cuisine y est absolument délicieuse. On peut y manger de bons sandwichs grecs ainsi que des plats traditionnels, comme les souvlaki, les dolmas et les *spanakopitas* (feuilletés aux épinards et à la feta). Il est installé en étage, au-dessus d'une boutique de baguettes magiques.

**♥ Swirl** BAR À VINS
(www.swirlwineemporium.com ; 717 Manitou Ave ; ⏲12h-22h dim-jeu, 12h-minuit ven et sam). À l'arrière d'un élégant magasin de vins et spiritueux de Manitou Springs, ce petit bar offre une ambiance intimiste et décontractée. Des lampes suspendues éclairent son jardin planté de vigne grimpante, et à l'intérieur de vieux fauteuils vous attendent autour d'une cheminée. Si vous avez un petit creux, goûtez les tapas et les pâtes maison.

**Bristol Brewing Co** BRASSERIE
(www.bristolbrewing.com ; 1604 S Cascade Ave ; ⏲11h-22h ; ). Bien qu'un peu excentrée, dans le sud de Colorado Springs, cette brasserie, qui a ouvert en 2013 un centre communautaire dans l'école élémentaire d'Ivywild, mérite une visite pour goûter à sa Laughing Lab Scottish Ale et ses bons plats de pub. D'autres commerçants ont rejoints les rangs et on trouve également dans l'école une boulangerie, une épicerie, un café et une galerie d'art, ainsi qu'un cinéma dans l'ancien gymnase.

### ℹ Renseignements

**Colorado Springs Convention and Visitors Bureau** (☎719-635-7506 ; www.visitcos.com ; 515 S Cascade Ave ; ⏲8h30-17h ; )

### ℹ Comment s'y rendre et circuler

L'**aéroport municipal de Colorado Springs** (☎719-550-1972 ; www.springsgov.com ; 7770 Milton E Proby Parkway ; ) offre une desserte comparable à celle de Denver. Le tarif des taxis **Yellow Cab** (☎719-777-7777) ralliant l'aéroport au centre est de 30 $.

Des bus reliant Cheyenne, dans le Wyoming, à Pueblo, dans le Colorado, s'arrêtent chaque jour à l'**arrêt Greyhound** (☎719-635-1505 ; 120 S Weber St). Vous trouverez auprès de **Mountain Metropolitan Transit** (aller simple 1,75 $, forfait journalier 4 $) les horaires et les plans de toutes les lignes de bus ; informations disponibles en ligne.

Les places de stationnement se paient aux parcmètres. Si vous êtes motorisé, prévoyez abondance de pièces de monnaie.

# Sud du Colorado

La moitié sud du Colorado est aussi belle que la moitié nord et offre beaucoup à voir et à faire. On y trouve notamment les splendides chaînes de San Juan et Sangre de Cristo.

## Crested Butte

Crested Butte a su, mieux que la plupart des stations de ski du Colorado, conserver son caractère rural. Isolé aux confins de trois réserves naturelles, cet ancien village minier est considéré comme l'une des meilleures stations de ski du Colorado, voire la meilleure pour certains. Les édifices victoriens admirablement préservés de son centre-ville historique abritent désormais des commerces. On y vient pour sa décontraction et sa joie de vivre.

Elk Ave réunit la plupart des services touristiques, dont le **Visitor Center** (☎970-349-6438 ; www.crestedbuttechamber.com ; 601 Elk Ave ; ⏲9h-17h).

Le domaine skiable de **Crested Butte** (☎970-349-2222 ; www.skicb.com ; forfait adulte/enfant 98/54 $ ; ) s'étend à 3 km au nord de la ville, au pied de la majestueuse montagne du même nom. Le site, bordé de forêts et de pics déchiquetés, se trouve au milieu des réserves naturelles de West Elk, Raggeds et Maroon Bells-Snowmass, et offre un spectacle époustouflant. Ses pistes s'adressent pour l'essentiel aux skieurs moyens à chevronnés.

Crested Butte est également un haut lieu du **VTT**, avec une multitude de pistes d'altitude. Vous trouverez cartes, renseignements et vélos de location chez **Alpineer** (970-349-5210 ; www.alpineer.com ; 419 6th St ; location 20-55 $/jour ; ).

**Crested Butte International Hostel** (970-349-0588 ; www.crestedbuttehostel.com ; 615 Teocalli Ave ; dort 35 $, d sdb commune 89 $, ch 99-109 $ ; ) est l'une des auberges les plus agréables du Colorado. Les meilleures chambres disposent d'une sdb particulière. Les lits superposés du dortoir sont équipés d'une lampe de chevet et de tiroirs à verrou. La salle commune combine un décor montagnard rustique, une cheminée en pierre et de confortables canapés. Les tarifs varient fortement d'une saison à l'autre, l'automne étant la plus économique.

Très prisé des gens du coin, le **Secret Stash** (970-349-6245 ; www.thesecretstash.com ; 303 Elk Ave ; plats 8-20 $ ; 8h-tard ; ) est un restaurant à la fois branché et décontracté servant une cuisine succulente et des cocktails originaux. La spécialité de la maison est la pizza : la Notorious Fig (*prosciutto*, figues fraîches et huile de truffe) a gagné en son temps le championnat du monde de la meilleure pizza. Le meilleur petit-déjeuner se déguste à **Izzy's** (218 Maroon Ave ; plats 7-9 $ ; 7h-13h mer-lun), où bagels frais, œufs et galettes de pommes de terre sont servis à des tables de pique-nique prises d'assaut.

La distillerie d'origine **Montanya** (130 Elk ; en-cas 3-12 $ ; 11h-21h) a déménagé dans de nouveaux locaux, ce qui a été chaudement salué. Elle produit un *basiltini*, boisson à base de rhum au basilique, pamplemousse frais et citron vert, qui vous grisera ! Les amateurs de musique se rendront à l'**Eldo Brewpub** (970-349-6125 ; www.eldobrewpub.com ; 215 Elk Ave ; tarif entrée variable ; 15h-tard, musique à partir de 22h30 ; ), brasserie artisanale animée et très fréquentée de la ville, qui accueille des groupes régionaux. Ne manquez pas la superbe terrasse.

L'**aéroport Gunnison County** (970-641-2304), à 45 km au sud de Crested Butte, relie la ville au reste du pays. Les navettes **Alpine Express** (970-641-5074 ; www.alpineexpressshuttle.com ; 34 $/pers) desservent Crested Butte ; il est nécessaire de réserver en été.

Le bus gratuit **Mountain Express** (970-349-7318 ; www.mtnexp.org) relie la ville au mont Crested Butte toutes les 15 minutes en hiver, moins fréquemment le reste de l'année ; consultez les horaires aux arrêts de bus.

## Ouray

Les splendides cascades de glace drapant son canyon, et les apaisantes sources chaudes parsemant le fond de sa vallée font d'Ouray un lieu qui étonne par son exceptionnelle beauté. Cette petite ville minière prise en sanwich entre deux pics imposants a comme un petit air de paradis.

Entre Silverton et Ouray, l'US 550, bien que goudronnée, peut se révéler dangereuse en cas de pluie ou de neige. Soyez prudent !

### Activités

Le Visitor Center se trouve aux sources chaudes. On y distribue un excellent prospectus détaillant un circuit piéton reliant une vingtaine de bâtiments et de maisons édifiés entre 1880 et 1904 dans toute la ville.

**Ouray Ice Park** ESCALADE SUR GLACE
(970-325-4061 ; www.ourayicepark.com ; Hwy 361 ; 7h-17h mi-déc à mars) GRATUIT. Ce parc dévolu à l'escalade sur glace occupe une étendue de glace de 3,2 km dans l'Uncompagre Gorge. Premier du genre, il attire les "glaciairistes" du monde entier. Une formidable expérience, s'adressant tant aux débutants qu'aux plus expérimentés.

**Chicks with Picks** COURS, ESCALADE
(970-316-1403, bureau 970-626-4424 ; www.chickswithpicks.net ; 163 County Rd 12). Ce groupe d'athlètes féminines de renom arme les femmes de piolets et de crampons, et leur offre une excellente formation (tous niveaux, même débutant) en escalade classique, sur bloc ou sur glace. Divertissants, les programmes changent régulièrement, et vont de l'excursion de plusieurs jours au cours dans un cadre citadin. Des stages itinérants d'escalade sont également proposés dans tout le pays.

**Ouray Hot Springs** SOURCE
(970-325-7073 ; www.ourayhotsprings.com ; 1220 Main St ; adulte/enfant 102/8 $ ; 10h-22h juin-août, 12h-21h lun-ven et 11h-21h sam et dim sept-mai ; ). Pour une revigorante baignade, faites un tour du côté des Ouray Hot Springs. L'eau cristalline de ces sources ne contient pas de soufre. Le bassin compte plusieurs zones de baignade aux températures variées, allant de 35,5 à 41°C. L'offre est complétée par une salle de sport et un salon de massage.

**San Juan Mountain Guides** ESCALADE, SKI
(800-642-5389, 866-525-4925 ; www.ourayclimbing.com ; 725 Main St ; ). Le groupe des

À NE PAS MANQUER

## ROUTE PANORAMIQUE : LES COLS DE SAN JUAN

Les pics déchiquetés et les profonds canyons de la chaîne de San Juan dessinent un paysage inégalable. Nul besoin de conduire un 4x4 pour prendre la **Million Dollar Highway** (US 550), qui tire son nom des métaux précieux que contient son empierrement. Mais ici, c'est avant tout le paysage qui est d'or : accrochée à flanc de montagne, la route traverse d'immenses étendues montagneuses sur lesquelles se détachent d'anciens puits de mine.

Ardue mais spectaculaire, l'**Alpine Loop Backcountry Byway** (www.alpineloop.com) est une piste de 105 km reliant **Ouray** à **Lake City**, à l'est – un beau village de montagne méritant le coup d'œil. Elle trace une boucle vous ramenant à votre point de départ, en passant par deux cols de plus de 3 650 m. Oubliez la civilisation et le bitume : place à la solitude, à un panorama exceptionnel et à d'anciennes mines abandonnées. Il vous faudra un 4x4 à la garde au sol élevée et de bonnes notions de conduite tout terrain pour venir à bout de cette piste ; comptez 6 heures.

Particulièrement beau en automne, lorsque ses peupliers se teintent de jaune, le col d'**Ophir Pass** relie Ouray et Telluride par une ancienne voie ferrée. La piste pour 4x4, de difficulté moyenne, s'élève progressivement à 3 593 m d'altitude en croisant d'anciennes mines. Pour vous y rendre depuis Ouray, suivez la Hwy 550 vers le sud sur 29 km jusqu'à l'embranchement menant au National Forest Access et à l'Ophir Pass, à droite.

S'agissant de pistes 4x4 et de cols de montagne, il convient de toujours s'assurer qu'ils sont ouverts. La route peut être dangereuse en cas de pluie ou de neige. Soyez prudent !

guides et grimpeurs professionnels d'Ouray est certifié par l'UIAGM, l'Union internationale des associations de guides de montagne. Il est spécialisé dans l'escalade de rocher et de glace et dans le ski hors-piste.

### Fêtes et festivals

**Ouray Ice Festival** ESCALADE SUR GLACE
(☎970-325-4288 ; www.ourayicefestival.com ; don demandé pour les événements vespéraux ; ⏰jan ; 👪). Pendant les quatre jours de l'Ouray Ice Festival se succèdent concours d'escalade, stages, dîners et projections. Un mur d'escalade est installé pour les enfants. Vous pourrez assister gratuitement aux compétitions, mais il vous faudra verser un don au parc pour participer aux événements du soir. À l'intérieur, vous dégusterez gratuitement des bières de New Belgium, célèbre microbrasserie du Colorado.

### Où se loger et se restaurer

**Amphitheater Forest Service Campground** CAMPING $
(☎877-444-6777 ; http://www.recreation.gov ; US Hwy 550 ; empl tente 16 $ ; ⏰juin-août). Avec ses bons emplacements protégés par les arbres, ce terrain d'altitude est un excellent choix. Durant les week-ends de vacances, un minimum de 3 nuitées est imposé. Au sud de la ville sur la Hwy 550, prenez à gauche au panneau.

**sbaden** HÔTEL $$
(☎970-325-4347 ; www.wiesbadenhotsprings.com ; 625 5th St ; ch 132-347 $ ; ). Rares sont les hôtels à pouvoir s'enorgueillir de posséder une grotte à vapeur naturelle (où le chef Ouray se baigna, il y a fort longtemps). Avec ses couvre-lits douillets, son café biologique gratuit et ses spacieux bassins extérieurs, cet excentrique établissement new age ravit ses visiteurs. Les clients ont également accès au salon de soins Aveda et ont la possibilité de louer un bassin alimenté par une chute d'eau (35 $/heure ; port du maillot optionnel).

**Box Canyon Lodge & Hot Springs** LODGE $$
(☎970-325-4981, 800-327-5080 ; www.boxcanyonouray.com ; 45 3rd Ave ; ch 110-165 $, app 278-319 $ ; ). Ses chambres au chauffage géothermique sont spacieuses et ornées de boiseries. L'attrait romantique de l'établissement réside dans ses quatre Jacuzzis alimentés par les sources, parfaits pour un bain à la belle étoile. Réservez bien à l'avance.

**Buen Tiempo Mexican Restaurant & Cantina** MEXICAIN $$
(☎970-325-4544 ; 515 Main St ; plats 7-20 $ ; ⏰18h-22h ; ). De son faux-filet frotté au piment à son *pozol* (ragoût de porc et de maïs blanc) accompagné de tortillas tièdes, le Buen Tiempo vous comblera. Ouvrez-vous l'appétit en sirotant une délicieuse margarita (fierté de l'établissement) servie avec des chips et une sauce piquante maison.

## Renseignements

**Visitor Center** (☎970-325-4746 ; www.ouraycolorado.com ; 1220 Main St ; ⌚9h-17h)

## Depuis/vers Ouray

Mieux vaut disposer d'un véhicule pour accéder à Ouray, située à 38,5 km au nord de Silverton sur l'US 550.

# Telluride

Cernée de trois gigantesques pics, la très chic Telluride semble coupée de l'agitation du monde extérieur, et c'est d'ailleurs souvent le cas. Dans cette ancienne ville minière se côtoient désormais une riche élite pouvant s'y offrir un logement, et de vrais passionnés y vivant tant bien que mal par et pour le ski. Le centre-ville conserve son charme d'antan, et le panorama est tout bonnement sublime.

C'est sur Colorado Ave, également appelée Main St, que vous trouverez la plupart des commerces. Depuis le centre-ville, le domaine skiable est accessible par deux remontées et un téléphérique, qui mènent également à Mountain Village, véritable point de départ pour se rendre sur les pistes. Situé à 11 km à l'est du centre de Telluride, sur la Hwy 145, Mountain Village se trouve à 20 minutes en voiture et à seulement 12 minutes en téléphérique (gratuit pour les piétons).

**À NE PAS MANQUER**

### ÇA BOUGE À TELLURIDE !

Ses festivals sont certes excellents, mais Telluride propose aussi un été sportif :

**VTT**

De Town Park, suivez le River Trail sur 3,2 km environ jusqu'à la Hwy 145. À l'ouest de la station-service Texaco, rejoignez le **Mill Creek Trail** qui grimpe le long de la montagne jusqu'au Jud Wiebe Trail (réservé aux randonneurs).

**Randonnée**

Après 3 km, le **Bear Creek Trail** grimpe pour déboucher à 1 674 m sur une belle cascade. De là, vous pouvez accéder au **Wasatch Trail**, une boucle ardue de 19 km traversant les montagnes vers l'ouest jusqu'à **Bridal Veil Falls**, les chutes d'eaux les plus spectaculaires de Telluride. Le Bear Creek Trail démarre à l'extrémité sud de Pine St, sur la rive opposée de la San Miguel River.

**Cyclisme**

Le **Lizard Head Pass** est un parcours de 50 km (aller) dans d'incroyables paysages alpins.

## Activités

**Domaine skiable de Telluride** SPORTS D'HIVER
(☎970-728-7533, 888-288-7360 ; www.tellurideskiresort.com ; 565 Mountain Village Blvd ; forfait 98 $). Telluride, qui donne accès à trois domaines distincts, est desservie par 16 remontées mécaniques. L'essentiel de ses pistes s'adressent aux skieurs moyens à expérimentés, mais les débutants y trouveront également leur bonheur.

## Fêtes et festivals

♥ **Mountainfilm** CINÉMA
(www.mountainfilm.org ; ⌚week-end du Memorial Day, mai). Quatre jours de projection de documentaires consacrés à l'écologie ou aux sports de plein air.

**Telluride Bluegrass Festival** MUSIQUE
(☎800-624-2422 ; www.planetbluegrass.com ; pass 4 jours 195 $ ; ⌚fin-juin). Des stands de nourriture et de bière locale viennent agrémenter ce festival, dont les concerts se poursuivent jusque tard le soir. Nombre de festivaliers choisissent de camper sur place. Vous trouverez plus d'informations en ligne concernant les terrains, les navettes et les forfaits festival-camping. L'organisation est exemplaire.

**Telluride Film Festival** CINÉMA
(☎603-433-9202 ; www.telluridefilmfestival.com). Début septembre. Des films de nombreux pays sont projetés en avant-première dans toute la ville, attirant même des célébrités. Pour plus d'informations sur le système tarifaire, relativement compliqué, consultez le site.

## Où se loger

Les hébergements de Telluride peuvent rapidement afficher complet et mieux vaut réserver en ligne pour obtenir les meilleurs tarifs. En dehors des campings, le choix est plus que limité pour les voyageurs à petit budget. En raison de ses nombreuses activités et de ses festivals, Telluride est animée toute l'année. Pour les locations de vacances, l'agence la plus réputée est **Telluride Alpine**

**Lodging** (☎888-893-0158 ; www.telluridelodging.com ; 324 W Colorado Ave).

**Telluride Town Park Campground** CAMPING $
(☎970-728-2173 ; 500 E Colorado Ave ; empl avec/sans espace véhicule 23/15 $ ; ⏲mi-mai à mi-oct ; 📶). En plein centre-ville, ce camping de 20 emplacements équipé de douches, d'une piscine et d'un court de tennis se remplit rapidement à la haute saison. Il existe d'autres terrains dans un rayon de 15 km autour de la ville : renseignez-vous auprès du Visitor Center. Sans réservation, les emplacements ne sont pas dotés d'une place pour la voiture, mais vous pourrez la garer dans le parking voisin.

**Victorian Inn** LODGE $$
(☎970-728-6601 ; www.victorianinntelluride.com ; 401 W Pacific Ave ; ch avec petit-déj à partir de 124 $ ; 🚭❄📶). L'hôtel affichant le meilleur rapport qualité/prix de Telluride accueille ses clients dans l'odeur des petits roulés à la cannelle. Y sont louées des chambres confortables (avec kitchenette pour certaines), un Jacuzzi, un sauna et un agréable jardin. Le personnel est aimable, et les hôtes jouissent de belles promotions sur les forfaits remontées. Gratuit pour les enfants de 12 ans et moins. Emplacement central imbattable.

**Hotel Columbia** HÔTEL $$$
(☎970-728-0660, numéro gratuit 800-201-9505 ; www.columbiatelluride.com ; 300 W San Juan Ave ; d/ste à partir de 175/305 $ ; P🚭❄📶). Les propriétaires et le personnel de cet établissement chic savent prendre soin de leurs hôtes. Le téléphérique est juste en face : idéal pour déposer votre matériel au local à skis avant que de promptement rejoindre votre chambre, équipée d'une cafetière, d'une cheminée et de chauffage au sol. Le recyclage n'est pas un vain mot, dans cet hôtel soucieux de l'environnement. Vous y trouverez aussi un Jacuzzi sur le toit et une salle de sport.

## Où se restaurer et prendre un verre

Pour un repas économique, jetez votre dévolu sur les camionnettes de Colorado Ave, qui vendent des plats méditerranéens, des hot dogs, des tacos et du café.

**♥ La Cocina de Luz** MEXICAIN, BIO $$
(www.lacocinatelluride.com ; 123 E Colorado Ave ; plats 9-19 $ ; ⏲9h-21h ; 📶). Cuisine bio et mexicaine : cette *taquería* abat deux des cartes les plus appréciées du Colorado. Ce qui explique la longue file d'attente qui se forme tous les jours à l'heure du déjeuner. À découvrir : le bar à *salsas* et à chips, les tortillas maison et les margaritas au citron bio et nectar d'agave. Propose aussi des options végétaliennes et sans gluten.

**The Butcher & The Baker** CAFÉ $$
(☎970-728-3334 ; 217 E Colorado Ave ; plats 10-14 $ ; ⏲7h-19h lun-sam, 8h-14h dim ; 👪). Ce café, ouvert par deux vétérans de la restauration haut de gamme, est absolument charmant et sert un petit-déjeuner inégalable. Cuisine à partir d'ingrédients bio et de viandes d'origine locale. Pour des pauses gourmandes lors de vos randonnées, pensez à leurs sandwichs à emporter.

**Brown Dog Pizza** PIZZA $$
(☎970-728-8046 ; www.browndogpizza.net ; 10 E Colorado Ave ; pizzas 10-22 $ ; ⏲11h-22h). Les pizzas à pâte fine sont très correctes, mais c'est surtout la clientèle qui rend cette adresse intéressante : 10 minutes à peine après avoir commandé votre part de pizza et votre verre bon marché de Pabst, vous en connaîtrez bien davantage sur les gens du cru. L'un des établissements les plus abordables de la rue.

**New Sheridan Bar** BAR
(☎970-728-3911 ; www.newsheridan.com ; 231 W Colorado Ave ; ⏲17h-2h). Ce bar historique a survécu au déclin minier, époque où l'hôtel voisin était contraint de vendre ses lustres pour payer les factures. Il attire aujourd'hui aussi bien une clientèle locale qu'un public plus m'as-tu-vu. Ses murs conservent encore des impacts de balles.

**There** BAR À COCKTAILS
(☎970-728-1213 ; http://therebars.com ; 627 W Pacific Ave ; entrées à partir de 4 $ ; ⏲17h-12h lun-ven, 10h-15h sam-dim). Un petit bar tendance idéal pour un en-cas et un cocktail ou pour un brunch en week-end. Si vous avez un gros appétit, vous pourrez opter pour des mets à partager. Cuisine fusion avec des rouleaux de feuilles de laitue, des *ramen* au canard et des *tostadas* (tartines) au thon. Arrosez le tout d'un cocktail maison ; nous vous recommandons le *jalapeño kiss*.

## ☆ Où sortir

**Fly Me to the Moon Saloon** SALOON, CONCERTS
(☎970-728-6666 ; 132 E Colorado Ave ; ⏲15h-2h). De nombreux groupes se produisent dans ce saloon, le meilleur de Telluride pour danser et s'amuser : à vous de jouer !

VAUT LE DÉTOUR

### LE COLORADO DE REFUGE EN REFUGE

Pour explorer les centaines de kilomètres de sentiers (en été) ou de poudreuse vierge (en hiver) qu'offre la région, rien de tel que les cinq abris de montagne du **San Juan Hut Systems** (☎970-626-3033 ; www.sanjuanhuts.com ; 30 $/personne). Munissez-vous de vivres, d'une lampe torche et d'un sac de couchage : vous trouverez sur place des lits couchette dotés de matelas, des gazinières, des poêles à bois (et des bûches) pour le chauffage.

Des pistes VTT serpentent à travers des paysages alpins et désertiques entre Durango ou Telluride et Moab. Il est possible également de séjourner plusieurs jours dans un même refuge pour en explorer les alentours à ski. Vous trouverez des terrains hors piste adaptés à tous les niveaux, mais une bonne connaissance de la neige et des avalanches est requise. Autrement, il est préférable de se faire accompagner d'un guide.

Le site Internet fournit quelques conseils et des informations utiles sur la location de skis, de vélos et éventuellement les services de guides, à Ridgway et Ouray.



**Sheridan Opera House** SALLE DE SPECTACLE
(☎970-728-4539 ; www.sheridanoperahouse.com ; 110 N Oak St ; ♿). Cette salle historique reste le cœur de la vie culturelle de Telluride.

## Renseignements

**Visitor Center** (☎888-353-5473, 970-728-3041 ; www.telluride.com ; 398 W Colorado Ave ; ⏲9h-17h)

## Comment s'y rendre et circuler

Quand le temps le permet, les compagnies régionales desservent l'**aéroport de Telluride** (☎970-778-5051 ; www.tellurideairport.com ; Last Dollar Rd), aménagé au sommet de la mesa à 8 km à l'est de la ville. Le reste du temps, les vols atterrissent à Montrose, à 104 km au nord. Les loueurs National et Budget sont tous deux présents à l'aéroport.

À la haute saison, l'aéroport régional de Montrose, à 106 km au nord, est desservi par des vols directs depuis/vers Denver (United), Houston, Phoenix et quelques villes de la côte Est.

Les navettes de **Telluride Express** (☎970-728-6000 ; www.tellurideexpress.com) relient l'aéroport de Telluride à la ville ou à Mountain Village pour 15 $. Comptez 50 $ pour les navettes entre l'aéroport de Montrose et Telluride.

# Mesa Verde National Park

Parc national imprégné de mystère, Mesa Verde offre l'occasion d'une exploration quasi féerique. C'est ici que disparurent, vers l'an 1300, les ancêtres des Indiens pueblos (Anasazi), laissant un ensemble complexe d'habitations troglodytes. Mesa Verde est le seul parc à mettre l'accent sur la préservation de cet héritage culturel, pour que les générations futures soient en mesure d'interpréter à leur tour l'implantation et le retrait de ces communautés.

Les voyageurs disposant d'une journée ou plus pourront suivre les visites guidées de Cliff Palace et Balcony House conduites par les rangers, explorer la Wetherill Mesa ou participer à des feux de camp. Si vous disposez de moins de temps, faites un tour au Chapin Mesa Museum et à la Spruce Tree House, où vous pourrez accéder à une *kiva* (pièce de cérémonie, souvent semi-enterrée) par une échelle.

## À voir et à faire

**Chapin Mesa Museum** MUSÉE
(☎970-529-4475 ; www.nps.gov/meve ; Chapin Mesa Rd ; entrée incluse dans celle du parc ; ⏲8h-18h30 avr à mi-oct, 8h-17h mi-oct à avr ; 🅿♿). Première étape idéale, ce musée propose des dioramas et des expositions sur le parc. Lorsque les bureaux du parc sont fermés le week-end, le personnel du musée se charge d'informer les visiteurs.

**Chapin Mesa** SITE ARCHÉOLOGIQUE
La plus grande concentration de sites pueblos se trouve à Chapin Mesa, où vous verrez notamment le dense **Far View Site** et le vaste **Spruce Tree House**, les deux sites les plus accessibles grâce à une boucle asphaltée de près d'un kilomètre.

L'unique façon de découvrir les sites de **Cliff Palace** et **Balcony House** est de suivre la visite guidée de 4 heures conduite par un ranger, à laquelle il convient de s'inscrire au Visitor Center (3 $). Au vu du monde, réservez un jour à l'avance, ou très tôt le matin. Pour atteindre Balcony House, il vous faudra emprunter des échelles de 10 et 18 m : à éviter en cas de vertige.

**Wetherill Mesa** SITE ARCHÉOLOGIQUE
On y trouve des vestiges en surface et deux habitations troglodytes, dont la **Long House** (de fin mai à août). Au sud des bureaux du parc, la **Mesa Top Road** (9,5 km) relie des ruines excavées perchées sur les mesas, des demeures troglodytes accessibles et des points de vue sur une série de villages inaccessibles en bordure de la mesa.

**Aramark Mesa Verde** RANDONNÉE
(970-529-4421 ; www.visitmesaverde.com ; tarif plein 42-48 $). Vivement recommandées, les visites guidées conduites par les rangers sillonnent le parc. Celles arpentant l'arrière-pays affichent vite complet, car elles offrent un accès exclusif à la **Square House** (via une randonnée très exposée de 1,6 km) et la **Spring House** (13 km, 8 heures), et des visites très personnalisées d'habitations semi-souterraines, d'habitations troglodytes et de la **Spruce Tree House**. Tickets disponibles en ligne.

## Où se loger et se restaurer

Les villes voisines de Cortez et Mancos disposent de nombreux hébergements de catégorie moyenne. Le parc lui-même abrite un camping et un lodge.

**Morefield Campground** CAMPING $
(970-529-4465 ; www.visitmesaverde.com ; North Rim Rd ; empl tente/camping car 29/37 $ ; mai-début oct ; ). Ce terrain est ponctué de grands bungalows de toile équipés de deux lits de camp et d'une lanterne, propres à ravir les campeurs aux goûts de luxe. Ses pelouses accueillent également 445 emplacements pour tente. Situé à 6,5 km de l'entrée du parc, il est proche de Morefield Village où vous trouverez une supérette, une station-service, un restaurant, des douches gratuites et une laverie. Animations gratuites chaque soir autour du feu de camp au Morefield Campground Amphitheater, de Memorial Day (dernier lundi de mai) à Labor Day (premier lundi de septembre).

**Far View Lodge** LODGE $$
(970-529-4421, numéro gratuit 800-449-2288 ; www.visitmesaverde.com ; North Rim Rd ; ch 115-184 $ ; mi-avr à oct ; ). Perché sur une mesa à 24 km de l'entrée du parc, ce lodge d'inspiration pueblo loue quelque 150 chambres, certaines dotées d'une cheminée traditionnelle. Les chambres standards ne sont pas équipées de la climatisation (alors qu'il peut faire très chaud pendant les journées d'été) ni de la télévision. Les chambres *kiva*, décorées d'objets artisanaux d'Indiens de l'Ouest, sont de catégorie supérieure, avec des balcons, une vasque de cuivre et des couvertures colorées à motifs.

**Far View Terrace Café** CAFÉ $
(970-529-4421, numéro gratuit 800-449-2288 ; www.visitmesaverde.com ; North Rim Rd ; plats à partir de 5 $ ; 7h-10h, 11h-15h et 17h-20h mai à mi-oct ; ). Dans le Far View Lodge, ce café en self-service propose des formules à prix raisonnable. Le Navajo Taco est la spécialité de la maison.

**Metate Room** AMÉRICAIN MODERNE $$$
(800-449-2288 ; www.visitmesaverde.com ; North Rim Rd ; plats 15-28 $ ; 17h-19h30 toute l'année, et 7h-10h avr à mi-oct ; ). Le restaurant du Far View Lodge jouit d'une belle vue et propose une cuisine innovante à partir de saveurs locales : porc au piment et à la cannelle, *elk shepherd's pie* (viande d'élan, légumes et purée) ou truite en croûte de pignons. Vous pourrez y boire des bières brassées dans le Colorado.

## Renseignements

L'entrée du parc se situe sur l'US 160, à mi-chemin entre Cortez et Mancos. Le **Mesa Verde Visitor and Research Center** (800-305-6053, 970-529-5034 ; www.nps.gov/meve ; North Rim Rd ; 8h-19h tlj juin à début-sept, 8h-17h début-sept à oct, fermé mi-oct à mai ; ) se trouve à proximité de l'entrée. Il dispense des renseignements et des bulletins d'information sur l'état des routes (de nombreux secteurs sont fermés en hiver). Il vend également des tickets pour les **visites guidées** (3 $) des sites de Cliff Palace et Balcony House.

# Durango

Archétype de l'ancienne ville minière, Durango est absolument charmante. Rien de tel que le vélo pour arpenter ses rues arborées, ses jolis hôtels et ses saloons de l'époque victorienne. Durango est tiraillée entre son passé marqué par le ragtime et un avenir avant-gardiste et branché qui se profile sous le signe du vélo de ville, de la caféine et des marchés de producteurs.

La zone historique piétonne de son centre-ville est festonnée de boutiques, bars, restaurants et salles de spectacle. Produits bio et locaux y sont à l'honneur, faisant de Durango la ville où l'on mange le mieux du Colorado, pour le plus grand bonheur des locavores et autres fins gourmets ! Mais ce ne sont pas là ses seuls atouts : son atmosphère décontractée, sa population accueillante, ses galeries et ses nombreux lieux de concerts en font une ville particulièrement agréable à visiter.

## Activités

**VTT** CYCLISME

De ses sentiers étroits et pentus à ses grandes routes panoramiques, Durango offre nombre de voies VTT. Pour une balade facile, parcourez l'**Old Railroad Grade Trail**, une boucle de 20 km empruntant l'US Hwy 160 et une piste longeant l'ancienne voie ferrée. De Durango, prenez la Hwy 160 vers l'ouest et traversez Hesperus. Tournez à droite dans la Cherry Creek Picnic Area, d'où part le sentier. Pour un parcours un peu plus technique, voyez du côté de la **Dry Fork Loop**, une boucle accessible depuis Lightner Creek, à l'ouest de la ville, offrant de beaux sauts, des virages masqués et une végétation abondante. Main Ave et Second Ave ne manquent pas de magasins de sport louant des VTT.

**♥ Durango & Silverton Narrow Gauge Railroad** TRAIN TOURISTIQUE

(☎970-247-2733, numéro gratuit 877-872-4607 ; www.durangotrain.com ; 479 Main Ave ; adulte/enfant A/R à partir de 85/51 $ ; ⏲départs 8h, 8h45 et 9h30 ; ). L'attraction phare de Durango. Cela fait plus de 125 ans que les locomotives à vapeur, d'époque, effectuent ce spectaculaire trajet de 70 km (3 heures 30) jusqu'à Silverton, que vous aurez 2 heures pour visiter. La ligne ne fonctionne qu'entre mai et octobre. Visitez le site Web pour connaître les offres hivernales.

**Domaine skiable de Durango** SPORTS D'HIVER

(☎970-247-9000 ; www.durangomountainresort.com ; 1 Skier Pl ; forfait adulte/enfant à partir de 75/45 $ ; ⏲mi-nov à mars ; ). La station, également connue sous le nom de Purgatory, se trouve à 40 km au nord de Durango sur l'US 550. Elle offre un domaine skiable de près de 500 ha aux difficultés variées et affiche 6,5 m de neige par an. Deux snowparks offrent aux snowboarders de nombreuses occasions de s'amuser. Avant d'acheter votre forfait, faites le tour des éventuelles offres "deux pour le prix d'un" dans les épiceries et les journaux locaux.

## Où se loger

**Hometown Hostel** AUBERGE DE JEUNESSE $

(☎970-385-4115 ; www.durangohometownhostel.com ; 736 Goeglein Gulch Rd ; dort 28 $ ; ⏲réception 15h30-20h ; ). La crème des auberges. L'établissement, aux allures de pavillon de banlieue, se trouve à proximité d'une piste cyclable, sur la route serpentant jusqu'à l'université. Fait suffisamment rare dans une auberge pour être noté, tout est compris : draps, serviettes, casiers, Wi-Fi. Vous y trouverez 2 dortoirs non-mixtes, un grand dortoir mixte, une vaste cuisine commune et un salon. Tarifs dégressifs selon la longueur du séjour.

**Adobe Inn** MOTEL $

(☎970-247-2743 ; www.durangohotels.com ; 2178 Main Ave ; d 84 $ ; ). Considéré localement comme l'hébergement qui offre le meilleur rapport qualité/prix, cet accueillant motel a l'atout de chambres correctes et propres, ainsi que d'un service cordial. Vous pourrez peut-être même les convaincre de vous faire une réduction si vous arrivez tard le soir. Une liste des meilleures adresses de Durango est mise à disposition sur place.

**♥ Rochester House** HÔTEL $$

(☎970-385-1920, numéro gratuit 800-664-1920 ; www.rochesterhotel.com ; 721 E 2nd Ave ; d 169-229 $ ; ). Le Rochester est jumelé avec le Leland House, de l'autre côté de la rue, où vous devrez faire l'enregistrement. Les 2 établissements abritent des chambres un peu vétustes mais spacieuses et équipées de kitchenettes pour certaines. Principal atout : des vélos à disposition des clients pour explorer la ville.

**Strater Hotel** HÔTEL $$$

(☎970-247-4431 ; www.strater.com ; 699 Main Ave ; d 197-257 $ ; ). Un parfum d'histoire flotte sur cet hôtel de Durango, avec ses meubles en noisetier, son papier peint au pochoir et des pièces de musée (dont une Winchester plaquée or). Meubles anciens, cristal et dentelles composent le décor romantique des chambres, équipées de lit confortables. Le personnel est agréable et fait tout son possible pour répondre aux attentes des clients. Autres atouts, un Jacuzzi (il est possible de le réserver à l'heure), et le théâtre, géré par l'hôtel en été. L'hiver, les prix chutent de moitié. Consultez le site pour en savoir plus.

## Où se restaurer et prendre un verre

Durango est réputée pour sa cuisine, tournée vers les produits bio et locaux. Procurez-vous un guide local des restaurants (disponible dans la plupart des hôtels et dans les Visitor Centers) pour une liste exhaustive. Vous y trouverez également de nombreuses brasseries.

**Homeslice** PIZZERIA $

(☎970-259-5551 ; http://homeslicedelivers.com ; 441 E College Ave ; part 4 $ ; ⏲11h-22h). Les résidents se pressent dans cette pizzeria toute simple pour se régaler de copieuses tourtes, accompagnées de sauce thaïlandaise *sriracha*. Il est possible de commander des tourtes à base de pâte sans gluten et des salades. Des tables sont installées dans le patio.

**Durango Diner** DINER $$

(☎970-247-9889 ; www.durangodiner.com ; 957 Main Ave ; plats 7-18 $ ; ⏲6h-14h lun-sam, 6h-13h dim ; ). Cette petite table est une institution à Durango. La cuisine, ouverte sur la salle, sert de gigantesques plats d'œufs, de *burritos* et de pain perdu.

**Jean Pierre Bakery** FRANÇAIS, BOULANGERIE $$

(☎970-247-7700 ; www.jeanpierrebakery.com ; 601 Main Ave ; plats 9-22 $ ; ⏲8h-21h ; ). Cette boulangerie française n'est pas donnée, mais le menu déjeuner, composé d'une soupe, d'un sandwich et d'une délicieuse pâtisserie (nous vous recommandons le gâteau roulé aux noix de pécan), tient d'une bonne affaire.

**East by Southwest** FUSION, SUSHI $$

(☎970-247-5533 ; http://eastbysouthwest.com ; 160 E College Dr ; sushis 4-13 $, plats 12-24 $ ; ⏲11h30-15h et 17h-22h ; ). Une adresse animée et à l'atmosphère tamisée dont la réputation locale n'est plus à faire. Oubliez les classiques, et passez directement aux succulentes spécialités de la maison, notamment le sashimi au *jalapeño* et les makis à la mangue sauce miel-wasabi. Le poisson est frais et provient de la pêche durable. La carte affiche des spécialités thaïes, vietnamiennes et indonésiennes, servies avec des martinis inventifs et des cocktails au saké. Entre 17h et 18h30, profitez des plats bon marché pendant l'happy hour.

**Steamworks Brewing** BRASSERIE

(☎970-259-9200 ; www.steamworksbrewing.com ; 801 E 2nd Ave ; plats 10-15 $ ; ⏲11h-minuit lun-jeu, 11h-2h ven-dim). Le décor de cette microbrasserie mêle style industriel et chevrons de bois. Le bar est essentiellement fréquenté par des étudiants, mais vous y trouverez également une vaste salle à manger séparée et une carte aux accents cajun. DJ et groupes animent les soirées.

**Diamond Belle Saloon** BAR

(☎970-376-7150 ; www.strater.com ; 699 Main Ave ; ⏲11h-tard ; ). Inclus au vénérable Strater Hotel, ce petit bar bruyant a l'attrait d'une ambiance rétro : les serveuses arborent pour "uniforme" une version raccourcie, avec jarretière de rigueur, des tenues d'entraîneuses d'époque western, et les concerts de ragtime attirent une foule venant de tous les environs. Pas de places assises pendant l'happy hour (16h-18h tous les jours). La cuisine est décevante.

## Renseignements

**Visitor Center** (☎800-525-8855 ; www.durango.org ; 111 S Camino del Rio). Au sud de la ville, près de la sortie Santa Rita de l'US 550.

## Comment s'y rendre et circuler

L'**aéroport de Durango-La Plata County** (DRO ; ☎970-247-8143 ; www.flydurango.com ; 1000 Airport Rd) se trouve à 29 km au sud-ouest de Durango par l'US 160 et la Hwy 172. Les bus Greyhound partent tous les jours de la **gare routière de Durango** (☎970-259-2755 ; 275 E 8th Ave), à destination de Grand Junction au nord et d'Albuquerque (Nouveau-Mexique) au sud.

**Durango Transit** (☎970-259-5438 ; www.getarounddurango.com) est une bonne source de renseignements pour vos déplacements locaux. Les bus de Durango sont équipés de porte-vélos. Les navettes "T" rouges de Main Street sont gratuites.

Durango se trouve au carrefour de l'US 160 et de l'US 550, à 68 km à l'est de Cortez, 79 km de Pagosa Springs et 306 km au nord d'Albuquerque.

# Silverton

Silverton, qu'entourent des pics neigeux et de sombres histoires d'ancienne ville minière, aurait plus sa place en Alaska que dans le Colorado. Et pourtant. Que vous aimiez la motoneige, le ski, la pêche à la mouche ou la bière pression, elle vous comblera.

Sur les deux rues que compte la ville, seule Greene St est goudronnée. Vous y trouverez la plupart des commerces. L'autre, Blair St, est parallèle et semble tout droit sortie du passé ; à l'époque de la ruée vers l'argent, elle était réputée pour ses maisons de passe et ses débits de boisson.

## Activités

En été, Silverton offre quelques-unes des meilleures pistes de 4×4 de l'Ouest. Pour explorer les environs, adressez-vous à **San Juan Backcountry** (☎970-387-5565 ; numéro gratuit 800-494-8687 ; www.sanjuanbackcountry.com ; 1119 Greene St ; circuit de 2 h adulte/enfant 60/40 $ ; ⏲mai-oct ; 👪), qui propose des circuits et la location de jeeps.

## Où se loger et se restaurer

**Red Mountain Motel & RV Park** MOTEL, CAMPING **$$**
(☎970-382-5512, numéro gratuit 800-970-5512 ; www.redmtmotelrvpk.com ; 664 Greene St ; motel ch à partir de 110 $, chalets à partir de 120 $, empl tente/camping-car 22/38 $ ; ⏲toute l'année ; P). Si vous aimez camper, essayez le Red Mountain Motel & RV Park, un camping ouvert toute l'année.

**Inn of the Rockies at the Historic Alma House** B&B **$$**
(☎970-387-5336, numéro gratuit 800-267-5336 ; www.innoftherockies.com ; 220 E 10th St ; ch avec petit-déj 109-173 $ ; P). Offrez-vous un séjour romantique dans ce B&B, où vous trouverez un Jacuzzi en plein air et un petit-déjeuner aux saveurs de La Nouvelle-Orléans.

**Stellar** ITALIEN **$$**
(☎970-387-9940 ; 1260 Blair St ; plats 8-20 $ ; ⏲16h-21h30 ; 👪). Cette pizzeria pleine de cachet avec son bar bien fourni et sa bière à la pression est la meilleure table pour un repas assis. Testez les lasagnes s'il en reste.

## Où prendre un verre

♥ **Montanya Distillers** BAR
(www.montanyadistillers.com ; 1309 Greene St ; plats 6-13 $ ; ⏲12h-22h). Ce ne sont pas les saloons dignes d'un vieux western qui manquent à Silverston, mais si vous recherchez quelque chose d'original, optez pour le Montanya Distillers. Doté de fauteuils sur le toit-terrasse en été, ce bar chic concocte des cocktails exotiques à partir de sirops maison et sert un rhum primé. On peut y manger des *tamales* (crêpes amérindiennes) bio et d'autres délices.

## Depuis/vers Silverton

Silverton se trouve à 80 km au nord de Durango et à 38 km au sud d'Ouray par l'US 550.

# Great Sand Dunes National Park

L'apparition impromptue de la mer de sable du **Great Sand Dunes National Park** (☎719-378-6399 ; www.nps.gov/grsa ; 11999 Hwy 150 ; adulte/enfant 3 $/gratuit ; ⏲Visitor Center 8h30-18h30 en été, horaires réduits le reste de l'année) au milieu des paysages montagneux donne l'impression de changer de planète. Encadrée d'un côté par les pics déchiquetés des chaînes de Sangre de Cristo et San Juan (4 300 m), et de l'autre, par un plateau broussailleux et aride, l'immense San Luis Valley abrite 78 km² de dunes de sable, dont les plus hautes atteignent 200 m.

Attendez de préférence la pleine lune pour visiter ce parc national, dont l'entrée ne coûte que 3 $. Après avoir fait provision de vivres et vous être procuré un permis de camping sauvage (gratuit) au Visitor Center, vous pourrez rejoindre à pied ces paysages surréalistes pour planter votre tente en plein désert (assurez-vous d'emporter suffisamment d'eau). Vous ne serez pas déçu.

Le parc compte de nombreux **chemins de randonnée**, comme celui de 800 m qui mène aux **Zapata Falls** (route BLM 5415), que l'on rejoint en passant par un étonnant canyon en fente (portez de bonnes chaussures, au risque sans cela de vous retrouver les pieds dans l'eau). Vous pourrez également faire du **sandboarding** (surf des dunes), mais c'est une activité qu'il vaut mieux laisser aux pratiquants aguerris dans les sports de glisse.

Le mois de juin est l'époque la plus appréciée pour visiter ce parc : le Medano Creek n'est pas encore à sec et les enfants peuvent se rafraîchir agréablement en s'y baignant. N'oubliez pas d'emporter de l'eau en quantité, car la marche dans le sable mou est pénible et les températures estivales peuvent dépasser les 54°C.

## Où se loger

**Pinyon Flats Campground** CAMPING **$**
(☎888-448-1474 ; www.recreation.gov ; Great Sand Dunes National Park ; empl 20 $ ; 🐾). Dans l'enceinte du parc national, le Pinyon Flats compte 88 emplacements et dispose d'eau toute l'année.

**Zapata Falls Campground** CAMPING **$**
(www.fs.usda.gov ; route BLM 5415 ; empl 11 $ ; ⏲toute l'année ; 🐾). Fort d'un superbe panorama sur la vallée, ce camping plus isolé se trouve à 11 km au sud via une piste de terre escarpée de 5,8 km. Emportez votre eau.

**Zapata Ranch** RANCH $$$
(☎719-378-2356 ; www.zranch.org ; 5303 Hwy 150 ; d avec pension complète 300 $). Idéal pour les grands amateurs d'équitation, le très huppé Zapata Ranch est un ranch d'élevage de bovins et de bisons niché dans un bois de peupliers. Détenue et gérée par le Nature Conservancy, la principale pension est une structure en bois rénovée du XIXe siècle, riche d'un beau panorama sur les dunes de sable.

### Depuis/vers le Great Sand Dunes National Park

Le parc national se trouve à 56 km au nord-est d'Alamosa et à 400 km au sud de Denver. De Denver, suivez l'I-25 en direction du sud jusqu'à la Hwy 160, que vous prendrez vers l'ouest avant d'emprunter la Hwy 150 vers le nord. Aucun transport public ne dessert le parc.

# WYOMING

État le moins peuplé des États-Unis, blotti au cœur du pays, le Wyoming est dominé par de grandes étendues d'herbes folles balayées par les vents, sous un vaste ciel bleu. Il se caractérise avant tout par son dépouillement.

Bien que la culture des ranchs soit bien ancrée dans la région – il suffit de voir la file de Stetsons devant la banque pour s'en convaincre – le Wyoming est également le premier producteur de charbon du pays, et l'un des plus grands producteurs de gaz naturel, de pétrole brut et de diamants. Très conservateur, il a souvent privilégié l'industrialisation au détriment de ses terres.

Ce sont les étendues sauvages qui constituent son meilleur atout. Le nord-ouest de l'État abrite les splendides parcs nationaux de Yellowstone et Grand Teton. Jackson la cossue et Lander la progressiste constituent d'excellentes bases pour la randonnée, le camping et le ski. Pour sortir des sentiers battus, pourquoi ne pas vous aventurer sur les vastes prairies de Laramie et Cheyenne ?

### Renseignements

Même via les autoroutes, les distances restent longues à parcourir, avec des stations-service rares et éloignées les unes des autres. Le vent souffle souvent en rafales et, quand la neige se met de la partie, on peut se retrouver en plein blizzard en un rien de temps. Mais ne vous inquiétez pas : quand le temps est vraiment trop mauvais, la police de la route ferme purement et simplement la nationale jusqu'à amélioration.

**Conditions routières dans le Wyoming** (☎307-772-0824, 888-996-7623 ; www.wyoroad.info)

**Office du tourisme du Wyoming** (☎800-225-5996 ; www.wyomingtourism.org)

**Wyoming State Parks & Historic Sites** (☎307-777-6323 ; www.wyo-park.com ; entrée 6 $, site historique 4 $, camping 17 $/personne). L'État du Wyoming gère 12 parcs. Si vous souhaitez y camper, la réservation peut se faire en ligne ou par téléphone.

## Cheyenne

Évoquée dans bien des tubes de musique country, Cheyenne est la capitale et la plus grande ville du Wyoming. Elle évoque les westerns hollywoodiens, mais plutôt avant le début du tournage – sauf au mois de juillet, lors des Frontier Days, une grande fête cow-boy. Située à l'intersection de l'I-25 et de l'I-80, elle constitue une étape incontournable.

### À voir et à faire

**Cheyenne Gunslingers** SPECTACLE
(☎800-426-5009 ; www.cheyennegunslingers.com ; angle W 15th et Pioneer Ave ; 12h sam et 18h jeu-ven juin, 18h lun-ven et 12h sam juil ; ). GRATUIT La troupe d'acteurs bénévoles du Cheyenne

**LE WYOMING EN BREF**

**Surnom** Equality State (État de l'égalité)

**Population** 576 000 habitants

**Superficie** 251 489 km²

**Capitale** Cheyenne (60 100 hab.)

**TVA** 4 %

**Lieu de naissance de** l'artiste Jackson Pollock (1912-1956)

**Patrie** des geysers, des loups, des mines de charbon, du droit de vote des femmes

**Politique** Ultra-conservateur

**Célèbre pour** les manifestations de rodéo, les ranchs, l'ancien vice-président Dick Cheney

**Souvenir le plus kitsch** Un suspensoir en fourrure dans une boutique de Jackson

**Distances routières** Cheyenne-Jackson 708 km

Gunslingers propose un spectacle Far West animé qui prend quelques libertés avec l'histoire : pendaisons et évasions manquées sont au rendez-vous. Le casting comprend, comme il se doit, des juges corrompus, des bons et des méchants.

**Frontier Days Old West Museum** MUSÉE HISTORIQUE
(☎307-778-7290 ; www.oldwestmuseum.org ; 601 N Carey Ave ; adulte/enfant 10/5 $ ; ⏰8h-18h lun-ven, 9h-17h sam-dim en été, 9h-17h lun-ven, 10h-17h sam-dim en hiver). Situé au niveau de la sortie A2 de l'I-25, ce musée offre une plongée dans la vie des pionniers. Quantité d'objets relatifs au rodéo (selles, trophées, etc.) y sont exposés. Pour un circuit audioguidé, appelez le ☎307-316-0071.

## Fêtes et festivals

♥ **Cheyenne Frontier Days** RODÉO
(☎1-800-227-6336 ; www.cfdrodeo.com ; 4501 N Carey Ave ; gratuit-32 $ ; ⏰juil ; 👪). Si vous n'avez jamais assisté à un spectacle de rodéo, vous serez marqué par ce festival très typique. Fin juillet, Cheyenne accueille la manifestation la plus importante de l'État. Au programme : dix jours de rodéo, de concerts, de danses, d'acrobaties aériennes, de concours de *chili con carne* et autres réjouissances. Au nombre des événements gratuits, on compte les rodéos en matinée, les petits-déjeuners de pancakes et les différentes parades. Il y a également un marché d'art et un "village indien".

## Où se loger et se restaurer

Durant les Frontier Days, les tarifs doublent et tous les hébergements affichent complet dans un rayon de 80 km. La réservation est donc essentielle (consultez www.cheyenne.org/availability). Les motels les moins chers sont installés le long de la bruyante Lincolnway (I-25 sortie 9).

**Nagle Warren Mansion Bed & Breakfast** B&B $$
(☎307-637-3333 ; www.naglewarrenmansion.com ; 222 E 17th St ; ch avec petit-déj à partir de 155 $ ; ❄📶🐾). Dans un quartier devenu branché, cette grande et somptueuse demeure, datant de 1888, est rehaussée de mobilier local de la fin du XIXe siècle. Spacieuse et élégante, elle possède un Jacuzzi, une salle de lecture dans sa tourelle, et des vélos Swinn datant de 1954 pour explorer les environs. Jim, le propriétaire, est une mine d'informations sur l'histoire locale.

Excellente galerie d'art située juste à côté.

**Tortilla Factory** MEXICAIN $
(715 S Greeley Hwy ; plats 3-10 $ ; ⏰6h-20h lun-sam, 8h-17h dim). Une délicieuse adresse mexicaine servant des *tamales* maison pour 1,50 $ et des classiques authentiques comme les tacos au bœuf haché ou les *huevos rancheros*.

**Shadows Pub & Grill** BRASSERIE $
(Gare ferroviaire ; plats 8-15 $ ; ⏰11h-23h lun-jeu, 11h-1h ven-sam, 11h-21h dim). Difficile de battre l'ambiance de ce beau *brewpub* installé dans une gare de l'Union Pacific datant des années 1860. La cuisine est classique, mais il y a beaucoup de places assises dans le patio pour les jours ensoleillés et de bonnes bières maison à la pression.

## Achats

**Boot Barn** SOUVENIRS
(1518 Capitol Ave ; ⏰9h-21h lun-sam, 9h-18h dim). Envie d'un Stetson, d'une grosse boucle de ceinture ou de vraies bottes de cow-boy ? Ne cherchez pas plus loin, vous avez trouvé votre adresse.

## Renseignements

Le **Cheyenne Visitor Center** (☎307-778-3133 ; www.cheyenne.org ; 1 Depot Sq ; ⏰8h-17h lun-ven, 9h-17h sam, 11h-17h dim, fermé sam et dim en hiver) est une bonne source d'informations.

## Comment s'y rendre et circuler

L'**aéroport de Cheyenne** (CYS ; ☎307-634-7071 ; www.cheyenneairport.com ; 200 E 8th Ave) propose des vols quotidiens vers Denver. Les bus Greyhound quittent tous les jours la gare de **Black Hills Stage Lines** (☎307-635-1327 ; www.blackhillsstagelines.com ; 5401 Walker Rd) pour diverses destinations, dont Billings dans le Montana (84 $, 9 heures 30), et Denver dans le Colorado (31 $, 2 heures 45).

En semaine, le **Cheyenne Transit Program** (☎307-637-6253 ; adulte 1 $, 6-18 ans 75¢ ; ⏰ 6h-19h lun-ven, 10h-17h sam) gère 6 lignes de bus urbains. Le **Cheyenne Street Railway Trolley** (☎800-426-5009 ; 121 W 15th St ; adulte/enfant 10/5 $ ; ⏰mai-sept) propose aux visiteurs des visites guidées à travers la ville.

# Laramie

Laramie abrite la seule université de l'État à offrir un cursus en 4 ans et jouit d'une atmosphère animée absente de la plupart des villes du Wyoming. Son petit centre historique s'étend le long du chemin de fer sur cinq pâtés de maison composés de bâtiments de brique à deux étages, aux enseignes et aux murs peints à la main.

Les amateurs de culture apprécieront les musées du campus de l'université du Wyoming (UW), comme le **Geological Museum** (☎307-766-2646 ; www.uwyo.edu/geomuseum ; Hwy 287 au niveau de l'I-80 ; ⏲10h-16h mars-ven, 10h-15h sam-dim) GRATUIT récemment restauré, qui présente une impressionnante collection de fossiles de dinosaures, notamment ceux d'un tyrannosaure. Si vous voyagez avec des enfants (ou si vous vous sentez une âme d'enfant), faites un tour à la **Wyoming Frontier Prison** (☎307-745-616 ; www.wyomingfrontierprison.org ; 975 Snowy Range Rd ; adulte/enfant 7/6 $ ; ⏲8h-17h ; ), une étrange reconstitution d'une ancienne ville du Far West et de sa prison.

Les hébergements bon marché ne manquent pas en retrait de l'I-80, à la sortie 313. Avec ses jardins paysagers, son excellent muesli maison et ses trois belles chambres, la **Mad Carpenter Inn** (☎307-742-0870 ; madcarpenter.com ; 353 N 8th St ; ch avec petit-déj 95-125 $ ; ) est des plus chaleureuses. Son excellente salle de jeux compte des tables de billard et de ping-pong. En ville, arrêtez-vous au kitschissime **Gas Lite Motel** (☎307-742-6616 ; 960 N 3rd St ; ch 61 $ ; ), motel bon marché orné de silhouettes de cow-boys et de chevaux en plastique.

Moderne et stylé, le **Coal Creek Coffee Co** (110 E Grand Ave ; plats 3-6 $ ; ⏲6h-22h ; ) offre de délicieuses bières, des grillades issues du commerce équitable et de savoureux sandwichs (comme le panini au bleu et portobello). L'adresse la plus saine à des kilomètres à la ronde est sans conteste le **Sweet Melissa's** (213 S 1st St ; plats 8-10 $ ; ⏲11h-21 lun-sam ; ), qui sert une cuisine végétarienne sans fioritures. L'endroit affiche souvent complet le midi.

Pour siroter une bière en écoutant de la musique country, direction l'**Old Buckhorn Bar** (☎307-742-3554 ; 114 Ivinson St ; ⏲9h-minuit dim-mer, 9h-14h jeu-sam), le plus vieux bar de Laramie.

À 6,5 km à l'ouest de la ville par l'I-80 (sortie 311), le **Laramie Regional Airport** (☎307-742-4164) propose des vols quotidiens vers Denver (98 $ aller simple). Les bus **Greyhound** (☎307-742-5188) marquent l'arrêt à la **station-service Diamond Shamrock** (1952 Banner Road). Faites le plein et mangez un morceau à Laramie : sur l'I-80 en direction de l'ouest, vous ne trouverez plus rien avant 120 km.

## Lander

Au pied des montagnes, à deux pas de la réserve indienne de Wind River, cette petite *one-street town* (village-rue) est certainement la plus belle de tout le Wyoming. Accueillante et sans prétention, elle s'est convertie en un grand centre d'escalade et d'alpinisme. Vous y trouverez le **NOLS** (National Outdoor Leadership School ; www.nols.edu ; 284 Lincoln St), une école d'activités de plein air renommée organisant des excursions dans le monde entier, et localement dans la chaîne de Wind River.

Le **Lander Visitor Center** (☎307-332-3892 ; www.landerchamber.org ; 160 N 1st St ; ⏲9h-17h lun-ven) est une bonne source de renseignements. Si vous venez faire de la randonnée, du camping ou de l'escalade, le mieux est de vous rendre chez **Wild Iris Mountain Sports** (☎307-332-4541 ; 166 Main St), un magasin proposant la location de matériel de ski et d'escalade, qui offre de bons renseignements. Vous y trouverez des dépliants répertoriant les bons plans locaux. Les skieurs et les cyclistes pourront aller chez **Gannett Peak Sports** (351B Main Street ; ⏲10h-18h lun-ven, 9h-17h sam).

Le **Sinks Canyon State Park** (☎307-332-3077 ; 3079 Sinks Canyon Rd ; entrée 6 $ ; ⏲centre de visiteurs 9h-18h juin-août), à 9,5 km au sud de Lander, abrite un étrange cours d'eau souterrain. La Middle Fork de la Popo Agie River traverse un étroit canyon, puis disparaît dans le calcaire soluble de Madison au niveau de Sinks, avant de resurgir plus chaude 400 m en aval, dans un bassin appelé Rise. Les superbes **terrains de camping** (empl 17 $) sont vivement recommandés par les habitants de la région.

Les grandes chaînes hôtelières ont pignon sur rue à Main St, mais le **Holiday Lodge** (☎307-332-2511 ; www.holidaylodgelander.com ; 210 McFarlane Dr ; empl 10 $/pers, ch avec petit-déj à partir de 50 $ ; ) est plus économique. Sa construction date de 1961 et cela se voit, mais l'endroit est accueillant et bien entretenu, et propose quelques petits plus qui font la différence, comme un fer à repasser, du démaquillant et un nécessaire à couture. Digne de recommandation, le camping en bord de rivière inclut la douche et le petit-déjeuner.

Pour vous remettre d'une longue journée de voyage ou d'aventures, rien de tel que la cour arrière du **Gannett Grill** (☎307-332-8227 ; 128 Main St ; plats 6-9 $ ; ⏲11h-21h), une institution à Lander. Procurez-vous une bière au **Lander Bar** (☎307-332-8228 ; 126 Main St ; plats 6-9 $ ; ⊙11h-tard) voisin, et installez-vous à sa table de pique-nique pour y déguster un bon hamburger, de croustillantes frites gaufrées et des pizzas cuites sur pierre. Le **Cowfish**, un restaurant plus haut de gamme, appartient aux mêmes propriétaires. Des concerts y sont fréquemment organisés.

Les amateurs de café apprécieront le très chic **Old Town Coffee** (300 Main St ; ⊙7h-19h ; 📶), où chaque tasse est préparée à la commande, à la force souhaitée.

Les bus de la **Wind River Transportation Authority** (☎307-856-7118 ; www.wrtabuslines.com) assurent la liaison avec Jackson (160 $) et d'autres destinations ; consultez les horaires sur le site Internet.



# Cody

Baptisée du nom du célèbre Buffalo Bill (William F. Cody), Cody n'hésite pas à tirer parti de ses origines et à raviver avec enthousiasme (à défaut d'exactitude) les histoires du temps jadis. Pendant la haute saison estivale, la ville se lance dans un grand spectacle du Far West à l'intention des nombreux visiteurs qui convergent vers le Yellowstone National Park, situé à 83 km à l'ouest. De Cody, le trajet à travers la Wapiti Valley jusqu'aux geysers offre un spectacle pour le moins saisissant. Theodore Roosevelt avait lui-même dit de cette portion de route qu'elle formait "les 80 km les plus beaux du monde".

Avant toute chose, un passage au **Visitor Center** (☎307-587-2777 ; www.codychamber.org ; 836 Sheridan Ave ; ⊙8h-18h lun-sam, 10h-15h dim juin-août, 8h-17h lun-ven sept-mai) s'impose.

La principale curiosité de Cody est le magnifique **Buffalo Bill Historical Center** (www.bbhc.org ; 720 Sheridan Ave ; adulte/enfant 18/10 $ ; ⊙8h-18h mai-oct, 10h-17h nov, mars et avril, 10h-17h jeu-dim déc-fév). Cet immense ensemble de cinq musées présente le Far West à l'aide d'affiches, de vieux films et d'autres souvenirs relatifs aux célèbres spectacles de Buffalo Bill, ainsi que de galeries d'art et de présentations sur les Amérindiens. Dans l'aile la plus récente, le Draper Museum of Natural History fournit des éclaircissements utiles et complets sur l'écosystème de la région du Yellowstone.

Autre spectacle apprécié, le **Cody Nite Rodeo** (www.codystampederodeo.com ; 519 West Yellowstone Ave ; adulte/7-12 ans 18/8 $), se déroule tous les soirs de juin à août.

La ravissante **Chamberlin Inn** (☎307-587-0202 ; 1032 12th St. ; d/ste 185/325 $) est un havre d'élégance en centre-ville. Construit par le célèbre Buffalo Bill en personne en 1902, l'**Irma Hotel** (☎307-587-4221 ; www.irmahotel.com ; 1192 Sheridan Ave ; plats 8-23 $ ; ❄) tire aujourd'hui son renom de son restaurant– le bar décoré en cerisier avait été offert en cadeau à Buffalo Bill par la reine Victoria. Des spectacles de cowboys ont lieu tous les soirs à 18h en face de l'hôtel de juin à septembre.

Pour un délicieux hamburger ou une partie de billard, direction le **Silver Dollar Bar** (1313 Sheridan Ave ; plats 7-12 $ ; ⊙11h-minuit), bâtiment ancien qui propose chaque soir des concerts en terrasse.

Le **Yellowstone Regional Airport** (COD ; www.flyyra.com) à 1,5 km à l'est de Cody, assure des liaisons quotidiennes vers Salt Lake City et Denver.

# Yellowstone National Park

Premier parc national des États-Unis et destination phare du Wyoming, Yellowstone est le royaume des geysers et des mammifères de grande taille. Des grizzlys aux bisons en passant par les meutes de loups, le parc possède l'une des concentrations animales les plus riches et variées de tout le pays. En outre, il rassemble à lui seul la moitié des geysers du monde. L'abondance de lacs alpins, de cours d'eau et de cascades au pied d'un supervolcan en fait l'une des plus fabuleuses créations de Dame Nature.

Lorsque le premier homme blanc, John Colter, pénétra dans la région en 1807, elle était peuplée de Tukadika, une tribu shoshone-bannock qui chassait le mouflon d'Amérique. Les rapports de Colter sur les geysers en éruption et les vasques de glaise bouillonnante ne furent tout d'abord pas pris au sérieux, avant d'attirer scientifiques et touristes. Le parc fut créé en 1872 afin de préserver sa géographie spectaculaire : les phénomènes géothermiques, les forêts fossilisées et le Yellowstone Lake.

Ce parc de 9 000 km$^2$ est réparti en 5 zones distinctes (dans le sens des aiguilles d'une montre en partant du nord) : Mammoth Country, Roosevelt Country, Canyon Country, Lake Country et Geyser Country.

Des cinq points d'accès du parc, seule l'entrée nord, près de Gardiner (Montana), est ouverte toute l'année. Les autres, à savoir l'entrée nord-est (Cooke City, Montana), l'entrée est (Cody, Wyoming), l'entrée sud (Grand Teton National Park) et l'entrée ouest (West Yellowstone, Montana), ouvrent de mai à octobre. La principale route de Yellowstone est la magnifique Grand Loop Rd (227 km).

## À voir et à faire

Vous pourriez vous contenter de siroter un cocktail sous le porche de l'Old Faithful Inn en guettant l'éruption du geyser éponyme, mais il serait dommage de passer à côté des randonnées, du kayak ou de la pêche à la mouche. La plupart des pistes de ski ne sont pas entretenues, mais les routes et les sentiers non damés sont ouverts à la pratique du ski de fond.

Chacune des cinq zones renferme des curiosités uniques. Une carte vous sera fournie à l'entrée du parc national, ainsi qu'une revue détaillant les excellents parcours de découverte (à ne pas manquer !) animés par les rangers, qui tiennent également les comptoirs d'information de tous les Visitor Centers. Ils vous aideront à concevoir un parcours selon vos envies, que vous souhaitiez faire de belles photos ou multiplier vos chances de voir un ours.

**Geyser Country** GEYSERS, RANDONNÉE

L'Upper Geyser Basin concentre une bonne partie des phénomènes géothermiques du parc, notamment 180 des quelque 250 geysers du Yellowstone. Le plus connu est l'**Old Faithful**, qui crache toutes les 90 minutes de 14 000 à 32 000 litres d'eau jusqu'à 55 m de hauteur. Pour une randonnée facile, vérifiez les heures prévues d'éruption au tout nouveau Visitor Center et suivez la promenade de bois qui longe l'Upper Geyser Loop. Le plus beau phénomène géothermique du parc est le **Grand Prismatic Spring** dans le Midway Geyser Basin. La Firehole River et la Madison River sont propices à la pêche à la mouche et à l'observation de la nature.

**Mammoth Country** SOURCES, RANDONNÉE

Réputé pour les terrasses géothermiques et les hardes d'élans de **Mammoth** et les sources chaudes du **Norris Geyser Basin**, Mammoth Country est la zone d'activité volcanique la plus instable d'Amérique du Nord. C'est également la plus vieille zone d'activité volcanique continue. Les pics de la Gallatin Range se dressent au nord-ouest, surplombant les lacs, les ruisseaux et les nombreux sentiers de randonnée de cette zone.

**Roosevelt Country** RANDONNÉE

Les forêts fossilisées, l'impressionnante **Lamar River Valley** et ses affluents riches en truites, les cascades des **Tower Falls** et les sommets escarpés des Absaroka Mountains représentent les grands attraits de la région la plus sauvage du parc. Plusieurs bonnes randonnées débutent près de **Tower Junction**.

**Canyon Country** OBSERVATION, RANDONNÉE

De superbes points de vue reliés par un réseau de sentiers permettent d'apprécier pleinement la beauté et la grandeur du Grand Canyon du Yellowstone, et de ses impressionnantes **Lower Falls**. La South Rim Drive conduit à **Artist Point**, le point de vue le plus spectaculaire du canyon. **Mud Volcano** est la principale zone d'activité géothermique du Canyon Country.

### QUELQUES CONSEILS POUR ÉCHAPPER À LA FOULE

Yellowstone attire jusqu'à 30 000 visiteurs par jour en été, et plus de 3 millions par an. Voici quelques conseils pour échapper à la foule :

- Privilégiez les mois de mai, septembre ou octobre pour un temps agréable et moins de visiteurs, ou mieux encore optez pour l'hiver.
- Évitez 95 % de la foule en empruntant des sentiers reculés, et 99 % en campant dans un endroit isolé (permis obligatoire).
- Calez-vous, comme la faune, sur le soleil, et soyez le plus actif aux heures de l'aube et du crépuscule.
- Emportez un pique-nique, que vous prendrez dans l'une des zones panoramiques dédiées, et dînez dans un lodge après 21h.
- Réservez votre hébergement plusieurs mois à l'avance et votre emplacement de camping la veille au plus tard.

## Parcs nationaux de Yellowstone et Grand Teton

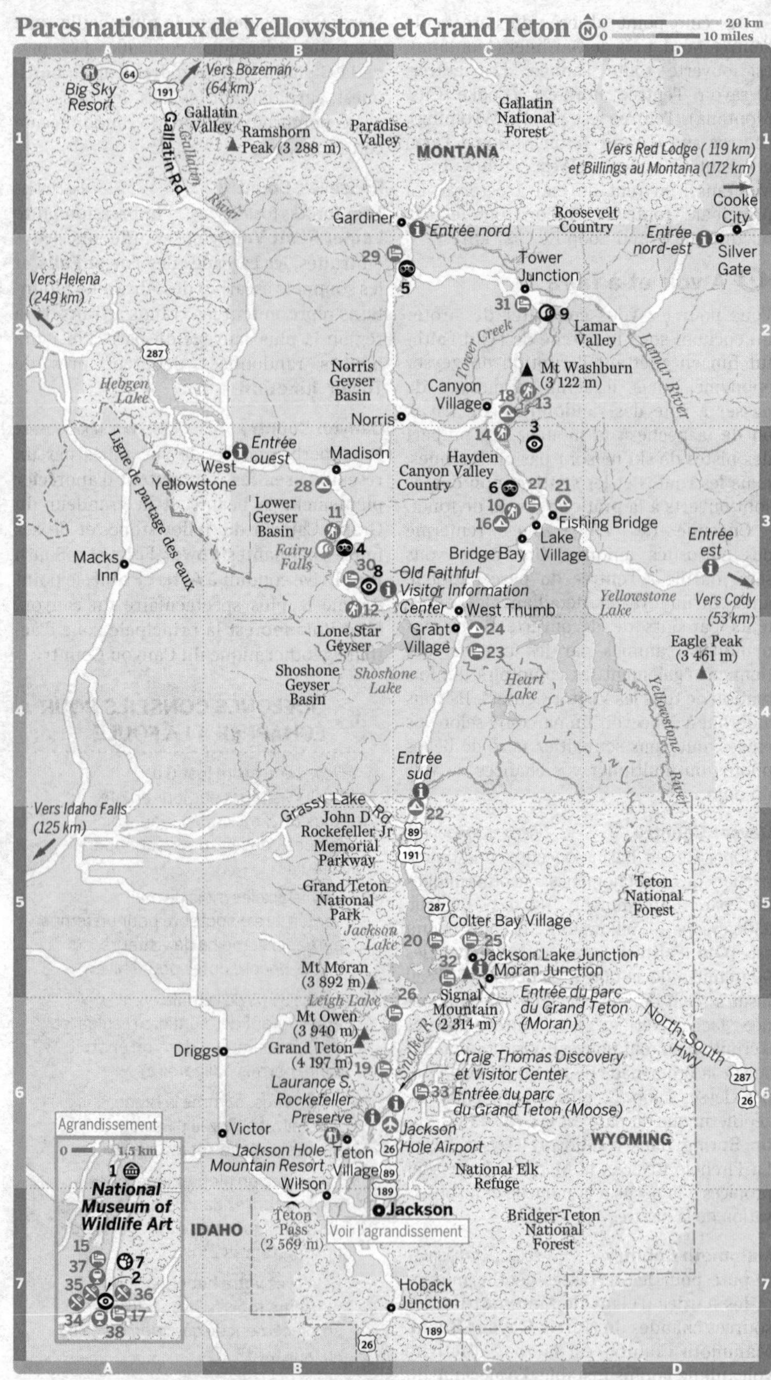

## Parcs nationaux du Yellowstone et du Grand Teton

**Les incontournables**

1 National Museum of Wildlife Art ........... A6

**À voir**

2 Center for the Arts ........... A7
3 Grand Canyon of the Yellowstone ........... C3
4 Grand Prismatic Spring ........... B3
5 Mammoth Hot Springs ........... C2
6 Mud Volcano ........... C3
7 National Elk Refuge ........... A7
8 Old Faithful ........... B3
9 Tower Falls ........... C2

**Activités**

10 Elephant Back Trailhead ........... C3
11 Fairy Falls Hiking Trail ........... B3
12 Lone Star Geyser Trailhead ........... B3
13 Mt Washburn Trail ........... C2
14 South Rim Trail ........... C3

**Où se loger**

15 Alpine House ........... A7
16 Bridge Bay Campground ........... C3
17 Buckrail Lodge ........... A7
18 Canyon Campground ........... C2
Canyon Lodge & Cabins ........... (voir 18)
19 Climbers' Ranch ........... B6
20 Colter Bay Village ........... C5
21 Fishing Bridge RV Park ........... C3
22 Flagg Ranch Resorts ........... C5
23 Grant Village ........... C4
24 Grant Village Campground ........... C4
25 Jackson Lake Lodge ........... C5
26 Jenny Lake Lodge ........... C6
Lake Lodge Cabins ........... (voir 27)
27 Lake Yellowstone Hotel ........... C3
28 Madison Campground ........... B3
29 Mammoth Hot Springs Hotel & Cabins ........... C2
30 Old Faithful Inn ........... B3
Old Faithful Lodge Cabins ........... (voir 30)
Old Faithful Snow Lodge ........... (voir 30)
31 Roosevelt Lodge Cabins ........... C2
32 Signal Mountain Lodge ........... C5
33 Spur Ranch Log Cabins ........... C6

**Où se restaurer**

34 Bubba's Bar-B-Que ........... A7
35 Coco Love ........... A7
Lake Yellowstone Hotel Dining Room ........... (voir 27)
Mural Room ........... (voir 25)
Old Faithful Inn Dining Room ........... (voir 30)
Peaks ........... (voir 32)
Pioneer Grill ........... (voir 25)
36 Snake River Grill ........... A7

**Où prendre un verre et sortir**

37 Million Dollar Cowboy Bar ........... A7
38 Snake River Brewing Co ........... A7

### Lake Country — LAC, PLAISANCE

Au cœur de Lake Country, le **Yellowstone Lake** compte parmi les plus grands lacs alpins de la planète. La meilleure façon d'explorer cette vaste étendue d'eau longée de plages volcaniques est encore le bateau ou le kayak. À l'est et au sud-est des lacs, les sommets enneigés de l'Absaroka Range invitent à de splendides randonnées à pied ou à cheval dans les terres les plus sauvages du pays.

### Chemins de randonnée — RANDONNÉE

Les amateurs de randonnée pourront explorer les zones reculées du parc grâce à ses quelque 1 800 km de sentiers. Un permis spécial (*backcountry-use permit*), délivré gratuitement par les Visitor Centers et aux bureaux des rangers, est requis pour les séjours de plusieurs jours. Le camping sauvage est autorisé sur 300 sites prévus à cet effet, dont 60 % peuvent être réservés par courrier ; un droit fixe de 25 $ est appliqué pour toutes les réservations réalisées plus de trois jours à l'avance.

Notre sélection des meilleures randonnées pour 5 jours au parc a donné lieu à de brûlants débats, dont voici le résultat :

➡ **Lone Star Geyser Trail**

Cette randonnée facile, idéale pour une excursion en famille, est également un parcours de VTT (8 km). Le sentier part du parking des Kepler Cascades, au sud-est de l'Old Faithful, et suit une ancienne route de service jusqu'à un geyser qui entre en éruption toutes les 3 heures.

➡ **South Rim Trail**

Ce réseau de sentiers de 5,6 km suit le spectaculaire Yellowstone Canyon jusqu'au point de vue d'Artist Point en passant par les Lower Falls. Il conduit ensuite au Lily Pad Lake avant de revenir au point de départ d'Uncle Tom via des zones d'activité thermale et Clear Lake.

➡ **Mt Washburn**

Une randonnée plutôt ardue de 10 km qui permet de monter depuis le point de départ de Dunraven Pass à une tour d'observation offrant une vue panoramique sur le parc et ses mouflons.

### LÀ OÙ RÔDENT LES GRANDS OURS ET LES BISONS

Outre les grands mammifères – grizzly, ours noir, orignal et bison –, le parc de Yellowstone abrite aussi des élans, des antilopes d'Amérique et des mouflons. Les loups ont été réintroduits dans le parc en 1996. Les loups et les bisons sont endémiques à la région, mais vers la fin du siècle dernier, la chasse et l'expansion humaine leur avait valu de presque disparaître. Leur population a toutefois repris vigueur ces dernières années, ce qui a entraîné leur radiation de la liste des espèces menacées. De fait, il est désormais permis de les chasser s'ils s'aventurent en dehors des limites du parc.

La **Hayden Valley**, entre Yellowstone Lake et Canyon Village, est certainement le meilleur endroit pour observer la faune. Pour augmenter vos chances de voir des animaux, partez tôt le matin ou restez jusqu'au crépuscule. Vous pourrez facilement vous arrêter en retrait de Grand Loop Rd. Armez-vous de patience (et d'une paire de jumelles), un ours pourrait se présenter dans votre champ de vision, ou encore un élan en rut, à moins que vous n'entendiez le brame d'un orignal solitaire parti s'abreuver. La **Lamar Valley**, dans le nord-est, est l'endroit où vous aurez le plus de chances d'observer des loups – c'est là qu'ils furent réintroduits. Demandez aux rangers où les meutes sont les plus actives ou participez à une excursion d'observation organisée par le **Yellowstone Institute** (www.yellowstoneassociation.org). Entendre le hurlement d'un loup au crépuscule est une expérience magique et primitive.

**➡ Elephant Back Mountain**

Cette ascension de difficulté modérée (240 m de dénivelé, 6,5 km) démarre près du Lake Hotel et mène à un point de vue surplombant Yellowstone Lake.

**➡ Fairy Falls**

En vous écartant du sentier, vous pourrez rejoindre un point de vue sur le spectaculaire Grand Prismatic Spring. Poursuivez à travers une forêt de pins jusqu'aux chutes, avant de rejoindre le splendide Imperial Geyser. Balade facile de 10 km.

**Cyclisme** VÉLO

Les cyclistes peuvent emprunter les voies publiques et certaines routes mais pas les sentiers de randonnée. Le cyclisme se pratique entre avril et octobre, lorsque les routes ne sont pas enneigées. De mi-mars à mi-avril, la route Mammoth-West Yellowstone Park est fermée aux voitures, mais pas aux vélos.

**Yellowstone Raft Company** PARCOURS D'AVENTURE

(☎800-858-7781 ; www.yellowstoneraft.com ; demi-journée adulte/enfant 40/30 $). La Yellowstone River offre de belles descentes en eaux vives au niveau du Yankee Jim Canyon, juste au nord de la lisière du parc côté Montana. À partir de fin mai, la Yellowstone Raft Company propose un choix de circuits guidés au départ de Gardiner.

## Où se loger

Campings privés ou gérés par le NPS, chalets, lodges et hôtels composent les différents hébergements du parc. Les réservations sont indispensables en été. Contactez le concessionnaire du parc, **Xanterra** (☎307-344-5395 ; www.yellowstonenationalparklodges.com) pour réserver une place de camping, un chalet ou un lodge.

Vous trouverez aussi de nombreux hébergements dans les villes voisines de Cody, Gardiner et West Yellowstone.

Les meilleurs tarifs sont ceux des 7 campings – non réservables – du NPS (empl tente à partir de 15-20 $) à **Mammoth** (empl 14 $ ; ⌚toute l'année), **Tower Fall**, **Indian Creek**, **Pebble Creek**, **Slough Creek**, **Norris** et **Lewis Lake**. Xanterra gère 5 campings réservables (ci-dessous ; 20-45 $/nuit), avec sdb (eau froide), toilettes et eau potable. Emplacements pour camping-cars avec raccordement électrique à Fishing Bridge.

Les hébergements de Xanterra, disséminés à travers le parc, sont ouverts de mai ou juin à octobre. Les Mammoth Hot Springs Hotel et Old Faithful Snow Lodge restent ouverts de mi-décembre à mars. Ces établissements sont tous non-fumeurs et n'ont ni climatisation, ni TV. Un supplément est demandé pour le Wi-Fi lorsqu'il est disponible.

**Bridge Bay Campground** CAMPING $
(empl tente 21 $). Près de la rive ouest du Yellowstone Lake, très apprécié des plaisanciers, 425 emplacements pour tentes et camping-cars.

**Canyon Campground** CAMPING $
(empl tente 25,50 $). Central, avec des douches payantes et une laverie à pièces à proximité, 250 emplacements.

**Fishing Bridge RV Park** CAMPING $
(empl tente 45 $). Branchements complets pour camping-cars uniquement (37 $). Douches et laverie payantes, 325 emplacements.

**Grant Village Campground** CAMPING $
(empl tente 25,50 $). Sur la rive sud-ouest du Yellowstone Lake, douches et laverie payantes à proximité, 400 emplacements.

**Madison Campground** CAMPING $
(307-344-7311 ; www.yellowstonenationalparklodges.com ; empl tente 21 $ ; début mai-fin oct). Le plus proche de l'Old Faithful, 250 emplacements.

**Old Faithful Lodge Cabins** CHALETS $
(chalets 69-115 $). Avec vue sur l'Old Faithful ; chalets simples et rustiques.

**Roosevelt Lodge Cabins** CHALETS $$
(866-439-7375 ; www.yellowstonenationalparklodges.com ; chalets 69-115 $ ; ). Des bungalows parfaits pour les familles. L'établissement, d'aspect western, organise tous les soirs des "Old West dinner cookouts", durant lesquels les clients rejoignent à cheval ou en chariot une vaste prairie à 5 km du lodge pour un buffet en plein air (réservation obligatoire).

**Lake Lodge Cabins** CHALETS $$
(chalets 75-188 $). Le bâtiment principal possède une grande véranda ouverte sur le lac et la montagne et un charmant salon avec deux cheminées. Vous aurez le choix entre de rustiques chalets en bois des années 1920 et d'autres, plus modernes, de type motel.

**Old Faithful Snow Lodge** HÔTEL $$
(chalets 99-155 $, ch à partir de 229 $ ; ). Des chambres élégantes et modernes dans un lodge en bois bien équipé à la décoration inspirée du parc.

♥ **Old Faithful Inn** HÔTEL $$
(866-439-7375 ; www.yellowstonenationalparklodges.com ; d dans l'ancien bâtiment avec sdb commune/privée à partir de 103/140 $, ch standard à partir de 164 $ ; début mai-début oct). Édifié tout près du geyser homonyme, l'Old Faithful Inn est naturellement le plus demandé du parc. Véritable monument national, il possède un hall immense, doté de cheminées en pierre et de hauts plafonds en pin. Il y a des chambres à tous les prix, et les moins chères, avec sdb commune, sont aussi les plus intéressantes du point de vue historique. Les espaces communs sont très beaux.

Notre conseil : restez deux nuits pour profiter de l'ambiance.

**Lake Yellowstone Hotel** HÔTEL $$
(866-439-7375 ; www.yellowstonenationalparklodges.com ; chalets 130 $, ch 149-299 $ ; mi-mai–sept). Cet hôtel historique, imprégné de l'ambiance chic des années 1920, possède le salon le plus somptueux du Yellowstone, invitant à la rêverie avec ses grandes baies donnant sur le lac, sa lumière naturelle et son quartet à cordes en musique de fond. Si les chambres sont bien aménagées, les chalets, eux, sont plus rustiques.

**Canyon Lodge & Cabins** CHALETS $$
(chalets 99-188 $, ch 185 $). Propre, bien tenu et central.

**Mammoth Hot Springs Hotel & Cabins** HÔTEL $$
(chalets 86-229 $, ch avec/sans sdb 123/87 $ ; ). Grand choix d'hébergements ; des élans viennent souvent brouter la pelouse devant l'hôtel.

**Grant Village** HÔTEL $$
(ch 155 $). Chambres confortables de style motel à la lisière sud du parc. Les deux restaurants voisins jouissent d'un superbe panorama sur le lac.

## Où se restaurer

Des snack-bars, fast-foods et épiceries sont disséminés un peu partout dans le parc. En outre, la plupart des lodges proposent des buffets au petit-déjeuner, des bars à crudités et des repas à prendre en salle. Sans toujours être exceptionnelle, la cuisine reste honorable, en regard de la foule de touristes à nourrir, et les prix sont raisonnables compte tenu du panorama offert.

♥ **Lake Yellowstone Hotel Dining Room** AMÉRICAIN $$$
(307-344-7311 ; plats 13-33 $ ; 6h30-10h, 11h30-14h30, 17h-22h ; ). Mettez de côté votre plus belle tenue pour un repas chic au restaurant du Lake Yellowstone Hotel, le meilleur du parc. Au menu du midi : *lamb sliders* (petits hamburgers d'agneau du Montana), salades délicieuses et hamburgers au bison.

VAUT LE DÉTOUR

### ROUTE PANORAMIQUE : LE TOIT DES ROCHEUSES

La magnifique **Beartooth Highway** (www.beartoothhighway.com ; US 212 ; ⏲de juin à mi-oct) relie Red Lodge à Cooke City et l'entrée nord du parc de Yellowstone par un incroyable parcours de 109 km entre pics à 3 000 m d'altitude et toundra fleurie. Tour à tour qualifiée de route au plus beau panorama des États-Unis et de meilleure randonnée à moto du pays, c'est indiscutablement le plus beau circuit dans Yellowstone. Une douzaine de campings de l'USFS (réservations pour certains sur www.recreation.gov) jalonnent la route, dont quatre se trouvent à moins de 19 km de Red Lodge.

Ingrédients locaux et options sans gluten. Les plats du soir sont plus consistants. Il est vivement recommandé de réserver.

**Old Faithful Inn Dining Room** AMÉRICAIN **$$$**
(☎307-545-4999 ; plats dîner 13-29 $ ; ⏲6h30-10h30, 11h30-14h30, 17h-22h ; ✎). En optant pour le buffet, vous pourrez consacrer davantage de temps à contempler les geysers, mais la carte est plus créative : hamburgers d'élan, raviolis de bison et osso buco de porc sont au menu. Plusieurs plats sans gluten. Réservation conseillée.

## ℹ Renseignements

Le parc est ouvert toute l'année, mais la plupart des routes ferment en hiver. Les permis d'entrée (piéton/véhicule 12/25 $), valables 7 jours, donnent également accès au Grand Teton National Park. Les Visitors Centers (ouverts l'été uniquement) jalonnent la Grand Loop Rd tous les 30 à 50 km. L'**Albright Visitor Center** (☎307-344-2263 ; www.nps.gov/yell ; ⏲8h-19h juin-sept, 9h-17h oct-mai) est le principal bureau d'accueil du parc. Son site Internet est une mine d'informations.

## ℹ Depuis/vers le Yellowstone National Park

Les aéroports les plus proches ouverts à l'année sont le Yellowstone Airport (COD), à Cody (83 km) ; le Jackson Hole Airport (JAC), à Jackson (90 km) ; le Gallatin Field Airport (BZN), à Bozeman dans le Montana (104 km), et l'Idaho Falls Regional Airport (IDA) à Idaho Falls dans l'Idaho (171 km). L'aéroport de West Yellowstone (WYS), dans le Montana, fonctionne habituellement de juin à septembre. Il est souvent plus avantageux de prendre un vol pour Billings (Montana, 273 km), Salt Lake City (Utah, 624 km) ou Denver (Colorado, 901 km) et de continuer avec une voiture de location.

Aucun transport public ne se rend à Yellowstone (et aucun ne circule à l'intérieur).

# Grand Teton National Park

Les flèches granitiques de la Teton Range, ses lacs alpins et ses forêts odorantes composent le décor du Grand Teton National Park, l'un des plus spectaculaires du pays. Juste au sud du Yellowstone, ses douze sommets taillés par les glaciers sont dominés par le majestueux Grand Teton (4 131 m). Les férus de randonnée alpine seront comblés. Moins fréquenté que le Yellowstone, ce parc offre une foule d'endroits où s'immerger dans le calme des montagnes et il y a de fortes chances d'y apercevoir des ours, des orignaux, des tétras et des marmottes.

Deux entrées permettent d'accéder au parc : Moose (au sud), sur la Teton Park Rd à l'ouest de Moose Junction, et Moran (à l'est), sur les US 89, 191 et 287, au nord de Moran Junction. Le parc est ouvert toute l'année, bien que certaines routes et entrées ferment entre novembre et le 1er mai. Pendant cette période, la fermeture d'une partie de la Moose-Wilson Rd ne permet plus d'accéder au parc par Teton Village.

## Activités

Le parc possède 320 km de **sentiers de randonnée**, plus beaux les uns que les autres. Après avoir pris une carte au Visitor Center, vous n'aurez plus qu'à partir à l'aventure. Pour passer la nuit dans le parc, procurez-vous le permis spécial gratuit requis (*backcountry-use permit*) auprès de l'un des Visitor Centers. Les Teton sont connus pour leurs bons sites de **varappe**, mais aussi pour leurs circuits plus classiques vers les sommets du Grand Teton, du Mt Moran et du Mt Owen notamment.

Le parc est également réputé pour la **pêche** : plusieurs espèces de corégones, ainsi que des truites fardées, grises et brunes pullulent dans les rivières et les lacs. Les permis sont délivrés par la boutique de Moose Village, le Signal Mountain Lodge ou la Colter Bay Marina.

Le **ski de fond** et la **randonnée en raquettes** sont les loisirs d'hiver les plus prisés. Procurez-vous une brochure détaillant les pistes chez Craig Thomas Discovery et au Visitor Center.

**Jenny Lake Ranger Station** ESCALADE
(☎307-739-3343 ; ⊙8h-18h juin-août). Renseignements relatifs à l'escalade.

**Exum Mountain Guides** ESCALADE
(☎307-733-2297 ; www.exumguides.com). Cours et ascensions guidées.

## Où se loger

Trois concessionnaires gèrent les 6 campings du parc, pris d'assaut de début juillet à début septembre. La plupart affichent complet dès 11h (celui de Jenny Lake se remplit très rapidement, mais il reste souvent des places à Gros Ventre). Colter Bay et Jenny Lake proposent des emplacements pour tente réservés aux randonneurs et cyclistes.

**Climbers' Ranch** CHALETS $
(☎307-733-7271 ; www.americanalpineclub.org ; Teton Park Rd ; dort 25 $ ; ⊙juin-sept). Ces chalets rustiques en rondins, gérés par l'American Alpine Club, servaient au départ de refuge pour les grimpeurs. Ils sont aujourd'hui accessibles aux randonneurs souhaitant profiter de la splendeur du cadre. Vous y trouverez un bâtiment abritant les douches, et un coin cuisine couvert avec des glacières pouvant être verrouillées. Il faut prévoir sac de couchage et tapis de sol, (les lits superposés sont sans matelas, mais l'endroit reste une affaire).

**Flagg Ranch Resorts** CAMPING $
(www.flaggranch.com ; empl 2 pers 35 $). Réservations en ligne possibles pour le camping. Des chalets sont disponibles. Forever Resorts gère les campings de Signal Mountain et Lizard Creek, dans le parc.

**Grand Teton Lodge Company** SERVICES HÔTELIERS $
(☎307-543-2811 ; www.gtlc.com ; empl 21 $). Gère la plupart des lodges, chalets et campings privés (Colter Bay, Jenny Lake et Gros Ventre) du parc. Mieux vaut réserver car presque tout est pris dès début juin ; des annulations de dernière minute sont cependant toujours possibles. Tous les lodges peuvent organiser ou réserver des activités.

**Colter Bay Village** CHALETS $$
(☎307-543-2811 ; www.gtlc.com ; bungalows de toile 57 $, chalets avec sdb 135-239 $, sans sdb 73 $ ; ⊙juin-sept). À 800 m de Colter Bay Junction, le Colter Bay Village propose deux types d'hébergement. Les bungalows de toile sommaires (de juin à début septembre) sont dotés de lits superposés sans matelas avec sdb séparée ; à ce prix, mieux vaut camper. Les chalets en rondins (de fin mai à fin septembre), dont certains sont assez originaux, sont bien plus confortables et avantageux.

**Signal Mountain Lodge** CAMPING, LODGE $$
(☎307-543-2831 ; www.signalmtnlodge.com ; empl 21 $, ch 194-230 $, chalets 156-185 $ ; ⊙mai à mi-oct). Dans un cadre spectaculaire au bord du Jackson Lake, le Signal Mountain Lodge offre des chalets cosy et bien équipés, ainsi que des chambres plutôt chics jouissant d'une superbe vue sur le lac et les montagnes.

♥ **Jenny Lake Lodge** LODGE $$$
(☎307-733-4647 ; www.gtlc.com ; Jenny Lake ; chalets avec demi-pension 655 $ ; ⊙juin-sept). Non loin de Teton Park Rd, ce joli lodge est empreint d'une atmosphère chaleureuse avec ses poutres apparentes, ses édredons et ses dessus-de-lit colorés. Les tarifs sont assez élevés, ils comprennent le petit-déjeuner, le dîner (5 plats), le prêt de vélos et une séance d'équitation. Les jours de pluie, vous pourrez toujours vous blottir devant la cheminée avec un livre ou un jeu. Les chalets en rondins sont dotés d'une terrasse, mais vous n'y trouverez ni télévision, ni radio (téléphone sur demande).

**Jackson Lake Lodge** LODGE $$$
(☎307-543-2811 ; www.gtlc.com ; ch et chalets 249-335 $ ; ⊙juin-sept ; ). Draps soyeux, sentiers propices aux longues promenades et gigantesques baies vitrées donnant sur les pics baignés de soleil créent un cadre romantique à souhait. Pourtant, vous trouverez sans doute les 348 cottages en parpaings de ce complexe un peu chers. Piscine chauffée.

**Spur Ranch Log Cabins** CHALETS $$$
(☎307-733-2522 ; www.dornans.com ; chalets 185-265 $ ; ⊙toute l'année). Ces chalets en duplex occupent une vaste prairie parsemée de fleurs sauvages en bordure de la Snake River, à Moose. L'ameublement en pin, le décor très Far West et les édredons relèvent

d'un charme sans prétention, mais la vue est exceptionnelle.

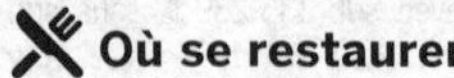

## Où se restaurer

Vous trouverez des cafés pratiquant des prix raisonnables sur les petits-déjeuners et déjeuners rapides à Colter Bay Village, Jackson Lake Lodge, Signal Mountain et Moose Junction.

**Pioneer Grill** DINER **$$**
(☎307-543-1911 ; Jackson Lake Lodge ; plats 9-23 $ ; ⏰6h-22h30 ; 👪). Le Pioneer sert des wraps, des hamburgers et des salades à déguster perché sur un tabouret de similicuir dans une ambiance décontractée. Les *sundaes* recouverts de sauce chocolat font le bonheur des plus jeunes. Des repas à emporter (à commander la veille) sont proposés, ainsi qu'un service de livraison de pizzas, idéal pour les randonneurs épuisés (de 17h à 21h).

**Mural Room** AMÉRICAIN MODERNE **$$$**
(☎307-543-1911 ; Jackson Lake Lodge ; plats 22-40 $ ; ⏰7h-21h). Vue sublime sur le Teton. Sa carte gastronomique propose des créations originales telles que la truite en croûte de riz rond et sésame. Le petit-déjeuner y est excellent. Réservation recommandée le soir.

**Peaks** AMÉRICAIN **$$$**
(☎307-543-2831 ; Signal Mountain Lodge ; repas 18-31 $). Au menu : fromages et fruits, bœuf élevé en plein air, gâteaux de polenta bio ou hors-d'œuvre (mini-hamburgers de gibier). Si l'ambiance est maussade à l'intérieur, les tables en terrasse, où la clientèle vient siroter une excellente margarita à l'airelle en admirant le coucher du soleil sur le Jackson Lake, sont prises d'assaut très tôt.

**Jenny Lake Lodge Dining Room** AMÉRICAIN MODERNE **$$$**
(☎307-543-3352 ; petit-déj 24 $, plats déj 12-15 $, menu dîner 85 $ ; ⏰7h-21h). Vous n'aurez sans doute jamais une autre occasion de déguster un dîner à 5 plats en pleine nature… c'est une vraie folie, mais vous ne la regretterez pas. Au petit-déjeuner, le gâteau de crabe aux œufs bénédictine est préparé d'une main de maître, quant à la truite à la polenta et aux épinards, elle comblera les randonneurs affamés. Atmosphère des plus chaleureuses, en plein centre de Teton. Sortez vos plus beaux atours pour le dîner (réservation indispensable).



## ℹ Renseignements

Les permis d'entrée dans le parc (piéton/véhicule 12/25 $), valables 7 jours, donnent également accès au Yellowstone National Park. On peut aisément résider dans un parc et en explorer un autre dans la même journée.

**Bureaux du parc** (Park Headquarters ; ☎307-739-3600 ; www.nps.gov/grte ; ⏰8h-19h juin-août, 8h-17h le reste de l'année). Partagent un bâtiment avec le Craig Thomas Center.

**Craig Thomas Discovery et Visitor Center** (☎307-739-3399, *backcountry permits* 307-739-3309 ; Teton Park Rd ; ⏰8h-19h juin-août, 8h-17h le reste de l'année). À Moose.

**Laurance S Rockefeller Preserve Center** (☎307-739-3654 ; Moose-Wilson Rd ; ⏰8h-18h juin-août, 9h-17h le reste de l'année). Ouvert récemment, ce centre fournit des renseignements sur l'excellente Rockfeller Reserve, aux sentiers moins fréquentés. À 6,5 km au sud de Moose.

# Jackson

Avec une moyenne d'âge de 32 ans, cette ville n'est plus guère typique du Wyoming ! Jackson est en effet devenue le point de ralliement des amateurs de montagne, des grimpeurs et skieurs de l'extrême. Vous les reconnaîtrez facilement : tous, ou peu s'en faut, travaillent comme serveurs et sont très bronzés. Huppée et touristique, Jackson déborde de vie avec ses nombreux sentiers et activités de plein air. Des sushis frais arrivent par avion tous les jours, et de généreuses subventions garantissent une vie culturelle dynamique. Oubliez les boutiques de souvenirs et ne perdez pas de vue le Grand Teton National Park.

## À voir

Le centre-ville de Jackson compte quelques bâtiments historiques.

**♥ National Museum of Wildlife Art** MUSÉE
(☎307-733-5771 ; www.wildlifeart.org ; 2820 Rungius Rd ; adulte/enfant 12/6 $ ; ⏰9h-17h). Si vous ne devez visiter qu'un musée de la région, que ce soit celui-ci. Les œuvres de Bierstadt, Rungius, Remington et Russell ne vous laisseront pas de marbre. La salle des découvertes propose aux enfants un atelier de dessin que les parents leur envient. Consultez le site pour la programmation des films et les cours de dessin.

**Center for the Arts** CENTRE ARTISTIQUE
(307-733-4900 ; www.jhcenterforthearts.org ; 240 S Glenwood S). Ce complexe culturel accueille des concerts d'artistes célèbres, des représentations théâtrales, des cours, des expositions et autres événements. Programmation disponible en ligne.

**National Elk Refuge** RÉSERVE NATURELLE
(307-733-9212 ; www.fws.gov/refuge/National_Elk_Refuge/ ; Hwy 89 ; promenade en traîneau à cheval adulte/enfant 18/14 $ ; 8h-17h sept-mai, 8h-19h juin-août, promenade en traîneau 10h-16h mi-déc à mars). GRATUIT Ce refuge accueille plusieurs milliers d'élans en migration de novembre à mars. Une balade de 45 minutes en **traîneau à cheval** est l'un des moments inoubliables d'un séjour au refuge l'hiver.

**Town Square Shoot-out** SPECTACLE FAR WEST
(18h15 lun-sam l'été ; ). GRATUIT Ce spectacle estival est très prisé des touristes.

## Activités

**Jackson Hole Mountain Resort** SPORTS D'HIVER
(307-733-2292 ; www.jacksonhole.com ; forfait adulte/enfant 99/59 $). Parmi les destinations de ski les plus prisées du pays, la station Jackson Hole Mountain Resort, surnommée "The Village", possède le dénivelé continu le plus important du pays (altitude de 1923 m à Teton Village, 3 185 m au sommet de la Rendezvous Mountain). Les pistes, riches en poudreuse et en bosses, s'adressent essentiellement aux skieurs chevronnés. Les forfaits sont un peu moins chers sur Internet.

Quand la neige fond, le domaine devient propice à de nombreuses activités estivales ; consultez le site Internet pour plus d'informations.

## Cours

**Teton Science Schools Ecology** ÉCOLOGIE
(307-733-1313 ; www.tetonscience.org). Cette association d'enseignement expérimental à but non lucratif permet d'apprendre tout en s'amusant. Au programme, chasse au trésor au GPS, expéditions écologiques et nombreuses autres activités. Inscriptions sur le site.

## Où se loger

Le choix ne manque pas à Jackson, que ce soit en ville ou dans la montagne. Les réservations sont indispensables été comme hiver.

**Hostel** AUBERGE DE JEUNESSE $
(307-733-3415 ; www.thehostel.us ; 3315 Village Dr ; dort/d 34/99 $ ; fermé en automne et au printemps ; @). Unique option bon marché de Teton Village, cet ancien centre de ski loue des chambres doubles et des dortoirs (jusqu'à 4 personnes) avec sdb rénovée. Vous apprécierez un film ou un tournoi de Scrabble devant la cheminée du grand salon, et les enfants raffoleront de la salle de jeux. Micro-ondes et barbecue à disposition, ainsi qu'un coin lessive et une zone réservée au fartage des skis.

**Buckrail Lodge** MOTEL $
(307-733-2079 ; www.buckraillodge.com ; 110 E Karnes Ave ; ch à partir de 93 $ ; ). Ses chambres

### ET POUR QUELQUES JOURS DE PLUS...

Le Wyoming regorge de sites qui valent vraiment le détour. Nous ne pouvons malheureusement pas tous les mentionner, mais voici quelques pistes.

Avec d'immenses prairies herbeuses, des océans de fleurs sauvages, de paisibles forêts de conifères, des cascades bouillonnantes et une faune abondante, les **Bighorn Mountains**, dans le centre-nord de l'État, constituent un magnifique terrain d'aventure sillonné par des centaines de kilomètres de sentiers balisés.

Site sacré pour une vingtaine de tribus indiennes, qui l'appellent parfois Bears Lodge (abri des ours) le **Devil's Tower National Monument** est un must sur le trajet entre les Black Hills (à la limite du Wyoming et du Dakota du Sud), les Tetons et Yellowstone. Dressé à 380 m au-dessus de la Belle Fourche River, ce monolithe aux parois quasi verticales offre un spectacle impressionnant.

À l'ouest de Laramie, la forêt nationale qui s'étire entre **Medicine Bow Mountains** et **Snowy Range** est un endroit parfait, à la beauté sauvage, pour des excursions de randonnée-camping.

Nichée au pied des Bighorn Mountains, **Sheridan** abrite des édifices centenaires, anciennes demeures des magnats du bétail, et séduit les passionnés d'aventure venus affronter les Bighorns.

de style chalet sont spacieuses et agréables. Un bon rapport qualité/prix en centre-ville, avec un vaste terrain et un Jacuzzi en extérieur.

**Golden Eagle Motor Inn** MOTEL **$$**
(☎307-733-2042 ; 325 E Broadway ; ch 148 $ ; 🏊). On est très bien accueilli dans ce motel rénové qui, bien que central, échappe au brouhaha.

**Alpine House** B&B **$$$**
(☎307-739-1570 ; www.alpinehouse.com ; 285 N Glenwood St ; d 250 $, cottage 450 $ ; @). Deux anciens skieurs olympiques ont insufflé à cet hébergement du centre-ville une atmosphère scandinave lumineuse, en y apportant leur touche personnelle : un service irréprochable et une accueillante bibliothèque axée sur l'alpinisme. Vous y profiterez de peignoirs épais, d'édredons douillets, d'un sauna finlandais et d'un Jacuzzi en extérieur. Ne manquez pas les recettes originales du petit-déjeuner, telles que les œufs pochés sur lit de ricotta avec pain perdu aux asperges ou multi-céréales.

## Où se restaurer et prendre un verre

Jackson possède les restaurants les plus raffinés et exotiques du Wyoming. La plupart des établissements font aussi bar, et pratiquent des prix très avantageux durant l'happy hour.

♥ **Coco Love** DESSERT **$**
(☎307-733-3253 ; 55 N Glenwood Dr ; desserts 5-8 $ ; ⏲9h-20h). Formé en France, le chef pâtissier Oscar Ortega expose son talent dans une vitrine où trônent ses desserts – véritables œuvres d'art – et ses chocolats maison.

**Pica's Mexican Taqueria** MEXICAIN **$$**
(1160 Alpine Lane ; plats 7-15 $ ; ⏲11h30-21h lun-ven, 11h-16h sam et dim ; 👪). Bon marché et très copieux, ce restaurant propose des *baja tacos* enveloppés dans des tortillas de maïs maison et de la *cochinita pibil* (marinade de porc au piment), le tout accompagné de sodas mexicains. L'endroit est très prisé d'une clientèle locale, qui le tient pour le meilleur rapport qualité/prix des environs.

**Pizzeria Caldera** PIZZERIA **$$**
(☎307-201-1472 ; 20 West Broadway ; pizzas 12-16 $ ; ⏲11h-21h30 ; 👪). 🍃 Plaisante et sans prétention, cette pizzeria, aménagée à l'étage, sert des pizzas à pâte fine. Goûtez celles avec des olives Kalamata ou de la saucisse de bison et de la sauge, qu'accompagnera à merveille une des bières à la pression. La roquette et les betteraves des salades sont produites localement.

**Bubba's Bar-B-Que** BARBECUE **$$**
(☎307-733-2288 ; 100 Flat Creek Dr ; plats 6-20 $ ; ⏲7h-22h ; 👪). Pour le petit-déjeuner, le Bubba's sert les biscuits les plus gros et les plus moelleux des environs. Le reste de la journée, il propose un buffet de crudités honorable et un vaste choix de viandes. L'établissement, agréable et animé, est "BYOB" : à savoir que vous pourrez y apporter votre bouteille.

♥ **Snake River Grill** AMÉRICAIN MODERNE **$$$**
(☎307-733-0557 ; 84 E Broadway ; plats 21-52 $ ; ⏲à partir de 17h30). Une cheminée de pierre au feu crépitant et d'élégantes nappes blanches posent le décor de ce grill qui sert une remarquable cuisine gastronomique américaine et affiche une longue carte des vins. Commencez par des tempura de haricots verts à la sauce *sriracha* épicée. Les côtes de porc sont tendres et croustillantes à la fois, et les côtelettes d'élan grillées témoignent de la qualité des produits du terroir. Les succulents desserts, comme la crème brûlée ou la glace maison, peuvent satisfaire l'appétit de 2 personnes.

♥ **Stagecoach Bar** BAR
(☎307-733-4407 ; 5755 W Hwy 22, Wilson). Le meilleur endroit pour vous trémousser au Wyoming. Le lundi c'est reggae, le jeudi c'est disco et tous les dimanches, un groupe joue de la country jusqu'à 22h. Il mérite le court trajet jusqu'à Wilson (juste après l'embranchement de Teton Village).

**Snake River Brewing Co** BREWPUB
(☎307-739-2337 ; 265 S Millward St ; ⏲11h30-minuit). Avec ses 22 bières brassées sur place, certaines récompensées, il n'est pas étonnant que l'endroit soit un important lieu de rendez-vous. À la carte : pizzas au feu de bois et pâtes (plats 6-18 $). Happy hour de 16h à 18h.

**Million Dollar Cowboy Bar** BAR
(25 N Cache Dr). Ultra-touristique, mais tout de même agréable, avec ses selles tenant lieu de tabourets, ce bar sombre est un passage obligé dans l'Ouest américain. Le week-end, la piste de danse se remplit et les clients s'emparent du micro du karaoké.

## Renseignements

**Jackson Hole Wyoming** (www.jacksonholenet.com). Bonne source d'informations sur la région.

**Valley Bookstore** (125 N Cache St). Sélection de cartes régionales.

**Visitor Center** (☎307-733-3316 ; www.jacksonholechamber.com ; 532 N Cache Dr ; ⏰9h-17h)

## Comment s'y rendre et circuler

Le **Jackson Hole Airport** (JAC ; ☎307-733-7682) est situé à 11 km au nord de Jackson, près des US 26/89/189/191, sur le territoire du Grand Teton National Park. Des vols desservent tous les jours Denver, Salt Lake City, Dallas et Houston, ainsi que Chicago le week-end.

Les bus **Alltrans' Jackson Hole Express** (☎307-733-3135 ; www.jacksonholebus.com) assurent la liaison jusqu'au Grand Teton National Park (14 $/jour) et l'aéroport (16 $). Ils partent tous les jours à 6h30 du Maverik County Store (angle Hwy 89 S et S Park Loop Rd) pour Salt Lake City (70 $, 5 heures 30).

# MONTANA

Peut-être est-ce l'esprit de la frontière, sauvage, libre et si américain, qui a inspiré à l'État sa devise : "Vivre et laisser vivre". Ici, le ciel semble plus vaste et plus bleu qu'ailleurs, l'air est vif et exhale le parfum des pins. Du sommet des montagnes qui se fondent dans les prairies ondoyantes aux brasseries de briques en passant par les grizzlys que l'on peut apercevoir buvant dans un lac de glacier cristallin, le Montana met naturellement ses visiteurs dans un état d'euphorie, et les laisse la tête emplie de souvenirs pérennes.

## Renseignements

**Conditions routières dans le Montana** (☎800-226-7623, dans le Montana 511 ; www.mdt.mt.gov/travinfo)

**Office du tourisme du Montana** (☎800-847-4868 ; www.visitmt.com)

**Montana Fish, Wildlife & Parks** (☎406-444-2535 ; fwp.mt.gov). Planter votre tente dans l'un des 24 campings d'État vous coûtera entre 15 et 23 $ par nuit. Pour brancher votre camping-car à un raccordement électrique, là où c'est possible, ajoutez 5 $. Réservations : ☎1-855-922-6768 ou http://montanastateparks.reserveamerica.com.

## Bozeman

Dans une région splendide, encerclée de collines verdoyantes, de forêts de pins et de sommets enneigés, Bozeman fait tout pour conserver son titre de ville la plus sympathique du Montana. Aménagés dans des bâtiments en brique, *brewpubs* et boutiques bordent Main St, rue riche d'un point de vue historique, qui allie style bohème, attitude cool à la cow-boy et énergie sportive. Son excellent emplacement, au pied des Bridger et des Gallatin, permet en outre toutes sortes d'activités et d'aventures de plein air.

### À voir et à faire

**Museum of the Rockies** MUSÉE
(☎406-994-2251 ; www.museumoftherockies.org ; 600 W Kagy Blvd ; adulte/enfant 14/10 $ ; ⏰8h-20h ; 👪). Ce muséum d'histoire naturelle très divertissant expose des dinosaures, de l'art

### LE MONTANA EN BREF

**Surnom** Treasure State (État-Trésor), Big Sky Country (Pays du vaste ciel)

**Population** 1 005 000 habitants

**Superficie** 381 156 km²

**Capitale** Helena (28 600 hab.)

**Autres villes :** Billings (105 600 hab.), Missoula (67 300 hab.), Bozeman (38 000 hab.)

**TVA** Aucune

**Lieu de naissance de** Gary Cooper (1901-1961), star hollywodienne, Evel Knievel (1938-2007), cascadeur légendaire, et l'actrice Michelle Williams (1980).

**Berceau des** Indiens Crow, Blackfoot et Salish

**Politique** Les fermiers et magnats du pétrole républicains l'emportent sur les étudiants et progressistes démocrates de Bozeman et Missoula

**Célèbre pour** la pêche à la mouche, les cow-boys et les grizzlys

**Divers** Certaines autoroutes du Montana n'ont pas eu de limitation de vitesse jusque dans les années 1990

**Distances routières** Bozeman-Denver 1 119 km ; Missoula-Whitefish 219 km

amérindien primitif et des spectacles laser (planétarium).

**Bridger Bowl Ski Area** SPORTS D'HIVER
(☎406-587-2111 ; www.bridgerbowl.com ; 15795 Bridger Canyon Rd ; forfait journée adulte/ moins de 12 ans 49/16 $ ; ⊙de mi-déc à mars). Il n'y a que dans le Montana qu'on peut trouver une station de ski à but non lucratif ! À 26 km au nord de Bozeman, elle appartient à une association. Elle est connue pour sa poudreuse légère et ses prix imbattables (surtout pour les moins de 12 ans).

## Où se loger

Toutes les chaînes de motels sont installées au nord du centre-ville dans 7th Ave, près de l'I-90. Vous trouverez d'autres établissements bon marché à l'est du centre, dans Main St, dont les chambres coûtent à partir de 50 $, selon la saison.

**Bear Canyon Campground** CAMPING $
(☎800-438-1575 ; www.bearcanyoncampground.com ; empl tente 20 $, empl camping-car 28-33 $ ; ⊙mai à mi-oct ; ). Ce camping est installé au sommet d'une colline à 5 km à l'est de Bozeman, au niveau de la sortie 313 de l'I-90. Panorama splendide et piscine.

**Howlers Inn** B&B $$
(☎406-586-0304 ;www.howlersinn.com ;3185 Jackson Creek Rd ; d avec petit-déj 110-150 $, chalet 2 pers 195 $ ; ). Les naturalistes intéressés par les loups adoreront cette superbe réserve située à 15 minutes de Bozeman et financée avec les recettes du B&B. Les loups, nés en captivité pour leur sauvegarde, vivent dans un enclos de 1,6 ha. L'établissement possède 3 vastes chambres à la décoration rustique dans le bâtiment principal et un chalet avec 2 chambres. Avec un peu de chance, ce sont les hurlements des loups qui vous berceront. Sur l'I-90, prenez la sortie 319.

**Lewis & Clark Motel** MOTEL $$
(☎800-332-7666 ; www.lewisandclarkmotelbozeman.com ; 824 W Main St ; ch week-end/semaine 159/99 $ ; ). Si Las Vegas vous manque, réservez dans ce motel tape-à-l'œil. Les immenses baies vitrées de ses chambres et la musique des années 1950 ajoutent une note rétro à l'atmosphère. Jacuzzi et sauna.

## Où se restaurer et prendre un verre

Ville étudiante, Bozeman ne manque ni d'adresses bon marché pour se restaurer, ni de bars pour étancher sa soif. La plupart des établissements sont dans Main St.

**La Tinga** MEXICAIN $
(12 E Main St ; plats 1,50-7 $ ; ⊙8h30-14h30). Simple, économique et authentique, ce petit bistrot à tacos mitonne à merveille le plat mexicain de porc dont il emprunte le nom, et propose de nombreux tacos fraîchement préparés (à partir de 1,50 $). Il existe aussi une formule-déjeuner à moins de 7 $. Passez votre commande au comptoir.

**Community Co-Op** SUPERMARCHÉ $
(www.bozo.coop ; 908 W Main ; plats 5-10 $ ; ⊙7h-22h lun-sam, 8h-22h dim ; ). C'est

À NE PAS MANQUER

### LA PÊCHE À LA MOUCHE DANS LE MONTANA

Depuis que Robert Redford et Brad Pitt en ont fait un sport à la mode avec *Et au milieu coule une rivière*, en 1992, les visiteurs du Montana sont fous de pêche à la truite. Ce pays de larges rivières torrentueuses, spectaculaires et poissonneuses comble débutants et maîtres de l'art. Le film – tout comme le roman de Norman Maclean dont il s'inspire – se déroule à Missoula et sur la Blackfoot River voisine, mais il a été tourné près de Bozeman et, pour les scènes de pêche, principalement sur la Yellowstone River et la Gallatin River, qui nous intéressent ici.

Pour pêcher la truite, la Gallatin, à 13 km à l'ouest de Bozeman sur la Hwy 191, possède les spots de pêche les plus accessibles et les plus réguliers. La Yellowstone, à 40 km à l'est de Bozeman dans la Paradise Valley, est elle aussi pleine de truites.

Pour tout savoir sur la différence entre les truites arc-en-ciel, brunes et fardées, mais aussi sur les mouches, les cannes et les permis de pêche dans le Montana, rendez-vous chez **Bozeman Angler** (☎406-587-9111 ; www.bozemanangler.com ; 23 E Main St ; ⊙9h30-17h30 lun-sam, 10h-15h dim). Propriété d'un couple depuis près de 20 ans, cette boutique du centre-ville propose un excellent stage d'introduction à la pêche (125 $/pers, stage de lancer 40 $/heure) les 2e samedis du mois de mai à septembre.

ici que la population locale fait le plein de produits bio et en gros. On y trouve aussi des plats chauds, des salades et des soupes à consommer sur place ou à emporter. Excellent café bio à l'étage.

**Plonk** BAR À VINS $$
(www.plonkwine.com ; 29 E Main St ; dîner plats 13-32 $ ; ⌚11h30-minuit). L'endroit rêvé pour déjeuner en prenant son temps. La carte est variée, du repas léger au menu complet, composée essentiellement de produits bio. En été, la vitrine s'ouvre, laissant pénétrer la lumière et la brise rafraîchissante dans le bâtiment tout en longueur, orné d'un bar.

**John Bozeman's Bistro** AMÉRICAIN $$
(☎406-587-4100 ; www.johnbozemansbistro.com ; 125 W Main St ; plats 14-34 $ ; ⌚11h30-14h30, 17h-21h30 mars-sam ; ✓). Le meilleur restaurant de Bozeman ajoute une touche thaïe, créole ou asiatique au classique steak de cow-boy et propose des entrées raffinées : soupe de homard et menu hebdomadaire spécial "superfood", avec des plats végétariens de saison très nourrissants.

**Molly Brown** BAR
(www.mollybrownbozeman.com ; 703 W Babcock). Très apprécié des étudiants, ce bar bruyant propose 20 bières à la pression et 8 billards.

**Zebra Cocktail Lounge** LOUNGE
(☎406-585-8851 ; 15 N Rouse St ; ⌚20h-2h). À l'intérieur du Bozeman Hotel, cette adresse est l'épicentre de la scène musicale locale (club et hip-hop).

## Renseignements

**Visitor Center** (☎406-586-5421 ; www.bozemanchamber.com ; 1003 N 7th Ave ; ⌚8h-17h lun-ven). Dispense des informations sur l'hébergement et les curiosités de la région.

## Depuis/vers Bozeman

L'**aéroport de Gallatin Field** (BZN ; ☎406-388-8321 ; www.bozemanairport.com) se trouve à 13 km au nord-ouest du centre-ville. De décembre à avril, les bus **Karst Stage** (☎406-556-3540 ; www.karststage.com) relient quotidiennement l'aéroport à Big Sky (51 $, 1 heure) et West Yellowstone (102 $, 2 heures) ; en été, le service fonctionne uniquement sur réservation.

Les bus Rimrock Stages partent de la **gare routière** (☎406-587-3110 ; www.rimrocktrailways.com ; 1205 E Main St), à 800 m du centre, pour desservir toutes les villes du Montana qui jalonnent l'I-90.

# Gallatin Valley et Paradise Valley

Les amateurs de nature ne se lasseront pas d'arpenter les magnifiques paysages qui entourent la Gallatin River, en parcourant la Gallatin Valley et la Paradise Valley. Principale station de ski de la vallée, le **Big Sky Resort** (☎800-548-4486 ; www.bigskyresort.com ; forfait adulte 89 $), s'étend sur plusieurs montagnes. La station reçoit 10 m de neige par an et possède le plus long dénivelé de l'État (1 305 m). C'est l'une des destinations de ski alpin et de ski de fond les plus prisées du pays, surtout depuis sa fusion avec sa voisine Moonlight Basin. Les remontées mécaniques sont les plus rapides des Rocheuses ; si vous êtes avec des enfants, pensez à Big Sky, où les moins de 10 ans skient gratuitement et où les ados ont droit à un rabais de 20 $. En été, un téléphérique dessert les sentiers de randonnée et de VTT.

Pour la grande randonnée et le ski de fond, rejoignez la section Spanish Peaks du **Lee Metcalf Wilderness**, qui s'étend sur 1 000 km² à l'ouest de l'US 191, englobant une partie des forêts nationales de Gallatin et Beaverhead. De nombreux campings panoramiques de l'USFS sont installés sur les flancs de la Gallatin Range à l'est de l'US 191.

À 30 km au sud de Livingston par l'US 89 vers Yellowstone, les **Chico Hot Springs** (☎406-333-4933 ; www.chicohotsprings.com ; chalet pour 2 pers 225 $, ch dans le bâtiment principal 55-93 $ ; ⌚8h-23h ; 👪) ont acquis une certaine renommée ces dernières années, jusqu'à attirer des stars hollywoodiennes, qui viennent profiter de la détente offerte par les deux bassins à ciel ouvert de ces sources minérales (entrée 7,50 $ pour les personnes extérieures). Les autres viennent pour le bar très animé où des orchestres de danse country se produisent le week-end. Le restaurant (plats 20-32 $) est réputé pour ses excellents steaks et fruits de mer. Il est aussi possible d'y passer la nuit. De fait, le surnom de Vallée du Paradis de l'endroit n'a rien d'usurpé.

# Absaroka Beartooth Wilderness

Les superbes paysages de l'Absaroka Beartooth Wilderness, étendus sur quelque 377 000 ha, sont parfaits pour une escapade en solitaire. Forêts épaisses, pics déchiquetés et toundra déserte se partagent cette réserve nichée entre la Paradise Valley à l'ouest et le Yellowstone National Park au sud. La partie ouest est dominée par les flancs densément boisés de l'Absaroka Range, une montagne plus accessible par la Paradise Valley ou le Boulder River Corridor. L'accès au haut plateau et aux lacs alpins de la Beartooth Range se fait plus aisément par la Beartooth Hwy, au sud de Red Lodge. En raison de la proximité de Yellowstone, les deux tiers des automobilistes qui franchissent la région traversent Beartooth.

Ville minière pittoresque dotée de bars et de restaurants divertissants et d'un bon choix d'hébergements, **Red Lodge** permet d'excellentes randonnées d'une journée ou plus, et compte des pistes de ski à proximité. Le **Red Lodge Visitor Center** (406-446-1718 ; www.redlodge.com ; 601 N Broadway Ave ; 8h-18h lun-ven, 9h-17h sam-dim) vous renseignera sur les hébergements.

## Billings

Difficile de croire que cette petite ville à l'ambiance décontractée soit la plus peuplée du Montana. Ce centre d'élevage et site pétrolier n'a du reste rien d'incontournable, mais constitue une sympathique étape. Le centre historique, s'il n'a rien de cosmopolite, n'en a pas moins un charme indéniable.

Les voyageurs fatigués de la route apprécieront le **Dude Rancher Lodge** (800-221-3302 ; www.duderancherlodge.com ; 415 N 29th St ; d à partir de 89 $ ; @), dans le centre. Ce motel accueillant arbore des meubles en chêne datant des années 1940, un décor rustique, des TV à écran plat et une cafetière dans chaque chambre.

Le très chic **Harper & Madison** (406-281-8550 ; 3115 10th Av N ; plats 4-10 $ ; 7h-18h lun-ven, 7h-13h sam) a bonne presse, ce qui n'est pas surprenant, compte tenu de la qualité de son café, de ses quiches maison et de ses sandwichs gourmands. Si vous êtes pressé, achetez quelques pâtisseries pour la route.

Restaurant huppé, le **Walkers Grill** (www.walkersgrill.com ; 2700 1st Ave N ; tapas 8-14 $, plats 17-33 $ ; 17h-22h) sert de bonnes grillades et de délicieux tapas au bar, dans un cadre raffiné avec des touches rappelant le Montana. Pour une ambiance plus classique, faites un saut au **Angry Hank's** ((406) 252-3370 ; 2405 1st Ave N ; 16h-20h lun-sam), un ancien garage transformé en brasserie et bar à bières.

VAUT LE DÉTOUR

### LITTLE BIG HORN

Une excursion incontournable au départ de Billings, le **Little Bighorn Battlefield National Monument** (406-638-3224 ; www.nps.gov/libi ; 10 $ ; 8h-21h), se trouve à une centaine de kilomètres sur les plaines arides de la réserve des Indiens Crow (Absáalooke). C'est ici, sur ce qui fut l'un des plus célèbres champs de bataille indiens, que le général George Custer livra sa "dernière charge".

Lors de ce massacre souvent représenté par les peintres, Custer et ses 272 soldats provoquèrent une fois de trop les Indiens (parmi lesquels Crazy Horse, de la tribu Sioux des Lakota). Un Visitor Center rappelle les faits, mais nous vous conseillons de faire l'un des cinq circuits quotidiens avec un guide Crow d'**Apsalooke Tours** (406-638-3897 ; apsaalooketourism@gmail.com ; Memorial Day-Labor Day). L'entrée se trouve à 1,5 km à l'est de l'I-90 sur l'US 212. Si vous vous y rendez le dernier week-end de juin, le **Custer's Last Stand Reenactment** (www.custerslaststand.org ; adulte/enfant 20/10 $) est un événement qui se tient chaque année à moins de 10 km de Hardin.

L'**aéroport international de Logan** (BIL ; www.flybillings.com), à 3 km au nord du centre-ville, propose des vols directs vers Salt Lake City, Denver, Minneapolis, Seattle, Phoenix et plusieurs villes du Montana. La **gare routière** (406-245-5116 ; 2502 1st Ave N ; 24h/24) assure des liaisons vers Bozeman (30 $, 3 heures) et Missoula (61 $, 8 heures).

## Helena

Le lieu de naissance de Gary Cooper associe sans complexe la légende cow-boy à un côté plus branché et moins cliché du Montana d'aujourd'hui. C'est l'une des plus petites capitales d'État du pays (28 000 habitants). Les politiciens y font les lois tandis que les sportifs se pressent dans les contreforts des Rocheuses pour s'adonner à l'autre passion qui fait fureur au Montana : les sports de plein air.

Helena recèle cependant, dissimulées derrière les magasins consacrés à ce thème, quelques surprises : une cathédrale néogothique d'inspiration française et un quartier commerçant piéton un peu bohème.

## À voir et à faire

Beaucoup de curiosités de Helena sont accessibles gratuitement, notamment les élégants édifices anciens de Last Chance Gulch (quartier commerçant piétonnier de Helena) et les quelques sites présentés ci-dessous.

**Capitole** MONUMENT
(angle Montana Ave et 6th St ; 8h-18h lun-ven). Ce majestueux édifice néoclassique fut achevé en 1902. Il est célèbre pour son dôme aux allures de phare richement orné, à l'intérieur, de peintures dorées.

**Cathedral of St Helena** CATHÉDRALE
(530 N Ewing St). Ce bâtiment néogothique achevé en 1914 se dresse telle une réminiscence de la vieille Europe. À voir : le baptistère, l'orgue et des vitraux sophistiqués.

**Holter Museum of Art** MUSÉE
(www.holtermuseum.org ; 12 E Lawrence St ; 10h-17h30h mar-sam, 12h-16h dim). GRATUIT Expose les œuvres contemporaines d'artistes du Montana.

**Mt Helena City Park** SPORTS ET ACTIVITÉS
Neuf chemins de randonnée et de VTT traversent le Mt Helena City Park ; l'un d'eux conduit au sommet du Mt Helena, à 1 638 m d'altitude.

## Où se loger et se restaurer

À l'est du centre-ville, près de l'I-15, se concentrent plusieurs motels ordinaires. La plupart des chambres coûtent 60 à 85 $ (petit-déjeuner continental inclus) et donnent accès à une piscine et un Jacuzzi.

**Sanders** B&B $$
(406-442-3309 ; www.sandersbb.com ; 328 N Ewing St ; ch avec petit-déj 130-145 $ ; ). Ce B&B historique comprend un charmant salon ancien, une fraîche véranda et 7 jolies chambres, chacune décorée d'une manière distincte et avec soin. L'endroit, tenu par un parent de la famille du Ringling Brothers Circus, abrite des objets du monde du cirque.

**Fire Tower Coffee House** CAFÉ, PETIT-DÉJEUNER $
(www.firetowercoffee.com ; 422 Last Chance Gulch ; petit-déj 4-9 $ ; 6h30-18h lun-ven, 8h-15h sam ; ). *Le* café pour qui veut boire un café, manger un repas léger et écouter un concert le vendredi soir. La carte du petit-déjeuner affiche des *burritos*, et celle du déjeuner, une grande variété de sandwichs.

## Renseignements

**Helena Visitor Center** (406-442-4120 ; www.helenachamber.com ; 225 Cruse Ave ; 8h-17h lun-ven)

## Comment s'y rendre et circuler

À 3 km au nord du centre, le **Helena Regional Airport** (HNL ; www.helenaairport.com) dessert la plupart des aéroports du Montana, ainsi que Salt Lake City, Seattle et Minneapolis. Rimrock Trailways propose au moins un bus quotidien pour Missoula (25 $, 2 heures 15), Billings (42 $, 4 heures 45) et Bozeman (22 $, 2 heures) au départ de la **gare routière** (630 N Last Chance Gulch ; 14h-16h, 20h-21h).

# Missoula

En arrivant à Missoula, vous vous demanderez probablement à quel moment vous avez pris la mauvaise direction. Êtes-vous à Austin, au Texas ? À Portland, dans l'Oregon ? Au Canada, peut-être ? Missoula est assez atypique. Ici, point de saloons du Far West ni de cow-boys errants ; c'est une jolie ville universitaire aux grands espaces verts et à la fierté civique intarissable.

Il n'est pas surprenant que depuis plus de dix ans elle attire de nouveaux arrivants en grand nombre. Et pourtant, bien qu'enregistrant l'une des plus fortes croissances des États-Unis, Missoula doit à des plans d'urbanisme avisés de rester paisible. Le petit centre-ville à la circulation modérée présente d'intéressants édifices historiques et le vélo reste un bon moyen de transport.

## À voir

C'est encore à pied que Missoula se visite le mieux, notamment au printemps et en été, lorsque ses rues s'animent pour lui donner des airs citadins branchés.

**Smokejumper Visitor Center** MUSEUM
(W Broadway ; 10h-16h juin-août). GRATUIT À 11 km à l'ouest du centre, il sert de base à ces hommes et à ces femmes qui, parachutés au cœur du danger, vont combattre les feux de forêt. Son centre d'information propose de bonnes expositions audio et vidéo sur la vie des pompiers de l'Ouest.

**Missoula Art Museum** MUSÉE
(www.missoulaartmuseum.org ; 335 North Pattee ; ⏲10h-17h lun-jeu, 10h-15h ven-dim). GRATUIT Missoula, encourage l'innovation artistique, et la donne à voir en libre accès. Ce superbe édifice confère une note contemporaine raffinée à une bibliothèque bâtie au siècle dernier.

## Activités

**Clark Fork River Trail System** VÉLO, RANDONNÉE
À cheval sur la Clark Fork River, Missoula a hérité d'un charmant réseau de sentiers sur les berges, agrémentées de nombreux parcs. **Caras Park** est l'espace vert le plus central et le plus animé : il accueille chaque année une dizaine de festivals, ainsi qu'un **manège** sculpté.

**Mount Sentinel** RANDONNÉE
Cet abrupt sentier en lacets part du stade de football et mène au “M” de béton blanc (visible à des kilomètres à la ronde) coiffant le Mt Sentinel (1 547 m). Profitez d'une chaude soirée d'été pour admirer le panorama spectaculaire offert sur la ville et ses environs.

♥ **Adventure Cycling HQ** VÉLO
(www.adventurecycling.org ; 150 E Pine St ; ⏲8h-17h lun-ven, ouv. sam juin-août). Le siège de la première association de voyage à vélo à but non lucratif des États-Unis sert de lieu de pèlerinage aux cyclistes traversant le pays, dont beaucoup planifient leur voyage de façon à passer par Missoula. On y est toujours très bien accueilli et renseigné.

**Pêche à la mouche** PÊCHE
Qui dit Montana dit pêche à la mouche. C'est ici qu'est censé se dérouler le fameux *Et au milieu coule une rivière*, et les environs de Missoula recèlent certains des meilleurs sites de pêche de l'État. Ainsi, **Rock Creek**, à 34 km à l'est de la ville, est une rivière à truites réputée où il fait bon pêcher à tout moment de l'année.

## Où se loger

**Mountain Valley Inn** MOTEL $
(☎800-249-9174 ; www.mountainvalleyinnmissoula.com ; 420 W Broadway ; d à partir de 79 $ ; P❄📶). Rien d'exceptionnel, juste un bon rapport/qualité prix pour cet établissement central offrant ce que l'on peut en attendre : des chambres propres et un accueil cordial.

**Goldsmith's Bed & Breakfast** B&B $$
(☎406-728-1585 ; www.missoulabedandpetit-déj.com ; 809 E Front St ; ch 124-169 $ ; ❄@). Ce ravissant B&B possède une vaste véranda donnant sur la rivière, idéale pour discuter avec les autres clients ou savourer un roman. Les chambres de style victorien sont confortables et attrayantes. Certaines disposent d'une terrasse, d'une vue sur la rivière, d'une cheminée et d'un coin lecture.

## Où se restaurer et prendre un verre

**Liquid Planet** CAFÉ $
(www.liquidplanet.com ; 223 N Higgins ; plats 4-9 $). Ouvert par un professeur d'université en 2003, ce café axé sur le développement durable est aussi une boutique de spiritueux où sont dispensées des recommandations rédigées à la main pour chaque bouteille. Les qualités des différents cafés sont également décrites avec soin. On y sert aussi des smoothies, des thés et des pâtisseries (sans explications cette fois !).

♥ **Silk Road** INTERNATIONAL $$
(www.silkroadcatering.com ; 515 S Higgins ; tapas 4-12 $ ; ⏲17h-22h). Proposant des plats du monde entier, de la Côte d'Ivoire au Piémont, la Silk Road s'inspire de cuisines du monde peu connues et, bien souvent, avec bonheur. Les plats, au format tapas, sont à combiner. L'accueil est chaleureux et le cadre, avec ses coussins, ses tapisseries et ses chandelles, est douillet.

**Caffe Dolce** AMÉRICAIN MODERNE $$
(☎406-830-3055 ; www.caffedolcemissoula.com ; angle Brooks et Beckwith ; plats 11-30 $ ; ⏲7h-21h lun-jeu, 7h-22h ven, 8h-21h sam, 8h-15h dim). Dans un majestueux édifice en pierre, ce nouveau venu haut de gamme attire les habitants fortunés de la ville avec d'excellentes glaces, pâtisseries, bouteilles de vin et salades. Si l'addition peut vite grimper, les pizzas exotiques, comme celles aux figues salées et au jambon cru, permettent, elles, de dîner plus légèrement et à moindre coût. Ici, on ne plaisante pas avec le café, et les propriétaires s'approvisionnent auprès des meilleurs torréfacteurs du Montana. Des tables sont installées dans la cour. L'établissement est situé après le pont, au nord du centre-ville.

**Iron Horse Brewpub** BREWPUB
(www.ironhorsebrewpub.com ; 501 N Higgins St ; ⏲11h30-tard). Plutôt huppé pour un *brewpub*, l'Iron Horse dispose d'un bar luxueux à

l'étage agrémenté d'un aquarium d'eau salée. Les étudiants s'y pressent pour déguster des bières locales et de la cuisine de pub américaine typique.

## Renseignements

**Visitor Center** (☎406-532-3250 ; www.missoulacvb.org ; 101 E Main St ; 8h-17h lun-ven)

## Comment s'y rendre et circuler

L'**aéroport international du Missoula** (MSO ; www.flymissoula.com) se trouve à 8 km à l'ouest de Missoula sur l'US 12 W.

Les bus Greyhound desservent les quatre coins du Montana depuis la **gare routière** (1660 W Broadway), à 1,5 km à l'ouest de la ville. Les bus **Rimrock Trailways** (www.rimrocktrailways.com), qui desservent Kalispell, Whitefish, Helena et Bozeman, s'y arrêtent également.

# Flathead Lake

Le plus grand lac naturel d'eau douce de l'ouest du Mississippi est situé à moins d'une heure de route de Kalispell, dont il n'y a pas grand-chose à dire. À son extrémité sud, bien plus attrayante, se trouve la jolie petite ville de **Polson**, au cœur de la réserve indienne de Flathead. Un **Visitor Center** (www.polsonchamber.com ; 418 Main St ; 9h-17h lun-ven) et nombre de possibilités d'hébergement s'y offrent à vous. En bordure de lac, le **Kwataqnuk Resort** (☎406-883-3636 ; www.kwataqnuk.com ; 49708 US 93 ; ch à partir de 130 $ ; P ❄ ≋) est un établissement de la chaîne Best Western, de qualité supérieure, disposant d'un embarcadère, de piscines intérieure et extérieure et d'une salle de jeux plutôt insipide. En face, le très rose **Betty's Diner** (49779 US 93 ; plats 10-15 $) sert des plats du terroir avec le charme habituel du Montana. À 3 km au sud de la ville, le surprenant **Miracle of America Museum** (www.miracleofamericamuseum.org ; 58176 Hwy 93 ; 5 $ ; 8h-20h) est accessible par un sentier partant de la 7th Ave E. Tour à tour déconcertant et fascinant, il présente des vestiges de l'histoire américaine sur 2 ha. Vous aurez l'occasion d'y voir toutes sortes de curiosités, comme le plus grand bison (désormais empaillé) jamais découvert dans le Montana.

La rive est du lac Flathead est flanquée des mystérieuses Mission Mountains tandis que l'ouest est plus bucolique, avec ses pommeraies et ses collines verdoyantes. C'est depuis le lac que vous profiterez de la meilleure vue. Vous pouvez parcourir en canoë ou en kayak le **Flathead Lake Marine Trail**, qui relie différents parcs et **campings** (☎406-751-4577 ; empl tente à partir de 10 $) autour du lac. Le site le plus proche de Polson est celui de Finley Point, à 9 km par le lac.

Les **croisières sur le lac** (www.kwataqnuk.com) partent du Kwataqnuk Resort à Polson. La croisière de 30 minutes part à 10h30 et coûte 15 $. L'été, les dîners-croisières partent à 16h les mercredis et samedis (30 $/personne).

# Bob Marshall Wilderness Complex

Bien loin de la côte pacifique, c'est dans ce Nord-Ouest que se trouvent quelques-unes des régions les moins peuplées du pays. Le Bob Marshall Wilderness Complex en fait partie. Ses quelque 6 000 km² sont sillonnés de 5 000 km de chemins, pour certains très éloignés des routes (plus de 64 km). Et vous pensiez vraiment qu'on ne se déplaçait qu'en voiture aux États-Unis ?

Cette réserve naturelle réunit trois réserves sauvages (Great Bear, Bob Marshall et Scapegoat) qui s'étendent de la limite sud du Glacier National Park au nord, au Rogers Pass (Hwy 200) au sud. Les forêts nationales environnantes abritent des campings, des routes menant aux pistes de randonnée et des coins tranquilles où l'on peut se réfugier lorsque le domaine (surnommé le "Bob") est investi par les chasseurs à l'automne.

Du sud, l'accès au parc se fait par la Hwy 200 via le **Monture Guard Station Cabin** (chalets 60 $). Pour vous y rendre depuis Ovando, roulez onze kilomètres en direction du nord, puis enfilez vos skis ou vos chaussures de marche pour parcourir le dernier kilomètre qui vous sépare de votre logement, à la limite de la superbe Lewis and Clark Range. Contactez l'USFS pour réserver.

Vous pouvez également accéder au Bob Marshall par la Seeley-Swan Valley à l'ouest, par le Hungry Horse Reservoir au nord ou par le Rocky Mountain Front à l'est. Les voies d'accès les plus aisées (et les plus empruntées) sont les pistes de Benchmark et du Gibson Reservoir, dans le Rocky Mountain Front.

Les sentiers prennent généralement un départ très abrupt, atteignant la frontière de la réserve après 11 km. Il faut ensuite parcourir 16 km de plus pour rejoindre le cœur du Bob. De belles randonnées d'une journée sont possibles de tous côtés. Deux divisions de l'USFS s'occupent de la réserve : **Flathead National Forest Headquarters** (☎406-758-5208 ; www.fs.fed.us/r1/flathead ; 650 Wolfpack Way ; ⏱8h-16h30 lun-ven) et **Lewis & Clark National Forest Supervisors** (☎406-791-7700 ; http://www.fs.usda.gov/detail/lcnf/about-forest/offices ; 1101 15th St N ; ⏱8h-16h30 lun-ven).

## Whitefish

À la fois chic et rustique, la minuscule ville de Whitefish (8 000 habitants) plaît beaucoup aux visiteurs. Autrefois connue pour être le principal point d'accès au Glacier National Park, cette ville de l'Ouest charismatique et énergique mérite bien le long trajet qui y conduit. En plus du grandiose Glacier (facilement joignable en une journée de vélo), Whitefish possède quelques bons restaurants, une gare historique qui fait également **musée** (www.stumptownhistoricalsociety.org ; 500 Depot St ; ⏱10h-16h lun-sam) GRATUIT et une station de ski méconnue, la **Whitefish Mountain Resort** (☎406-862-2900 ; www.bigmtn.com) connue sous le nom de Big Mountain jusqu'en 2008, qui offre plus de 1 200 ha de pistes pour tous niveaux. On peut même y faire du ski de nuit le week-end. En été, on peut y faire du VTT et des descentes en tyrolienne (point de départ accessible en téléphérique).

Consultez le **Whitefish Visitor Center** (www.whitefishvisit.com ; 307 Spokane Ave ; ⏱9h-17h30 lun-ven) pour en savoir plus sur les activités disponibles.

Toute une série de motels bordent l'US 93 au sud de Whitefish, mais le meilleur reste la **Downtowner Inn** (☎406-862-2535 ; www.downtownermotel.cc ; 224 Spokane Ave ; d 123 $ ; ❄📶) équipée d'une salle de sport, d'un Jacuzzi et d'un café ouvert seulement le matin. Pour un hébergement plus haut de gamme, voyez le **Pine Lodge** (☎406-862-7600 ; www.thepinelodge.com ; 920 Spokane Ave ; d à partir de 145 $ ; P❄📶🏊), où sont pratiqués des rabais hors-saison. Ce ne sont pas les bons bars et restaurants qui manquent, mais la plupart des habitants vous recommanderont le **Buffalo Café** (www.buffalocafewhitefish.com ; 514 3rd St E ; petit-déj 7-10 $), particulièrement couru au petit-déjeuner et au déjeuner. En soirée, découvrez **The Great Northern Brewing Co** (☎406-863-1000 ; www.greatnorthernbrewing.com ; 2 Central Ave ; ⏱visites 13h et 15h lun-jeu), qui propose des visites et une dégustation.

Les trains d'Amtrak s'arrêtent à la **gare** (☎406-862-2268 ; 500 Depot St ; ⏱6h-13h30, 16h30-minuit) de Whitefish et prennent des voyageurs pour West Glacier (7 $ ; 30 min) et East Glacier (15 $ ; 2 heures). Les bus de **Rimrock Trailways** (www.rimrocktrailways.com) partent tous les jours du même endroit pour Kalispell et Missoula.

## Glacier National Park

Peu de merveilles naturelles peuvent rivaliser avec le réseau américain des parcs nationaux, et peu d'entre eux ont la magnificence et la beauté immaculée du Glacier. Créé en 1910 pendant la première vague du mouvement américain de défense des ressources naturelles, le Glacier National Park fait partie des grands parcs nationaux au même titre que Yellowstone, Yosemite et le Grand Canyon.

Il est réputé pour ses lodges construits en harmonie avec leur environnement, pour la Going-to-the-Sun Road, superbe route panoramique, et pour son écosystème hérité de l'ère précolombienne resté intact. C'est le seul endroit du pays où les grizzlys vivent toujours en grand nombre. Une gestion avisée du parc a réussi à le rendre accessible tout en préservant sa nature originelle. Parmi les nombreuses activités de plein air qu'il offre, les plus réputées sont la randonnée, l'observation de la faune et de la flore, mais aussi la navigation et la pêche sur ses lacs miroitants.

Si les touristes sont nombreux à venir visiter le Glacier (deux millions par an), peu d'entre eux s'éloignent de la Going-to-the-Sun Road et presque tous s'y rendent entre juin et septembre, deux éléments à prendre en compte si vous souhaitez échapper à la foule. Le parc est ouvert toute l'année, mais la plupart des services ne fonctionnent que de mi-mai à septembre.

Les 4 000 km² du parc sont répartis en 5 zones, chacune étant centrée sur un poste de rangers : Polebridge (au nord-ouest) ; Lake McDonald (au sud-ouest), qui comprend l'entrée ouest et Apgar Village ; Two Medicine (au sud-est) ; St Mary (à l'est) et Many Glacier (nord-est). La Going-to-the-Sun Road (80 km) est la seule route goudronnée traversant le parc.

## À voir et à faire

**Going-to-the-Sun Road** SPORTS ET ACTIVITÉS
(mi-juin à fin sept). La Going-to-the-Sun Road, longue de 81 km, est sans conteste l'une des routes les plus spectaculaires du pays. Véritable monument national, elle est flanquée de sentiers de randonnée et d'un col, desservis par une navette gratuite.

La route longe le scintillant lac McDonald avant de bifurquer brutalement sur le Garden Wall, la principale ligne de séparation entre l'est et l'ouest du parc. À Logan Pass, vous pouvez faire une promenade de 2,5 km jusqu'au **Hidden Lake Overlook** ; les plus courageux emprunteront le **Highline Trail** (12 km). La navette s'arrête à l'ouest de la route, au départ de la piste pour **Avalanche Lake**, randonnée facile de 6,5 km aller-retour qui débouche sur un splendide lac alpin niché dans un cirque et alimenté par de nombreuses cascades.

**Many Glacier** RANDONNÉE
Cette vallée pittoresque aux nombreux lacs et glaciers, située dans l'est du parc, offre de superbes randonnées, dont certaines mènent à la Going-to-the-Sun Road. Depuis 1915, il est possible de se loger au bord d'un lac, à l'historique Many Glacier Lodge. À ne pas manquer, l'**Iceberg Lake Trail**, une balade difficile mais gratifiante traversant des prairies fleuries et des forêts de pins pour déboucher sur un festival d'icebergs.

**Glacier Park Boat Co** BATEAU, RANDONNÉE
(406-257-2426 ; www.glacierparkboats.com ; circuit St Mary Lake adulte/enfant 25/12 $). Loue des kayaks et des canoës et organise des circuits guidés très appréciés à partir de cinq sites du Glacier National Park.

## Où se loger

Il y a dans le parc 13 **campings NPS** (406-888-7800 ; http://reservations.nps.gov ; empl tente et camping car 10-23 $) et 7 lodges historiques (datant pour la plupart du début du XXe siècle), ouverts de mi-mai à fin septembre. Seuls les campings de Fish Creek et St Mary acceptent les réservations (jusqu'à 5 mois à l'avance). Les emplacements sont en général tous pris en milieu de matinée, surtout en juillet et en août.

**Many Glacier Hotel** HÔTEL $$
(406-732-4411 ; www.glacierparkinc.com ; ch 163-250 $ ; mi-juin à mi-sept ; ). Avec 208 chambres à vue panoramique, cet hôtel, bâti d'après un chalet suisse, classé au patrimoine national et installé au bord du Swiftcurrent Lake, est le plus grand du parc. Des animations en soirée, un grand salon et un restaurant gastronomique spécialisé dans les fondues ajoutent à son attrait.

**Lake McDonald Lodge** HÔTEL $$
(406-888-5431 ; www.glacierparkinc.com ; chalet/lodge ch à partir de 137/79 $ ; mai-sept ; ). Construit en 1913, ce vieux pavillon de chasse, décoré de trophées, tire avantage d'une atmosphère détendue. Les 100 chambres ont des styles variés (lodge, chalet ou motel). Conférences de rangers du parc en soirée et croisières sur le lac. L'endroit comprend un restaurant et une pizzeria.

**Glacier Park Lodge** HÔTEL $$
(406-226-5600 ; www.glacierparkinc.com ; ch 152-235 $ ; fin mai-sept). Le lodge vedette du parc est un édifice élégant dont le hall comporte des balcons intérieurs soutenus par des poutres de sapin de Douglas et une vaste cheminée de pierre. Son charme historique et son confort en font un lieu de séjour très agréable. Golf 9 trous et coins lecture.

**Rising Sun Motor Inn** MOTEL $$
(406-732-5523 ; www.glacierparkinc.com ; ch 134-142 $ ; fin mai-début sept). Le Rising Sun, l'un des deux motels de bois typiques des années 1940 de la zone, est installé sur la rive nord du St Mary Lake, dans un petit complexe qui compte un magasin, un restaurant et un embarcadère. Ses chambres et chalets rustiques raviront les randonneurs éreintés.

## Où se restaurer

En été, des épiceries vendent un peu de matériel pour le camping à Apgar, au Lake McDonald Lodge, à Rising Sun et à la Swiftcurrent Motor Inn. La plupart des lodges ont aussi un restaurant. Les tables de West Glacier et St Mary offrent principalement une cuisine revigorante, parfaite après une randonnée.

**Polebridge Mercantile** BOULANGERIE, SUPERMARCHÉ $
(Polebridge Loop Rd, North Fork Valley ; en-cas 4 $ ; 8h-18h mai-nov ; ). Venez ici faire le plein de petits pains à la cannelle, à la réputation méritée.

**Park Café** AMÉRICAIN $
(www.parkcafe.us ; US 89, St. Mary ; petit-déj 7-12 $ ; ⏲7h-22h juin-sept). Ce café est recommandé pour ses copieux petits-déjeuners et surtout pour les tartes maison, agrémentées de crème fouettée ou de glace.

**Ptarmigan Dining Room** INTERNATIONAL $$$
(Many Glacier Lodge ; plats 15-32 $ ; ⏲6h30-21h30, mi-juin à début sept). Avec sa vue sur le lac, c'est le plus raffiné des restaurants de lodge. Il sert aussi du vin et des bières artisanales.

## Renseignements

À l'intérieur du parc, les Visitor Centers et les postes de rangers vendent des guides sur le site et des cartes de randonnée. Ceux d'Apgar et de St Mary sont ouverts tous les jours de mai à octobre. Le Visitor Center de Logan Pass ouvre en même temps que la Going-to-the-Sun Road. Les postes de Many Glacier, Two Medicine et Polebridge ferment fin septembre. Les **bureaux du parc** (Park Headquarters ; ☎406-888-7800 ; www.nps.gov/glac ; ⏲8h-16h30 lun-ven), situés à West Glacier entre l'US 2 et Apgar, sont ouverts toute l'année.

Le billet d'entrée du parc (piéton/véhicule 12/25 $) est valable 7 jours. Les randonneurs doivent se procurer un permis spécial s'ils désirent passer la nuit dans le parc (de mai à octobre uniquement). La moitié des autorisations (4 $/jour/pers) est délivrée selon la règle du premier arrivé, premier servi à l'**Apgar Backcountry Permit Center** (ouvert du 1er mai au 31 octobre), au St Mary Visitor Center ou aux postes de rangers de Many Glacier, Two Medicine et Polebridge.

L'autre moitié peut se réserver auprès de l'Apgar Backcountry Permit Center, des Visitor Centers de St Mary et Many Glacier, ainsi qu'auprès des postes de rangers de Two Medicine et Polebridge.

## Comment s'y rendre et circuler

Le train *Empire Builder* d'Amtrak vers Seattle et Chicago s'arrête à West Glacier (toute l'année) et à East Glacier Park (d'avril à octobre). Le **Glacier National Park** (www.nps.gov/glac) assure des navettes (adulte/enfant 10/5 $) au départ d'Apgar Village vers St Mary via la Going-to-the-Sun Road, du 1er juillet au 1er lundi de septembre (Labor Day). La **Glacier Park Inc** (www.glacierparkinc.com) propose tous les jours une navette payante (East Side Shuttle ; adulte/enfant 10/5 $) dans l'est du parc vers Waterton (Canada), Many Glacier, St Mary, Two Medicine et East Glacier.

# IDAHO

Le 43e État est méconnu. Constitué d'espaces préservés aussi grands que ceux de l'Alaska, les touristes l'ignorent souvent grossièrement, lui préférant le Montana et ses célèbres parcs. En définitive, une grande partie de ces terres peu foulées n'a pas changé depuis l'expédition Lewis et Clark ; en témoigne ce vide de 15 000 km² occupant le centre de l'État, dépourvu de routes, d'habitations ou de toute forme de présence humaine.

Le sud de l'Idaho, plus plat et plus sec, est dominé par la Snake River, utilisée comme grande ligne de transport par les premiers colons sur l'Oregon Trail, dont la très fréquentée Hwy 84 suit aujourd'hui les traces. Mais en dehors de cette bande de terre peuplée, le paysage de l'Idaho a été épargné par l'invasion des centres commerciaux sans âme et des fast-foods qui caractérisent le reste des États-Unis.

## Boise

Discrète et sous-estimée, la capitale et principale ville de l'Idaho n'est que peu reconnue en dehors du Nord-Ouest. Et si son chaleureux centre-ville n'a pas la magnificence de celui de San Francisco, il n'en surprend pas moins. Il recèle le superbe capitole de l'Idaho, offre de beaux bars à vins et des bistrots à la parisienne, et comprend un campus universitaire tout à fait respectable. Quant à la présence latente de la culture basque, elle est source d'étonnement pour beaucoup. Boise porte fièrement le surnom de "Ville des arbres", et laisse une forte impression à ceux qui n'en attendaient rien.

### À voir et à faire

Plongez dans le quartier d'affaires, délimité par State St, Grove St, 4th St et 9th St.

♥ **Basque Block** QUARTIER
(www.thebasqueblock.com). Peu de gens le savent : Boise compte la plus importante communauté d'origine basque hors d'Espagne. La première vague d'émigration en Idaho, dans les années 1910, vit arriver des Européens en quête de travail en tant que bergers. On retrouve des éléments particuliers de leur culture le long de Grove St, entre 6th St et Capitol Blvd.

Au milieu des tavernes, restaurants et bars s'est installé le **Basque Museum**

**& Cultural Center** (www.basquemuseum.com ; 611 Grove St ; adulte/senior et étudiant 5/4 $ ; ⏲10h-16h mar-ven, 11h-15h sam), louable effort visant à lever les mystères de la culture basque et de son implantation à 10 000 km à l'ouest de sa terre natale ; l'accent est mis sur l'artisanat et la transmission orale et on y donne des cours d'euskara, la plus ancienne langue d'Europe. À côté, dans l'**Anduiza Fronton Building** (619 Grove St), un terrain de pelote basque ravit les aficionados.

**Idaho State Capitol** MONUMENT
Grâce aux capitoles, les visiteurs peuvent déambuler gratuitement dans les joyaux de l'architecture américaine. Celui de Boise, en grès local, met à l'honneur le style néoclassique en vogue au moment de sa construction, en 1920. Il a été remis à neuf en 2010 et est aujourd'hui chauffé par géothermie.

**Boise River et Greenbelt** PARC, MUSÉE
. Aménagées dans les années 1960, les berges boisées de la Boise River protègent 50 km de pistes piétonnes et illustrent le surnom qui a été donné à Boise, la "Ville des arbres".

En été, la descente de la Boise River devient une activité incontournable. Vous pourrez louer une bouée ou une embarcation chez **Barber Park** (Eckert Rd ; bouée 12 $) pour descendre la rivière sur 8 km ; 4 aires de repos permettent de faire une halte et une navette assure la liaison avec le point d'arrivée (3 $).

Les 35 ha du Julia Davis Park, espace le plus central et animé de la Greenbelt (voie verte de la ville), comprend l'**Idaho State Historical Museum** (610 N Julia Davis Dr, adulte/enfant 5/3 $ ; ⏲9h-17h mar-ven, 11h-17h sam), qui présente d'intéressantes collections sur l'expédition Lewis et Clark, ainsi que le **Boise Art Museum** (www.boiseartmuseum.org ; 670 N Julia Davis Dr, tarif plein/senior et étudiant 6/3 $ ; ⏲10h-17h mar-sam, 12h-17h dim). Il y a également une jolie roseraie extérieure.

**Ridge to Rivers Trail System** RANDONNÉE
(www.ridgetorivers.org). Plus accidentés que la Greenbelt, les contreforts qui dominent la ville, tapissés de broussailles et de taillis, offrent 120 km de beaux sentiers de randonnée et de VTT plus ou moins difficiles. On y accède rapidement par le centre-ville via Fort Boise Park sur E Fort St, à 5 pâtés de maisons au sud-est du capitole.

## Où se loger

La ville recèle trois véritables perles.

**Leku Ona** HÔTEL $
(208-345-6665 ; www.lekuonaid.com ; 117 S 6th St ; ch 65-85 $ ; ). Gérée par un immigrant basque, cette pension un peu défraîchie du centre-ville peut être bruyante le week-end, mais elle se révèle bon marché. Le restaurant voisin sert de délicieux *pintxos* (tapas basques).

**Boise Guest House** PENSION $$
(208-761-6798 ; boiseguesthouse.com ; 614 North 5th St ; suites 89-119 $ ; ). On se sent comme chez soi dans cette pension dont le propriétaire est un artiste. Y sont louées quelques élégantes suites avec cuisine et salon. Originales et bien conçues, elles sont joliment décorées et garnies de bons livres et de superbes œuvres d'art local. Prêt de vélos pour explorer la région.

### L'IDAHO EN BREF

**Surnom** Gem State (État des pierres précieuses)

**Population** 1 596 000 habitants

**Superficie** 214 315 km$^2$

**Capitale** Boise (210 000 habitants)

**Autres villes** Idaho Falls (57 600 hab.).

**TVA** 6 %

**Lieu de naissance de** Sacagawea, Indienne shoshone guide de Lewis et Clark (1788-1812), Sarah Palin, femme politique (née en 1964) et Ezra Pound, poète (1885-1972)

**Patrie** du grenat étoilé et de la station de ski de Sun Valley

**Politique** Fidèle aux républicains, avec quelques poches démocrates (Sun Valley)

**Célèbre pour** ses pommes de terre, la beauté de sa nature préservée et pour l'historique télésiège qu'il abrite, le premier au monde

**Canyon le plus profond d'Amérique du Nord** Hells Canyon (2 408 m de profondeur)

**Distances routières** Boise-Idaho Falls 450 km, Lewiston-Cœur d'Alene 186 km

**Modern Hotel** MOTEL DE CHARME **$$**
(☎208-424-8244 ; www.themodernhotel.com ; 1314 W Grove St ; d avec petit-déj à partir de 99 $ ; P❄📶). Le Modern Hotel, au concept improbable – un motel de charme ! – réussit son pari en proposant des chambres au décor minimaliste tendance rétro et un bar chic en plein centre-ville. Les douches hydromassantes sont gigantesques et le service irréprochable.

## Où se restaurer et prendre un verre

C'est sur la voie piétonnière en brique de Grove et dans le quartier des anciens entrepôts retapés, entre 8th St et Idaho Ave, que se concentrent les restaurants et bars de Boise. Alléchantes spécialités basques, bistrots authentiques et bars exceptionnels vous y attendent.

♥ **Fork** AMÉRICAIN MODERNE **$$**
(☎207-287-1700 ; www.boisefork.com ; 199 North 8th St ; plats 8-29 $ ; ⌚11h-22h ; ✍). Il y a 20 ans, ce genre de menu haut de gamme aurait été considéré comme une hérésie dans l'Idaho. Régalez-vous d'un poulet frit accompagné de gaufres au cheddar et d'une sauce au sirop d'érable et vinaigre balsamique ou choisissez parmi les énormes salades, les légumes braisés, les viandes et les nombreux autres ingrédients provenant de la région. Ne vous privez pas des frites au parmesan et au romarin. Le service peut être lent en raison de la popularité de l'endroit.

**Vietnam Pho Nouveau** VIETNAMIEN **$$**
(☎208-367-1111 ; www.phonouveau.com ; 780 West Idaho St ; plats 9-15 $ ; ⌚11h-21h30 lun-jeu, 11h-22h30 sam, 12h-20h30 dim). Cet élégant café à l'ambiance discrète est la table de choix de Boise pour un bon repas asiatique. Optez pour un *bun* (grand bol de nouilles avec de la viande grillée et des légumes verts), une salade "lily blossom" avec des racines de lotus et du porc émincé, ou les crêpes Saigon.

**Grape Escape** BAR À VINS **$$**
(800 W Idaho St ; entrées 7-11 $, plats 11-18 $ ; ⌚11h-tard). Asseyez-vous en terrasse pour savourer votre pinot noir avec un dîner léger (bruschette, salades et pizzas très originales) et observer le ballet des clients, cyclistes, intellectuels et autres membres de la jeunesse dorée, venus prendre l'apéritif. La carte des vins est excellente. Jazz le dimanche.

**Bittercreek Ale House et Red Feather Lounge** AMÉRICAIN MODERNE **$$**
(www.justeatlocal.com ; 246 N 8th St ; plats 7-15 $ ; ⌚11h30-tard). Ces restaurants adjacents offrent un cadre plein de caractère, à la fois animé et intime. Ils servent une nourriture saine, produite en général localement et mettent l'accent sur le développement durable. La carte nouvelle cuisine américaine comporte une bonne sélection de plats végétariens. Le Red Feather est un peu plus chic et propose de délicieuses pizzas au feu de bois.

Vous pourrez y déguster un cocktail au whisky dont la recette date d'avant la Prohibition.

**Bar Gernika** PUB
(202 S Capitol Blvd ; déj 8-10 $ ; ⌚11h-minuit lun-jeu, 11h-1h ven-sam). *Ongi etorri* (bienvenue) dans la taverne la plus accessible du quartier basque. Agneau basquaise, chorizo et langue de bœuf chorizo (le samedi uniquement) composent sa carte. Accompagnez votre repas d'une Guinness ou d'une bière artisanale régionale. Une adresse unique en son genre à Boise.

**Bardenay** PUB
(www.bardenay.com ; 610 Grove St ; plats 8-18 $ ; ⌚11h-tard). Premier "distillerie-pub" des États-Unis, Bardenay demeure un établissement unique en son genre. Il distille toujours sa propre vodka, son rhum et son gin, à déguster dans une salle spacieuse à l'ambiance décontractée, et garde invariablement bonne presse.

## Renseignements

**Visitor Center** (☎208-344-7777 ; www.boise.org ; 250 S. 5th St, Ste. 300 ; ⌚10h-17h lun-ven, 10h-14h sam juin-août, 9h-16h lun-ven sept-mai)

## Comment s'y rendre et circuler

L'**aéroport municipal de Boise** (BOI ; I-84 sortie 53) propose des vols quotidiens vers Denver, Las Vegas, Phoenix, Portland, Salt Lake City, Seattle et Spokane. Les bus Greyhound partent de la **gare routière** (1212 W Bannock St) vers Spokane, vers Pendleton et Portland, et vers Twin Falls et Salt Lake City.

# Ketchum et Sun Valley

La Sun Valley, l'un des plus beaux endroits de l'Idaho, fut choisie dans les années 1930 par William Averell Harriman, président des chemins de fer du Pacifique (Union Pacific

## LES DERNIERS JOURS D'HEMINGWAY

Ernest Hemingway, l'écrivain-voyageur, aimait profondément cette région et s'y est souvent rendu lors du développement de la station de ski, à la fin des années 1930. Pourtant, il ne mentionna jamais explicitement Sun Valley ni Ketchum dans ses œuvres. La légende veut qu'il ait achevé son chef-d'œuvre sur la guerre civile espagnole, *Pour qui sonne le glas*, dans la chambre 206 du Sun Valley Lodge entre deux parties de chasse et de pêche avec ses amis Gary Cooper et Clark Gable.

Dans les années 1940 et 1950, Hewingway, qui avait migré en Floride et à Cuba, se rendit moins souvent à Ketchum. Mais après la révolution cubaine de 1959 et l'expropriation de sa demeure de La Havane, l'écrivain emménagea dans l'Idaho la même année. Victime de paranoïa et de troubles physiques et mentaux, il vécut de sombres derniers jours. Le 2 juillet 1961, à l'âge de 61 ans, il s'empara de son fusil préféré et mit fin à ses jours au seuil de sa nouvelle maison de Warm Springs Road.

Étonnamment (et on ne saurait s'en plaindre), Ketchum n'exploite pas cette histoire. Il vous faudra bien chercher pour trouver le joli petit **cimetière**, à moins d'un kilomètre du centre sur la Hwy 75, où Hemingway est enterré avec sa petite-fille, Margaux. Sur sa tombe, se trouvent en général des pièces de monnaie, des cigares et une ou deux bouteilles. La maison d'Hemingway est interdite au public mais il y a un **monument** à sa mémoire près de Trail Creek, à 1,5 km du Sun Valley Lodge. Dans le centre de Ketchum, le Casino Club (p. 320) et l'Alpine Club, connu aujourd'hui sous le nom de **Whiskey Jacques** (☎208-726-5297 ; 251 Main St ; entrée jusqu'à 5 $ ; ⊙16h-2h), étaient ses bars préférés.

Railroad) pour accueillir la première station de ski des États-Unis. Les célébrités de l'époque qui l'ont fréquentée (Clark Gable, Gary Cooper et tant d'autres) contribuèrent à sa renommée. À son inauguration en 1936, la station mettait en service le premier télésiège au monde ainsi qu'un lodge, construit en harmonie avec son environnement et encore très prisé aujourd'hui.

Depuis lors, Sun Valley a étendu son domaine à la légendaire Bald Mountain tout conservant sa clientèle chic et en restant raffinée et agréable (ici, pas de fast-food ni de barre d'immeubles). La station, considérée comme l'une des meilleures, bénéficie d'une neige de grande qualité, d'un fort dénivelé et d'une quasi-absence de vent. Le village de Ketchum dont elle dépend, à 1,5 km, existait avant la station et a réussi à conserver son authenticité et sa beauté rustique malgré l'affluence. C'était la destination favorite d'Ernest Hemingway pour la pêche et la chasse, mais aujourd'hui, le VTT a la faveur des estivants.

## Activités

Presque tous les commerces sont sur Main St entre 1st St est 5th St. Sun Valley et son lodge sont facilement accessibles à pied, à 1,5 km au nord. À 19 km au sud de Ketchum, sur la même route, se trouve Hailey, une autre jolie petite ville où les bars sont animés.

**Wood River Trail** RANDONNÉE, CYCLISME

On trouve autour de Ketchum et Sun Valley de nombreux sentiers de randonnée et de VTT, ainsi que d'excellents sites de pêche. Le Wood River Trail, artère principale reliant Sun Valley et Ketchum, se poursuit au sud sur 50 km bucoliques, vers Bellevue, en passant par Hailey. Vous pouvez louer des vélos chez **Pete Lane** (35 $/jour) dans la rue piétonne près du Sun Valley Lodge.

**Sun Valley Resort** SPORTS D'HIVER

(www.sunvalley.com ; forfaits adulte/enfant Bald Mountain 95/54 $, Dollar Mountain 54/39 $). Réputé pour la qualité de sa poudreuse et ses hôtes célèbres, le Sun Valley Resort (www.sunvalley.com) comporte deux domaines skiables : **Bald Mountain**, pour les plus chevronnés, et **Dollar Mountain**, qui possède aussi une **piste de descente en bouée** (adulte/enfant 10/5 $). L'été, prenez le télésiège jusqu'à l'un des deux sommets, puis descendez à pied ou à vélo. Équipements haut de gamme, bien sûr.

## Où se loger

L'été, il est possible de camper gratuitement sur le terrain du Bureau of Land Management (BLM), à proximité de la ville. Consultez le Visitor Center pour plus de détails.

**Lift Tower Lodge** MOTEL $

(☎208-726-5163 ; 703 S Main St ; ch 89-109 $ ; P 📶). Ce petit motel sympathique et bon marché, doté de lits fermes avec édredon, est situé à l'orée de Ketchum. Un télésiège de 1939, illuminé la nuit, est exposé là.

**Tamarack Lodge** HÔTEL $$

(☎208-726-3344 ; www.tamaracksunvalley.com ; 500 E Sun Valley Rd ; ch 149-169 $ ; ❄📶🏊) Belles chambres avec cheminée, balcon et nombreux équipements dans un lodge bien tenu. L'excellent service, le Jacuzzi et la piscine intérieure sont de véritables atouts. Réductions fréquentes en milieu de semaine et hors saison.

**Sun Valley Lodge** HÔTEL $$$

(☎208-622-2001 ; www.sunvalley.com ; 1 Sun Valley Rd ; ch 287-405 $ ; ❄@📶🏊). Hemingway aurait terminé son *Pour qui sonne le glas* dans ce luxueux hôtel des années 1930. Si l'établissement a perdu un peu son lustre d'avant-guerre, l'élégance surannée des chambres – confortables quoique pas très grandes selon les normes actuelles –, est leur principal attrait. Parmi les équipements : un centre de remise en forme, une salle de jeux, un bowling et un sauna. Le lieu propose une navette pour les pistes et organise des animations pour les enfants.

## Où se restaurer et prendre un verre

**Despo's** MEXICAIN $

(☎208-726-3068 ; 211 4th St ; plats 7-14 $ ; ⏲11h30-22h lun-sam). La population locale se presse dans ce restaurant mexicain très sain, même s'il n'est pas le plus authentique. Tout y est frais, les salades sont énormes et les sauces faites maison (chaudes et épicées) méritent d'être goûtées.

♥ **Rickshaw** ASIATIQUE $$

(www.eat-at-rickshaw.com ; 460 Washington Ave N ; petites assiettes et plats 4-15 $ ; ⏲17h30-22h30 mar-sam, 17h30-21h30 dim). Exigu comme le cyclopousse du même nom, mais accueillant et très animé, ce restaurant fusion prépare une succulente cuisine inspirée des plats de rue que l'on peut trouver au Vietnam, en Thaïlande, en Corée et en Indonésie. Tendres, les plats de côte aux piments *jalapeño* et coriandre sont à tomber par terre. Petite ombre au tableau : du curry vert aux noix de cajou sautées, tous les plats sont très épicés. Mais il reste incontournable.

**Glow** VÉGÉTALIEN $$

(380 Washington #105 ; plats 7-12 $ ; ⏲10h-18h lun-ven, 10h-17h sam ; 🖉). Un paradis pour végétaliens et crudivores, avec une belle carte de smoothies, de *chia pudding* au petit-déjeuner, de salades bio, de soupes et de chocolats artisanaux à se damner. La clientèle est typique de Sun Valley… en pantalon de yoga.

**Pioneer Saloon** GRILL $$$

(www.pioneersaloon.com ; 320 N Main St ; plats 9-29 $ ; ⏲17h30-22h). Le Pio, qui était un établissement de jeux illégal dans les années 1950, abrite désormais un restaurant qui revendique son enracinement dans les Rocheuses : il est décoré de têtes de cerfs, de vieilles armes et de tableaux de munition ! On y mange bien, à condition d'aimer le bœuf et la truite.

**Casino Club** BAR

(220 N Main St). Dans cette station qui a moins de 75 ans, ce bar est étonnament le seul survivant d'époque. Il a tout connu : les paris sur les combats, la gloire et le déclin d'Ernest Hemingway, les hippies psychédéliques, ou encore les motards tatoués passant la porte d'entrée sur leur Harley.

## Renseignements

**Sun Valley/Ketchum Visitors Center** (☎208-726-3423 www.visitsunvalley.com ; 491 Sun Valley Rd ; ⏲6h-19h). Le personnel n'est présent que de 9h à 18h, mais vous pourrez toujours venir retirer des cartes et des brochures avant et après, puisque l'établissement fait aussi office de café Starbucks.

## Comment s'y rendre et circuler

L'aéroport régional est le **Friedman Memorial Airport** (www.flyfma.com) de Hailey, à 19 km au sud de Ketchum. **A-1 Taxi** (☎208-726-9351 ; www.a1sunvalley.com) assure la navette. **Sun Valley Express** (www.sunvalleyexpress.com) propose un service quotidien gratuit entre Sun Valley et l'aéroport de Boise dans les deux sens (65 $ l'aller).

# Stanley

Avec ses routes de graviers, ses chalets de bois et ses volets rouillés, Stanley (100 habitants) pourrait être le plus pittoresque des villages américains. Entouré de zones protégées et de forêts nationales, il est niché dans le coude de la Salmon River, à des kilomètres de tout, avec les Sawtooth Mountains en toile de fond.

C'est le genre d'endroit où, au cœur de l'été, le crépuscule s'éternise au-delà de 22h et où l'on est bercé par le murmure de la rivière.

## Activités

**Middle Fork of the Salmon** RAFTING

Stanley est le point d'embarquement pour le rafting sur la légendaire Middle Fork of the Salmon. Surnommée "la dernière rivière sauvage", elle fait partie du système hydrologique sans barrage le plus long hors Alaska. Il vous faudra 6 jours pour descendre les 170 km et 300 rapides (difficulté de classes 1 à 4) de la zone protégée Frank Church/River of No Return, à des kilomètres de toute forme de civilisation.

**Main Fork of the Salmon** RAFTING

(👪). Pour une aventure en eaux vives plus abordable que la Middle Fork, bien qu'un peu moins impressionnante, organisez vous-même votre balade sur la Main Fork of the Salmon en rafting ou kayak gonflable. À partir de Stanley, il y a 13 km d'eaux tranquilles offrant un panorama sur les Sawtooth Mountains que l'on n'a pas depuis la route. Apportez de quoi pêcher.

**Pêche à la mouche** PÊCHE

(⏲mars-nov). De mars à novembre, la Salmon River et les lacs des montagnes environnantes sont un vrai paradis pour les pêcheurs de truites, avec une période privilégiée de juin à début octobre pour la pêche à la mouche sèche. On ne compte pas moins de huit espèces locales de truites, dont la mythique truite arc-en-ciel, qui peut mesurer jusqu'à 1 m de long. Ces poissons quittent le Pacifique à la fin de l'hiver pour remonter vers l'est sur environ 1 500 km et arriver vers Stanley en mars ou avril.

## Circuits organisés

**White Otter** RAFTING

(☎208-788-5005 ; www.whiteotter.com ; 100 Yankee Fork Road et Hwy 75, Sunbeam, ID ; demi-journée

À NE PAS MANQUER

### ROUTES PANORAMIQUES : LE MEILLEUR DE L'IDAHO

Adieu les centres commerciaux, vous voici en pleine nature, au centre de l'Idaho. Les routes partant de Stanley, avant-poste isolé, sont toutes trois des "National Scenic Byways" (routes secondaires panoramiques nationales), un statut dont seules 125 routes peuvent se targuer aux États-Unis. On peut en déduire que 2,4 % des plus belles routes américaines passent par Stanley !

**Sawtooth Scenic Byway**

Le tronçon de la Hwy 75 qui rejoint Stanley au nord de Ketchum en suivant la Salmon River fait partie de la **Sawtooth Scenic Byway**. Cette route somptueuse se déroule sur près de 100 km et traverse une épaisse forêt de pins ponderosa – dont l'air vivifiant sent la pluie et les pignons – avant de grimper les 2 652 m du **Galena Summit**. Du sommet, on peut admirer les Sawtooth Mountains, découpées par les glaciers.

**Ponderosa Pine Scenic Byway**

La **Ponderosa Pine Scenic Byway** (Hwy 21), entre Stanley et Boise, est si belle que vous aurez du mal à atteindre votre destination tant vous serez tenté de vous arrêter tous les 100 m. Après Stanley, les pins deviennent de plus en plus denses jusqu'à vous envelopper de leur présence et de leur odeur. Le paysage est différent du reste de la région et rappelle le Nord-Ouest pacifique. Les nuages qui filent apportent de fréquentes averses et la route peut sembler dangereuse. Les montagnes percent l'épais manteau de brouillard et, même fin mai, les champs de neige viennent lécher l'asphalte. Le **Kikham Creek Hot Springs** (parking 6 $ ; ⏲18h-22h), camping rudimentaire à 10 km à l'est de Lowman, dans lequel vous dormirez à proximité des sources chaudes, et **Idaho Falls**, ancienne ville restaurée datant de la ruée vers l'or, valent le détour.

**Salmon River Scenic Byway**

Au nord-est de Stanley, cette route panoramique composée de la Hwy 75 et de l'US 93 suit la Salmon River sur 260 km, jusqu'au **Lost Trail Pass** à la frontière avec le Montana. C'est à cet endroit que Lewis et Clark traversèrent pour la première fois la ligne de partage des eaux, en 1805. Les paysages environnants ont peu changé depuis.

adulte/enfant 75/55 $). Seule agence de rafting à être gérée localement, White Otter est recommandée pour ses excursions d'une journée de catégorie 3. Elle organise aussi des excursions en kayak gonflable.

**Solitude River Trips** RAFTING
(☎800-396-1776 ; www.rivertrips.com ; circuit 6 jours 2 185 $ ; ⊙juin-août). Offre d'excellentes excursions de plusieurs jours sur la célèbre Middle Fork of the Salmon. Camping en bord de fleuve et guides cuisinant très bien.

**Silver Creek Outfitters** PÊCHE
(☎207-622-5282 ; www.silver-creek.com ; 1 Sun Valley Rd). Silver Creek, à l'extérieur de Sun Valley, organise des excursions sur mesure vers des coins de rivière accessibles seulement en bateau dérivant ou en bouée.

## Où se loger et se restaurer

Il y a une demi-douzaine d'hôtels à Stanley, tous dans le style maison traditionnelle en rondins. Pendant la brève saison d'été, on trouve aussi deux ou trois restaurants ouverts.

**Sawtooth Hotel** HÔTEL $
(☎208-721-2459 ; www.sawtoothhotel.com ; 755 Ace of Diamonds St ; d avec/sans sdb 100/70 $ ; ). Installé dans un motel aux forts accents nostalgiques, construit en rondins en 1931, le Sawtooth renouvelle le confort d'antan tout en conservant la chaleureuse hospitalité propre à Stanley. Ses 6 chambres, dont 2 disposent d'une sdb privative, sont meublées à l'ancienne. La 9 est notre préférée. Ici, vous n'aurez ni télévision ni téléphone dans la chambre, mais attendez-vous à un délicieux dîner maison.

♥ **Stanley Baking Co** BOULANGERIE, PETIT-DÉJEUNER $
(www.stanleybakingco.com ; 250 Wall St ; petit-déj et déj 3-10 $ ; ⊙7h-14h mai-oct). Installée au milieu de nulle part dans un petit chalet en rondins, cette boulangerie ouverte 5 mois de l'année est le seul endroit de la ville où vous verrez une file d'attente. La raison ? Ses délicieux produits maison et ses galettes d'avoine.

# Idaho Panhandle

Les frontières sont arbitraires dans le nord de l'Idaho, avec cette longue et fine langue de terre qui frôle le Canada. La région n'aurait jamais dû appartenir à l'Idaho : c'est à la suite d'une querelle territoriale avec le Montana, dans les années 1880, qu'il a fini par réclamer le Panhandle. D'ailleurs, tant par son aspect que par son attitude, cette région est plus proche du Nord-Ouest pacifique que des Rocheuses. Fait révélateur, Spokane, à quelques kilomètres à l'ouest, dans l'État du Washington, fait office de centre urbain et une grande partie du Panhandle est réglée sur l'heure du Pacifique.

Près de la frontière avec l'État du Washington, **Cœur d'Alene** (44 000 habitants), la plus grande ville du Panhandle, est une extension de la zone urbaine de Spokane. Elle est pourvue d'une promenade en planches un peu ringarde au bord du lac et de l'un de ces complexes spa/terrain de golf que l'on voit partout aux États-Unis. Le lac est idéal pour les activités telles que le ski nautique. Le **Cœur d'Alene Visitors Bureau** (☎877-782-9232 ; www.coeurdalene.org ; 105 N 1st ; ⊙10h-17h mar-sam) est un bon point de départ pour en savoir plus sur la région. Si vous souhaitez passer la nuit sur place, vous pourrez vous rabattre sur le **Flamingo Motel** (☎208-664-2159 ; www.flamingomotelidaho.com ; 718 Sherman Ave ; d/ste 100/170 $ ; ), charmant motel rétro des années 1950 avec ses portes roses et ses chambres à thèmes. Le meilleur café de la ville se boit au **Java on Sherman** (324 Sherman, Cœur d'Alene ; plats 4-9 $ ; ⊙6h-19h), qui propose également de bons petits-déjeuners et sandwichs.

**Sandpoint**, sur le lac Pend Oreille, est la plus jolie des villes du Panhandle. Située dans un magnifique site protégé entouré de montagnes, elle est aussi la seule à être desservie par les trains Amtrak. La gare est un agréable édifice historique de 1916. L'Empire Builder, qui relie quotidiennement Seattle/Portland et Chicago, s'y arrête.

Vous pouvez naviguer sur le plus grand lac de l'Idaho à partir de la **Pend Oreille Scenic Byway** (US 200), qui contourne la rive nord. À 18 km au nord-ouest de la ville se trouve le très prisé **Schweitzer Mountain Resort** (www.schweitzer.com ; forfait ski adulte/enfant 68/50 $), connu pour ses pistes boisées.

La meilleure offre d'hébergement à des kilomètres à la ronde est le **Country Inn** (☎208-263-3333 ; www.countryinnsandpoint.com ; 470700 Hwy 95 ; s/d 64/80 $ ; ), à la fois propre, accueillant et familial, à 5 km au sud de Sandpoint.

# Sud-Ouest

Dans ce chapitre ➡



## Le top des restaurants

- Elote Cafe (p. 363)
- Hell's Backbone (p. 399)
- Love Apple (p. 420)
- Cafe Roka (p. 381)
- Raku (p. 337)

## Le top des hébergements

- Ellis Store Country Inn (p. 427)
- El Tovar Hotel (p. 368)
- Motor Lodge (p. 364)
- St Regis Deer Valley (p. 390)
- Vdara (p. 335)

## Pourquoi y aller

Le Sud-Ouest incarne la beauté sauvage de l'Amérique. La vie s'y déroule dans un cadre éblouissant composé de roches rouges, de pitons dressés, de lacs miroitants et de déserts semés de cactus Saguaro. L'histoire de cette terre de pionniers et de prospecteurs se lit au fil du voyage, des curieux pétroglyphes et habitats troglodytiques abandonnés aux missions délabrées et anciennes cités minières. Les astronomes continuent de l'écrire en scrutant les étoiles, tandis qu'artistes et entrepreneurs apportent une nouvelle dynamique en s'installant nombreux à la ville comme à la montagne.

Le splendide réseau de routes panoramiques reliant les sites les plus beaux et les plus emblématiques ravira les voyageurs. Mais, si ce décor à couper le souffle forge des souvenirs impérissables, l'authenticité du voyage tient aussi aux rapports tissés avec ce monde, en discutant avec un artiste hopi, en se délectant d'un ragoût de piments verts… En conservant précisément le goût de l'aventure !

## Quand partir

### Las Vegas

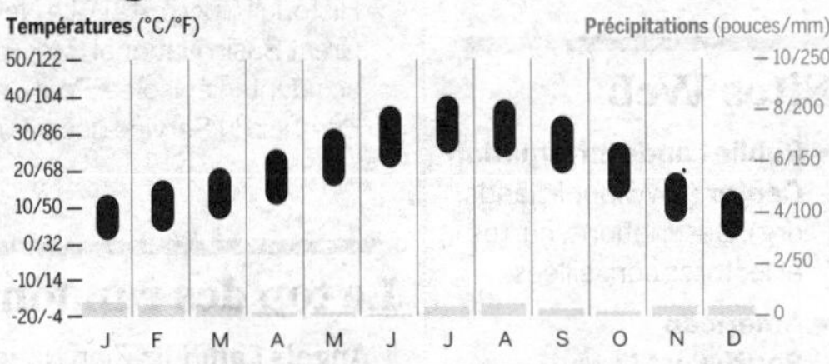


**Jan** Ski dans les environs de Taos et de Flagstaff. À Park City, courez au Sundance Film Festival.

**Juin-août** Idéal pour les parcs nationaux du Nouveau-Mexique, de l'Utah et du nord de l'Arizona.

**Sept-nov** Le Grand Canyon, les couleurs de l'été indien dans le nord du Nouveau-Mexique.

**À NE PAS MANQUER**

Une randonnée dans le désert. Au choix : Sonora, Chihuahua, Grand Bassin.

## En bref

- **Grandes villes** Las Vegas (596 400 hab.), Phoenix (1,4 million d'hab.), Salt Lake City (189 314 hab.)
- **De Las Vegas au South Rim du Grand Canyon National Park** 450 km
- **De Los Angeles à Albuquerque** 1 080 km
- **Fuseaux horaires** Nevada (Pacifique), Arizona (Rocheuses, n'applique pas l'heure d'été), Utah (Rocheuses), Nouveau-Mexique (Rocheuses)

## Le saviez-vous ?

Les crues subites sont fréquentes entre mi-juillet et début septembre. Évitez de camper sur des pentes sableuses et au fond des canyons, ne vous aventurez pas en voiture sur les routes inondées et, si vous randonnez, gagnez rapidement une hauteur.

## Sites Web

- **Public Lands Information Center** (www.publiclands.org). Descriptions, cartes et lectures conseillées.
- **American Southwest** (www.americansouthwest.net). Parcs et sites naturels.
- **Recreation.gov** (www.recreation.gov). Réservations de camping et activités de plein air.



## Comment s'y rendre et circuler

McCarran (Las Vegas) et Sky Harbor (Phoenix) sont les aéroports les plus fréquentés de la région. Viennent ensuite ceux de Salt Lake City, Albuquerque et Tucson. Les bus Greyhound s'arrêtent dans les principales localités mais ne desservent pas tous les parcs nationaux ou les villes touristiques isolées comme Moab. Dans les villes importantes, les gares routières sont souvent situées dans des quartiers peu sûrs. Être motorisé est souvent la seule solution pour rallier les villes isolées et les sites de randonnée et de baignade. Le réseau de trains Amtrak est restreint mais permet de rallier nombre des plus grandes villes et assure des correspondances en bus quand ce n'est pas le cas (pour Santa Fe et Phoenix notamment). Le *California Zephyr* traverse l'Utah et le Nevada ; le *Southwest Chief* dessert l'Arizona et le Nouveau-Mexique ; le *Sunset Limited* sillonne le sud de l'Arizona et le Nouveau-Mexique.

**PARCS NATIONAUX ET D'ÉTAT**

Avec pas moins de 50 parcs et monuments nationaux et plusieurs parcs régionaux époustouflants, le Sud-Ouest est une manne naturelle et culturelle. Le Grand Canyon National Park (Arizona, p. 364) est le plus connu. Mais il y a aussi le Monument Valley Navajo Tribal Park (p. 373), bassin désertique peuplé de monolithes et de monticules de grès ; le Canyon de Chelly National Monument (p. 373) et ses habitations anciennes dans les falaises ; le Petrified Forest National Park (p. 374), qui marie couleurs du Painted Desert et troncs d'arbre fossilisés ; et le Saguaro National Park (p. 375), son désert immaculé et ses cactus géants. Le Canyon Country et ses rochers rouges, dans le sud de l'Utah, sont couverts par 5 parcs nationaux : Arches (p. 395), Canyonlands (p. 396), Zion (p. 397), Bryce Canyon (p. 399) et Capitol Reef (p. 397), ce dernier offrant des paysages de solitude infinie. Grand Staircase-Escalante National Monument (p. 398) est une région désertique à la beauté sauvage d'exception. Le Nouveau-Mexique peut s'enorgueillir du Carlsbad Caverns National Park (p. 427) et du mystérieux Chaco Culture National Historic Park (p. 421). Le Nevada, quant à lui, abrite le Great Basin National Park (p. 347), région montagneuse accidentée et isolée. Pour en savoir plus, consultez le site Internet du Service des parcs nationaux : www.nps.gov.

## Le top des randonnées à la journée

- **Angels Landing**. Zion National Park, Utah.
- **Winsor Trail**. Santa Fe, Nouveau-Mexique.
- **Navajo Loop**. Bryce Canyon National Park, Utah.
- **South Kaibab Trail jusqu'à Cedar Ridge** (p. 367). South Rim, Grand Canyon, Arizona.
- **Cape Final**. North Rim, Grand Canyon, Arizona.

## Histoire

Au Ier siècle de notre ère, trois cultures se partagaient le Sud-Ouest : les Hohokam, les Mogollon et les ancêtres des Pueblos (ou Anasazi).

Les Hohokam ont occupé les déserts de l'Arizona de 300 av. J.-C. à 1450, où ils créèrent un incroyable réseau de canaux d'irrigation, construisirent des pyramides de terre et fabriquèrent des poteries remarquables. Les archéologues subodorent qu'un cataclysme survenu au milieu du XVe siècle causa le déclin tragique de la population Hohokam, notamment dans les villages les plus importants. Bien que le doute subsiste sur la nature du cataclysme et le destin des survivants, la tradition orale des tribus locales laisse entendre que certains Hohokam sont restés dans la région, où vivent aujourd'hui leurs descendants. De 200 av. J.-C. à 1450, les Mogollon peuplent les montagnes et les vallées centrales du Sud-Ouest, et on leur doit ce que l'on a appelé les Gila Cliff Dwellings.

Les ancêtres des Pueblos ont laissé en héritage plusieurs sites archéologiques comparables à celui présent dans le Chaco Culture National Historic Park. On trouve aujourd'hui leurs descendants parmi les Pueblos de tout le Nouveau-Mexique, et également parmi les Hopi, dont le village d'Old Oraibi serait le plus ancien site habité sans interruption en Amérique du Nord.

En 1540, une expédition menée par Francisco Vásquez de Coronado quittait Mexico pour le Sud-Ouest, en quête d'un eldorado. En lieu et place, ils trouvèrent des Amérindiens, qu'ils tuèrent ou déportèrent pour la plupart. Plus d'un demi-siècle plus tard, Juan de Oñate fonda la première capitale du Nouveau-Mexique à San Gabriel. Ses tentatives de contrôler les Pueblos dégénérèrent en bain de sang, et il disparut du paysage en 1608. Quelque deux ans après, Santa Fe devenait la nouvelle capitale.

Au cours du XIXe siècle, le chemin de fer et les prospections géologiques, entre autres, apportèrent un développement considérable. La conquête de l'Ouest conduisit l'armée à éradiquer des tribus entières d'Indiens en les déportant, dans le cadre sanglant des guerres indiennes. Chercheurs d'or et d'argent affluant, les villes minières sans foi ni loi se multiplièrent. Profitant de cette expansion, la compagnie ferroviaire Santa Fe Railroad achemina des milliers de touristes fascinés par l'Ouest.

La colonisation nécessitait une gestion contrôlée de l'eau. Le Reclamation Act de 1902 allait permettre la construction d'énormes barrages financés par l'État fédéral pour domestiquer les cours d'eau, irriguer le désert et encourager le développement. Les débats houleux et les désaccords sur les droits liés à l'eau restent d'actualité, en raison notamment de l'essor extraordinaire des zones résidentielles. L'immigration clandestine et la solvabilité financière constituent deux autres enjeux actuels.

## Culture locale

Le Sud-Ouest, région multiculturelle et polyglotte s'il en est, abrite un formidable brassage de populations d'origine amérindienne, hispanique et anglo-américaine. Ces groupes ethniques ont tous trois influencé la cuisine, l'architecture et les arts locaux. Les réserves indiennes offrent de leur côté l'occasion exceptionnelle d'en savoir plus sur la culture et l'histoire amérindiennes. Les arts visuels ne sont pas en reste, entre les communautés artistiques qui parsèment le Nouveau-Mexique et les œuvres kitsch visibles en bordure de route aux abords des petites villes.

# NEVADA

Le Nevada a un côté exubérant et enivrant. Entre insouciance et délire, d'éblouissantes reproductions de la tour Eiffel, de la statue de la Liberté et d'une pyramide égyptienne émergent ici en plein désert. Là une assemblée de cow-boys venus réciter des poèmes. Là-bas une ville éphémère construite par des artistes sur une plage battue par le vent. Là encore une base aérienne réveillant des histoires d'extraterrestres. Et voilà un drôle d'arbre solitaire, gigantesque porte-manteau pour baskets, suspendues à ses branches par des voyageurs facétieux.

Sur la carte, ce n'est rien qu'une vaste étendue quasi désertique, ponctuée d'anciennes villes minières où les leviers des machines à sous ont remplacé les pioches. La pépite, c'est Las Vegas, lieu extravagant où l'on attrape toujours la fièvre de l'or. À l'ouest, les agences touristiques s'approprient de nouveaux trésors : les magnifiques paysages et les loisirs de plein air qu'offrent les montagnes de la Sierra Nevada.

## À ne pas manquer

1 Une balade sur le Rim Trail au **Grand Canyon National Park** (p. 364).

2 Un moment à la John Wayne à **Monument Valley** (p. 397), dans le nord-est de l'Arizona.

3 Une leçon pour dégainer vite dans la poussière de **Tombstone** (p. 380).

4 Les galeries et joailleries des rues chics de **Santa Fe** (p. 409).

5 La descente en "soucoupe" des dunes au **White Sands National Monument** (p. 425).

6 Le paradis des stalactites du **Carlsbad Caverns National Park** (p. 427).

7 Une tranche de grande vie sur le Strip de **Las Vegas** (p. 332).

8 La traversée des flamboyantes formations de grès rouge du **Valley of Fire State Park** (p. 342).

9 Les incroyables pistes de ski et l'élégante vie nocturne de **Park City** (p. 388).

10 La majesté du canyon du **Zion National Park** (p. 400) vu du vertigineux Angels Landing Trail.

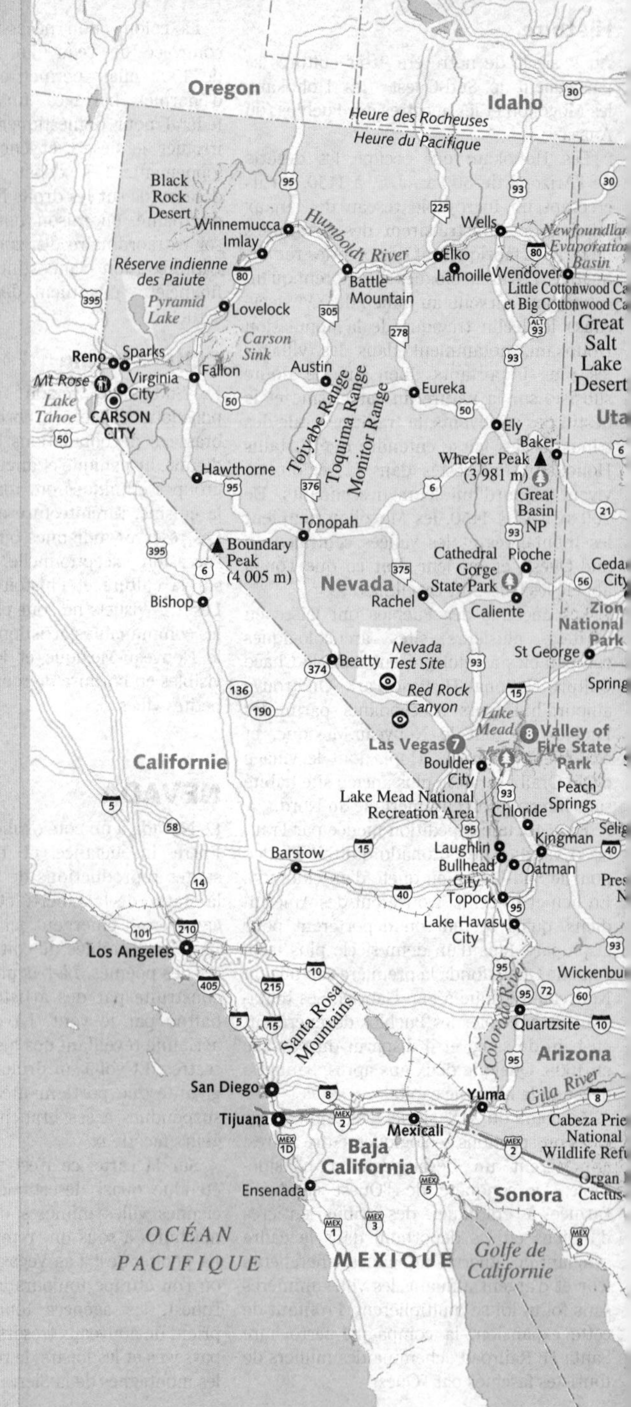

250 km
150 miles
Wyoming
Nebraska
Flaming Gorge National Recreation Area
Flaming Gorge Reservoir
CHEYENNE
Brigham City
Ogden
LAKE CITY
Wasatch-Cache NF
Manila
Dutch John
Park City
Kamas
Heber City
Roosevelt
Vernal
Dinosaur NM
Fort Collins
Boulder
DENVER
Utah Lake
Provo
Green River
Uinta NF
Price
Glen Canyon National Recreation Area
Grand Junction
Colorado
Manti-La Sal NF
Green River
Arches National Park
Dead Horse Point SP
Colorado Springs
Capitol Reef NP
Moab
Manti-La Sal NF
Canyonlands NP
Torrey
Boulder
Monticello
Granada
Escalante
Blanding
Hovenweep NM
Kodachrome Basin SP
Natural Bridges NM
Lake Powell
Colorado River
Mesa Verde NP
Capulin Volcano NM
Grand Staircase-Escalante NM
Bluff
Mexican Hat
Four Corners Navajo Tribal Park
Raton
Page
Lees Ferry
Monument Valley Navajo Tribal Park
Shiprock
Chama
Wheeler Peak (4 011 m)
Kayenta
Farmington
Bloomfield
Taos Box
Taos
Cimarron
Clayton
Oklahoma
Hopi Reservation
Chinle
Canyon de Chelly NM
Ojo Caliente
Santa Fe NF
Abiquiu
Española
Springer
Third Mesa
Chaco Culture NHP
Cuba
Los Alamos
Bandelier NM
Sapello
Oraibi
Second Mesa
First Mesa
Window Rock
Santa Fe NF
Heure des Rocheuses
Heure du Centre
Kaibab NF
Old Oraibi
Petrified Forest NP
Gallup
San Ysidro
Santa Fe
Tucumcari
Flagstaff
Winslow
Grants
Albuquerque
Sedona
Holbrook
Zuni Pueblo
Acoma Pueblo
Cibola NF
Santa Rosa
Coconino NF
El Morro NM
El Malpais NM
Fort Sumner
Clovis
Strawberry
Nouveau-Mexique
Payson
Cibola NF
Magdalena
Cibola NF
Lincoln NF
Prescott NF
Springerville
Socorro
San Antonio
Texas
Roosevelt Dam
Gila Cliff Dwellings National Monument
Cibola NF
Capitan
Scottsdale
Mogollon Mountains
Bosque del Apache National Wildlife Refuge
Lincoln
Roswell
Mesa
Globe
Gila NF
Ruidoso
Truth or Consequences
Cloudcroft
Lovington
Safford
Alamogordo
Hatch
White Sands National Monument
Hobbs
Biosphere 2
Silver City
City of Rocks SP
Las Cruces
Carlsbad
Lordsburg
Lincoln NF
Saguaro NP
Tucson
Willcox
Deming
Mesilla
Carlsbad Caverns National Park
Sells
Benson
Chiricahua NM
Guadalupe Mountains NP
Coronado NF
Coronado NF
El Paso
Tombstone
Tubac
Chihuahua
Nogales
Bisbee
Kartchner Caverns SP
Douglas
MEXIQUE

## LE SUD-OUEST EN...

### Une semaine

Ses musées et sa scène artistique florissante font de **Phoenix** un tremplin idéal pour commencer vos explorations. Le matin, descendez Camelback Rd jusqu'à **Scottsdale** pour un shopping de premier plan, puis écumez les galeries de la vieille ville. Ensuite, cap au nord vers **Sedona** pour une séance de méditation avant de vous extasier devant l'immensité du **Grand Canyon**. Là, deux options s'offrent à vous : l'artificiel ou le naturel. Vous êtes en quête d'artificiel ? Prenez la **Route 66**, traversez le pont du **barrage Hoover** et partez faire la fête à **Las Vegas**. Envie de nature ? Cap à l'est depuis le Grand Canyon dans le pays navajo, pour admirer les gigantesques formations rocheuses du **Monument Valley Navajo Tribal Park** avant de remonter le temps dans l'époustouflant **Canyon de Chelly National Monument**.

### Deux semaines

Commencez par la flamboyante **Las Vegas** avant de partir pour la ville branchée de **Flagstaff** puis de scruter les profondeurs du **Grand Canyon National Park**. Visitez la ville universitaire de **Tucson** ou batifolez au milieu des cactus du **Saguaro National Park**. Admirez la dextérité des pistoleros de **Tombstone** avant de vous reposer au cœur de la très victorienne **Bisbee**.

Côté Nouveau-Mexique, ajustez vos lunettes de soleil pour parcourir les dunes aveuglantes du **White Sands National Monument** puis plongez dans **Santa Fe**, irrésistible pour tout amateur d'art. Explorez un village pueblo à **Taos** et contemplez le lever du soleil dans le fabuleux **Monument Valley Navajo Tribal Park**. Découvrez les parcs nationaux aux roches rouges de l'Utah, **Canyonlands** et **Arches**. Admirez les cheminées de fées à **Bryce Canyon** avant de rendre hommage à **Zion**.



Premier État à avoir légalisé les jeux d'argent, le Nevada résonne quasiment partout du tintement de ses machines à sous : stations-service, supermarchés, halls d'hôtel... La loi n'impose aucun horaire officiel de fermeture aux bars. Et à la campagne, maisons closes légales et casinos de fortune côtoient sans souci la culture mormone et cow-boy.

Un conseil : ne pas se poser de question et adopter la joie de vivre et le goût du risque propres à l'État.

## Renseignements

La prostitution est illégale dans les comtés de Clark (qui comprend Las Vegas) et de Washoe (qui comprend Reno), mais nombre de comtés plus petits autorisent les maisons closes.

Le Nevada est à l'heure d'hiver du Pacifique et possède 2 indicatifs : le ☎702 pour Las Vegas et ses environs, le ☎775 pour le reste de l'État.

**Nevada Commission on Tourism** (☎800-638-2328 ; www.travelnevada.com). Envoi gratuit de brochures, cartes et renseignements sur l'hébergement, le camping et les événements culturels.

**Nevada Department of Transportation** (☎511 localement, sinon 877-687-6237 ; www.nvroads.com). État des routes et conditions de circulation en temps réel.

**Nevada Division of State Parks** (☎775-684-2770 ; www.parks.nv.gov ; 901 S Stewart St, 5e ét, Carson City ; ⌚ 8h-17h lun-ven). Dans les parcs d'État, le camping (10 à 15 $/nuit) obéit à la règle du premier arrivé, premier servi. Ce bureau fournit cartes et brochures.

# Las Vegas

Ah !... Vegas. Une ville éblouissante où l'on peut boire du champagne dans un lustre de trois étages. Où l'on peut parcourir le monde en un jour, glisser sur les canaux de Venise, grimper à la tour Eiffel et traverser le pont de Brooklyn. Sur ce lopin de désert devenu l'un des lieux les plus fastueux de la planète, rien n'est fait à moitié, surtout pas les illusions.

Ville aux multiples personnalités, Las Vegas se réinvente en permanence depuis l'époque du Rat Pack. Pour attirer l'attention, et bien sûr l'argent, l'ancien fait sans cesse place au nouveau. Des enseignes jadis célèbres prennent désormais la poussière dans un cimetière de néons tandis que le bruit des constructions résonne sur le Strip. L'horizon évolue constamment. Mais dans les casinos, tout est différent. Le temps y est arrêté. Aucune horloge, seulement de l'air frais, de gigantesques buffets et des boissons à toute heure.

À "Sin City" (la ville du péché), rien n'est hors d'atteinte. On rencontre aussi bien des gros bonnets d'Hollywood dans les clubs ultra-sélects que des étudiants en quête de plaisirs faciles ou des seniors abusant des machines à sous. À toute heure du jour ou de la nuit, on peut siroter un martini, apprécier les meilleurs plats du monde, comme déambuler dans un casino un cocktail démesuré à la main.

## Histoire

Contrairement à la légende populaire, il y avait aux croisements poussiéreux bien plus qu'une maison de jeu et des amarantes le jour où, sous un soleil de plomb, le mafieux Ben "Bugsy" Siegel fit ériger un somptueux casino au thème tropical, le Flamingo.

Propulsée dans l'ère moderne par la réalisation en 1902 d'un chemin de fer reliant Salt Lake City à Los Angeles, Las Vegas prospéra dans les années 1920 grâce aux constructions financées par l'État. La légalisation des jeux d'argent en 1931 lui permit de traverser la Grande Dépression. La Seconde Guerre mondiale marqua l'installation d'une importante base aérienne, l'arrivée de capitaux de l'industrie aérospatiale et celle d'une autoroute pour Los Angeles. Peu après, la Guerre froide justifia l'existence du site d'essais nucléaire du Nevada. Preuve que "toute forme de publicité est bonne à prendre", tous les mois, tandis que des explosions atomiques en surface faisaient exploser les vitres du casino au centre-ville, la mascotte officielle de la ville, Miss Mushroom Cloud (Miss Champignon atomique), promouvait le tourisme nucléaire.

La fièvre immobilière lancée par le Flamingo en 1946 poussa des magnats soutenus par la mafia à faire construire toujours plus fastueux. De grands artistes comme Frank Sinatra, Liberace et Sammy Davis Jr firent leurs débuts sur scène en même temps que les danseuses aux seins nus.

L'acquisition prestigieuse du Desert Inn en 1966 par l'excentrique milliardaire Howard Hughes apporta à l'industrie du jeu l'apparente légitimité tant attendue. Les débuts du MGM Grand en 1993 marquèrent l'avènement de l'ère des immenses complexes hôteliers.

Oasis dans le désert, Sin City existe principalement pour satisfaire les désirs des touristes. Avec 39,7 millions de visiteurs annuels, Las Vegas était jusque récemment le moteur de l'agglomération d'Amérique du Nord à l'expansion la plus rapide. La crise immobilière a porté un coup dur aux habitants, mais les constructions ont repris sur le Strip, et le Downtown Project redynamise le quartier de Fremont.

## À voir

D'une longueur de plus de 6 km, Las Vegas Blvd, alias le Strip, est le centre de gravité de la ville. Le Circus Circus Las Vegas occupe l'extrémité nord du Strip et

### LE NEVADA EN BREF

**Surnom** Silver State (l'État d'argent)

**Population** 2,76 millions d'habitants

**Superficie** 286 299 km²

**Capitale** Carson City (54 800 hab.)

**Autres villes** Las Vegas (596 400 hab.), Reno (227 000 hab.)

**TVA** 6,85%

**Lieu de naissance** de Patricia Nixon (1912-1993), épouse du Président Nixon, d'André Agassi (né en 1970) et du cycliste Greg LeMond (né en 1961)

**Patrie** de la machine à sous, du festival Burning Man

**Politique** Le Nevada compte 6 grands électeurs. Si l'État a choisi Obama lors des présidentielles de 2012, il est équitablement représenté à Washington. Harry Reid, chef de la majorité au Sénat (démocrate), est l'homme politique le plus connu du Nevada.

**Célèbre** pour le Comstock Lode de 1859 (le plus gros filon d'argent du pays), la prostitution et les paris légaux (à l'exception de certains comtés), la réglementation autorisant en outre certains bars à vendre de l'alcool 24h/24

**T-shirt vedette de Las Vegas** *I saw nothing at the Mob Museum* ("je n'ai rien vu au Mob Museum")

**Distances routières** Las Vegas-Reno 805 km, Great Basin National Park-Las Vegas 504 km

# Las Vegas

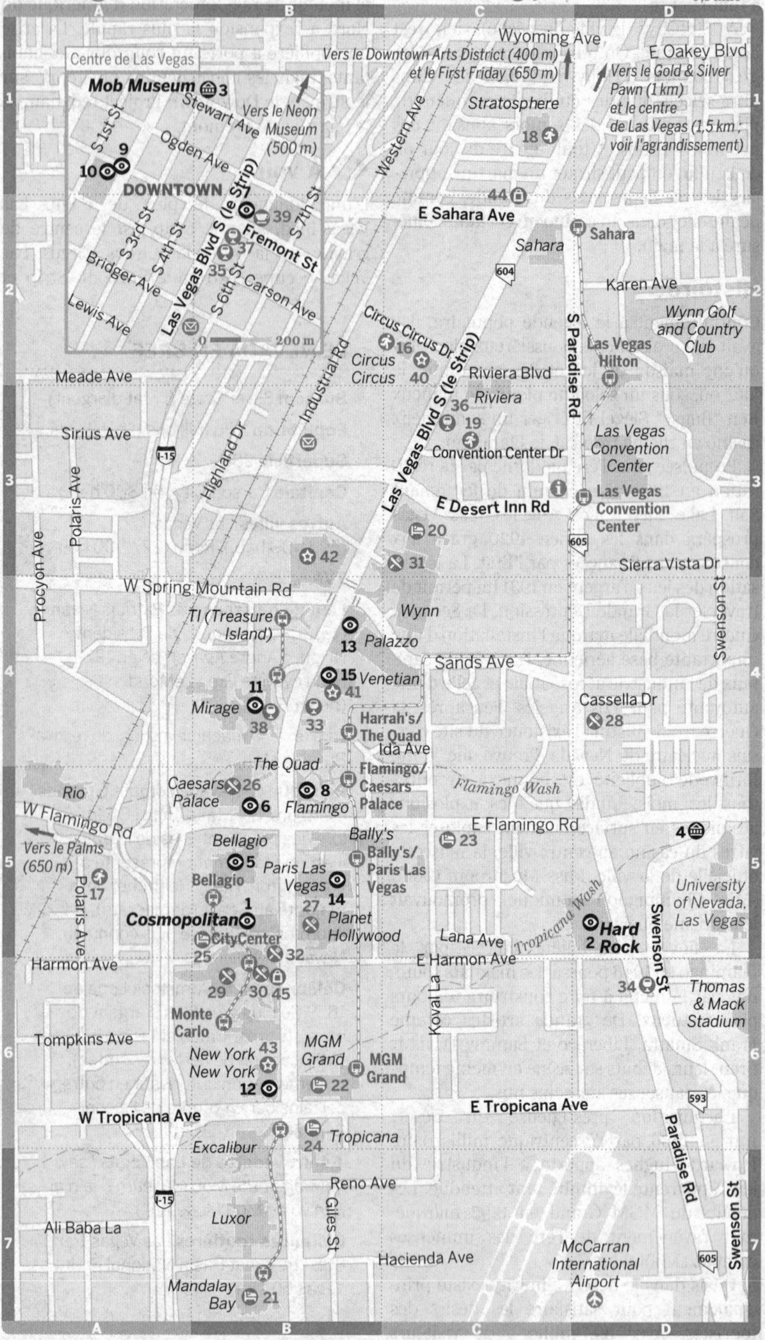

0 — 1 km
0 — 0,5 mile

Centre de Las Vegas

Mob Museum 3
Stewart Ave
Vers le Neon Museum (500 m)
S 1st St
Ogden Ave
9
10
DOWNTOWN
Las Vegas Blvd S (le Strip)
7
39
S 7th St
Fremont St
S 3rd St
S 4th St
37
35
Bridger Ave
S 6th St
Carson Ave
Lewis Ave
0 — 200 m

Vers le Downtown Arts District (400 m) et le First Friday (650 m)
Wyoming Ave
E Oakey Blvd
Vers le Gold & Silver Pawn (1 km) et le centre de Las Vegas (1,5 km ; voir l'agrandissement)
Stratosphere
18
44
Western Ave
E Sahara Ave
Sahara
Sahara
604
Karen Ave
S Paradise Rd
Wynn Golf and Country Club
Circus Circus Dr
16
Circus Circus
40
Las Vegas Hilton
Industrial Rd
Riviera Blvd
Riviera
36
19
Las Vegas Blvd S (le Strip)
Meade Ave
Sirius Ave
Highland Dr
Convention Center Dr
Las Vegas Convention Center
I-15
Polaris Ave
E Desert Inn Rd
Las Vegas Convention Center
Procyon Ave
20
42
31
605
Sierra Vista Dr
W Spring Mountain Rd
Wynn
Swenson St
TI (Treasure Island)
13
Palazzo
Sands Ave
15 Venetian
41
11
Mirage
38
33
Cassella Dr
28
Harrah's/ The Quad
Ida Ave
The Quad
Flamingo/ Caesars Palace
Caesars Palace 26
8
Flamingo Wash
Rio
6
Flamingo
W Flamingo Rd
E Flamingo Rd
Bally's
4
Vers le Palms (650 m)
Bellagio
23
5
Bally's/ Paris Las Vegas
17
Polaris Ave
Bellagio
Paris Las Vegas
14
University of Nevada, Las Vegas
1
Cosmopolitan
27
Planet Hollywood
Tropicana Wash
Hard Rock 2
CityCenter 25
32
Lana Ave
Harmon Ave
E Harmon Ave
Swenson St
29
30
45
34
Thomas & Mack Stadium
Monte Carlo
Koval La
Tompkins Ave
MGM Grand
New York New York 43
MGM Grand
12
22
593
W Tropicana Ave
E Tropicana Ave
Excalibur
Tropicana 24
Paradise Rd
Reno Ave
I-15
Luxor
Giles St
Swenson St
Ali Baba La
Hacienda Ave
McCarran International Airport
605
Mandalay Bay
21

SUD-OUEST LAS VEGAS

## Las Vegas

**Les incontournables**
1 Cosmopolitan ... B5
2 Hard Rock ... D5
3 Mob Museum ... B1

**À voir**
4 Atomic Testing Museum ... D5
5 Bellagio ... B5
Bellagio Conservatory & Botanical Gardens ... (voir 5)
Bellagio Gallery of Fine Art ... (voir 5)
6 Caesars Palace ... B5
7 Emergency Arts ... B2
8 Flamingo ... B5
9 Fremont Street Experience ... A1
10 Golden Nugget ... A1
11 Mirage ... B4
12 New York-New York ... B6
13 Palazzo ... B4
14 Paris-Las Vegas ... B5
15 Venetian ... B4
Wildlife Habitat ... (voir 8)

**Activités**
16 Adventuredome ... C2
17 Fast Lap ... A5
Qua Baths & Spa ... (voir 6)
18 Tour du Stratosphere ... C1
19 Vegas Indoor Skydiving ... C3

**Où se loger**
Caesars Palace ... (voir 6)
Cosmopolitan ... (voir 1)
20 Encore ... C3
Hard Rock ... (voir 2)
21 Mandalay Bay ... B7
22 MGM Grand ... B6
23 Platinum Hotel ... C5
24 Tropicana ... B6
25 Vdara ... B5

**Où se restaurer**
26 Bacchanal Buffet ... B5
DOCG Enoteca ... (voir 1)
27 Earl of Sandwich ... B5
28 Firefly ... D4
Gordon Ramsay Steak ... (voir 14)
Joël Robuchon ... (voir 22)
L'Atelier de Joël Robuchon ... (voir 22)
Pink Taco ... (voir 2)
29 Sage ... B6
Secret Pizza ... (voir 1)
30 Social House ... B6
31 Society Café ... C3
32 Todd English PUB ... B5
Wicked Spoon Buffet ... (voir 1)

**Où prendre un verre et faire la fête**
33 Carnaval Court ... B4
Chandelier Bar ... (voir 1)
34 Double Down Saloon ... D6
35 Downtown Cocktail Room ... B2
36 Fireside Lounge ... C3
37 Griffin ... B2
Mix ... (voir 21)
Parasol Up – Parasol Down ... (voir 31)
38 Rhumbar ... B4
39 The Beat Coffeehouse ... B2

**Où sortir**
40 Circus Circus ... C2
House of Blues ... (voir 21)
La Rêve ... (voir 31)
LOVE ... (voir 11)
Marquee ... (voir 1)
41 Tao ... B4
42 Ticketmaster ... B3
Tix 4 Tonight ... (voir 8)
XS ... (voir 20)
43 Zumanity ... B6

**Achats**
44 Bonanza Gift Shop ... C2
Fashion Show Mall ... (voir 42)
Forum Shops ... (voir 6)
Grand Canal Shoppes ... (voir 15)
Shoppes at the Palazzo ... (voir 13)
45 The Shops at Crystals ... B6

Mandalay Bay l'extrémité sud, près de l'aéroport. Que vous soyez à pied ou en voiture, les distances sont trompeuses sur le Strip : un casino semblant tout proche se révèlera plus loin que prévu.

Le centre historique de Las Vegas abrite les plus vieux casinos et hôtels. Attendez-vous à un voyage dans le temps, avec consommations meilleur marché et mises minimum moindres. L'artère principale, Fremont St, couvre 4 pâtés de maisons qui sont autant de casinos et de restaurants couverts d'une voûte étincelante offrant chaque soir un fabuleux spectacle de lumières.

Les principales zones touristiques sont sûres. Toutefois, le Las Vegas Blvd entre le centre et le Strip se fait miteux, et la portion est de Fremont St n'est pas vraiment engageante, même si l'ouverture de nouveaux bars et restaurants commence à changer la donne.

Récemment ouvert, le quartier de loisirs et shopping LINQ (qui aura coûté 550 millions de dollars), sur le Strip central, renouvelle l'offre. Sa High Roller de 167 m est présentée comme la grande roue la plus haute du monde. Les difficultés de financement rendent plus improbable l'ouverture prochaine de sa concurrente Skyvue, 152 m de haut, située à l'extrémité sud du Strip, face au Mandalay Bay.

Les ouvertures se succèdent dans le quartier de Fremont East, où le géant de l'habillement en ligne Zappos a transféré son siège social. Tony Hsieh, le PDG de Zappos, a injecté des centaines de millions de dollars dans des projets tournés vers la communauté, via son Downtown Project, pour revitaliser le quartier.

## Le Strip

**Cosmopolitan** CASINO
(www.cosmopolitanlasvegas.com ; 3708 Las Vegas Blvd S ; 24h/24). Son scintillant lustre de trois étages n'est pas qu'une œuvre d'art contemporain. On peut y entrer, y siroter un cocktail et observer les lieux depuis cet endroit digne d'un conte de fées. Les Cendrillon se glisseront, le temps d'une photo, dans l'un des deux escarpins géants dessinés par Roark Gourley pour le Cosmopolitan. Tout invite ici à s'amuser sans prétention, avec de permanents clins d'œil. Ainsi les *Art-o-Matics,* d'anciens distributeurs automatiques de cigarettes vantant l'art local plus que la nicotine, ou cette pizzeria "secrète".

**Hard Rock** CASINO
(www.hardrockhotel.com ; 4455 Paradise Rd ; 24h/24). Toujours pimpant, cet hôtel-casino s'est offert deux nouvelles tours à l'occasion de récents travaux (d'un montant de 750 millions de dollars). Très tendance, le Hard Rock attire toujours grâce aux concerts, à l'ambiance et à l'une des collections d'objets rock les plus impressionnantes au monde, dont le texte d'une des plus belles chansons des Doors écrit de la main de Jim Morrison, et des vestes en cuir ayant appartenu aux rocks stars les plus célèbres. La salle de concerts The Joint, la discothèque Vanity et les fêtes données en été autour de la piscine Rehab (Paradise Beach) attirent une foule pomponnée et sexy, grouillante de célébrités.

**Bellagio** CASINO
(www.bellagio.com ; 3600 Las Vegas Blvd S ; 24h/24). Le Bellagio éblouit par son architecture toscane, son lac artificiel de 3,5 ha, sans oublier sa féerie de jets d'eau dansants. Et que dire de son plafond dans l'entrée, agrémenté d'une sculpture rétroéclairée de l'artiste verrier Dale Chihuly, faite de 2 000 fleurs de verre soufflé à la bouche. La **Bellagio Gallery of Fine Art** (adulte/étudiant/enfant 16/11 $/gratuit ; 10h-20h) expose régulièrement des œuvres d'artistes de premier plan. Les **Bellagio Conservatory & Botanical Gardens** (24h/24) GRATUIT offrent leur cadre toute l'année à diverses expositions.

**Caesars Palace** CASINO
(www.caesarspalace.com ; 3570 Las Vegas Blvd S ; 24h/24). Oubliez César. C'est le roi Minos qui vient à l'esprit dans cet immense palace labyrinthique au style gréco-romain, où les plans sont rares (et n'indiquent pas la sortie). Des reproductions de statues classiques en marbre à l'imposant (4 tonnes) autel dédié à Brahma tout près de l'entrée, on reste fasciné au sens propre. Imposantes

### LAS VEGAS AVEC DES ENFANTS

"Ce qui se passe à Vegas reste à Vegas". L'emblématique slogan résume à lui seul ce qu'est Vegas : un divertissement pour adultes avant tout. Il va sans dire que la ville n'est pas une destination familiale idéale. Les moins de 21 ans n'ont pas légalement accès aux espaces de jeu, et s'ils peuvent traverser un casino pour accéder aux boutiques, aux restaurants et aux spectacles, cette autorisation est soumise à condition : celle d'être accompagné d'un adulte pour les plus jeunes, les règles variant pour les plus âgés. Certains casinos interdisent par ailleurs les poussettes.

Tout espoir n'est cependant pas perdu si vous êtes avec vos enfants. Le complexe hôtelier **Circus Circus** (www.circuscircus.com ; 2880 Las Vegas Blvd S ; 24h/24 ; ) saura les divertir, notamment avec son **Adventuredome** (www.adventuredome.com ; pass journalier plus/moins de 1,20 m 28/17 $, 5-8 $/manège ; horaires variables ; ), un parc à thème couvert de 2 ha, avec escalade, autos tamponneuses et El Loco, les nouvelles montagnes russes allant à 110 km/h. Le **Midway** (11h-minuit ; ) GRATUIT propose des spectacles d'animaux, d'acrobates et de magiciens sur une scène centrale.

Si vos bambins débordent d'énergie, emmenez-les faire du trampoline au **Skyzone** (www.skyzone.com/LasVegas ; 4915 Steptoe St ; 30 min/1 heure 9/12 $ ; 14h-20h lun-jeu, 14h-22h ven, 10h-21h sam, 11h-20h dim).

fontaines, serveuses vêtues de tuniques antiques et **Forum Shops** regorgeant de boutiques de haute couture complètent ce fastueux tableau. Et au bout du labyrinthe, le nouveau **Bacchanal Buffet** dont vous ne viendrez jamais à bout.

**Venetian** CASINO
(www.venetian.com ; 3355 Las Vegas Blvd S ; balade en gondole adulte/bateau 19/76 $ ; 24h/24). Fresques au plafond peintes à la main, mimes itinérants, promenades en gondole et reproductions grandeur nature de monuments phares de Venise composent le cadre romantique du Venetian. Son voisin, le **Palazzo** (www.palazzo.com ; 3325 Las Vegas Blvd S), reprend une thématique italienne avec faste, certes, mais moins de brio.

**Mirage** CASINO
(www.mirage.com ; 3400 Las Vegas Blvd S ; 24h/24). Sous la voûte ruisselante de feuillages et de cascades apaisantes de l'atrium, le cadre tropical assure un dépaysement total. Disposé en cercle tout autour, un immense casino de style polynésien, avec des espaces de jeu distincts et des toits séparés pour renforcer le sentiment d''intimité, dont la populaire salle de poker. À côté de l'accueil, le gigantesque aquarium d'eau salée (75 000 litres) abrite 60 espèces originaires du monde entier, des Fidji à la mer Rouge. Dans le lagon juste devant, un impressionnant volcan factice entre toutes les heures en éruption dès la nuit tombée et ce jusqu'à minuit.

**Paris Las Vegas** CASINO
(www.parislv.com ; 3655 Las Vegas Blvd S ; 24h/24). Reprenant l'esprit parisien, le site fait tout pour restaurer l'ambiance idéalisée de la Ville Lumière grâce aux reproductions fidèles de ses monuments : l'Opéra Garnier, l'Arc de Triomphe, les Champs-Élysées, la tour Eiffel, jusqu'à la Seine qui délimite le domaine.

**Flamingo** CASINO
(www.flamingolasvegas.com ; 3555 Las Vegas Blvd S ; 24h/24). Le Flamingo est indissociable de Las Vegas. Slalomez entre les machines à sous jusqu'au **Wildlife Habitat** (3555 S Las Vegas Blvd ; 8h-aube) GRATUIT pour admirer la colonie de flamants du Chili habitant ce vaste territoire de 6 ha.

**New York-New York** CASINO
(www.newyorknewyork.com ; 3790 Las Vegas Blvd S ; 24h/24). New York en miniature : modèles réduits de l'Empire State Building, de la statue de la Liberté, entourés d'une stèle rendant hommage aux victimes du 11-Septembre, sans oublier le pont de Brooklyn. Les incontournables montagnes russes (14 $) affichent ici un dénivelé de 43 m.

## Centre et alentours du Strip

**Mob Museum** MUSÉE
(702-229-2734 ; www.themobmuseum.org ; 300 Stewart Ave ; adulte/enfant 20/14 $ ; 10h-19h dim-jeu, 10h-20h ven-sam). Bugs, Lucky, Whitey... ils sont tous au nouveau musée de la mafia qui a investi un ancien bâtiment fédéral. Voici développé sur 3 étages toute l'histoire du crime organisé en Amérique et son lien avec Las Vegas. La muséographie est fascinante et fait parfois froid dans le dos ! Vous en saurez plus sur le blanchiment d'argent, entendrez une conversation sur écoute, obtiendrez votre photo d'identité judiciaire et retiendrez votre souffle devant le mur ensanglanté et criblé de balles qui se trouvait derrière les victimes du massacre de la Saint-Valentin en 1929.

Prévoyez plusieurs heures. Cette visite ne convient pas au jeune public.

**Neon Museum** MUSÉE
(702-387-6366 ; www.neonmuseum.org ; 770 Las Vegas Blvd N ; visite de jour adulte/enfant 18/12 $, visite nocturne 25/22 $ ; 9h-10h et 19h30-21h juin-août, accessible toute la journée à partir de 10h le reste de l'année). La visite de ce cimetière des néons constitue une amusante balade à travers le passé "électrisant" de Las Vegas. Les guides racontent les histoires d'anciens gros bonnets de la ville à mesure que l'on déambule devant les enseignes criardes qui surmontaient leurs casinos, du Binion's au Stardust. Le nouveau Visitor Center a pris place dans le hall du La Concha Motel, étonnante structure moderne sauvée de la démolition en 2005 et transférée ici. Toutes les visites sont guidées et affichent vite complet, réservez en ligne à l'avance. Au moment de notre passage, le musée proposait, à titre d'essai, des visites nocturnes parmi quelques enseignes allumées. L'été, aucune visite n'a lieu l'après-midi en raison de la chaleur. Appelez avant pour vérifier les horaires, qui changent suivant les saisons.

Le musée accorde aussi une place à l'art public, à travers une série de vieilles enseignes restaurées disséminées dans le centre-ville. Cette "galerie urbaine" s'apprécie mieux la nuit, lorsque les néons sont allumés. La plupart se trouvent sur Las Vegas Blvd, entre Fremont St et Washington Ave.

**Atomic Testing Museum** MUSÉE
(www.atomictestingmuseum.org ; 755 E Flamingo Rd ; adulte/enfant 14/11 $ ; ⏲10h-17h lun-sam, 12h-17h dim). Rappelant une époque où le terme "atomique" associait modernité et mystère, l'Atomic Testing Museum géré par le Smithsonian Institute demeure un curieux témoignage de la période où la puissance fantastique – et destructrice – de l'énergie nucléaire était expérimentée aux abords de Las Vegas. N'oubliez surtout pas de visiter l'assourdissant Ground Zero Theater, reproduction d'un bunker destiné aux essais nucléaires.

**Fremont Street Experience** PLACE
(www.vegasexperience.com ; Fremont St, entre Main St et Las Vegas Blvd ; ⏲toutes les heures 19h-minuit). Recouverte d'une voûte en acier et s'étendant sur 4 pâtés de maisons, ce lieu de toutes les sensations, dont les illuminations sont gérées par ordinateur, a ressuscité le centre-ville. Tous les soirs, le site devient un véritable spectacle son et lumière, qu'enveloppe un fond sonore multidirectionnel d'une puissance de 550 000 watts. Plusieurs scènes accueillent des groupes de musique et, au-dessus, des tyroliennes descendent du Slotzilla, une machine à sous de 12 étages qui devait ouvrir prochainement au moment de notre passage.

**Golden Nugget** CASINO
(www.goldennugget.com ; 129 E Fremont St ; ⏲24h/24). Depuis son ouverture en 1946, cet hôtel-casino est la référence du centre-ville en matière d'extravagance. Un impressionnant toboggan de trois étages traverse un bassin aux requins de plus de 700 000 litres. Cuivre et cristal foisonnent à l'intérieur de cet édifice huppé mais sympathique, célèbre pour sa salle de poker non-fumeurs, son salon RUSH, où viennent jouer des groupes locaux, son casino très animé. Ne manquez pas la "Hand of Faith", une énorme pépite d'or de 27 kilos, qui trône dans un coin du hall de l'hôtel.

**Downtown Arts District** ARTS
Le **First Friday** (www.firstfridaylasvegas.com ; ⏲5h-11h), premier vendredi de chaque mois, voit défiler 10 000 amateurs d'art, jeunes branchés, musiciens indépendants et autres qui investissent le quartier artistique du centre de Las Vegas, pour les vernissages des galeries, des performances artistiques, des concerts et des ateliers de tatouage. Tout ou presque se passe autour de S Casino Center Blvd, entre Colorado Ave et California Ave, au nord-ouest du Stratosphere. L'animation s'étend même jusqu'à Fremont East.

## SENSATIONS FORTES À LAS VEGAS

**Conduite**. Grimpez dans une voiture de course au **Richard Petty Driving Experience** (☎800-237-3889 ; www.drivepetty.com ; 6975 Speedway Blvd, Las Vegas Motor Speedway, près de l'I-15, sortie 54 ; passager/conducteur à partir de 99/449 $ ; ⏲horaires variables) ou foncez en kart au **Fast Lap** (☎702-736-8113 ; www.fastlaplv.com ; 4288 S Polaris ; 25 $/course ; ⏲10h-23h lun-sam, 10h-22h dim).

**Chute libre en soufflerie**. Pas le temps de sauter d'un avion ? Profitez des sensations sans l'altitude au **Vegas Indoor Skydiving** (☎702-731-4768 ; www.vegasindoorskydiving.com ; 200 Convention Center Dr ; vol unique 85 $ ; ⏲9h45-20h).

**Tir**. Vous rêvez de tirer à la mitraillette ou de sentir le poids d'un pistolet dans vos mains, rendez-vous au stand de tir du **Gun Store** (☎702-454-1110 ; www.thegunstorelasvegas.com ; 2900 E Tropicana Ave ; à partir de 99 $ ; ⏲9h-18h30 ; 🚌201) où vous pourrez vous entraîner sur des cibles électroniques.

**Stratosphere**. Au sommet de ce **casino** (☎702-380-7777 ; www.stratospherehotel.com ; Stratosphere, 2000 Las Vegas Blvd S ; ascenseur tarif plein/réduit 18/15 $, avec 3 manèges à sensations 33 $, pass journalier 34 $, chute libre à partir de 110 $ ; métro Sahara) de 110 étages, on peut monter dans les montagnes russes, chuter de 16 étages dans le Big Shot, tourner dans les airs, ou tomber de 33 m de haut.

**Tyrolienne**. Il existe au-dessus du Bootleg Canyon 4 tyroliennes installées par **Flightlinez** (☎702-293-6885 ; www.flightlinezbootleg.com ; 1152 Industrial Rd, Boulder City ; adulte/enfant 159/99 $ ; ⏲7h-17h). Sinon, lancez-vous au-dessus d'une foule de touristes depuis le Slotzilla de 12 étages, qui ouvrira dans Fremont St.

## Activités

Neon to Nature propose une liste des sentiers de randonnée pédestres et cyclistes sur le site www.gethealthyclarkcounty.org.

**Qua Baths & Spa** SPA
(866-782-0655; www.harrahs.com/qua-caesars-palace ; 3570 Las Vegas Blvd S, Caesars Palace ; 6h-20h). Échanges et détente sont encouragés dans le salon de thé, le sauna aux herbes et la salle de froid polaire, où tombent des flocons de neige carbonique.

**Desert Adventures** KAYAK, RANDONNÉE
(702-293-5026 ; www.kayaklasvegas.com ; 1647 Nevada Hwy, Suite A, Boulder City ; excursions à partir de 149 $). Avec le lac Mead et le barrage Hoover à une demi-heure, les amateurs d'activités aquatiques se rapprocheront de Desert Adventures pour jouer les trappeurs en kayak sur une demi-journée, une journée ou plus de découverte guidée. Randonnées à pied et à cheval également.

**Escape Adventures** VTT
(800-596-2953 ; www.escapeadventures.com ; 10575 Discovery Dr ; circuit à partir de 129 $ vélo inclus). La référence pour les circuits guidés dans le Red Rock Canyon State Park.

## Où se loger

Les prix fluctuent de façon spectaculaire. Certains hôtels affichent sur leur site Internet un calendrier des tarifs au jour le jour. La plupart des hôtels du Strip ajoutent désormais une taxe de séjour journalière que nous indiquons.

### Le Strip

**Vdara** HÔTEL $$
(702-590-2767 ; www.vdara.com ; 2600 W Harmon Ave ; ch 159-196 $ ; P). Proche de la station du monorail Bellagio, dans le nouveau complexe CityCenter, cet hôtel sans casino, composé uniquement de suites, allie raffinement et accueil chaleureux. Dotées de murs aux tons couleur terre, de mobilier chocolat et d'oreillers verts, les suites offrent un apaisant cadre "boisé", approprié pour un établissement LEED (certification écologique). Certaines chambres donnent sur les jets d'eau du Bellagio. Taxe de séjour : 28 $.

**Tropicana** HÔTEL-CASINO $$
(702-739-2222 ; www.troplv.com ; 3801 Las Vegas Blvd S ; ch à partir de 129 $, ste à partir de 229 $ ; P@). Cet établissement ancien, qui apporte une touche tropicale sur le Strip depuis 1953, revient sur le devant de la scène après une rénovation de plusieurs millions de dollars. Le cadre branché est toujours attrayant : déclinaison chromatique, luxuriants jardins relaxants, chambres aérées aux tons ocre et suites sur deux niveaux. Taxe de séjour : 20 $.

**MGM Grand** HÔTEL-CASINO $$
(702-891-7777, 800-929-1111 ; www.mgmgrand.com ; 3799 Las Vegas Blvd S ; ch à partir de 122 $, ste à partir de 150 $ ; P@). Cet hôtel de 5 000 chambres, tout de vert, compte parmi les plus grands du monde. La taille n'est pas forcément un gage de qualité mais les restaurants haut de gamme, le vaste complexe aquatique et la station de monorail sont toujours appréciables – encore faut-il obtenir une chambre. Les chambres standards sont banales, préférez l'aile ouest (West Wing), minimaliste et moderne. Plus d'espace, meilleurs draps et kitchenette dans les Signature Suites. Taxe de séjour : 28 $.

**Caesars Palace** HÔTEL-CASINO $$
(866-227-5938 ; www.caesarspalace.com ; 3570 Las Vegas Blvd S ; ch à partir de 197 $ ; P@). Les chambres standards figurent parmi les plus luxueuses de la ville. Taxe de séjour : 25 $.

**Cosmopolitan** HÔTEL-CASINO $$$
(702-698-7000 ; www.cosmopolitanlasvegas.com ; 3708 Las Vegas Blvd S ; ch/ste à partir de 320/470 $ ; P@). Les détails magiques et les surprises que réserve cet immense établissement branché attirent les clients. Le hall émerveille avec ses colonnes digitales formant un décor éclatant et les chambres arborent une décoration moderne. Mais le vrai plaisir consiste à pouvoir sortir de sa chambre à 1h du matin pour aller jouer au billard dans les étages supérieurs ou partir à la recherche de la pizzeria "secrète". Taxe de séjour : 25 $.

**Mandalay Bay** HÔTEL-CASINO $$$
(702-632-7777, 877-632-7800 ; www.mandalaybay.com ; 3950 Las Vegas Blvd S ; ch 141-291 $ ; P@). Des chambres élégamment décorées sur le thème des mers du Sud, équipées de baies vitrées et de sdb luxueuses. Les nageurs craqueront pour le complexe aquatique, doté d'une plage, avec sable et vagues. Taxe de séjour : 28 $.

**Encore** HÔTEL-CASINO $$$
(702-770-8000 ; www.encorelasvegas.com ; 3121 Las Vegas Blvd S ; ch/ste à partir de 303/449 $ ;

). Élégance et jovialité plutôt qu'opulence et grande pompe règnent ici. Même les acclamations autour de la roulette restent contenues. Les chambres sont un modèle de luxe discret. Taxe de séjour : 28 $.

## Centre et alentours du Strip

Les hôtels du centre-ville sont généralement moins chers que ceux du Strip.

**Main Street Station** HÔTEL-CASINO $

(800-713-8933, 702-387-1896 ; www.mainstreetcasino.com ; 200 N Main St ; ch à partir de 50 $ ; ). L'un des meilleurs rapports qualité/prix dans le centre-ville, cet hôtel de 17 étages est paré de marbre à l'accueil et d'appliques victoriennes dans les couloirs. Classiques et dotées de persiennes, les chambres n'ont rien d'exceptionnel mais offrent un bon confort. Vous rejoindrez à pied le Mob Museum et Fremont St. Microbrasserie sur place.

**Golden Nugget** HÔTEL-CASINO $$

(800-846-5336, 702-385-7111 ; www.goldennugget.com ; 129 E Fremont St ; ch 99-239 $, ste 179-269 $ ; ). Les chambres semblent plus chics dans la Gold Tower et la Rush Tower, mais l'atmosphère est également très agréable dans la Carson Tower au cadre plus traditionnel. À l'extérieur, somptueux espace piscine et toboggan aquatique sur 3 niveaux traversant le bassin des requins.

**Platinum Hotel** BOUTIQUE-HÔTEL $$

(702-365-5000, 877-211-9211 ; www.theplatinumhotel.com ; 211 E Flamingo Rd ; ch à partir de 152 $ ; ). À l'écart du Strip, situé à une dizaine de minutes à pied, cet établissement sans tables de jeu propose des chambres modernes, confortables, spacieuses et aux nombreux détails agréables – beaucoup ont une cheminée, toutes ont une cuisine et un Jacuzzi.

**Hard Rock** HÔTEL-CASINO $$$

(800-473-7625, 702-693-5000 ; www.hardrockhotel.com ; 4455 Paradise Rd ; ch 122-399 $ ; ). On vous reçoit ici en vedette. Les portes-fenêtres donnent sur la ville et les palmiers. Sobrement meublées, les chambres colorées disposent d'énormes TV à écran plasma et de stéréos. Nous adorons les jukebox de l'All-Suite Tower, et les chambres standards sont presque aussi sympathiques. L'animation est centrée sur le luxueux Beach Club.

**Red Rock Resort** COMPLEXE HÔTELIER $$$

(702-797-7777 ; www.redrock.sclv.com ; 11011 W Charleston Blvd ; ch 140-380 $ ; ). Avant de partir en randonnée dans le Red Rock Canyon, arrêtez-vous dans ce complexe élégant aux airs d'oasis, situé à 24 km à l'ouest du Strip. Confortables, spacieuses et bien équipées, ses chambres au décor forestier jouant entre le vert et les bruns profonds invitent au repos avec leurs nombreux oreillers. Bowling et cinéma sur place. Transport gratuit depuis/vers le Strip et l'aéroport.

# Où se restaurer

La "Cité du Vice" offre une aventure culinaire unique. Les réservations sont indispensables dans les restaurants les plus chics.

## Le Strip

Sur le Strip même, en dehors des fast-foods, rares sont les tables bon marché.

**Secret Pizza** PIZZA $

(3708 Las Vegas Blvd S, Cosmopolitan ; part 5 $, pizza 25 $ ; 11h30-3h). Une pizzeria non signalée est dissimulée à l'intérieur du Cosmopolitan. Nous n'allons pas révéler son emplacement exact, sinon, ce ne serait plus drôle. Mais si vous rêvez d'une part de pizza tard le soir, allez au niveau 3 et repérez l'étroit couloir situé entre les autres restaurants.

**Earl of Sandwich** SANDWICHS $

(www.earlofsandwichusa.com ; 3667 Las Vegas Blvd S, Planet Hollywood ; plats moins de 7 $ ; 24h/24). Certes, c'est une chaîne, mais les sandwichs y sont savoureux, les prix raisonnables et l'établissement parfaitement situé, au centre du Strip. Et tout le monde semble l'apprécier.

**Todd English PUB** PUB $$

(www.toddenglishpub.com ; 3720 Las Vegas Blvd S, Crystals ; plats 16-24 $ ; 11h-2h lun-ven, 9h30-2h sam-dim). À mi-chemin entre le pub britannique et la soirée étudiante, ce joyeux établissement du City Center appartient au chef bostonien Todd English. On s'y réjouit de mini-hamburgers créatifs, de plats de pub classiques et surtout de plus de 80 bières. Attention à la promotion : bu en moins de 7 secondes, le bock est offert par la maison.

**Society Café** CAFÉ $$

(www.wynnlasvegas.com ; 3121 Las Vegas Blvd S, Encore ; petit-déj 14-22 $, déj 14-24 $, dîner 15-39 $ ;

⏲7h-23h dim-jeu, 7h-23h30 ven-sam ; 🖉). Petit coin de paradis gourmand au cœur du charmant Encore, ce simple café propose à tarifs raisonnables d'aussi bons plats que les restaurants. Petit choix d'options végétaliennes.

**Social House** JAPONAIS **$$**
(☎702-736-1122 ; www.socialhouselv.com ; 3720 Las Vegas Blvd S, Crystals Mall, CityCenter ; déj prix fixe 20 $, sushis 6-24 $, plats 22-38 $ ; ⏲17h-22h lun-jeu, 12h-23h ven-sam, 12h-22h dim). Goûtez aux plats innovants inspirés de la cuisine de rue japonaise dans l'une des salles les plus paisibles mais aussi étouffante du Strip. Parchemins filigranés, paravents en bois et spectaculaire décor rouge et noir évoquent le Japon impérial, mais sushis et steaks sont totalement contemporains.

**Joël Robuchon** FRANÇAIS **$$$**
(☎702-891-7925 ; www.mgmgrand.com ; 3799 Las Vegas Blvd S, MGM Grand ; plats 135-175 $, menu 120-420 $/pers ; ⏲17h30-22h dim-jeu, jusqu'à 22h30 ven-sam). Une expérience gastronomique unique. Réservez trois bonnes heures et préparez-vous à vous régaler d'un repas complet à la française avec plats de saison. À côté, **L'Atelier de Joël Robuchon** (☎702-891-7358 ; www.mgmgrand.com ; 3799 Las Vegas Blvd S, MGM Grand ; plats 41-97 $ ; ⏲17h-23h) vous régalera tout autant pour un peu moins cher.

**Picasso** FRANÇAIS **$$$**
(☎702-693-8865 ; www.bellagio.com ; 3600 Las Vegas Blvd S, Bellagio ; menu fixe 115 $ ; ⏲17h30-21h30 mer-lun). Pourquoi ne pas dîner avec Picasso ce soir, du moins, avec l'une de ses toiles ? L'art n'est pas que sur les murs de ce restaurant français élégant du chef Julian Serrano : les 4 plats du menu fixe sont également des œuvres d'art. Petites portions mais repas satisfaisant. Desserts spectaculaires.

**Gordon Ramsay Steak** GRILL **$$$**
(☎877-346-4642 ; www.parislasvegas.com ; 3655 Las Vegas Blvd S, Paris ; plats 32-63 $ ; ⏲16h30-22h30, bar jusqu'à minuit ven-sam). Pour un excellent steak, quittez Paris et la tour Eiffel et prenez le tunnel sous la Manche jusqu'au nouveau grill de Gordon Ramsay. Parée de rouge et surmontée d'un dôme aux couleurs du drapeau du Royaume-Uni, voici l'une des meilleures tables de la ville. Si vous n'avez pas réservé, prenez place au bar, où les barmen experts vous détailleront les morceaux et leur préparation. Ne manquez pas de goûter le pain. Poisson, côtelettes et un plat de poulet viennent compléter la carte.

**Sage** AMÉRICAIN **$$$**
(☎702-590-8690 ; www.arialasvegas.com ; 3730 Las Vegas Blvd S, Aria ; plats 35-54 $ ; ⏲17h-23h lun-sam). Chef réputé, Shawn McClain concocte, dans l'un des plus fabuleux restaurants de Vegas, de sublimes mets saisonniers inspirés du monde entier, à l'aide d'ingrédients frais. Ne manquez pas les cocktails de saison à base de liqueurs maison, d'absinthe de France et de purée de fruits.

**DOCG Enoteca** ITALIEN **$$$**
(☎877-893-2003 ; www.cosmopolitanlasvegas.com ; 3708 Las Vegas Blvd S, Cosmopolitan ; plats 22-45 $ ; ⏲18h-23h). De succulentes pâtes fraîches ou une pizza cuite au feu de bois à savourer dans cette élégante œnothèque à l'ambiance festive. Voisin, le **Scarpetta** (☎877-893-2003 ; www.cosmopolitalasvegas.com ; 3708 Las Vegas Blvd S ; plats 24-55 $ ; ⏲18h-23h) offre une expérience plus intimiste et luxueuse, grâce au même chef prodigieux, Scott Conant.

### LES MEILLEURS BUFFETS

Les extravagants buffets à volonté sont une tradition de Las Vegas. Voici trois des meilleurs :

**Bacchanal Buffet** (www.caesarspalace.com ; 3570 Las Vegas Blvd S, Caesars Palace ; petit-déj 20 $, déj 30 $, dîner 40 $)

**Wicked Spoon Buffet** (www.cosmopolitanlasvegas.com ; 2708 Las Vegas Blvd S, Cosmopolitan ; petit-déj 33 $, dîner 41 $)

**Buffet Bellagio** (☎702-693-7111 ; www.bellagio.com ; 3600 Las Vegas Blvd S, Bellagio ; petit-déj 18 $, déj 22 $, dîner 33 $)

## Centre et alentours du Strip

Les gourmands s'intéresseront aux restaurants des environs du Strip, mais les tables du centre-ville sont moins onéreuses. De nouveaux établissements ouvrent leurs portes dans le quartier d'E Fremont St.

Bon marché, les restaurants asiatiques de Spring Mountain Rd, à Chinatown, répondent largement aux goûts végétariens.

♥**Raku** JAPONAIS **$$**
(☎702-367-3511 ; www.raku-grill.com ; 5030 W Spring Mountain Rd ; petites assiettes 2-18 $, plats

8-19 $ ; ⏲18h-3h lun-sam). Le chef japonais, Mitsuo Edo, propriétaire du Raku, réalise d'exquises petites assiettes aux saveurs délicates. À voir le menu de viandes grillées, tofu maison et légumes assaisonnés, on a envie de tout. Goûtez l'un des tofus et le bœuf de Kobe avec du wasabi. À 15 minutes du Strip en taxi. Réservez ou trouvez une place au petit bar.

**♥ Lotus of Siam** THAÏ **$$**
(☎702-735-3033 ; www.saipinchutima.com ; 953 E Sahara Ave ; plats 9-30 $ ; ⏲11h30-14h30 lun-ven, buffet jusqu'à 14h, 17h30-22h tlj). Élu meilleur restaurant thaï des États-Unis par le *Gourmet Magazine*. Une seule bouchée d'un simple *pad thaï* (comme de tout autre plat exotique nord-thaïlandais) suffit à le prouver.

**Firefly** TAPAS **$$**
(www.fireflylv.com ; 3824 Paradise Rd ; petits plats 4-10 $, grands plats 12-20 $ ; ⏲11h30-2h dim-jeu). Fiez-vous au constant va-et-vient ! Le plaisir est là pour bien moins cher qu'aux tables ultrachics du Strip. Goûtez les traditionnelles tapas espagnoles, accompagnées de sangria et de savoureux mojitos.

**Eat** PETIT-DÉJEUNER, AMÉRICAIN **$$**
(☎702-534-1515 ; www.facebook.com/eatdowntownlv ; 707 Carson Ave ; petit-déj 8-20 $, déj 9-25 $ ; ⏲8h-15h lun-ven, 8h-14h sam-dim). Un nouveau venu à l'atmosphère communautaire où les clients viennent avaler beignets, sandwichs aux œufs à la truffe, crevettes et *grits* (gruaux de maïs). Vous serez forcément émerveillé à la vue de l'énorme escalope de poulet pané servi à la table voisine. Béton au sol, cadre minimaliste sont la signature de ce lieu né de la collaboration entre Natalie Young, chef de longue date à Las Vegas, et le Downtown Project, mené par Tony Hsieh, le PDG de Zappo.

**Pink Taco** MEXICAIN **$$**
(www.hardrockhotel.com ; 4455 Paradise Rd, Hard Rock ; plats 14-21 $ ; ⏲11h-22h dim-jeu, jusque tard ven-sam). Avec ses margaritas à 5 $ en happy hour, son patio verdoyant au bord de la piscine et sa clientèle rock and roll, le Pink Taco affiche une ambiance festive.

**Hugo's Cellar** STEAK, SAVEURS MARINES **$$$**
(Four Queens ; ☎702-385-4011 ; www.hugoscellar.com ; 702 Fremont St ; plats 37-60 $ ; ⏲17h30-22h30). Voici le Vegas à l'ancienne. Dans un espace sombre et intimiste situé sous le Four Queens, le Hugo's Cellar transporte à l'époque où le service avait un sens. Les femmes reçoivent une rose, les salades sont assaisonnées à côté de la table et le service est attentionné sans être intrusif. Dînez d'époque : veau Oscar, bœuf Wellington et *cherries jubilee* (dessert flambé à la cerise).

## Où prendre un verre

De nombreux bars ouvrent dans E Fremont St. Après une descente en tyrolienne depuis le Slotzilla, l'endroit vaut le détour.

## Le Strip

**♥ Chandelier** BAR
(www.cosmopolitanlasvegas.com ; Cosmopolitan, 3708 Las Vegas Blvd S ; ⏲horaires variables selon l'étage, 1er niveau 24h/24). La ville est pleine de bars somptueux, mais celui-ci est toujours un cran au-dessus. Détendez-vous en compagnie des jeunes branchés du Cosmopolitan et appréciez la sensation étonnante d'être à l'intérieur d'un gigantesque chandelier en cristal.

**Mix** BAR LOUNGE
(www.mandalaybay.com ; 64e ét, Mandalay Bay, 3950 Las Vegas Blvd S ; entrée après 22h 20-25 $ ; ⏲17h-1h dim-mer, 17h-2h jeu, 17h-3h ven-sam). L'endroit où déguster un cocktail au coucher du soleil. La vue depuis l'ascenseur vitré est magnifique – un bon préalable à celle qui s'offre à vous depuis ce bar design et moderne et son balcon aérien.

**Rhumbar** BAR À COCKTAILS
(☎702 792-7615 ; www.mirage.com ; 3400 Las Vegas Blvd S, Mirage ; ⏲13h-minuit dim-jeu, 13h-2h ven-sam). Ce bar et fumoir aux airs de Caraïbes, accessible depuis l'entrée sud du Mirage, sert de merveilleux mojitos et daiquiris frais. Relaxez-vous aux tables basses de l'élégante terrasse à l'ambiance balnéaire avec vue sur le Strip.

**Parasol Up-Parasol Down** BAR, CAFÉ
(www.wynnlasvegas.com ; Wynn Las Vegas, 3131 Las Vegas Blvd S ; ⏲11h-2h, 11h-4h ven-sam pour le Parasol Up). Siroter un mojito frais aux fruits près de la cascade paisible du Wynn donne l'impression d'être tout près des portes du paradis, version Las Vegas.

**Carnaval Court** BAR
(☎702-369-5000 ; www.harrahslasvegas.com ; 3475 Las Vegas Blvd S, à l'extérieur du Harrah's ; entrée variable ; ⏲11h-3h). Dans ce bar en plein air, les barmen jonglent avec le feu pour une

### EMERGENCY ARTS

Un *coffee shop*, une galerie d'art, des studios, et ce qui tient lieu de centre communautaire, le tout sous un même toit et en plein centre ? Le bâtiment d'**Emergency Arts** (www.emergencyartslv.com ; 520 Fremont St) accueille aussi le **Beat Coffeehouse** (www.thebeatlasvegas.com ; sandwichs 6-8 $ ; 7h-minuit lun-ven, 9h-minuit sam, 9h-17h dim ; ), une bonne adresse pour siroter au calme un café serré en écoutant les vinyles de collection qui tournent sur d'anciennes platines. Si vous rêvez de rencontrer quelques experts du cru qui sauront guider vos pas en ville, allez y faire un tour.

clientèle en délire. Concerts de pop et de rock animent les lieux le soir, mais ce sont les beaux barmen qui retiennent l'attention.

## Centre et alentours du Strip

Pour se mêler aux habitants, il suffit de les rejoindre dans leurs rendez-vous favoris. Avec l'ouverture de nouveaux bars et cafés, E Fremont St est devenue la concurrente directe du Strip.

**Griffin** BAR
(702-382-0577 ; 511 E Fremont St ; entrée 5-10 $ ; 17h-3h lun-ven, 19h-3h sam, 20h-2h dim). Échappez-vous des casinos pour pénétrer dans ce bar indépendant, à une courte distance à pied dans la partie moins éclairée de Fremont St. Dans cet établissement sombre et confortable, cheminées, box en cuir et jukebox attirent rebelles et jeunes branchés.

**Commonwealth** BAR À COCKTAILS
(www.commonwealthlv.com ; 525 E Fremont St ; 18h-2h mer-ven, 20h-2h sam-dim). Ce nouveau bar à cocktails pomponné comme à l'époque victorienne tranche avec l'ambiance décontractée d'E Fremont St. Son intérieur vaut le détour : lustres à pampilles, bar de style saloon, décor précieux qui rappelle les grandes années d'avant la Prohibition. Également un bar sur le toit et, paraît-il, un bar secret dans le bar !

**Downtown Cocktail Room** BAR LOUNGE
(702-880-3696 ; http://thedowntownlv.com/ ; 111 Las Vegas Blvd S ; entrée libre-10 $ ; 16h-2h lun-ven, 19h-2h sam). Avec sa carte de cocktails à l'ancienne, cet établissement aux airs de bar clandestin, doté de coussins en satin et de canapés en daim, semble ressurgir du passé de Fremont St. L'entrée est dissimulée, comme à l'époque de la Prohibition.

**Fireside Lounge** BAR À COCKTAILS
(www.peppermilllasvegas.com ; Peppermill, 2985 Las Vegas Blvd S ; 24h/24). Étonnamment, l'antre du romantisme se trouve à l'intérieur d'un *coffee shop* à l'ancienne. Ambiance tamisée, cheminée encastrée et recoins intimes aménagés pour se susurrer des mots doux autour de boissons exotiques.

**Double Down Saloon** BAR
(www.doubledownsaloon.com ; 4640 Paradise Rd ; entrée gratuite ; 24h/24). Difficile de trouver plus punk-rock que cette adresse dont la boisson maison – qui ne manque ni de piquant ni de couleur – s'appelle "Ass Juice" et où toutes les boissons de l'happy hour coûtent 2 dollars. L'Ass Juice & Twinkie (génoise fourrée à la crème), l'un des surprenants bons plans de Vegas, est à 5 $. Le jukebox est d'enfer. Pas de CB.

## ☆ Où sortir

Quel que soit le soir, Las Vegas n'est jamais à court de divertissements. **TicketMaster** (800-745-3000 ; www.ticketmaster.com) propose des billets pour tous les spectacles ou presque. **Tix 4 Tonight** (877-849-4868 ; www.tix4tonight.com ; 3200 Las Vegas Blvd S, Fashion Show ; 10h-20h) vend à moitié prix un certain nombre de places pour les spectacles du jour et pratique de petites réductions sur des spectacles qui affichent toujours complet.

### Clubs et musique live

En 2012, 7 des 10 clubs les plus rentables des États-Unis étaient à Vegas, le XS et le Marquee enregistrant chacun plus de 80 millions de dollars de recette. Les droits d'entrée dans les clubs varient de façon spectaculaire selon l'humeur du personnel à la porte, la proportion hommes/femmes, et le taux de fréquentation du moment. Évitez les files d'attente en réservant à l'avance. La plupart des gros clubs ont du personnel s'occupant des entrées en fin d'après-midi et début de soirée. Les réceptions d'hôtels disposent de pass gratuits pour les clubs, ou peuvent faire des réservations. La formule *bottle service* permet un accès immédiat sans faire la queue pour l'achat d'une bouteille.

**XS** CLUB
(www.xslasvegas.com ; 3131 Las Vegas Blvd S, Encore ; entrée 20-50 $ ; ⌚21h30-4h ven-sam, 22h30-4h dim-lun). Seul club où les gens sautent dans la piscine pour danser (et ne sont pas sortis par les videurs), le XS est l'une des meilleures adresses de Vegas. Clientèle plus variée qu'ailleurs (les plus de 30 ans y sont aussi les bienvenus). Tenue correcte exigée.

**Marquee** CLUB
(www.cosmopolitanlasvegas.com ; 3708 Las Vegas Blvd, Cosmopolitan). Le Marquee revient inlassablement lorsqu'on demande quel club est le plus culte de Vegas. Pourquoi ? Des célébrités (on y a aperçu Macy Gray), un beach club extérieur privatif, des DJ sensationnels, et ce petit plus indéfinissable qui fait oublier la file d'attente.

**Tao** CLUB
(www.taolasvegas.com ; 3355 Las Vegas Blvd S, Venetian ; ⌚salon 17h-minuit dim-jeu, 17h-1h jeu-sam, club 22h-5h). Les habitués des clubs de Vegas se sont lassés du Tao mais les nouveaux continuent de s'extasier devant l'opulence et l'ambiance libidineuse : du bouddha doré géant aux go-go dancers presque nues se caressant langoureusement dans des baignoires de pétales de rose.

**Stoney's Rockin' Country** MUSIQUE LIVE
(www.stoneysrockincountry.com ; 6611 Las Vegas Blvd S ; entrée libre-20 $ ; ⌚19h-2h dim-mer, 19h-3h jeu-sam). Ce bar country divertissant s'est récemment rapproché du Strip. Cours de danse gratuits chaque soir en semaine, dont un cours de two-step le jeudi à 19h30. Le vendredi, entrée libre pour les filles en minishort et santiags. Le samedi, bière pression à volonté (15 $).

## Spectacles

Le choix ne manque pas à Las Vegas en matière de spectacles. Le Cirque du Soleil, quel que soit le numéro, demeure une expérience inoubliable.

♥ **LOVE** SPECTACLE
(☎800-963-9634, 702-792-7777 ; www.cirquedusoleil.com ; billets 99-150 $; ⌚19h et 21h30 jeu-lun ; 👪). Produit par le Cirque du Soleil, ce spectacle donné au Mirage est considéré comme le meilleur par la clientèle locale.

**Zumanity** SPECTACLE
(☎702-740-6815 ; www.cirquedusoleil.com ; billets 76-138 $). Un spectacle sensuel et sexy réservé aux adultes, présenté au New York-New York.

**Le Rêve** SPECTACLE
(☎888-320-7110 ; www.wynnlasvegas.com ; 3131 Las Vegas Blvd S, Wynn ; billets à partir de 105 $ ; ⌚19h et 21h30 ven-mar). Le Rêve propose des spectacles d'acrobaties aquatiques. Les artistes évoluant dans le gigantesque bassin doivent être diplômés de plongée. Les places les moins chères se trouvent dans la "zone d'éclaboussures".

**House of Blues** MUSIQUE LIVE
(☎702-632-7600 ; www.hob.com ; 3950 Las Vegas Blvd S, Mandalay Bay). Outre le blues, ce cabaret propose aussi du rock, de la pop et de la soul.

## Achats

**Bonanza Gift Shop** SOUVENIRS
(www.worldslargestgiftshop.com ; 2440 Las Vegas Blvd S ; ⌚8h-minuit). Ce magasin de plus de 12 000 m² est la meilleure adresse pour acheter ces souvenirs kitsch qu'on ne trouve qu'à Vegas.

**Gold & Silver Pawn** DÉPÔT-VENTE
(☎702-385-7912 ; http://gspawn.com ; 713 Las Vegas Blvd S ; ⌚boutique 9h-21h, guichet nocturne 21h-9h). Une humble devanture devenue célèbre par le biais d'une série télévisée. Chinez parmi une incroyable série d'objets : fusils de chasse du Far West, voitures restaurées des années 1950, objets vintage de casino et signés par des stars... Faites la queue dehors, près de la corde rouge.

**Fashion Show Mall** CENTRE COMMERCIAL
(www.thefashionshow.com ; 3200 Las Vegas Blvd S ; ⌚10h-21h lun-sam, 11h-19h dim). Le plus grand et le plus glamour des centres commerciaux du Nevada.

**Forum Shops** CENTRE COMMERCIAL
(www.caesarspalace.com ; 3570 Las Vegas Blvd S, Caesars Palace ; ⌚10h-23h dim-jeu, 10h-minuit ven-sam). Magasins haut de gamme dans un décor climatisé de Rome antique.

**The Shops at Crystals** CENTRE COMMERCIAL
(www.crystalsatcitycenter.com ; 3720 Las Vegas Blvd S ; ⌚10h-23h dim-jeu, 10h-minuit ven-sam). D'Assouline à Versace, ce nouveau centre commercial à côté d'Aria abrite une quarantaine de boutiques de luxe.

**Grand Canal Shoppes** CENTRE COMMERCIAL
(www.thegrandcanalshoppes.com ; 3355 Las Vegas Blvd S, Venetian ; ⌚10h-23h). Décor à l'italienne et gondoles pour ce centre commercial de luxe.

**Shoppes at the Palazzo** CENTRE COMMERCIAL (www.theshoppesatthepalazzo.com ; 3327 Las Vegas Blvd S, Palazzo ; ⌚10h-23h dim-jeu, 10h-minuit ven-sam). Soixante designers du monde entier y exhibent leurs créations.

## Renseignements

### ACCÈS ET SITES INTERNET

Le Wi-Fi est disponible dans la plupart des chambres d'hôtel (de 10 à 25 $/jour, parfois inclus dans le tarif "resort fee") et les halls d'hôtel mettent à disposition postes Internet et imprimantes reliées.

**Eater Vegas** (www.vegas.eater.com). Nouvelles des chefs et des nouveaux restaurants de Vegas, avec une liste régulièrement mise à jour des 38 meilleures tables de la ville.

**Las Vegas Review-Journal** (www.lvrj.com). Quotidien comprenant le vendredi un guide week-end intitulé *Neon*.

**Las Vegas Weekly** (www.lasvegasweekly.com). Hebdomadaire gratuit répertoriant spectacles, sorties et restaurants.

**Vegas Chatter** (www.vegaschatter.com). Dernières nouvelles de Vegas, des ouvertures de restaurants aux piscines les plus cool.

### ARGENT

Tous les hôtels-casinos, les banques et les magasins de proximité disposent en général d'un DAB. Si vous êtes dans un casino, un droit d'environ 5 $ est perçu. Mieux vaut retirer dans les banques à l'écart du Strip.

**Travelex Currency Services** (☎702-369-2219 ; 3200 Las Vegas Blvd S, Fashion Show ; ⌚10h-21h lun-sam, 11h-19h dim). Change de devises au Fashion Show Mall.

### OFFICES DU TOURISME

**Las Vegas Tourism** (www.onlyinvegas.com). Site touristique officiel.

**Las Vegas Visitor Information Center** (☎702-847-4858, 877-847-4858 ; www.visitlasvegas.com ; 3150 Paradise Rd ; ⌚8h-17h30 lun-ven). Appels locaux gratuits, accès Internet et cartes en quantité.

**Las Vegas.com** (www.lasvegas.com). Services dédiés aux voyages.

**Vegas.com** (www.vegas.com). Informations sur les voyages et service de réservation. Liste d'activités pour enfants.

### POSTE

**Bureau de poste** (www.usps.com ; 201 Las Vegas Blvd S ; ⌚9h-17h lun-ven). Dans le centre-ville.

### URGENCES ET SERVICES MÉDICAUX

**Gamblers Anonymous** (☎855-222-5542 ; www.gamblersanonymous.com). Assistance à la dépendance aux jeux de hasard.

**Police** (☎702-828-3111 ; www.lvmpd.com)

**Sunrise Hospital & Medical Center** (☎702-731-8000 ; www.sunrisehospital.com ; 3186 S Maryland Pkwy). Hôpital pédiatrique et urgences 24h/24.

**University Medical Center** (☎702-383-2000, urgences 702-383-2661 ; www.umcsn.com ; 1800 W Charleston Blvd ; ⌚24h/24). Plus grand centre de traumatologie du Nevada, et urgences 24h/24.

## Comment s'y rendre et circuler

Juste au sud des principaux casinos du Strip, et facilement accessible depuis l'I-15, le **McCarran International Airport** (LAS ; ☎702-261-5211 ; www.mccarran.com ; 5757 Wayne Newton Blvd ; ) accueille des vols directs provenant de nombreuses villes nord-américaines, et de certaines villes du Canada et d'Europe. La plupart des vols nationaux arrivent au terminal 1 et les vols internationaux dans le nouveau terminal 3. **Bell Trans** (☎702-739-7990 ; www.bell-trans.com) propose un service de navettes (7 $) entre l'aéroport et le Strip, dont les tarifs vers les destinations du centre sont légèrement plus élevés. À l'aéroport, leur comptoir se trouve au niveau de la porte 9, près du service bagages.

Pour les attractions, vous trouverez la plupart du temps un service voiturier (pourboire 2 $) et un stationnement gratuit. Rapide, distrayant et totalement accessible aux fauteuils roulants, le **monorail** (www.lvmonorail.com ; ticket à l'unité 5 $, forfait 24/72 heures 12/28 $, -6 ans gratuit ; ⌚7h-minuit lun, 7h-2h mar-jeu, 7h-3h ven-dim) relie la station Sahara (la plus proche de Circus Circus) au MGM Grand en desservant les principaux grands complexes hôteliers sur le Strip. Le **Deuce** (☎702-228-7433 ; www.rtcsouthernnevada.com ; forfait 2/24 heures 6/8 $), un bus local à 2 étages, circule 24h/24 entre le Strip et le centre-ville.

# Environs de Las Vegas

**Red Rock Canyon National Conservation Area** PARC (www.redrockcanyonlv.org ; voiture/vélo 7/5 $ par jour ; ⌚boucle panoramique 6h-20h avr-sept, fermé plus tôt en oct-mars, Visitor Center 8h-16h30) L'exceptionnelle beauté de ce site naturel est le parfait antidote aux artifices lumineux de Vegas. À 30 km environ à l'ouest du Strip, le canyon s'apparente plutôt à une vallée escarpée, aux pentes vertigineuses et accidentées, et dont une paroi abrupte culmine côté ouest à plus de 900 m. Une route panoramique sinue sur une vingtaine de kilomètres le long du canyon, donnant accès à des sentiers de randonnée ainsi qu'à un **camping** (sept-mai) situé à 3 km à l'est du Visitor Center. La randonnée formant une boucle de 4 km jusqu'à Calico Tanks grimpe dans les roches rouges et se termine par une vue imprenable sur Vegas.

**Lake Mead et Hoover Dam** LAC, SITE HISTORIQUE

Le lac Mead et le barrage Hoover sont les sites les plus visités de la **Lake Mead National Recreation Area** (☎bureau du parc 702-293-8906, Visitor Center 702-293-8990 ; www.nps.gov/lake ; voiture/vélo 10/5 $ ; ⏱24h/24, Visitor Center 9h-16h30 mer-dim), qui couvre les lacs Mead (180 km de long) et Mohave (110 km de long), ainsi que les immenses zones désertiques qui les entourent. L'excellent **Alan Bible Visitor Center** (☎702-293-8990 ; www.nps.gov/lake ; Lakeshore Scenic Dr, en retrait de la Hwy 93 ; ⏱9h-16h30), situé sur la Hwy 93 à mi-chemin entre Boulder City et le barrage Hoover, vous renseignera sur les activités à pratiquer et toutes les formes de vie du désert. Randonneurs et cyclistes peuvent y retirer une carte du River Mountains Loop Trail (www.rivermountainstrail.com), soit 51 km de sentiers autour du lac. Depuis le Visitor Center, la North Shore Rd et la Lakeshore Rd serpentent autour du lac et offrent de superbes panoramas. La Lakeshore Rd s'étend jusqu'à la Valley of Fire Hwy, qui conduit à l'éblouissant Valley of Fire State Park.

À cheval sur la frontière entre l'Arizona et le Nevada, l'architecture Art déco tout en courbes gracieuses du **barrage Hoover** (☎866-730-9097, 702-494-2517 ; www.usbr.gov/lc/hooverdam ; Hwy 93 ; Visitor Center 8 $, plus centrale électrique adulte/enfant 11/9 $, visite totale 30 $ ; ⏱9h-18h, dernière entrée 17h15), haut de 228 m, détonne prodigieusement avec le paysage austère environnant. Nous vous recommandons la traversée à pied du pont **Mike O'Callaghan-Pat Tillman Memorial Bridge**. Empruntez la passerelle et appréciez l'extraordinaire perspective du barrage (déconseillé aux personnes sensibles au vertige). Le parking permettant d'accéder au pont est en retrait des Hwy 172/Hoover Dam Access Rd. Vous pouvez aussi opter pour la visite de la **centrale électrique** (adulte/enfant 11/9 $), d'une durée de 30 minutes, ou celle, plus approfondie, du barrage lui-même : **circuit Hoover Dam** (30 $, 8 ans minimum). Si vous appréciez à la fois l'histoire et le bâtiment, préférez la visite la plus longue.

Billets en vente au **Visitor Center**. Seuls les billets pour la visite de la centrale peuvent se réserver en ligne.

La ville voisine, Boulder City, abritait les ouvriers et ouvrières du barrage. Aujourd'hui, le charmant centre-ville est un bel endroit pour déjeuner ou passer la nuit. Centre névralgique, le **Milo's** (www.miloswinebar.com ; 538 Nevada Hwy ; plats 9-13 $ ; ⏱11h-22h dim-jeu, 11h-minuit ven-sam) sert sandwichs, salades et belles assiettes de fromage en terrasse sur le trottoir, devant son bar à vins. À proximité, l'agréable **Boulder Dam Hotel** (☎702-293-3510 ; www.boulderdamhotel.com ; 1305 Arizona St ; ch avec petit-déj 72-89 $, ste 99 $ ; ❄@📶) propose un tarif comprenant petit-déjeuner sur commande et entrée au musée de Boulder City/Hoover Dam, situé sur place.

**VALLEY OF FIRE STATE PARK**

Situé à seulement 90 km de Las Vegas, ce **parc** (☎702-397-2088 ; www.parks.nv.gov/parks/valley-of-fire-state-park ; voiture 10 $ ; ⏱Visitor Center 8h30-16h) offre un décor de désert fantastique composé d'une myriade de concrétions de grès aux formes psychédéliques. La Hwy 169 passe tout près du Visitor Center qui vous renseignera sur les randonnées et le **camping** (empl tente/camping-car 20/30 $), et vous orientera vers les magnifiques expositions sur la faune et la flore du désert.

# Ouest du Nevada

Immense steppe désertique couverte d'armoise sauvage, l'extrémité occidentale de l'État est traversée par des chaînes de montagnes et des vallées arides. C'est ici qu'est né le Nevada, avec la découverte du célèbre filon d'argent de Comstock, à Virginia City. De nos jours, cette région captive les amateurs de nature par les opportunités qu'offrent ses montagnes : randonnées, cyclotourisme et ski. Ses contrastes sont à l'image de son climat : en quelques instants, vous passez d'une ville historique pittoresque, regorgeant de splendides propriétés construites par les barons de l'argent, à de grandes plaines désertées où trône un petit bar accueillant – qui se révèle être la maison close locale (et légale).

VAUT LE DÉTOUR

**BURNING MAN**

Fin août et pendant une semaine, **Burning Man** (www.burningman.com ; 380 $) bat son plein sous le soleil du Black Rock Desert, décuplant la démographie de Black Rock City pour en faire le troisième foyer de population du Nevada. Ce rassemblement d'art expérimental se termine par la crémation d'un immense mannequin dégingandé. Burning Man est un remue-ménage hétéroclite de campements folkloriques, de vélos poussiéreux, d'échanges insolites et de looks originaux, le tout dans une ambiance largement désinhibée.

## Reno

Fidèle à ses racines liées aux jeux d'argent, "la plus grande petite ville du monde" n'en est pas moins tournée vers l'extérieur et les activités de plein air. Les montagnes de la Sierra Nevada et le Lake Tahoe sont à moins d'une heure de route, et la région abonde en lacs, sentiers et stations de ski. Ainsi peut-on jouer le matin dans l'un de ses casinos (une vingtaine), puis filer au bout de la rue pour se lancer sur des rapides dans le Truckee River Whitewater Park.

### À voir

Le Riverwalk District (www.renoriver.org) épouse le cours de la Truckee River. Amateurs de kayak et de descentes en bouée profitent des rapides du parc qui s'étend vers l'est, du Wingfleld Park à Virginia St.

**National Automobile Museum** MUSÉE
(☎775-333-9300 ; www.automuseum.org ; 10 S Lake St ; adulte/enfant 10/4 $ ; ⏲9h30-17h30 lun-sam, 10h-16h dim ; 👪). Les scènes de rue reconstituées de cet accueillant musée illustrent un siècle complet d'histoire automobile. L'impressionnante collection réunit quelques pièces uniques comme la Ford Model A de 1928 offerte à Mary Pickford par Douglas Fairbanks ou la Duesenberg de 1935 qui appartenait à Sammy Davis Jr. Des expositions temporaires mettent en scène des voitures mythiques.

**Nevada Museum of Art** MUSÉE
(☎775-329-3333 ; www.nevadaart.org ; 160 W Liberty St ; adulte/enfant 10/1 $ ; ⏲10h-17h mer-dim, 10h-20h jeu). Dans un bâtiment rutilant qui s'inspire des formations géologiques du Black Rock Desert au nord de la ville, un escalier pour le moins original mène aux galeries des expositions temporaires d'images et de documents traitant de l'Ouest américain. Le café est idéal pour se ressourcer après la visite et le toit en terrasse sublime pour admirer les Sierras.

**Virginia Street**

Calée entre l'I-80 et la Truckee River, la partie centrale de N Virginia St est au cœur des casinos. Au sud de la rivière, elle se prolonge en S Virginia St. Tous les hôtels-casinos restent ouverts 24h/24.

**Circus Circus** CASINO
(www.circusreno.com ; 500 N Sierra St ; 👪). Le plus convivial de tous. Il présente des numéros de cirque pour les enfants sous un énorme chapiteau à rayures multicolores, qui abrite par ailleurs d'innombrables stands forains et jeux vidéo.

**Silver Legacy** CASINO
(www.silverlegacyreno.com ; 407 N Virginia St). D'inspiration victorienne, l'établissement se repère facilement à son dôme blanc sur lequel une fausse tour de forage géante projette régulièrement un spectacle son et lumière.

**Eldorado** CASINO
(www.eldoradoreno.com ; 345 N Virginia St). Sa "fontaine de la chance" (Fountain of Fortune) bien kitsch doit faire se retourner dans sa tombe Bernin, dit le Cavalier, génial sculpteur baroque romain.

**Harrah's** CASINO
(www.harrahsreno.com ; 219 N Center St). Fondé en 1946 par William Harrah, le pionnier du jeu au Nevada, il demeure l'un des plus grands et des plus populaires de la ville.

### Activités

Une demi-heure à une heure de voiture suffit pour se lancer sur les pistes de ski de Tahoe. Nombre de complexes et hôtels proposent des forfaits hébergement et ski intéressants.

**Truckee River Whitewater Park** SPORTS AQUATIQUES
(www.reno.gov). À quelques pas des casinos, les rapides de niveau 2 et 3 du parc sont adaptés aux enfants qui se laissent glisser à l'intérieur des tubes, et un défi conséquent pour les kayakistes chevronnés.

### ITINÉRAIRES DE RANDO À RENO

Que vous souhaitiez randonner à pied ou à vélo autour de Reno, cheminer vers le sommet du Mt Rose ou rouler sur la Tahoe-Pyramid Bikeway, téléchargez le **Truckee Meadows Trails Guide** (www.reno.gov/home/showdocument?id=21703). Si vous n'avez pas pu le faire, demandez-en un exemplaire réduit (3 sentiers seulement) au **Galena Creek Visitor Center** (www.galenacreekvisitorcenter.org ; 18250 Mt Rose Hwy ; 9h-18h mar-dim) du Galena Creek Regional Park.

La rivière offre deux parcours autour de Wingfield Park, une petite île où ont lieu des concerts en été. **Tahoe Whitewater Tours** (775-787-5000 ; www.gowhitewater.com) et **Wild Sierra Adventures** (866-323-8928 ; www.wildsierra.com) proposent circuits et cours de kayak.

**Historic Reno Preservation Society** CIRCUIT DE RANDONNÉE
(775-747-4478 ; www.historicreno.org ; circuits 10 $). Profitez d'une randonnée, pédestre ou à deux roues, pour approfondir vos connaissances en architecture, en politique et en littérature.

## Où se loger

Les tarifs d'hébergement varient grandement selon le jour de la semaine et les manifestations locales. Les meilleurs prix sont généralement proposés du dimanche au jeudi. Les tarifs grimpent le vendredi et peuvent tripler le samedi.

En été, profitez du magnifique camping en altitude du **Mt Rose** (877-444-6777 ; www.recreation.gov ; Hwy 431 ; empl tente et camping-car 17-50 $).

**Sands Regency** HÔTEL-CASINO **$**
(775-348-2200 ; www.sandsregency.com ; 345 N Arlington Ave ; ch dim-jeu à partir de 29 $, ven-sam 69 $ ; ). Extérieur décati mais jolies chambres, décorées dans de joyeuses couleurs tropicales bleu, rouge et vert. Les chambres de l'Empress Tower sont les plus agréables. Bon rapport qualité/prix.

**Wildflower Village** MOTEL, B&B **$**
(775-747-8848 ; www.wildflowervillage.com ; 4395 W 4th St ; auberge de jeunesse 30 $, motel 55 $, B&B 125 $ ; ). Une accueillante communauté d'artistes de l'extrémité ouest de la ville offre une bouffée d'air créative à ce cadre légèrement décrépit. Des peintures murales ornent les chambres, et l'on entend passer les trains de marchandises. Trois types de chambres : auberge de jeunesse, motel et B&B.

**Peppermill** HÔTEL-CASINO **$$**
(866-821-9996, 775-826-2121 ; www.peppermillreno.com ; 2707 S Virginia St ; ch/ste dim-jeu à partir de 70/130 $, ven-sam à partir de 170/200 $ ; ). Baignant dans le style opulent de Las Vegas, cet établissement apprécié arbore une nouvelle tour de 600 chambres au décor toscan, et d'anciennes chambres relookées. Ses trois piscines étincelantes (dont une intérieure) et son spa complet laissent rêveur. Le complexe est alimenté en chauffage et eau chaude par un système d'énergie géothermique.

## Où se restaurer

L'offre culinaire de Reno va bien au-delà des buffets des casinos.

**Peg's Glorified Ham & Eggs** DINER **$**
(www.eatatpegs.com ; 420 S Sierra St ; petit-déj 9-14 $, déj 8-12 $ ; 6h30-14h ; ). Il servirait, murmure-t-on, le meilleur petit-déjeuner de la ville. En tout cas, ses grillades sont savoureuses et pas trop grasses. Repérable à son auvent vert et blanc.

**Old Granite Street Eatery** AMÉRICAIN **$$**
(775-622-3222 ; www.oldgranitestreeteatery.com ; 243 S Sierra St ; déj 9-14 $, dîner 11-26 $ ; 11h-23h lun-jeu, 11h-minuit ven, 10h-minuit sam, 10h-16h dim). Un endroit charmant servant de bons plats locaux et bio, des cocktails maison à l'ancienne et des bières artisanales de saison. Meublé d'ancien, ce lieu très fréquenté ravit les clients avec son imposant bar en bois, son eau servie dans de vieilles bouteilles de liqueur, son coq et son cochon peints sur le mur, et sa longue carte de saison. Réservez ou attendez qu'une place se libère à une table commune, façonnée dans une porte de grange.

**Silver Peak Restaurant & Brewery** PUB **$$**
(124 Wonder St ; plats déj 8,25-11 $, dîner 9,25-22 $ ; restaurant 11h-22h dim-jeu, 11h-23h sam-dim, pub ouvert 1 heure plus tard). Décontracté et sans prétention, l'établissement résonne des conversations des habitants venus boire une bière sur de bons plats, de la pizza aux crevettes au pesto en passant

par les raviolis aux épinards et ricotta et le filet mignon. Au cœur du Riverwalk District.

## Où prendre un verre

**Great Basin Brewing Co** BRASSERIE $$
(www.greatbasinbrewingco.com ; 5525 S Virginia St ; plats 8-19 $ ; 11h-minuit dim-jeu, 11h-1h30 ven-sam). En ville, on se demande qui de Great Basin ou de Silver Peak produit la meilleure bière... Le cadre, ici, évoque en tout cas le grand air, avec notamment un paysage montagneux représenté sur le mur. Cinq bières phares et 13 bières de saison sont proposées. Bon choix de bières belges également. À 5 km au sud du centre, dans Virginia St.

**Imperial Bar & Lounge** BAR
(www.imperialbarandlounge.com ; 150 N Arlington Ave ; 11h-2h ven-sam, 11h-22h dim-jeu). Sis dans une ancienne banque, ce bar sélect laisse voir, au milieu du parquet, le béton qui scellait le coffre-fort. Sandwichs et pizzas à accompagner de 16 bières pression au choix. Le week-end, animation musicale garantie.

**Jungle Java & Jungle Vino** CAFÉ, BAR À VINS
(www.javajunglevino.com ; 246 W 1st St ; café 6h-minuit, bar à vins 15h-minuit lun-ven, 12h-minuit sam-dim ; ). *Coffee shop*, bar à vins et café Internet, les trois en un. Joli sol carrelé dans le second.

## Où sortir

L'hebdomadaire gratuit **Reno News & Review** (www.newsreview.com) répertorie tous les événements.

**Edge** CLUB
(www.edgeofreno.com ; 2707 S Virginia St, Peppermill ; entrée 10-20 $ ; à partir de 21h jeu et sam, à partir de 19h ven). Le lieu attire les noctambules avec sa grande piste de danse étincelante où les go-go dancers, les machines à fumée et les lasers peuvent finir par agacer. Si c'est votre cas, réfugiez-vous sur la magnifique terrasse extérieure où vous pourrez vous détendre devant les accueillants braseros.

**Knitting Factory** MUSIQUE LIVE
(775-323-5648 ; http://re.knittingfactory.com ; 211 N Virginia St). Cet établissement de taille moyenne a ouvert en 2010, comblant ainsi un vide dans la scène musicale de Reno en mettant l'accent sur les succès musicaux, traditionnels comme indépendants.

## Renseignements

Un centre d'information (Wi-Fi gratuit) se trouve près du service bagages du Reno-Tahoe International Airport.

**Reno-Sparks Convention & Visitors Authority Visitor Center** (775-682-3800 ; www.visitrenotahoe.com ; 135 N Sierra St ; 9h-18h). Situé à l'intérieur du magasin RENO eNVy, à Riverwalk District. Brochures, cartes et parking gratuit. Également un guichet à l'aéroport.

## Depuis/vers Reno

À environ 8 km au sud-est du centre-ville, le **Reno-Tahoe International Airport** (RNO ; www.renoairport.com ; ) est desservi par la plupart des compagnies aériennes.

Le **North Lake Tahoe Express** (866-216-5222 ; www.northlaketahoeexpress.com) propose une navette (45 $ l'aller, 6 à 8/jour, de 3h30 à minuit) pour rallier l'aéroport à de nombreuses destinations de North Shore Lake Tahoe, comprenant Truckee, Squaw Valley et Incline Village. Réserver en avance.

Pour South Lake Tahoe (jours de semaine seulement), prenez le **RTC Intercity bus** (www.rtcwashoe.com), équipé du Wi-Fi, jusqu'à l'arrêt Nevada DOT à Carson City (4 $, 1 heure, 6/jour en semaine), puis le bus 21X **BlueGo** (www.bluego.org ; 2 $ avec le transfert RTC Intercity, 1 heure, 5-6/jour) jusqu'au Stateline Transit Center.

**Greyhound** (775-322-2970 ; www.greyhound.com ; 155 Stevenson St) dessert tous les jours par bus Truckee, Sacramento et San Francisco (11 à 41 $, 5-7 heures). Autre possibilité : le train quotidien California Zephyr affrété par **Amtrak** (800-872-7245, 775-329-8638 ; 280 N Center St). Le trajet ferrovaire est plus lent et plus cher, mais aussi plus pittoresque et plus confortable, avec une liaison en bus depuis Emeryville pour les passagers allant à San Francisco (60 $, 8 heures).

## Comment circuler

Les hôtels-casinos mettent à la disposition de leurs clients des navettes régulières avec l'aréoport.

Au niveau local, les **RTC Ride buses** (775-348-7433 ; www.rtcwashoe.com ; 2 $ par trajet, forfait journalier prépayé/à bord 4/5 $) sillonnent la ville, et la plupart des itinéraires passent par le terminal RTC 4th St du centre-ville. Les itinéraires les plus pratiques comprennent la ligne RTC Rapid pour Center St et S Virginia St, 11 pour Sparks et 19 pour l'aéroport. Le bus gratuit Sierra Spirit (Wi-Fi) passe à proximité de tous les principaux sites du centre-ville, y compris les casinos et l'université, toutes les 15 minutes entre 7h et 19h.

## Carson City

Méconnue mais aisément accessible en voiture depuis Reno ou Lake Tahoe, la capitale du Nevada constitue une étape idéale pour déjeuner. Son centre, paisible et pittoresque, peut aussi faire l'objet d'une agréable balade.

Le **Kit Carson Blue Line Trail** longe de jolis bâtiments historiques dans d'agréables rues plantées d'arbres. Procurez-vous une carte du sentier au **Visitor Center** (☎800-638-2321, 775-687-7410 ; www.visitcarsoncity.com ; 1900 S Carson St ; ⏲8h-17h lun-ven, 9h-17h sam-dim), à 1,6 km au sud du centre, ou téléchargez-la sur le site.

Construit en 1870, le **Capitole de l'État du Nevada** (angle Musser et Carson ; ⏲8h-17h lun-ven) GRATUIT, dans le centre, abrite à l'étage un petit musée qui réunit des objets liés à l'État, dont un fauteuil en bois d'élan. Les passionnés de trains ne manqueront pas le **Nevada State Railroad Museum** (☎775-687-6953 ; 2180 S Carson St ; adulte/enfant 6 $/gratuit ; ⏲9h-17h ven-lun), qui abrite quelque 65 wagons et locomotives du XIX^e^ siècle et du tout début du XX^e^ siècle.

Déjeunez au ravissant **Comma Coffee** (www.commacoffee.com ; 312 S Carson St ; petit-déj 6-8 $, déj 8-10 $ ; ⏲7h-20h lun et mer-jeu, 7h-22h mar, ven-sam ; ) aux côtés des politiciens. Vous pouvez aussi passer la soirée à la microbrasserie locale, **High Sierra Brewing Company** (www.highsierrabrewco.com ; 302 N Carson St ; plats 9-17 $ ; ⏲11h-22h dim-jeu, 11h-2h ven-sam), qui sert d'excellentes bières et de bons burgers.

La Hwy 395/Carson St est l'artère principale. Le **Carson Ranger District Office** (☎775-882-2766 ; 1536 S Carson St ; ⏲8h-16h30 lun-ven) de la United States Forest Service (USFS) fournit des renseignements sur la randonnée et le camping dans la région.

## Virginia City

La découverte du légendaire Comstock Lode en 1859 révéla une abondance d'argent, mais aussi d'or, dans les montagnes situées 40 km au sud de Reno. La ruée vers l'or des années 1860 fit de Virginia City une fort dynamique ville du Far West. Une époque faste où y vécut un certain Samuel Clemens alias Mark Twain, journaliste au *Territorial Enterprise*. Quelques années plus tard, son roman *À la dure* dépeignait les conditions de vie difficiles des mineurs de cette période.

Classée site historique, la ville bâtie sur une hauteur ne manque pas d'intérêt, avec sa rue principale bordée d'édifices victoriens, ses trottoirs en bois et sa poignée de musées très originaux. Pour avoir un aperçu de la vie au temps des mineurs, rendez-vous au **Mackay Mansion** (☎775-847-0173 ; 129 South D St ; adulte/enfant 5 $/gratuit ; ⏲10h-17h en été, horaires variables en hiver) et au **Castle** (B St). Le **Mark Twain Museum at The Territorial Enterprise** (53 South C St ; adulte/enfant 4/3 $ ; ⏲10h-17h) occupe l'ancienne salle de presse du journal, rassemblant divers objets, dont le bureau de Mark Twain. Le sous-sol a survécu à l'incendie qui ravagea la ville en 1878.

Pour se restaurer à Virginia City, le meilleur endroit selon les habitants est le **Cafe del Rio** (www.cafedelriovc.com ; 394 S C St ; dîner 15-19 $, brunch 9,25-14 $ ; ⏲11h-20h mer-sam, 10h-19h dim), qui propose aussi bien de la cuisine mexicaine moderne que des plats classiques. Et le petit-déjeuner, bien sûr. Au **Bucket of Blood Saloon** (www.bucketofbloodsaloonvc.com ; 1 S C St ; ⏲14h-19h), un établissement tenu en famille, on sert la bière sur un comptoir ancien en bois et les “règles maison” sont affichés clairement : “*If the bartender doesn't laugh, you are not funny*” (le barman ne rit pas, c'est que vous n'êtes pas joyeux !)

C'est dans C St, l'artère principale, , que vous trouverez le **Visitor Center** (☎800-718-7587, 775-847-7500 ; www.visitvirginiacitynv.com ; 86 S C St ; ⏲10h-17h).

# Grand Bassin du Nevada

Parcourir le Grand Bassin du Nevada s'avère une expérience d'une sérénité quasi extatique. Les voyageurs qui rêvent d'un grand *road trip* américain éprouveront tout cela tant dans les villes historiques, fascinantes, que sur les chemins de traverse longeant les grandes routes isolées du désert.

## Le long de l'Interstate 80

En mettant le cap à l'est depuis Reno, **Winnemucca**, à quelque 240 km au nord-est, est la première étape intéressante. La ville, qui a conservé son aspect d'origine, abrite plusieurs restaurants basques et compte même son festival annuel sur le même thème. Pour en savoir plus, arrêtez-vous au **Visitor Center** (☎775-623-5071, 800

962 2638 ; www.winnemucca.com ; 30 W Winnemucca Blvd ; ⌚8h-17h lun-ven). Ne manquez pas le mur des *buckaroo* (cow-boys) célèbres ou le musée du gros gibier. Arrêtez-vous au **Griddle** (www.thegriddle.com ; 460 W Winnemucca Blvd ; plats 10-15 $ ; ⌚6h-2h), l'un des meilleurs cafés rétro du Nevada, réputé pour ses formidables petits-déjeuners, plats classiques et desserts maison depuis 1948.

Le Far West affiche avec soin toute sa culture ou presque à **Elko**. Les aspirants cow-boys de tous bords visiteront le **Western Folklife Center** (www.westernfolklife.org ; 501 Railroad St ; adulte/enfant 5/1 $ ; ⌚10h-17h30 lun-ven, 10h-17h sam), pour ses expositions artistiques et historiques, ses concerts et ses nuits de danse, ainsi que pour le **Cowboy Poetry Gathering** organisé chaque année en janvier. Également annuel, le **National Basque Festival**, qui se tient le 4 juillet, propose des jeux, de la danse traditionnelle, et une course de taureaux, le *Running of the Bulls*. La meilleure adresse pour déguster une cuisine basque est le **Star Hotel** (www.elkostarhotel.com ; 246 Silver St ; déjeuner 6-12 $, dîner 15-32 $ ; ⌚11h-14h et 17h-21h lun-ven, 16h30-21h30 sam), un établissement familial installé dans une pension pour bergers basques datant de 1910.

## Le long de la Highway 50

Dans le Nevada, la transcontinentale Hwy 50 est surnommée "la route la plus solitaire d'Amérique". Elle traverse le cœur de l'État, reliant Carson City, à l'ouest, au Great Basin National Park, à l'est. Autrefois intégrée à la Lincoln Hwy, elle suit l'itinéraire de la diligence de l'Overland Stagecoach, du Pony Express et de la première ligne télégraphique transcontinentale. Les villes sont rares et les seuls bruits sont le ronronnement du moteur et le souffle du vent.

Environ 40 km au sud-est de Fallon, la **Sand Mountain Recreation Area** (☎775-885-6000 ; www.blm.gov/nv ; entrée libre pour une brève durée, sans équipement motorisé ; ⌚24h/24) GRATUIT vaut le détour pour sa dune de sable de 182 m de haut et les ruines d'une station du Pony Express. Directement à l'est, savourez un bon burger dans une ancienne station de diligence, **Middlegate Station** (42500 Austin Hwy), puis jetez vos chaussures sur le nouveau (l'ancien a été coupé) **Shoe Tree** (arbres à chaussures) juste devant du côté nord de la Hwy 50.

Le cadre époustouflant et inhabité du **Great Basin National Park** (☎775-234-7331 ; www.nps.gov/grba ; ⌚24h/24) GRATUIT constitue l'aboutissement d'un périple sur la Hwy 50. À proximité de la frontière Nevada-Utah, le parc, dont l'entrée est libre, englobe le Wheeler Peak culminant à 3 981 m en plein désert. Les sentiers de randonnée environnant le sommet surplombent un paysage magnifique composé de lacs glaciaires, de vieux pins Bristlecone et d'un champ de glace permanent. Le **Great Basin Visitor Center** (☎775-234-7331 ; www.nps.gov/grba ; ⌚8h-16h30 juin-août), situé juste au nord de la ville de **Baker**, en est le principal centre d'informations.

Pour visiter (60 ou 90 min avec guide) les grottes aux magnifiques concrétions calcaires, rendez-vous au **Lehman Caves Visitor Center** (☎775-234-7331, réservation 775-234-7517 ; www.nps.gov/grba ; adulte/enfant 8-10/4-5 $ ; ⌚8h-16h30, visites 8h30-16h), ouvert toute l'année, à 8 km à l'extérieur de Baker. Réservations recommandées. Pendant les mois les plus chauds, parcourez 19 km pittoresques jusqu'au sommet du Wheeler Peak. Le parc compte 5 **campings** (☎775-234-7331 ; www.nps.gove/grba ; camping sauvage gratuit, empl tente et camping-car 12 $) fonctionnant sur le principe du premier arrivé, premier servi.

### CATHEDRAL GORGE STATE PARK

C'est l'un de nos parcs préférés aux États-Unis. Le **Cathedral Gorge State Park** (☎775-728-4460 ; www.parks.nv.gov/parks/cathedral-gorge ; Hwy 93 ; entrée 7 $, empl tente et camping-car 17 $ ; ⌚Visitor Center 9h-16h30) donne vraiment l'impression de se retrouver au beau milieu d'une formidable cathédrale qui serait pourvue de nombreuses flèches, le ciel en guise de dôme. Profitez encore plus de la voûte céleste en campant au cœur d'un paysage escarpé ; emplacements de tente et de camping-car (17 $) sur le principe du premier arrivé, premier servi.

## Le long de la Highway 95

La Hwy 95, orientée nord-sud, traverse la partie occidentale de l'État. La portion sud est pittoresque à souhait, avec le site d'essais nucléaires du Nevada (où plus de 720 explosions eurent lieu dans les années 1950).

### Le long des Highways 375 et 93

Surnommée la "route extraterrestre" en raison des nombreux témoignages d'apparitions de soucoupes volantes sur cette portion, la Hwy 375 doit aussi cette réputation à sa proximité avec la base militaire **Area 51** qui fait partie de la Nellis Air Force Base supposée dissimuler des ovnis capturés par l'armée... Certains trouveront la Hwy 375 plus déconcertante encore que la *Loneliest Road* (Hwy 50). C'est une bande de béton désolée où les voitures se font rares. Dans la petite ville de **Rachel**, sur la Hwy 375, le **Little A'Le'Inn** (775-729-2515 ; www.littlealeinn.com ; 1 Old Mill Rd, Alamo ; empl camping-car avec raccordement 15 $, ch 35-150 $ ; restaurant 8h-21h ; ) vend des souvenirs venus d'ailleurs.

## ARIZONA

Sixième État du pays par la taille, l'Arizona multiplie les merveilles naturelles : le Grand Canyon, Monument Valley, les Chiricahua Mountains, les roches rouges de Sedona, et tant d'autres. Dans l'ombre de ces emblèmes, un groupe de colons et d'explorateurs tentèrent d'apprivoiser la nature en construisant des systèmes d'irrigation dans les broussailles du désert, en réalisant des cartes des canyons et en extrayant les richesses souterraines. De magnifiques petites routes relient ces sites naturels et historiques, pour le plus grand bonheur des voyageurs routiers.

Entourée de montagnes, la contrée de Phoenix est l'une des plus grandes agglomérations urbaines du Sud-Ouest. Ses restaurants, ses différents sites et ses spas promeuvent des valeurs de repos et témoignent d'un certain renouveau. Tucson la bohème constitue quant à elle un point de départ original pour découvrir le sud de l'Arizona et ses sites astronomiques et historiques. À 95 km à peine de la frontière mexicaine, la ville conserve son héritage frontalier.

### Histoire

L'État d'Arizona a été créé en 1912. Cette zone, pourtant riche en cuivre et en terres d'élevage, fut le dernier territoire continental à devenir un État américain, en grande partie à cause de la réputation de fauteurs de troubles de ses habitants. Le gouvernement fédéral restait donc frileux.

### L'ARIZONA EN BREF

**Surnom** Grand Canyon State (État du Grand Canyon)

**Population** 6,5 millions d'habitants

**Superficie** 294 320 km²

**Capitale** Phoenix (1,48 million d'hab.)

**Autres villes** Tucson (524 000 hab.), Flagstaff (67 400 hab.), Sedona (10 000 hab.)

**TVA** 6,6%

**Lieu de naissance** du chef apache Geronimo (1829-1909), du syndicaliste et paysan Cesar Chávez (1927-1993) et de la chanteuse Linda Ronstadt (née en 1946)

**Berceau** du mouvement new age de Sedona et des anciennes villes minières aujourd'hui transformées en communautés d'artistes

**Politique** Majorité républicaine

**Célèbre** pour le Grand Canyon, les cactus Saguaro

**Meilleur souvenir** Un lampadaire rose en forme de cactus vendu au bord de la route

**Distances routières** Phoenix-Grand Canyon Village : 378 km, Tucson-Sedona : 370 km

Les cyniques diront que l'Arizona continue à faire des siennes. En 2010, son assemblée législative a adopté la loi anti-immigration la plus restrictive du pays, générant gros titres et polémiques. Cette loi controversée fut adoptée à la suite du meurtre mystérieux d'un propriétaire de ranch près de la frontière mexicaine.

La Cour suprême a récemment annulé plusieurs articles de cette loi polémique en conservant toutefois le "contrôle au faciès", autorisant les forces de l'ordre locales à vérifier le statut migratoire d'une personne pour peu qu'elles la suspectent d'une présence illégale. Une disposition dont l'application se heurte toujours au système législatif.

En 2011, la population a été bouleversée par la fusillade qui a grièvement blessé l'élue démocrate Gabrielle Giffords et tué six spectateurs et membres du personnel lors d'une apparition publique.

La persistance de la crise budgétaire qui touche l'Arizona a entraîné d'importantes coupes budgétaires dans les parcs fédéraux, obligeant nombre d'entre eux à faire appel pour leur financement à des groupes sans but lucratif et à des gouvernements locaux.

## Renseignements

L'Arizona est sur le fuseau horaire des Rocheuses mais est le seul État à ne pas appliquer l'heure d'été. En revanche, le territoire des Navajo (Navajo Reservation) applique ce changement d'heure.

En général, les tarifs d'hébergement dans le sud de l'Arizona (y compris Phoenix, Tucson et Yuma) sont bien plus élevés en hiver et au printemps, périodes de "haute saison" ici. En plein été, dans les zones les plus chaudes, les offres exceptionnelles sont fréquentes.

**Arizona Department of Transportation** (☎511 sur place, 888-411-7623 ; www.az511.com). État des routes et conditions de circulation en temps réel, avec liens vers les renseignements météorologiques et la sécurité.

**Arizona Public Lands Information Center** (☎602-417-9200 ; www.publiclands.org). Renseignements sur les forêts (USFS, United States Forest Service), les parcs nationaux (NPS, National Park Service), l'aménagement du territoire (BLM, Bureau of Land Management) ainsi que les territoires et parcs de l'État.

**Arizona State Parks** (☎602-542-4174 ; www.azstateparks.com). Quinze parcs fédéraux disposent de campings (emplacement 15-50 $, chalet ou yourte 35-75 $) pour lesquels il est possible de réserver en ligne (5 $ de frais de réservation).

**Office du tourisme de l'Arizona** (☎602-364-3700 ; www.arizonaguide.com). Renseignements gratuits sur l'Arizona.

### ROUTES PANORAMIQUES : L'ARIZONA

**Oak Creek Canyon**. Une escapade palpitante pour découvrir piscines et toboggans naturels, ainsi que les falaises pourpres des canyons sur la Hwy 89A entre Flagstaff et Sedona.

**Hwy89/89A Wickenburg-Sedona**. Rencontre entre l'Ouest d'antan et celui d'aujourd'hui sur ces routes tranquilles dévoilant ranchs, villes minières, galeries d'art et établissements viticoles raffinés.

**Patagonia-Sonoita Scenic Road**. Une route pour les oiseaux et pour ceux qui aiment les observer, dans la région viticole du sud de l'Arizona sur la Hwy 82 et la Hwy 83.

**Kayenta-Monument Valley**. Jouez votre propre western dans un décor de rêve au milieu des magnifiques rochers rouges du pays navajo tout près de la Hwy 163.

**Vermilion Cliffs Scenic Road**. Un périple solitaire sur la Hwy 89A à travers l'Arizona Strip englobant le pays des condors, le North Rim et les hameaux mormons.

# Phoenix

Malgré la chaleur, Phoenix est en pleine effervescence. La ville du Super Bowl 2015 accueille les visiteurs à Cityscape, nouveau quartier du centre-ville consacré à la restauration et aux loisirs. La ligne ferroviaire reliant la ville à l'aéroport, la SkyTrain, a également ouvert.

Plusieurs "communes" composent l'agglomération de Phoenix, appelée Greater Phoenix, la plus grande zone urbaine du Sud-Ouest. Autour des gratte-ciel et des excellents musées du centre-ville de Phoenix gravitent la luxueuse Scottsdale, Tempe, peuplée d'étudiants, Mesa, petite ville paisible de banlieue, et Flagstaff, sur les hauteurs.

En été, les températures dépassent les 43°C. Les tarifs hôteliers dégringolent alors, formidable aubaine pour les voyageurs à petit budget. La période hiver-printemps reste néanmoins la plus favorable, avec les journées les plus agréables de l'année.

## À voir

Cernée de hauteurs s'étageant entre 750 m et plus de 2 000 m, Greater Phoenix est souvent désignée comme la "Valley of the Sun" (Vallée du Soleil). Central Ave traverse Phoenix selon un axe nord-sud, divisant la ville entre est et ouest, tandis que Washington St coupe la ville selon un axe ouest-est, séparant les quartiers nord et sud.

Scottsdale, Tempe et Mesa s'étendent à l'est de l'aéroport, situé pour sa part à 5 km au sud-est du centre-ville. Scottsdale Rd, orientée nord-sud, relie Scottsdale et Tempe.

## Phoenix

**Heard Museum** MUSÉE

(602-252-8848 ; www.heard.org ; 2301 N Central Ave ; tarif plein/réduit 6-12 ans ou étudiant/senior 18/7,50/13,50 $ ; 9h30-17h lun-sam, 11h-17h dim ; ). Ouvert en 1929 par Dwight et Maie Bartlett Heard pour faire partager leur vaste collection d'objets amérindiens, ce musée privé compte désormais dix galeries présentant l'art, les textiles et les céramiques de ces populations ainsi que leur histoire et leurs traditions en se concentrant sur les tribus du Sud-Ouest.

Ne manquez pas les fameuses *kachina* (poupées hopi) ni la galerie "Boarding School Experience", où d'émouvantes fresques illustrent la politique fédérale controversée d'envoyer les enfants amérindiens en pension, loin de leurs familles, afin d'en faire des citoyens américains.

**Musical Instrument Museum** MUSÉE

(480-478-6000 ; www.themim.org ; 4725 E Mayo Blvd ; tarif plein/13-19 ans/-13 ans 18/14/10 $ ; 9h-17h lun-sam, 10h-17h dim, 10h-21h 1er ven du mois). Pianos à pouces ougandais, ukulélés hawaïens, gong indonésien. Vous en prendrez plein les oreilles dans ce nouveau musée dédié aux instruments musicaux du monde. Plus de 200 pays et territoires sont représentés dans cinq galeries régionales, où musiques et vidéos se déclenchent automatiquement lorsqu'on se tient près des bornes.

Indispensables, les casques (gratuits) fonctionnent très simplement. Seulement, n'allez pas trop vite entre les expositions Alice Cooper et Fife & Drums dans la galerie "United States" ou vous aurez la tête qui tourne ! Depuis le centre-ville, suivez la Hwy 51 vers le nord en direction de la Hwy 101 vers l'est. Une fois sur la Hwy 101, prenez la sortie 31. Tournez à droite sur N Tatum Blvd puis à droite à nouveau.

**CACTUS LEAGUE : MARS EN ARIZONA**

Avant que ne démarre la saison de base-ball et sa célèbre Major League, les équipes passent le mois de mars en Arizona (Cactus League) et en Floride (Grapefruit League) pour s'entraîner, et y tester de nouveaux joueurs et de nouvelles stratégies de jeu. Les billets sont moins chers (8-10 $ selon l'endroit), les sièges plus confortables, la file d'attente moins longue et les matchs plus décontractés. Consultez www.cactusleague.com pour les programmes et l'achat de billets, ou encore www.visitphoenix.com pour vous informer sur l'équipe et les matchs.

**Desert Botanical Garden** JARDINS

(480-941-1225 ; www.dbg.org ; 1201 N Galvin Pkwy ; tarif plein/enfant/étudiant/senior 18/8/10/15 $ ; 8h-20h oct-avr, 7h-20h mai-sept). Ce jardin d'un peu moins de 6 ha est le lieu idéal pour découvrir la flore du désert. Les sentiers, qui reprennent l'incroyable diversité biologique du désert, sont organisés en circuits thématiques – fleurs sauvages et désert de Sonora par exemple. Renseignez-vous sur les événements saisonniers, comme les visites avec lampes de poche (*flashlight tours*, à 19h le mardi et le samedi, de juin à août).

**Phoenix Art Museum** MUSÉE

(602-257-1222 ; www.phxart.org ; 1625 N Central Ave ; tarif plein/enfant 6-17 ans/étudiant/senior 15/6/10/12 $, entrée libre mer 15h-21h et 1er ven du mois 18h-22h ; 10h-21h mer, 10h-17h jeu-sam, 12h-17h dim ; ). Le Phoenix Art Museum abrite la plus grande collection d'œuvres d'art de l'Arizona. Outre Claude Monet, Diego Rivera ou Georgia O'Keeffe, vous pourrez y admirer les superbes paysages exposés dans la galerie Western American.

## Scottsdale

Scottsdale est célèbre pour ses quartiers commerçants, notamment Old Town – qui doit son nom à ses bâtiments du début du XXe siècle (plus d'autres construits à l'ancienne pour rester dans le style) – et l'Arts District voisin. Truffés de galeries d'art et de magasins de vêtements pour les cow-girls modernes, ils comptent aussi quelques-uns des meilleurs restaurants et bars de la Valley of the Sun.

**Taliesin West** ARCHITECTURE

(480-860-2700 ; www.franklloydwright.org ; 12621 Frank Lloyd Wright Blvd ; 9h-16h, fermé mar-mer juil-août). Cette école d'architecture construite entre 1938 et 1940, où Frank Lloyd Wright vécut et travailla, est toujours en activité et se visite. Elle constitue un excellent exemple d'architecture organique intégrant structures et éléments naturels issus de l'environnement proche. Pour voir la maison et le jardin, il faut suivre une visite. En 1 heure 30, l'**Insights Tour** (tarif plein/4-12 ans/étudiant ou senior 32/17/28 $ ;

⏲toutes les 30 min, 9h-16h nov à mi-avr, toutes les heures 9h-16h mi-avr à oct) en offre un bon aperçu. Consultez le site Internet pour faire votre choix entre différentes possibilités plus ou moins longues.

## Tempe

Fondée en 1885, l'**Arizona State University** (ASU ; www.asu.edu) est l'âme de Tempe. Fréquentée par 58 000 étudiants, elle abrite le **Gammage Auditorium** (☎guichet 480-965-3434, visites 480-965-6912 ; www.asugammage.com ; angle Mill Ave et Apache Blvd ; spectacles à partir de 20 $ ; ⏲13h-16h lun-ven oct-mai), dernier grand ouvrage de Frank Lloyd Wright.

Aisément accessible en *light rail* depuis le centre de Phoenix, **Mill Avenue**, la rue principale de Tempe, est une enfilade de restaurants de chaînes, de bars thématiques et autres adresses estudiantines. Faites un tour au **Tempe Town Lake** (www.tempe.gov/lake), un lac artificiel propice à une balade en bateau, à pied ou à vélo. Les enfants adoreront batifoler sous les arroseurs géants du parc aquatique du **Cox Splash Playground** (⏲10h-19h avr-sept ; 👪).

## Mesa

Fondée par les mormons en 1877, la discrète Mesa est l'une des villes qui se développent le plus rapidement dans le pays. Elle est aujourd'hui la troisième ville d'Arizona, avec une population d'environ 452 000 habitants.

**Arizona Museum of Natural History** MUSÉE
(☎480-644-2230 ; www.azmnh.org ; 53 N MacDonald St ; tarif plein/enfant 3-12 ans/étudiant/senior 10/6/8/9 $ ; ⏲10h-17h mar-ven, 11h-17h sam, 13h-17h dim ; 👪). Ce fascinant musée vaut le détour, surtout si vos enfants aiment les dinosaures (le contraire serait étonnant). En plus de la montagne didactique à plusieurs niveau, ils pourront y voir de nombreuses reproductions grandeur nature de ces géants, ainsi qu'un fémur d'apatosaure. Les autres expositions, telles que le village hohokam préhistorique ou la prison territoriale et ses huit cellules, mettent en valeur le riche passé de l'Arizona.

## Activités

Concernant les sentiers du Piestewa Peak, du South Mountain Park et du Camelback Park, entre autres, les randonneurs tireront profit des renseignements fournis à l'adresse suivante : http://phoenix.gov/parks/trails/visitor/maps/index.html sur.

**Piestewa Peak/Dreamy Draw Recreation Area** RANDONNÉE
(☎602-261-8318 ; www.phoenix.gov/parks ; Squaw Peak Dr, Phoenix ; ⏲sentiers 5h-23h, dernière entrée 18h59). Autrefois connu comme le Squaw Peak, ce point de vue facile d'accès a été rebaptisé du nom d'un soldat amérindien originaire de la région, Lori Piestewa, tué en Iraq en 2003. Le chemin de randonnée qui culmine à 782 m est très populaire et le parc riche en cactus Saguaro est souvent bondé le week-end en hiver.

**South Mountain Park** RANDONNÉE, VTT
(☎602602-262-7393 ; 10919 S Central Ave, Phoenix ; ⏲5h-23h, dernière entrée 18h59). Ce parc dispose de quelque 80 km de sentiers de randonnée parmi les canyons, les collines verdoyantes et les parois de granit ancestrales. Pétroglyphes amérindiens et panoramas superbes à découvrir tout au long.

### PHOENIX AVEC DES ENFANTS

Le parc aquatique **Wet 'n' Wild Phoenix** (☎623-201-2000 ; www.wetnwildphoenix.com ; 4243 W Pinnacle Peak Rd, Glendale ; + de/- de 1,05 m 39/30 $, senior 30 $ ; ⏲10h-18h dim-mer, 10h-22h jeu-sam, horaires variables mai, août et sept ; 👪), situé à Glendale, à 3 km à l'ouest de la sortie 217 de l'I-17, réunit bassins, tubes-toboggans, piscines à vagues, cascades et rivières.

Le **Rawhide Western Town & Steakhouse** (☎480-502-5600 ; www.rawhide.com ; 5700 W N Loop Rd, Chandler ; entrée libre, 5 $/attraction ou spectacle, forfait journée illimité 15 $ ; ⏲17-22h mer-dim, avec des variantes selon les saisons ; 👪), à 30 km environ de Mesa, recrée l'ambiance Far West des années 1880. Ici, les enfants pourront se lancer dans toutes sortes d'aventures, aussi farfelues que drôles. Le grill-room propose du serpent à sonnette pour les gourmets audacieux.

L'**Arizona Science Center** (☎602-716-2000 ; www.azscience.org ; 600 E Washington St ; tarif plein/3-17 ans/senior 15/11/13 $ ; ⏲10h-17h ; 👪) est un haut lieu de découverte technologique, avec une exposition interactive de plus de 300 pièces, sans oublier le planétarium.

## Phoenix

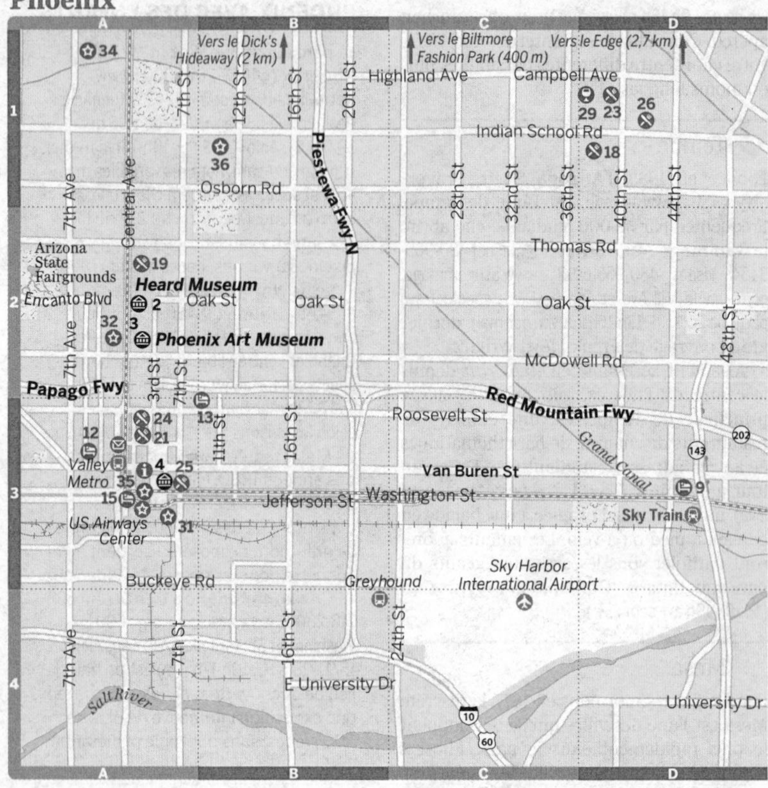




**Cactus Adventures** VTT
(☎480-688-4743 ; www.cactusadventures.com ; location à la demi-journée à partir de 45 $ ; ⏲horaires variables). Location de vélos et circuits guidés, à pied et à vélo. Votre cycle vous sera livré au départ du sentier de South Mountain ou à l'Arizona Grand Resort. Horaires flexibles pour le retour des vélos.

**Ponderosa Stables** ÉQUITATION
(☎602-268-1261 ; www.arizona-horses.com ; 10215 S Central Ave, Phoenix ; balades 1/2 heures 33/55 $ ; ⏲6h-17h juin-sept, 8h-17h reste de l'année). Balades dans le South Mountain Park. Sur réservation pour la plupart des sorties.

### Circuits organisés

**Arizona Detours** EXCURSIONS, VISITES
(☎866-438-6877 ; www.detoursaz.com). Des excursions à la journée vers des sites éloignés comme Tombstone (adulte/enfant 145/75 $) et le Grand Canyon (adulte/enfant 155/90 $), ainsi qu'un circuit à la demi-journée à la découverte de Phoenix/Scottsdale (adulte/enfant 80/45 $).

**Arizona Outback Adventures** RANDONNÉE
(☎480-945-2881 ; www.aoa-adventures.com ; 16447 N 91st St, Scottsdale). Sorties à la demi-journée : randonnée (95 $, 2 pers minimum), VTT (115 $, 2 pers minimum), et kayak sur la Salt River (150 $, 2 pers minimum).

### Fêtes et festivals

**Tostitos Fiesta Bowl** SPORTS
(☎480-350-0911 ; www.fiestabowl.org). Organisé début janvier à l'University of Phoenix Stadium à Glendale, ce match de football est précédé d'impressionnants défilés et célébrations.

### Où se loger

Greater Phoenix ne manque pas d'hôtels et de complexes hôteliers, mais compte peu

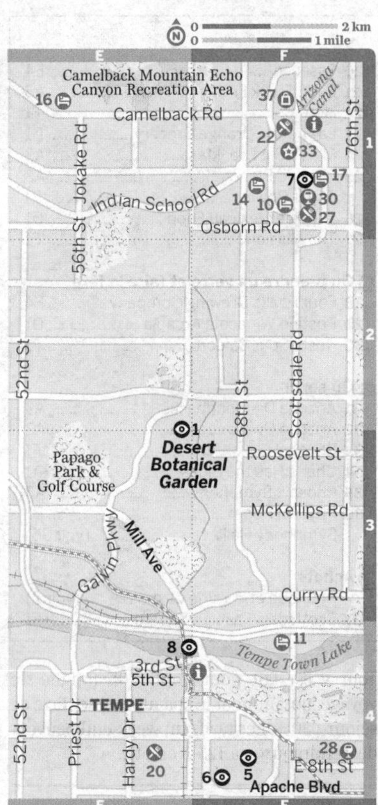


de B&B ou d'auberges. Les prix chutent pendant l'été, caniculaire, et les résidents de la Valley en profitent pour se rendre dans leurs complexes préférés.

## Phoenix

**HI Phoenix Hostel** AUBERGE DE JEUNESSE $

(☎602-254-9803 ; www.phxhostel.org ; 1026 N 9th St ; dort à partir de 20 $, s/d 37/47 $ ; ❄@📶). Une attrayante auberge de 14 lits, dotée d'un jardin reposant, dans un quartier résidentiel populaire. Les propriétaires, sympathiques, connaissent bien Phoenix et accueillent leurs hôtes de 8h à 10h (jusqu'à 12h les vendredi et samedi) et de 17h à 22h. Fermée en juillet/août. Pas de paiement par carte bancaire.

**Budget Lodge Downtown** MOTEL $

(☎602-254-7247 ; www.blphx.com ; 402 W Van Buren St ; ch avec petit-déj 60-67 $ ; P❄📶). Au cœur du centre-ville, ce motel simple sur 2 niveaux est propre et bon marché. Micro-ondes et réfrigérateur dans chaque chambre, et petit-déjeuner offert.

**Aloft Phoenix-Airport** HÔTEL $$

(☎602-275-6300 ; www.aloftphoenixairport.com ; 4450 E Washington St ; ch 109-149 $ ; P@📶≋🐾). Les chambres allient une sensibilité pop art et un design moderne des plus épuré. L'hôtel est près de Tempe, en face du Pueblo Grand Museum.

**Palomar Phoenix** HÔTEL $$$

(☎877-488-1908, 602-253-6633 ; www.hotelpalomar-phoenix.com ; 2 E Jefferson St ; ch 349-359 $ ; P❄📶≋🐾). Oreillers à poils, lampes en bois de cerf et portraits de vaches bleues : la fantaisie est reine dans ce nouvel hôtel de 242 chambres situé à CityScape, le nouveau quartier dédié à la restauration et aux loisirs. Plutôt grandes et de style moderne, les chambres mettent à disposition un tapis de yoga et des peignoirs aux imprimés animaliers. Piscine extérieure et salon au 3e niveau, avec jolie vue sur le centre-ville. Petites réductions de prix le week-end.

**Royal Palms Resort & Spa** COMPLEXE HÔTELIER $$$

(☎602-840-3610 ; www.royalpalmsresortandspa.com ; 5200 E Camelback Rd ; ch 333-423 $, ste à partir de 342-519 $ ; P❄@📶≋🐾). Ce complexe chic au pied de Camelback Mountain est un endroit calme et élégant, ponctué de villas coloniales espagnoles, d'allées fleuries et de palmiers d'Égypte. Taxe de séjour : 34 $/jour.

## Scottsdale

**Sleep Inn** HÔTEL $$

(☎480-998-9211 ; www.sleepinnscottsdale.com ; 16630 N Scottsdale Rd ; ch avec petit-déj 139-159 $ ; P❄@📶🐾). La chaîne hotelière nationale a élu North Scottsdale pour son enseigne à Phoenix. Une adresse appréciée pour son petit-déjeuner complet, son personnel chaleureux et sa proximité avec Taliesin West. Micro-ondes et réfrigérateurs dans les chambres.

**Saguaro Inn** HÔTEL $$

(☎480-308-1100 ; www.jdvhotels.com ; 4000 N Drinkwater Blvd ; ch 189 $ ; P❄📶≋🐾). Une adresse colorée pour une clientèle branchée, à proximité d'Old Town. L'ambiance est jeune et l'attention au détail fait parfois défaut, mais l'emplacement est parfait. Piscine entourée de palmiers et tarifs les plus bas du quartier.

## Phoenix

**Les incontournables**
1 Desert Botanical Garden ........ E2
2 Heard Museum ........ A2
3 Phoenix Art Museum ........ A2

**À voir**
4 Arizona Science Center ........ A3
5 Arizona State University ........ F4
Cox Splash Playground ........ (voir 8)
6 Gammage Auditorium ........ F4
7 Old Town de Scottsdale ........ F1
8 Tempe Town Lake ........ E4

**Où se loger**
9 Aloft Phoenix-Airport ........ D3
10 Bespoke Inn, Cafe & Bicycles ........ F1
11 Best Western Inn of Tempe ........ F4
12 Budget Lodge Downtown ........ A3
13 HI Phoenix Hostel ........ B3
14 Hotel Valley Ho ........ F1
15 Palomar Phoenix ........ A3
16 Royal Palms Resort & Spa ........ E1
17 Saguaro Inn ........ F1

**Où se restaurer**
18 Beckett's Table ........ D1
19 Durant's ........ A2
20 Essence ........ E4
21 Food Truck Friday ........ A3
22 Herb Box ........ F1
23 La Grande Orange Grocery ........ D1
24 Matt's Big Breakfast ........ A3
25 Pizzeria Bianco ........ A3
Sugar Bowl ........ (voir 7)
26 Tee Pee Mexican Food ........ D1
27 The Mission ........ F1

**Où prendre un verre et faire la fête**
28 Four Peaks Brewing Company ........ F4
29 Postino Winecafé Arcadia ........ D1
30 Rusty Spur Saloon ........ F1

**Où sortir**
31 Arizona Diamondbacks ........ A3
32 Arizona Opera ........ A2
33 BS West ........ F1
34 Char's Has the Blues ........ A1
35 Phoenix Symphony ........ A3
36 Rhythm Room ........ B1
Symphony Hall ........ (voir 35)

**Achats**
Boutique et librairie du musée ...... (voir 2)
37 Scottsdale Fashion Square ........ F1

**♥ Hotel Valley Ho** BOUTIQUE-HÔTEL **$$$**
(☎480-248-2000 ; www.hotelvalleyho.com ; 6850 E Main St ; ch 249-299 $, ste 399-509 $ ; P❄@📶🏊🐾). Tout est superbe au Valley Ho, une adresse jazzy qui a autrefois hébergé Bing Crosby, Natalie Wood et Janet Leigh. Aujourd'hui, le be-bop, le personnel enjoué et la "cheminée de glace" recréent l'ambiance de l'époque du Rat Pack, qui se prolonge jusque dans les chambres qui disposent de balcons. Wi-Fi gratuit 12 heures/jour.

**Bespoke Inn, Cafe & Bicycles** B&B **$$$**
(☎480-664-0730 ; www.bespokeinn.com ; 3701 N Marshall Way ; ch à partir de 299 $ ; P❄📶🏊🐾). Sommes-nous dans la campagne française ou dans le centre de Scottsdale ? Ce nouveau B&B propose un café chic, une piscine à débordement, et des vélos de ville Pashley. Les chambres luxueuses possèdent de jolis détails comme le mobilier artisanal et la robinetterie en nickel. Petit-déjeuner gourmand servi autour d'une table commune. À partir de 199 $ en été.

**Boulders** COMPLEXE HÔTELIER **$$$**
(☎480-488-9009 ; www.theboulders.com ; 34631 N Tom Darlington Dr, Carefree ; casita 319-369 $, villa 599-1149 $ ; P❄@📶🏊). Se fondant presque dans le paysage rocheux, ce refuge loin de la ville est aussi somptueux que décontracté. Tout y est fait pour oublier la fatigue du voyage, notamment le spa ultra-chic. Taxe de séjour : 30 $. Les tarifs du week-end peuvent descendre jusqu'à 125 $ en été.

### Tempe

**Best Western Inn of Tempe** HÔTEL **$**
(☎480-784-2233 ; www.innoftempe.com ; 670 N Scottsdale Rd ; ch avec petit-déj 89-99 $ ; P❄@📶🏊). Hôtel bien tenu et pratique, accessible à pied depuis Tempe Town Lake et proche de l'ASU et de l'animation de Mill Ave. Navette pour l'aéroport 24h/24.

**♥ Sheraton Wild Horse Pass Resort & Spa** COMPLEXE HÔTELIER **$$$**
(☎602-225-0100 ; www.wildhorsepassresort.com ; 5594 W Wild Horse Pass Blvd, Chandler ; ch 209-279 $, ste 284-520 $, plats 44-54 $ ; P❄@📶🏊). Scrutez l'horizon pour apercevoir les chevaux sauvages (*wild horses*) de cette éblouissante propriété, conçue par la tribu de Gila River comme un espace luxueux où s'imprégner de la sagesse et des soins prodigués par les Amérindiens. Chambres confortables, vastes espaces communs, excellente cuisine, deux parcours de golf 18 trous, centre équestre, courts de tennis, spa et toboggan inspiré des ruines hohokam.

## Où se restaurer

Le secteur Phoenix-Scottsdale offre le plus grand choix de restaurants du Sud-Ouest. Pour goûter une sélection des meilleurs plats d'Arizona, arrêtez-vous au **Food Truck Friday** (www.phxstreetfood.org ; 721 N Central Ave, Phoenix Public Market, centre-ville ; 11h-13h30 ven) au Phoenix Public Market du centre-ville.

**Matt's Big Breakfast** PETIT-DÉJEUNER **$**
(602-254-1074 ; www.mattsbigbreakfast.com ; 825 N 1st St, angle Garfield St ; petit-déj 5-10 $, déj 7-10 $ ; 6h30-14h30). Le légendaire établissement spécialiste du petit-déjeuner a rouvert dans un plus grand local du même pâté de maisons, et la clientèle afflue toujours sur le trottoir en attendant une table. Les classiques de la carte y sont délicieux, mais les spécialités du jour, tels les œufs brouillés aux poivrons et au chorizo accompagnés de frites croustillantes, sont un vrai régal.

**Tee Pee Mexican Food** MEXICAIN **$**
(602-956-0178 ; www.teepeemexicanfood.com ; 4144 E Indian School Rd ; plats 5-14 $ ; 11h-22h lun-sam, 11h-21h dim). Si vous aimez les spécialités mexicaines bien chaudes et américanisées au fromage, installez-vous dans un box de cet établissement quarantenaire apprécié. En 2004, George W. Bush y a mangé deux *enchiladas* au fromage et aux oignons, du riz et des haricots – un plat désormais appelé le *Presidential Special*.

**La Grande Orange Grocery** CAFÉ **$**
(www.lagrandeorangegrocery.com ; 4410 N 40th St ; petit-déj moins de 8 $, déj 7-9 $, pizza 12-15 $ ; café 6h30-22h, pizzeria à partir de 16h lun-jeu, à partir de 11h ven-sam). Épicerie, boulangerie, café et pizzeria animée à l'angle de 40th St et d'E Campbell Ave. L'idéal pour un muffin et un café le matin, un sandwich bacon, salade, tomate (BLT) le midi ou une pizza margherita le soir.

**Dick's Hideaway** MEXICAIN MODERNE **$$**
(602-241-1881 ; http://richardsonsnm.com ; 6008 N 16th St ; petit-déj 5-20 $, déj 12-16 $, dîner 12-35 $ ; 7h-minuit dim-mer, 7h-1h jeu-sam). Choisissez une table près du bar ou installez-vous à la table commune dans la salle attenante pour savourer de copieuses portions de succulents *tamales*, *enchiladas* épicées et autres spécialités mexicaines innovantes. Le Bloody Mary est servi avec un shot de bière. L'entrée, non signalée, est cachée par d'imposants arbustes.

**Pizzeria Bianco** PIZZERIA **$$**
(602-258-8300 ; www.pizzeriabianco.com ; 623 E Adams St ; pizza 12-16 $ ; 11h-21h lun, 11h-22h mar-sam). La salle et la carte sont très modestes, mais les délicieux parfums sont au rendez-vous dans ce célèbre restaurant tenu par Chris Bianco, titulaire du prix James Beard. Parmi les fines pizzas croustillantes cuites au feu de bois figurent la Rosa, aux oignons rouges, parmesan, romarin et pistaches de l'Arizona, et la Wiseguy aux oignons grillés au feu de bois, mozzarella fumée et saucisse au fenouil.

**Beckett's Table** AMÉRICAIN MODERNE **$$**
(602-954-1700 ; www.beckettstable.com ; 3717 E Indian School Rd ; plats 13-21 $ ; 17h-22h mar-sam, 17h-21h dim). Le bâtiment le plus élégant du coin, avec sol en béton, poutres et boiseries, sert un dîner campagnard. Le concept de ferme urbaine prend tout son sens quand on déguste les plats composés d'ingrédients locaux du chef Justin Beckett, allant du tendre osso bucco aux côtelettes avec purée. Ne manquez pas le *biscuit* bacon cheddar accompagné de sauce à la pomme et piments *jalapeño* confits. Si vous êtes seul, prenez place à la table commune en noyer noir.

**Durant's** GRILL **$$$**
(602-264-5967 ; 2611 N Central Ave ; déj 10-30 $, dîner 20-50 $ ; 11h-16h lun-ven, dîner tlj). Cet établissement sombre et viril est un merveilleux grill à l'ancienne où l'on vous servira de copieux et délicieux steaks accompagnés d'une pomme de terre. L'ambiance y est aussi formidable : confortables banquettes en velours rouge et sentiment que le Rat Pack peut surgir à tout moment.

### Scottsdale

**Sugar Bowl** GLACIER **$**
(480-946-0051 ; www.sugarbowlscottsdale.com ; 4005 N Scottsdale Rd ; glaces 2,25-9 $, plats 6-12 $ ; 11h-22h dim-jeu, 11h-minuit ven-sam ; ). Une institution rose et blanche de la Valley qui fabrique des glaces depuis les années 1950. Menu complet à base de sandwichs et de salades pour les plus gros appétits.

**The Mission** MEXICAIN **$$**
(480-636-5005 ; www.themissionaz.com ; 3815 N Brown Ave ; déj 9-12 $, dîner 12-32 $ ; 11h-15h et 17h-22h dim-jeu, jusqu'à 23h ven-sam). L'intérieur sombre, les bougies et les icônes religieuses donnent à ce nouvel établissement latino des airs de XV[e] siècle, mais les terrasses ensoleillées, agrémentées de parasols

orange, égaient l'atmosphère. Pour un déjeuner substantiel, goûtez le taco de steak avec sauce au piment vert, avocat et bœuf mariné à la bière Tecate. Guacamole préparé devant les clients. Margaritas et mojitos.

**Herb Box** AMÉRICAIN $$
(☎480-289-6160 ; www.theherbbox.com ; 7134 E Stetson Dr ; déj 10-19 $, dîner 15-28 $ ; ⊙déj tlj, dîner mar-sam). Un bistrot plus que soigné qui se distingue par la fraîcheur des ingrédients (régionaux) mis en œuvre et la présentation artistique de ses plats. Service attentionné.

## Tempe

**♥ Essence** CAFÉ $
(☎480-966-2745 ; 825 W University Dr ; petit-déj 5-9 $, déj 7,25-9 $ ; ⊙7h-15h lun-sam ; ✎). La jovialité est de mise pour vous régaler de mets sains, d'œufs et de pain perdu au petit-déjeuner, de salades, de sandwichs et de quelques spécialités méditerranéennes au déjeuner. Le café au caramel glacé et les macarons font un agréable goûter.

**♥ Kai Restaurant** AMÉRINDIEN $$$
(☎602-225-0100 ; www.wildhorsepassresort.com ; 5594 W Wild Horse Pass Blvd, Chandler ; plats 44-54 $, menus dégustation 135-225 $ ; ⊙17h-21h mar-jeu, 17h-21h30 ven-sam). Les ingrédients simples, issus principalement de fermes et de ranchs amérindiens, sont merveilleusement cuisinés. Les dîners raffinés se composent de plats comme le *mole* d'agneau du Colorado aux noix de pécan, ou le parfait équilibre entre aventure et plaisir. Tenue correcte recommandée (ni short ni chapeau). Au Sheraton Wild Horse Pass Resort & Spa, dans la réserve indienne de Gila River. Fermé en août.

## Où prendre un verre

Scottsdale concentre l'ensemble des bars et clubs tendance, Tempe attire les étudiants, et Phoenix rassemble la plupart des bars de quartier redevenus à la mode.

**Postino Winecafé Arcadia** BAR À VINS
(www.postinowinecafe.com ; 3939 E Campbell Ave, angle 40th St, Phoenix ; ⊙11h-23h lun-jeu, 11h-minuit ven, 9h-minuit sam, 9h-22h dim). Idéal pour se retrouver entre bons vivants, ce bar à vins avec terrasse ravira aussi les solitaires. Parmi ses points forts, on retiendra le patio avec brumisateur, les *bruschette* festives et le verre de vin à 5 $ entre 11h et 17h.

**Edge Bar** BAR
(5700 E McDonald Dr, Sanctuary on Camelback Mountain, Paradise Valley). Perché sur le versant de Camelback Mountain, ce bar branché du complexe hôtelier Sanctuary offre un panorama exceptionnel au soleil couchant. Plus de place en terrasse ? Le cossu Jade Bar et ses baies vitrées feront tout autant l'affaire. Service voiturier offert.

**Four Peaks Brewing Company** BRASSERIE
(☎480-303-9967 ; www.fourpeaks.com ; 1340 E 8th St, Tempe ; ⊙11h-2h lun-sam, 10h-2h dim). Amateurs de bière, réjouissez-vous : vous êtes au bon endroit dans cette brasserie de quartier caractéristique installée dans un bâtiment au style architectural s'inspirant de celui des missions.

**Rusty Spur Saloon** BAR
(☎480-425-7787 ; www.rustyspursaloon.com ; 7245 E Main St, Scottsdale ; ⊙10h-1h dim-jeu, 10h-2h ven-sam). Authentiquement country, ce bar bon enfant est toujours bondé. Il a la faveur d'une clientèle grisonnante pour ses boissons bon marché et ses groupes de country ; consultez la programmation sur le site Internet. Dans une ancienne banque, fermée lors de la Dépression.

## ☆ Où sortir

Le **Phoenix Symphony Orchestra** (☎administration 602-495-1117, guichet 602-495-1999 ; www.phoenixsymphony.org ; 75 N 2nd St, billetteries 1 N 1st St, 75 N 2nd St) se produit au **Symphony Hall** (75 N 2nd St). En 2013, l'**Arizona Opera** (☎602-266-7464 ; www.azopera.com ; 1636 N Central Ave) a été transféré dans le nouvel Opéra construit face au Phoenix Art Museum.

L'équipe masculine de basket, les **Phoenix Suns** (☎602-379-7900 ; www.nba.com/suns ; 201 E Jefferson St, Phoenix), et l'équipe féminine, les **Phoenix Mercury** (☎602-252-9622 ; www.wnba.com/mercury ; 201 E Jefferson St, Phoenix), jouent à l'US Airways Center. L'équipe de football américain des **Arizona Cardinals** (☎602-379-0101 ; www.azcardinals.com ; 1 Cardinals Dr, Glendale) joue à Glendale, au nouvel University of Phoenix Stadium. Enfin, l'équipe de base-ball des **Arizona Diamondbacks** (☎602-462-6500 ; www.arizona.diamondbacks.mlb.com ; 401 E Jefferson St, Phoenix) a pour stade le Chase Field.

**Rhythm Room** MUSIQUE LIVE
(☎602-265-4842 ; www.rhythmroom.com ; 1019 E Indian School Rd, Phoenix ; ⊙ouverture des portes

à 19h30 habituellement). La Rhythm Room accueille les meilleurs groupes locaux et régionaux. Petite et intimiste, la salle donne l'impression d'être au tout premier rang, où que vous soyez placé. Pas de grands noms, mais la programmation musicale est de qualité.

**Char's Has the Blues** BLUES
(☎602-230-0205 ; www.charshastheblues.com ; 4631 N 7th Ave, Phoenix ; entrée libre lun-mer, 3 $ jeu et dim, 7 $ ven-sam ; ⏲20h-1h dim-mer, 19h30-1h jeu-sam). Sombre et intimiste, mais très accueillant, ce cottage blues et R'n'B attire la foule avec d'intéressants spectacles presque tous les soirs de la semaine, tout en donnant l'impression d'être resté une adresse secrète.

**BS West** GAY
(☎480-945-9028 ; www.bswest.com ; 7125 E 5th Ave, Scottsdale ; ⏲14h-2h). Dans le quartier d'Old Town à Scottscale, ce bar gay très animé propose billard et piste de danse. Go-go dancers et karaoké le dimanche.

## Achats

La vallée compte plusieurs galeries marchandes d'intérêt. Pour des achats haut de gamme, rendez-vous au **Scottsdale Fashion Square** (www.fashionsquare.com ; 7014 E Camelback, Scottsdale Rd, Scottsdale ; ⏲10h-21h lun-sam, 11h-18h dim) ou encore au sélect **Biltmore Fashion Park** (www.shopbiltmore.com ; 2502 E Camelback Rd, 24th St, Phoenix ; ⏲10h-20h lun-sam, 12h-18h dim). Dans le nord de Scottsdale, le nouveau centre en plein air de **Kierland Commons** (www.kierlandcommons.com ; 15205 N Kierland Blvd, Scottsdale ; ⏲10h-20h lun-jeu, 10h-21h sam, 12h-18h dim) attire les foules.

**Boutique et librairie Heard Museum** ART ET ARTISANAT
(www.heardmuseumshop.com ; 2301 N Central Ave, Phoenix ; ⏲boutique 9h30-17h, 11h-17h dim, librairie 9h30-17h30 lun-sam, 9h30-17h dim). Choix de livres sur les Amérindiens et vaste sélection de créations artistiques et artisanales amérindiennes, dont des bijoux et des poupées *kachina*.

## Renseignements

### OFFICES DU TOURISME

**Downtown Phoenix Visitor Information Center** ((☎877-225-5749 ; www.visitphoenix.com ; 125 N 2nd St, Suite 120 ; ⏲8h-17h lun-ven). L'adresse la plus complète en matière de renseignements touristiques de la Valley.

**Mesa Convention & Visitors Bureau** (☎800-283-6372, 480-827-4700 ; www.visitmesa.com ; 120 N Center St, Mesa ; ⏲8h-17h lun-ven)

**Scottsdale Convention & Visitors Bureau** (☎800-782-1117, 480-421-1004 ; www.experiencescottsdale.com ; 4343 N Scottsdale Rd, Suite 170 ; ⏲8h-17h lun-ven). À l'intérieur du Galleria Corporate Center. Personnel très serviable. Le *Desert Discovery Guide* (gratuit) comprend une liste exhaustive des sentiers de la région.

**Tempe Convention & Visitors Bureau** (☎866-914-1052, 480-894-8158 ; www.tempetourism.com ; 51 W 3rd St, Suite 105 ; ⏲8h30-17h lun-ven)

### POSTE

**Bureau de poste** (☎602-253-9648 ; 522 N Central Ave, Phoenix ; ⏲9h-17h lun-ven)

### SITES INTERNET ET MÉDIAS

**Arizona Republic** (www.azcentral.com). Le plus grand journal de l'Arizona publie chaque jeudi un cahier gratuit des sorties, le *Calendar*.

**Burton Barr Central Library** (☎602-262-4636 ; www.phoenixpubliclibrary.org ; 1221 N Central Ave, Phoenix ; ⏲9h-17h lun, ven-sam, 9h-21h mar-jeu, 13h-17h dim ; 📶). Accès Internet gratuit.

**KJZZ 91.5 Fm** (http://kjzz.org). Radio publique nationale (NPR).

**Phoenix New Times** (www.phoenixnewtimes.com). Le grand hebdomadaire gratuit répertoriant l'ensemble des sorties et des restaurants.

### URGENCES ET SERVICES MÉDICAUX

**Banner Good Samaritan Medical Center** (☎602-839-2000 ; www.bannerhealth.com ; 1111 E McDowell Rd, Phoenix). Salle des urgences accessible 24h/24.

**Police** (☎602-262-6151 ; http://phoenix.gov/police ; 620 W Washington St, Phoenix)

## Comment s'y rendre et circuler

L'**aéroport international Sky Harbor** (☎602-273-3300 ; http://skyharbor.com ; 3400 E Sky Harbor Blvd ; 📶) se trouve à 4,5 km au sud-est du centre-ville de Phoenix. Il est desservi par 17 compagnies aériennes, dont United Airlines, American Airlines, Delta Airlines et British Airways. Ses trois terminaux (2, 3 et 4 ; le terminal 1 a été démoli en 1990) et les parcs de stationnement sont en liaison directe via la navette aéroportuaire (Airport Shuttle Bus) opérationnelle 24h/24. Lancé en 2013, le **Phoenix Sky Train**, gratuit, circule actuellement entre le parking économique, le terminal 4 et la station du *light rail* (METRO) située à l'angle de 44th St et d'E Washington St.

## LA ROUTE DES VINS DE VERDE VALLEY

De nouveaux vignobles, établissements vinicoles et sites de dégustation ont ouvert leurs portes le long de la Hwy 89A et de l'I-17, redynamisant les villes de Cottonwood, Jerome et Cornville.

Depuis Cottonwood, laissez-vous entraîner jusqu'aux **Alcantara Vineyards** (www.alcantaravineyard.com ; 3445 S Grapevine Way) voisins puis promenez-vous dans l'Old Town où deux nouvelles salles de dégustation, **Arizona Stronghold** (www.azstronghold.com ; 1023 N Main St ; dégustation 9 $ ; 12h-19h dim-jeu, 12h-21h ven-sam) et **Pillsbury Wine Company** (www.pillsburywine.com ; 1012 N Main St ; 11h-18h dim-jeu, 11h-20h ven) se font face sur Main St. L'art, les paysages et l'œnologie se donnent rendez-vous à Jerome, où l'on peut déguster du vin partout en ville, à commencer par la **Cellar 433** (www.bittercreekwinery.com ; 240 Hull Ave ; 11h-17h lun-mer, 11h-18h jeu-dim) proche du Visitor Center de la Chamber of Commerce. Continuez ensuite jusqu'aux **Caduceus Cellars** (www.caduceus.org ; 158 Main St ; 11h-18h dim-jeu, jusqu'à 20h dim) puis terminez en montant jusqu'à la **Jerome Winery** (928-639-9067 ; 403 Clark St ; 11h-17h lun-jeu, 11h-20h sam, 11h-16h dim, horaires réduits sept-mai) à l'accueillant patio.

Trois établissements vinicoles se tiennent sur une petite portion de Page Springs Rd à l'est de Cornville : **Page Springs Cellars** (www.pagespringscellars.com ; 1500 N Page Springs Rd ; dégustation 10 $ ; 11h-19h lun-mer, 11h-21h jeu-dim) et son petit bistrot, l'accueillante **Oak Creek Vineyards** (928-649-0290 ; 1555 N Page Springs Rd ; dégustation 5 $ ; 10h-18h), et **Javelina Leap Vineyard** (www.javelinaleapwinery.com ; 1565 Page Springs Rd ; dégustation 8 $ ; 11h-17h), à l'ambiance rock.

La compagnie routière **Greyhound** (602-389-4200 ; www.greyhound.com ; 2115 E Buckeye Rd) dessert Tucson (21-23 $, 2 heures, 8/jour), Flagstaff (38 $, 3 heures, 5/jour), Albuquerque (78-85 $, 10 heures-12 heures 30, 7/jour) et Los Angeles (38 $, 7 à 8 heures, 8/jour). Les bus Valley Metro n°13 relient l'aéroport au terminal Greyhound.

Le réseau de bus **Valley Metro** (602-253-5000 ; www.valleymetro.org ; billet 2 $) dessert toute la Valley et gère une ligne de *light rail* longue de 32 km entre les quartiers nord et le centre-ville de Phoenix, Tempe/ASU et le centre-ville de Mesa. Les tarifs de *light rail* et de bus sont de 2 $ le trajet (sans correspondance) ou de 4 $ le forfait journalier. Les bus circulent tous les jours à des horaires irréguliers. Les **bus FLASH** (www.tempe.gov) circulent tous les jours dans le quartier de l'université ASU et le centre de Tempe, et le **Scottsdale Trolley** (www.scottsdaleaz.gov/trolley ; 11h-18h ven-mer, 11h-21h jeu en péride d'Artwalk) dessert le centre de Scottsdale. Tous deux sont gratuits.

# Flagstaff

Flagstaff déploie son charme tranquille dans son centre historique sans voitures, son architecture éclectique typique et ses enseignes lumineuses en néon joliment rétro, le tout au pied de montagnes idéales pour s'adonner au ski et à la randonnée. Ses habitants, plus portés sur la nature et les loisirs de plein air que sur les armes à feu, sont d'un naturel accueillant et sportif. Si la Northern Arizona University (NAU) donne à la ville un parfum de jeunesse, son passé ferroviaire reste bien présent. Ajoutez à cela les saveurs de la bière artisanale, le goût du café fraîchement moulu et une ambiance conviviale, et vous obtenez une ville où l'envie de s'arrêter un peu plus longtemps que prévu prédomine.

## À voir

Ses sites culturels, son centre-ville historique et les grands espaces qui l'environnent rendent Flagstaff attirante. Le Visitor Center distribue des cartes de circuits pédestres sur les thèmes de la Route 66 et des édifices hantés.

**Museum of Northern Arizona** MUSÉE
(928-774-5213 ; www.musnaz.org ; 3101 N Fort Valley Rd ; tarif plein/enfant/senior 10/6/9 $ ; 9h-17h). À 4,8 km au nord du centre, une introduction fort utile sur la région. Outre les aspects géologiques, biologiques et artistiques, c'est toute l'anthropologie amérindienne qui est abordée à travers l'archéologie, l'histoire et les traditions des tribus locales.

**Lowell Observatory** OBSERVATOIRE
(928-774-3358 ; www.lowell.edu ; 1400 W Mars Hill Rd ; adulte/enfant 12/5 $ ; 9h-22h juin-août, horaires réduits sept-mai). La première

observation de Pluton a eu lieu ici en 1920. Dans de bonnes conditions météo, les étoiles sont visibles toute la nuit, d'autant plus que Flagstaff est la première International Dark Sky City (ville préservée de la pollution lumineuse) au monde. Possibilité de visite guidée de 13h à 16h.

**Walnut Canyon National Monument** CANYON
(☎928-526-3367 ; www.nps.gov/waca ; accès 7 jours adulte/enfant 5 $/gratuit ; ⏲8h-17h mai-oct, 9h-17h nov-avr). Un site incontournable à 18 km au sud-est de Flagstaff (quitter l'I-40 à la sortie 204) : les habitations troglodytes des Indiens Sinagua creusées dans les parois pratiquement verticales d'une petite butte calcaire au cœur d'un canyon boisé. Un court sentier descend le long des nombreuses grottes.

## Activités

**Alpine Pedaler** VÉLO
(☎928-213-9233 ; www.alpinepedaler.com ; 25 $/pers). Grimpez à bord du bus – ou plutôt du vélo collectif – pour pédaler jusqu'aux bars du centre. Ce véhicule de 15 places facilite grandement la tournée des pubs. Circuit de 2 heures.

**Humphreys Peak** RANDONNÉE
La plus haute montagne de l'État (3 800 m) est relativement facile à gravir l'été par un sentier de randonnée qui part de l'Arizona Snowbowl. Il serpente sur un peu plus de 7 km à travers bois, pour émerger au-dessus des arbres nus, surplombant l'étendue aride. Comptez 6 à 8 heures pour l'aller-retour.

**Arizona Snowbowl** SKI
(☎928-779-1951 ; www.arizonasnowbowl.com ; Hwy 180 et Snowbowl Rd ; forfait adulte/enfant 55/15 $ ; ⏲9h-16h). Six remonte-pentes desservent 40 pistes et un parc de snowboard entre 2 800 et 3 500 m d'altitude. Le télésiège est aussi opérationnel en été (adulte/enfant 12/8 $).

## Où se loger

Flagstaff offre le plus grand choix d'hébergement de la région. Contrairement au sud de l'Arizona, l'été est ici la haute saison.

**Grand Canyon International Hostel** AUBERGE DE JEUNESSE $
(☎928-779-9421 ; www.grandcanyonhostel.com ; 19½ S San Francisco St ; dort 22-24 $, ch sans sdb 44-56 $, petit-déj compris ; ❄@📶). Figurant sur le circuit pédestre proposé par le Visitor Center de Flagstaff sur le thème de la Route 66, ce bâtiment historique tenu par une équipe sympathique abrite de petits dortoirs propres, avec cuisine et laverie. Excursions pour le Grand Canyon et Sedona. À un pâté de maisons de la station Amtrak, transfert gratuit depuis l'arrêt de bus Greyhound. Plus fréquentée que sa jumelle, le Dubeau Hostel.

**Dubeau Hostel** AUBERGE DE JEUNESSE $
(☎928-774-6731 ; www.grandcanyonhostel.com ; 19 W Phoenix St ; dort 22-24 $, ch 48-68 $, petit-déj compris ; P❄@📶). L'équipe du Grand Canyon International Hostel gère aussi cette adresse plus discrète, dont les chambres individuelles s'apparentent à des chambres d'hôtel standard, avec réfrigérateur et sdb équipée d'une douche, mais à moitié prix.

**Hotel Monte Vista** HÔTEL $$
(☎928-779-6971 ; www.hotelmontevista.com ; 100 N San Francisco St ; d 65-110 $, ste 120-140 $ ; 📶). Abat-jour en plumes, mobilier vintage, teintes audacieuses et agencement à l'ancienne ressuscitent le passé du lieu. Les 50 chambres et suites tiennent en effet leur nom des stars de cinéma qui y ont séjourné. Demandez une chambre au calme si la musique du Monte Vista Lounge vous perturbe. Les adeptes du surnaturel trouveront à la réception une brochure sur les fantômes.

**Drury Inn & Suites** HÔTEL $$
(☎928-773-4900 ; www.druryhotels.com ; 300 S Milton Rd ; ch avec petit-déj 155-165 $, ste 200 $ ; P❄@📶🏊🐾). On est un peu impressionné par la majesté des colonnes à l'entrée de cette bâtisse certifiée LEED (certification écologique) de 6 étages. L'élément fort en est l'agréable "Kickback" où sont servis gratuitement bières et vin (en quantité limitée) et un copieux buffet d'en-cas. Compris, le petit-déjeuner se révèle consistant. Micro-ondes et réfrigérateur dans toutes les chambres.

## Où se restaurer

En déambulant dans le centre, vous trouverez une multitude de restaurants.

**Diablo Burger** BURGERS $
(www.diabloburger.com ; 120 N Leroux St ; plats 10-13,25 $ ; ⏲11h-21h lun-mer, 11h-22h jeu-sam). Ses burgers gourmands sont garnis de bœuf élevé localement et sans antibiotiques, et servis avec des frites toutes fraîches et une sauce. Le Blake, surmonté de cheddar, rend hommage au Nouveau-Mexique avec sa mayonnaise au piment de Hatch et ses

piments verts rôtis. L'établissement minuscule ne comptant que 4 tables à l'intérieur et quelques places au bar (servant vin et bière), mieux vaut arriver tôt.

**Beaver Street Brewery** MICROBRASSERIE $$
(www.beaverstreetbrewery.com ; 11 S Beaver St ; déj 8-13 $, dîner 10-20 $ ; 11h-23h dim-jeu, 11h-minuit ven-sam ; ). Dans une chaleureuse ambiance familiale, on apprécie une bonne cuisine de bar : pizzas, salades et burgers délicieux à arroser de 5 bières pression maison, plus quelques variantes de saison.

**Criollo Latin Kitchen** FUSION $$
(928-774-0541 ; www.criollolatinkitchen.com ; 16 N San Francisco St ; déj 8-17 $, dîner 10-22 $, brunch 8-10 $ ; 11h-21h lun-jeu, 11h-22h ven, 9h-22h sam, 9h-21h dim). Ce resto fusion latino-américain au décor industriel n'en offre pas moins un cadre romantique pour un cocktail ou de délicieuses petites assiettes en soirée. Les pancakes au maïs bleu et aux myrtilles sont les plus célèbres attributs du brunch du dimanche. Ingrédients locaux et durables, quand cela est possible.

## Où prendre un verre et faire la fête

La Flagstaff Ale Trail (www.flagstaffaletrail.com) couvre sur 1,6 km les meilleurs brasseries et rares pubs du centre-ville pour déguster des bières artisanales, .

**Museum Club** BAR
(928-526-9434 ; www.themuseumclub.com ; 3404 E Route 66 ; 11h-2h). Ouvert depuis 1936 dans ce qui ressemble à une immense cabane en rondins, ce pub country abrite une vaste piste de danse en parquet, un somptueux bar en acajou rempli de bouteilles dans un décor d'animaux accrochés aux murs. Il est vrai que ce fut en 1931 un musée de taxidermie.

**Macy's** CAFÉ
(www.macyscoffee.net ; 14 S Beaver St ; plats moins de 8 $ ; 6h-20h ; ). Rendez-vous des amateurs de café maison depuis plus de trente ans, Macy's propose de délicieux plats végétaliens diversifiés, ainsi que des en-cas traditionnels.

**Cuvee 928** BAR À VINS
(www.cuvee928winebar.com ; 6 E Aspen Ave ; 11h30-21h lun-jeu, 11h30-22h ven-sam, 10h-15h dim). Idéalement situé sur Heritage Square, dans le centre : prenez place dans le patio et regardez passer les gens.

**Charly's Pub & Grill** MUSIQUE LIVE
(928-779-1919 ; www.weatherfordhotel.com ; 23 N Leroux St ; 8h-22h). Ce restaurant intégré au Weatherford Hotel programme des concerts le week-end. Sa cheminée et ses murs en briques composent un décor douillet pour le blues, le jazz et la folk. Au 2e étage, faites un tour sur la véranda devant la Zane Grey Ballroom.

## Renseignements

**Visitor Center** (800-842-7293, 928-774-9541 ; www.flagstaffarizona.org ; 1 E Rte 66 ; 8h-17h lun-sam, 9h-16h dim). Dans la gare ferroviaire historique d'Amtrak.

## Comment s'y rendre et circuler

Le Flagstaff Pulliam Airport se trouve à 6,4 km au sud de la ville en bordure de l'I-17. **US Airways** (800-428-4322 ; www.usairways.com) propose plusieurs vols quotidiens entre l'aéroport de Pulliam et le Phoenix Sky Harbor International Airport. Les bus **Greyhound** (800-231-2222, 928-774-4573 ; www.greyhound.com ; 880 E Butler Ave) depuis/vers Albuquerque, Las Vegas, Los Angeles et Phoenix, font halte à Flagstaff. Les navettes de l'**Arizona Shuttle** (800-888-2749, 928-226-8060 ; www.arizonashuttle.com) circulent vers le parc (29 $ l'aller), Sedona (25 $ l'aller) et l'aéroport de Sky Harbor (45 $ l'aller).

Exploité par **Amtrak** (800-872-7245, 928-774-8679 ; www.amtrak.com ; 1 E Rte 66 ; 3h-22h45), le *Southwest Chief* fait halte à Flagstaff sur son trajet quotidien entre Chicago et Los Angeles.

# Centre de l'Arizona

Véritable oasis de fraîcheur et vaste terrain de jeu, cette partie de l'Arizona attire des visiteurs toute l'année. Passé Phoenix, le niveau du sol s'élève, les collines désertiques laissant place à des coteaux escarpés couverts d'arbustes. Un peu plus au nord, des forêts de pins parsèment les montagnes.

## Williams

Située à 96 km au sud de Grand Canyon Village et à 56 km à l'ouest de Flagstaff, l'hospitalière Williams est une ville pleine de caractère et constitue la base idéale pour une excursion vers le Grand Canyon. Motels traditionnels et *diners* bordent la Route 66 ; ses jolies maisons à l'ancienne ainsi que sa gare ferroviaire vous replongeront dans le passé.

De nombreux touristes viennent ici pour emprunter le **Grand Canyon Railway** construit à la fin du XIX^e^ siècle (800-843-8724, 928-635-4253 ; www.thetrain.com ; Railway Depot, 233 N Grand Canyon Blvd ; aller-retour tarif plein/enfant à partir de 75/45 $ ; ) à destination du South Rim (départ de Williams à 9h30, retour à 17h45). Inutile d'être un passionné de train pour apprécier ce paisible mais admirable voyage à la découverte du Grand Canyon. Des personnages en costume d'époque racontent l'histoire de la région et des anecdotes sur fond de banjo. Suscitant un énorme engouement, le *Polar Express* (tarif plein/enfant à partir de 32/18 $) circule de novembre à début janvier, emmenant les enfants au "pôle Nord" voir le père Noël. Les bambins apprécieront le **Bearizona** (928-635-2289 ; www.bearizona.com ; 1500 E Route 66 ; adulte/enfant/-4 ans 20/10 $/gratuit ; 8h-18h juin à mi-août, horaires variables le reste de l'année), un parc animalier à parcourir en voiture, où l'on découvre loups gris, bisons, mouflons d'Amérique et ours noirs. Arrêtez-vous à Fort Bearizona pour vous approcher des jeunes ours.

Le **Red Garter Bed & Bakery** (928-635-1484 ; www.redgarter.com ; 137 W Railroad Ave ; d 135-160 $ ; ) est une ancienne maison close de 1897 transformée en B&B, où les prostituées hélaient les clients depuis les fenêtres. Les 4 chambres ont en partie conservé leur décor d'époque et la boulangerie du rez-de-chaussée sert du bon café. Le charmant **Grand Canyon Hotel** (928-635-1419 ; www.thegrandcanyonhotel.com ; 145 W Route 66 ; dort 40 $, ch sans sdb 67 $, ch avec sdb 74-125 $ ; mars-nov ; ) propose des petites chambres thématiques et un dortoir de 6 lits sans TV. Passez la nuit dans un fourgon de queue d'un train de Santa Fe de 1929 ou un wagon-lit au **Canyon Motel & RV Park** (928-635-9371 ; www.thecanyonmotel.com ; 1900 E Rodeo Rd, Williams ; empl camping-car 35-38 $, cottages 74-78 $, wagons 78-160 $ ; ), à l'est du centre-ville.

## HÉBERGEMENTS ATYPIQUES DE L'ARIZONA

- **Wigwam Motel** (p. 362). Tipi en béton.
- **Bisbee Grand Hotel** (p. 380). Charette couverte.
- **Red Garter Bed & Bakery** (ci-contre). Maison close de 1897.
- **Jerome Grand Hotel** (p. 364). Ancien hôpital minier.
- **Shady Dell RV Park** (p. 380). Caravanes rétro.
- **Canyon Motel & RV Park** (ci-contre). Fourgon de queue d'un train de Santa Fe.
- **Grand Canyon Caverns** (p. 362). Grotte souterraine.

## Sedona

Ville incontournable, Sedona a quelque chose d'intensément spirituel. Nichée au milieu de majestueuses formations rocheuses ocre à l'extrémité sud de l'Oak Creek Canyon, elle fascine artistes, randonneurs à pied ou à vélo, voyageurs en quête de spiritualité – ou fuyant la chaleur torride de Phoenix. De nombreux adeptes du new age croient que cet endroit concentre les vortex conducteurs de l'énergie terrestre. Forte de ce mélange de beauté naturelle et de mysticisme, la ville attire une multitude de touristes toute l'année. Commerces new age, galeries et restaurants gastronomiques foisonnent. Enfin, les canyons environnants fournissent de formidables occasions de randonnées à pied et à VTT.

Au cœur de la ville, l'embranchement en "Y" marque la jonction entre la Hwy 89A et la Hwy 179, deux routes bordées de commerces.

### À voir et à faire

Les inconditionnels du new age prétendent que les rochers, falaises et rivières irradient une énergie terrestre unique. Les 4 vortex les plus connus du monde sont ici : **Bell Rock**, près du Village of Oak Creek à l'est de la Hwy 179, **Cathedral Rock** près du Red Rock Crossing, **Airport Mesa** le long d'Airport Rd, et **Boynton Canyon**. Vu d'Airport Rd, le soleil couchant est fabuleux.

**Coconino National Forest** PARC
(Red Rock Visitor Center ; 928-203-2900 ; www.redrockcountry.org/recreation ; 8375 Hwy 179 ; 8h-17h). La randonnée – à pied, à vélo ou à cheval dans les forêts environnantes – est le meilleur moyen d'explorer le parc. Le Red Rock Pass (5/15 $ jour/semaine) que l'on peut acheter dans la plupart des magasins et hébergements, ainsi qu'aux automates installés sur les parkings des plus importants sites, permet l'accès journalier et le stationnement sur place.

Pour connaître les sentiers du coin, téléchargez la carte *Red Rock Country* (www.redrockcountry.org/maps/index.shtml) ou prenez-en un exemplaire gratuit à l'Oak Creek Visitor Center, situé juste au sud du Village of Oak Creek.

Les plus beaux endroits se trouvent au nord de Sedona, sur la Hwy 89A qui serpente le long d'Oak Creek en traversant le très fréquenté **Oak Creek Canyon**, et sur le trajet entre Sedona et le Village of Oak Creek, au sud.

**Chapel of the Holy Cross** ÉGLISE
(☎928-282-4069 ; www.chapeloftheholycross.com ; 780 Chapel Rd ; ⏲9h-17h lun-sam, 10h-17h dim). GRATUIT Au beau milieu de colonnes rocheuses spectaculaires à 5 km au sud de la ville, cette chapelle moderne, non confessionnelle, a été construite en 1956 par Marguerite Brunwig Staude dans la tradition de Frank Lloyd Wright.

**Slide Rock State Park** PARC
(☎928-282-3034 ; www.azstateparks.com/Parks/SLRO ; 6871 N Hwy 89A ; 20 $/véhicule Memorial Day-Labor Day, 10 $/véhicule sept-mai ; ⏲8h-19h Memorial Day-Labor Day, 8h-17h sept-mai). Suivez les sentiers de randonnée de ce magnifique site ou dévalez le toboggan naturel d'Oak Creek Canyon jusque dans l'eau délicieusement fraîche du torrent en contrebas.

**Pink Jeep Tours** CIRCUIT EN 4X4
(☎928-282-5000 ; www.pinkjeeptours.com ; 204 N Hwy 89A). Les circuits en 4x4 sont légion, mais Pink Jeep Tours jouit d'une excellente réputation et propose une grande variété de sorties.

**Sedona Bike & Bean** VTT
(☎928-284-0210 ; www.bike-bean.com ; 75 Bell Rock Plaza ; 2 heures/demi-journée/journée à partir de 30/40/50 $). Location de VTT près des sentiers de randonnée, randonnées à vélo et observation des vortex. Café sur demande.

## Où se loger

Sedona dispose d'un bon nombre de beaux B&B, chalets en bord de rivière, motels et complexes hôteliers offrant un service complet.

Le camping sauvage est interdit à Red Rock Canyon. L'**USFS** (☎877-444-6777 ; www.recreation.gov ; empl camping 18 $) gère des emplacements, sans branchement, le long de la Hwy Alt 89, le long de l'Oak Creek Canyon. Tous sont dans les bois, en retrait de la route. Comptez 18 $ pour camper, et le Red Rock Pass n'est pas indispensable. Les réservations sont acceptées pour tous les sites, sauf Pine Flat East. À 10 km au nord de la ville, **Manzanita**, ouvert toute l'année, possède 19 emplacements et des douches ; à

### CURIOSITÉS LE LONG DE LA ROUTE 66

Les inconditionnels de la Route 66 se régaleront avec les 640 km de goudron traversant l'Arizona, notamment la partie la plus longue ininterrompue entre Seligman et Topock, le dernier segment de vieille route qui subsiste dans le pays. La **Mother Road** ("mère de toutes les routes") passe par les rues balayées par le vent de Winslow, le Williams des années 1940, les villes minières de Kingman et d'Oatman, avec quantité de curiosités typiques, répertoriées ci-dessous d'ouest en est, sur le chemin.

**"Wild Burros", Oatman**. Des mules en plein milieu de la route attendent morceaux de pain et autres friandises.

**Grand Canyon Caverns & Inn** (☎928-422-3223 ; www.gccaverns.com ; Route 66, Mile 115 ; visite d'1 heure adulte/enfant 19/13 $, ch 85 $, empl camping 15-30 $ ; ⏲8h-18h mai-sept, 10h-16h oct-avr). Un circuit guidé vous emmène 21 étages sous terre voir des lynx momifiés, des approvisionnements de la défense civile et une chambre de motel à 800 $.

**Panneaux publicitaires Burma Shave**. Des panneaux publicitaires rouge et blanc d'une autre époque entre Grand Canyon Caverns et Seligman.

**Snow-Cap Drive In, Seligman**. Ce *drive-in* ouvert depuis 1953 vend burgers et glaces.

**Meteor Crater** (☎928-289-5898 ; www.meteorcrater.com ; tarif plein/enfant/senior 16/8/15 $ ; ⏲7h-19h juin à mi-sept, 8h-17h mi-sept à mai). Près de Flagstaff, un cratère de 167 m de profondeur et de 1,5 km de diamètre.

**Wigwam Motel** (☎928-524-3048 ; www.galerie-kokopelli.com/wigwam ; 811 W Hopi Dr, Holbrook ; ch 56-62 $ ; ❄). Wigwams en béton, avec mobilier en rondins de noyer blanc, à Holbrook.

18 km au nord, **Cave Springs** en dispose de 78 avec des douches également ; **Pine Flat East** et **Pine Flat West**, 20 km au nord, en offrent 58 dont 18 peuvent être réservés.

**Star Motel** MOTEL $
(☎928-282-3641 ; www.starmotelsedona.com ; 295 Jordan Rd ; ch 80-100 $). Tarifs bas, accueil chaleureux et excellent emplacement dans un quartier résidentiel sont les atouts de ce motel rétro. Ici, rien d'extraordinaire, mais le lit est propre, la douche puissante et le réfrigérateur pratique.

**Cozy Cactus** B&B $$$
(☎928-284-0082 ; www.cozycactus.com ; 80 Canyon Circle Dr ; ch avec petit-déj 190-290 $ ; ). Rénové de fraîche date, l'endroit est rêvé pour les aventuriers souhaitant profiter des grands espaces. La bâtisse en adobe typique du Sud-Ouest accueille 5 chambres et se trouve sur un sentier de la National Forest et près du Bell Rock Pathway, adapté aux cyclistes.

## Où se restaurer et prendre un verre

**Coffee Pot Restaurant** PETIT-DÉJEUNER $
(☎928-282-6626 ; www.coffeepotsedona.com ; 2050 W Hwy Alt 89 ; plats 6-14 $ ; 6h-14h ; ). *La* bonne adresse, toujours animée, où petit-déjeuner et déjeuner depuis des décennies. Repas à prix raisonnables et choix très varié, avec toutes sortes d'omelettes, pour commencer.

**Sedona Memories** TRAITEUR $
(☎928-282-0032 ; 321 Jordan Rd ; sandwichs moins de 7 $ ; 10h-14h lun-ven). Ce petit établissement prépare d'énormes sandwichs avec du pain maison. Plusieurs choix végétariens. Espèces uniquement.

**Elote Cafe** MEXICAIN $$$
(☎928-203-0105 ; www.elotecafe.com ; 771 Hwy 179, King's Ransom Hotel ; plats 17-26 $ ; 17h-tard mar-sam). Arrivez tôt pour l'une des meilleures et des plus authentiques cuisines mexicaines de la région. Parmi les plats traditionnels inhabituels et introuvables ailleurs figurent le maïs rôti au citron vert et au fromage *cotija*, ou les joues de porc tendre fumées. Sans réservation.

**Oak Creek Brewery & Grill** PUB
(☎928-282-3300 ; www.oakcreekpub.com ; 336 Hwy 179 ; bière 5,75 $ ; 11h30-20h30 ; ). Pour une ville où les activités de plein air sont reines, Sedona manque étonnamment de microbrasseries. Heureusement, celle-ci, à Tlaquepaque Village, satisfera votre soif après une randonnée. Le menu comprend de bons plats de pub. L'Oak Creek gère aussi une petite **brasserie** (☎928-204-1300 ; www.oakcreekbrew.com ; 2050 Yavapai Dr ; 16h-22h lun-jeu, 12h-minuit ven-dim) à West Sedona, ouverte plus tard que la microbrasserie et régulièrement animée de concerts.

## Renseignements

**Sedona Chamber of Commerce Visitor Center** (☎800-288-7336, 928-282-7722 ; www.visitsedona.com ; 331 Forest Rd, Uptown Sedona ; 8h30-17h lun-sam, 9h-15h dim). Renseignements touristiques et réservations d'hôtel en dernière minute.

## Comment s'y rendre et circuler

Le **Sedona-Phoenix Shuttle** (☎800-448-7988, 928-282-2066 ; www.sedona-phoenix-shuttle.com ; aller/aller-retour 50/90 $) circule entre le Phoenix Sky Harbor International Airport et Sedona, à raison de 8 trajets par jour. Pour louer une jeep, adressez-vous à **Barlow Jeep Rentals** (☎800-928-5337, 928-282-8700 ; www.barlowjeeprentals.com ; 3009 W Hwy 89A ; 8h-18h en été, 9h-17h en hiver).

# Jerome

Avec tous ses escaliers, on a l'impression de jouer au jeu des échelles chinoises à Jerome, une ville minière historique accrochée au versant de Cleopatra Hill. Et l'on peut facilement perdre la partie au niveau de sa prison délabrée qui, construite sur un sol incliné, a glissé à plusieurs mètres de son emplacement d'origine. Rustique et chic à la fois, cette ville fantôme ressuscitée fut estampillée "ville la plus cruelle de l'Ouest" à son apogée à la fin du XIXe siècle. Aujourd'hui magnifiquement restaurée, Jerome abrite désormais des galeries, des restaurants, des B&B et, depuis peu, des salles de dégustation de vin.

À l'**Audrey Headframe Park** (55 Douglas Rd ; 8h-17h) GRATUIT, les plus courageux se tiendront sur la plateforme de verre recouvrant le puits d'une mine de 582 m de profondeur – soit près de 200 m de plus que l'Empire State Building ! Juste devant, l'excellent **Jerome State Historic Park** (☎928-634-5381 ; www.azstateparks.com ; adulte/enfant 5/2 $ ; 8h30-17h) conserve la demeure (1916) du magnat de la mine, Jimmy "Rawhide" Douglas, et présente le passé minier de la ville.

Hôpital public durant la période minière, le **Jerome Grand Hotel** (928-634-8200 ; www.jeromegrandhotel.com ; 200 Hill St ; ch 120-205 $, ste 270-460 $ ; ) renoue avec son passé en exposant ses reliques dans les couloirs et en proposant un amusant circuit fantôme que les enfants apprécieront. Le Wi-Fi est disponible dans le hall uniquement. L'**Asylum Restaurant** (928-639-3197 ; www.theasylum.biz ; 200 Hill St ; déj 10-16 $, dîner 20-32 $ ; 11h-21h) attenant, avec vue sur la vallée et les roches rouges, est un endroit époustouflant pour un bon repas et un verre de vin. Dans le centre-ville, le populaire **Spirit Room Bar** (928-634-8809 ; www.spiritroom.com ; 166 Main St ; 10h30-1h) est le bar le plus animé de la ville. À quelques pas, trois sites de dégustation accueillent les amateurs de vin.

Le **Flatiron Café** (928-634-2733 ; www.theflatironjerome.com ; 416 Main St ; petit-déj 3-11 $, déj 8-10 $ ; 8h-16h mer-lun), situé à l'embranchement en "Y", sert un petit-déjeuner et un déjeuner gourmands, et de délicieux cafés.

Installée dans une petite caravane, la **Chamber of Commerce** (928-634-2900 ; www.jeromechamber.com ; Hull Ave, Hwy 89A au nord du Flatiron Café ; 11h-15h) vous renseignera sur la scène artistique et les curiosités locales.

## Prescott

Avec son centre-ville victorien et son passé de ville du Far West, Prescott est à la jonction du Midwest et du pays des cow-boys. Ses habitants se répartissent entre retraités, artistes et familles en quête d'authenticité. La ville s'enorgueillit de posséder plus d'un demi-millier d'édifices inscrits au Patrimoine historique national et d'être le berceau mondial du rodéo. Les vieux saloons alignés sur **Whiskey Row**, la place, servent toujours de l'alcool en quantité.

Juste au sud du centre-ville, l'amusant **Motor Lodge** (928-717-0157 ; www.themotorlodge.com ; 503 S Montezuma St ; ch 99-119 $, suite 149 $, appart 159 $ ; ) vous accueille dans 12 superbes bungalows aménagés de part et d'autre d'une voie d'accès centrale.

Pour le petit-déjeuner, entrez dans le sympathique **Lone Spur Café** (928-445-8202 ; www.thelonespur.com ; 106 W Gurley St ; petit-déj et déj 8-17 $, dîner 14-24 $ ; 8h-14h tlj, 16h30-20h ven), où le petit-déjeuner inclut toujours le *biscuit & gravy*, un pain au lait accompagné de sauce. Les portions sont copieuses, et trois flacons de sauce chaude garnissent chaque table. Les spécialités cajuns et du Sud-Ouest agrémentent le menu de l'accueillant **Iron Springs Cafe** (928-443-8848 ; www.ironspringscafe.com ; 1501 Iron Springs Rd ; brunch 10-13 $, déj 10-15 $, dîner 10-21 $ ; 8h-20h mer-sam, 9h-14h dim), aménagé dans une ancienne gare ferroviaire, à 4,8 km au nord-ouest du centre-ville.

Sur Whiskey Row, le **Palace** (928-541-1996 ; www.historicpalace.com ; 120 S Montezuma St ; déj 9-12 $, dîner 16-27 $ ; déj et dîner, ouverure du bar 11h) est un débit de boissons où tout rappelle son passé : on entre par de vraies portes de saloon dans une vaste salle arborant un joli bar à l'ancienne (sauvé d'un incendie en 1900).

La **Chamber of Commerce** (800-266-7534, 928-445-2000 ; www.visit-prescott.com ; 117 W Goodwin St ; 9h-17h lun-ven, 10h-14h sam-dim) fournit toutes sortes de renseignements touristiques, dont une brochure (1 $) pour découvrir à pied le Prescott historique.

Les bus de la **Prescott Transit Authority** (928-445-5470 ; www.prescotttransit.com ; 820 E Sheldon St) circulent depuis/vers l'aéroport de Phoenix (aller simple adulte/enfant 30/17 $, 2 heures, 8/jour). Service local de taxis également.

# Grand Canyon National Park

Si, à Mather Point, près de l'entrée sud du parc, il faut jouer des coudes, le sentiment d'émerveillement demeure. On est d'abord saisi par l'immensité du canyon, puis par l'empilement spectaculaire des couches de roches qui invitent à observer de plus près cette gigantesque faille. Ensuite apparaît le côté artistique de ce vaste ordonnancement naturel : plateaux escarpés, flèches friables, crêtes carmin jouant avec votre regard à mesure que l'ombre gagne sur la roche.

Tout au fond, la Colorado River serpente le long des 450 km du canyon, qu'elle creuse depuis six millions d'années, révélant ainsi des roches vieilles de deux milliards d'années, soit la moitié de l'âge de la Terre.

Les deux versants du Grand Canyon sont très différents. Espacés de plus de 300 km par la route, on les visite rarement au cours de la même excursion. Le versant sud, facilement accessible, qui offre de nombreux services et des panoramas extraordinaires, a la préférence des visiteurs. Culminant à 2500 m, le versant nord, plus calme, a aussi ses atouts : ses températures fraîches favorisent la croissance de nombreuses fleurs sauvages et d'épais bosquets de trembles et d'épicéas.

Juin est le mois le plus sec, juillet et août les plus humides. En janvier, la température descend en moyenne entre -11°C et -7°C et atteint 4°C environ le jour. En été, la température à l'intérieur du canyon dépasse régulièrement 38°C. Le versant sud est ouvert toute l'année, les visiteurs venant principalement de fin mai à début septembre. Le versant nord est accessible de mi-mai à mi-octobre.

## Renseignements

Grand Canyon Village, 10 km au nord de l'entrée du versant sud (South Rim Entrance Station), abrite les infrastructures du **Grand Canyon National Park** (928-638-7888 ; www.nps.gov/grca ; billet d'entrée véhicule/cycliste ou piéton 25/12 $). L'entrée pour le versant nord (North Rim) se trouve 50 km au sud de Jacob Lake, sur la Hwy 67 ; il faut encore parcourir 22 km plus au sud pour atteindre le North Rim. 346 km de voiture séparent les deux versants, contre 34 km à pied en traversant le canyon, et 16 km à vol d'oiseau.

Le billet d'entrée pour le parc est valable 7 jours et permet l'accès aux deux versants.

Toute randonnée de plus d'une journée et le camping sauvage dans le parc requièrent un permis Backcountry. Le **Backcountry Information Center** (fax 928-638-2125 928-638-7875 ; 8h-12h et 13h-17h, renseignements téléphoniques 13h-17h lun-ven) traite les demandes de permis de randonnée (10 $, plus 5 $/pers par nuit) à partir de 4 mois avant le mois souhaité. En vous y prenant à l'avance (4 mois avant pour le printemps et l'automne) et en fournissant différents itinéraires de randonnée, vous devriez l'obtenir. Les réservations sont enregistrées en vous présentant sur place, par e-mail ou par fax. Pour en savoir plus, consultez la page du National Park Service www.nps.gov/grca/planyourvisit/backcountry.htm et téléchargez son guide du parc en langue française via le lien suivant : www.nps.gov/grca/parknews/upload/grca_french.pdf.

Si vous n'avez pas de permis en arrivant, rendez-vous au bureau près du Maswik Lodge pour vous inscrire sur la liste d'attente.

Par mesure de préservation, le parc ne vend plus de bouteille d'eau. Remplissez votre thermos aux points d'eau le long du versant ou au Canyon View Marketplace. Les bouteilles constituaient 20% des déchets générés par le parc.

### OFFICES DU TOURISME

En plus des Visitor Centers énumérés ci-dessous, les renseignements sont disponibles dans le parc au **Yavapai Museum of Geology** (8h-19h mars-nov, 8h-18h déc-fév), au **Verkamp's Visitor Center** (8h-19h mars-nov, 8h-18h déc-fév), au **Kolb Studio** (928-638-2771 ; Grand Canyon Village ; 8h-19h mars-nov, 8h-18h déc-fév), au **Tusayan Ruin & Museum** (928-638-2305 ; 9h-17h) et au **Desert View Information Center** (928-638-7893 ; 9h-17h).

**Grand Canyon Visitor Center** (www.nps.gov/grca ; South Rim ; 8h-17h mars-nov, 9h-17h déc-fév). Situé à moins de 300 m derrière Mather Point, sur une grande place avec la librairie Books & More Store. Des tableaux d'affichage extérieurs indiquent les sentiers, les circuits, les programmes des rangers et la météo. Le centre, spacieux et lumineux, abrite un bureau d'information tenu par les rangers, un auditorium et une salle de conférence où les rangers interviennent quotidiennement.

Le **National Geographic Visitor Center** (928-638-2468 ; www.explorethecanyon.com ; 450 Hwy 64, Tusayan ; adulte/enfant 14/11 $ ; 8h-22h mars-oct, 10h-20h nov-fév) se trouve à Tusayan, à 11 km au sud de Grand Canyon Village. En réglant ici le droit d'entrée (25 $) de votre véhicule, vous éviterez une longue attente probable à l'entrée du parc, notamment en été. On y projette *Grand Canyon – The Hidden Secrets*, un formidable film IMAX de 34 minutes.

Le North Rim Visitor Center (p. 370), voisin du Grand Canyon Lodge, propose cartes, livres, guides de randonnées et état des sentiers actualisées.

## South Rim (versant sud)

Si vous voulez échapper à la foule, préférez l'automne ou l'hiver, et venez en semaine. Vous gagnerez aussi en tranquillité en vous éloignant des belvédères situés sur le Rim Trail ou en vous enfonçant dans le canyon.

## À voir et à faire

### Routes panoramiques et randonnée

Une **route panoramique**, la Hermit Rd, longe la corniche sur quelque 11 km, à l'ouest de Grand Canyon Village. Elle est fermée aux voitures de mars à novembre, mais des navettes gratuites y circulent et sa faible fréquentation autorise largement le cyclotourisme. Plusieurs haltes avec panneaux explicatifs détaillent les caractéristiques du canyon, offrant des points de vue spectaculaires.

## Grand Canyon National Park

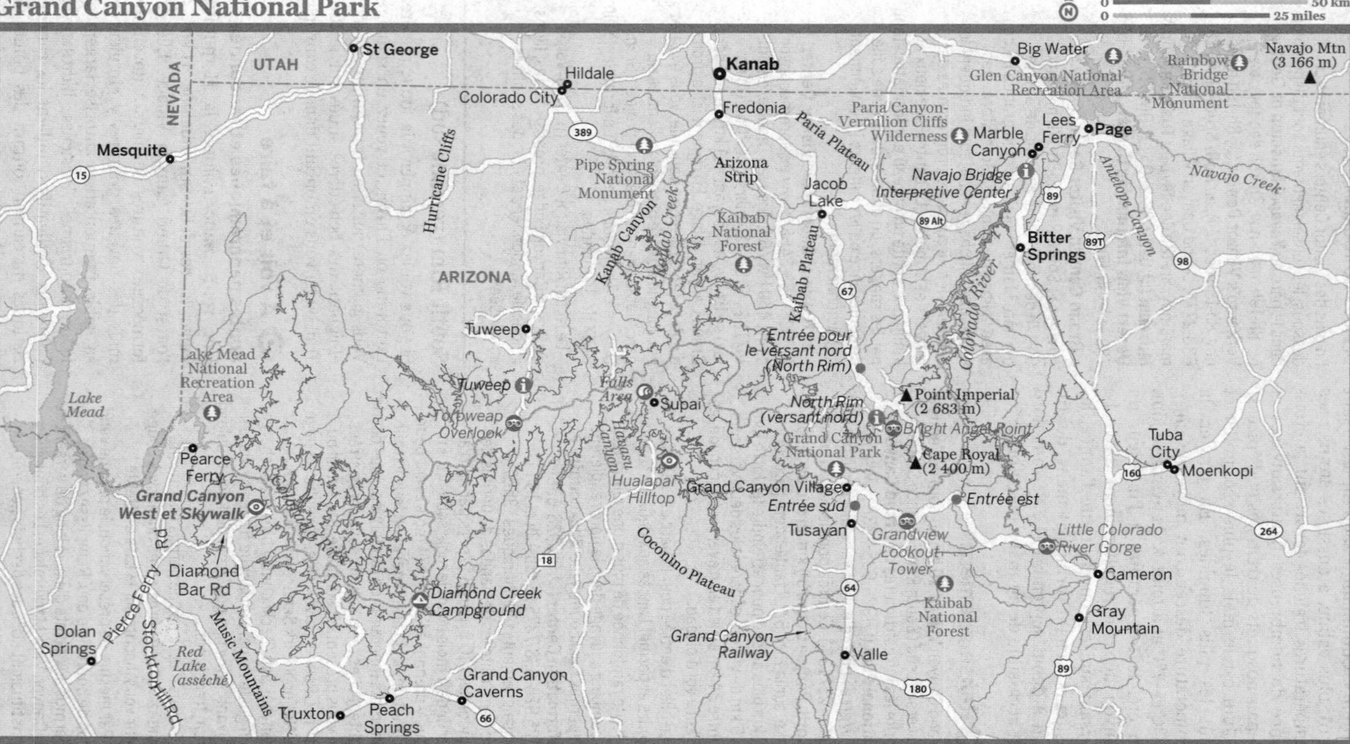

La majorité des visiteurs viennent randonner le long du South Rim où chacun devrait trouver le niveau qui lui correspond. Le **Rim Trail** est le plus emprunté et le plus facile pour découvrir le parc à pied. Serpentant à travers les bosquets de petits pins de la Kaibab National Forest, il relie sur 20 km plusieurs points de vue et sites historiques. Empierré par endroits, il est accessible au niveau de ses belvédères par les trois itinéraires de navettes. Le nouveau sentier **Trail of Time** longe le Rim Trail à l'ouest du Yavapai Geologic Museum. Chaque mètre du sentier représente un million d'années d'histoire géologique, détaillée sur des panneaux explicatifs.

La route **Desert View Drive** débute à l'est de Grand Canyon Village et longe le versant sur 42 km jusqu'à Desert View, l'entrée est du parc. Les aires de repos, où des panneaux exposent les caractéristiques et la géologie du canyon, offrent des vues magnifiques.

Le plus célèbre des sentiers est le superbe **Bright Angel Trail**, abrupt et spectaculaire sur toute sa descente longue de 13 km jusqu'à la Colorado River, ponctuée de 4 haltes permettant de faire demi-tour. En été, la chaleur peut être suffocante, et mieux vaut faire demi-tour à l'un des deux refuges (entre 4,5 km et 9,5 km aller-retour) ou partir dès l'aube pour rallier en toute sécurité Indian Garden et Plateau Point (respectivement 14,8 km et 19,6 km aller-retour). N'essayez pas d'atteindre la rivière en une journée. En 2013, le parc a amélioré le point de départ du Bright Angel Trail en ajoutant, juste à l'ouest du Bright Angel Lodge, une place ombragée, des toilettes et une balise en pierre indiquant le début du sentier.

L'un des plus beaux sentiers du parc, le **South Kaibab** offre à chaque pas des panoramas extraordinaires à 360 degrés. Avec ses pentes raides, escarpées et intégralement exposées, les ascensions estivales s'avèrent parfois périlleuses ; plutôt que de couvrir les 20 km épuisants du parcours aller-retour jusqu'à la rivière, les rangers recommandent en été les randonnées courtes comme celle de **Cedar Ridge** (4,8 km aller-retour) qui compte parmi les plus jolies.

Les randonneurs individuels ou les groupes qui souhaitent vivre plus intensément l'expérience du parc en donnant de leur temps peuvent postuler en tant que bénévoles aux programmes **Grand Canyon Volunteers** (☎928-774-7488 ; www.gcvolunteers.org). Ces programmes de plusieurs jours permettent d'apprécier l'habitat, d'observer faune et flore, et de s'initier à la botanique.

### Vélo

**Bright Angel Bicycles** LOCATION DE VÉLOS

(☎928-638-3055 ; www.bikegrandcanyon.com ; 10 S Entrance Rd, Grand Canyon Visitor Center ; journée adulte/enfant 40/30 $ ; ⏲8h-18h mai-oct, 10h-16h nov, mars-avr et oct). La sympathique équipe loue des vélos confortables, personnalisés pour chaque client. Casque inclus. Loue aussi des fauteuils roulants (10 $/jour).

## Circuits organisés

**Xanterra** PROMENADE À DOS DE MULE

(☎303-297-2757, 888-297-2757 ; www.grandcanyonlodges.com). Les circuits dans le parc sont gérés par Xanterra, qui a des bureaux d'information au Bright Angel Lodge (p. 368), au Maswik Lodge (p. 368) et au Yavapai Lodge (p. 368). Différents circuits en bus sont organisés (billets à partir de 22 $).

En raison de l'érosion, les balades à dos de mule d'une demi-journée dans le canyon au départ de South Rim ne sont plus proposées et le parc limite ces randonnées passant par l'intérieur du canyon à ceux qui se rendent au Phantom Ranch. Les excursions de 3 heures (123 $) longent le versant à travers la forêt de pins et de genévriers jusqu'au belvédère de l'Abyss. Les excursions englobant une nuit (1/2 pers 507/895 $) et deux nuits (1/2 pers 714/1192 $, de novembre à mars) suivent le Bright Angel Trail jusqu'à la rivière, se dirigent vers l'est sur le River Trail et empruntent le Kaibab Suspension Bridge pour traverser la rivière. Les cavaliers passent la nuit au Phantom Ranch. Si vous souhaitez participer à une promenade à dos de mule le jour suivant votre arrivée au parc, renseignez-vous sur la disponibilité au bureau des transports de Bright Angel Lodge.

## Où se loger

Les réservations à l'avance ou pour le jour même sont impératives dans les six lodges du South Rim, qui sont gérés par **Xanterra** (☎888-297-2757, 303-297-2757 ; www.grandcanyonlodges.com). Téléphonez à ce numéro pour réserver à l'avance (vivement recommandé) pour toutes les adresses répertoriées ci-dessous (il est toutefois préférable d'appeler le Phantom Ranch directement). Pour réserver pour le jour même ou pour joindre un client, appelez le **standard du South Rim** (☎928-638-2631). Si vous ne trouvez pas d'hébergement dans le parc, cherchez à Tusayan (à la South Rim Entrance Station), à Valle (50 km au sud), à Cameron (85 km à l'est) ou à Williams (environ 96 km au sud).

Tous les campings et les lodges sont ouverts toute l'année, sauf le Desert View.

**Phantom Ranch** CHALETS $

(☎réservations 888-297-2727 ; dort 46 $, chalet 148 $ ; ⏲toute l'année ; ❄). Loin d'être luxueux, ce complexe perché à côté de Phantom Creek, en bas du canyon, ne manque toutefois pas de charme. Les chalets accueillent 4 à 10 personnes et les dortoirs ne sont pas mixtes. Appelez à partir du 1er du mois pour réserver pour les 13 mois suivants. La cantine sert une cuisine familiale (petit-déjeuner à partir de 21 $, dîner 29-44 $). Vous n'avez pas réservé ? Inscrivez-vous sur la liste d'attente au bureau des transports du Bright Angel Lodge, puis présentez-vous à 6h30 le lendemain matin pour profiter d'une éventuelle annulation.

**Desert View Campground** CAMPING $

(empl 12 $ ; ⏲mai à mi-oct). Proche de l'East Entrance Station, soit 42 km à l'est de Grand Canyon Village, ce camping appliquant la règle du premier arrivé, premier servi, est une option plus calme que celui de Mather. Petite cafétéria-épicerie où manger.

**Mather Campground** CAMPING $

(☎877-444-6777 ; www.recreation.gov ; Grand Canyon Village ; empl 18 $ ; ⏲toute l'année). Emplacements bien espacés et relativement calmes au milieu des pins et des genévriers. Douches payantes et laverie à proximité, eau potable, toilettes, barbecues et petit magasin. En hiver, la règle du premier arrivé, premier servi s'applique.

**Trailer Village** CAMPING $

(☎888-297-2757, réservations pour le jour même 928-638-2631 ; www.xanterra.com ; Grand Canyon Village ; empl 35 $ ; ⏲toute l'année). Si tous les autres sont complets, plantez ici votre tente. Réservations à l'avance ou pour le jour même. Tenu par Xanterra.

**Bright Angel Lodge** LODGE $$

(www.grandcanyonlodges.com ; Grand Canyon Village ; ch sans/avec sdb 83/94 $, ste 185-362 $, chalet 120-340 $ ; ⏲toute l'année ; ❄@📶). Tout en rondins et en pierre, ce lodge au charme d'antan a rénové ses chambres, les moins chères partageant des sdb communes. N'espérez pas trouver une TV dans ces chambres spartiates rappelant un peu l'université, mais les chalets donnant sur le Rim offrent une bien meilleure distraction.

**Maswik Lodge** LODGE $$

(Grand Canyon Village ; ch sud/nord 92/176 $, chalet 94 $ ; ⏲toute l'année ; ❄@📶). À l'écart du versant, le Maswik comprend 16 bâtiments modernes de 2 étages. Les chambres côté nord possèdent balcon privé, clim, TV câblée et vue sur la forêt. Celles côté sud, plus petites, ont moins d'équipements et une vue peu mémorable. Chalets ouverts uniquement l'été.

**Kachina & Thunderbird Lodges** LODGE $$

(Grand Canyon Village ; ch côté route/côté versant 180/191 $ ; ⏲toute l'année ; ❄). Chambres correctes de style motel à la situation centrale. Certaines donnent sur le canyon.

**Yavapai Lodge** LODGE $$

(Grand Canyon Village ; ch ouest/est 125/166 $ ; ⏲avr-oct ; ❄📶). Hébergement rudimentaire dans une paisible forêt de pins et de genévriers. Pas de clim dans Yavapai West.

**♥ El Tovar Hotel** LODGE $$$

(Grand Canyon Village ; ch 183-281 $, ste 348-440 $ ; ❄📶). Ouvert depuis 1905, ce lodge en bois sombre invite même les non-résidents à s'attarder. Un porche agréable à l'entrée de la vaste structure précède le hall garni de fauteuils confortables et doté d'une impressionnante collection d'animaux naturalisés. Ces espaces publics évoquent l'élégance de l'âge d'or du parc. Chambres standards petites mais de qualité. Suites fantastiques.

## Où se restaurer et prendre un verre

**Maswik Cafeteria** CAFÉTÉRIA $

(Maswik Lodge ; plats 7-15 $ ; ⏲6h-22h). Les classiques du genre.

**Yavapai Cafeteria** CAFÉTÉRIA $

(Yavapai Lodge ; petit-déj 6-10 $, déj et dîner 5-11 $ ; ⏲6h30-20h). Salle, service et cuisine typiques de ce genre d'établissement.

**Canyon Village Marketplace** MARCHÉ $

(Market Plaza ; ⏲8h-19h). Épicerie et traiteur (8h-18h).

**♥ El Tovar Dining Room** INTERNATIONAL $$$

(El Tovar ; ☎928-638-2631, poste 6432 ; petit-déj 9-13 $, déj 10,25-16 $, dîner 17,25-33 $ ; ⏲6h30-10h45, 11h15-14h et 16h30-22h). À deux pas du bord du canyon, ce restaurant offre la plus belle vue de tout l'État, si ce n'est du pays. La magnifique salle en pierre et en chêne sombre réchauffe les cœurs à la manière d'un élégant lodge d'antan, et la cuisine, notamment les steaks, réjouit les papilles. Faute d'avoir trouvé place près d'une fenêtre, rendez-vous ensuite dans la véranda d'El Tovar Lounge pour admirer le Grand Canyon.

**Arizona Room** AMÉRICAIN **$$$**
(Bright Angel Lodge ; déj 8-12 $, dîner 8-28 $ ; 11h30-15h mars-oct et 16h30-22h mars-déc). Lustres en bois de cerf suspendus au plafond et baies vitrées donnant sur le canyon. Steaks, poulet et poisson au menu. L'adresse vaut bien l'attente (pas de réservation possible).

**Bright Angel Bar** BAR
(Bright Angel Lodge ; plats 4-9 $ ; 11h30-22h). Parfait pour souffler un peu après la randonnée autour d'un burger et d'une bière. Peu importent le cadre sombre et l'absence de fenêtre à la nuit tombée, d'autant plus qu'un spectacle musical est programmé certains soirs. À côté du Bright Angel Restaurant sans charme.

### Comment s'y rendre et circuler

La plupart des visiteurs arrivent au canyon avec leur propre voiture ou en circuit organisé. Se garer est parfois compliqué à Grand Canyon Village. En été, avec le système Park-n-Ride, on peut acheter un ticket de parking au National Geographic Visitor Center, se garer à un emplacement défini, puis emprunter une **navette** (8h-21h30 mi-mai à début sept) gratuite longeant la Tusayan Route qui mène au Grand Canyon Visitor Center à l'intérieur du parc. Le forfait (Park pass) y donne accès. Le trajet dure 20 minutes ; le premier bus part de Tusayan à 8h, le dernier quitte le parc à 21h30.

Dans le parc, des navettes gratuites assurent trois itinéraires : autour de Grand Canyon Village, à l'ouest le long de la Hermits Rest Route et à l'est le long de la Kaibab Trail Route. Les bus circulent au moins 2 fois par heure, de 1 heure avant le lever du soleil à 1 heure après, ont des rampes d'accès pour fauteuils roulants et sont équipées de porte-vélos.

En été, une navette gratuite partant du Bright Angel Lodge, le **Hiker's Express** (4h, 5h, 6h juin-août, 5h, 6h, 7h mai et sept) passe par le Backcountry Information Center et le Grand Canyon Visitor Center. Il vous dépose ensuite au départ du South Kaibab Trail.

## North Rim (versant nord)

Seuls 11% des 4,4 millions de visiteurs annuels du parc choisissent le calme rassérénant du North Rim. Les prairies sont couvertes de fleurs sauvages et de bosquets denses de trembles et d'épicéas, l'air est souvent vif et le ciel d'un bleu pur.

Ici, les infrastructures sont fermées de mi-octobre à mi-mai, mais si vous êtes en voiture, vous pouvez circuler dans le parc et vous établir au camping jusqu'à ce que la route depuis Jacob Lake soit fermée en raison des premières neiges.

Contactez le **North Rim Switchboard** (928-638-2612) pour en savoir plus.

### À voir et à faire

Ni long ni difficile (800 m), le sentier goudronné menant à **Bright Angel Point** est à faire absolument. Débutant derrière le Grand Canyon Lodge, il donne sur une corniche étroite offrant un formidable panorama.

Le **North Kaibab Trail** est le seul sentier entretenu du versant nord reliant la rivière et le versant sud. Les premiers 7,5 km sont les plus raides, descendant sur un dénivelé de 950 m jusqu'aux **Roaring Springs**, des chutes qui attirent nombre de promeneurs à la journée. Pour une randonnée plus courte, le sentier de 1,2 km menant au **Coconino Overlook** ou celui de 3,2 km jusqu'au **Supai Tunnel** vous mettront en appétit pour la suite. Enfin, les 45 km pour parvenir à la Colorado River sont à parcourir en plusieurs jours. Pour les familles souhaitant faire une courte randonnée, les rangers recommandent la boucle **Cape Final** de 6,4 km, qui conduit à travers les pins ponderosa jusqu'à une vue imprenable sur l'est du Grand Canyon.

**Canyon Trail Rides** (435-679-8665 ; www.canyonrides.com ; Grand Canyon Lodge ; mi-mai à mi-oct) propose des circuits à dos de mule d'une heure (40 $) et d'une demi-journée (80 $, âge minimum 10 ans). Pour la demi-journée, on longe le versant ou on descend dans le canyon en empruntant le North Kaibab Trail.

### Où se loger

L'hébergement se limite à un lodge et un camping. Si tout est complet, tentez votre chance à 129 km au nord, à Kanab (Utah) ou à 135 km au nord-est, à Lees Ferry. Il existe aussi des campings dans la Kaibab National Forest, au nord du parc.

**North Rim Campground** CAMPING **$**
(928-638-7814, 877-444-6777 ; www.recreation.gov ; empl tente 6-18 $, empl camping-car 18-25 $ ; mi-mai à oct ; ). Situé à 2,4 km au nord du Grand Canyon Lodge, ce terrain dispose d'agréables emplacements couverts d'aiguilles de pin. Eau, magasin, snack-bar, douches et

## LES RAPIDES DU COLORADO

La descente des rapides du fleuve rouge est une aventure chargée d'adrénaline. Aux Lava Falls (le dénivelé le plus impressionnant), on dégringole de 11 m sur une distance de moins de 300 m. C'est un peu comme si l'on sautait du 3e étage ! Mais le véritable plaisir consiste à découvrir le Grand Canyon d'en bas – là où l'histoire prend vie dans les ruines, les épaves, l'art sur la roche – et non d'en haut, depuis la corniche. Suivant le type d'embarcation utilisé et le parcours choisi, on peut y passer 3 jours comme 3 semaines, avec les étoiles pour ciel de lit et le sable des petites plages pour matelas (équipement fourni). Parcourir les 449 km du canyon ne prend pas moins de 2 à 3 semaines. Comptez 4 à 9 jours pour descendre des sections plus courtes du fleuve, de l'ordre de 160 km. C'est néanmoins une aventure qui se prépare en raison de la forte demande et de l'espace restreint. Il faut donc réserver bien à l'avance – à moins d'avoir la chance de tomber sur un désistement de dernière minute annoncé sur la page Facebook d'une agence de rafting...

**Arizona Raft Adventures** (☎800-786-7238, 928-526-8200 ; www.azraft.com ; 6 jours Upper Canyon excursions motorisées et avec pagaies/avec pagaies seulement 2 025/2 125 $, 10 jours Canyon entier en raft motorisé 2 965 $)

**Arizona River Runners** (☎800-477-7238, 602-867-4866 ; www.raftarizona.com ; 6 jours Upper Canyon excursion avec pagaies 1 925 $, 8 jours Canyon entier en raft motorisé 2 650 $)

machines à laver à pièces, mais pas de branchement électrique. Randonneurs et skieurs de fond dotés du permis Backcountry peuvent y camper l'hiver. On peut réserver.

**Grand Canyon Lodge** LODGE **$$**
(☎réservations à l'avance 877-386-4383, réservations hors États-Unis 480-337-1320, réservations le jour même 928-638-2611 ; www.grandcanyonlodgenorth.com ; ch 124 $, chalet 2 pers 124-192 $, pers suppl +15 ans 10 $ ; ⏲mi-mai à mi-oct ; 📶). Perché sur la corniche, ce lodge de bois, de pierre et de verre compte essentiellement des chalets rustiques mais modernes. Les plus chers possèdent 2 chambres, un porche et une belle vue sur le Rim. Vue éblouissante sur le canyon depuis la Sun Room. Hall majestueux. Réservez bien à l'avance.

## Où se restaurer et prendre un verre

Le lodge prépare des paniers-repas (12 $), disponibles dès 5h30, pour ceux qui souhaitent pique-niquer en route. Commandez-les la veille. Vous trouverez sandwichs, pizzas et *burritos* au **Deli in the Pines** (plats 4-8 $ ; ⏲7h-21h mi-mai à mi-oct), également dans l'enceinte du lodge.

♥ **Grand Canyon Lodge Dining Room** AMÉRICAIN **$$**
(☎928-638-2611, 928-645-6865 appelez entre le 1er janvier et le 15 avril pour la saison suivante ; www.grandcanyonlodgenorth.com ; petit-déj 7-12 $, déj et dîner 12-30 $ ; ⏲6h30-10h, 11h30-14h30 et 16h45-21h45 mi-mai à mi-oct). La vue s'apprécie où que l'on s'assoie tant les fenêtres sont grandes. Au menu : truite arc-en-ciel, steak de bison, divers plats végétariens et bières artisanales d'Arizona. Réservations requises pour le dîner. À côté, le charmant **Rough Rider Saloon** (en-cas 2-5 $ ; ⏲petit-déj 5h30-10h30, boissons et en-cas 11h30-22h30), rempli de souvenirs du plus aventurier des présidents, Théodore Roosevelt, sert café, pâtisseries et *burritos* le matin, et boissons dans la journée.

**Grand Canyon Cookout Experience** AMÉRICAIN **$$**
(adulte/enfant/-6 ans 30/15 $/gratuit ; ⏲18h15 juin-sept ; 👪). Grillades et pain de maïs proposés par ce chariot-cantine en plein air réjouissent petits et grands. Renseignez-vous au Grand Canyon Lodge.

## Renseignements

**North Rim Visitor Center** (☎928-638-7864 ; www.nps.gov/grca ; North Rim ; ⏲8h-18h mi-mai à mi-oct, 9h-16h du 16 au 31 oct). Pour tout savoir sur le parc. Point de départ des circuits nature menés par les rangers. Lieu de conférences et autres événements en soirée. À côté du Grand Canyon Lodge.

## Comment s'y rendre et circuler

Le **Transcanyon Shuttle** (☎877-638-2820, 928-638-2820 ; www.trans-canyonshuttle.com ; aller simple/aller-retour 85/160 $ ; ⏲15 mai-31 oct), idéal pour passer d'un versant à l'autre, circule tous les jours depuis le Grand Canyon Lodge à destination du South Rim (5 heures). À réserver au moins 1 à 2 semaines à l'avance. Il existe également une navette (gratuite) pour randonneurs partant à 5h45 et à 7h10 du Grand Canyon Lodge pour le North Kaibab Trail. Il faut s'inscrire 24 heures à l'avance à la réception. Attention, si personne ne s'est inscrit la veille, elle ne fait pas le trajet.

# Environs du Grand Canyon

## Havasu Canyon

Caché au creux d'une vallée secrète, ses éblouissantes cascades et ses piscines naturelles azur en font l'un des plus beaux sites de cette région. C'est l'occasion d'une excursion unique, voire épique, en raison du chemin assez difficile pour y descendre et en remonter.

Sis au cœur de la réserve indienne havasupai (Havasupai Indian Reservation), à 312 km à l'ouest du South Rim, le Havasu Canyon et ses quatre chutes dégringolant 16 km sous le Rim ne se découvrent qu'au bout d'une longue randonnée qui nécessite de faire étape une nuit au village voisin de Supai.

On trouve là deux possibilités d'hébergement à réserver avant le départ. Un droit d'entrée de 35 $ est demandé à tous les visiteurs faisant étape pour la nuit. Le **Havasupai Campground** (928-448-2180/2141/2121 ; www.havasupai.nsn.gov.tourism.html ; Havasupai Tourist Enterprise, PO Box 160, Supai, AZ 86435 ; 17 $/pers par nuit), à 3,2 km au nord de Supai, propose des emplacements rudimentaires le long d'un ruisseau. Chaque campeur doit s'acquitter d'une taxe environnementale de 5 $, remboursée s'il emporte ses déchets. Le **Havasupai Lodge** (928-448-2111 ; www.havasupai-nsn.gov/tourism.html ; PO Box 159, Supai, AZ 86435 ; ch 145 $ ; ) loue des chambres de motel donnant sur le canyon, sans téléphone ni TV. Enregistrez-vous avant 17h, heure de fermeture de la réception. Un café sur place sert à manger et accepte les cartes de crédit.

Continuez le long du Havasu Canyon jusqu'aux cascades et aux bassins turquoise. Si vous préférez éviter la marche jusqu'à Supai, le lodge ou le camping peut organiser la randonnée à dos de mule ou à cheval (aller-retour au lodge/camping 135/197 $) pour vous déposer sur place. Le départ se fait de Hualapai Hilltop, où commence le sentier de randonnée. La route vers Hualapai Hilltop est à 11,2 km à l'est de Peach Springs, à l'écart de la Route 66. Après le panneau de sortie, suivez la route sur 100 km environ.

## Grand Canyon West

Grand Canyon West ne fait pas partie du Grand Canyon National Park, qui se trouve à environ 344 km à l'est. Géré par la nation Hualapai, le site, isolé, est à 110 km au nord-est de Kingman ; sur les 14 derniers kilomètres, la route non goudronnée est impraticable par les camping-cars.

**Grand Canyon Skywalk** PARC
(928-769-2636 ; www.grandcanyonwest.com ; 88 $/pers ; 7h-19h avr-sept, 8h-17h oct-mars). Cette passerelle vitrée en forme de fer à cheval est suspendue à 1 200 m au-dessus du vide du Grand Canyon. Seul moyen d'y accéder : prendre part à un circuit. Une navette dessert plusieurs aires panoramiques sur la route circulaire longeant le versant. Les circuits comprennent le déjeuner, les tours en voiture à cheval depuis une ville du Far West reconstituée, et des spectacles improvisés par les Amérindiens.

# Nord-est de l'Arizona

Au milieu des formations rocheuses troublantes de Monument Valley, les eaux bleues du Lake Powell et les troncs d'arbre fossilisés du Petrified Forest National Park constituent des territoires photogéniques très anciens. Habitée par les Amérindiens depuis des siècles, cette contrée est essentiellement constituée de réserves indiennes formant la nation Navajo, s'étendant aux États voisins et englobant la réserve hopi.

## Lake Powell

Intégré à la **Glen Canyon National Recreation Area** (928-608-6200 ; www.nps.gov/glca ; pass 7 jours 15 $/véhicule), ce deuxième plan d'eau artificiel du pays s'étend entre l'Utah et l'Arizona. Au cœur de fascinantes

**HIGHWAY 89**

Attention, la portion de 38,6 km de la Hwy 89 située juste au sud de Lees Ferry, entre Page et Bitter Springs, a fermé en février 2013 suite à un glissement de terrain. Depuis août 2013, les automobilistes doivent emprunter la Navajo Route 20, qui a été goudronnée et renommée 89T. Il s'agit de l'itinéraire le plus direct jusqu'à la réouverture de la 89A.

### LES HOPI

Descendants des anciens Pueblos, les Hopi comptent parmi les tribus dont le mode de vie a été le mieux préservé aux États-Unis. Leur village d'**Old Oraibi** serait le site de peuplement le plus longtemps habité sans interruption en Amérique du Nord.

Le territoire hopi est enclavé dans la réserve navajo. La Hwy 264 passe devant les trois mesas (First, Second et Third Mesa), qui constituent le cœur de la réserve hopi. Sur Second Mesa, à quelque 16 km à l'ouest de First Mesa, le **Hopi Cultural Center Restaurant & Inn** (☎928-734-2401 ; www.hopiculturalcenter.com ; Hwy 264 ; 95-110 $, petit-déj 5-15 $, déj 8-20 $, dîner 13-20 $ ; ⏱petit-déj, déj et dîner; ❄) accueille les visiteurs dans la tradition hopi, un brin réactualisée, avec restauration et hébergement. Foisonnant de photos anciennes, le petit **Hopi Museum** (☎928-734-6650 ; adulte/enfant 3 $/1 $ ; ⏱8h-17h lun-ven, 9h-15h sam) introduit à la culture hopi.

Photos, croquis et enregistrements sont interdits.

formations rocheuses rouges, de canyons ciselés et de paysages désertiques extraordinaires, ce site est un paradis pour les amateurs de sports aquatiques.

Au sud du lac, le site de **Lee's Ferry** (www.nps.gov/glca ; empl tente et camping-car 12 $), surplombant une magnifique portion de la Colorado River, offre une halte pittoresque ; les premiers arrivés choisissent leur emplacement.

**Page** est la grande ville de la région et la Hwy 89 l'axe principal. Le **Carl Hayden Visitor Center** (☎928-608-6404 ; www.nps.gov/glca ; ⏱8h-18h juin-août, horaires réduits le reste de l'année) se trouve à Glen Canyon Dam, à 4 km au nord de Page. La Glen Canyon Natural History Association organise des **visites** du barrage (☎928-608-6072 ; www.glencanyonnha.org ; adulte/enfant 5/2,50 $).

Pour découvrir l'époustouflant **Antelope Canyon** (www.navajonationparks.org/htm/antelopecanyon.htm), un défilé de grès étonnant composé de deux parties, vous devrez vous inscrire à une visite. L'**Upper Antelope Canyon** est plus accessible mais plus fréquenté. Plusieurs agences y proposent des circuits (attendez-vous à une promenade mouvementée et beaucoup de monde) tels celui de **Roger Ekis's Antelope Canyon Tours** (☎928-645-9102 ; www.antelopecanyon.com ; 22 S Lake Powell Blvd ; adulte/5-12 ans à partir de 35/25 $). Le nombre de touristes attirés par le **Lower Antelope Canyon** est bien moindre.

Une randonnée prisée, à juste titre, consiste en une boucle de 2,4 km conduisant à **Horseshoe Bend**, site où la rivière forme un U parfait autour d'un spectaculaire affleurement rocheux. Le départ se trouve au sud de Page, près de la Hwy 89, face à la borne 541.

À Page, les hôtels de chaîne se succèdent le long de la Hwy 89 et des hébergements indépendants bordent la 8th Ave. Rénové, le **Lake Powell Motel** (☎928-645-3919 ; www.powellmotel.com ; 750 S Navajo Dr ; ch 69-159 $ ; ⏱avr-oct ; ❄📶), ancien Bashful Bob's, fut construit pour héberger les ouvriers du Glen Canyon Dam. Quatre chambres disposent d'une cuisine et affichent rapidement complet. Une cinquième, plus petite, accueille généralement les clients sans réservation.

Pour petit-déjeuner à Page, le **Ranch House Grille** (www.ranchhousegrille.com ; 819 N Navajo Dr ; plats 7-16 $ ; ⏱6h-15h) offre une bonne cuisine, des portions copieuses et un service rapide. Le **Bonkers** (www.bonkerspagaz.com ; 810 N Navajo Dr ; plats 9-22 $ ; ⏱à partir de 16h lun-sam) sert de substantiels steaks, fruits de mer, pâtes, quelques burgers et sandwichs dans un impressionnant décor de peintures murales représentant les paysages locaux.

## Réserve navajo

Les vieilles blessures se referment mais les cicatrices demeurent sur les terres des Navajo en Arizona, témoignant de la déportation forcée de milliers d'Amérindiens dans des réserves.

Ces contrées isolées abritent certains des plus beaux paysages d'Amérique du Nord comme Monument Valley et le Canyon de Chelly. La fierté d'appartenir à cette nation demeure forte : en témoigne l'énorme proportion de Navajo dont le navajo est encore la première langue. Le tourisme est l'un des atouts essentiels de la réserve navajo, et les visiteurs peuvent contribuer à maintenir vivant ce patrimoine en logeant dans la réserve et en acquérant des objets artisanaux locaux. Acheter des articles aux éventaires installés au bord de la route est une agréable façon d'établir un échange et de garantir que l'argent revient bien aux artisans concernés.

Contrairement à l'Arizona, la réserve navajo est sur le fuseau horaire des Rocheuses en été, elle est donc en avance d'une heure par rapport au reste de l'État.

Pour des détails sur la randonnée, le camping et les permis nécessaires, connectez-vous au site www.navajonationparks.org.

### CAMERON

Cameron constitue l'entrée est au South Rim du Grand Canyon, mais c'est aussi le **Cameron Trading Post** (www.camerontradingpost.com), situé juste au nord de l'embranchement de la Hwy 64 pour le Grand Canyon, qui attire les visiteurs. Ce village historique comprend un restaurant, un hébergement, une boutique de souvenirs et un bureau de poste. C'est l'un des rares sites valant le détour sur la Hwy 89 entre Flagstaff et Page.

### CANYON DE CHELLY NATIONAL MONUMENT

Ce canyon aux flèches rocheuses (prononcer *dou-chai*) recèle plusieurs sites pueblos ancestraux, essentiels dans l'histoire des Navajos, comme les très anciennes habitations creusées dans les falaises. Des familles y travaillent toujours la terre, passant l'hiver sur les versants, et gagnant au printemps et en été leurs *hogans* (cabanes en bois) dans le canyon. Celui-ci est propriété officielle des Navajo et est administré par le NPS. L'accès aux *hogans* se fait uniquement avec un guide, et photographier quelqu'un est interdit sans sa permission.

Unique hébergement du parc, le **Sacred Canyon Lodge** (☎800-679-2473 ; www.sacredcanyonlodge.com ; ch 122-129 $, ste 178 $, cafétéria plats 5-17 $ ; petit-déj, déj et dîner ; ❄@📶🐾), ex-Thunderbird Lodge, abrite des chambres confortables et une cafétéria bon marché servant des repas navajo et américains. Le camping voisin, tenu par des Navajo, compte quelque 90 emplacements gérés sur le principe du premier arrivé, premier servi (10 $), avec eau mais pas de douche.

Le **Visitor Center** (☎928-674-5500 ; www.nps.gov/cach ; ⏲8h-17h) du Canyon de Chelly se trouve à 5 km de la Rte 191, dans le petit village de Chinle. Deux routes panoramiques longent le versant du canyon. Pour vous rendre dans le canyon, procurez-vous une liste des tour-opérateurs au Visitor Center, disponible également sur le site Internet du parc.

### FOUR CORNERS NAVAJO TRIBAL PARK

Venez tester votre souplesse au **Four Corners Marker** (☎928-871-6647 ; www.navajonationparks.org ; 3 $ ; ⏲8h-19h mai-sept, 8h-17h oct-avr), repère géographique situé au milieu de nulle part, rénové depuis la restauration de l'esplanade en 2010. C'est le seul endroit aux États-Unis où, à condition d'être suffisamment souple, on peut avoir les pieds et les mains posés dans quatre États en même temps : Arizona, Nouveau-Mexique, Colorado, Utah. Même si cela n'est pas tout à fait exact, l'exercice promet d'amusantes photos. Selon les géomètres du gouvernement, le repère devrait être à 610 m plus à l'est. En attendant, il demeure le point de convergence officiel.

### MONUMENT VALLEY NAVAJO TRIBAL PARK

Promontoires rocheux d'un rouge flamboyant et flèches d'une incroyable finesse tutoyant le ciel, le paysage de Monument Valley, tout près de la Hwy 163, est la toile de fond d'innombrables westerns hollywoodiens et de bien des rêves d'aventures.

Pour voir de près ces merveilles naturelles, vous devrez passer par le **Monument Valley Navajo Tribal Park** (☎435-727-5874 ; www.navajonationparks.org/htm/monumentvalley.htm ; adulte/enfant 5 $/gratuit ; ⏲visite motorisée 6h-20h mai-sept, 8h-16h30 oct-avr), où une piste en boucle de 27 km fait le tour de ces sites majestueux. Vous pouvez l'emprunter avec votre propre véhicule ou choisir un circuit (75/95 $ pour 1 heure 30/2 heures 30) à l'un des kiosques sur le parking (ces circuits donnent accès à des sites par ailleurs inaccessibles en indépendant).

Sis à l'intérieur du parc, le **View Hotel at Monument Valley** (☎435-727-5555 ; www.monumentvalleyview.com ; Hwy 163 ; ch 209-265 $, ste 299-329 $ ; ❄@) se fond dans le paysage. Cet hôtel en grès coloré propose 96 chambres dont la plupart possèdent un balcon privé donnant sur les monuments rocheux. Les spécialités s'inspirant de la cuisine navajo au restaurant attenant (plats 10 à 30 $, pas d'alcool) sont quelconques, mais le panorama sur les rochers rouges est fabuleux. Le Wi-Fi est disponible dans le hall. Une boutique de souvenirs et un petit musée sont intégrés au complexe hôtelier. L'ancien camping était fermé au moment de la rédaction de ce guide pour cause de construction.

L'historique **Goulding's Lodge** (☎435-727-3231 ; www.gouldings.com ; ch 205-242 $, empl tente/camping-car 26 $/25 $, chalet 92 $ ;

(❄📶≋🐾), juste de l'autre côté de la frontière de l'Utah, propose hébergements de type lodge, camping et chalets. Réservez tôt pour la saison estivale. Si tous les hébergements de Monument Valley sont complets, il existe aussi à Kayenta, 32 km au sud, quelques hôtels corrects dont le **Wetherill Inn** (☎928-697-3231 ; www.wetherill-inn.com ; 1000 Main St/Hwy 63 ; ch avec petit-déj 136 $ ; ❄@📶≋).

## Winslow

"*Standing on a corner in Winslow, Arizona, such a fine sight to see...*" Cet extrait d'une chanson des Eagles vous est peut-être familier ? Le tube des années 1970 "Take It Easy" a rendu célèbre l'anonyme Winslow en la propulsant au zénith de la culture pop. Une statue érigée à l'entrée d'un petit **parc** (www.standinonthecorner.com ; 2nd St) sur la Route 66 au niveau de Kinsley Ave rend hommage au groupe.

Située 80 km à l'est du Petrified Forest National Park, Winslow est idéalement placée pour découvrir la région. De vieux motels bordent la Route 66, et des restaurants parsèment le centre-ville. On doit l'accueillante hacienda de 1929 (restaurée) **La Posada** (☎928-289-4366 ; www.laposada.org ; 303 E 2nd St ; ch 119-169 $ ; ❄📶) à l'architecte designer vedette du Grand Canyon, Mary Jane Colter. Carrelage raffiné, lustres en verre et étain, tapis navajo et autres petits détails renforcent l'élégance de cette maison de style Far West. Le restaurant à l'intérieur, le fameux **Turquoise Room** (☎928-289-2888 ; petit-déj 8-12 $, déj 9-13 $, dîner 19-40 $ ; ⏲7h-21h), sert les meilleurs repas entre Flagstaff et Albuquerque, avec des plats au parfum du Sud-Ouest revisités.

## Petrified Forest National Park

Le Painted Desert, polychrome à souhait, est jonché de troncs fossilisés antérieurs aux dinosaures. Ce **parc national** (☎928-524-6228 ; www.nps.gov/pefo ; véhicule/piéton, vélo ou moto 10/5 $ ; ⏲7h-20h juin-juil, horaires réduits août-mai) est un site extraordinaire. L'immanquable **Visitor Center**, situé à peine 1 km au nord de l'I-40, délivre cartes et renseignements sur les visites guidées et conférences scientifiques.

Le parc enjambe l'I-40 au niveau de la sortie 311, à 40 km à l'est de Holbrook. À partir de cette sortie et sur un ruban goudronné de 45 km, s'étend une magnifique **route panoramique**. Vous n'y trouverez pas de sites pour camper, mais plusieurs sentiers assez courts, de 1 à 3 km, passent au beau milieu des colonnes rocheuses pétrifiées les plus belles et des habitations ancestrales des Amérindiens. Si vous souhaitez faire du camping sauvage, vous devrez obtenir un permis au Visitor Center.

# Ouest de l'Arizona

Les amateurs de soleil se retrouvent à Lake Havasu City, sur la Colorado River. Quant à la Route 66, elle offre de belles portions préservées du côté de Kingman. Le paysage désolé et sauvage au sud de l'I-10 compte parmi les plus arides de l'Ouest. Si vous êtes déjà sur place, quelques sites valent le détour, mais nul besoin de planifier un itinéraire par ici, à moins d'être un adepte de la Route 66 ou un fan de sports nautiques.

## Kingman et ses environs

Nombre de motels et stations-service défraîchis jalonnent la grand-rue de Kingman, mais plusieurs bâtiments fin XIXe-début XXe siècle subsistent. Si vous continuez sur la Route 66 (appelée Andy Devine Ave ici) ou si vous cherchez un hébergement bon marché, faites-y halte.

Récupérez cartes et brochures à l'historique **Powerhouse Visitor Center** (☎866-427-7866, 928-753-6106 ; www.gokingman.com ; 120 W Andy Devine Ave ; ⏲8h-17h), qui accueille un petit mais intéressant **musée de la Route 66** (☎928-753-9889 ; www.kingmantourism.org ; 120 W Andy Devine Ave ; tarif plein/enfant/senior 4 $/gratuit/3 $ ; ⏲9h-17h).

L'enseigne lumineuse originale du **Hilltop Motel** (☎928-753-2198 ; www.hilltopmotelaz.com ; 1901 E Andy Devine Ave ; ch 44 $ ; ❄@📶≋🐾) attire l'attention des voyageurs de la Route 66. Les chambres sont quelque peu surannées mais bien tenues, et la vue y est superbe. Au **Redneck's Southern Pit BBQ** (www.redneckssouthernpitbbq.com ; 420 E Beale St ; plats 5-22 $ ; ⏲11h-20h mar-sam ; 👪), le porc est savoureux.

## Lake Havasu City

À la fin des années 1960, l'entrepreneur Robert McCulloch fit l'acquisition aux enchères d'un pont datant de 1831 vendu par la ville de Londres. Il le fit démanteler, expédier par bateau et remonter à Lake Havasu City, où il enjambe aujourd'hui un bras de la Colorado River. Le site est un lieu de rassemblement des jeunes au printemps et durant le week-end pour profiter de l'eau et faire la fête. Un "English Village" regroupant pubs et boutiques de souvenirs à l'anglaise entoure le pont et abrite le **Visitor Center** (☎928-855-5655 ; www.golakehavasu.com ; 422 English Village ; ⏲9h-17h ; @📶) où tous les renseignements touristiques sont disponibles, ainsi qu'un accès à Internet.

Établissement le plus prisé en ville, le **Heat** (☎928-854-2833 ; www.heathotel.com ; 1420 McCulloch Blvd ; ch 209-299 $, ste 249-439 $ ; ❄📶) est un hôtel de charme intelligemment structuré, où la réception fait aussi office de bar, et où les chambres modernes ont pour la plupart une terrasse privée donnant sur le London Bridge. Pour bien commencer la journée avec un bon petit-déjeuner en plein air, allez au **Red Onion** (☎928-505-0302 ; www.redonionhavasu.com ; 2013 N McCulloch Blvd ; plats 7-12 $ ; ⏲7h-14h), un petit restaurant populaire où les omelettes et les plats anti-régime constituent l'essentiel de la carte. Doté d'une magnifique vue sur le lac, le **Barley Brothers** (☎928-505-7837 ; www.barleybrothers.com ; 1425 N McCulloch Blvd ; plats 9-24 $ ; ⏲11h-21h dim-jeu, jusqu'à 22h ven et sam) sert des bières artisanales et une bonne cuisine de pub.

# Tucson

La deuxième ville de l'Arizona, située au cœur du désert de Sonora, déploie ses collines sableuses parsemées de cactus. Comparé à Phoenix, vaste et moderne, Tucson affiche un côté provincial décontracté. Ville universitaire bohème et branchée, Tucson (le "c" ne se prononce pas) accueille 40 000 étudiants à l'University of Arizona (U of A). Boutiques éclectiques, restaurants et bars tendance foisonnent sur ce territoire aride. Ses habitants s'enorgueillissent de la proximité culturelle et géographique avec le Mexique (à 104 km au sud par l'autoroute) ; 35% de la population est d'origine mexicaine ou d'Amérique centrale.

## À voir et à faire

Le centre-ville de Tucson et le quartier historique sont situés à l'est de la sortie 258 de l'I-10. Le campus universitaire se trouve à environ 1,6 km au nord-est du centre-ville. 4th Ave est l'artère principale, où cafés, bars et magasins intéressants abondent.Pour en savoir plus sur les monuments historiques du centre, prenez une carte détaillant la balade du Presidio Trail au Visitor Center (p. 378).

**Saguaro National Park** PARC

(☎Tucson Mountain District 520-733-5158, administration 520-733-5100 ; www.nps.gov/sagu ; 2700 N Kinney Rd, quartier ouest ; pass 7 jours 10/5 $ par véhicule/vélo ; ⏲véhicules lever-coucher du soleil, piétons et cyclistes 24h/24). Ce tapis épineux de cactus verts et de buissons du désert s'étend de part et d'autre de 48 km d'une autoroute bordée de fermes. Les deux parties sont limitrophes de Tucson, et font officiellement partie de l'agglomération.

Chaque secteur mérite d'être exploré, mais si vous êtes un peu pressé, optez pour **Saguaro West** (Tucson Mountain District), où différentes activités intéressantes vous attendent. Pour les cartes et les programmes dispensés par les rangers, faites un saut au **Red Hills Visitor Center** (☎520-733-5158 ; 2700 N Kinney Rd ; ⏲9h-17h), qui est également le point de départ du **Cactus Garden Trail**, un sentier court et accessible en fauteuil roulant ponctué de panneaux décrivant la plupart des cactus du parc. La **Bajada Loop Drive**, une boucle non goudronnée débutant 2,4 km à l'ouest du Visitor Center, offre une excellente vue des forêts de cactus, et dessert plusieurs aires de pique-nique et sentiers de randonnée.

**À NE PAS MANQUER**

### AU PAYS DES LILLIPUTIENS

Dans ce réjouissant **musée de miniatures** (www.theminitimemachine.org ; 4455 E Camp Lowell Rd ; adulte/enfant 9/6 $ ; ⏲9h-16h mar-sam, 12h-16h dim ; 👪), on peut observer des maisons miniatures détaillées construites aux XVIIIe et XIXe siècles ou encore chercher les minuscules habitants d'un arbre magique. L'endroit est fantastique pour les enfants et les adultes ayant conservé leur âme d'enfant. À condition de rester à sa place, comme l'indique un panneau à côté des dragons miniatures peuplant l'Enchanted Realm (Royaume enchanté) conseillant au visiteur de ne pas se mêler des histoires des dragons sous peine d'être dévoré !

Depuis le centre-ville, suivre E Broadway Blvd vers l'est sur 5,6 km. Tourner à gauche dans N Alvernon Way et rouler encore 4,8 km jusqu'à E Fort Lowell Rd, qui devient Camp Lowell. Tourner à droite et continuer sur près de 1,6 km.

Saguaro East est à 24 km à l'est du centre-ville. Le **Visitor Center** (☎520-733-5153 ; 3693 S Old Spanish Trail ; ⌚9h-17h) vous renseigne sur les randonnées à pied et à cheval, ainsi que sur les possibilités de camping sauvage pour lequel vous devrez obtenir un permis (6 $/jour par site), et ce avant 12h le jour de votre départ en randonnée. Cette partie du parc englobe environ 209 km de sentiers de randonnée (mais seulement 8,5 km pour le VTT). La **Cactus Forest Scenic Loop Drive**, une route goudronnée ouverte aux voitures et aux vélos, serpente sur 13 km et dessert aires de pique-nique, sentiers de randonnée et points de vue.

♥ **Arizona-Sonora Desert Museum** MUSÉE
(☎520-883-2702 ; www.desertmuseum.org ; 2021 N Kinney Rd ; adulte/enfant sept-mai 14,50/5 $, juin-août 12/4 $ ; ⌚8h30-17h oct-fév). Un hommage au désert de Sonora, divisé en trois zones : zoo, jardin botanique et musée. Ce triptyque divertira jeunes et moins jeunes pendant plusieurs heures. Toute la vie du désert s'y trouve : coatis et chiens de prairie à demeure dans des enclos naturels fermés par des barrières invisibles et plantes endémiques recouvrant les sols. Un guide érudit répond sur place à vos questions et organise des démonstrations. Poussettes et fauteuils roulants sont à disposition, ainsi qu'une boutique de souvenirs, une galerie d'art, un restaurant et un café. Heures d'ouverture variables selon les saisons.

**Old Tucson Studios** SITE DE TOURNAGE
(☎520-883-0100 ; www.oldtucson.com ; 201 S Kinney Rd ; adulte/enfant 17/11 $ ; horaires variables ; 👪). À quelques kilomètres au sud-est de l'Arizona-Sonora Desert Museum, les Old Tucson Studios furent un véritable studio de cinéma pour les westerns. C'est aujourd'hui un parc d'attractions sur le genre, avec fusillades et tours en diligence. Vérifiez les horaires sur le site ou par téléphone.

**Pima Air & Space Museum** MUSÉE
(☎520-574-0462 ; www.pimaair.org ; 6000 E Valencia Rd ; tarif plein/enfant/senior et militaire 16/9/13 $ ; ⌚9h-17h, dernière entrée 16h ; 🐾). Un avion-espion SR-71 Blackbird et l'Air Force One de JFK sont les fleurons de ce musée aéronautique privé qui abrite 300 "coucous". Si vous êtes passionné d'aviation, mieux vaut réserver le circuit en bus de 90 minutes du **309th Aerospace Maintenance & Regeneration Center** (AMARG ; adulte/enfant 7/4 $ ; ⌚lun-ven, heure de départ variable selon la saison) tout proche, appelé localement le "cimetière", où près de 4 000 appareils sont remisés. Réservez via le Pima Air & Space Museum.

## Fêtes et festivals

**Fiesta de los Vaqueros Rodeo** RODÉO
(semaine du rodéo ; ☎520-741-2233 ; www.tucsonrodeo.com ; ⌚dernière semaine de février). La fabuleuse parade (non motorisée) est à voir absolument.

## Où se loger

Les variations de tarifs sont considérables d'une saison à l'autre, l'été et l'automne étant les plus avantageux. Si vous souhaitez les étoiles pour plafond et les Saguaro pour décor, optez pour le **Gilbert Ray Campground** (☎520-877-6000 ; www.pima.gov/nrpr/camping ; Kinney Rd ; empl tente/camping-car 10/20 $), proche de la partie ouest du Saguaro National Park.

**Roadrunner Hostel & Inn** AUBERGE DE JEUNESSE $
(☎520-940-7280 ; www.roadrunnerhostelinn.com ; 346 E 12th St ; dort/ch avec petit-déj 22/45 $ ; ❄@📶). Accessible à pied depuis le quartier des arts, cette confortable auberge met à disposition de ses hôtes une vaste cuisine et une TV à grand écran pour visionner des films. Café et gaufres au petit-déjeuner. Fermeture des dortoirs entre 12h et 15h pour le ménage, et seuls les espèces ou les chèques de voyage sont acceptés.

**Quality Inn Flamingo Hotel** MOTEL $
(☎520-770-1910 ; www.flamingohoteltucson.com ; 1300 N Stone Ave ; ch avec petit-déj 65-80 $ ; ❄@📶🏊🐾). Moins chic qu'il ne fut, ce motel conserve sa superbe ambiance Rat Pack des années 1950. Et qu'Elvis y ait dormi ne gâche rien. Les chambres sont dotées de lits confortables aux élégantes parures rayées et d'écran plat.

♥ **Catalina Park Inn** B&B $$
(☎520-792-4541 ; www.catalinaparkinn.com ; 309 E 1st St ; ch 140-170 $ ; ⌚fermé juil-août ; ❄@📶). Style, hospitalité et confort caractérisent cet harmonieux B&B situé à l'ouest de l'University of Arizona. Les propriétaires, Mark Hall et Paul Richard, ont rénové avec amour cette villa de style méditerranéen datant de 1927. Leurs efforts sont visibles dans les

6 chambres, de l'immense Catalina Room, aux tons bleu canard et or, à l'East Room, blanche et épurée, dotée d'un lit à baldaquin en fer forgé.

**Hotel Congress** HÔTEL HISTORIQUE **$$**
(☎520-622-8848 ; www.hotelcongress.com ; 311 E Congress St ; ch 89-129 $ ; ). Branché, historique et très sympathique, le Congress est en constante effervescence grâce à ses bar, restaurant et discothèque populaires. Le tristement célèbre braqueur de banque John Dillinger et sa bande furent capturés ici en 1934 – des photos et articles liés à l'événement sont accrochés au mur près du hall. De nombreuses chambres ont un mobilier d'époque, un téléphone à cadran et une radio en bois, mais pas de TV. Demandez une chambre à l'autre bout de l'hôtel si vous êtes sensible au bruit.

**Windmill Inn at St Philips Plaza** HÔTEL **$$**
(☎520-577-0007 ; www.windmillinns.com ; 4250 N Campbell Ave ; ch avec petit-déj 120-134 $ ; ). Moderne, cet accueillant établissement est apprécié pour ses vastes suites de 2 pièces (enfants de moins de 18 ans sans supplément), le petit-déjeuner offert, la bibliothèque, la piscine chauffée et le prêt de vélos.

**Arizona Inn** COMPLEXE HÔTELIER **$$$**
(☎800-933-1093, 520-325-1541 ; www.arizonainn.com ; 2200 E Elm St ; ch 329-399 $, ste 459-579 $ ; ). Le magnifique jardin et le charme d'antan de l'Arizona offrent un répit loin de la ville et du XXI[e] siècle. Sirotez un café sous le porche, prenez un thé gourmand dans la bibliothèque, prélassez-vous près de la petite piscine ou bien jouez au croquet, puis retirez-vous dans votre chambre toute meublée à l'ancienne. Le spa est notre préféré en ville.

## Où se restaurer

La 4th Ave est l'endroit idéal pour bien manger à moindre frais. Voici certaines des meilleures adresses de Tucson.

**Mi Nidito** MEXICAIN **$**
(☎520-622-5081 ; www.minidito.net ; 1813 S 4th Ave ; plats 6-13 $ ; ⊙déj et dîner mer-dim). L'attente est méritée dans "Mon petit nid", un établissement animé où la commande de Bill Clinton est devenue le plat emblématique : *tacos*, *tostadas*, *burritos*, *enchiladas*, etc., empilés, couverts de fromage fondu. Goûtez aussi les figues de Barbarie ou le *birria* (bœuf épicé en lamelles).

♥ **Cafe Poca Cosa** SUD-AMÉRICAIN **$$**
(☎520-622-6400 ; www.cafepocacosatucson.com ; 110 E Pennington St ; déj 12-15 $, dîner 18-26 $ ; ⊙11h-21h mar-jeu, 11h-22h ven-sam). Ce bistrot récompensé propose une cuisine néomexicaine. Un menu inscrit à la craie circule entre les tables car les plats changent deux fois par jour. Tout est fraîchement préparé, créatif et joliment présenté. Si vous hésitez, commandez le Plato Poca Cosa et laissez décider la chef, Suzana Davila. Excellentes margaritas.

**Cup Cafe** AMÉRICAIN, INTERNATIONAL **$$**
(☎520-798-1618 ; www.hotelcongress.com/food ; 311 E Congress St ; petit-déj 7-12 $, déj 10-12 $, dîner 13-23 $ ; ⊙7h-22h dim-jeu, 7h-23h ven-sam ; ). Le matin : plat créole avec andouille, œufs et pommes de terre, œufs au four dans un plat en fonte avec gruyère. Midi et soir, divers plats internationaux et un choix correct d'entrées végétariennes sont proposés. Café excellent. L'endroit est très agréable.

**Lovin' Spoonfuls** VÉGÉTALIEN **$$**
(☎520-325-7766 ; 2990 N Campbell Ave ; petit-déj 7-9 $, déj 6-8 $, dîner 8-12 $ ; ⊙9h30-21h lun-sam, 10h-15h dim ; ). Burgers, poulet fermier frit, sandwich au bacon, salades... La carte semble ordinaire, mais ce paradis des végétaliens ne sert aucun produit d'origine animale.

**Hub Restaurant & Creamery** AMÉRICAIN **$$**
(☎520-207-8201 ; www.hubdowntown.com ; 266 E Congress Ave ; déj 9-16 $, dîner 10-21 $ ; ⊙11h-minuit dim-mer, 11h-2h jeu-sam). Outre quelques sandwichs et salades, on se requinque ici de solides plats de qualité. Si vous n'avez pas particulièrement faim, passez-y prendre une crème glacée, comme la "bacon scotch", parmi une multitude de parfums.

### HOT DOG LOCAL

La spécialité culinaire de Tucson est le *diggety dog* de Sonora, la preuve par le goût de la rencontre entre la cuisine mexicaine et la viande américaine. Ses ingrédients ? Un hot dog enveloppé dans du bacon couvert de sauce tomate, haricots pinto, lamelles de fromage, mayonnaise, ketchup ou moutarde (ou les deux), tomates en tranches et oignons. Un délice à **El Guero Canelo** (www.elguerocanelo.com ; 5201 S 12th Ave ; hot dog 3 $).

**El Charro Café** MEXICAIN **$$**
(☎520-622-1922 ; www.elcharrocafe.om ; 311 N Court Ave ; déj 6-10 $, dîner 7-18 $ ; ⏲déj et dîner). Dans cette hacienda animée, la famille Flin prépare une cuisine mexicaine innovante depuis 1922. Réputée pour sa *carne seca*, du bœuf maigre séché au soleil que l'on mange grillé en lamelles avec piments verts et oignons.

## Où prendre un verre et sortir

Au centre-ville, c'est sur 4th Ave, près de 6th St, qu'il faut aller pour trouver un bar animé. Congress St réunit pour sa part plusieurs discothèques.

**Che's Lounge** BAR
(☎520-623-2088 ; 350 N 4th Ave ; ⏲12h-2h). Bar un peu miteux mais très apprécié localement, surtout le samedi soir avec ses soirées live. Pas de droit d'entrée.

**Thunder Canyon Brewery** MICROBRASSERIE
(www.thundercanyonbrewery.com ; 220 E Broadway Blvd ; ⏲11h-23h dim-mer, 11h-2h jeu-sam). Pas loin de l'Hotel Congress, un nouveau venu où la place ne manque pas. À la carte : des créations maison et des bières d'autres brasseries. Rien qu'à la pression, on a le choix entre 40 sortes !

**Chocolate Iguana** CAFÉ
(www.chocolateiguanaon4th.com ; 500 N 4th Ave ; ⏲7h-20h lun-jeu, 7h-22h ven, 8h-22h sam, 9h-18h dim). Pour les amateurs de café et les fondus de chocolat.

**Club Congress** MUSIQUE LIVE
(☎520-622-8848 ; www.hotelcongress.com ; 311 E Congress St ; entrée libre ou 24 $ selon programmation). Musique live et DJ vous attendent dans cet établissement prisé à tendance tantôt rock, tantôt disco. La population varie selon les soirées, mais il s'y passe toujours quelque chose.

## Renseignements

### ACCÈS INTERNET

**Joel D Valdez Main Library** (☎520-594-5500 ; 101 N Stone Ave ; ⏲9h-20h lun-mer, 9h-18h jeu, 9h-17h ven, 10h-17h sam, 13-17h dim ; 📶). Internet gratuit et en Wi-Fi dans cette bibliothèque.

### MÉDIAS

**Arizona Daily Star** (http ://azstarnet.com). Le quotidien de la région de Tucson.

**Tucson Weekly** (www.tucsonweekly.com). Hebdomadaire gratuit répertoriant sorties et restaurants.

### OFFICE DU TOURISME

**Tucson Convention & Visitors Bureau** (☎800-638-8350, 520-624-1817 ; www.visittucson.org ; 100 S Church Ave ; ⏲9h-17h lun-ven, 9h-16h sam-dim). Demandez l'*Official Destination Guide* (gratuit).

### POSTE

**Bureau de poste** (☎520-629-9268 ; 825 E University Blvd, Suite 111 ; ⏲8h-17h lun-ven, 9h-12h30 sam)

### URGENCES ET SERVICES MÉDICAUX

**Police** (☎520-791-4444 ; http://cms3.tucsonaz.gov/ ; 270 S Stone Ave)

**Tucson Medical Center** (☎520-327-5461 ; www.tmcaz.com/TucsonMedicalCenter ; 5301 E Grant Rd). Urgences 24h/24.

## Comment s'y rendre et circuler

Le **Tucson International Airport** (☎520-573-8100 ; www.flytucson.com ; 7250 S Tucson Blvd) se trouve à 24 km au sud du centre-ville. Il existe entre les deux un service de minibus collectifs (environ 25 $) affrétés par **Arizona Stagecoach** (☎520-889-1000 ; www.azstagecoach.com). Les bus **Greyhound** (☎520-792-3475 ; www.greyhound.com ; 471 W Congress St) desservent Phoenix (21-23 $, 2 heures, tlj) et d'autres destinations. L'arrêt est situé à l'extrémité ouest de Congress St, à 4,8 km du centre-ville. Côté réseau ferré, le Sunset Limited d'**Amtrak** (☎800-872-7245, 520-623-4442 ; www.amtrak.com ; 400 E Toole Ave), en face de l'Hotel Congress, dessert Los Angeles (à partir de 56 $, 10 heures, 3/sem).

Le **Ronstadt Transit Center** (215 Congress St, à l'intersection avec 6th Ave) est le principal centre de transit de la ville. Les bus **Sun Tran** (☎520-792-9222 ; www.suntran.com) desservent Tucson (forfait journalier 3,50 $).

# Environs de Tucson

Les sites indiqués ci-dessous se trouvent à moins de 1 heure 30 de route, et peuvent se visiter dans la journée.

## Ouest de Tucson

Envie de solitude ? Suivez la Hwy 86, qui s'enfonce à l'ouest depuis Tucson dans certaines des zones les plus solitaires du désert de Sonora. Seuls les camions vert et blanc des gardes-frontières y patrouillent.

Situé à l'ouest de Sells (à environ 1 heure 15 de voiture de Tucson), l'imposant **Kitt Peak National Observatory** (☎520-318-8726 ; www.noao.edu/kpno ; Hwy 86 ; entrée au Visitor Center sur don ; ⏲9h-16h) présente la plus grande collection de télescopes au monde. La visite guidée d'environ 1 heure (adulte/enfant 9,75/4,25 $ nov-mai, 7,75/3,25 $ juin-oct, départs à 10h, 11h30 et 13h30) peut être suivie du programme nocturne d'observation des étoiles (adulte/enfant 49/45 $), à condition d'avoir réservé 2 à 4 semaines à l'avance et hors période de mousson (de mi-juillet à fin août) où il est annulé. Lorsque la nuit est claire et dégagée, le spectacle est à couper le souffle. Prévoyez de vous habiller chaudement, faites le plein à Tucson (la station la plus proche est à 48 km de l'observatoire). Pour des raisons de sécurité, les enfants de moins de 8 ans ne sont pas acceptés au programme nocturne. L'aire de pique-nique est le rendez-vous des astronomes amateurs.

Autre forme de dépaysement complet : l'exotisme de l'immense **Organ Pipe Cactus National Monument** (☎520-387-6849 ; www.nps.gov/orpi ; Hwy 85 ; 8 $/véhicule ; ⏲Visitor Center 8h30-16h30) qui s'étend le long de la frontière mexicaine est un magnifique territoire sauvage recelant une quantité étonnante d'animaux et de plantes, dont 28 espèces de cactus, parmi lesquelles le fameux cactus orgue. Cactus géant en forme de colonne, il se distingue du cactus Saguaro par ses branches ramifiées depuis la base. L'**Ajo Mountain Drive**, un circuit de 33 km, vous emmène au cœur d'un paysage spectaculaire : falaises accidentées et formations rocheuses d'un rouge aux nuances fantastiques. Tout près du Visitor Center, vous ne trouverez pas moins de 208 emplacements au **Twin Peaks Campground** (www.nps.gov/orpi ; empl tente/camping-car 12 $) géré selon le principe du premier arrivé, premier servi.

## Sud de Tucson

Quand on prend sur l'I-19, au sud de la ville, la direction de Nogales et du Mexique, le chemin n'est pas dépourvu de haltes intéressantes.

Après 14 km, l'étonnante **Mission San Xavier del Bac** (☎520-294-2624 ; www.patronatosanxavier.org ; 1950 W San Xavier Rd ; don apprécié ; ⏲musée 8h30-17h, église 7h-17h) retient l'attention : c'est le plus ancien bâtiment européen d'Arizona encore en fonction. L'élégant mélange d'architectures mauresque, byzantine et Renaissance mexicaine tardive s'allie à un décor intérieur surprenant.

Le **Titan Missile Museum** (☎520-625-7736 ; www.titanmissilemuseum.org ; 1580 W Duval Mine Rd, Sahuarita ; tarif plein/enfant/senior 9,50/6/8,50 $ ; ⏲8h45-17h) à la sortie 69, 25 km au sud de la mission, est un site souterrain de lancement de missiles balistiques intercontinentaux datant de la guerre froide. Les visites sont instructives et passionnantes.

Si l'histoire ou l'achat d'objets artisanaux vous intéressent, filez à 76 km au sud de Tucson jusqu'au petit village de **Tubac** (www.tubacaz.com), qui réunit plus de 100 galeries, ateliers et boutiques.

## Patagonia et le Mountain Empire

Comprise entre la frontière mexicaine et les Santa Rita Mountains et les Patagonia Mountains, cette jolie région limitrophe est l'un des premiers joyaux de l'Arizona. Amateurs d'oiseaux, et de vins, y trouveront la plus parfaite traquillité.

Ornithologues et naturalistes foulent les beaux sentiers de la **Patagonia-Sonoita Creek Preserve** (☎520-394-2400 ; www.nature.org/arizona ; 150 Blue Heaven Rd ; 6 $ ; ⏲6h30-16h mer-dim avr-sept, 7h30-16h oct-mars), une magnifique forêt de saules gérée par le Nature Conservancy. Les deux pics migratoires vont d'avril à fin mai, et de fin août à septembre. Envie de déguster du vin ? Rendez-vous au nord de Patagonia dans les villages de **Sonoita** et d'**Elgin** (www.arizonavinesandwines.com) qui offrent des panoramas époustouflants.

À l'heure du dîner, on se rassasie de délicieuses pizzas au **Velvet Elvis** (☎520-394-2102 ; www.velvetelvispizza.com ; 292 Naugle Ave, Patagonia ; plats 10-26 $ ; ⏲11h30-20h30 jeu-sam, 11h30-19h30 dim), avant de se rappeler le temps d'une nuit les charmes simples du vieil Ouest dans un ancien relais des diligences parcourant le Butterfield Trail, le **Stage Stop Inn** (☎520-394-2211 ; www.stagestophotelpatagonia.com ; 303 McKeown, Patagonia ; s 79 $, d 89-99 $, ste 109 $ ; 📶🏊🐾). Ses chambres entourent une cour et une piscine centrales.

La librairie Mariposa Books & More à Patagonia abrite un petit **Visitor Center** (☎520-394-9186 ; www.patagoniaaz.com ; 307 McKeown Ave ; ⏲10h-17h lun-jeu et sam, 11h-16h ven).

## Sud-est de l'Arizona

Truffé d'endroits rappelant la riche histoire du Far West, le sud-est de l'Arizona abrite notamment Bisbee, ville minière admirablement conservée, Tombstone et son OK Corral, ainsi que les incroyables flèches de pierre du Chiricahua National Monument.

### Kartchner Caverns State Park

Instructif, le **Kartchner Caverns State Park** (☎ renseignements 520-586-4100, réservations 520-586-2283 ; http://azstateparks.com ; Hwy 90 ; entrée du parc 6/3 $ par véhicule/vélo, adulte/enfant Rotunda Tour 23/13 $, Big Room Tour mi-oct à mi-avr 23/13 $ ; ⌚ 8h-17h juin-sept, 7h-18h oct-mai) et sa caverne aux parois de calcaire humide d'une longueur de 4 km offrent un spectacle fantasmagorique. Deux visites guidées distinctes dévoilent les différents attraits du site, "découvert" en 1974. La visite Rotunda/Throne Room Tour se fait toute l'année, à la différence du Big Room Tour qui est suspendu pendant 5 mois à compter de mi-avril pour ne pas perturber les chauves-souris migratrices qui se perchent ici. Le parc se trouve à 14 km au sud de Benson, à la sortie 302 de l'I-10. Droit d'entrée de 6 $, mais gratuit si vous avez réservé une visite.

### Chiricahua National Monument

Quelque peu isolé mais envoûtant, le parc de **Chiricahua National Monument** (☎ 520-824-3560 ; www.nps.gov/chir ; Hwy 181 ; adulte/enfant 5 $/gratuit) est au cœur des Chiricahua Mountains. Certaines flèches rocheuses y atteignent des hauteurs vertigineuses, semblant souvent sur le point de basculer. Un itinéraire de 13 km vous mène par la **Bonita Canyon Scenic Drive** jusqu'au Massai Point (2 094 m) où vous apercevrez des milliers de flèches posées sur les pentes, pareilles à une armée pétrifiée. De nombreux sentiers de randonnée sillonnent les environs ; si vous avez peu de temps, empruntez l'**Echo Canyon Trail** sur un petit kilomètre, qui vous mènera aux Grottoes, une impressionnante "cathédrale" de blocs géants où l'on peut s'allonger et écouter le vent caresser le silence. Le parc se trouve à 58 km au sud-est de Willcox tout près de la Hwy 186 et de la Hwy 181.

### Tombstone

Au XIXe siècle, le whisky coulait à flots dans cette ville minière en plein essor et l'on dégainait son six-coups pour un oui ou un non, notamment au célèbre OK Corral. Le site est aujourd'hui classé monument historique national, et ses vieux bâtiments du Far West, ses tours en diligence et ses spectacles de fusillade attirent des hordes de touristes.

Bien sûr, vous devez absolument visiter **OK Corral** (☎ 520-457-3456 ; www.ok-corral.com ; Allen St, entre 3rd St et 4th St ; 10 $, sans spectacle de fusillade 6 $ ; ⌚ 9h-17h), où eurent lieu les échanges de coups de feu légendaires entre les Earp, Doc Holliday et les McLaury et Billy Clanton le 26 octobre 1881. Les McClaury et Clanton reposent désormais au **Boot Hill Graveyard** sur la Hwy 80, au nord de Tombstone. Accordez également un peu de votre temps au sulfureux **Bird Cage Theater** (☎ 520-457-3421 ; http://tombstonebirdcage.com ; 517 E Allen St ; tarif plein/enfant/senior 10/8/9 $ ; ⌚ 9h-18h), devenu le temple de tout un tas d'objets "western". Moitié salle de jeu, moitié bordel, il doit son nom aux loges suspendues au plafond où les "demoiselles" recevaient les "messieurs".

Le **Visitor Center** (☎ 520-457-3929 ; www.tombstonechamber.com ; angle 395 E Allen et 4th St ; ⌚ 9h-17h) suggère différents itinéraires pédestres et visites, tout en vous guidant pour l'hébergement, entre autres.

### Bisbee

Fleurant bon la grande époque de l'exploitation du cuivre, Bisbee est une ancienne cité minière qui a conservé d'élégants édifices, restaurants somptueux et hôtels accueillants, entre lesquels on croise nombre de vieux originaux. La plupart des commerces se trouvent dans le quartier historique (Historic District ou Old Bisbee), sur Subway St et Main St.

Si les profondeurs souterraines vous attirent, descendez dans les puits avec d'anciens mineurs qui organisent un **Queen Mine Tour** (☎ 520-432-2071 ; www.queenminetour.com ; 478 Dart Rd, au bord de la Hwy 80 ; adulte/enfant 13/5,50 $ ; ⌚ visites 9h-15h30 ; 👪). En lisière de Bisbee, l'immense et disgracieux **Lavender Pit** témoigne à l'air libre de ce passé minier.

Vous pouvez loger au **Shady Dell RV Park** (☎ 520-432-3567 ; www.theshadydell.com ; 1 Douglas Rd ; 87-145 $), un étonnant parc de caravanes kitsch à souhait. L'ensemble, conçu avec originalité et meublé à l'ancienne, est même climatisé. Autrement, passez la nuit dans un chariot au **Bisbee Grand Hotel** (☎ 520-432-5900 ; www.bisbeegrandhotel.

com ; 61 Main St, Bisbee ; ch avec petit-déj 89-175 $ ; ❄📶), qui redonne vie au vieil Ouest avec son décor victorien et son agréable saloon.

Le long de Main St, il est assez aisé de choisir un restaurant. L'élégant **Cafe Roka** (☎520-432-5153 ; www.caferoka.com ; 35 Main St ; dîner 15-29 $ ; ⊙dîner jeu-sam) sert une cuisine américaine raffinée, déclinée en soirée selon des formules incluant salade, soupe et sorbet, sans compter toute une palette d'autres plats où chacun trouve son bonheur. Remontez Main St pour déguster les pizzas au feu de bois de **Screaming Banshee Pizza** (☎520-432-1300 ; 200 Tombstone Canyon Rd ; pizzas 7-15 $ ; ⊙16h-21h mar et mer, 11h-22h jeu-sam, 11h-21h dim) au style punk-rock. Les bars sont regroupés dans Brewery Gulch, à l'extrémité sud de Main St.

Le **Visitor Center** (☎520-432-3554 ; www.discoverbisbee.com ; 478 Dart Rd ; ⊙8h-17h lun-ven, 10h-16h sam et dim), dans le Queen Mine Tour Building, juste au sud du centre-ville, est un bon point de départ.

# UTAH

Bien que souvent délaissé, cet État n'en reste pas moins l'un des plus beaux terrains de jeu naturels qui soit. Sa topographie accidentée se prête parfaitement aux randonnées à pied, à vélo et à cheval, au rafting, au rappel, à l'escalade, au ski, au snowboard, au scooter des neiges, au 4×4...

Plus de 65% de ses terres appartiennent au domaine public, notamment 12 parcs nationaux et monuments, composant un spectacle géologique époustouflant. Le sud de l'Utah apparaît comme une interminable étendue de désert de grès sculpté, au caractéristique paysage de roche rouge dessiné par falaises et flèches aux tons intenses. Au nord-est de l'État, c'est en revanche la forêt qui domine jusqu'à 3 352 m d'altitude, sous les sommets enneigés de la Wasatch Range, entre autres montagnes et vallées.

À travers l'État, vous découvrirez des villes bien agencées, aux bâtiments datant de l'arrivée des premiers pionniers mormons. Les membres de cette Église constituent plus de 50% d'une population connue pour sa courtoisie. Si les villes rurales ont conservé leur tranquillité et leurs traditions, la splendeur des paysages attire amateurs de plein air et libres penseurs. Salt Lake City et Park City vous étonneront par leur vie nocturne trépidante et leur éclectisme en matière de gastronomie.

Venez donc vous émerveiller devant la mosaïque géologique de l'État, randonner dans ses vastes étendues et siroter ses excellentes bières artisanales.

## Histoire

Des vestiges d'habitations et des peintures rupestres témoignent des cultures pueblos (ou Anasazi) et du peuple fremont, premiers habitants des lieux. Pourtant, ce sont les Ute, Paiute et autres Navajo modernes qui vivaient ici quand arrivèrent en nombre les colons européens. Puis, guidés par Brigham Young, deuxième président de l'Église, les mormons investirent le pays pour échapper aux persécutions religieuses à la fin des années 1840. Ils s'y établirent en tentant de coloniser le moindre territoire, aussi sauvage fût-il, ce qui généra maints accrochages avec les Amérindiens, comme l'illustrent çà et là plusieurs villes fantômes.

Le demi-siècle qui suivit l'acquisition du territoire mexicain que formait alors l'Utah par les États-Unis, le Congrès américain reçut plus d'une requête pour qu'il puisse former un État en soi. Mais la pratique de la polygamie par les mormons était jugée

### L'UTAH EN BREF

**Surnom** Beehive State (l'État des Ruches)

**Population** 2,85 millions d'habitants

**Superficie** 212 816 km²

**Capitale** Salt Lake City (189 314 hab.), agglomération (1,2 million d'hab.)

**Autres villes** St George (75 561 hab.)

**TVA** 5,95%

**Lieu de naissance** de Butch Cassidy (1866-1908), le très populaire bandit

**Hôte** des Jeux olympiques d'hiver de 2002

**Politique** Essentiellement conservateur

**Célèbre** pour ses mormons, ses canyons de grès rouge et la Delicate Arch

**Meilleur souvenir** Un T-shirt de la Wasatch Brew Pub & Brewery portant l'inscription : *Polygamy Porter – Why Have Just One?* ("Polygamy Porter, pourquoi n'en prendre qu'une ?")

contraire à la Constitution. Tensions et poursuites judiciaires perdurèrent jusqu'en 1890, date à laquelle Wilford Woodruff, président de l'Église, déclara avoir eu une révélation divine lui enjoignant de se conformer au droit américain. L'Utah devint ainsi le 45e État en 1896. Aujourd'hui encore, l'Église moderne des mormons, désormais appelée *Church of Jesus Christ of Latter-Day Saints* (LDS), Église de Jésus-Christ des Saints des Derniers Jours, continue d'y exercer une forte influence.

## Renseignements

Il peut s'avérer difficile de changer de l'argent en dehors de Salt Lake City. Nombreux DAB.

**Office du tourisme de l'Utah** (800-200-1160 ; www.utah.com). Publie le guide gratuit *Utah Travel Guide* et gère plusieurs Visitor Centers.

**Utah State Parks & Recreation Department** (801-538-7220 ; www.stateparks.utah.gov). Propose un guide complet sur les 40 et quelques parcs nationaux de l'État, disponible en ligne et dans les Visitor Centers.

## Depuis/vers l'Utah

Salt Lake City (SLC) possède le seul aéroport international de l'État. Il revient souvent moins cher d'atterrir à Las Vegas (680 km au sud) et d'y louer une voiture.

## Comment circuler

Un véhicule privé est nécessaire pour visiter tout endroit autre que SLC et Park City. Les villes de l'Utah s'articulent en général de la même façon : un quadrillage de rues alignées dans l'axe nord-sud ou est-ouest. Le point zéro du centre-ville se trouve à l'intersection de deux rues principales, appelées la plupart du temps Main St et Center St. Les adresses et les noms de rues "numériques" irradient à partir de ce point, augmentant de 100 à chaque pâté de maisons (*block*). Ainsi, 500 South 400 East se trouvera à 5 pâtés de maisons au sud et à 4 pâtés de maisons à l'est du point zéro. Un peu laborieux à expliquer, mais finalement très pratique d'utilisation.

# Salt Lake City

Nichée au pied des sommets abrupts des Wasatch Mountains, Salt Lake City est un peu aux mormons ce que le Vatican est aux catholiques. Peu étendue mais résolument moderne, la ville parviendra à satisfaire les citadins avertis. Le centre, rénové, et sa palette gastronomique compensent largement ses anachronismes.

## À voir et à faire

Les principaux lieux de l'Église mormone, LDS, se concentrent aux abords du point zéro central, à l'angle de S Temple (est-ouest) et de Main St (nord-sud). Notez que la largeur des rues (40 m) correspond à l'espace suffisant pour permettre à un chariot tiré par 4 bœufs de faire demi-tour.

Et n'oubliez pas qu'à 45 minutes du centre en voiture, randonnées, escalade et sports de neige de haut vol attendent les amateurs dans les Wasatch Mountains.

### Temple Square Area

**Temple Square** PLACE
(www.visittemplesquare.com ; angle S Temple et N State St ; site 24h/24, Visitor Center 9h-21h). GRATUIT Incontournable et grandiose, cette place de 4 ha où s'élèvent les étonnants édifices mormons est couverte de jardins fleuris et de fontaines. Aux deux entrées (sur S Temple et N Temple) se tiennent à votre disposition "frères" et "sœurs" mormons d'une gentillesse désarmante pour répondre à vos questions et vous faire gracieusement visiter le site au départ du Visitor Center (30 min).

### SALT LAKE CITY AVEC DES ENFANTS

Grands et petits apprécient le site de l'University-Foothill District, mais les enfants trouveront vraiment leur bonheur dans les attractions spécifiques proposées ci-dessous.

Le **Discovery Gateway** (www.childmuseum.org ; 444 W 100 South ; 8,50 $ ; 10h-18h lun-jeu, 10h-20h ven-sam, 12h-18h dim ; ) est un musée sympathique et interactif qui plaît beaucoup aux enfants. La fausse agence de presse de la zone médias comblera en particulier les journalistes en herbe.

Plus de 800 espèces d'animaux peuplent les 17 ha du **Hogle Zoo** (www.hoglezoo.org ; 2600 E Sunnyside Ave ; adulte/enfant 13/10 $ ; 9h-17h ; ). Des programmes quotidiens permettant d'approcher les animaux donneront aux intéressés l'occasion d'en savoir plus sur leurs espèces préférées.

À la nuit tombée, le **Salt Lake Temple** qui domine la place de ses 63 m de haut resplendit de tous ses feux. Sa plus haute flèche abrite une statue de l'ange Moroni, qui apparut au premier prophète de l'Église mormone, Joseph Smith, et le mena au *Livre de Mormon*. Le Temple et ses cérémonies sont réservés aux membres de l'Église. La place compte par ailleurs un musée historique, le théâtre Joseph Smith et des restaurants.

**Tabernacle** ÉDIFICE RELIGIEUX
(http://mormontabernaclechoir.org ; Temple Sq ; entrée libre ; 9h-21h). GRATUIT Cet auditorium (1867) sous un dôme possède une acoustique exceptionnelle (le bruit d'une épingle qui tombe s'entend à l'autre bout de la salle, à plus de 60 m) et un orgue de 11 000 tuyaux. On peut assister à un récital gratuit à midi tous les jours du lundi au samedi. Pour en savoir plus sur les récitals du chœur, reportez-vous à la rubrique *Où sortir*.

**Beehive House** SITE HISTORIQUE
(801-240-2671 ; www.visittemplesquare.com ; 67 E South Temple ; 9h-20h30 lun-sam). GRATUIT Brigham Young vécut ici durant son mandat de gouverneur et de chef de l'Église mormone. Des guides vous attendent pour des visites mêlant faits historiques et instruction religieuse dans des proportions diverses selon l'accompagnateur qui vous prend en charge.

**Family History Library** BIBLIOTHÈQUE
(www.churchhistory.org ; 35 N West Temple St ; 8h-17h lun, 8h-21h mar-ven, 9h-17h sam). GRATUIT Le temple de la généalogie. Cette formidable bibliothèque contient plus de 3,5 millions de données diverses (microfilms, microfiches, livres et autres archives) collectées dans plus de 110 pays.

## Au-delà du centre-ville

**Utah State Capitol** ÉDIFICE HISTORIQUE
(www.utahstatecapitol.utah.gov ; bâtiment 7h-20h lun-ven, 8h-18h sam-dim, Visitor Center 8h30-17h lun-ven). GRATUIT À l'intérieur de ce majestueux édifice de 1916, des fresques colorées réalisées par des pionniers, des trappeurs et des missionnaires de la WPA (Works Progress Administration, agence créée durant la Grande Dépression pour rémunérer les chômeurs) ornent une partie du dôme. Départ toutes les heures (9h-17h, lun-ven) de visites gratuites au 1er niveau du Visitor Center. Visites autonomes également.

### LA POLYGAMIE AUJOURD'HUI

Bien que l'Église mormone ait renoncé à la polygamie en 1890, certaines branches non reconnues restent convaincues de l'origine divine de cette pratique. La majorité des quelque 7 000 résidents de Hilldale-Colorado City (à la frontière de l'Utah et de l'Arizona) sont des polygames pratiquants de l'Église fondamentaliste de Jésus-Christ des Saints des Derniers Jours. Si, dans un Walmart de Washington ou de Hurricane, vous croisez des clientes en robe paysanne aux couleurs pastel, avec de longues tresses, elles sont probablement "femmes-sœurs" (du même homme). D'autres pratiques polygames moins visibles existent aussi dans la partie sud de l'État.

**City Creek** PLACE
(www.shopcitycreekcenter.com ; Social Hall Ave, entre Regent St et Richards St). Au beau milieu de la ville, ce vaste espace piétonnier de 8 ha réunit autour de longs bassins et d'agréables fontaines tout un ensemble de restaurants et galeries marchandes tant en intérieur qu'en extérieur.

## University-Foothill District et alentours

**Natural History Museum of Utah** MUSÉE
(http://umnh.utah.edu ; 301 Wakara Way ; adulte/enfant 11/6 $ ; 10h-17h jeu-mar, 10h-20h mer). L'étonnant bâtiment du Rio Tinto Center évoque un "canyon". Gravissez les étages en découvrant l'histoire des peuples indigènes et de la nature.

La section paléontologique *Past Worlds* est la plus impressionnante. La vaste collection de fossiles de dinosaures s'observe d'en haut, d'en bas... L'idéal pour mesurer le gigantisme de ces animaux disparus et prendre conscience de la longue histoire qui nous précède.

**This Is the Place Heritage Park** SITE HISTORIQUE
(www.thisistheplace.org ; 2601 E Sunnyside Ave ; adulte/enfant 10/7 $ juin-août ; 9h-17h lun-ven, 10h-17h sam ; ). Ce parc de 182 ha matérialise le site où, en 1847, le prophète et deuxième président de l'Église mormone Brigham Young prononça les paroles

fatidiques *This is the place* ("C'est ici"). Le cœur du parc est un musée vivant. De juin à fin août, des guides en costume d'époque reproduisent des scènes du milieu du XIXe siècle. L'entrée comprend un tour en petit train et d'autres activités. Tarif moindre hors période estivale.

**Red Butte Garden** JARDINS
(www.redbuttegarden.org ; 300 Wakara Way ; adulte/enfant 10/6 $ ; ⏲9h-19h30). Dans les contreforts des Wasatch, cet ensemble de jardins en partie paysagers, en partie à l'état naturel couvre 60 ha. On y accède par tout un réseau de sentiers. En été, on y donne des concerts en plein air (programme consultable sur le site Internet).

**Church Fork Trail** RANDONNÉE
(Millcreek Canyon, à l'écart de Wasatch Blvd ; accès journée 3 $). Tout proche, ce sentier de randonnée vous mettra en jambes et vous récompensera par ses paysages. Un trajet convivial d'environ 9 km vous mènera jusqu'à Grandeur Peak (2 529 m). Millcreek Canyon est à 22 km au sud-ouest du centre-ville.

## Circuits organisés

**Utah Heritage Foundation** CIRCUITS PÉDESTRES
(☎801-533-0858 ; www.utahheritagefoundation.com ; circuits 5-20 $/pers). L'organisme local chargé du patrimoine propose des circuits pédestres dans différents quartiers, ainsi qu'une tournée des bars appelée *Thirst Fursday*. Pour visiter seul, des brochures détaillées de circuits autonomes sont disponibles en ligne (ou au Visitor Center).

## Où se loger

En centre-ville, les tarifs varient considérablement suivant les événements locaux et les taux d'occupation. Les motels de chaîne, moins chers, sont regroupés en bordure de l'I-80, près de l'aéroport et au sud, dans la banlieue de Midvale. En dehors de la saison de ski, les prix chutent dans les complexes hôteliers des Wasatch Mountains, situés à quelque 45 minutes du centre-ville.

**Crystal Inn & Suites** MOTEL $
(☎800-366-4466, 801-328-4466 ; www.crystalinnsaltlake.com ; 230 W 500 South ; ch avec petit-déj 78-120 $ ; P❄@📶🏊). Ce motel de plusieurs étages appartenant à l'Utah sait soigner sa clientèle. Nombreux services offerts (notamment un copieux buffet chaud au petit-déjeuner).

**Avenues Hostel** AUBERGE DE JEUNESSE $
(☎801-539-8888, 801-359-3855 ; www.saltlakehostel.com ; 107 F St ; dort 18 $, s/d sans sdb 40/46 $, avec sdb 56/60 $ ; ❄@📶). Cette auberge a sa clientèle d'habitués qui ont le sentiment d'être un peu ici comme chez eux. Emplacement pratique.

♥ **Inn on the Hill** AUBERGE $$
(☎801-328-1466 ; www.inn-on-the-hill.com ; 225 N State St ; ch avec petit-déj 135-220 $ ; P❄@📶). Boiseries et verreries raffinées signent une partie de la déco de ce vaste manoir néo-Renaissance de 1906 converti en auberge. Chambres confortables, non surchargées. Deux patios, salle de billard, bibliothèque et salle à manger. Sa position dominante au-dessus de Temple Sq offre une vue magnifique qui a pour contrepartie la grimpette au retour de la ville.

**Peery Hotel** HÔTEL $$
(☎801-521-4300, 800-331-0073 ; www.peeryhotel.com ; 110 W 300 South ; ch 90-130 $ ; P❄@📶). Accessible à pied depuis les restaurants, bars et théâtres, cet imposant hôtel historique (1910) bénéficie d'un excellent emplacement dans le quartier des loisirs de Broadway Ave. Services haut de gamme : peignoirs en coton d'Égypte, stations d'accueil pour iPod et matelas à mémoire de forme.

**SVEA** B&B $$
(☎801-832-0970 ; www.svea.us ; 720 Ashton Ave ; ch avec petit-déj 155-165 $ ; P❄📶). Cette maison victorienne des années 1890, au style élégant et éclectique, cultive quelques bizarreries d'aménagement pas désagréables. Petit-déjeuner continental déposé le matin dans un panier à votre porte.

**Grand America** HÔTEL $$$
(☎800-621-4505 ; www.grandamerica.com ; 555 S Main St ; ch 199-289 $ ; P❄@📶🏊). Sdb en marbre d'Italie, moquette de laine anglaise, tentures damassées et autres détails douillets dans cet hôtel de luxe. Également un thé gourmand dans l'après-midi et un somptueux brunch dominical.

## Où se restaurer

La plupart des nombreux restaurants exotiques et orientés bio de Salt Lake City sont regroupés en plein centre. On trouve également un bon choix d'adresses (moyen-oriental, nouilles, américain moderne haut de gamme, café...) à l'angle dit *9th and 9th*, là où se croisent la 900 East St et la 900 South St).

**Lion House Pantry Restaurant** AMÉRICAIN $ (www.templesquarehospitality.com ; 63 E South Temple St ; repas 7-13 $ ; ⏲11h-20h lun-sam). Une cuisine traditionnelle riche en glucides, façon mormone, est servie dans cette cafétéria qui a investi une demeure historique où ont vécu plusieurs des épouses (ainsi qu'une ancêtre) de Brigham Young.

**Ekamai Thai** THAÏ $ (http://ekamaithai.com/ ; 336 W 300 South ; plats 6-9 $ ; ⏲11h-21h lun-sam). Par beau temps, profitez des savoureux plats de curry thaï à déguster aux tables de la terrasse.

♥ **Tin Angel** AMÉRICAIN MODERNE $$ (http://thetinangel.com ; 365 W 400 South ; petites assiettes et sandwichs 10-16 $, plats dîner 19-25 $ ; ⏲11h-15h et 17h-22h lun-sam). Le chef met en œuvre divers ingrédients locaux autour de recettes d'origines géographiques variées, apportant aux papilles curieuses de fraîches saveurs américaines innovantes, comme les côtes de sanglier avec gnocchis au gorgonzola. Porcelaine ancienne et œuvres d'art local sur les murs ajoutent une touche d'éclectisme à l'établissement.

**Red Iguana** MEXICAIN $$ (www.rediguana.com ; 736 W North Temple ; plats 8-16 $ ; ⏲11h-22h). Demandez un assortiment de *mole* si vous ne savez que choisir parmi les 7 sauces épicées au piment ou au chocolat. Dans ce restaurant familial toujours bondé, tous les plats, soigneusement parfumés, sont des valeurs sûres.

**Squatters Pub Brewery** AMÉRICAIN $$ (www.squatters.com ; 147 W Broadway ; plats 10-22 $ ; ⏲11h-minuit dim-jeu, 11h-1h ven-sam). Allez-y pour une Emigration Pale Ale, restez pour la salade de tilapia noirci. Le pub animé ne désemplit pas, toujours aussi sympathique du soir au matin.

**Copper Onion** INTERNATIONAL $$$ (☎801-355-3282 ; www.thecopperonion.com ; 111 E Broadway Ave ; brunch et petites assiettes 7-15 $, plats dîner 22-29 $ ; ⏲11h-15h et 17h-22h). Les habitants s'y rendent au déjeuner, au dîner, pour le brunch du week-end, pour l'happy hour au bar, et partagent les petites assiettes de tartare de bœuf Wagyu et de pâtes carbonara. Cadre convivial.

**Takashi** JAPONAIS $$$ (☎801-519-9595 ; 18 W Market St ; makis 10-18 $, plats 18-30 $ ; ⏲11h30-14h et 17h30-22h lun-sam). Le meilleur d'un nombre étonnant de bons restaurants de sushis à Salt Lake City. Même les connaisseurs de LA adorent ses excellents makis.

## Où prendre un verre et faire la fête

**Epic Brewing Company** CAFÉ (www.epicbrewing.com ; 825 S State St ; ⏲11h-21h lun-jeu, 10h-23h ven-sam, 11h-19h dim). C'est la première brasserie de bières fortes de l'Utah. Vous devez commander à manger (c'est la loi en Utah) au petit comptoir de dégustation. On vous servira alors de petites doses (0,40-1 $) et des verres des 30 ales, IPA, blondes et stouts.

### ENVIE D'UN VERRE ?

Bien que quelques décrets insolites subsistent officiellement, la réglementation concernant l'alcool s'est quelque peu assouplie ces dernières années dans l'Utah. Finie l'époque des clubs privés : aujourd'hui un bar est un bar (interdit aux mineurs), et plus besoin d'y commander à manger pour consommer de l'alcool. Cependant, les bars sont rares. La plupart des établissements, même les brasseries, sont des "restaurants" où l'on doit commander quelque chose à manger pour boire de l'alcool. Tous ne possèdent pas l'agrément complet (*full liquor license*) et beaucoup servent uniquement vin et bière.

Petit rappel des réglementations en vigueur :

- Si vous dînez et que vous commandez une boisson alcoolisée dans un restaurant, celui-ci doit détenir la licence complète.
- Cocktails et vin ne sont servis qu'après 12h. Bars et restaurants peuvent servir de la bière dès 10h du matin.
- L'alcool sous emballage ne peut être vendu que dans les magasins d'alcool d'État (fermés le dimanche). On trouve certaines bières dans des magasins de proximité.
- La plupart des bières qu'on peut y acheter ne dépassent pas les 3,2% d'alcool (une Budweiser classique en contient 5%).

**Gracie's** BAR
(326 S West Temple ; 11h-2h). Toujours bondé malgré ses 2 niveaux et ses 4 bars, ce lieu chic dispose de deux vastes patios parfaits pour se détendre. Musique live ou DJ presque tous les soirs.

**Beerhive Pub** PUB
(128 S Main St ; 12h-1h). Ce petit bar du centre-ville propose plus de 200 bières, dont des bières artisanales de l'Utah.

**Coffee Garden** CAFÉ
(895 E 900 South ; 6h-23h dim-jeu, 6h-minuit ven et sam ; ). Délicieuses viennoiseries et excellent café dans un quartier plein de charme.

## ☆ Où sortir

### Musique

Pour apprécier la musique locale dans son ensemble, il est judicieux de consulter en ligne le site www.cityweekly.net. Orchestre, orgue, chœur et autres performances de l'Église mormone sont répertoriés sur www.mormontabernaclechoir.org.

**Mormon Tabernacle Choir** CHORALE
(435-570-0080 pour les billets ; www.mormontabernaclechoir.org). GRATUIT Écouter le Mormon Tabernacle Choir, chorale de réputation internationale, est une sortie incontournable à Salt Lake City. Il donne un concert gratuit d'une demi-heure tous les dimanches à 9h30 (ouverture des portes à 8h30 et dernier accès à 9h15).

De septembre à novembre et de janvier à mai, il suffit de se rendre au Tabernacle pour y assister. En revanche, de juin à août et au mois de décembre, ces concerts se déroulent au LDS Conference Center qui peut offrir jusqu'à 21 000 places. Les répétitions publiques ont lieu au Tabernacle toute l'année le jeudi, de 20h à 21h.

**THE BOOK OF MORMON, LA "COMÉDIE MUSICALE DU SIÈCLE"**

C'est ainsi que le *New York Times* désigne ce spectacle satirique qui se donne à guichets fermés depuis sa création en 2011 à Broadway. On espère seulement que la comédie musicale *The Book of Mormon* se jouera à Salt Lake City avant de fêter ses 10 ans ! Cette satire légère portant sur des frères et sœurs en mission en Ouganda est née de la rencontre entre l'auteur de la célébrissime comédie musicale *Avenue Q*, signée Robert Lopez, et des créateurs de la non moins célèbre série télévisée d'animation *South Park*, Trey Parker et Matt Stone. Pas étonnant qu'elle ait été récompensée de 9 Tony Awards. L'Église mormone a répondu de manière plutôt modérée, tout en précisant que si la comédie musicale peut amuser les spectateurs, le texte sacré, lui, peut, changer leur vie.

### Théâtre

Le Salt Lake City Arts Council affiche un calendrier complet des événements culturels sur son site Internet (www.slcgov.com/citylife/ec). Différents spectacles sont donnés à l'**Abravanel Hall** (www.slccfa.org ; 123 W South Temple St), au **Capitol Theater** (http://theatresaltlakecity.com ; 50 W 200 South) et au **Rose Wagner Performing Arts Center** (www.slccfa.org ; 138 W 300 South). **ArtTix** (888-451-2787, 801-355-2787 ; www.arttix.org) assure les réservations.

### Sports

**Energy Solutions Arena** BASKET, CONCERTS
(801-355-7328 ; www.energysolutionsarena.com ; 301 W South Temple St). Ce stade du centre-ville est le fief des Utah Jazz, l'équipe masculine professionnelle de basket, et de la ligue de soccer en intérieur. Également un lieu de concerts.

**Maverik Center** HOCKEY
( billets 800-745 3000 ; ww.maverikcenter.com ; 3200 S Decker Lake Dr, West Valley City). C'est ici, à 13,5 km à l'extérieur de la ville, que se produit l'équipe de hockey des Utah Grizzlies qui joue en International Hockey League.

## Achats

City Creek (p. 383) est un centre commercial intérieur et extérieur réunissant toute une gamme de grandes marques. Quelques boutiques intéressantes bordent **Broadway Avenue** (300 South), entre 100 et 300 East. Des magasins d'artisanat sont situés au niveau du 300 **W Pierpont Avenue**.

## Renseignements

### ACCÈS INTERNET

**Main Library** (www.slcpl.org ; 210 E 400 South ; 9h-21h lun-jeu, 9h-18h ven-sam, 13-17h dim). Accès Internet et Wi-Fi gratuit.

VAUT LE DÉTOUR

### GREAT SALT LAKE

Intégré au lac Bonneville à la préhistoire, le Grand Lac salé couvre aujourd'hui 5 180 km². Sa teneur en sel dépasse celle de l'océan et l'on flotte aisément à sa surface. Sur 24 km de long se déroule l'agréable **Antelope Island State Park** (801-773-2941 ; http://stateparks.utah.gov ; Antelope Dr ; véhicule 9 $/jour, empl tente et camping-car sans branchement électrique 13 $ ; 7h-22h juil-sept, 7h-19h oct-juin). Situé à 64 km au nord-ouest de SLC, il conjugue meilleurs sites de baignade lacustre (parfois malodorants lorsque le niveau est bas) et intéressants sentiers de randonnée. Il accueille également le plus grand troupeau de bisons du pays. Un site de camping basique de 26 emplacements y est ouvert toute l'année ; 6 sont disponibles sur la base du premier arrivé, premier servi, les 20 autres étant attribués sur réservation.

#### ARGENT

**Wells Fargo** (www.wellsfargo.com ; 79 S Main St ; 9h-18h lun-ven, 9h-15h sam). Bureau de change.

#### MÉDIAS

**City Weekly** (www.cityweekly.net). Hebdomadaire alternatif gratuit répertoriant restaurants et sorties.

**Salt Lake Tribune** (www.sltrib.com). Plus grand quotidien de l'Utah ; la section loisirs répertorie restaurants et événements.

#### OFFICES DU TOURISME

**Public Lands Information Center** (801-466-6411 ; www.publiclands.org ; REI Store, 3285 E 3300 South ; 10h30-17h30 lun-ven, 9h-13h sam). Renseignements sur les activités de plein air dans la Wasatch-Cache National Forest. À l'intérieur du magasin REI.

**Visit Salt Lake** (801-534-4900 ; www.visitsaltlake.com ; Visitor Center 90 S West Temple, Salt Palace Convention Center ; 9h-18h lun-ven, 9h-17h sam-dim). Grand bureau avec de nombreuses brochures et une boutique de souvenirs.

#### SITES INTERNET

**Downtown SLC** (www.downtownslc.org). Renseignements sur les événements culturels et les commerces du centre-ville.

#### URGENCES ET SERVICES MÉDICAUX

**Salt Lake Regional Medical Center** (801-350-4111 ; www.saltlakeregional.com ; 1050 E South Temple ; urgences 24h/24)

## Depuis/vers Salt Lake City

#### AVION

La construction d'un nouveau terminal est à l'étude, mais, pour l'instant, le **Salt Lake City International Airport** (SLC ; www.slcairport.com ; 776 N Terminal Dr), sis à 8 km au nord-ouest du centre-ville, propose principalement des vols nationaux, plus quelques vols pour le Canada et le Mexique. **Delta** (800-221-1212 ; www.delta.com) assure l'essentiel des vols.

#### BUS

La compagnie **Greyhound** (800-231-2222 ; www.greyhound.com ; 300 S 600 West) relie SLC aux villes du Sud-Ouest, notamment Las Vegas (Nevada, 86 $, 8 heures) et Denver (Colorado, 86 $, 10 heures)

#### TRAIN

Circulant entre Chicago et Oakland/Emeryville, le *California Zephyr* d'**Amtrak** (800-872-7245 ; www.amtrak.com) effectue un arrêt quotidien à l'**Union Pacific Rail Depot** (340 S 600 West). Les retards peuvent être importants et les trains partent à des horaires étranges, mais vous pouvez rallier des destinations comme Denver (150 $, 15 heures) et Reno (Nevada, 68 $, 10 heures).

## Comment circuler

#### DEPUIS/VERS L'AÉROPORT

En 2013, l'**Utah Transit Authority** (UTA ; www.rideuta.com ; trajet 2 $) a achevé l'extension sur 9 km du *light rail* TRAX, qui relie l'aéroport à la station Energy Solutions Arena (ligne verte). Le bus n°453 circule également entre l'aéroport et le centre-ville.

Il existe aussi un service de van collectif, l'**Express Shuttle** (800-397-0773 ; www.xpressshuttleutah.com) moyennant en gros 16 $ à destination du centre-ville. Un taxi coûte autour de 25 $.

#### TRANSPORTS PUBLICS

L'Utah Transit Authority (ci-dessus) continue d'étendre le réseau du *light rail* TRAX. Les 7 stations de l'hyper-centre font partie d'une zone de gratuité et figurent sur les 3 lignes de couleurs différentes. Pendant la saison du ski, les bus UTA desservent les stations de ski locales (aller 4,50 $).

# Park City et Wasatch Mountains

L'Utah offre certaines des meilleures pistes de ski de toute l'Amérique du Nord. Une neige d'une excellente qualité, abondante (de 760 à 1 270 cm par an), et un vaste domaine skiable en altitude ont conféré à l'Utah l'honneur d'accueillir les Jeux olympiques d'hiver de 2002. La Wasatch Mountain Range qui surplombe Salt Lake City compte nombre de stations de ski, sentiers de randonnée, pistes de VTT et campings, sans oublier la très chic Park City, avec ses équipements haut de gamme et son festival international de cinéma.

## Stations de ski de Salt Lake City

Sur le versant ouest de la Wasatch Range, quatre impressionnantes stations réparties entre Little Cottonwood Canyon et Big Cottonwood Canyon ne se trouvent qu'à 40 minutes en voiture du centre de SLC. Toutes offrent le gîte et le couvert. D'une validité de 1 à 10 jours, le **Super Pass** (www.visitsaltlakecity.com/ski/superpass ; forfait 3 jours adulte/enfant 219/114 $) donne accès à toutes les stations (une par jour), incluant le transport aller-retour depuis SLC. Pour la liste complète des sentiers de randonnée et de cyclotourisme, consultez www.utah.com/saltlake/hiking.htm.

### BIG COTTONWOOD CANYON

**Solitude** SPORTS D'HIVER
(☎801-534-1400 ; www.skisolitude.com ; 12000 Big Cottonwood Canyon Rd ; forfait adulte/enfant 72/46 $). Un village exceptionnel entouré d'un magnifique domaine skiable. Le Nordic Center propose du ski de fond en hiver et des sentiers à parcourir à VTT en été.

**Brighton Resort** SPORTS D'HIVER
(☎800-873-5512 ; www.brightonresort.com ; 12601 Big Cottonwood Canyon Rd ; forfait adulte/enfant 57/31 $). De petites mais excellentes pistes où le Tout-SLC a appris à skier et faire du snowboard. La station a conservé son côté rétro, familial, et reste la préférée des débutants.

### LITTLE COTTONWOOD CANYON

**Snowbird** SPORTS D'HIVER
(☎800-385-2002 ; www.snowbird.com ; Hwy 210, Little Cottonwood Canyon ; forfait adulte/enfant 65/42 $). La plus vaste et la plus fréquentée de toutes les stations, mais également la plus complète en termes d'activités, grâce à ses formidables pentes. Nombreux sentiers de randonnée assistés l'été par des télésièges. Un téléphérique fonctionne toute l'année.

**Alta Ski Area** SKI
(☎800-258-2716 ; www.alta.com ; Hwy 210, Little Cottonwood Canyon ; forfait adulte/enfant 65/42 $). Option détente réservée exclusivement aux skieurs. Profitez d'une randonnée estivale parmi les centaines de fleurs sauvages dans l'Albion Basin.

## Park City

À 56 km à peine à l'est de Salt Lake City via l'I-80, Park City (2 103 m d'altitude) a été propulsée sur la scène internationale en accueillant les épreuves de descente, de saut et de luge des Jeux olympiques d'hiver de 2002. Le site, en plus d'être la station de ski la plus prisée du Sud-Ouest, est encore le terrain d'entraînement de l'équipe américaine de ski. L'été venu, la ville (7 873 habitants) voit affluer les amateurs de randonnée pédestre et de VTT vers les sommets proches. Communauté minière établie autour de ses gisements d'argent au XIXe siècle, elle en conserve une rue principale remarquablement préservée, bordée de galeries de luxe, de boutiques, d'hôtels, de restaurants et de bars. Malgré la prolifération des condos préfabriqués dans la vallée, le site conserve un certain charme. L'hiver (fin décembre à courant mars) constitue la haute saison ; le reste de l'année, les commerces ferment occasionnellement et les stations réduisent leurs services.

### À voir

**Park City Museum** MUSÉE
(www.parkcityhistory.org ; 528 Main St ; adulte/enfant 10/4 $ ; ⏲10h-19h lun-sam, 12h-18h dim). Bien agencé, ce musée interactif évoque les grands moments de l'histoire de la ville : expansion minière, repaire hippie et excellente station de ski.

**Utah Olympic Park** SPORTS D'AVENTURE
(☎435-658-4200 ; http://utaholympiclegacy.com ; 3419 Olympic Pkwy ; visites adulte/enfant 10/7 $ ; ⏲10h-18h, visites 11h-16h). GRATUIT On peut découvrir les sites de saut à ski, bobsleigh, skeleton, combiné nordique et luge où se sont déroulés les Jeux d'hiver en 2002. Passez au musée du ski, gratuit, et avec un peu de chance, admirez les pros lors d'une démonstration (été et hiver : 10 $). Bobsleigh d'hiver/d'été, piste de luge, tyroliennes et télésiège (15-200 $/attraction).

**ROUTE PANORAMIQUE : MIRROR LAKE HIGHWAY**

Cette route de montagne, alias la Hwy 150, part de Kamas, soit environ 19 km à l'est de Park City. Serpentant sur une centaine de kilomètres, elle donne à voir des paysages à couper le souffle, s'élevant jusqu'à plus de 3 000 m dans le Wyoming. Lors de la traversée de l'**Uinta-Wasatch-Cache National Forest** (www.fs.usda.gov/uwcnf), on découvre une myriade de lacs, de sites de camping et de sentiers de randonnée. Au printemps, de fortes chutes de neige entraînent la fermeture de certains tronçons. Vérifiez sur le site.

## Activités

En plus des sports d'hiver, chaque station, qui dispose d'hébergements cossus près des pentes et de nombreux restaurants, propose différentes activités estivales, comme la location de VTT et la randonnée, télésièges à l'appui. Un réseau de plus de 480 km de sentiers de randonnée/VTT quadrille les montagnes dont on trouve les cartes au Visitor Center ou en ligne sur le http://mountaintrails.org. Deux des nouveaux sentiers, l'**Armstrong** (6,4 km, au départ du Park City Mountain Resort) et le **Pinecone Ridge** (même distance), composent une belle sortie à VTT.

**Park City Mountain Resort** SPORTS D'AVENTURE
(☎435-649-8111 ; www.parkcitymountainresort.com ; 1310 Lowell Ave ; forfait adulte/enfant 80/50 $). Familiale et conviviale, cette station hypercentrale offre une multitude d'activités sur plus de 1 335 ha de domaine skiable : snowtubing (descente en grosses bouées sur piste aménagée), luge sur rail, navettes reliant le centre-ville toute l'année, sentiers de randonnée, tyrolienne l'été…

**Deer Valley** SPORTS D'AVENTURE
(☎800-424-3337 ; www.deervalley.com ; Deer Valley Dr ; forfait adulte/enfant 100/64 $). La station la plus sélect, réputée autant pour ses luxueux hôtels et excellentes tables perchés sur les hauteurs, tel le St Regis Hotel, que pour ses pentes parfaitement damées et pas surchargées de skieurs, sans compter le personnel qui prend en charge votre matériel de ski. Snowboards interdits.

**Canyons** SPORTS D'AVENTURE
(☎888-226-9667 ; www.thecanyons.com ; 4000 Canyons Resort Dr ; forfait adulte/enfant 80/60 $). La plus grande station de l'Utah, dotée d'un téléphérique ouvert toute l'année, compte 9 sommets, 5 cuvettes et 3 parcs de descente acrobatique. Randonnées pédestres et cyclistes guidées, plus circuits en tyrolienne en été.

## Fêtes et festivals

**Sundance Film Festival** FILM
(☎888-285-7790 ; www.sundance.org/festival). Fin janvier, la ville se met à l'heure du cinéma et accueille pendant 10 jours réalisateurs de films indépendants, acteurs et cinéphiles. Forfaits et billets sont vendus longtemps à l'avance. Réservez dès que possible.

## Où se loger

Une centaine de résidences, hôtels et complexes hôteliers louent des chambres, jamais très bon marché, à Park City. La liste complète figure sur le www.visitparkcity.com. Les tarifs indiqués ci-dessous sont ceux de la haute saison d'hiver (un séjour minimum peut être exigé), mais ils chutent de moitié ou plus hors saison. Les motels de chaîne situés à l'intersection de l'I-40 et de la Hwy 248, ainsi qu'à SLC, sont plus intéressants.

**Chateau Apres Lodge** AUBERGE DE JEUNESSE **$**
(☎800-357-3556, 435-649-9372 ; www.chateauapres.com ; 1299 Norfolk Ave ; dort 40 $, d/qua 125/175 $ ; 📶). Proche des remontées, cette auberge rudimentaire de 1963 est l'unique hébergement plutôt bon marché de la ville. Dortoir au 1er étage. Réservez.

♥ **Old Town Guest House** B&B **$$**
(☎800-290-6423, 435-649-2642 ; www.oldtownguesthouse.com ; 1011 Empire Ave ; ch avec petit-déj 169-199 $ ; ❄@📶). Enfilez le peignoir en flanelle, prenez un livre sur l'étagère et lovez-vous sous une couverture sur le lit en pin ou détendez-vous dans le Jacuzzi sur la vaste terrasse de ce confortable B&B. La propriétaire vous réservera une place pour votre équipement et vous conseillera sur les activités dans la région.

**Park City Peaks** HÔTEL **$$**
(☎800-333-3333, 435-649-5000 ; www.parkcitypeaks.com ; 2121 Park Ave ; ch 149-249 $ ; ❄@📶🏊). Séjournez avec les jeunes pratiquants de bobsleigh et autres espoirs des équipes américaines dans cet hôtel à mi-chemin entre le centre-ville et le

À NE PAS MANQUER

## LE SUNDANCE RESORT DE ROBERT REDFORD

Pour vivre une expérience particulière, empruntez l'étroite et sinueuse Hwy 92 jusqu'au **Sundance Resort** (☎800-892-1600, 801-225-4107 ; www.sundanceresort.com ; 9521 Alpine Loop Rd, Provo ; ch 199-500 $ ; 📶) 🍃, propriété de Robert Redford. Si la nuit est inabordable dans ce refuge écologique à l'élégance rustique, vous pourrez néanmoins profiter d'un excellent repas au Treehouse Restaurant ou à l'épicerie, assister à une représentation dans l'amphithéâtre en plein air ou observer la fabrication (et acheter) des poteries dans l'atelier d'art. Ski, randonnée et spa sur place. Découvrir les lieux est une expérience en soi. Le complexe se trouve à 48 km au sud de Park City et à 80 km au sud-est de Salt Lake City.

parc olympique. De décembre à avril, petit-déjeuner inclus pour les chambres contemporaines et douillettes.

**Sky Lodge** HÔTEL DE LUXE **$$$**
(☎888-876-2525, 435-658-2500 ; www.theskylodge.com ; 201 Heber Ave ; ste 400-1000 $ ; ❄@📶🏊). L'édifice aux airs de loft qui renferme les suites chics contraste avec les trois bâtiments historiques qui abritent les superbes restaurants. Établissement central des plus élégants.

**St Regis Deer Valley** HÔTEL DE LUXE **$$$**
(☎866-932-7059, 435-940-5700 ; www.stregisdeervalley.com ; 2300 Deer Valley Dr E ; ch 700-1300 $ ; ❄@📶🏊). Un funiculaire privé conduit au St Regis. Que l'on se détende auprès du feu entre les roches à l'extérieur, que l'on dîne sur la vaste terrasse ou que l'on admire le paysage depuis le balcon de sa chambre, la vue est magnifique. Le summum du luxe de Deer Valley.

## Où se restaurer

Park City n'a pas réputation d'être bon marché côté restauration, mais ses adresses prestigieuses relèvent de l'exceptionnel. Les complexes hôteliers de Deer Valley (p. 389) sont largment reconnus pour l'excellence de leurs tables. Un guide spécifique a été élaboré par le *Park City Magazine* (www.parkcitymagazine.com). D'avril à novembre, les horaires de service diminuent et les périodes de fermeture sont plus étendues. Tous les établissements haut de gamme ($$$) exigent une réservation.

**Java Cow Coffee & Ice Cream** CAFÉ **$**
(402 Main St ; plats 3-8 $ ; ⏲7h-22h ; 📶). Café toujours animé où goûter des glaces fabriquées sur place, comme la Mooana (avec morceaux de banane bio) avec un café Ibis. Sandwichs et crêpes également.

**Uptown Fare** CAFÉ **$**
(227 Main St ; sandwichs 6-11 $ ; ⏲11h-15h). Bons sandwichs de dinde rôtie et soupes maison dans ce café cosy dissimulé en contrebas du Treasure Mountain Inn.

♥ **Silver Star Cafe** AMÉRICAIN MODERNE **$$**
(www.thesilverstarcafe.com ; 1825 Three Kings Dr ; petit-déj et petites assiettes 9-14 $, dîner plats 15-20 $ ; ⏲8h-21h). Impossible de savoir si c'est la cuisine occidentale, copieuse et inventive, ou l'emplacement parfait, isolé au pied des montagnes, qui nous a plu. Détente appréciable sur la terrasse ensoleillée après le ski. Des auteurs-interprètes s'y produisent.

**Good Karma** FUSION **$$**
(www.goodkarmarestaurants.com ; 1782 Prospector Ave ; petit-déj 7-12 $, plats 12-22 $ ; ⏲7h-22h). 🍃 Priorité est donnée aux ingrédients locaux et bio dans ces plats indo-persans, agrémentés d'une touche asiatique. Les drapeaux de prière tibétains devant l'entrée servent de repère.

**Vinto** ITALIEN **$$**
(www.vinto.com ; 900 Main St, Summit Watch Plaza ; plats 8-17 $ ; ⏲11h-22h lun-sam, 16h-21h dim). Dans un cadre minimaliste digne de l'élégante Main St, de simples pizzas au feu de bois et des plats légers étonnamment peu chers.

**Riverhorse on Main** AMÉRICAIN MODERNE **$$$**
(☎435-649-3536 ; http://riverhorseparkcity.com ; 540 Main St ; brunch 25-35 $, dîner plats 35-45 $ ; ⏲17h-22h lun-jeu, 17h-23h ven et sam, 11h-14h30 et 17h-22h dim). Comptant parmi les meilleurs de la ville, ce restaurant remporte de nombreux prix pour ses plats haut de gamme comme la truite de l'Utah aux pistaches. Musique live tous les soirs en hiver.

**Wahso** ASIATIQUE **$$$**
(☎435-615-0300 ; www. wahso.com ; 577 Main St ; plats 30-50 $ ; ⏲17h30-22h mer-dim). L'adresse où voir et être vu : ce restaurant fusion indochinois chic, au charmant cadre exotique.

## Où prendre un verre et faire la fête

Main St concentre l'animation, avec une demi-douzaine de bars, clubs et pubs. En hiver, tous les soirs sont festifs, y compris dans les restaurants. Hors saison, seuls les week-ends sont animés. Pour tous les détails, consultez le www.thisweekinparkcity.com.

**High West Distillery & Saloon** BAR
(703 Park St ; ⏲11h-22h, visites 15h et 16h). Cet ancien garage spécialiste de la Ford A abrite désormais la microdistillerie de Park City. Visitez le lieu, dégustez un rye, commandez un whisky limonade et restez dîner.

**No Name Saloon & Grill** BAR
(447 Main St ; ⏲11h-1h). Une moto est suspendue au plafond, Johnny Cash passe en fond sonore et une serveuse raconte l'histoire, vraie ou fausse, de ce bar plein de souvenirs.

## Renseignements

**Bibliothèque** (☎435-615-5600 ; http://parkcitylibrary.org ; 1255 Park Ave ; ⏲10h-21h lun-jeu, 10h-18h ven-sam, 13h-17h dim ; 📶). Wi-Fi et postes Internet gratuits.

**Main Street Visitor Center** (☎435-649-7457 ; 528 Main St ; ⏲10h-19h lun-sam, 12h-18h dim). Bureau à l'intérieur du très actif Park City Museum.

**Visitor Information Center** (☎800-453-1360, 435-649-6100 ; www.visitparkcity.com ; 1794 Olympic Pkwy ; ⏲9h-18h ; 📶). Vaste, avec bar, terrasse et magnifique vue sur les montagnes près du parc olympique. Guides de visite à télécharger sur le site.

## Comment s'y rendre et circuler

**Park City Transportation** (☎800-637-3803, 435-649-8567 ; www.parkcitytransportation.com) et **Canyon Transportation** (☎800-255-1841 ; www.canyontransport.com) gèrent tous deux un service de vans partagés (40 $ aller simple) ou privés (à partir de 100 $ pour 1 à 3 pers) au départ/à destination de l'aéroport de Salt Lake City. La seconde compagnie assurent également des navettes (à partir de 50 $) entre Park City et les différentes stations de ski autour de Salt Lake City.

PC-SLC Connect (bus n°902) conduit du centre de Salt Lake City au **Park City Transit Center** (www.parkcity.org ; 558 Swede Alley). La voiture est inutile une fois à Park City. L'excellent réseau de transports couvre la ville, y compris le quartier historique, Kimbell Junction et les trois stations de ski. Des bus gratuits opèrent de 1 à 6 fois par heure, de 8h à 23h (fréquence réduite en été). Itinéraire téléchargeable en ligne.

# Nord-est de l'Utah

La plupart des voyageurs gagnent le Nord-Est pour explorer le Dinosaur National Monument. Pourtant, cette zone rurale et pétrolifère possède aussi d'extraordinaires étendues sauvages. Et toutes les villes sont à quelque 1 600 m au-dessus du niveau de la mer.

## Vernal

Ville la plus proche du Dinosaur National Monument, Vernal accueille les visiteurs par un grand dinosaure rose. La production croissante de pétrole et de gaz dans la région, et l'ouverture désormais permanente du dépôt de fossiles (après nombre d'années où le site a somnolé) apportent un réel renouveau.

Le film pédagogique projeté à l'**Utah Field House of Natural History State Park Museum** (http://stateparks.utah.gov ; 496 E Main St ; ⏲9h-17h lun-sam ; 👪) introduit parfaitement à la découverte des dinosaures de l'Utah. Présentations interactives, clips vidéo et, bien entendu, fossiles géants très représentatifs des environs poursuivent l'initiation.

**Don Hatch River Expeditions** (☎435-789-4316, 800-342-8243 ; www.donhatchrivertrips.com ; 221 N 400 East ; adulte/enfant 99/76 $ la journée) propose une descente rapide ou lente des rivières Green et Yampa.

De nombreux motels de chaîne bordant Main St font le plein grâce aux employés locaux – ne vous attendez donc pas à des tarifs très bas. L'**Holiday Inn Express & Suites** (☎435-789-4654 ; www.vernalhotel.com ; 1515 W Hwy 40 ; ch avec petit-déj 100-170 $, ste 130-200 $ ; ❄📶🏊) possède le plus d'équipements, et l'**Econo Lodge** (☎435-789-2000 ; www.econolodge.com ; 311 E Main St ; ch 69-99 $) est une option bon marché. Enfin, le **Landmark Inn & Suites** (☎888-738-1800, 435-781-1800 ; www.landmarkinn.com ; 301 E 100 S ; ch motel avec petit-déj 129-169 $, B&B 80-100 $ ; 📶) réunit un motel luxueux et une auberge.

Le **Backdoor Grille** (87 W Main St ; plats 5-8 $ ; ⏲11h-18h lun-sam) prépare sandwichs frais et *biscuits*, parfait pour un pique-nique. Vous pouvez aussi récupérer un guide de randonnée dans sa librairie associée. Au dîner, le **Porch** (www.facebook.com/theporchvernal ; 251 E Main St ; déj 8-12 $, dîner

14-22 $ ; ⏲11h-14h et 17h-21h lun-ven, 17h-21h sam) sert des spécialités du sud des États-Unis. Le **Don Pedro's Mexican Family Restaurant** (http://klcyads.com/don-pedros ; 3340 N Vernal Ave ; plats 8-15 $ ; ⏲11h-14h et 17h-22h), au nord de la ville, sert des repas mexicains festifs.

La **Vernal Chamber of Commerce** (☎800-477-5558 ; www.dinoland.com ; 134 W Main St ; ⏲9h-17h lun-ven) renseigne les voyageurs sur toute la région et dispose de nombreux livrets d'itinéraires automobiles à la découverte de l'art rupestre et des traces de dinosaures.

## Dinosaur National Monument

À cheval entre l'Utah et le Colorado, le **Dinosaur National Monument** (www.nps.gov/dino ; près de la Hwy 40 ; pass 7 jours 10 $/véhicule ; ⏲24h/24) protège l'un des plus vastes dépôts de fossiles d'Amérique du Nord, découvert en 1909. Tous les ossements se trouvent en Utah mais la section appartenant au Colorado est aussi très belle. La **Quarry Exhibit** (9h-16h) est une carrière clôturée qui conserve plus de 1 600 ossements partiellement exhumés de la roche.

En été, vous devrez prendre une navette pour atteindre la carrière dont les horaires d'ouverture peuvent alors être légèrement rallongés. Hors saison, vous devrez peut-être attendre qu'un groupe de voitures mené par un ranger s'y rende. Depuis le parking en contrebas de la carrière, suivez le Fossil Discovery Trail (3,5 km aller-retour) pour admirer d'autres fémurs géants qui dépassent de la roche. Les balades interprétatives des rangers sont vivement recommandées. De plus, côté Utah, les peintures rupestres amérindiennes sont assez aisées à découvrir.

Côté Colorado, l'altitude plus élevée de la Canyon Area offre quelques points de vue éblouissants, limitant néanmoins l'ouverture aux périodes sans neige. Dans un État comme dans l'autre, sentiers de randonnée et circuits interprétatifs en voiture (brochures en vente) ne manquent pas. On a aisément accès aux rivières Green et Yampa comme aux campings (emplacement tente et camping-car 8-15 $). La Quarry se situe à 24 km au nord-est de Vernal (Utah), sur la Hwy 149. La Canyon Area se trouve à 48 km plus à l'est, en dehors du Dinosaur Monument, au Colorado.

Il existe deux Visitor Centers : le **Quarry Visitor Center** (⏲8h-18h mi-mai à fin sept, 9h-17h fin sept à mi-mai) et, au Colorado, le **Canyon Area Visitor Center** (☎970-374-3000 ; www.nps.gov/dino ; Dinosaur, CO ; ⏲9h-17h juin-début sept, 10h-16h sam-dim uniquement mi-avr à mai).

## Flaming Gorge National Recreation Area

Du nom du flamboyant grès rouge qui la compose, cette magnifique gorge abrite un plan d'eau appartenant au réseau de la Green River et cumulant 600 km de rive. Le **Red Canyon Lodge** (☎435-889-3759 ; www.redcanyonlodge.com ; 790 Red Canyon Rd, Dutch John ; chalets 115-145 $) y propose pêche à la mouche, aviron, rafting et balades équestres dans le parc. Ses chalets agréablement rustiques n'ont pas de TV. On peut pratiquer le même type d'activités aquatiques au **Flaming Gorge Resort** (☎435-889-3773 ; www.flaminggorgeresort.com ; 155 Greendale/Hwy 191, Dutch John ; ch 90-120 $, ste 120-160 $) où vous serez logé en chambre de motel ou en suite. Deux adresses dont les tables sont tout à fait correctes.

Consultez le www.flaminggorgecountry.com pour des informations générales et, si vous souhaitez planter votre tente, contactez les **USFS Flaming Gorge Headquarters** (☎435-784-3445 ; www.fs.fed.us/r4/ashley ; 25 W Hwy 43, Manila ; ⏲8h-17h lun-ven) qui vous renseigneront sur les campings. L'altitude (1 841 m) garantit un été agréable, avec des moyennes hautes autour de 27°C.

# Moab et sud-est de l'Utah

Les sommets enneigés au loin tranchent avec les canyons rocheux rouges qui caractérisent cette portion accidentée du plateau du Colorado. Pendant 65 millions d'années, l'eau a creusé des gorges sinueuses et profondes sur le parcours du fleuve Colorado et de la Green River, qui délimitent aujourd'hui les contours du vaste Canyonlands National Park (p. 396). Dans l'Arches National Park p. 395) tout proche, l'érosion a sculpté des milliers d'arches entre autres gracieuses formations rocheuses. Installez votre camp de base entre les deux parcs à Moab, ville d'action faite pour le VTT, la descente de rivière et le 4×4. À la pointe sud-est de l'État, émergent çà et là d'anciens sites pueblos au cœur de l'immensité sauvage rocheuse et des parcs, comme l'illustre Monument Valley qui s'étend jusqu'en Arizona.

## Green River

La “capitale mondiale de la pastèque”, Green River, est un bon point de départ pour descendre la rivière du même nom et le Colorado. Ces deux cours d'eau furent explorés pour la première fois par John Wesley Powell, vétéran de la guerre de Sécession, géologue et ethnologue légendaire. Vous découvrirez tous ses voyages fabuleux au **John Wesley Powell River History Museum** (☎435-564-3427 ; www.jwprhm.com ; 885 E Main St ; adulte/enfant 4/1 $ ; ⌚8h-19h avr-oct, 8h-16h nov-mars), qui présente par ailleurs des expositions sur les Indiens Fremont, ainsi que sur la géologie et l'histoire locales. Le musée sert aussi d'office du tourisme.

Les agences **Holiday Expeditions** (☎800-624-6323, 435-564-3273 ; www.holidayexpeditions.com ; 10 Holiday River St ; sortie journée adulte/enfant 195/175 $) et **Moki Mac River Expeditions** (☎800-284-7280, 435-564-3361 ; www.mokimac.com ; sortie journée 160 $) organisent des sorties rafting d'une journée dans le Westwater Canyon, et des excursions de plusieurs jours.

Géré en famille, le superbe et économique **Robbers Roost Motel** (☎435-564-3452 ; www.rrmotel.com ; 325 W Main St ; s/d 35/45 $ ; ❄📶🐾) est impeccable et chaleureux. Sinon des chaînes de motel sont présentes à l'intersection de W Main St (Business 70) et de l'I-70. Résidents et rafteurs affluent au bar local, le **Ray's Tavern** (25 S Broadway ; plats 8-26 $ ; ⌚11h-22h), pour les meilleurs hamburgers et frites maison du sud-est de l'Utah.

L'unique arrêt du train *California Zephyr* à destination de Denver (Colorado, 90 $, 10 heures 45, 1/jour) affrété par **Amtrak** (☎800-872-7245 ; www.amtrak.com ; 250 S Broadway) est Green River, qui se trouve à 293 km au sud-est de SLC et à 84 km au nord-ouest de Moab.

## Moab

La ville la plus peuplée du sud-est de l'Utah (5 093 habitants) se targue d'être la capitale des loisirs de l'État, à juste titre. Aficionados du raft et de randonnées en tous genres (VTT, équestres, 4x4) organisent leurs incursions dans les territoires environnants. De Moab, l'Arches Park et le Canyonlands National Park sont tout à fait accessibles pour la journée, permettant de retrouver le soir même le confort de son lit, après un bon bain à remous et un restaurant choisi parmi une sélection impressionnante. Attention, cet excellent point d'accès que constitue Moab est loin d'être un secret si l'on en juge par la surpopulation de la ville pendant les festivals de printemps et d'automne. Si la foule vous perturbe, rappelez-vous que le désert n'est qu'à quelques pas.

### Activités

Le Visitor Center de Moab diffuse différentes brochures sur les sites de peintures rupestres, les sentiers de randonnée, les itinéraires routiers et plein d'autres activités. Il tient aussi une liste des prestataires organisant des sorties à la demi-journée, à la journée ou sur plusieurs jours (à partir de 60 $ pour une excursion au coucher du soleil en 4x4 et jusqu'à 170 $ pour une descente à la journée en eaux vives) transport compris (plus parfois les repas).

#### Agences

**Sheri Griffith Expeditions** RAFTING
(☎800-332-2439 ; www.griffithexp.com ; 2231 S Hwy 191 ; sortie journée 170 $). Organisateur d'expéditions en rafting et prestataire multisports très réputé.

**Poison Spider Bicycles** VTT
(☎800-635-1792, 435-259-7882 ; www.poisonspiderbicycles.com ; 497 N Main St ; location de vélo 45-70 $/jour). Location de vélos de route et tout-terrain, en individuel ou en excursion organisée. Excellents service et conseils.

**Farabee's Jeep Rental** SPORTS EXTRÊMES
(☎877-970-5337 ; www.farabeesjeeprentals.com ; 1125 S Highway 191 ; location 4x4 150-225 $/jour). Location de 4x4 tout-terrain, avec ou sans chauffeur. Excursions en 4x4 hors des sentiers battus.

**Moab Desert Adventures** SPORTS D'AVENTURE
(☎877-765-6622, 435-260-2404 ; www.moabdesertadventures.com ; 415 N Main St ; demi-journée/journée 165/285 $). Excellents itinéraires d'escalade sur pics et parois. Forfaits canyoning et multisports.

**Red Cliffs Lodge** RANDONNÉES À CHEVAL
(☎866-812-2002, 435-259-2002 ; www.redcliffslodge.com ; Mile 14, Hwy 128 ; demi-journée 80 $). Balades quotidiennes d'une demi-journée sur des sentiers. Également pour niveaux avancés et en pleine nature.

## Où se loger

La plupart des hébergements en ville disposent d'un local à vélos et de bains à remous pour soulager les muscles endoloris. Malgré leur nombre, les motels sont vite pleins ; réserver entre mars et octobre est impératif. Les tarifs chutent considérablement hors saison.

Les **campings BLM** (www.blm.gov/utah/moab ; empl tente et camping-car 10-12 $ ; toute l'année) de la région fonctionnent suivant la règle du premier arrivé, premier servi. En haute saison, vérifiez la disponibilité auprès du Moab Information Center.

**Adventure Inn** MOTEL **$**
(866-662-2466, 435-259-6122 ; www.adventureinnmoab.com ; 512 N Main St ; ch avec petit-déj 80-105 $ ; mars-oct ; ). Cet excellent petit motel indépendant soigne ses chambres (certaines avec réfrigérateur) dotées d'un bon linge de lit. Service de laverie.

**Cali Cochitta** B&B **$$**
(888-429-8112, 435-259-4961 ; www.moabdreaminn.com ; 110 S 200 East ; cottages avec petit-déj 135-170 $ ; ). Situés à quelques pas du centre-ville, de charmants cottages en brique où l'on se sent comme chez soi. On vient prendre place autour de la longue table en bois de la cour pour un petit-déjeuner convivial.

**Sunflower Hill** AUBERGE **$$**
(800-662-2786, 435-259-2974 ; www.sunflowerhill.com ; 185 N 300 East ; ch avec petit-déj 165-225 $ ; ). Une vaste ferme-demeure centenaire au beau milieu de jardins soignés où vous sont proposées 12 chambres au décor champêtre.

**Gonzo Inn** MOTEL **$$**
(800-791-4044, 435-259-2515 ; www.gonzoinn.com ; 100 W 200 South ; ch avec petit-déj avr-oct 160-180 $ ; ). Têtes de lit en métal et bois, douches en béton et mobilier rétro coloré sur la terrasse égaient ce motel en adobe.

**Sorrel River Ranch** LODGE **$$$**
(877-359-2715, 435-259-4642 ; www.sorrelriver.com ; Mile 17, Hwy 128 ; ch 420-530 $ ; ). Un espace extraordinaire de 97 ha aménagé le long de la Colorado River pour cet établissement de luxe du sud-est de l'Utah, qui se déploie autour d'une ancienne ferme de 1803. Des balades équestres au spa en passant par le restaurant gastronomique, rien ne manque.

## Où se restaurer

Personne ne risque ici de mourir d'inanition, tant les adresses abondent, du café pour routards à la table gastronomique. Procurez-vous le *Moab Menu Guide* (www.moabmenuguide.com) auprès de votre logeur. Certains restaurants ferment plus tôt ou modifient leurs jours d'ouverture entre décembre et mars.

**Love Muffin** CAFÉ **$**
(www.lovemuffincafe.com ; 139 N Main St ; plats 6-8 $ ; 7h-14h ; ). La carte essentiellement bio de ce café animé décline sandwichs innovants, *burritos* et autres plats à base d'œufs comme le "Verde", poitrine de bœuf et sa sauce mijotée à petit feu.

**Milt's** HAMBURGERS **$**
(356 Mill Creek Dr ; plats 5-10 $ ; 11h-20h lun-sam). Cette échoppe de 1954 propose des hamburgers, accompagnés de frites maison et de savoureux milk-shakes bien épais.

**Miguel's Baja Grill** MEXICAIN **$$**
(www.miguelsbajagrill.com ; 51 N Main St ; plats 14-24 $ ; 17h-22h). Tacos au poisson ou *fajitas*, voici un agréable petit dîner à savourer dans une ambiance très maritime et pleine de couleurs comme les margaritas à siroter.

**Cowboy Grill** AMÉRICAIN **$$**
(435-259-2002 ; http://redcliffslodge.com ; Mile 14, Hwy 128, Red Cliffs Lodge ; petit-déj et déj 10-16 $, dîner 14-28 $ ; 6h30-10h, 11h30-14h et 17h-22h). De la terrasse ou depuis les grandes baies vitrées, on ne peut rêver meilleur poste pour observer le coucher du soleil sur le fleuve Colorado. La qualité et l'abondance des mets carnés comme des saveurs marines renforcent ce sentiment de plénitude.

♥ **Sabuku Sushi** FUSION **$$$**
(435-259-4455 ; http://sabakusushi.com ; 90 E Center St ; makis 12-18 $, petites assiettes 14-19 $ ; 17h-22h mar-dim). Il est étonnant de voir des sushis aussi frais dans le désert ! Goûtez les makis et petites assiettes créatives comme le *tataki* d'élan (sorte de carpaccio à l'asiatique).

**Desert Bistro** AMÉRICAIN DU SUD-OUEST **$$$**
(435-259-0756 ; http://desertbistro.com ; 36 S 100 West ; plats 20-50 $ ; 17h30-22h mars-nov). Servis sur nappe blanche, des pièces de gibier et du poisson travaillés tout en beauté. Un régal également pour l'œil. Excellente carte des vins.

## Achats

Les galeries d'art et de photo, tout comme les boutiques d'artisanat et de T-shirts se concentrent à l'intersection de Center St et de Main St.

**Arches Book Company et Back of Beyond** LIBRAIRIES (83 N Main St ; 9h-20h ; ). Voisines, deux librairies indépendantes de qualité, avec un rayon régional fourni. Guides et cartes.

## Renseignements

La plupart des commerces et services, y compris stations-service et DAB, se trouvent sur la Hwy 191, alias Main St dans le centre-ville.

**BLM** (Bureau of Land Management ; 435-259-2100 ; www.blm.gov/utah/moab). Téléphone public et assistance Internet uniquement.

**Grand County Public Library** (www.moablibrary.org ; 257 E Center St ; gratuit 15 min ; 9h-20h lun-ven, 9h-17h sam ; ). Accès Internet autorisé pendant 15 minutes ; au-delà, vous devrez vous inscrire.

**Moab Information Center** (www.discovermoab.com ; angle Main St et Center St ; 8h-20h lun-sam, 9h-18h dim). Renseignements détaillés sur les parcs des environs, les sentiers, les activités, le camping et la météo. Immense librairie. Brochures gratuites, également téléchargeables en ligne.

## Comment s'y rendre et circuler

La compagnie aérienne **Great Lakes Airlines** (800-554-5111 ; www.flygreatlakes.com) opère des vols réguliers depuis le **Canyonlands Airport** (CNY ; www.moabairport.com ; en retrait de la Hwy 191), à 25 km au nord de la ville via la Hwy 191, vers Denver (Colorado) et Prescott (Arizona).

**Moab Luxury Coach** (435-940-4212 ; www.moabluxurycoach.com) assure un service de vans régulier depuis/vers SLC (160 $ aller simple, 4 heures 45) et Grand Junction (90 $ aller simple, 3 heures 45). **Roadrunner Shuttle** (435-259-9402 ; www.roadrunnershuttle.com) et **Coyote Shuttle** (435-260-2097 ; www.coyoteshuttle.com) assurent la desserte à la demande de l'aéroport de Moab, ainsi que le transport des randonneurs ou cyclistes comme de tous ceux qui vont rejoindre la rivière.

Moab se trouve à 378 km au sud-est de SLC, et à 241 km au nord-est du Capital Reef National Park.

## Arches National Park

Parmi les plus beaux parcs du Sud-Ouest, **Arches** (435-719-2299 ; www.nps.gov/arch ; forfait 7 jours 10 $/véhicule ; 24h/24, Visitor Center 7h30-18h30 mars-oct, 9h-16h nov-fév) s'enorgueillit de la plus grande concentration d'arches de grès : au dernier recensement, on en dénombrait plus de 2 000, mesurant de 9 à 90 m. Près d'un million de visiteurs rallient chaque année le parc situé à quelques kilomètres au nord de Moab. Nombre de ces remarquables formations naturelles sont accessibles via des chemins goudronnés et des sentiers de randonnée assez courts, et l'essentiel du parc se visite dans la journée. Pour éviter la foule, envisagez une visite au clair de lune, l'air est frais et les roches fantomatiques la nuit.

Ne manquez surtout pas le **Balanced Rock**, la photogénique **Delicate Arch** (idéal en fin d'après-midi), l'élancée **Landscape Arch** et les célèbres **Windows Arches**. Pour suivre l'une des deux visites quotidiennes organisées par les rangers dans le dédale de **Fiery Furnace**, il est indispensable de réserver au moins quelques jours à l'avance – sur place ou en ligne : www.recreation.gov.

La rareté de l'eau et la chaleur rendent les randonnées délicates. L'accès est gratuit mais nécessite l'obtention d'un laissez-passer (au Visitor Center). Pensez à réserver votre emplacement si vous souhaitez séjourner au sublime **Devils Garden Campground** (877-444-6777 ; www.recreation.gov ; empl tente et camping-car 20 $) aménagé à 29 km du Visitor Center car il affiche complet longtemps à l'avance pour la période allant de mars à octobre. Pas de douche, ni de branchement électrique.

À NE PAS MANQUER

### NEWSPAPER ROCK RECREATION AREA

À la hauteur d'une modeste aire de loisirs en accès libre en direction des Needles du Canyonlands National Park (13 km plus loin), 300 **pétroglyphes** concentrés sur une paroi rocheuse intriguent. Il semblerait que ces gravures rupestres soient l'œuvre de différentes générations d'Ute et d'ancêtres des Pueblos qui les dessinèrent là sur l'espace de deux millénaires. Le site se trouve sur la Hwy 211 à 19 km de la Hwy 191

## Canyonlands National Park

Ici, la roche rouge prend toutes les formes : arches, ponts, aiguilles, flèches, cratères, mesas, buttes. L'extraordinaire beauté offerte par l'érosion à **Canyonlands** (www.nps.gov/cany ; forfait 7 jours 10 $/véhicule ; empl tente ou camping-car sans branchement 10-15 $ ; 24h/24) donne un aperçu de ce que fut la planète à une lointaine époque. Les pistes et les rivières permettent de sillonner cet immense désert s'étendant sur 1 365 km², bien que la plus grande partie soit sauvage. Vous pourrez y pratiquer la randonnée, le rafting et le 4x4, mais assurez-vous d'avoir assez de carburant, d'eau et de nourriture. **Cataract Canyon** est l'un des meilleurs sites d'eaux vives de l'Ouest (des agences se trouvent à Moab et Green River).

Les canyons du fleuve Colorado et de la Green River divisent le parc en districts distincts. **Island in the Sky** offre des panoramas stupéfiants. Le **Visitor Center** (435-259-4712 ; Hwy 313, Canyonlands National Park ; 8h-18h mars-oct, 9h-16h nov-fév) est situé à 51 km au nord-ouest de Moab. Notre courte balade préférée est la boucle de 800 m jusqu'à la très photogénique **Mesa Arch** qui relie deux falaises et encadre le paysage pittoresque de la Washer Woman Arch et du Buck Canyon. Un peu plus loin en voiture, vous trouverez le départ du **Grand View Overlook**, sentier en corniche le long du canyon qui se termine au bord du précipice. Plus sauvage et plus isolé, le district des **Needles** est idéal pour partir à l'avenure sac au dos. Pour rejoindre le **Visitor Center** (435-259-4711 ; Hwy 211 ; 8h-18h mars-oct, 9h-16h30 nov-fév), situé à 64 km de Moab, filez d'abord au sud sur la Hwy 191 avant de bifurquer à l'ouest sur la Hwy 211. Ces deux districts bénéficient de petits campings rudimentaires (sans douche) qui suivent la règle du premier arrivé sont les premiers servi.

Outre les droits d'entrée habituels, un permis à réserver à l'avance (10-30 $) est exigé pour camper, se déplacer en 4x4 ou sur la rivière. Pour en savoir plus, contactez le **Backcountry Reservations Office** (435-259-4351 ; http://www.nps.gov/cany/planyourvisit/backcountrypermits.htm ; Canyonlands National Park).

## Dead Horse Point State Park

Petit mais époustouflant, le **Dead Horse Point State Park** (www.stateparks.utah.gov ; Hwy 313 ; journée 10 $/véhicule, empl tente et camping-car 20 $ ; parc 6h-22h, Visitor Center 8h-18h mars-oct, 9h-16h nov-fév) a servi de décor à nombre de films, entre autres *Mission Impossible II* et *Thelma et Louise*. En direction du district de Needles du Canyonlands NP, le parc est facilement accessible par la Hwy 313. La vue est éblouissante sur les canyons rouges bordés de falaises blanches, le fleuve Colorado, le parc de Canyonlands et les lointaines La Sal Mountains. Les 21 emplacements de camping sont limités en eau (il est fortement recommandé d'avoir ses propres réserves) et n'offrent ni douches, ni branchements. Réservez à l'avance.

## Bluff

Située à 160 km au sud de Moab, cette toute petite ville (258 habitants) fondée par des pionniers mormons en 1880 constitue un confortable et tranquille camp de base pour partir à la découverte de l'extrême sud-est de l'Utah et de sa beauté désertique. Cernée de rochers rouges et de terres communautaires, Bluff se trouve à l'intersection de la Hwy 191 et de la Hwy 162, le long de la San Juan River. Outre un comptoir et quelques restaurants et hôtels, l'endroit offre peu à voir.

Pour accéder aux sites d'art rupestre et aux vestiges, contactez **Far Out Expeditions** (435-672-2294 ; www.faroutexpeditions.com ; demi-journée à partir de 125 $) qui organise des randonnées d'un ou plusieurs jours vers les sites les plus difficiles à atteindre. **Wild Rivers Expeditions** (800-422-7654 ; www.riversandruins.com ; 101 Main St ; sortie journée adulte/enfant 165/120 $ ; mars-oct) propose des descentes en rafting et des visites de sites ancestraux.

Le chaleureux **Recapture Lodge** (435-672-2281 ; www.recapturelodge.com ; Hwy 191 ; ch avec petit-déj 70-90 $ ; ) est une résidence rustique et douillette. Ses propriétaires connaissent la région sous toutes les coutures (ils vendent aussi des cartes), et d'ici vous pouvez suivre les sentiers jusqu'à la rivière. Tout aussi acueillantes sont les spacieuses chambres de la **Desert Rose Inn** (435-672-2303 ; www.desertroseinn.com ; Hwy 191 ; ch 105-119 $ ; ) tout en rondins.

Adresse branchée, le **Comb Ridge Coffee** (www.combridgecoffee.com ; 680 S Hwy 191 ; plats 3-7 $ ; 7h-17h mar-dim, horaires variables nov-fév ; ), construit tout en bois et en adobe, sert expressos, muffins et crêpes au maïs bleu. À midi ou en soirée, la **San Juan River Kitchen** (www.sanjuanriverkitchen.com ; 75 E Main St ; plats 14-20 $ ; 17h30-22h mar-sam), orientée bio, propose des plats régionaux d'inspiration tex-mex.

## Hovenweep National Monument

Magnifique et peu fréquenté, **Hovenweep** (www.nps.gov/hove ; Hwy 262 ; forfait parc 7 jours 6 $/véhicule, empl tente et camping-car 10 $ ; ⌚ parc aube-crépuscule, Visitor Center 8h-18h juin-sept, 9h-17h oct-mai), qui signifie "vallée désertée" en langue ute, a préservé plusieurs sites d'habitation préhistoriques pueblos. On accède au Square Tower Group par le Visitor Center. Pour atteindre les autres sites, il faut en revanche bien marcher. Le terrain de camping compte 31 emplacements sommaires (ni douches ni branchements élecriques) ; les premiers arrivés sont les premiers servis. Accès principal à l'est de la Hwy 191 sur la Hwy 262 via Hatch Trading Post, à plus de 64 km au nord-est de Bluff.

## Monument Valley

À 40 km à l'ouest de Bluff, après le village de **Mexican Hat**, appelé ainsi en raison de la présence d'un rocher en forme de sombrero (facilement repérable), la Hwy 163 serpente vers le sud-ouest pour pénétrer en pays navajo (Navajo Indian Reservation). À 48 km au sud, on distingue les formidables mesas et buttes de **Monument Valley**. Presque tout le site se trouve en Arizona, y compris le parc tribal et sa piste non goudronnée de 27 km qui encercle les formations rocheuses (p. 374).

## Natural Bridges National Monument

À 88 km au nord-ouest de Bluff, le très isolé **Natural Bridges National Monument** (www.nps.gov/nabr ; Hwy 275 ; forfait 7 jours 6 $/véhicule, empl tente et camping-car 10 $ ; ⌚ 24h/24, Visitor Center 8h-18h mai-sept, 9h-17h oct-avr) protège un canyon de grès blanc (et non pas rouge) qu'enjambent trois majestueux ponts naturels, faciles d'accès. Le plus ancien, l'Owachomo Bridge, s'étire sur 55 m mais n'est large que de 2,74 m. Un Scenic Drive en boucle de 14 km offre de magnifiques plongées sur les profondeurs. Pour camper, il existe un terrain de 13 emplacements rudimentaires (ni douches ni branchements élecriques) réservés aux premiers arrivés. L'espace pour camper ne manque pas mais vous ne trouverez aucun service si ce n'est 64 km plus à l'est, à Blanding.

# Zion et sud-ouest de l'Utah

"Le pays coloré", proclament les bureaux touristiques locaux. C'est peu dire ! Canyons cramoisis de Zion, minarets rose orangé de Bryce Canyon, dômes jaune-blanc du Capitol Reef : le territoire est si spectaculaire que trois parcs nationaux le couvrent, sans compter le gigantesque Grand Staircase-Escalante National Monument (GSENM).

Cette section est orientée grosso modo nord-est sud-ouest, alignée sur la très pittoresque Hwy 12 et la Hwy 89 depuis le Capitol Reef National Park vers le Zion National Park et St George.

## Capitol Reef National Park

Moins fréquenté que les autres parcs mais tout aussi superbe, le **Capitol Reef** (☎435-425-3791, ext 4111 ; www.nps.gov/care ; angle Hwy 24 et Scenic Dr ; entrée libre, forfait 7 jours scenic drive 5 $/véhicule, empl tente et camping-car 10 $ ; ⌚24h/24, Visitor Center et Scenic Drive 8h-18h avr-oct, 8h-16h30 nov-mars) recouvre la plus grande partie du Waterpocket Fold, long de 160 km, né il y a 65 millions d'années lorsque la croûte terrestre s'est plissée et a dévoilé une coupe géologique aux couleurs intenses. La Hwy 24 traverse le parc, mais veillez à prendre la **Scenic Drive** (route panoramique) au sud, qui traverse des vergers, héritage d'une colonie mormone. En saison, vous pourrez y cueillir librement cerises, pêches et pommes, et faire une halte gourmande et historique à la **Gifford Farmhouse** pour ses tartelettes aux fruits. Le camping verdoyant et ombragé (sans douche, ni branchement), appliquant la règle du premier arrivé, premier servi, est pris d'assaut du début du printemps à l'automne.

## Torrey

À 24 km seulement à l'ouest du Capital Reef, la petite ville pionnière de Torrey sert de base pour la plupart des visiteurs du parc. Outre quelques bâtisses datant de l'époque du vieil Ouest, on trouve une dizaine de restaurants et motels.

Dans un décor Far West, l'**Austin's Chuckwagon Motel** (☎435-425-3335 ; www.austinschuckwagonmotel.com ; 12 W Main St ; ch 75-85 $, bungalow 135 $ ; ⌚mars-oct ; ❄📶🏊🐾) propose d'agréables chambres nettes mais sans grande personnalité (les meilleur marché surplombent l'épicerie). Provisions et sandwichs sur place.

### DE L'IMPORTANCE DE L'ALTITUDE

Comme dans les autres États, le sud de l'Utah est en général plus chaud que le nord. Mais avant d'établir des hypothèses sur la météo, vérifiez bien l'altitude de votre destination. Les températures peuvent varier considérablement entre deux sites apparemment proches, en raison de leurs hauteurs respectives.

- St George (914 m)
- Zion National Park – entrée de Springdale (1 188 m)
- Cedar Breaks National Monument (3 048 m)
- Bryce National Park Lodge (2 469 m)
- Moab (1 227 m)
- Salt Lake City (1 288 m)
- Park City (2 164 m)

La vieille école de 1914 a été rafraîchie et est devenue le **Torrey Schoolhouse B&B** (435-633-4643 ; www.torreyschoolhouse.com ; 150 N Center St ; ch avec petit-déj 118-148 $ ; avr-oct ; ). Les chambres sont spacieuses, le petit-déjeuner est complet et le jardin et le vaste salon de l'étage sont idéaux pour récupérer après une longue randonnée.

Priorité est donnée aux ingrédients bio dans toutes les préparations du **Capitol Reef Cafe** (435-425-3271 ; www.capitolreefinn.com ; 360 W Main St ; petit-déj et déj 6-12 $, dîner 16-22 $ ; 7h-21h avr-oct). Les tourtes maison sont succulentes, tout comme les plats concoctés à partir d'ingrédients locaux tels que la truite. Le réputé **Cafe Diablo** (435-425-3070 ; http://cafediablo.net ; 599 W Main St ; déj 10-14 $, dîner 22-40 $ ; 11h30-22h mi-avr à oct ; ) vient de changer de propriétaire.

Pour vos excursions en solo ou accompagnées, contactez le **Wayne County Travel Council** (800-858-7951, 435-425-3365 ; www.capitolreef.org ; angle Hwy 24 et Hwy 12 ; 12h-19h lun-sam avr-oct).

## Boulder

Ce minuscule avant-poste de 227 habitants qu'est **Boulder** (www.boulderutah.com) se niche au-delà de la montagne du même nom, à 51 km au sud de Torrey sur la Hwy 12. La région est tellement accidentée et isolée qu'il fallut attendre 1985 pour que la Hwy 12 la desserve. C'est d'ici que part vers l'est la fort charmante **Burr Trail Rd**, traversant la pointe nord-est du Grand Staircase-Escalante National Monument et donnant accès à une route de graviers sinueuse qui grimpe au Capital Reef ou descend à la Bullfrog Marina sur le Lake Powell.

Pour explorer les canyons et les sites d'art rupestre locaux, on peut envisager de faire appel aux services expérimentés d'**Earth Tours** (435-691-1241 ; www.earth-tours.com ; sortie sur la base de 3 participants 150 $ ; ) pour une randonnée à la journée. Petit mais formidable, l'**Anasazi State Park Museum** (www.stateparks.utah.gov ; Main St/Hwy 12 ; 5 $ ; 8h-18h mars-oct, 9h-17h nov-avr) présente des objets artisanaux ainsi qu'un site amérindien habité entre 1130 av. J.-C. et 1175. Le bureau du GSENM vous indiquera les sites ouverts au public au sein du musée.

Le **Boulder Mountain Lodge** (435-335-7460 ; www.boulder-utah.com ; 20 N Hwy 12 ; ch 110-175 $ ; ) loue des chambres somptueuses, mais c'est surtout sa réserve naturelle de 6 ha qui fascine. Que peut-on imaginer de plus détendant que d'admirer les oiseaux plongé dans un bain à remous en extérieur ? Renommée, la table du lodge, le **Hell's Backbone Grill** (435-335-7464 ; http://hellsbackbonegrill.com ; 20 N Hwy 12, Boulder Mountain Lodge ; petit-déj 8-12 $, déj 12-18 $, dîner 18-27 $ ; 7h-11h30 et 17h-21h30 mars-oct) sert une cuisine simple et savoureuse, d'inspiration régionale. Réservez !

Tartes aux légumes bio, hamburgers variés et desserts maison succulents au **Burr Trail Grill & Outpost** (http://burrtrailgrill.com ; angle Hwy 12 et Burr Trail Rd ; plats 8-18 $ ; grill 11h-14h30 et 17h-21h30, comptoir 7h30-20h mars-oct ; ) concurrencent les plats du réputé Hell's Backbone Grill. *Coffee shop* et galerie attenants.

## Grand Staircase-Escalante National Monument

Les 6 879 m² du **Grand Staircase-Escalante National Monument** (GSENM ; www.ut.blm.gov/monument ; 24h/24) GRATUIT couvrent une superficie plus importante que le Delaware et le Rhode Island réunis. Le Capitol Reef National Park, la Glen Canyon National Recreation Area et le Bryce Canyon National Park le délimitent. Les services les plus proches, tout comme les Visitor Centers du GSENM, se trouvent à Boulder et à Escalante sur la Hwy 12 au nord, et à Kanab sur l'US 89 au sud. Sinon, les infrastructures touristiques sont minimales, et l'immense espace inhabité de ce pays de canyons ne se visite qu'en 4×4 pour ceux qui ont le temps, l'équipement approprié et les connaissances suffisantes pour en explorer tous les recoins. Petit rappel : l'inhospitalité de cette région aride est telle qu'elle fut la dernière du territoire continental américain à être cartographiée.

La piste en boucle de 9,6 km qui mène aux **Lower Calf Creek Falls** (Mile 75, Hwy 12 ; permis journalier 2 $/véhicule, empl tente et camping-car 7 $ ; ⏲validité du permis journalier aube-crépuscule), entre Boulder et Escalante, est la plus accessible et la plus fréquentée. Il existe en bordure du ruisseau 13 emplacements de camping très demandés (pas de réservation possible).

## Escalante

Porte d'entrée au GSENM, cette petite ville de 792 habitants est la seule agglomération à des kilomètres à la ronde. Faites-y un arrêt pour planifier tranquillement vos excursions et faire vos provisions avant la grande aventure. L'**Escalante Interagency Office** (☎435-826-5499 ; www.ut.blm.gov/monument ; 775 W Main St ; ⏲8h-16h30 tlj avr-sept, lun-ven oct-mars) constitue un formidable centre de ressources et de documentation sur tous les parcs, sites et monuments environnants. 48 km de route sinueuse et venteuse séparent Escalante de Boulder et 104 km de Torrey, près du Capital Reef National Park.

Véritable oasis pour les voyageurs, **Escalante Outfitters & Cafe** (☎435-826-4266 ; www.escalanteoutfitters.com ; 310 W Main St ; ⏲8h-21h) vend cartes, livres, matériel de camping et alcool dans sa librairie. Le café prépare un petit-déjeuner maison, des pizzas et des salades. On y loue aussi de minuscules chalets rustiques (45 $) et des VTT (à partir de 35 $/jour). **Excursions of Escalante** (☎800-839-7567 ; www.excursionsofescalante.com ; 125 E Main St ; sortie journée complète à partir de 145 $ ; ⏲8h-18h) est un vieux spécialiste du canyoning, de l'escalade et des randos photo. Également un café sur place.

Escalante compte quelques logements honorables comme **Canyons Bed & Breakfast** (☎866-526-9667, 435-826-4747 ; www.canyonsbnb.com ; 120 E Main St ; ch avec petit-déj 135-165 $ ; ❄📶) qui réunit autour d'une cour ombragée des bungalows haut de gamme, ou encore le **Circle D Motel** (☎435-826-4297 ; www.escalantecircledmotel.com ; 475 W Main St ; ch 65-75 $ ; ❄📶🐾), motel économique un brin suranné mais rénové par un propriétaire sympathique, que complète un service de restauration complet.

## Kodachrome Basin State Park

Des dizaines de cheminées de grès rouge, rose et blanc ont donné son nom coloré à ce **parc d'État** (☎435-679-8562 ; www.stateparks.utah.gov ; près de Cottonwood Canyon Rd ; pass journalier 6 $/véhicule, empl tente et camping-car avec/sans branchement 25/16 $ ; ⏲validité du permis journalier 6h-22h) ainsi désigné par la National Geographic Society, séduite par son paysage photogénique. Certains emplacements du camping (avec douche) peuvent être réservés en ligne. Balades à cheval et bungalows également.

## Bryce Canyon National Park

Le Grand Staircase, immense escalier naturel irrégulier partant au nord du Grand Canyon, atteint son sommet dans ce très populaire **parc national** (☎435-834-5322 ; www.stateparks.utah.gov ; Hwy 63 ; permis 7 jours 25 $/véhicule, empl tente et camping-car avec branchement 15 $ ; ⏲24h/24, Visitor Center 8h-20h mai-sept, 8h-16h30 oct-avr) au cœur des Pink Cliffs (falaises roses). Le site foisonne de pointes, sommets, flèches, tours rocheuses aux couleurs variées, et cheminées de féess. Le canyon forme un amphithéâtre aux cloisons érodées. De la Hwy 12, prenez vers le sud sur la Hwy 63 ; le parc est 80 km au sud-ouest d'Escalante.

La **Rim Road Scenic Drive** (2 438 m) longe sur 29 km le bord du canyon et dessert le Visitor Center, le lodge, des points de vue remarquables (comme l'immanquable **Inspiration Point**) et le départ de sentiers de randonnée, pour finir à **Rainbow Point** (2 778 m). De début mai à début octobre, une navette gratuite (de 8h à 17h30 minimum) circule depuis un arrêt, juste au nord du parc, vers le sud jusqu'au **Bryce Amphitheater**.

Le parc possède deux campings dont on peut réserver en ligne les emplacements (sur le site du parc). Le **Sunset Campground** est un peu plus boisé, mais n'est pas ouvert toute l'année. Machines à laver et douches à pièces sont disponibles à l'épicerie proche du **North Campground**. En été, les emplacements sans réservation sont épuisés avant midi.

**ROUTE PANORAMIQUE : LA HIGHWAY 12**

Sans doute la route la plus étonnante et la plus diversifiée de l'Utah, la **Highway 12 Scenic Byway** (http://scenicbyway12.com) serpente au cœur d'un paysage accidenté de canyons sur 200 km, à l'ouest du Bryce Canyon vers le Capitol Reef. Le tronçon entre Escalante et Torrey parcourt un paysage lunaire de rochers brillants, puis part à l'assaut d'étroites crêtes vers les sommets montagneux culminant à 3 352 m.

Construit dans les années 1920, le **Bryce Canyon Lodge** (☎877-386-4383, 435-834-8700 ; www.brycecanyonforever.com ; Hwy 63, Bryce Canyon National Park ; ch et bungalow 175-200 $ ; ⊙avr-oct ; @) respire le charme rustique des montagnes. Les chambres sont dans des studios modernes et fonctionnels, et les bungalows aux fines cloisons possèdent cheminée à gaz et terrasse. Pas de TV. Le **restaurant** (☎435-834-8700 ; Bryce Canyon National Park ; petit-déj 6-12 $, déj et dîner 18-40 $ ; ⊙7h-10h30, 11h30-15h et 17h30-22h avr-oct) du lodge, un peu cher, sert une cuisine exquise.

Un tout petit peu au nord des limites du parc, **Ruby's Inn** (☎435-834-5341 ; www.rubysinn.com ; 1000 S Hwy 63 ; ch 115-170 $, empl tente 25-55 $, empl camping-car avec branchement 35-60 $ ; ❄@📶🏊) est autant un village qu'un complexe hôtelier. Différentes options d'hébergement en motel et un camping vous sont proposés. Vous pourrez aussi y faire un tour en hélicoptère, assister à un rodéo, admirer l'art du Far West, laver votre linge, acheter des provisions, faire le plein, dîner dans l'un des restaurants, ou poster votre courrier.

À 17 km à l'est du parc, sur la Hwy 12, la petite ville de **Tropic** (www.brycecanyoncountry.com/tropic.html) offre aussi le gîte et le couvert.

## Kanab

À la limite sud de Grand Staircase-Escalante National Monument, la ville de Kanab (3 564 habitants) est perdue au milieu de l'immensité désertique. Des dizaines de westerns ont été tournés ici entre les années 1920 et les années 1970, et les lieux ont conservé leur atmosphère de Far West.

Le **Kanab GSENM Visitor Center** (☎435-644-1300 ; www.ut.blm.gov/monument ; 745 E Hwy 89 ; ⊙8h-16h30) vous fournira tous les renseignements sur le Grand Staircase-Escalante National Monument, tandis que le **Kane County Office of Tourism** (☎800-733-5263, 435-644-5033 ; www.kaneutah.com ; 78 S 100 East ; ⊙9h-19h lun-ven, 9h-17h sam) se consacre à la ville et à son passé cinématographique. John Wayne, Maureen O'Hara et Gregory Peck sont parmi les figures d'Hollywood qui ont séjourné au quelque peu désuet **Parry Lodge** (☎888-289-1722, 435-644-2601 ; www.parrylodge.com ; 89 E Center St ; ch 70-125 $ ; ❄📶🏊).

Un style rétro plein de couleurs caractérise les 13 chambres du **Quail Park Lodge** (☎435-215-1447 ; www.quailparklodge.com ; 125 N 300 W ; ch 115-159 $ ; ❄@📶🏊🐾), un motel rénové de 1963. Pour manger, direction le **Rocking V Cafe** (www.rockingvcafe.com ; 97 W Center St ; déj 9-14 $, dîner 15-29 $ ; ⊙11h30-22h ; 🖉) en centre-ville, champion de la mise en œuvre d'ingrédients tout frais pour des plats tels que filet de bison ou quinoa au curry.

## Zion National Park

En entrant par l'est le long de la Hwy 9 dans le **Zion National Park** (www.nps.gov/zion ; Hwy 9 ; permis 7 jours 25 $/véhicule ; ⊙24h/24, Visitor Center 8h-19h30 juin-août, fermeture plus tôt reste de l'année), la route traverse le grès jaune, puis **Checkerboard Mesa** avant d'atteindre un tunnel doté d'une galerie impressionnante et 6 km de lacets plongeant dans la splendeur des roches rouges. Randonnées, hébergement et camping sont possibles dans le parc qui ne compte pas moins de 160 km de sentiers.

Si vous ne devez en choisir qu'une, optez pour la **route panoramique** de 9 km qui traverse le cœur du Zion Canyon. D'avril à octobre, vous devrez prendre une navette gratuite au départ du Visitor Center, mais vous pouvez en descendre et la reprendre à n'importe quel arrêt ou sentier sur l'itinéraire. Le célèbre **Angels Landing Trail** vous donnera le vertige sur ses 8,6 km de courbes (426 m de dénivelé positif, avec des à-pics impressionnants), mais la vue sur le Zion Canyon est phénoménale. Comptez 4 heures pour l'aller-retour.

Pour effectuer la randonnée de 25 km à travers les **Narrows** (de juin à septembre uniquement), vous devrez prendre la navette randonneurs (réservation auprès de Zion Adventure Company, ci-contre) et obtenir un permis de camping sauvage auprès du Visitor Center, ce qui nécessite en principe une réservation anticipée sur le site Internet. Cela étant, vous pouvez profiter en partie de l'aventure en remontant du **Riverside Walk** sur 8 km jusqu'à **Big Springs**, où les parois du canyon se resserrent et où s'achèvent les excursions d'une journée. Rappelez-vous que, quelle que soit la direction, vous marchez dans la Virgin River la plupart du temps.

Réservez longtemps à l'avance et demandez un emplacement côté rivière dans le **Watchman Campground** (☎réservations 877-444-6777 ; www.recreation.gov ; Hwy 9, Zion National Park ; empl tente 16 $, empl camping-car avec branchement 18-20 $) à l'ombre des peupliers près du canyon. Le **South Campground** (Hwy 9, Zion National Park ; empl tente et camping-car avec branchement 16 $ ; ⏲début mars-oct) réserve ses emplacements aux premiers arrivés. À eux deux, ces campings réunissent près de 300 emplacements. En plein milieu de la route panoramique, le **Zion Lodge** (☎435-772-7700, 888-297-2757 ; www.zionlodge.com ; Zion Canyon Scenic Dr ; ch 185 $, bungalow 195 $, suite 225 $ ; ❄@📶) loue 81 chambres de motel rustiques, bien agencées, et 40 bungalows avec cheminée au gaz. Tous bénéficient d'une terrasse en bois panoramique face aux splendides falaises de grès rouge, mais pas de TV. La vue est également magnifique depuis le **Red Rock Grill** (☎435-772-7760 ; Zion Canyon Scenic Dr, Zion Lodge ; petit-déj et sandwichs 8-14$, dîner 18-30 $ ; ⏲6h30-10h30, 11h30-15h et 17h-22h mars-oct, horaires variables nov-fév), restaurant du lodge assurant les trois repas. Juste à l'extérieur du parc, la ville de Springdale dispose d'encore plus de services.

Notez que vous devrez payer un droit d'entrée pour traverser le parc par la Hwy 9, même si vous ne faites que passer. Les conducteurs de camping-cars devront aussi payer un droit de 15 $ pour franchir le tunnel de 2 km de Zion-Mt Carmel à l'entrée est.

## Springdale

Située à l'entrée sud du Zion National Park, Springdale se fond à merveille dans ce décor. Les magnifiques falaises rouges servent de toile de fond aux cafés éclectiques, les restaurants privilégient les ingrédients bio, et les galeries artistiques alternent avec les motels indépendants et les B&B.

Outre les chemins de randonnée du parc national, des activités sont organisées dans les territoires adjacents du BLM (Bureau of Land Management) : escalade, canyoning, VTT et 4x4 (à partir de 140 $/pers la demi-journée). Excursions et expéditions privées, notamment en famille, sont parfaitement organisées par les **Zion Rock & Mountain Guides** (☎435-772-3303 ; www.zionrockguides.com ; 1458 Zion Park Blvd ; ⏲8h-20h mars-oct, horaires variables nov-fév). Les voyageurs en solo pourront économiser en se joignant à un groupe déjà formé avec la **Zion Adventure Company** (☎435-772-1001 ; www.zionadventures.com ; 36 Lion Blvd ; ⏲8h-20h mars-oct, 9h-12h et 16h-19h nov-fév), qui propose aussi des descentes de rivière en bouée l'été. Ces deux prestataires fournissent l'équipement pour les Narrows et affrètent des navettes pour randonneurs et cyclistes.

Springdale regorge de bons restaurants et d'agréables hébergements. Les chambres rénovées du **Canyon Ranch Motel** (☎866-946-6276, 435-772-3357 ; www.canyonranchmotel.com ; 668 Zion Park Blvd ; ch 99-119 $, app 120-140 $ ; ❄📶🏊) sont distribuées autour d'une pelouse ombragée avec tables de pique-nique et balançoires. Les 2 ha fleuris du **Cliffrose Lodge** (☎800-243-8824, 435-772-3234 ; www.cliffroselodge.com ; 281 Zion Park Blvd ; ch 159-189 $ ; ❄📶🏊) descendent doucement jusqu'à la rive de la Virgin River.

Le plus traditionnel des B&B du coin, le **Zion Canyon B&B** (☎435-772-9466 ; www.zioncanyonbandb.com ; 101 Kokopelli Circle ; ch avec petit-déj 135-185 $ ; ❄📶) sert un repas complet à table. Nous apprécions le **Red Rock Inn** (☎435-772-3139 ; www.redrockinn.com ; 998 Zion Park Blvd ; bungalow avec petit-déj 127-132 $ ; ❄📶) pour l'indépendance et l'élégance de ses maisonnettes et les succulentes gourmandises déposées à la porte. Les collections et créations des propriétaires étonnent dans chaque recoin de la maison des années 1930 qu'occupe l'**Under the Eaves Inn** (☎435-772-3457 ; www.undertheeaves.com ; 980 Zion Park Blvd ; ch avec petit-déj 110-160 $, ste 185 $ ; ❄📶), où l'on reçoit un bon pour prendre le petit-déjeuner au restaurant local.

Si vous rêvez d'un café accompagné de *très bonnes* crêpes, sucrées ou salées, passez au **Meme's Cafe** (www.facebook.com/memescafezion#! ; 975 Zion Park Blvd ; plats 6-10 $ ; ⏲7h-21h) qui sert aussi paninis et gaufres. En saison, musique live et barbecues sur

### CEDAR CITY ET CEDAR BREAKS

À 3 048 m d'altitude, la route – praticable en été seulement – vers **Cedar Breaks National Monument** (☎435-586-0787 ; www.nps.gov/cebr ; Hwy 148 ; permis 7 jours 4 $/pers ; ⏲24h/24, Visitor Center 9h-18h mi-juin à mi-oct) est l'une des dernières à ouvrir après la fonte des neiges. L'attente est récompensée par la vue époustouflante du cirque qui rivalise avec celle de Bryce Canyon. À proximité, **Cedar City** (www.scenicsouthernutah.com) est connue pour son Shakespeare Festival qui dure 4 mois et ses nombreux B&B pleins de charme. La ville est située sur l'I-15, 83 km au nord de St George et à 144 km à l'ouest du Bryce Canyon. Le parc s'étend à 35 km au nord-est de la ville.

la terrasse. Le soir, la terrasse carrelée à la mexicaine et joliment éclairée de l'**Oscar's Cafe** (www.cafeoscars.com ; 948 Zion Park Blvd ; petit-déj et burgers 10-15 $, dîner plats 16-30 $ ; ⏲8h-22h) et le rustique **Bit & Spur Restaurant & Saloon** (www.bitandspur.com ; 1212 Zion Park Blvd ; plats 16-28 $ ; ⏲17h-22h tlj mars-oct, 17h-22h jeu-sam nov-fév) sont les lieux favoris pour se détendre, se restaurer et prendre un verre.

Le **Zion Canyon Visitors Bureau** (☎888-518-7070 ; www.zionpark.com) ne possède pas de bureau physique. Retrouvez en ligne des renseignements sur la ville. Un guide gratuit de Springdale, disponible dans les hébergements locaux, est publié chaque printemps.

## St George

Sa situation méridionale et son climat chaud ont valu à St George (75 561 habitants) le surnom de "Dixie". Appréciée des retraités, cette ville mormone étendue, avec son temple immanquable et ses bâtiments du temps des pionniers, constitue une bonne étape entre Las Vegas (192 km) et Salt Lake City (486 km), ou sur la route du Zion National Park. Les empreintes de dinosaures conservées in situ et les présentations annexes réparties sur 1 393 m² au **Dinosaur Discovery Site** (www.dinotrax.com ; 2200 E Riverside Dr ; adulte/enfant 6/3 $ ; ⏲10h-18h lun-sam) valent le détour.

Presque toutes les chaînes de motels sont représentées à St George. Ce sont de bonnes adresses si vous cherchez un hébergement moins cher que ceux de Springdale, distante de 64 km (1 heure), à l'est. Le **Best Western Coral Hills** (☎800-542-7733, 435-673-4844 ; www.coralhills.com ; 125 E St George Blvd ; ch avec petit-déj 80-139 $ ; ❄@📶🏊) est à quelques pas des restaurants du centre-ville et des édifices historiques. L'accueillant B&B **Seven Wives Inn** (☎800-600-3737, 435-628-3737 ; www.sevenwivesinn.com ; 217 N 100 West ; ch et suite avec petit-déj 99-185 $ ; ❄@📶🏊), dotée d'une petite piscine centrale, occupe deux adorables maisons construites à la fin du XIXe siècle.

L'**Utah Welcome Center** (☎435-673-4542 ; http://travel.utah.gov ; 1835 S Convention Center Dr, Dixie Convention Center ; ⏲8h30-17h30), en bordure de l'I-15, fournit tous les renseignements nécessaires sur l'État.

# NOUVEAU-MEXIQUE

Si on l'appelle *Land of Enchantment* (Pays de l'Enchantement), ce n'est pas par hasard. Admirez les collines semées de genièvre ondoyant à l'infini sous les rayons du soleil, les villages de montagne espagnols traditionnels et leurs toits métalliques inclinés sur de vieilles maisons en pisé, et la magnificence délicate des Sangre de Cristo Mountains qui culminent à 3 962 m. Et que dire des volcans, des canyons et des vastes plaines désertiques s'étendant sous un ciel encore plus vaste. L'histoire et la culture vous séduiront aussi : croix se détachant sur le toit des églises en brique des anciennes missions, villages pueblos anciens et actuels, *enchiladas* saupoudrées de piment, et authentiques cow-boys, pour recréer une sensation d'ailleurs, de pays étranger.

La légende de Billy the Kid hante tout l'État. Des guérisons miraculeuses attirent des flots de pèlerins à Chimayo. Les chauves-souris emplissent les ténèbres des Carlsbad Caverns. Un objet non identifié s'est écrasé près de Roswell…

Peut-être le charme indescriptible du Nouveau-Mexique s'exprime-t-il le mieux dans les tableaux captivants de Georgia O'Keeffe, l'artiste mécène de l'État. Elle s'est elle-même exclamée, lors de sa toute première visite : "*Well! Well! Well!…This is wonderful! No one told me it was like this.*" ("Eh bien ! C'est merveilleux, personne ne m'avait dit que c'était si beau !") Mais existe-t-il vraiment des mots pour le dire ?

## Histoire

Les premières traces de peuplement du territoire remontent à 10 500 avant J.-C. À l'arrivée de Coronado au XVIe siècle, les Pueblos régnaient sur le pays. Santa Fe fut déclarée capitale coloniale en 1610, après quoi les colons et les fermiers espagnols se déployèrent dans tout le Nouveau-Mexique et les missionnaires commencèrent leurs campagnes agressives de conversion au catholicisme des Pueblos. En 1680, à la suite d'une révolte réussie, les Amérindiens occupèrent Santa Fe jusqu'en 1692, date à laquelle Diego de Vargas reprit la ville.

En 1851, le Nouveau-Mexique devint un territoire américain. Les guerres indiennes, l'arrivée des cow-boys et des mineurs, et le commerce pratiqué le long du Santa Fe Trail continuèrent de transformer la région, et la construction du chemin de fer dans les années 1870 déclencha l'essor économique.

Peintres et écrivains établirent des colonies artistiques à Santa Fe et à Taos dès le début du XXe siècle. En 1943, une équipe scientifique investit Los Alamos pour y développer la bombe atomique. Tout récemment, c'est l'importance des sécheresses répétées qui constitue un nouveau défi.

### LE NOUVEAU-MEXIQUE EN BREF

**Surnom** Land of Enchantment (Pays de l'Enchantement)

**Population** 2 millions d'habitants

**Superficie** 314 941 km$^2$

**Capitale** Santa Fe (68 700 hab.)

**Autres villes** Albuquerque (553 000 hab.), Las Cruces (99 700 hab.)

**TVA** 5 à 8%

**Lieu de naissance** du chanteur John Denver (1943-1997) et de Smokey Bear, mascotte nationale protectrice des forêts contre les feux

**Patrie** de l'International UFO Museum & Research Center (Roswell) et de Julia Roberts

**Politique** Un État "violet", plutôt libéral au nord et conservateur au sud

**Célèbre** pour ses *pueblos* ancestraux, la première bombe atomique (1945), là où Bugs Bunny aurait dû tourner à gauche

**Question cruciale** "Rouge ou verte ?" (en parlant de la sauce chili)

**Point le plus haut/le plus bas** Wheeler Peak (4 011 m)/Red Bluff Reservoir (866 m)

**Distances routières** Albuquerque-Santa Fe 80 km, Santa Fe-Taos 114 km

## Renseignements

Quand les heures d'ouverture sont annoncées par saison (et non selon les mois), nous vous recommandons d'appeler pour vérifier car elles peuvent fortement varier, notamment en fonction de la météo.

**New Mexico Route 66 Association** (www.rt66nm.org). Renseignements sur la célèbre route traversant l'État.

**New Mexico State Parks Division** (☎888-667-2757 ; www.emnrd.state.nm.us/SPD). Informations sur les parcs d'État, avec un lien vers les réservations de camping.

**Public Lands Information Center** (☎877-851-8946 ; www.publiclands.org). Renseignements sur le camping et les loisirs.

# Albuquerque

Cette ville-carrefour animée doit davantage son charme à ses habitants qu'à son effervescence. Ici, les citadins sont fiers de leur ville et les gens heureux de partager l'histoire, les sites et leurs bonnes adresses. La ville la plus peuplée de l'État est bien plus qu'un simple point sur la Route 66.

Old Town, le quartier historique, se distingue par ses maisons en pisé séculaires, et les boutiques, restaurants et bars de la branchée Nob Hill sont tous à quelques pas les uns des autres. Juste à la sortie de la ville, des pétroglyphes anciens recouvrent des rochers tandis que des musées modernes explorent l'espace et l'énergie nucléaire. Étudiants, Amérindiens, Hispaniques composent entre autres la population bigarrée et dynamique d'Albuquerque. Les prospectus encourageant à la pratique du *square dance* ou du yoga sont distribués avec le même enthousiasme, tandis que cow-boys et agents immobiliers se retrouvent autour d'une table dans les populaires *taquerias* et cafés rétro.

Paseo del Norte Dr au nord, Central Ave au sud, Rio Grande Blvd à l'ouest et Tramway Blvd à l'est constituent les limites de la ville. Central Ave, l'artère principale (alias la

Route 66), traverse Old Town, Downtown (le centre-ville), l'université et Nob Hill. Divisée en 4 quartiers (NW, NE, SW et SE), la ville a comme point central l'intersection de Central Ave et de la voie ferrée, juste à l'est de Downtown.

## À voir

### Old Town

Depuis sa fondation en 1706 jusqu'à l'arrivée du chemin de fer en 1880, la Plaza était le cœur d'Albuquerque. Aujourd'hui, le quartier populaire et touristique est Old Town.

Old Town abrite également l'église **San Felipe de Neri** (www.sanfelipedeneri.org ; Old Town Plaza ; 7h-17h30 tlj, musée 9h30-16h30 lun-sam) érigée en 1793, l'¡Explora! (p. 405) et le **New Mexico Museum of Natural History & Science** (www.nmnaturalhistory.org ; 1801 Mountain Rd NW ; adulte/enfant 7/4 $ ; 9h-17h ; ).

**American International Rattlesnake Museum** MUSÉE
(www.rattlesnakes.com ; 202 San Felipe St NW ; adulte/enfant 5/3 $ ; 10h-18h lun-sam, 13h-17h dim mai-sept, 11h30-17h30 lun-ven, 10h-18h sam, 13h-17h dim sept-mai). Du diamantin de l'Est (*Crotalus adamanteus*) aux rares crotales tigrés (*Crotalus tigris*), tous les serpents à sonnette du monde ou presque sont ici. Une fois votre peur maîtrisée, vous serez bluffé non seulement par la diversité des espèces mais surtout par la beauté complexe des couleurs et motifs qu'elles arborent. Heureusement, vous ne les verrez jamais d'aussi près dans la nature ! Horaires un peu plus étendus en été.

**Albuquerque Museum of Art & History** MUSÉE
(www.cabq.gov/museum ; 2000 Mountain Rd NW ; adulte/enfant 4/1 $ ; 9h-17h mar-dim). Armures et armes des conquistadors font la réputation de ce musée où les trois cultures de la ville, amérindienne, hispanique et anglo-saxonne, sont mises en valeur. Une section fait aussi la part belle aux artistes du Nouveau-Mexique.

### Ailleurs en ville

Le quartier de l'University of New Mexico (UNM) regorge de bons restaurants, de bars décontractés, de boutiques originales et de cafés d'étudiants branchés. L'artère principale est Central Ave entre University Blvd et Carlisle Blvd. À l'est s'étend le quartier tendance de Nob Hill aux rues piétonnières bordées de *coffee shops* alternatifs, de magasins chics et de terrasses de restaurants.

**Indian Pueblo Cultural Center** MUSÉE
(IPCC ; 505-843-7270 ; www.indianpueblo.org ; 2401 12th St NW ; adulte/enfant 6/3 $ ; 9h-17h). Géré par les 19 villages pueblos du Nouveau-Mexique, l'Indian Pueblo Cultural Center est une étape obligée pour comprendre l'histoire de l'État. Le musée, qui met en valeur coutumes et artisanat, retrace magnifiquement le développement de la culture des Pueblos, et présente également des expositions temporaires.

**National Museum of Nuclear Science & History** MUSÉE
(www.nuclearmuseum.org ; 601 Eubank Blvd SE ; tarif plein/enfant et senior 8/7 $ ; 9h-17h ; ). Ce musée est consacré au Manhattan Project, à l'histoire du contrôle des armes et à l'utilisation de l'énergie nucléaire comme source d'énergie alternative. Ici, les guides sont des militaires à la retraite, fins connaisseurs du domaine.

**Petroglyph National Monument** SITE ARCHÉOLOGIQUE
(www.nps.gov/petr ; Visitor Center 8h-17h). Plus de 20 000 gravures dans la roche sont visibles au Petroglyph National Monument au nord-ouest de la ville. Arrêtez-vous au Visitor Center (sur le Western Trail d'Unser Blvd) pour choisir celui des 3 sentiers, situés dans différentes sections du parc, qui vous convient le mieux. Pour une randonnée panoramique mais sans pétroglyphes, prenez le Volcanoes Trail. Ne laissez aucun objet de valeur dans votre véhicule, car des vols ont été signalés sur certaines aires de stationnement à proximité des sentiers. Prenez l'I-40 vers l'ouest, traversez le Rio Grande puis prenez la sortie 154 au nord.

**Sandia Peak Tramway** TÉLÉPHÉRIQUE
(www.sandiapeak.com ; Tramway Blvd ; 1 $/véhicule, plein tarif/13-20 ans/enfant 20/17/12 $ ; 9h-20h mer-lun, 17h-20h mar sept-mai, 9h-21h juin-août). La ligne de ce téléphérique, longue de 4,3 km, démarre dans le désert, au milieu des cactus chollas, et grimpe à travers les pinèdes pour atteindre en 15 minutes le Sandia Peak culminant à 3 163 m. Le panorama est incroyable ; le restaurant au sommet vous en convaincra.

## Activités

Les omniprésentes Sandia Mountains et les Manzano Mountains, moins fréquentées, pourvoient aux activités de plein air : randonnée, ski, (alpin et nordique), VTT, escalade et camping. Le **Cibola National Forest Office** (☎505-346-3900 ; 2113 Osuna Rd NE ; ⏲8h-16h45 lun-ven) et la **Sandia Ranger Station** (☎505-281-3304 ; 11776 Hwy 337, Tijeras ; ⏲8h-16h30 lun-ven), en bordure de l'I-40 (sortie 175 au sud), à environ 24 km à l'est d'Albuquerque, vous fourniront informations et cartes.

**Sandia Crest National Scenic Byway** TOURISME, RANDONNÉE
(I-40, sortie 175 au nord). Laissez-vous guider jusqu'aux sommets des Sandias par le versant est en suivant la pittoresque Sandia Crest National Scenic Byway qui dessert tout au long de nombreux départs de sentiers. Vous pouvez aussi prendre le Sandia Peak Tramway ou la Hwy 165 depuis Placitas (I-25, sortie 242), une piste qui traverse le Las Huertas Canyon où se trouvent les habitations préhistoriques creusées dans la roche de **Sandia Man Cave**.

**Sandia Peak Ski Area** SKI, VÉLO
(☎505-242-9052 ; www.sandiapeak.com ; forfait adulte/enfant 50/40 $ ; ⏲9h-16h déc-mars et juin-sept). La neige de ce domaine skiable peut être exceptionnelle comme médiocre. Prenez donc le soin de vous renseigner avant de vous y rendre. Le domaine est ouvert les week-ends d'été et les vacances (de juin à septembre) aux amateurs de VTT. Vous pouvez louer un vélo au camp de base (58 $ + caution de 650 $) ou prendre le télésiège avec votre vélo (14 $) jusqu'au sommet. En voiture, vous y arrivez par la Scenic Byway 536. Sinon prenez le Sandia Peak Tramway (les skis sont autorisés, mais pas les vélos).

**Discover Balloons** MONTGOLFIÈRE
(☎505-842-1111 ; www.discoverballoons.com ; 205c San Felipe NW ; tarif plein/-12 ans 160/125 $). Plusieurs compagnies de montgolfières, notamment Discover Balloons, offrent une navigation aérienne au-dessus de la ville et du Rio Grande. Les vols durent à peu près 1 heure, la plupart ayant lieu le matin pour profiter au mieux des vents et du soleil.

## Circuits organisés

De mi-mars à mi-décembre, l'Albuquerque Museum of Art & History (p. 404) propose des **visites guidées d'Old Town** (⏲11h mar-dim, mars-déc) d'une durée de 45 minutes à 1 heure, comprises dans le prix d'entrée du musée.

## Fêtes et festivals

**Gathering of Nations Powwow** CULTUREL
(www.gatheringofnations.com ; ⏲avril). Le plus grand *pow-wow* au monde, avec musique, danse, nourriture et artisanat traditionnels. C'est également l'occasion d'élire la "Miss Indian World" de l'année.

**International Balloon Fiesta** FÊTE
(www.balloonfiesta.com ; ⏲début oct). Quelque 800 000 spectateurs se pressent ici, avec en point d'orgue le grand envol, lorsque plus de 500 montgolfières s'élèvent de concert dans les airs.

### ALBUQUERQUE AVEC DES ENFANTS

Le passionnant **¡Explora!** (www.explora.us ; 1701 Mountain Rd NW ; adulte/enfant 8/4 $ ; ⏲10h-18h lun-sam, 12h-18h dim ; 👪) occupera vos enfants des heures durant. Du vélo funambule aux jeux d'eau en passant par les ateliers d'art et d'artisanat, chacun trouvera son bonheur parmi les expositions et activités proposées (ne manquez pas l'ascenseur). Vous êtes sans enfant ? Consultez le site Internet pour vérifier quand a lieu la fameuse *Adult Night*, généralement animée par un scientifique. C'est l'une des attractions phares d'Albuquerque.

Au New Mexico Museum of Natural History & Science (p. 404), l'*Evolator* (ascenseur de l'Évolution), particulièrement apprécié des ados, retrace l'histoire naturelle et géologique du Nouveau-Mexique sur 38 millions d'années. La nouvelle exposition *Space Frontiers* met en lumière le rôle joué par l'État du Nouveau-Mexique dans l'exploration de l'espace, des anciens observatoires de Chaco à la reproduction grandeur nature du robot Mars Rover. Le musée possède également un **Planetarium** (adulte/enfant 7/4 $) et un écran IMAX géant en 3D au **DynaTheater** (adulte/enfant 10/6 $).

## Où se loger

**Route 66 Hostel** AUBERGE DE JEUNESSE $

(505-247-1813 ; www.rt66hostel.com ; 1012 Central Ave SW ; dort 20 $, ch à partir de 25 $ ; ). Propre, sympathique et bon marché, l'établissement est simple et convivial. Cuisine, bibliothèque et terrasse extérieure à disposition.

**Hotel Blue** HÔTEL $

(877-878-4868 ; www.thehotelblue.com ; 717 Central Ave NW ; ch avec petit-déj 60-99 $ ; ). À proximité d'un parc en centre-ville, cet hôtel Art déco de 134 chambres vous offre pour couche des matelas à mémoire de forme. La navette depuis/vers l'aéroport est gratuite, la piscine de belle taille tout comme les TV à écran plat de 40 pouces.

**Andaluz** BOUTIQUE-HÔTEL $$

(505-242-9090 ; www.hotelandaluz.com ; 125 2nd St NW ; ch 160-290 $ ; ). Le meilleur hôtel d'Albuquerque impressionne par son style et son attention au détail, du hall somptueux – où six alcôves avec tables et canapés permettent de discuter en prenant un verre dans une intimité relative – à la literie italienne hypoallergénique. L'établissement possède l'une des meilleures tables d'Albuquerque, une belle bibliothèque réservée aux clients et un bar sur le toit. L'investissement écologique est probant, au point que le système de chauffage solaire de l'eau (le plus important du Nouveau-Mexique) se visite. Rabais conséquents en ligne.

**Mauger Estate B&B** B&B $$

(800-719-9189, 505-242-8755 ; www.maugerbb.com ; 701 Roma Ave NW, angle 7th St NW ; ch avec petit-déj 99-195 $, ste 160-205 $, app 129-195 $ ; ). Cette demeure restaurée de style Queen Anne (Mauger se prononce comme "major" en anglais) veille méticuleusement à votre confort : couettes en plumes, réfrigérateur rempli et fleurs fraîches. Enfants bienvenus.

**Böttger Mansion** B&B $$

(505-243-3639, 800-758-3639 ; www.bottger.com ; 110 San Felipe St NW ; ch avec petit-déj 104-179 $ ; ). Ce B&B de style victorien se détache largement du lot par la grâce de son propriétaire bien informé. Cette demeure de 1912 bien équipée compte 8 chambres. La cour bordée de chèvrefeuille attire pléthore d'oiseaux. Elvis, Janis Joplin et Machine Gun Kelly ont séjourné ici. Proche de l'Old Town Plaza, des excellents musées et de plusieurs bons restaurants néomexicains.

## Où se restaurer

**Frontier** NÉOMEXICAIN $

(www.frontierrestaurant.com ; 2400 Central Ave SE ; plats 3-11 $ ; 5h-1h ; ). Tradition locale oblige, l'établissement sert d'énormes *cinnamon rolls* (brioches à la cannelle), un délicieux ragoût de piments verts, et les meilleurs *huevos rancheros* du monde. La qualité du menu est aussi remarquable que le spectacle de la rue. Une clientèle estudiantine fidèle friande de petit-déjeuners, burgers et plats mexicains à prix modiques.

**Flying Star Café** AMÉRICAIN $

(www.flyingstarcafe.com ; 3416 Central Ave SE ; plats 6-12 $ ; 6h-23h dim-jeu, 6h-minuit ven-sam ; ). Quel que soit celui de ses 7 établissements, dont un sur **Juan Tabo Blvd** (4501 Juan Tabo Blvd NE ; 6h-22h dim-jeu, 6h-23h ven et sam ; ), cette enseigne toutjours bondée sert une cuisine créative à base d'ingrédients régionaux : soupes maison, plats allant des sandwichs aux poêlées, et succulents desserts. Chacun y trouve son bonheur.

**Golden Crown Panaderia** BOULANGERIE $

(505-243-2424 ; www.goldencrown.biz ; 1103 Mountain Rd NW ; plats 5-20 $ ; 7h-20h mar-sam, 10h-20h dim). Cette accueillante boulangerie de quartier sert avec une extrême gentillesse pains et pizzas tout juste sortis du four, *empanadas* aux fruits, café onctueux. Il est rare qu'on ne vous tende pas gracieusement un *biscuit*. Appelez pour commander les pains au piment vert qui partent vite. Jetez un coup d'œil à la *bread cam* du site Internet pour voir la fabrication du pain.

**Annapurna** INDIEN $

(www.chaishoppe.com ; 2201 Silver Ave SE ; plats 7-12 $ ; 7h-21h lun-ven, 8h-21h sam, 10h-20h dim ; ). Pour déguster une cuisine parmi les plus fraîches, savoureuses et saines de la ville, prenez place entre ces fresques colorées. Les plats ayurvédiques délicatement épicés sont tous végétariens ou végétaliens, mais ils sont si délicieux que même les inconditionnels de la viande se régalent.

**Artichoke Café** AMÉRICAIN MODERNE $$$

(505-243-0200 ; www.artichokecafe.com ; 424 Central Ave SE ; déj plats 10-16 $, dîner plats 19-30 $ ; 11h-14h30 lun-ven, 17h-21h tlj, 17h-22h ven-sam). Souvent classé parmi les favoris d'Albuquerque, cet établissement mêle le meilleur des cuisines italienne, française et américaine avec classe.

## Où prendre un verre et faire la fête

**Popejoy Hall** (www.popejoypresents.com ; angle Central Ave et Cornell St SE) et l'historique **KiMo Theatre** (www.cabq.gov/kimo ; 423 Central Ave NW, Downtown) accueillent les grands spectacles nationaux, l'Opéra local, les orchestres symphoniques et le théâtre. Pour le programme complet de la ville, vérifiez dans l'hebdomadaire gratuit *Alibi* ou rendez-vous sur www.alibi.com. La plupart des cafés et bars branchés d'Albuquerque sont situés dans les quartiers de Nob Hill/UNM, et quelques-uns sont au centre-ville.

**Satellite Coffee** CAFÉ
(2300 Central Ave SE ; 6h-23h ; wi-fi). Ne vous fiez pas à son aspect branché et ultramoderne. Le personnel est accueillant et la clientèle se partage entre utilisateurs d'ordinateurs portables et grands amateurs de café. La ville compte 8 de ces établissements, dont celui de **Nob Hill** (3513 Central Ave NE, Nob Hill).

**Anodyne** BAR
(409 Central Ave NW ; 16h-1h30 lun-ven, 19h-1h30 sam, 19h-23h30 dim). Ce vaste espace cosy dispose de 10 billards rouges sous des plafonds en bois. Les chaises sont molletonnées et il vous est proposé une centaine de bières en bouteille. Clientèle hétéroclite, chacun y trouve sa place.

**Kelly's Brewery** BRASSERIE
(www.kellysbrewpub.com ; 3222 Central Ave SE ; 8h-22h30 dim-jeu, 8h-minuit ven-sam). Prenez place à une table commune pour une soirée conviviale à siroter des pintes de bière maison en observant la foule dans cet ancien garage Ford qui était aussi une station-service. Lors des chaudes soirées de printemps, la ville entière semble se détendre sur la vaste terrasse.

**Launch Pad** MUSIQUE LIVE
(www.launchpadrocks.com ; 618 Central Ave SW, Downtown). Groupes alternatifs, reggae, punk et country font vibrer les lieux à tour de rôle. Cherchez le vaisseau spatial sur Central Ave. Juste à côté se trouve l'**El Rey Theater** (www.elreytheater.com ; 620 Central Ave SW, Downtown), autre place forte de la musique live.

## Achats

Pour des cadeaux originaux, rendez-vous à Nob Hill, à l'est de l'université. Garez-vous sur Central Ave SE ou dans l'une des rues annexes, puis promenez-vous entre boutiques séduisantes et magasins spécialisés.

**Palms Trading Post** ARTISANAT, ART
(1504 Lomas Blvd NW ; 9h-17h30 lun-ven, 10h-17h30 sam). Vous cherchez de l'artisanat amérindien et des vendeurs qui en connaissent un rayon ? Vous êtes au bon endroit.

**Silver Sun** BIJOUX
(116 San Felipe St NW ; 10h-16h30). Cette boutique au sud de la Plaza est renommée pour ses turquoises et son argent. On y voit parfois les orfèvres à l'œuvre.

**Mariposa Gallery** ARTISANAT, ART
(www.mariposa-gallery.com ; 3500 Central Ave SE). Belles œuvres d'art originales, artisanat et bijoux pour la plupart fabriqués par des artistes locaux.

## Renseignements

### ACCÈS INTERNET

De nombreux restaurants et cafés disposent du Wi-Fi.

**Main Library** (505-768-5141 ; 501 Copper Ave NW ; 10h-18h lun et jeu-sam, 10h-19h mar-mer ; wi-fi). L'accès Internet est gratuit si vous achetez une SmartCard à 3 $. Wi-Fi gratuit avec carte d'accès.

### OFFICES DU TOURISME

**Albuquerque Convention & Visitors Bureau** (www.itsatrip.org ; aéroport international d'Albuquerque ; 9h30-20h dim-ven, 9h30-16h30 sam). Au niveau du retrait des bagages, au niveau inférieur.

**Old Town Information Center** (505-243-3215 ; www.itsatrip.org ; 303 Romero Ave NW ; 10h-17h oct-mai, 10h-18h juin-sept)

### POSTE

**Bureau de poste** (505-346-1256 ; 201 5th St SW)

### SITES INTERNET

**Albuquerque.com** (www.albuquerque.com). Attractions, hôtels et restaurants.

**City of Albuquerque** (www.cabq.gov). Renseignements sur les transports en commun, les sites locaux et autres.

### URGENCES ET SERVICES MÉDICAUX

**Police** (505-764-1600 ; 400 Roma Ave NW)

**Presbyterian Hospital** (505-841-1234, urgences 505-841-1111 ; 1100 Central Ave SE ; urgences 24h/24)

### LES PLUS BELLES ROUTES PANORAMIQUES DU NOUVEAU-MEXIQUE

**Billy the Kid National Scenic Byway**. Cette boucle reliant montagne et vallée dans le sud-est du Nouveau-Mexique (www.billybyway.com) vous mènera aux terrains de jeu de Billy the Kid, à la tombe de Smokey Bear et aux vergers de la Hondo Valley. Depuis Roswell, empruntez la Hwy 380 vers l'ouest.

**High Road to Taos**. La route secondaire entre Santa Fe et Taos parcourt le désert de grès sculpté, les forêts de pins et les villages de campagne aux églises en pisé et aux prés peuplés de chevaux. Les Truchas Peaks les surplombent à 3 962 m. Depuis Santa Fe, prenez la Hwy 84/285 vers la Hwy 513, puis suivez les panneaux.

**NM Highway 96**. D'Abiquiu à Cuba, cette petite route serpente à travers le pays de Georgia O'Keeffe, sous la silhouette caractéristique du Cerro Pedernal, puis sillonne un paysage bariolé d'escarpements gréseux pourpre, jaune et ivoire, et de monticules d'un rouge martien.

**NM Highway 52**. Dirigez-vous vers l'ouest depuis Truth or Consequences vers les spectaculaires contreforts de la Black Range et traversez les vieilles villes minières de Winston et Chloride. Continuez vers le nord, en passant devant le Monticello Box – lieu de reddition de Geronimo –, puis débouchez dans les vastes Plains of San Augustin, avant d'atteindre l'étrange Very Large Array.

**UNM Hospital** (☎505-272-2411 ; 2211 Lomas Blvd NE ; ⏲urgences 24h/24). L'adresse à privilégier si vous n'avez pas d'assurance.

## Comment s'y rendre et circuler

### AVION

L'**Albuquerque International Sunport** (☎505-244-7700 ; www.cabq.gov/airport; 2200 Sunport Blvd SE) est le principal aéroport du Nouveau-Mexique et la plupart des compagnies aériennes américaines le desservent. Les taxis pour Downtown coûtent de 20 à 25 $ ; contactez **Albuquerque Cab** (☎505-883-4888 ; www.albuquerquecab.com).

### BUS

L'**Alvarado Transportation Center** (100 1st St SW, angle Central Ave) héberge **ABQ RIDE** (☎505-243-7433 ; www.cabq.gov/transit ; 100 1st St SW ; adulte/enfant 1 $/35 ¢ , forfait journée 2 $), le réseau de bus publics. Il couvre la majeure partie d'Albuquerque du lundi au vendredi et dessert les sites touristiques majeurs. En général, les bus arrêtent de circuler à 18h. L'ABQ RIDE Route 50 relie l'aéroport au centre-ville (en semaine, dernier bus à 20h ; service réduit le samedi). Consultez le site Internet pour les itinéraires et les horaires. Le bus Route 36 s'arrête près d'Old Town et de l'Indian Pueblo Cultural Center.

**Greyhound** (☎800-231-2222, 505-243-4435 ; www.greyhound.com, 320 1st St SW) dessert tout le Nouveau-Mexique. Les navettes **Sandia Shuttle** (☎888-775-5696 ; www.sandiashuttle.com ; aller/aller-retour 28/48 $ ; ⏲8h45-23h45) desservent nombre d'hôtels de Santa Fe depuis l'aéroport. **Twin Hearts Express** (☎575-751-1201 ; www.twinheartsexpresstransportation.com) affrète aussi des navettes de l'aéroport vers le nord de l'État, notamment à destination de Taos et des communautés alentour.

### TRAIN

Le *Southwest Chief* à destination de Chicago (173 $, 26 heures) vers l'est, de Flagstaff (Arizona, 91 $, 5 heures) vers l'ouest, et de Los Angeles (à partir de 114 $, 16 heures 30) dessert quotidiennement l'**Amtrak station** (☎800-872-7245, 505-842-9650 ; www.amtrak.com ; 320 1st St SW ; ⏲10h-17h) d'Albuquerque.

De la même gare, le train de banlieue **New Mexico Rail Runner Express** (www.nmrailrunner.com), assure 8 liaisons pour Santa Fe en semaine (aller simple/forfait journée 8/9 $), 4 liaisons le samedi et 3 le dimanche, même si le service du week-end sera probablement bientôt suspendu. Le trajet prend environ 1 heure 30.

# Le long de l'Interstate-40

Si le trajet entre Albuquerque et Flagstaff (Arizona) peut s'effectuer en moins de 5 heures, les nombreux sites et villages pueblos qui émaillent l'itinéraire valent vraiment la peine d'être visités. Pour le pittoresque, empruntez depuis Grants la Hwy 53 en direction du sud-ouest, qui dessert tous les sites ci-dessous, à l'exception d'Acoma. La Hwy 602 rejoint Gallup, au nord.

## Acoma Pueblo

Au sommet d'une mesa, la spectaculaire "cité du ciel" trône à 2 134 m au-dessus du niveau de la mer et à 112 m au-dessus du plateau environnant. Parmi les plus anciens peuplements habités sans interruption en Amérique du Nord, le site est le berceau de la poterie depuis la fin du XIe siècle. Les **visites guidées** (tarif plein/senior/enfant 23/20/15 $ ; ⏲ toutes les heures 9h30-15h30 avr-début nov, horaires d'hiver à vérifier en ligne ou par téléphone) partent du **Visitor Center** (☎800-747-0181 ; www.acomaskycity.org) au pied de la mesa et durent 2 heures, ou 1 heure seulement pour la visite de la mission historique. De l'I-40, prenez la sortie 102, à environ 96 km à l'ouest d'Albuquerque, puis continuez sur 19 km au sud. Vérifiez à l'avance l'absence de cérémonies ou de tout autre événement entraînant la fermeture du site.

## El Morro National Monument

L'affleurement gréseux de 61 m d'**El Morro National Monument** (www.nps.gov/elmo ; accès gratuit ; ⏲ 9h-17h, dernier accès au sentier 16h) GRATUIT surnommé *Inscription Rock* (le rocher des inscriptions), est une oasis pour les voyageurs depuis des millénaires. Des milliers de gravures, des pétroglyphes du village pueblo au sommet (datant de 1275) aux inscriptions précises des conquistadors espagnols et des pionniers anglo-saxons, retracent formidablement l'histoire du site. À environ 60 km au sud-ouest de Grants via la Hwy 53.

## Zuni Pueblo

Les Zuni sont mondialement connus pour leurs bijoux en argent, vendus dans les magasins le long de la Hwy 53. Adressez-vous au **Visitor Center** (☎505-782-7238 ; www.zunitourism.com ; 1239 Hwy 53 ; visite 10 $ ; ⏲ 8h30-17h30 lun-ven, 10h30-16h sam, 12h-16h dim) pour obtenir des renseignements sur l'autorisation de prendre des photos et les visites du pueblo, composé de maisons en pierre et de fours en adobe en forme de ruche, qui vous mèneront à la majestueuse **Our Lady of Guadalupe Mission** abritant d'impressionnantes fresques représentant des *kachinas*. L'**Ashiwi Awan Museum & Heritage Center** (www.ashiwi-museum.org ; Ojo Caliente Rd ; don à l'entrée ; ⏲ 9h-17h lun-ven) expose photos anciennes et autres objets ethniques.

L'accueillante auberge de 8 chambres **Inn at Halona** (☎800-752-3278, 505-782-4547 ; www.halona.com ; Halona Plaza ; ch à partir de 79 $ ; P 📶) décorée avec des objets artisanaux zuni, est le seul hébergement du pueblo. Son petit-déjeuner compte parmi les meilleurs des B&B de l'État.

## Gallup

Plus qu'une ville typique de la Route 66, Gallup est le principal centre d'échanges commerciaux pour les Navajo et les Zuni. Gallup abrite ainsi de nombreux comptoirs, prêteurs sur gages, bijouteries et galeries d'artisanat dans le quartier historique. Sans doute le meilleur endroit où trouver de la qualité à un bon prix.

Joyau de la ville, **El Rancho** (☎505-863-9311 ; www.elranchohotel.com ; 1000 E Hwy 66 ; ch à partir de 85 $ ; P ❄ 📶 🏊) a hébergé beaucoup de stars dans les années 1940 et 1950. Son magnifique hall de style Sud-Ouest, son restaurant, son bar et la diversité de ses chambres en font un lieu original. Wi-Fi dans le hall. La plupart des hôtels de chaîne bordent la Route 66, à l'ouest du centre-ville.

# Santa Fe

En vous promenant dans ses quartiers historiques et sur sa Plaza, vous ressentirez l'âme profonde et intemporelle de la ville. Fondée vers 1610, Santa Fe est la deuxième ville du Nouveau-Mexique et la plus ancienne capitale des États-Unis. Elle abrite le plus vieil édifice public et organise la plus ancienne fête annuelle américaine, la Fiesta. Santa Fe n'en affiche pas moins une modernité raffinée. Deuxième marché d'art du pays, elle possède aussi de superbes musées, un Opéra d'envergure internationale, sans compter de beaux rendez-vous gastronomiques et des spas

Perchée à 2134 m dans les contreforts de la Sangre de Cristo Range, la plus haute capitale du pays permet de s'adonner à de fantastiques activités de plein air (randonnée, VTT, camping, ski).

Cerrillos Rd (I-25 sortie 278), enfilade d'hôtels et de fast-foods sur plus de 9 km, constitue l'entrée sud de la ville ; Paseo de Peralta cerne le centre-ville ; St Francis Drive (I-25 sortie 282) délimite la ville par l'ouest pour devenir la Hwy 285 menant à Los Alamos et Taos en direction du nord. La plupart des restaurants, galeries, musées et

À NE PAS MANQUER

## MUSEUM OF NEW MEXICO

Derrière l'appellation "Museum of New Mexico" se cache en réalité non pas un mais 4 fantastiques musées, voire 5 (tout dépend de la manière de compter). Leur entrée est gratuite pour les moins de 16 ans. Les adultes peuvent acheter un pass de 4 jours donnant accès aux 4 (ou 5) musées pour 20 $. Deux (ou trois) sont sur la Plaza, et deux sur Museum Hill.

**Museum of International Folk Art** (www.internationalfolkart.org ; 706 Camino Lejo ; adulte/enfant 9 $/gratuit, entrée libre 17h-20h ven en été ; 10h-17h, fermé lun sept-mai). Présentant la plus grande collection d'art populaire au monde, les galeries sur Museum Hill sont à la fois fantaisistes et époustouflantes. Essayez de passer à l'incroyable marché d'art folklorique, chaque année en juillet.

**Museum of Indian Arts & Culture** (www.indianartsandculture.org ; 710 Camino Lejo ; adulte/enfant 9 $/gratuit, entrée libre ven 17h-20h en été ; 10h-17h, fermé lun sept-mai). Également sur Museum Hill, c'est l'une des collections d'art et d'artisanat amérindiens les plus complètes qui soient. Parfait pendant du Wheelwright Museum voisin.

**Palace of the Governors** (505-476-5100 ; www.palaceofthegovernors.org ; 105 W Palace Ave ; adulte/enfant 9 $/gratuit ; 10h-17h, fermé lun oct-mai). Sur la Plaza, cette bâtisse en adobe quadricentenaire fut le siège du gouvernement colonial espagnol. Elle présente quelques reliques régionales, mais la plupart de ses pièces sont désormais exposées dans une élégante annexe de 8 919 m$^2$, le **New Mexico History Museum** (113 Lincoln Ave). Le billet est valable pour les deux musées.

**New Mexico Museum of Art** (www.nmartmuseum.org ; 107 W Palace Ave ; adulte/enfant 9 $/gratuit ; 10h-17h, fermé lun sept-mai). À proximité de la Plaza, voici plus de 20 000 objets d'art, en grande partie des créations dues à des artistes du Sud-Ouest américain.



sites sont à quelques pas de la Plaza (esplanade), le centre historique de la ville.

### À voir

Amateurs d'art venus pour le week-end, arrangez-vous pour ne pas arriver trop tard le vendredi pour profiter de l'entrée libre en vigueur dans la plupart des musées le soir même.

**Georgia O'Keeffe Museum** MUSÉE
(505-946-1000 ; www.okeeffemuseum.org ; 217 Johnson St ; adulte/enfant 12 $/gratuit ; 10h-17h, 10h-19h ven). Détenant la plus grande partie de l'œuvre de l'artiste, le Georgia O'Keeffe Museum expose des tableaux de fleurs, de crânes de vache blanchis et d'architecture en pisé. Il est nécessaire de réserver pour visiter la maison d'O'Keeffe à Abiquiu.

**Canyon Road** GALERIES D'ART
(www.canyonroadarts.com). Le cœur artistique de la ville, où plus de 100 galeries, ateliers, boutiques et restaurants bordent l'étroite route historique. Ne manquez pas les chefs-d'œuvre de la Santa Fe School, les rares objets anciens amérindiens et les créations contemporaines. Le quartier déborde d'activité le vendredi en début de soirée lors des vernissages dans les galeries, notamment la veille de Noël.

**Wheelwright Museum of the American Indian** MUSÉE
(www.wheelwright.org ; 704 Camino Lejo ; 10h-17h lun-sam, 13h-17h dim). GRATUIT En 1937, Mary Cabot fonda le Wheelwright Museum of the American Indian, intégré au Museum Hill, pour exposer l'art cérémoniel navajo qui demeure essentiel dans les expositions, même si l'art amérindien contemporain et les objets historiques y ont aussi leur place.

**St Francis Cathedral** ÉGLISE
(www.cbsfa.org ; 131 Cathedral Pl ; 8h30-17h). Sanctuaire de la plus ancienne statue de la Madone d'Amérique du Nord.

**Shidoni Foundry** GALERIE
(www.shidoni.com ; 1508 Bishop's Lodge Rd, Tesuque ; 9h-17h lun-sam ; ). À 8 km au nord de la Plaza. Jardin de sculptures (aube-17h), galerie couverte et atelier de verre soufflé (9h-17h) sur place. Le samedi, fonte du bronze dans l'atelier (5 $).

**Loretto Chapel** ÉGLISE
(www.lorettochapel.com ; 207 Old Santa Fe Trail ; 3 $ ; 9h-17h lun-sam, 10h30-17h dim). Célèbre pour son escalier "miraculeux" en colimaçon, qui semble suspendu en l'air.

## Activités

Plus de 1 600 km de sentiers de randonnée, certains grimpant jusqu'à 3 658 m, sillonnent la **Pecos Wilderness** et la **Santa Fe National Forest**, à l'est de la ville. Le pittoresque **Winsor Trail**, très couru, démarre au Santa Fe Ski Basin. En été, la fréquence des orages nécessite de vérifier la météo avant de partir en randonnée. Pour les cartes et autres précisions, contactez le Public Lands Information Center. Si vous êtes fan de VTT, arrêtez-vous chez **Mellow Velo** (505-995-8356 ; www.mellowvelo.com ; 132 E Marcy St ; location 35 $ ; 9h-17h30 lun-sam) pour louer un cycle et faire le plein d'informations sur les sentiers alentour.

Les amateurs affluent en bus au Rio Grande et au Rio Chama pour partir en excursion d'une journée ou plus en eaux vives. Contactez **Santa Fe Rafting Co** (505-988-4914 ; www.santaferafting.com ; avr-sept) pour une descente en toute sécurité de la Rio Grande Gorge (demi-journée/journée 65/99 $), de la sauvage Taos Box (journée complète 110 $) ou du Rio Chama Wilderness (3 jours 595 $).

**Ski Santa Fe** SKI
(505-982-4429, informations neige 505-983-9155 ; www.skisantafe.com ; forfait adulte/enfant 66/406 $ ; 9h-16h fin nov-avr). Une demi-heure de voiture par la Hwy 475 sépare la Plaza du deuxième plus haut domaine skiable des États-Unis. Lorsque la poudreuse est immaculée et qu'aucun nuage ne cache le soleil, que demander de plus ?

**Ten Thousand Waves** SPA
(505-982-9304 ; www.tenthousandwaves.com ; 3451 Hyde Park Rd ; bains collectifs 24 $, bains individuels 31-51 $ ; 12h-22h30 mar, 9h-22h30 mer-lun juil-oct, horaires réduits nov-juin). Établissement de type japonais, avec 8 Jacuzzis au design zen, cascades, bassins froids, massages et saunas. Appelez pour réserver les bains individuels.

## Cours

**Santa Fe School of Cooking** CUISINE
(505-983-4511 ; www.santafeschoolofcooking.com ; 125 N Guadalupe St ; cours 75-98 $ ; 9h30-17h30 lun-ven, 9h30-17h sam, 12h-16h dim). Si vous développez un attrait pour la cuisine néomexicaine, vous pourrez vous perfectionner. Les sessions, comprenant des ateliers autour des piments verts et rouges, durent généralement 2 à 3 heures.

## Fêtes et festivals

**Spanish Market** ÉVÉNEMENT CULTUREL
(www.spanishcolonial.org ; fin juil). Rendez-vous artistique au cours duquel les arts coloniaux espagnols traditionnels sont primés ; *retablos* (retables), *bultos* (figurines religieuses en bois), mobilier artisanal et fer forgé, entre autres.

**Santa Fe Indian Market** ÉVÉNEMENT CULTUREL
(www.swaia.org). Normalement fixé au week-end qui suit le 3e jeudi d'août, cet événement réunit les meilleurs artisans amérindiens et des dizaines de milliers de visiteurs.

**Santa Fe Fiesta** ÉVÉNEMENT CULTUREL
(www.santafefiesta.org ; début sept). Deux semaines de festivités incluant concerts, danses, parades et le bûcher de Zozobra (Old Man Gloom).

## Où se loger

Cerrillos Rd est bordée de motels de chaîne ou indépendants. Des campings sont aménagés dans la Santa Fe National Forest et le Hyde State Park sur la Hwy 475, la route menant au domaine skiable. Pour plus d'informations, rendez-vous au Public Lands Information Center (p. 415).

**Silver Saddle Motel** MOTEL $
(505-471-7663 ; www.santafesilversaddlemotel.com ; 2810 Cerrillos Rd ; ch hiver/été à partir de 45/62 $ ; ). Arcades en bois ombragées à l'extérieur, cadre rustique inspiré des cow-boys à l'intérieur. Certaines chambres ont une kitchenette joliment carrelée. Les chambres Kenny Rogers ou Wyatt Earp sont plus kitsch. Certainement le meilleur rapport qualité/prix en ville.

**Rancheros de Santa Fe Campground** CAMPING $
(505-466-3482 ; www.rancheros.com ; 736 Old Las Vegas Hwy ; empl tente/camping-car/bungalow 25/41/49 $ ; mars-oct ; ). Un terrain boisé très accueillant, à 11 km au sud-est de la ville. Douches chaudes, café bon marché le matin et films en soirée.

## Santa Fe

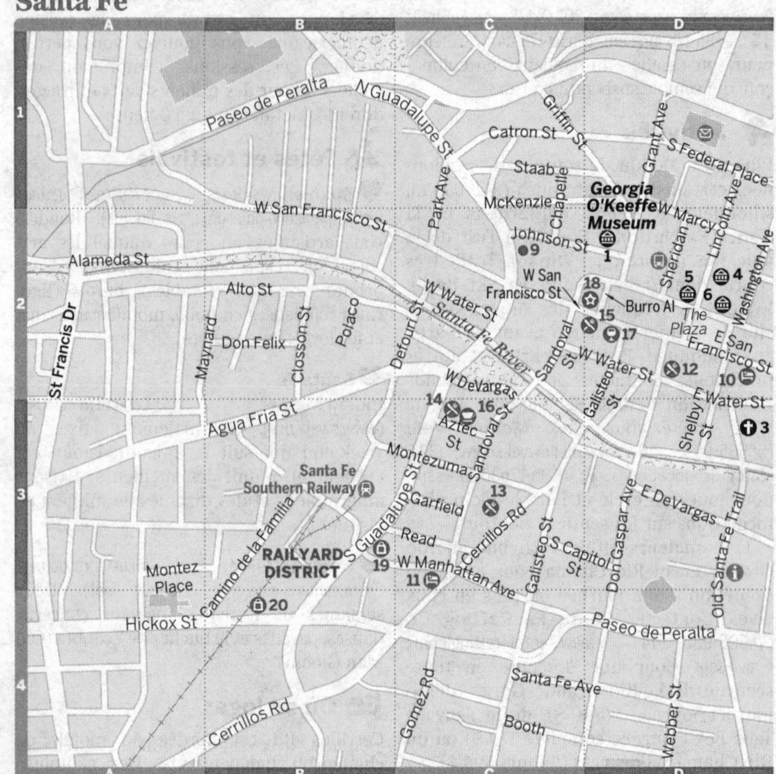




**Santa Fe Motel & Inn** HÔTEL $$
(☎505-982-1039 ; www.santafemotel.com ; 510 Cerrillos Rd ; ch 89-155 $, casitas 129-169 $ ; P❄@📶🐾). L'esthétisme et la technologie font de ce motel proche du centre-ville un excellent choix. Carrelages lumineux, soleils en terre cuite, TV LCD et piment soigneusement posé sur vos serviettes sont quelques-uns des détails qui font son charme. Savourez le petit-déjeuner chaud dans le patio "kiva" (pièce cérémonielle circulaire utilisée par les Pueblos), doté d'une cheminée.

**El Rey Inn** HÔTEL $$
(☎505-982-1931 ; www.elreyinnsantafe.com ; 1862 Cerrillos Rd ; ch avec petit-déj 105-165 $, ste à partir de 150 $ ; P❄@📶🏊). Cet établissement classique vivement recommandé a aménagé autour d'une cour de superbes chambres, la plupart climatisées. Magnifique piscine, bain à remous et aire de jeux pour enfants sont répartis sur 2 ha de verdure. L'établissement pratique le recyclage et entreprend de nombreuses démarches écologiques dans un souci de préservation des ressources naturelles.

♥ **La Fonda** HÔTEL HISTORIQUE $$$
(☎800-523-5002 ; www.lafondasantafe.com ; 100 E San Francisco St ; ch/ste à partir de 140/260 $ ; P❄@📶🏊). Se définissant comme l'"auberge au bout de la piste de Santa Fe", l'établissement, présent sous une forme ou une autre depuis 1610, est depuis toujours l'un des meilleurs hébergements de la ville. Rénové en 2013, l'hôtel allie luxe moderne et touches artistiques populaires, dans un magnifique style local des plus authentiques.

## Où se restaurer

♥ **San Marcos Café** NÉOMEXICAIN $
(☎505-471-9298 ; www.sanmarcosfeed.com ; 3877 Hwy 14 ; plats 7-10 $ ; ⏲8h-14h ; 👪). À 10 minutes en voiture au sud sur la Hwy 14, ce lieu cosy mérite une halte. Les piments rouges sont les meilleurs jamais goûtés. La

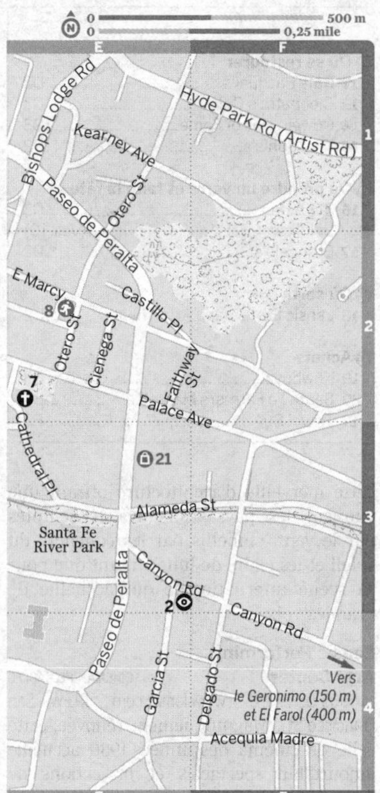


réserve attenante confère une authentique atmosphère de l'Ouest – et dehors, dindes et paons se pavanent. Les pâtisseries et desserts (notamment la tarte aux pommes bourbon) satisferont tous les gourmands. Réservez le week-end.

**Horseman's Haven** NÉOMEXICAIN **$**
(4354 Cerrillos Rd ; plats 8-12 $ ; 8h-20h lun-sam, 8h30-14h dim ; ). Les piments verts sont les plus forts de la ville ! (Palais sensibles, commandez-les à part). Service chaleureux et rapide. L'énorme *burrito* nourrit son homme !

**Cleopatra's Cafe** MOYEN-ORIENTAL **$**
(www.cleopatrasantafe.com ; 418 Cerrillos Rd, Design Center ; plats 6-14 $ ; 11h-20h lun-sam ; ). Saveurs et qualité compensent le manque d'ambiance. Grandes assiettes de délicieux kebabs, houmous, falafels et autres spécialités moyen-orientales. À l'intérieur du Design Center.

**Tia Sophia's** NÉOMEXICAIN **$**
(210 W San Francisco St ; plats 7-10 $ ; 7h-14h lun-sam, 8h-13h dim ; ). Sans doute le meilleur restaurant néomexicain du centre.

**Tune-Up Café** INTERNATIONAL **$$**
(www.tuneupsantafe.com ; 1115 Hickox St ; plats 7-14 $ ; 7h-22h lun-ven, 8h-22h sam-dim ; ). Une bonne cuisine qui a la faveur des habitants, d'autant plus que le lieu est décontracté. Le chef, originaire du Salvador, ajoute quelques touches personnelles aux spécialités néomexicaines et américaines, tout en servant des *pupusas* salvadoriennes (galettes de maïs garnies) et des *huevos* (œufs) entre autres spécialités. Les tacos de poisson et le *mole colorado enchiladas* (parfumé au piment rouge avec un soupçon de chocolat) sont particulièrement savoureux. Profitez de la terrasse par beau temps.

**Cowgirl Hall of Fame** BARBECUE **$$**
(www.cowgirlsantafe.com ; 319 S Guadalupe St ; plats 8-18 $ ; 11h-23h dim-jeu, jusqu'à minuit ven et sam ; ). Deux marches conduisent dans la cour pavée où goûter les tacos au saumon, le gratin de courge ou les grillades – servis par des femmes à la mode de l'Ouest. Aire de jeux extérieure pour les enfants et crayons de couleurs pour dessiner sur le long menu qui leur est dédié. Le bar à la popularité pérenne, avec salle de billard attenante, accueille des concerts.

♥ **Cafe Pasqual's** INTERNATIONAL **$$$**
(505-983-9340 ; www.pasquals.com ; 121 Don Gaspar Ave ; petit-déj et déj plats 9-17 $, dîner plats 16-30 $ ; 7h-15h et 17h30-21h ; ). Plus célèbre petit-déjeuner de Sante Fe, à juste titre.

**Geronimo** AMÉRICAIN MODERNE **$$$**
(505-982-1500 ; www.geronimorestaurant.com ; 724 Canyon Rd ; plats 30-45 $ ; 17h45-22h lun-jeu, 17h45-23h ven-sam). Installé dans une maison en adobe de 1756, l'établissement compte parmi les plus raffinés et romantiques de Santa Fe. La carte, courte mais variée, comprend des crevettes grillées au miel avec piment doux et un filet d'élan au poivre avec bacon fumé au bois de pommier.

## Où prendre un verre et sortir

Pour des concerts et de bonnes bières, vous pourrez aussi faire un tour au Cowgirl Hall of Fame (ci-dessus).

## Santa Fe

**Les incontournables**
1 Georgia O'Keeffe Museum ... D2

**À voir**
2 Canyon Rd ... E3
3 Loretto Chapel ... D3
4 New Mexico History Museum ... D2
5 New Mexico Museum of Art ... D2
6 Palace of the Governors ... D2
7 St Francis Cathedral ... E2

**Activités**
8 Mellow Velo ... E2
9 Santa Fe School of Cooking ... C2

**Où se loger**
10 La Fonda ... D2
11 Santa Fe Motel & Inn ... C3

**Où se restaurer**
12 Cafe Pasqual's ... D2
13 Cleopatra's Cafe ... C3
14 Cowgirl Hall of Fame ... C3
15 Tia Sophia's ... D2

**Où prendre un verre et faire la fête**
16 317 Aztec ... C3
Bell Tower Bar ... (voir 10)
17 Evangelo's ... D2

**Où sortir**
18 Lensic Performing Arts Theater ... D2

**Achats**
19 Kowboyz ... B3
20 Santa Fe Farmers Market ... B4
21 Travel Bug ... E3

**♥ 317 Aztec** CAFÉ
(317 Aztec St ; 8h-22h lun-sam ; ). Bien qu'il ait changé de propriétaire, l'ancien Aztec Cafe avec son espace artistique coloré et sa terrasse extérieure reste notre café et bar à jus/smoothies favori. Cuisine excellente (et saine) !

**Evangelo's** BAR
(200 W San Francisco St ; midi-1h30 lun-sam, midi-minuit sam). Ici, les murs vibrent tous les soirs. Rock, blues, jazz et rythmes latins se font entendre jusque dans la rue.

**Bell Tower Bar** BAR
(100 E San Francisco St ; 15h-coucher du soleil lun-jeu, 14h-coucher du soleil ven-dim mai-oct, fermé reste de l'année). À l'hôtel La Fonda, montez les étages de la Bell Tower récemment rénovée pour bénéficier d'un inimitable coucher de soleil néomexicain.

**♥ El Farol** DANSE FOLKLORIQUE, CONCERTS
(www.elfarolsf.com ; 808 Canyon Rd ; 11h-minuit lun-sam, 11h-23h dim). Autant restaurant que bar, El Farol réunit tapas (8 $) – sa spécialité –, musique live et flamenco de classe internationale, le tout dans l'atmosphère d'une ancienne *cantina* de Santa Fe.

**♥ Santa Fe Opera** OPÉRA
(505-986-5900 ; www.santafeopera.org ; Hwy 84/285, Tesuque ; visites des coulisses adulte/enfant 5 $/gratuit ; fin juin-fin août, visites coulisses 9h lun-ven juin-août). Que vous y veniez tiré à quatre épingles ou en bottes et jean ne fait aucune différence. Les amateurs d'opéra (et ceux qui n'y sont jamais allés) viennent à Santa Fe pour cette merveille d'architecture offrant une vue sur les paysages sauvages sculptés par le vent, embellis par les couchers du soleil et les clairs de lune, autant que pour sa scène internationale qui accueille de grandes voix.

**Lensic Performing Arts Center** CINÉMA, SPECTACLES
(505-984-1370 ; www.lensic.com ; 211 W San Francisco St). Magnifiquement rénovée, cette salle de cinéma des années 1930 accueille aujourd'hui spectacles et projections de films. Fidèle à son passé, la programmation fait la part belle aux grands classiques du 7e art (5 $).

### Achats

Des bijoux en turquoise aux objets d'art, Santa Fe attire et satisfait toutes les bourses. Rendez-vous sur le trottoir à l'extérieur du Palace of the Governors pour acheter des bijoux amérindiens directement aux artisans.

**♥ Santa Fe Farmers Market** MARCHÉ
(505-983-4098 ; 50 m à l'ouest de Guadalupe St, Paseo de Peralta ; 7h-12h sam et mar avr-nov). Ne manquez pas cette gare de triage reconvertie en marché fermier à l'ambiance festive.

**Pueblo of Tesuque Flea Market** MARCHÉ
(Hwy 84/285 ; 8h-16h ven-dim mars-nov). À quelques minutes en voiture, ce marché en plein air au nord de Santa Fe, à Tesuque Pueblo, promet de bonnes affaires de tapis, bijoux, objets d'art et vêtements d'excellente qualité.

**Kowboyz** MODE
(www.kowboyz.com ; 345 W Manhattan Ave). Une boutique d'occasion pour s'habiller en cow-boy. Chemises intéressantes à 10 $. En revanche, l'incroyable sélection de bottes est au prix fort. Les costumiers du cinéma en quête de vêtements authentiques du Far West s'approvisionnent souvent ici.

**Travel Bug** CARTES
(www.mapsofnewmexico.com ; 839 Paseo de Peralta ; 7h30-17h30 lun-sam, 11h-16h dim ; ). Large sélection de guides, cartes et articles de voyage, plus des diaporamas le samedi.

## Renseignements

### ACCÈS INTERNET

**Santa Fe Public Library** (505-955-6781 ; 145 Washington Ave). Réservez jusqu'à une heure d'accès libre.

**Travel Bug** (505-992-0418 ; 839 Paseo de Peralta ; ). Wi-Fi gratuit et accès Internet libre depuis les terminaux sur place.

### OFFICES DU TOURISME

**New Mexico Tourism Department** (505-827-7440 ; www.newmexico.org ; 491 Old Santa Fe Trail ; 8h-17h). Brochures, ligne de réservation d'hôtels, café et accès gratuit à Internet.

**Public Lands Information Center** (505-438-7542 ; www.publiclands.org ; 301 Dinosaur Trail ; 8h30-16h lun-ven). Une multitude de cartes et renseignements pour découvrir forêts, parcs, monuments, espaces naturels et autres terres publiques du Nouveau-Mexique. Juste au sud de l'intersection de Cerillos Rd et de l'I-25.

### POSTE

**Bureau de poste** (120 S Federal Pl)

### SITES INTERNET

**New Mexican** (www.santafenewmexican.com). Quotidien d'actualités de dernière minute.

**SantaFe.com** (www.santafe.com). Liste des concerts à venir, conférences et avant-premières dans le nord du Nouveau-Mexique.

**Santa Fe Information** (www.santafe.org). Guide touristique officiel en ligne.

**Santa Fe Reporter** (www.sfreporter.com). Hebdomadaire alternatif gratuit ; la rubrique culture répertorie tous les événements.

### URGENCES ET SERVICES MÉDICAUX

**Police** (505-955-5000 ; 2515 Camino Entrada)

**St Vincent's Hospital** (505-983-3361 ; 455 St Michael's Dr). Service d'urgences 24h/24.

## Comment s'y rendre et circuler

Quelques compagnies aériennes relient quotidiennement le **Santa Fe Municipal Airport** (SAF ; 505-955-2900 ; www.santafenm.gov ; 121 Aviation Dr) à Dallas, Denver, Los Angeles et Phoenix. Ces lignes sont mal assurées : vérifiez qu'elles soient toujours actives. Albuquerque (à 1 heure de route de Santa Fe) propose beaucoup plus de vols.

Les services routiers **Sandia Shuttle Express** (888-775-5696 ; www.sandiashuttle.com) opèrent entre Santa Fe et l'Albuquerque Sunport (28 $). **North Central Regional Transit** (www.ncrtd.org) fournit des navettes gratuites vers Espanola, d'où partent les correspondances pour Taos, Los Alamos, Ojo Caliente et d'autres destinations au nord. Le point de départ/d'arrivée se trouve sur Sheridan St, à un pâté de maisons au nord-ouest de l'esplanade.

Le train de banlieue **Rail Runner** (www.nmrailrunner.com) dessert fréquemment Albuquerque, avec des correspondances pour l'aéroport et le zoo. Comptez environ 1 heure 30. Le service est parfois suspendu le week-end. Les bus **Amtrak** (800-872-7245 ; www.amtrak.com) font halte à Lamy avant de continuer vers Santa Fe 28 km plus loin.

La compagnie **Santa Fe Trails** (505-955-2001 ; www.santafenm.gov ; aller simple adulte/enfant 1 $/gratuit, pass journalier 2 $) propose des lignes de bus locales. Pour un taxi, appelez **Capital City Cab** (505-438-0000 ; www.capitalcitycab.com).

Sur la route entre Santa Fe et Albuquerque, optez pour la Hwy 14, alias Turquoise Trail, qui passe par la vieille ville minière (aujourd'hui ville d'art) de Madrid, 45 km au sud de Santa Fe.

# Santa Fe et ses environs

## Pueblos

Le nord de Santa Fe abrite le cœur des territoires pueblos. Les **Eight Northern Indian Pueblos** (www.enipc.org) publient l'excellent *Eight Northern Indian Pueblos Visitors Guide*, distribué gratuitement par les Visitor Centers de la région. Leur exposition annuelle d'œuvres artistiques et d'artisanat se tient en juillet. Vérifiez le lieu et la date sur le site de l'ENIPC.

À 13 km à l'ouest de Pojoaque le long de la Hwy 502, le village ancestral de **San Ildefonso Pueblo** (505-455-3549 ; 10 $/véhicule, permis appareil photo/caméra/dessin 10/20/25 $ ; 8h-17h) compte plusieurs potiers d'exception. Certains sont des descendants directs de Maria Martinez, originaire de ce village,

À NE PAS MANQUER

**CHIMAYO**

À 45 km au nord de Santa Fe se trouve la "Lourdes d'Amérique", **El Santuario de Chimayo** (www.elsantuariodechimayo.us ; 9h-17h oct-avr, 9h-18h mai-sept), l'un des sites culturels majeurs du Nouveau-Mexique. En 1816, cette chapelle en pisé à deux tours fut érigée là où la terre est censée posséder des propriétés cicatrisantes miraculeuses. Aujourd'hui encore, les fidèles viennent frotter la *tierra bendita* (terre sacrée) sur leurs blessures ou la boire mélangée à de l'eau provenant d'un petit puits creusé à l'intérieur de l'église. Pendant la Semaine sainte, quelque 30 000 pèlerins marchent de Chimayo à Santa Fe, Albuquerque et plus loin encore, au cours du plus grand pèlerinage catholique des États-Unis. Les œuvres d'art dans le *santuario* valent le détour. Vous pourrez ensuite faire une pause-déjeuner ou dîner au **Rancho de Chimayo** (505-984-2100 ; www.ranchodechimayo.com ; County Rd 98 ; plats 8-18 $ ; 8h30-10h30 sam-dim, 11h30-21h tlj, fermé lun nov-avr).

qui ressuscita en 1919 le style traditionnel des poteries noir sur noir. Faites une halte au **Maria Poveka Martinez Museum** (8h-16h lun-ven) GRATUIT et visitez les boutiques de ces étonnants potiers.

Directement au nord de San Ildefonso, sur la Hwy 30, le **Santa Clara Pueblo** a conservé certaines habitations ancestrales des Pueblos, nichées dans les falaises et au sommet de la mesa, **les Puye Cliff Dwellings** (888-320-5008 ; www.puyecliffs.com ; visites adulte/enfant 20/18 $ ; toutes les heures 9h-17h mai-sept, 10h-14h oct-avr).

## Las Vegas

À ne pas confondre avec son homonyme flamboyante du Nevada, cette Vegas là est l'une des plus jolies villes du Nouveau-Mexique et l'une des plus étendues et des plus anciennes à l'est des Sangre de Cristo Mountains. Son centre-ville, paradis des piétons, s'articule autour d'une magnifique Old Town Plaza et de quelque 900 édifices historiques classés au patrimoine national américain, dont l'architecture conjugue influences du Sud-Ouest et traditions victoriennes.

Construit en 1882 et soigneusement rénové un siècle plus tard, l'élégant **Plaza Hotel** (800-328-1882, 505-425-3591 ; www.plazahotel-nm.com ; 230 Old Town Plaza ; ch/ste avec petit-déj à partir de 89 $ ; ) est la résidence historique la plus renommée de Las Vegas. Choisissez entre les chambres de style victorien meublées d'antiquités dans le bâtiment historique ou les chambres modernes et lumineuses de la nouvelle aile attenante.

Sur la Plaza, dégustez un chili à l'**El Encanto Restaurant** (1816 Plaza ; plats 5-9 $ ; 6h-14h), un café au **World Treasures Travelers Cafe** (1814 Plaza St ; en-cas 3-6 $ ; 7h30-16h30 lun-sam ; ) ou encore une glace au **Plaza Drug** (178 Bridge St ; 8h-18h lun-sam).

Depuis la Plaza, le Hot Springs Blvd mène, 8 km plus au nord, au Gallinas Canyon et à l'imposant **Montezuma Castle**, un ancien hôtel devenu l'United World College of the West. Tout au long de la route, vous remarquerez de nombreuses **sources chaudes**. Emportez votre maillot mais testez l'eau (elle peut être brûlante !) avant de vous immerger dans l'un de ces bassins. Ne manquez pas le **Dwan Light Sanctuary** (entrée libre ; 6h-22h) GRATUIT sur le campus, une salle de méditation où les prismes dans les murs renvoient des arcs-en-ciel à l'intérieur.

Demandez un itinéraire pédestre au **Visitor Center** (800-832-5947 ; www.lasvegasnewmexico.com ; 500 Railroad Ave ; 9h-17h).

## Los Alamos

Projet de recherche atomique top-secret, le Manhattan Project naquit à Los Alamos en 1943, transformant ce village endormi au sommet d'une mesa en un laboratoire de chercheurs en pleine effervescence. Ici, dans la "ville qui n'existait pas", fut fabriquée dans le plus grand secret la première bombe atomique. Aujourd'hui, un dynamisme fascinant imprègne les lieux ; on y vend des T-shirts illustrant des explosions atomiques et du vin "La Bomba" à côté de livres sur l'histoire des Pueblos ou la randonnée sauvage.

Impossible de visiter le **Los Alamos National Laboratory**, où la recherche de pointe secrète est toujours d'actualité, mais le **Bradbury Science Museum** (www.lanl.gov/museum ; 1350 Central Ave ; ⌚10h-17h mar-sam, 13h-17h sam et lun) GRATUIT, bien conçu et interactif, retrace l'histoire de la recherche atomique et présente de nouvelles expositions sur les technologies de la sécurité. Un petit film relate l'histoire de la communauté pendant la guerre, révélant au passage quelques étonnants secrets. Modeste mais intéressant, le **Los Alamos Historical Museum** (www.losalamoshistory.org ; 1050 Bathtub Row ; ⌚10h-16h lun-ven, 11h-16h sam, 13h-16h dim) GRATUIT est situé non loin de là, sur le domaine de l'ancien Los Alamos Ranch School, une école de plein air pour garçons qui a fermé à l'arrivée des scientifiques.

Mangez aux côtés des chercheurs au **Coffee House Cafe** (www.thecoffeebooth.com ; 723 Central Ave ; plats 6-12 $, pizzas 21-30 $ ; ⌚6h-20h mar-ven, 7h-15h sam, 8h-15h dim, 6h-15h lun), en face du supermarché Smith's.

## Bandelier National Monument

Les ancêtres des Pueblos vivaient dans les falaises du magnifique Frijoles Canyon, désormais zone protégée de **Bandelier** (www.nps.gov/band ; 12 $/véhicule ; ⌚Visitor Center 9h-16h30, parc jusqu'au crépuscule ; 👪). Les plus audacieux grimperont 4 échelles pour atteindre les anciennes grottes et *kiva*, habitées jusqu'au milieu du XV^e^ siècle. Canyons et mesas couvrent une superficie de quelque 130 km$^2$ pleins de sentiers de randonnée pittoresques. Un terrain de camping, **Juniper Campground** (empl 12 $), est aménagé au milieu des pins près de l'entrée du parc. Attention, de 9h à 15h, entre fin mai et mi-octobre, vous devrez prendre une navette jusqu'à Bandelier depuis le White Rock Visitor Center, sur la Hwy 4.

## Abiquiu

Le minuscule village d'Abiquiu, situé sur la Hwy 84 à environ 45 minutes en voiture au nord-ouest de Santa Fe, a été rendu célèbre par l'artiste Georgia O'Keeffe, qui a vécu et peint ici de 1949 à 1986, année de sa mort. Le décor sublime de la Chama River, qui s'écoule à travers les terres agricoles et les paysages rocheux spectaculaires, continue d'attirer les artistes, et beaucoup vivent et travaillent à Abiquiu. La maison en pisé de Georgia O'Keeffe est ouverte de façon limitée à la visite, à savoir des **visites guidées** (☎505-685-4539 ; www.okeeffemuseum.org ; visites guidées 35-45) d'une heure les mardis, jeudis, et vendredis de mars à novembre, sinon du mardi au samedi de juin à octobre, souvent à réserver plusieurs mois à l'avance.

Retraite de 8 400 ha dont la beauté inspira à l'évidence l'œuvre d'O'Keeffe (il y fut tourné le film *City Slickers*, titré en français *La Vie, l'Amour, les Vaches*), le **Ghost Ranch** (☎505-685-4333 ; www.ghostranch.org ; US Hwy 84 ; don suggéré 3 $ ; 👪) offre de multiples opportunités : différents itinéraires de randonnée, un **musée des dinosaures** (don suggéré 2 $ ; ⌚9h-17h lun-sam, 13h-17h dim) et des promenades à cheval (à partir de 50 $), avec cours d'équitation pour les enfants à partir de 4 ans (30 $). Vous pourrez y trouver un **hébergement** (empl tente/camping-car 19 $/22-29 $, dort avec petit-déj 50 $, ch sans/avec sdb à partir de 70/80 $ petit-déj compris) rudimentaire.

L'adorable **Abiquiú Inn** (☎888-735-2902, 505-685-4378 ; www.abiquiuinn.com ; US Hwy 84 ; empl camping-car 18 $, ch 110-150 $, casita à partir de 179 $ ; P 📶) rassemble un assortiment de petites maisons en faux adobe, dont de spacieuses *casitas* avec kitchenette. Le Wi-Fi est disponible dans le hall et au restaurant **Cafe Abiquiú** (plats petit-déj à partir de 10 $, plats déj et dîner 10-20 $ ; ⌚7h-21h). À midi et en soirée, les menus comprennent des plats de poisson comme le saumon glacé au miel de piment *chipotle* et les tacos à la truite.

## Ojo Caliente

Vieux de 140 ans, l'**Ojo Caliente Mineral Springs Resort & Spa** (☎800-222-9162, 505-583-2233 ; www.ojospa.com ; 50 Los Baños Rd ; ch 139-169 $, cottage 179-209 $, ste 229-349 $ ; ❄📶) est l'une des stations thermales les plus anciennes du pays. Ses sources étaient connues des Pueblos depuis fort longtemps. À 80 km au nord de Santa Fe sur la Hwy 285, le complexe récemment rénové compte 10 bassins aux combinaisons minérales diverses (bassin collectif/privatif à partir de 18/40 $). Outre les agréables chambres de l'hôtel historique, 12 suites somptueuses aux couleurs étonnantes, avec foyer *kiva* et bain privatif, et 11 cottages de style néomexicain ont été ajoutés. Wi-Fi dans le hall. L'**Artesian Restaurant** (plats petit-déj 5-10 $, plats déj 9-12 $, plats dîner 11-28 $ ; ⌚7h30-11h, 11h30-14h30 et 17h-20h30 dim-jeu, 17h-21h ven-sam) sert tout naturellement une cuisine bio à base d'ingrédients locaux.

# Taos

Taos est indissociable de son formidable paysage environnant : sommets enneigés s'élevant à 3 749 m en arrière-plan, plateau couvert d'armoise se déployant à l'ouest avant de plonger de 244 m dans la gorge du Rio Grande, ciel d'un bleu saphir flamboyant ou empli d'une succession d'éclairs fulgurants, si énormes que les montagnes semblent minuscules. Et que dire des couchers du soleil…

Taos Pueblo, considérée comme la plus ancienne communauté habitée sans interruption aux États-Unis, inscrit la ville dans l'histoire du Sud-Ouest par son riche héritage culturel lié aux conquistadors, au catholicisme et aux cow-boys. Devenu au XXe siècle le rendez-vous des artistes, des écrivains et des esprits créatifs comme DH Lawrence ou Dennis Hopper, le lieu a conservé sa tranquillité et son excentricité, avec son architecture en adobe classique, ses galeries d'art, ses cafés originaux et ses excellents restaurants. C'est un lieu à part, à la fois ancré dans son époque et détaché du monde, où vivent un mélange de marginaux, d'écologistes et de vieilles familles hispaniques (5 000 habitants).

## À voir

La Museum Association of Taos propose un forfait musée (pass) à 25 $ pour les 5 musées suivants : le Harwood Museum of Art, les Taos Historic Museums, le Millicent Rogers Museum et le Taos Art Museum & Fechin Institute.

**À NE PAS MANQUER**

**TAOS PUEBLO**

Fondé vers 1450 et continuellement habité depuis, **Taos Pueblo** (575-758-1028 ; www.taospueblo.com ; Taos Pueblo Rd ; adulte/enfant 10 $/gratuit, permis photo ou vidéo 6 $ ; 8h-16h30) est aux États-Unis le plus grand village pueblo à maisons à étages. Un superbe exemple de construction traditionnelle en adobe. Des danses s'y tiennent pendant le Pow-Wow (juillet), et le San Geronimo Day (septembre) est ouvert au public ; appelez ou consultez le site Internet pour les dates exactes. Fermé 10 semaines autour de février et mars.

**♥ Millicent Rogers Museum** MUSÉE
(www.millicentrogers.org ; 1504 Millicent Rogers Rd ; adulte/enfant 10/2 $ ; 10h-17h, fermé lun nov-mars). Poteries, bijoux, paniers, tissus : l'une des plus belles collections d'art amérindien et colonial espagnol des États-Unis.

**Harwood Foundation Museum** MUSÉE
(www.harwoodmuseum.org ; 238 Ledoux St ; adulte/enfant 10 $/gratuit ; 10h-17h mar-sam, 12h-17h dim). Établi dans un complexe en pisé du milieu du XIXe siècle, ce musée expose peintures, dessins, estampes, sculptures et photos d'artistes néomexicains, contemporains ou non.

**Taos Historic Museums** MUSÉES
(www.taoshistoricmuseums.com ; adulte/enfant par musée 8/4 $, les deux musées 12 $ ; 10h-17h lun-sam, 12h-17h dim). Le Taos Historic Museum se décompose en deux sites : le **Blumenschein Home** (www.taoshistoricmuseums.org ; 222 Ledoux St ; adulte/enfant 8/4 $), véritable trésor artistique des années 1920 de la Taos Society of Artists, et la **Martínez Hacienda** (708 Hacienda Way, en retrait de Lower Ranchitos Rd), grande demeure coloniale de 21 pièces datant de 1804.

**Taos Art Museum & Fechin Institute** MUSÉE
(www.taosartmuseum.org ; 227 Paseo del Pueblo Norte ; adulte/enfant 8 $/gratuit ; 10h-17h mar-dim, horaires réduits en hiver). Habitée de longue date par l'artiste russe Nicolai Fechin, la maison vaut autant le détour que la collection de peintures, dessins et sculptures qu'elle abrite.

**San Francisco de Asís Church** ÉGLISE
(St Francis Plaza ; 9h-16h lun-ven). À 6,4 km au sud de Taos, dans Ranchos de Taos, l'église San Francisco de Asís, célèbre pour les angles et les courbes de ses murs en adobe, a été construite au milieu du XVIIIe siècle mais n'a ouvert ses portes qu'en 1815. Elle a été immortalisée dans les peintures de Georgia O'Keeffe et les photos d'Ansel Adams. Les horaires sont variables et l'église ouvre parfois le samedi. Trois messes, dont une en espagnol, ont lieu le dimanche matin.

**Rio Grande Gorge Bridge** PONT, CANYON
À 198 m au-dessus du Rio Grande, le Rio Grande Gorge Bridge, en acier, est le deuxième pont suspendu le plus haut des États-Unis, et le panorama qu'il offre est époustouflant. Pour les meilleurs clichés du pont lui-même, gagnez l'aire de repos à l'extrémité ouest de la travée.

**Earthships** ARCHITECTURE
(www.earthship.com ; US Hwy 64 ; visites autoguidées 7 $/ ; 10h-16h). À 2,4 km à peine à l'ouest du pont se trouve la fascinante communauté d'Earthships, faite de maisons durables astucieusement construites avec des matériaux recyclés, totalement indépendantes du réseau électrique. Vous pouvez y séjourner.

## Activités

En été, les **descentes en eaux vives** sont l'activité de prédilection dans **Taos Box**, ces profondes gorges qui enserrent le Rio Grande. Pour une sortie à la journée, comptez 100 $ par personne. Le Visitor Center vous indiquera les organisateurs sur place et vous fournira des informations sur les sentiers **pédestres** et de **VTT**.

**Taos Ski Valley** SKI
(www.skitaos.org ; forfait demi-journée/journée 64/77 $). Culminant à 3 602 m, avec un à-pic de 796 m, la discrète station de Taos Ski Valley possède certaines des pistes les plus difficiles des États-Unis. Et les snowboarders y sont maintenant admis.

## Où se loger

**Sun God Lodge** MOTEL $
(575-758-3162 ; www.sungodlodge.com ; 919 Paseo del Pueblo Sur ; ch à partir de 55 $ ; ). Les hôtes chaleureux de ce motel sur 2 niveaux vous renseigneront tant sur l'histoire locale que sur les meilleurs bars de la ville. Quoiqu'un peu sombres, les chambres sont nettes et ont le charme discret du Sud-Ouest. À 2,4 km au sud de la Plaza, l'une des meilleures adresses bon marché.

**Abominable Snowmansion** AUBERGE DE JEUNESSE $
(575-776-8298 ; www.snowmansion.com ; 476 Hwy 150, Arroyo Seco ; empl tente 22 $, dort 27 $, ch sans/avec sdb 50/55 $, tipi 55 $ ; ). Environ 14,4 km au nord-est de Taos, cette vieille auberge à flanc de montagne offre un confort douillet loin du centre-ville. Une vaste cheminée circulaire réchauffe les lieux en hiver et des tipis kitsch sont proposés en été.

♥ **Earthship Rentals** BOUTIQUE-HÔTEL $$
(505-751-0462 ; www.earthship.com ; US Hwy 64 ; earthship 145-305 $ ; ). Vivez l'expérience d'une nuit dans une charmante habitation hors réseau, alimentée à l'énergie solaire. Mélange d'architecture organique à la Gaudí et d'éléments futuristes, ces maisons durables sont construites à l'aide de pneus, de boîtes d'aluminium et de sable. Un système de récupération d'eau de pluie et d'eaux usées permet de réduire l'empreinte carbone. À demi enfouies dans une vallée entourée de montagnes, elles passeraient presque pour des ovnis dissimulés.

**Historic Taos Inn** HÔTEL HISTORIQUE $$
(575-758-2233 ; www.taosinn.com ; 125 Paseo del Pueblo Norte ; ch 75-275 $ ; ). Sans être l'hébergement le plus luxueux de la ville, cet hôtel n'en est pas moins fabuleux : hall accueillant, excellent restaurant, mobilier en bois massif, cheminée encastrée et concerts de musique locale dans l'Adobe Bar réputé. Certaines parties datent du XIX[e] siècle – les chambres les plus anciennes sont les plus jolies.

## Où se restaurer

**Michael's Kitchen** NÉOMEXICAIN $
(www.michaelskitchen.com ; 304c Paseo del Pueblo Norte ; plats 7-16 $ ; 7h-14h30 lun-jeu, 7h-20h ven-dim ; ). Excellents petits-déjeuners, pâtisseries fraîches et cuisine néomexicaine savoureuse. Optez pour une *sopapilla* farcie, vous serez rassasié.

**El Gamal** MOYEN-ORIENTAL $
(www.elgamaltaos.com ; 12 Doña Luz St ; plats 7-12 $ ; 9h-17h dim-mer, 9h-21h jeu-sam ; ). Végétariens, réjouissez-vous ! Voici une formidable carte moyen-orientale sans viande. Grand espace de jeux pour enfants à l'arrière, table de billard et Wi-Fi gratuit.

**Taos Pizza Out Back** PIZZA $
(www.taospizzaoutback.com ; 712 Paseo del Pueblo Norte ; parts 4-8 $, pizzas 13-29 $ ; 11h-22h mai-sept, 11h-21h oct-avr ; ). L'établissement cuisine des ingrédients bio et sert des plats délicieux comme la Portabella Pie aux tomates séchées et gorgonzola. Les parts sont énormes.

**Taos Diner** DINER $
(www.taosdiner.com ; 908 Paseo del Pueblo Norte ; plats 4-14 $ ; 7h-14h30 ; ). Ce merveilleux *diner* de montagne aux murs lambrissés, serveuses tatouées, *biscuits* fraîchement préparés et café à volonté concocte l'une des meilleures cuisines dans sa catégorie, en lui ajoutant une touche bio façon Sud-Ouest. Montagnards, sportifs, clients solitaires et joyeux touristes, tout le monde y est le bienvenu. Nous aimons les œufs Copper John accompagnés de sauce au piment vert. Deuxième établissement au sud de la Plaza.

♥ **Love Apple** BIO $$
(☎575-751-0050 ; www.theloveapple.net ; 803 Paseo del Pueblo Norte ; plats 13-22 $ ; ⏲17h-21h mar-dim). Le "Pomme d'amour" se niche dans une chapelle en adobe du XIXe siècle. Ce restaurant unique au Nouveau-Mexique doit autant à son atmosphère rustique discrète qu'à sa cuisine. Tous les plats, des lasagnes végétariennes au couscous d'antilope grillée, sont préparés avec des ingrédients bio ou fermiers. Réservation indispensable.

♥ **Trading Post Café** INTERNATIONAL $$$
(☎575-758-5089 ; www.tradingpostcafe.com ; Hwy 68, Ranchos de Taos ; déj plats 8-14 $, dîner plats 15-32 $ ; ⏲11h-21h mar-sam). Apprécié de longue date, le Trading Post allie à la perfection détente et raffinement. De la paella aux côtes de porc, la qualité ne varie pas. Les portions de certains plats sont si copieuses qu'elles peuvent nourrir deux personnes. Pour manger bien et peu cher, optez pour une petite salade et une petite soupe. Cela suffira !

## Où prendre un verre et sortir

**Adobe Bar** BAR
(125 Paseo del Pueblo Norte, Historic Taos Inn ; ⏲11h-23h). Bienvenue dans "le salon de Taos", où l'on retrouve le charme chargé d'histoire du Taos Inn, sa décontraction ambiante et sa tequila. Patio côté rue en été, cheminée *kiva* à l'intérieur en hiver, excellentes margaritas et programmation de concerts éclectique toute l'année.

**KTAO Solar Center** MUSIQUE LIVE
(www.ktao.com ; 9 Ski Valley Rd ; ⏲ bar à partir de 16h). Observez les DJ de la "station solaire la plus puissante du monde" en profitant de l'happy hour au bar. L'endroit accueille aussi des concerts de groupes locaux ou célèbres. Aire de jeux pour enfants sur la pelouse.

**Alley Cantina** MUSIQUE LIVE
(121 Terracina Lane ; ⏲11h30-23h). L'ambiance semble un peu artificielle, mais cela s'explique peut-être par l'ancienneté du bâtiment. Tous les soirs ou presque, on y propose des concerts de blues, hip-hop ou jazz.

## Achats

Taos est depuis longtemps la Mecque des artistes, comme l'illustre le grand nombre de galeries et d'ateliers dans la ville et alentour. Magasins indépendants et galeries bordent l'allée piétonnière de **John Dunn Shops** (www.johndunnshops.com) qui relie Bent St et Taos Plaza. Vous trouverez ici la librairie très fournie **Moby Dickens Bookshop** (www.mobydickens.com ; 124D Bent St ; ⏲10h-18h) et la modeste mais fascinante échoppe **G Robinson Old Prints & Maps** (124D Bent St ; ⏲11h-17h), un pur bonheur pour les passionnés de cartographie.

Juste à l'est de la Plaza, faites un saut à **El Rincón Trading Post** (114 Kit Carson Rd ; ⏲10h-17h) et à **Horse Feathers** (109 Kit Carson Rd ; ⏲10h30-17h30) pour acheter toutes sortes d'objets et de souvenirs du Far West.

## Renseignements

**Taos.org** (www.taos.org). Excellente source d'informations pour les visiteurs avec nombreux liens faciles d'accès.

**Taos Visitor Center** (☎575-758-3873 ; 1139 Paseo del Pueblo Sur, Paseo del Cañon ; ⏲9h-17h ; 📶)

**Wired?** (705 Felicidad Lane ; ⏲8h-18h lun-ven, 8h30-18h sam-dim, horaires réduits en hiver). *Coffee shop* original, avec ordinateurs (7 $/heure). Wi-Fi gratuit pour les clients.

## Depuis/vers Taos

En quittant Santa Fe, prenez la pittoresque *high road* le long de la Hwy 76 et de la Hwy 518, bordée de galeries, de villages et de sites à explorer, ou bien longez le magnifique paysage du Rio Grande sur la Hwy 68.

La compagnie **North Central Regional Transit** (www.ncrtd.org) propose un service de navettes gratuites à destination d'Espanola, d'où vous pouvez rejoindre Santa Fe et d'autres villes. **Twin Hearts Express** (☎800-654-9456 ; www.twinheartsexpressstransportation.com) dessert Santa Fe (40 $) et l'aéroport d'Albuquerque (50 $).

# Nord-ouest du Nouveau-Mexique

Surnommée le "Pays indien" à juste titre – les vastes territoires étant sous l'égide des tribus navajo, pueblos, zuni, apaches et laguna –, cette partie du Nouveau-Mexique abrite de remarquables sites indiens anciens tout comme des communautés amérindiennes solitaires et des paysages ruiniformes colorés, les *badlands* ("mauvaises terres").

## Farmington et ses environs

Principale ville du nord-ouest du Nouveau-Mexique, Farmington constitue un point de chute pratique pour explorer la région des Four Corners. Le **Visitors Bureau** (☎505-326-7602 ;

www.farmingtonnm.org ; 3041 E Main St, Farmington Museum, Gateway Park ; ⌚8h-17h lun-ven) vous donnera toutes les informations.

Site navajo sacré depuis toujours, **Shiprock**, cône volcanique de 520 m de haut, dresse sa silhouette sinistre vers l'ouest. Cette dernière servit autrefois de repère aux pionniers anglo-saxons.

Ancien site pueblo, le **Salmon Ruin & Heritage Park** (www.salmonruins.com ; adulte/enfant 3/1 $ ; ⌚8h-17h lun-ven, 9h-17h sam-dim, 12h-17h dim de nov à avr) protège un vaste village construit par le peuple chaco au début du XIIe siècle. Abandonné, réinvesti par des populations originaires de Mesa Verde puis à nouveau abandonné avant 1300, le site comprend également une ferme, des pétroglyphes, un hogan navajo et un *wickiup* (abri rustique en broussailles). Prenez la Hwy 64 vers l'est sur 18 km en direction de Bloomfield.

À 22 km au nord-est de Farmington, s'étendant sur 11 ha, l'**Aztec Ruins National Monument** (www.nps.gov/azru ; adulte/enfant 5 $/gratuit ; ⌚8h-17h sept-mai, 8h-18h juin-août) conserve la plus grande *kiva* du pays, dont l'intérieur mesure plus de 15 m de diamètre. Un peu plus loin, laissez vagabonder votre imagination en vous promenant dans les couloirs étroits et les pièces sombres de la West Ruin. L'été, en début d'après-midi, les rangers organisent sur place des conférences sur l'architecture ancienne, les routes commerciales et l'astronomie.

À environ 56 km au sud de Farmington sur la Hwy 371, vous entrez dans les **Bisti Badlands & De-Na-Zin Wilderness**, paysage irréel et planant composé de formations rocheuses colorées, particulièrement spectaculaire dans les heures précédant le crépuscule. Les inconditionnels du désert ne doivent pas manquer ce site. Le **BLM office** (☎505-564-7600 ; www.nm.blm.gov ; 6251 College Blvd ; ⌚7h45-16h30 lun-ven) de Farmington vous renseignera.

Le ravissant **Silver River Adobe Inn B&B** (☎800-382-9251, 575-325-8219 ; www.silveradobe.com ; 3151 W Main St, Farmington ; ch 115-175 $ ; ❄📶) et ses 3 chambres sont un havre de paix au milieu des arbres bordant la San Juan River.

À la fois branchée et familiale, la **Three Rivers Eatery & Brewhouse** (www.threeriversbrewery.com ; 101 E Main St, Farmington ; plats 8-26 $ ; ⌚11h-21h ; 👪) sert de bons steaks et des plats de pub, accompagnés de bières artisanales. C'est de loin la meilleure table en ville.

### Chaco Culture National Historic Park

Avec ses édifices impressionnants construits par les ancêtres des Pueblos en plein désert, l'étonnant **Chaco** (www.nps.gov/chcu ; véhicule/vélo 8/4 $ ; ⌚7h-coucher du soleil) conserve les traces de 5 000 ans d'occupation humaine. À ses débuts, le Chaco Canyon était un carrefour commercial et culturel majeur dans la région, et la ville fondée par les Pueblos, un modèle de conception urbaine. S'élevant sur 4 étages, Pueblo Bonito ne réunit pas moins de 600 à 800 pièces et *kiva*. En plus de la visite autoguidée, vous pouvez arpenter les **sentiers annexes**. Si vous êtes amateur d'astronomie, le programme **Night Skies** se tient en soirée les mardi, vendredi et samedi d'avril à octobre.

Le parc est assez isolé, à environ 128 km au sud de Farmington, mais il existe un terrain de camping à 1,6 km à l'est du Visitor Center, le **Gallo Campground** (empl 10 $). Pas de branchement électrique pour les camping-cars.

### Chama

À 14 km au sud de la frontière du Colorado, la **Cumbres & Toltec Scenic Railroad** (☎575-756-2151 ; www.cumbrestoltec.com ; adulte/enfant à partir de 89/49 $ ; ⌚fin mai à mi-oct) de Chama est la ligne de chemin de fer à vapeur (sur voie étroite authentique) la plus longue (103 km) et la plus haute (3 052 m au Cumbres Pass) des États-Unis. Le trajet à travers les montagnes, les canyons et le désert est magnifique, notamment en septembre et octobre, quand l'automne colore les feuillages. Le déjeuner est inclus dans le prix et les enfants voyagent gratuitement sur de nombreux trajets. Consultez le site Internet pour vous renseigner sur les options de voyage.

## Nord-est du Nouveau-Mexique

À l'est de Santa Fe, les luxuriantes Sangre de Cristo Mountains cèdent le terrain à de vastes plaines poussiéreuses ondoyant à perte de vue. Bétail et empreintes de dinosaures parsèment un paysage ponctué de cônes volcaniques. L'élevage est un pilier économique de la région, et vous y verrez plus de vaches que de voitures.

Le Santa Fe Trail, le long duquel avançaient les convois de pionniers, reliait le Nouveau-Mexique au Missouri. Dans certains endroits en bordure de l'I-25 entre Santa Fe et Raton, on distingue encore les sillons laissés par les roues des chariots. Le Far West authentique, c'est ici.

### Cimarron

Parmi les plus violentes villes du Far West autrefois, Cimarron, dont le nom signifie "sauvage" en espagnol, était réputée pour sa criminalité quotidienne dans les années 1870. À tel point qu'un journal titra lors d'une rare période de paix : "Calme plat à Cimarron. Personne n'a été tué depuis trois jours."

Aujourd'hui, la ville est calme et attire les voyageurs en quête de grands espaces. Si vous voyagez par la route depuis ou vers Taos, vous traverserez le superbe **Cimarron Canyon State Park**, un canyon aux parois abruptes couvert par plusieurs sentiers de randonnée et riche de plusieurs sites de pêche à la truite et de camping.

Vous pouvez séjourner ou dîner (plats au restaurant 7 à 20 $) au **St James** (☎888-376-2664 ; www.exstjames.com ; 617 Collison St ; ch 85-135 $ ; ❄📶) construit en 1872 et réputé l'un des hôtels les plus hantés des États-Unis. L'une des chambres n'est même jamais occupée ! De nombreuses figures légendaires du Far West comme Buffalo Bill, Annie Oakley, Wyatt Earp et Jesse James ont pris leurs quartiers ici, et la réception dispose d'une longue liste détaillant qui a tué qui dans l'établissement aujourd'hui rénové. Les chambres d'époque en font l'un des plus beaux hôtels historiques du Nouveau-Mexique.

### Capulin Volcano National Monument

Culminant à 396 m au-dessus des plaines environnantes, le **Capulin** (www.nps.gov/cavo ; 5 $/véhicule ; ⏲8h-16h) est le plus facile d'accès des volcans de la région. Du Visitor Center part une route qui serpente sur 3,2 km avant d'atteindre, au sommet, le parking au bord du cratère (2 494 m). De là partent différents sentiers contournant ou entrant dans le cratère. L'entrée du site se trouve à 5 km au nord du village de Capulin, lui-même situé à 48 km à l'est de Raton sur la Hwy 87.

## Sud-ouest du Nouveau-Mexique

La Rio Grande Valley se déploie depuis Albuquerque jusqu'aux sources chaudes bouillonnantes de l'accueillante Truth or Consequences et au-delà. Avant que le fleuve n'atteigne le Texas, il alimente un des greniers du Nouveau-Mexique : Hatch, surnommée la "capitale mondiale du piment". Le premier dispositif atomique fut déclenché à Trinity Site, dans le désert aride à l'est du Rio Grande, région baptisée par les Espagnols d'alors "Jornada del Muerto", le voyage du mort.

À l'ouest, la Gila National Forest, accidentée et sauvage, fera le bonheur des aventuriers sac au dos munis de canne à pêche. Le versant sud des montagnes plonge vers le désert de Chihuahua qui entoure Las Cruces, deuxième plus grande ville de l'État.

### Truth or Consequences et ses environs

Cette petite ville originale respire la joie de vivre. Construite sur un site de sources chaudes dans les années 1880 et donc initialement baptisée Hot Springs, elle doit son originalité à son nom de Truth or Consequences (ou "T or C") tiré en 1950 du nom d'une émission de radio populaire. Aujourd'hui, ce sont les voyages dans les étoiles qui attirent tous les regards sur elle, avec le futur tourisme spatial promu par le PDG de Virgin Galactic Richard Branson et d'autres visionnaires qui se consacrent au développement du **Spaceport America** tout proche.

**Spaceport tours** (☎575-740-6894 ; www.ftstours.com ; tarif plein/-12 ans 59/29 $ ; ⏲9h et 13h ven-sam, 9h dim) propose l'observation du site de lancement et du poste de contrôle.

À environ 96 km au nord de la ville, grues du Canada et oies de l'Arctique hivernent dans les 233 km² de marais et de prairies du **Bosque del Apache National Wildlife Refuge** (www.fws.gov/southwest/refuges/newmex/bosque ; 5 $/véhicule ; ⏲aube-crépuscule). À l'intérieur, vous trouverez un Visitor Center ; un circuit en voiture est proposé. Mi-novembre s'y déroule le Festival of the Cranes (festival des grues).

## Où se loger et se restaurer

De nombreux motels locaux sont aussi des spas.

**♥ Blackstone Hotsprings** BOUTIQUE-HÔTEL $
(☎575-894-0894 ; www.blackstonehotsprings.com ; 410 Austin St ; ch 75-135 $ ; P❄📶). Un établissement de 7 chambres, chacune inspirée d'une série TV, avec une touche de luxe en prime. Chaque chambre possède son propre bain thermal ou sa cascade. Seul bémol : la lumière de la cour pénétrant dans certaines.

**Riverbend Hot Springs** BOUTIQUE-HÔTEL $
(☎575-894-7625 ; www.riverbendhotsprings.com ; 100 Austin St ; ch à partir de 70 $ ; ❄📶). En hauteur, près du Rio Grande, l'ancienne auberge de jeunesse est devenue un motel traditionnel. Les chambres, lumineuses et originales, ont remplacé les tipis. Plusieurs sont adaptées aux groupes. Bains thermaux privatifs (résidents/non-résidents 10/15 $ l'heure) et piscine publique d'eau de source (résidents/non-résidents gratuit/10 $).

**Happy Belly Deli** TRAITEUR $
(313 N Broadway ; plats 2-8 $ ; ⏲7h-15h lun-ven, 8h-15h sam, 8h-12h dim). Ses petits-déjeuners frais et copieux attirent les foules.

**♥ Café Bellaluca** ITALIEN $$
(www.cafebellaluca.com ; 303 Jones St ; déj plats 8-15 $, dîner plats 13-38 $ ; ⏲11h-21h lun, mer et jeu, 11h-22h ven-sam, 11h-20h dim). De fantastiques pizzas et des spécialités italiennes au franc succès.

# Las Cruces et ses environs

Deuxième ville du Nouveau-Mexique par sa superficie, Las Cruces abrite la New Mexico State University (NMSU), mais ne présente qu'un intérêt limité.

## À voir

Pour beaucoup de visiteurs, la ville voisine de **Mesilla** (alias Old Mesilla) constitue le clou de leur séjour à Las Cruces. Arpentez les environs de la place d'Old Mesilla pour capter l'atmosphère d'une ville du Sud-Ouest construite au milieu du XIXe siècle, au riche patrimoine hispanique.

**♥ New Mexico Farm & Ranch Heritage Museum** MUSÉE
(www.nmfarmandranchmuseum.org ; 4100 Dripping Springs Rd ; adulte/enfant 5/2 $ ; ⏲9h-17h lun-sam, 12h-17h dim ; 👪). Ce musée peu commun ne se contente pas d'exposer l'histoire agricole de l'État, il héberge également du bétail : démonstrations quotidiennes de traite, “défilé de races” de bovins, et stalles contenant chevaux, ânes, moutons et chèvres. Parmi les autres activités présentées, on trouve une forge (vendredi à dimanche), du filage et du tissage (mercredi) et la cuisine du patrimoine (appelez pour connaître le programme).

**White Sands Missile Test Center Museum** MUSÉE
(www.wsmr-history.org ; Bldg 200, Headquarters Ave ; ⏲8h-16h lun-ven, 10h-15h). GRATUIT Installé quelque 40 km à l'est de Las Cruces le long de la Hwy 70 (repérez le panneau “White Sands Missile Range Headquarters”), cet important site d'essais militaires depuis 1945 sert encore de piste d'atterrissage de secours pour les navettes spatiales. Ne manquez pas, à l'extérieur, le parc d'exposition des missiles. Base militaire oblige, toute personne de 18 ans révolus doit présenter une pièce d'identité, et les conducteurs les papiers de leur véhicule, y compris le certificat d'assurance.

VAUT LE DÉTOUR

### OBSERVATION ASTRONOMIQUE

Sur la Hwy 60, passée la ville de Magdalena, se dresse le **Very Large Array** (VLA; www.vla.nrao.edu ; entrée libre ; ⏲8h30-crépuscule) GRATUIT, un radiotélescope composé de 27 paraboles immenses jaillissant des hautes plaines tels des champignons géants. Le Visitor Center projette un petit film présentant l'installation. Puis une visite autoguidée permet de jeter un coup d'œil par la fenêtre à l'intérieur du bâtiment de contrôle. À 6,4 km au sud de la Hwy 60, en bordure de la Hwy 52.

## Où se loger

**♥ Lundeen Inn of the Arts** B&B $$
(☎505-526-3326 ; www.innofthearts.com ; 618 S Alameda Blvd, Las Cruces ; ch avec petit-déj 80-125 $, ste 99-155 $ ; P❄📶). Cette vaste demeure de style mexicain construite à Las Cruces au tournant du XX[e] siècle réunit 20 chambres d'hôtes, toutes différentes. Tout frais, l'impressionnant petit-déjeuner est servi dans la spacieuse salle de séjour au mobilier ancien et à la belle hauteur sous

plafond qui augmente encore sa surface d'exposition. Vos hôtes, avenants, sont en effet collectionneurs de peinture.

## Où se restaurer

**Nellie's Café** NÉOMEXICAIN $
(1226 W Hadley Ave ; plats 5-8 $ ; 8h-14h mar-dim). Restaurant apprécié des habitants, idéal pour le petit-déjeuner et le déjeuner. Espèces uniquement.

**La Posta** NÉOMEXICAIN $$
(www.laposta-de-mesilla.com ; 2410 Calle de San Albino ; plats 8-15 $ ; 11h-21h). Le cadre festif et l'atmosphère touristique du plus célèbre restaurant d'Old Mesilla, aménagé dans une maison en adobe bicentenaire, surprennent. Pourtant, les préparations y sont excellentes, les portions copieuses et le service rapide.

## Renseignements

**Las Cruces Visitors Bureau** (575-541-2444 ; www.lascrucescvb.org ; 211 N Water St ; 8h-17h lun-ven)

## Depuis/vers Las Cruces

Les bus **Greyhound** (575-524-8518 ; www.greyhound.com ; 800 E Thorpe Rd, Chucky's Convenience Store) suivent les deux voies inter-États I-10 et I-25, et desservent quotidiennement Albuquerque (29 $, 3 heures 30), Roswell (52 $, 4 heures) et El Paso (12,60 $, 1 heure).

# Silver City et ses environs

L'esprit du Far West imprègne toujours l'atmosphère de cette région, comme si Billy the Kid en personne – qui vécut ici – pouvait surgir à tout moment. Les choses changent pourtant, quand on voit le charme des galeries, *coffee shops* et glaciers italiens prendre possession des lieux. Soyez prudent en vous promenant dans le centre-ville de Silver City, surtout en descendant des trottoirs. En raison des pluies de mousson estivales, les rebords sont plus hauts que la moyenne, afin de protéger de l'eau les bâtiments victoriens et édifices en brique et fer forgé.

Silver City est aussi idéalement située pour les activités de plein air. La topographie de la **Gila National Forest** se prête en effet à merveille au ski de fond, à la randonnée et au camping, à la pêche et à bien d'autres activités.

À deux heures au nord de Silver City, en haut d'une route serpentant sur 67 km, se dresse le **Gila Cliff Dwellings National Monument** (www.nps.gov/gicl ; 3 $ ; sentier 9h-16h, Visitor Center 9h-16h30), peuplé au XIII$^{e}$ siècle par les Mogollon. Mystérieuses et plutôt isolées, ces remarquables habitations creusées dans les falaises sont facilement accessibles par un sentier de 1,6 km et n'ont presque pas changé depuis un millénaire. Pour voir les **pétroglyphes**, arrêtez-vous au Lower Scorpion Campground et suivez le sentier balisé sur une courte distance.

D'étranges monolithes arrondis forment dans le **City of Rocks State Park** (www.nmparks.com ; Hwy 61 ; permis journée 5 $, empl tente/camping-car 8/10 $) un terrain de jeu étonnant, et des emplacements formidables pour camper, avec tables et foyers. Pour un campement impeccablement aligné, rendez-vous au camp 43, le Lynx. Parcourez 38 km au nord-ouest de Deming le long de la Hwy 180, puis 5 km au nord-est sur la Hwy 61.

Pour avoir un aperçu de l'histoire architecturale de Silver City, séjournez dans l'une des 22 chambres du **Palace Hotel** (575-388-1811 ; www.silvercitypalacehotel.com ; 106 W Broadway ; ch à partir de 51 $ ; ). Son ambiance totalement XIX$^{e}$ siècle, la volonté de conserver ce charme suranné souligné par ses lustres anciens et son absence de climatisation font de cet établissement un authentique palais pour qui apprécie de fuir un peu les chaînes stéréotypées. Au coin de la rue, le majestueux **Javalina** (201 N Bullard St ; pâtisseries à partir de 2 $ ; 6h-21h lun-jeu, 6h-22h ven-sam, 6h-19h dim ; ) propose café, en-cas et Wi-Fi dans un espace confortable et décontracté.

Le centre-ville offre une certaine diversité culinaire, dont le **Diane's Restaurant & Bakery** (575-538-8722 ; www.dianesrestaurant.com ; 510 N Bullard St ; déj 8-10 $, dîner 15-30 $ ; 11h-14h et 17h30-21h mar-sam, 11h-14h dim), toujours apprécié, et le bar à *burritos* de la **Peace Meal Cooperative** (www.peacemealcoop.com ; 601 N Bullard St ; plats 6-10 $ ; 11h-19h mer-lun ; ). Pour un véritable aperçu de la culture locale, remontez au nord sur 11 km en direction de Pinos Altos et arrêtez-vous au **Buckhorn Saloon** (575-538-9911 ; www.buckhornsaloonandoperahouse.com ; Main St, Pinos Altos ; plats 10-39 $ ; 17h-21h lun-sam), l'expert du steak, avec musique live en prime tous les soirs ou presque. Appelez pour réserver.

## Renseignements

Le **Visitor Center** (575-538-3785, www.silvercity.org ; 201 N Hudson St ; 9h-17h lun-ven, 10h-14h sam-dim) et la **Gila National**

**Forest Ranger Station** (575-388-8201 ; www.fs.fed.us/r3/gila ; 3005 E Camino Del Bosque ; 8h-16h30 lun-ven) vous renseigneront sur la région. Pour en savoir plus sur les conflits sociaux nés dans les mines de Silver City, reportez-vous au film *Le Sel de la Terre*, interdit de diffusion en 1954.

# Sud-est du Nouveau-Mexique

Ici se nichent deux des plus belles merveilles naturelles du Nouveau-Mexique : le stupéfiant White Sands National Monument et le magnifique Carlsbad Caverns National Park. Cette région est aussi le berceau des légendes les plus tenaces de l'État : extraterrestres à Roswell, Billy the Kid à Lincoln et Smokey Bear à Capitan. Le désert de Chihuahua, aride et accidenté, recouvre la plupart des plaines, mais en montant vers les sommets, du côté des destinations urbaines forestières populaires comme Cloudcroft et Ruidoso, vous profiterez de températures plus fraîches.

## White Sands National Monument

Glissez, roulez et serpentez à travers les hautes collines sablonneuses. À 25 km au sud-ouest d'Alamogordo (24 km au sud-ouest de la Hwy 82/70), une étendue de sable blanc (gypse) de 712 km$^2$ crée un paysage étincelant, le **White Sands National Monument** (www.nps.gov/whsa ; tarif plein/-16 ans 3 $/gratuit ; 7h-21h juin-août, 7h-coucher du soleil sept-mai). Ces dunes fascinantes, balayées par le vent, sont un site incontournable du Nouveau-Mexique. N'oubliez pas vos lunettes de soleil, le sable est aussi aveuglant que la neige.

Achetez une "soucoupe" en plastique (*plastic saucer*) à 17 $ au magasin de souvenirs du Visitor Center avant de vous lancer sur l'une des dunes à l'arrière. C'est amusant, et vous pourrez revendre la soucoupe en fin de journée à 5 $ pièce (pas de location pour éviter les problèmes de responsabilité). Consultez le programme du parc pour les promenades au coucher du soleil et les rares randonnées à vélo au clair de lune (adulte/-16 ans 5/2,50 $), ces dernières étant à réserver bien à l'avance. Il existe des zones de bivouac (sans eau ni toilettes) à 1,6 km de la route panoramique. Pour y accéder, il faut retirer un permis (3 $) au moins une heure avant le coucher du soleil auprès du Visitor Center. Ils sont accordés en nombre limité et distribués aux premiers arrivés.

## Alamogordo et ses environs

Centre d'un des plus importants programmes de recherche spatiale et atomique de l'histoire américaine, Alamogordo se découvre à travers 4 étages d'exposition remarquable sur la recherche et les vols spatiaux au **New Mexico Museum of Space History** (www.nmspacemuseum.org ; Hwy 2001 ; adulte/enfant 6/4 $ ; 9h-17h ; ). Son **Tombaugh IMAX Theater & Planetarium** (tarif adulte/enfant 6/4,50 $) diffuse d'extraordinaires films à thématique scientifique sur un immense écran panoramique.

Le long de White Sands Blvd s'alignent nombre de motels dont le **Best Western Desert Aire Hotel** (575-437-2110 ; www.bestwestern.com ; 1021 S White Sands Blvd ; ch à partir de 78 $ ; ), proposant chambres standards ou suites (certaines avec kitchenette), ainsi qu'un sauna. Les amateurs de camping trouveront à 19 km au sud d'Alamogordo l'**Oliver Lee State Park** (www.nmparks.com ; 409 Dog Canyon Rd ; empl tente/camping-car 8/14 $). Arrêtez-vous pour manger au sympathique **Pizza Patio & Pub** (2203 E 1st St ; plats 7-15 $ ; 11h-20h lun-jeu et sam, 11h-21h ven ; ) qui sert pizzas, pâtes, grandes salades et bière pression au pichet ou à la pinte.

## Cloudcroft

Avec ses édifices du début du XX$^e$ siècle, Cloudcroft constitue un agréable et discret camp de base pour explorer les environs, et pratiquer de nombreuses activités de plein air. Perchée dans les montagnes, elle offre une fraîcheur bienvenue après la chaleur des prairies à l'est. Présentez-vous à la **Lincoln National Forest Ranger Station** (4 Lost Lodge Rd ; 7h30-16h30 lun-ven) pour en savoir plus sur les sentiers de randonnée, obtenir des cartes des itinéraires forestiers (gratuites) et des cartes topographiques (payantes). **High Altitude** (575-682-1229 ; www.highaltitude.org ; 310 Burro Ave ; 10h-17h30 lun-jeu, 10h-18h ven-sam, 10h-17h dim) loue des VTT et fournit des cartes des pistes locales.

Le **Lodge Resort & Spa** (888-395-6343 ; www.thelodgeresort.com ; 601 Corona Pl ; ch à partir de 125 $ ; ) est l'un des meilleurs hôtels historiques du Sud-Ouest. Les chambres de style bavarois sont garnies de meubles d'époque et d'objets victoriens. Son restaurant **Rebecca's** (575-682-3131 ; Lodge Resort & Spa, 601 Corona Pl ; plats 8-36 $ ;

7h-10h, 11h30-14h et 17h30-21h), qui tire son nom du fantôme qui l'habite, sert de loin la meilleure cuisine de la ville.

## Ruidoso

Située en altitude, dans les forêts voisines de Sierra Blanca (3 658 m), Ruidoso (qui signifie "bruyant" en espagnol) jouit d'un très agréable climat et est assiégée par les touristes et les parieurs l'été. La ville s'étend le long de la Hwy 48 (nommée Mechem Drive ou Sudderth Drive), sa principale artère.

### À voir et à faire

Envie d'exercice ? Essayez les **sentiers forestiers** faciles d'accès depuis Cedar Creek Rd à l'ouest de la **Smokey Bear Ranger Station** (575-257-4095 ; 901 Mechem Dr ; 7h30-16h30 lun-ven toute l'année, également sam en été). Vous avez le choix entre l'USFS Fitness Trail ou les sentiers sinueux de la Cedar Creek Picnic Area. Si vous souhaitez une randonnée plus longue, à la journée ou plus, rendez-vous au nord de la ville, dans la White Mountain Wilderness. Renseignez-vous sur les conditions de sécurité liées aux incendies, car la forêt est parfois fermée en période de sécheresse.

**Ski Apache** SKI
(www.skiapache.com ; forfait adulte/enfant 39/25 $). Le meilleur domaine skiable au sud d'Albuquerque, 29 km au nord-ouest de Ruidoso au pied du magnifique Sierra Blanca Peak (3 658 m). Pour vous y rendre, prenez la sortie 532 sur la Hwy 48.

**Ruidoso Downs Racetrack** COURSES DE CHEVAUX
(www.raceruidoso.com ; Hwy 70 ; sièges en tribune gratuits ; ven-lun fin mai-début sept). Ici, les courses de chevaux, c'est du sérieux.

**Hubbard Museum of the American West** MUSÉE
(www.hubbardmuseum.org ; 26301 Hwy 70 W ; adulte/enfant 6/2 $ ; 10h-16h30 ; ). Expositions dédiées au Far West, en particulier aux diligences, à l'artisanat amérindien et à tout ce qui a trait au cheval.

### Où se loger et se restaurer

De nombreux motels, hôtels et ravissants petits bungalows bordent les rues. Les campings rudimentaires ne manquent pas le long des routes de forêt conduisant au domaine skiable.

**Sitzmark Chalet** HÔTEL $
(800-658-9694 ; www.sitzmark-chalet.com ; 627 Sudderth Dr ; ch à partir de 60 $ ; ). Ce chalet abrite 17 chambres simples mais jolies. En prime, tables de pique-nique, grils et bain à remous accueillant jusqu'à 8 personnes.

**Upper Canyon Inn** LODGE $$
(575-257-3005 ; www.uppercanyoninn.com ; 215 Main Rd ; ch/chalet à partir de 79/119 $ ; ). Une offre multiple allant du simplement correct au rustique chic.

**Cornerstone Bakery** PETIT-DÉJEUNER $
(www.cornerstonebakerycafe.com ; 359 Sudderth Dr ; plats moins de 10 $ ; 7h-14h ; ). Attention on s'attache aisément au Cornerstone. Des omelettes aux croissants garnis, tout y est très bon. Le café parfumé aux pignons de pin est une merveille.

**Café Rio** PIZZA $
(2547 Sudderth Dr ; plats 8-25 $, espèces uniquement ; 11h30-20h, fermé mer hors saison ; ). Dès la première bouchée de pâte moelleuse, on a tôt fait d'oublier la première impression d'abandon.

### Où sortir

**Flying J Ranch** SPECTACLES
(888-458-3595 ; www.flyingjranch.com ; 1028 Hwy 48 ; adulte/enfant 27/15 $ ; à partir de 17h30 lun-sam fin mai à début sept, sam uniquement jusqu'à mi-oct ; ). Prenez la route sur 2,4 km environ au nord d'Alto pour aller dîner dans ce "village du Far West". Échanges de coups de feu et balades à cheval sur un chariot de pionnier.

### Renseignements

La **Chamber of Commerce** (575-257-7395 ; www.ruidoso.net ; 720 Sudderth Dr ; 8h-16h30 lun-ven, 9h-15h sam) vous renseignera.

## Lincoln et Capitan

Pour les passionnés de Far West, la petite ville de Lincoln est incontournable. C'est ici, à 19 km à l'est de Capitan le long de la **Billy the Kid National Scenic Byway** (www.billybyway.com), que naquit d'une fusillade la fameuse légende de Billy. La ville entière, préservée comme il se doit, a gardé son aspect d'origine. La grand-rue, appelée officiellement **Lincoln State Monument** (www.nmmonuments.org/lincoln ; adulte/enfant 5 $/gratuit ; 8h30-16h30) a banni toute infrastructure moderne (motel éclairé au néon, boutique de souvenirs ou fast-food).

Achetez des billets pour la visite des bâtiments historiques à l'**Anderson Freeman Museum**, où vous pourrez aussi admirer des expositions sur les Buffalo Soldiers (régiment de cavalerie de soldats noirs), les Apaches et la guerre du Comté de Lincoln. Gardez pour la fin le **Courthouse Museum**, site célèbre de l'évasion de Billy the Kid la plus spectaculaire et la plus violente. Une plaque indique l'impact dans le mur d'une de ses balles.

L'**Ellis Store Country Inn** (☎800-653-6460 ; www.ellisstore.com ; Hwy 380 ; ch avec petit-déj 89-129 $) propose 3 chambres meublées à l'ancienne (comprenant même un poêle à bois) dans le bâtiment principal. Cinq autres chambres se trouvent dans un moulin d'époque ailleurs sur le domaine. Du mercredi au samedi, la maison propose un formidable dîner de 6 plats (75 $/pers) servi dans la charmante salle à manger. Le lieu est idéal pour les occasions spéciales ; mieux vaut réserver.

Quelques kilomètres plus loin sur la route de Capitan, le **Laughing Sheep Farm and Ranch** (☎575-653-4041 ; www.laughingsheepfarm.com ; Hwy 380 ; plats 10-35 $ ; ⌚13h-21h jeu-sam ; 👪) élève moutons, vaches et bisons et cultive fruits et légumes : de quoi concocter de bons plats midi et soir. Sa salle à manger confortable et décontractée accueille un concert chaque soir et propose aux enfants une table avec pâte à modeler et un chevalet pour peindre. Des chalets confortables avec bain à remous se louent à partir de 130 $ la nuit.

Comme Lincoln, Capitan est entourée par les superbes montagnes de la **Lincoln National Forest**. La principale raison de venir ici sera de visiter le **Smokey Bear Historical State Park** (118 W Smokey Bear Blvd ; adulte/enfant 2/1 $ ; ⌚9h-17h) et de montrer à vos enfants où est enterré l'ours qui a inspiré le personnage de Smokey Bear, la mascotte de l'office américain des forêts.

## Roswell

Si vous êtes un fidèle de la série X-Files, vous êtes déjà au courant de ce qui s'est passé à Roswell. En 1947, un mystérieux objet s'est écrasé près d'un ranch des environs. Personne ne s'en serait inquiété si l'armée n'avait pas mis les grands moyens pour tenir l'incident secret. La rumeur fit le reste : les extraterrestres avaient atterri ici. La curiosité du monde entier alliée à la crédulité locale a vite transformé la ville en une pseudo-base arrière pour les extraterrestres. Les grosses têtes blanches bulbeuses remplacent les ampoules et des bus entiers de touristes y débarquent pour en rapporter quelques souvenirs originaux.

Amateurs de kitsch et de petits bonshommes verts apprécieront l'**International UFO Museum & Research Center** (www.roswellufomuseum.com ; 114 N Main St ; adulte/enfant 5/2 $ ; ⌚9h-17h), où sont présentés les documents attestant de la découverte ainsi que des œuvres d'art d'avant-garde. Le **Roswell UFO Festival** (www.roswellufofestival.



**À NE PAS MANQUER**

### CARLSBAD CAVERNS NATIONAL PARK

Sous les collines de ce **parc national** (☎575-785-2232, infos chauves-souris 505-785-3012 ; www.nps.gov/cave ; 3225 National Parks Hwy ; adulte/enfant 6 $/gratuit ; ⌚grottes 8h30-17h fin mai-début sept, 8h30-15h30 fin mai-début sept ; 👪) unique en son genre s'étend un formidable réseau de grottes couvrant une surface de 190 km². Véritable trésor naturel, ces formations rocheuses forment un paysage fantastique composé de stalactites et d'œuvres d'art géologiques. Un ascenseur au départ du **Visitor Center** (⌚8h-17h, 8h-19h fin mai-début sept) descend en moins d'une minute l'équivalent de la hauteur de l'Empire State Building. Sinon vous pouvez suivre le sentier souterrain de 3 km qui mène de l'entrée de la grotte jusqu'à la Big Room, une salle souterraine de 549 m de long, 78 m de haut et à plus de 240 m de profondeur. Si vous avez des enfants (ou en avez l'âme), la boutique de souvenirs vend des casques de spéléo en plastique.

Il est aussi possible de découvrir une autre partie du réseau en **visite guidée** (☎877-444-6777 ; www.recreation.gov ; adulte 7-20 $, enfant 3,50-10 $) à condition de réserver bien à l'avance. Couvrez-vous bien, pieds compris, car il y fait souvent frais.

La célébrité des grottes tient aussi à ses habitants : plus de 300 000 chauves-souris mexicaines à queue libre se perchent ici entre mi-mai et mi-octobre. Postez-vous là au crépuscule et vous assisterez à leur sortie massive quotidienne en quête d'insectes.

com) bat son plein début juillet, avec sa parade d'un autre monde, ses présentateurs vedettes, ses ateliers et ses concerts.

Des motels de chaîne basiques bordent N Main St. À environ 55 km au sud de Roswell, l'**Heritage Inn** (575-748-2552 ; www.artesiaheritageinn.com ; 209 W Main St, Artesia ; ch avec petit-déj à partir de 119 $ ; ) d'Artesia, meilleur hébergement de la région, dispose de 11 chambres de style Far West.

Pour une cuisine néomexicaine simple et sans surprise, essayez le **Martin's Capitol Cafe** (110 W 4th St ; plats 7-15 $ ; 6h-20h30 lun-sam). Le **Big D's Downtown Dive** (www.bigdsdowntowndive.com ; 505 N Main St ; plats 7-10 $ ; 11h-21h) sert pour sa part les meilleurs sandwichs, salades et burgers de la ville.

Documentez-vous et profitez-en pour vous faire prendre en photo avec un extraterrestre au **Visitors Bureau** (575-624-6860 ; www.seeroswell.com ; 912 N Main St ; 8h30-17h30 lun-ven, 10h-15h sam-dim ; ).

Au départ du **Greyhound Bus Depot** (575-622-2510 ; www.greyhound.com ; 1100 N Virginia Ave), des bus desservent Carlsbad (30 $, 1 heure 30) et El Paso (Texas) via Las Cruces (52 $, 5 heures).

## Carlsbad

Les voyageurs choisissent Carlsbad comme point de chute pour se rendre au Carlsbad Caverns National Park et dans les Guadalupe Mountains. Le **Park Service** (575-885-8884 ; 3225 National Parks Hwy ; 8h-16h30 lun-ven), situé à l'extrémité sud de la ville, vous renseignera sur les deux sites.

Au nord-ouest de la ville, en bordure de la Hwy 285, le **Living Desert State Park** (www.nmparks.com ; 1504 Miehls Dr, en retrait de la Hwy 285 ; adulte/enfant 5/3 $ ; 8h-17h fin juin-août, 9h-17h sept-mai) est un formidable endroit pour découvrir la flore et la faune du désert. Un sentier de 2 km met en valeur les différents habitats du désert de Chihuahua où évoluent antilopes, loups et géocoucous de Californie entre autres espèces. L'hébergement à Carlsbad consiste principalement en motels de chaîne sur S Canal St ou National Parks Hwy. D'un excellent rapport qualité/prix, le **Stagecoach Inn** (575-887-1148 ; 1819 S Canal St ; ch à partir de 50 $ ; ) réunit des chambres nettes, une piscine et un bel espace de jeux pour les enfants. Fleuron hôtelier de Carlsbad, le tout récent et luxueux **Trinity Hotel** (575-234-9891 ; www.thetrinityhotel.com ; 201 S Canal St ; ch à partir de 169-219 $ ; ) occupe ce qui fut la First National Bank dont l'ancienne salle des coffres abrite aujourd'hui l'espace détente de l'une des suites ! Quant à son restaurant, c'est le plus élégant de Carlsbad.

Spécialiste du petit-déjeuner et des pâtisseries, le joyeux **Blue House Bakery & Cafe** (609 N Canyon St ; plats 4-8 $ ; 6h-12h lun-sam) prépare le meilleur café qui soit dans ce coin du Nouveau-Mexique. Pour un dîner champêtre, direction le délicieux **Red Chimney Pit Barbecue** (www.redchimneypitbarbecue.com ; 817 N Canal St ; plats 7-15 $ ; 11h-14h et 16h30-20h30 lun-ven), où vous serez rassasié à coup sûr.

Pour plus d'informations, passez à la **Chamber of Commerce** (575-887-6516 ; www.carlsbadchamber.com ; 302 S Canal St ; 9h-17h lun, 8h-17h mar-ven).

Les bus **Greyhound** (575-628-0768 ; www.greyhound.com ; 3102 National Parks Hwy) partent de la station-service Shamrock du Food Jet South, et desservent uniquement El Paso (52 $, 3 heures) et Lubbock (Texas, 52 $, 4 heures).

# Comprendre l'Ouest américain

# L'Ouest américain aujourd'hui

**En tête des dernières grandes nouvelles de l'Ouest : la légalisation du cannabis à usage récréatif au Colorado et dans l'État de Washington, et la poursuite des mariages homosexuels en Californie en 2013. D'un point de vue économique, la région cherche encore à se remettre de la récession. La sécheresse qui frappe le Sud-Ouest, les inondations cataclysmiques qu'a connues le Colorado et les incendies dévastateurs qu'a subis toute la région soulèvent quant à eux des questions préoccupantes sur le réchauffement climatique.**

### À lire

**Les Raisins de la colère** (John Steinbeck ; 1939). Des migrants du Dust Bowl partent travailler en Californie.

**Désert Solitaire** (Edward Abbey ; 1968). Essais sur le tourisme industriel dans le Sud-Ouest et véritable coup de colère.

**L'arbre aux haricots** (Barbara Kingsolver ; 1988). Réflexion poétique sur la maternité et l'adoption interethnique à Tucson.

**Voyage au bout de la solitude** (*Into the Wild* ; Jon Krakauer ; 1996). Alexander Supertramp part dans l'Ouest en quête de sens.

### À voir

**La Chevauchée fantastique** (1939)
**Sunset Boulevard** (1950)
**Butch Cassidy et le Kid** (1969)
**Chinatown** (1974)
**Vol au-dessus d'un nid de coucou** (1975)
**Shining** (1980)
**Boyz'n the Hood** (1991)
**Thelma et Louise** (1991)
**Sideways** (2004)
**Very Bad Trip** (2009)
**127 Heures** (2010)

## Une histoire de politique...

Ces dernières années, le sujet politique le plus brûlant en Californie a concerné le mariage homosexuel. Si la Cour suprême de l'État a aboli une interdiction constitutionnelle du mariage homosexuel en 2008, la même année, la Proposition 8 soutenue par les électeurs limita de nouveau le mariage à l'union d'un homme et une femme. En 2013, des tribunaux fédéraux ont jugé la Proposition 8 inconstitutionnelle. Un appel interjeté auprès de la Cour suprême américaine a été rejeté et le mariage homosexuel est de nouveau autorisé dans l'État.

À l'automne 2012, les habitants du Colorado et du Washington ont voté pour la légalisation de la consommation de marijuana. Les lois concernant la consommation (limitée aux personnes âgées de 21 ans et plus), la culture et la vente d'herbe au Colorado ont depuis suivi et des boutiques de cannabis ont ouvert en 2014. Le même genre d'initiative a été voté dans le Washington. Le gouvernement fédéral a déclaré qu'il ne contesterait pas ces lois, pourtant en contradiction avec les lois fédérales.

L'immigration clandestine est encore un sujet délicat. Les policiers frontaliers sont très présents dans le sud de l'Arizona, où l'on voit souvent leurs 4x4 verts et blancs sillonner les routes de campagne. L'Arizona a voté une loi draconienne exigeant de chaque policier de demander ses papiers à toute personne suspectée d'être entrée illégalement dans le pays. Une contestation de cette loi, appelée SB 1070, est actuellement devant les tribunaux.

## ...de feu et d'eau...

Pour des raisons encore mal définies – réchauffement climatique, construction résidentielle, politique gouvernementale – l'Ouest a été durement touché par les incendies de forêt. En juin 2013, dix-neuf membres des Granite Mountain Hotshots, une unité de pompiers d'élite, périrent lors du dévastateur incendie de Yarnell dans le centre de l'Arizona, et 27 maisons brûlèrent. La même année, le Rim Fire, dans et autour du parc de Yosemite, le troisième plus grand incendie en Californie depuis les années 1930, dévasta plus de 100 000 ha. En 2011, c'est l'incendie de Las Conchas qui dévorait plus de 630 km² près de Los Alamos (Nouveau-Mexique).

Mais le feu n'est pas la seule menace de la région. Dix années de sécheresse ont fait baisser le niveau du lac Mead de manière spectaculaire, tandis que de graves inondations en septembre 2013 ont touché 12 000 km² du Front Range du Colorado, tuant au moins six personnes, faisant des centaines de disparus et détruisant routes et maisons.

En mars 2014, c'est une coulée de boue dévastatrice dans l'État du Washington, causée par un glissement de terrain, qui tuait à son tour une quarantaine de personnes et rayait de la carte la petite ville d'Oso, à une centaine de kilomètres au nord-est de Seattle.

### ...et d'argent

La crise n'en a pas fini avec les États de l'Ouest, et les budgets publics ont bien diminué. En Arizona, en Californie et dans l'Utah, les parcs d'État ont été particulièrement touchés ; en Arizona, beaucoup n'ouvrent que 5 jours par semaine. Le taux de chômage du Nevada atteignait 12% au printemps 2011, dépassant la moyenne nationale.

### Aller de l'avant

La crise gagne du terrain, tout comme le progrès technologique, les hommages rendus à l'œuvre de Steve Jobs, cofondateur d'Apple, l'ont rappelé. Si les innovations nées en Californie sont innombrables – PC, iPods, Google – le nord de la Californie ne se limite pas à la Silicon Valley : c'est aussi une terre où prospère l'industrie biotechnologique. Dans le Nord-Ouest pacifique, le secteur de Seattle regroupe les sièges de Microsoft, Nintendo et Amazon.com tandis que la "Silicon Forest" de l'Oregon accueille des succursales d'Intel, Tektronix et Google.

Dans le Sud-Ouest, Richard Branson se propose d'envoyer des civils dans l'espace grâce à Virgin Galactic depuis le nouveau Spaceport du centre du Nouveau-Mexique. Au Grand Canyon, les initiatives écologiques gagnent du terrain, avec notamment l'introduction d'une navette permettant de se garer à Tusayan et d'un service de location de vélos. Le géant de la distribution Zappos a relocalisé son siège à Las Vegas et donne un nouvel essor aux quartiers peu reluisants près de Fremont St. D'un point de vue environnemental, le Colorado montre l'exemple avec ses normes progressistes en matière d'énergies propres et l'augmentation des emplois dans le secteur de l'énergie solaire.

POPULATION (ÉTATS-UNIS) :
**317 MILLIONS**

SUPERFICIE (ÉTATS-UNIS) :
**9,816 MILLIONS DE KM²**

PIB (ÉTATS-UNIS) :
**15 900 MILLIARD DE $**

CHÔMAGE (ÉTATS-UNIS) :
**7,3%**

### Sur 100 personnes aux États-Unis

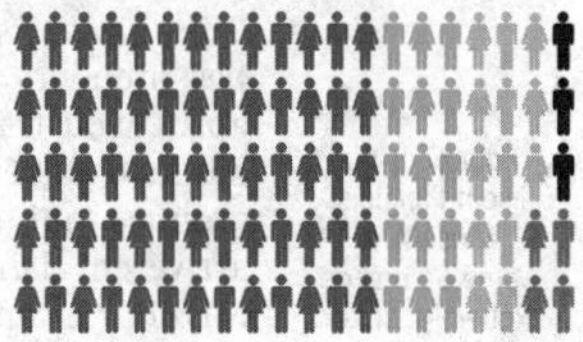

65 sont blanches
15 sont hispaniques
13 sont afro-américaines
4 sont asiatiques
3 ont d'autres origines

### Religions

(% de la population)

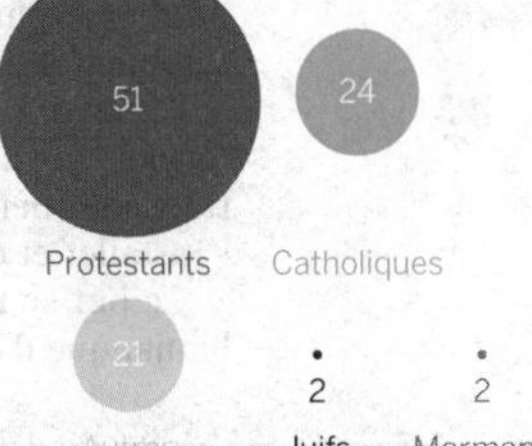


### Population au km²

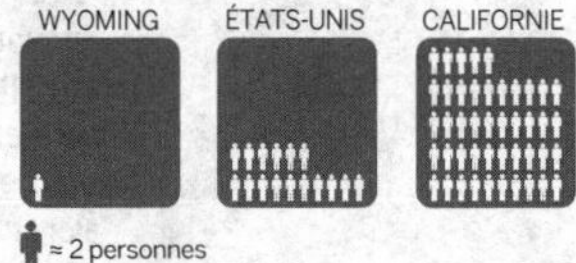

# Histoire

**Dans l'Ouest, l'histoire passée est toujours palpable : l'ancien terminus du Santa Fe Trail, au cœur de la ville éponyme, déborde toujours de visiteurs, Temple Square à Salt Lake City, qui date du début du XIXe siècle, reste un lieu de rassemblements mormon, tandis qu'ailleurs, des villes minières abandonnées font écho à autant d'espoirs enfuis. Explorateurs, natifs et colons – chasseurs-cueilleurs amérindiens, conquistadors espagnols, chercheurs d'or et autres pionniers et entrepreneurs – ont laissé dans l'Ouest des traces pérennes de leur passage et de leurs rêves.**

Pour ceux qui lisent l'anglais, *Those Who Came Before*, de Robert H. Lister et Florence C. Lister, est un excellent ouvrage sur la préhistoire et les sites archéologiques des parcs nationaux et sites classés du sud-ouest des États-Unis.

Les premiers habitants de cette région seraient arrivés de l'Ouest, après avoir traversé le détroit de Béring voici environ 20 000 ans. ces hardis conquérants mirent le cap au sud et se divisèrent en plusieurs groupes qui s'adaptèrent au climat et au relief. Les Espagnols arrivèrent dans le Sud-Ouest vers 1540, en quête des Sept Cités d'or. Missions et missionnaires suivirent à partir de 1700, et les Espagnols s'approprièrent la côte californienne.

À l'instar des Britanniques et des Américains, les Espagnols ne tardèrent pas à chercher le passage du Nord-Ouest pour ouvrir une route maritime entre l'Orient et l'Occident. Finalement, le président Thomas Jefferson les prit de vitesse avec l'achat de la Louisiane en 1803. Partis de St Louis en direction de l'ouest pour explorer ce nouveau territoire américain, ses émissaires, Meriwether Lewis et William Clark, ouvrirent la voie à une vague de pionniers.

On estime que quelque 400 000 personnes partirent pour l'Ouest entre 1840 et 1860, appâtées par les légendes des mines d'or, la promesse d'une liberté de religion et le rêve de terres fertiles. Ce fut bientôt la naissance de l'Ouest légendaire, avec ses cow-boys, ses mineurs et ses entrepreneurs. Loi et ordre prirent forme pour former une civilisation, secondés par le télégraphe, le chemin de fer transcontinental et un flux continu de nouveaux arrivants désireux de s'installer et de se tailler, eux aussi, une part du gâteau.

Ce but se révéla plus difficile à atteindre dans l'Ouest : très aride, le manque d'eau y devint un frein à l'expansion. Les grands barrages

## CHRONOLOGIE

### 40 000-20 000 av. J.-C.

Les premiers habitants d'Amérique arrivent d'Asie centrale en traversant une langue de terre située entre la Sibérie et l'Alaska (le niveau de la mer était alors moins élevé).

### 8000 av. J.-C.

Les mammifères de l'ère glaciaire s'éteignent en raison des chasses collectives et du réchauffement climatique. Les humains se mettent à chasser du gibier plus petit et à récolter des végétaux endémiques.

### 7000 av. J.-C. -100

La "période archaïque" est marquée par des chasseurs-cueilleurs nomades. À la fin de cette période, le maïs, les haricots, les courges et la sédentarisation s'imposent.

du début du XXe siècle pallièrent ce problème et permirent le développement de villes comme Los Angeles, Las Vegas et Phoenix dans des sites où des villes n'avaient pas nécessairement leur place.

L'Ouest endossa un rôle économique et technologique plus important durant la Seconde Guerre mondiale. C'est en effet dans la ville secrète de Los Alamos que les scientifiques mirent au point la bombe atomique. Les industries liées à la guerre comme la production de bois d'œuvre et les chantiers navals et aéronautiques connurent un grand essor dans le Nord-Ouest pacifique et en Californie. Après la guerre, l'industrie prit de nouvelles formes et, dans les années 1990, l'industrie des "dotcom" dans la Silicon Valley attira dans la baie de San Francisco des entrepreneurs de talent. L'industrie du film est toujours très présente à Los Angeles, mais des incitations fiscales ont attiré les cinéastes dans d'autres enclaves occidentales, en particulier le Nouveau-Mexique.

Aujourd'hui, l'Ouest se penche sur les effets d'une croissance rapide. Immigration, circulation, sécheresse, baisse des nappes phréatiques et problèmes environnementaux sont les sujets d'actualité qui affectent son quotidien. Dans un avenir proche, la tournure que prendra l'Ouest dépendra de la gestion de ces questions.

## Les premiers Américains

Les tout premiers habitants de l'Amérique de l'Ouest traversèrent le détroit de Béring il y a plus de 20 000 ans. À l'arrivée des Européens, quelque 2 à 18 millions d'Amérindiens parlant plus de 300 langues différentes vivaient au nord de l'actuel Mexique.

### Nord-Ouest pacifique

Les premiers habitants du Nord-Ouest pacifique chassaient la baleine et l'otarie ou vivaient de la pêche du saumon, de la morue et des coquillages. À terre, ils chassaient le daim et l'élan et récoltaient des baies et des racines. Ils stockaient la nourriture en prévision des longs hivers et s'adonnaient à des activités artistiques, religieuses et culturelles. Grâce à leurs canoës en cèdre décorés, ces Amérindiens purent établir un vaste réseau commercial le long de la côte.

À l'intérieur des terres, les tribus adoptèrent une culture régionale basée sur les migrations saisonnières entre rivières et hautes terres. Au moment du frai des saumons, elles s'installaient près des rapides et des chutes d'eau pour harponner les poissons ou les pêcher au filet. Les âpres paysages désertiques du sud de l'Oregon étaient peuplés de tribus nomades qui chassaient et dépouillaient des charognes dans le nord du désert du Grand Bassin.

**Cités troglodytes**

*Mesa Verde National Park, Nouveau-Mexique*

*Bandelier National Monument, Nouveau-Mexique*

*Gila Cliff Dwellings National Monument, Nouveau-Mexique*

*Montezuma Castle National Monument, Arizona*

*Walnut Canyon National Monument, Arizona*



**1300-1400**

Peut-être du fait d'une sécheresse, la civilisation des Indiens Pueblos abandonne totalement la Mesa Verde (Colorado), laissant derrière elle une ville troglodyte très élaborée.

**1492**

L'Italien Christophe Colomb "découvre" l'Amérique au cours de trois voyages dans les Caraïbes. Il appelle les indigènes "Indiens", croyant avoir atteint les Indes.

**1540-1541**

Francisco de Coronado explore les actuels États de l'Arizona, du Nouveau-Mexique et du Colorado à la recherche d'or et d'épices.

**1598**

Des explorateurs espagnols, conduits par Don Juan de Oñate, déclarent les terres situées au nord d'El Paso possessions espagnoles et les baptisent Nouveau-Mexique.

## Californie

Vers l'an 1500, plus de 300 000 Amérindiens parlant quelque 100 langues différentes habitaient la Californie. Les communautés de pêcheurs de la côte centrale creusaient des huttes de sudation qui servaient aux cérémonies, aux contes et au jeu. Les chasseurs du Nord-Ouest construisaient de grandes maisons et sculptaient des canoës en séquoia tandis que les habitants du sud-ouest de la Californie créaient des céramiques raffinées et des systèmes d'irrigation permettant de cultiver le désert. Les Amérindiens de Californie n'avaient pas de système d'écriture mais pratiquaient les contrats oraux et le droit territorial.

En 1769, un siècle après l'arrivée des colons espagnols, les Amérindiens de Californie, frappés par les maladies européennes, le travail forcé et la famine, n'étaient plus que 20 000.

En 1680, pendant la révolte des Pueblos, les Indiens Pueblos du nord du Nouveau-Mexique s'allièrent pour chasser les Espagnols après une campagne sanglante visant à détruire les objets cérémoniels des Pueblos. Les Espagnols furent repoussés au sud du Rio Grande et les Pueblos tinrent Santa Fe jusqu'en 1682.

## Sud-Ouest et sud du Colorado

D'après les archéologues, les premiers habitants du Sud-Ouest étaient des chasseurs. Avec la croissance démographique et la diminution du gibier, ils furent obligés d'ajouter à leur régime alimentaire des baies, des graines, des racines et des fruits. Après 3000 av. J.-C., des contacts avec des cultivateurs installés dans l'actuel centre du Mexique leur permirent d'introduire l'agriculture.

Vers l'an 100, trois cultures dominantes émergèrent dans le Sud-Ouest : les Hohokam du désert, les Mogollon des montagnes du centre et des vallées, et les Indiens Pueblos – anciennement appelés Anasazis.

Les Hohokam vivaient dans les déserts d'Arizona, s'adaptant à l'aridité grâce à un incroyable système d'irrigation alimenté par des rivières. Ils construisirent aussi de petites pyramides de terre et salles souterraines. Ils abandonnèrent leurs villages vers 1400 environ. Parmi les nombreuses théories expliquant leur disparition, la plus plausible fait intervenir plusieurs facteurs dont la sécheresse, la surchasse, les conflits entre groupes et la maladie.

*Anasazi*, mot navajo signifiant "ancêtres ennemis", est un terme que contestent de nombreux Indiens Pueblos de nos jours ; il est tombé en désuétude.

Les Mogollon vécurent près de la frontière mexicaine de 200 av. J.-C. à 1400. Ils formaient de petits villages de maisons creusées dans le sol, souvent situés sur des plateaux isolés ou des crêtes. Bien que pratiquant l'agriculture, ils dépendaient surtout de la chasse et de la cueillette. Vers le XIIIe ou le XIVe siècle, sans doute les Mogollon avaient-ils pacifiquement intégré les Indiens Pueblos du Nord.

Ces derniers habitaient le plateau du Colorado, également appelé région des Four Corners ("quatre coins"). Cette culture a laissé des sites archéologiques d'une extrême richesse et d'anciens villages toujours habités dans le Sud-Ouest. Leurs descendants vivent dans les villages d'Indiens Pueblos du Nouveau-Mexique. Les Hopi du nord de l'Arizona

**vers 1600**

Fondation de Santa Fe, plus ancienne capitale américaine. Le palais des Gouverneurs est le seul bâtiment du XVIIe siècle qui subsiste aujourd'hui, le reste la ville ayant été détruit par un incendie en 1914.

**1776**

À l'est, les colonies américaines signent la déclaration d'Indépendance des États-Unis le 4 juillet.

**1787-1791**

La Convention constitutionnelle de Philadelphie rédige la Constitution des États-Unis. Le Bill of Rights, adopté ultérieurement sous forme d'amendements, énonce les droits des citoyens.

**1803**

Napoléon vend la Louisiane aux États-Unis pour 15 millions de dollars ; les frontières de la jeune nation s'étendent désormais du Mississippi aux Rocheuses.

sont ceux qui ont la plus ancienne ascendance pueblo. Old Oraibi, situé sur la mesa et habité depuis les années 1100, est le plus ancien village occupé sans interruption d'Amérique du Nord.

## Arrivée et installation des Européens

Les marins scandinaves atteignirent l'Amérique du Nord dès le X^e siècle et y établirent une colonie baptisée Vinland, sans doute située dans l'actuelle Terre-Neuve.

Christophe Colomb débarqua dans les Caraïbes en 1492 alors qu'il cherchait une route vers l'Asie. Croyant qu'il avait atteint les Indes orientales, il donna le nom d'Indiens aux habitants, créant ainsi une confusion linguistique qui perdura par la suite. Les Espagnols, qui avaient financé l'expédition, poursuivirent la colonisation des Amériques avec la conquête du Mexique par Hernán Cortés en 1519.

Juan Ponce de León explora les côtes de Floride en 1513, et Alonzo Alvarez de Pineda parcourut le golfe du Mexique en 1519. En 1540, Francisco Vasquez de Coronado dirigea la première grande expédition terrestre en Amérique du Nord. Il était accompagné de 300 soldats, de centaines de guides amérindiens et de troupeaux de bétail. Cette expédition correspondit également aux premiers affrontements violents importants entre explorateurs espagnols et indigènes.

Elle avait pour but les légendaires Sept Cités d'or de Cibola. Deux années durant, les explorateurs parcoururent l'actuel Arizona et le Nouveau-Mexique et poussèrent à l'est jusqu'au Kansas. Au lieu d'or et de pierres précieuses, ils ne découvrirent que des villages en pisé qu'ils réquisitionnèrent par la violence. Pendant leurs premières années dans le nord du Nouveau-Mexique, ils tentèrent de soumettre les villageois, souvent au prix de bains de sang. Pendant la majeure partie du XVI^e siècle, les Espagnols s'employèrent à exploiter d'autres territoires de leur empire et à repousser les nations européennes rivales. En 1565, ils fondèrent un avant-poste à St Augustine (Floride) pour contrer les ambitions françaises. Il s'agissait de la première colonie européenne sur le territoire des États-Unis actuels. Vinrent ensuite les avant-postes de San Gabriel et de Santa Fe, vers 1610 : capitale du Nouveau-Mexique, c'est la plus ancienne des États-Unis.

Au XVIII^e siècle, lorsque les trappeurs russes et anglais se mirent à faire le commerce des peaux de loutres d'Alta California, l'Espagne mit au point un plan de colonisation et la conquête de la Californie. Pour la gloire de Dieu et afin de remplir les coffres du Trésor, des missions furent construites sur tout le territoire ; dix ans plus tard, c'étaient des affaires rentables gérées par des indiens convertis.

Le plan de conversion ayant été approuvé en 1769, le franciscain Junípero Serra s'assura des soutiens afin d'installer des *presidios* (postes militaires)

Des bandits aux chercheurs d'or en passant par les Amérindiens d'hier et d'aujourd'hui, www.desertusa.com (en anglais) vous dit tout sur les habitants présents et passés du désert du Sud-Ouest.



STEPHEN SAKS / GETTY IMAGES ©

**1803-1806**

Le président Jefferson envoie Meriwether Lewis et William Clark vers l'ouest. Guidés par Sacagawea, une Indienne Shoshone, ils effectuent un voyage de découverte entre St Louis (Missouri) et le Pacifique.

**1811**

John Jacob Astor, patron de la Pacific Fur Company, fonde Fort Astoria, première ville des États-Unis sur la côte pacifique. Il deviendra le premier millionnaire du pays.

➡ Rocky Mountain National Park (p. 268), Colorado

à côté de plusieurs missions du nord et du centre de la Californie dans les années 1770 et 1780. Le clergé comptait sur l'armée pour lui fournir les conscrits qui devaient bâtir les missions. En échange de leur travail, les Amérindiens recevaient (parfois) un repas par jour et une place dans le royaume de Dieu – qu'ils rejoignaient plus vite que prévu grâce à la variole amenée par les Espagnols. Dans le Sud-Ouest, plus de la moitié des Pueblos succombèrent à la variole, à la rougeole et au typhus.

Pendant trois siècles, la plus grande partie de la Californie, de l'Arizona, du Nouveau-Mexique, du Texas et de la Floride faisait donc partie de la Nouvelle-Espagne. Peu nombreux, les colons espagnols (missionnaires et éleveurs principalement) eurent donc une influence considérable sur la population locale, donnant naissance à la culture métissée hispano-indienne des Pueblos. Les Espagnols introduisirent des outils, des armes et des chevaux, modifiant ainsi profondément le style de vie des Indiens dans tout l'Ouest américain. La présence espagnole n'alla pas sans résistance, comme en témoigne la révolte pueblo de 1680 ou celle de Santa Barbara (Californie), en 1824.

Quant aux Français, s'ils étaient présents en Nouvelle-Écosse dès 1500, au Canada dès les années 1530 (Jacques Cartier) et en Louisiane après 1682, il n'y eut pas de colonisation dans l'Ouest américain. Seuls quelques Français participèrent à la ruée vers l'or.

On peut suivre l'extraordinaire expédition aller-retour de Lewis et Clark jusqu'au Pacifique sur www.pbs.org/lewisandclark (en anglais), carte d'époques, albums photo et extraits de leur journal à l'appui.

## Lewis et Clark

Après avoir racheté la Louisiane à Napoléon pour 15 millions de dollars, Thomas Jefferson envoya dans l'Ouest Meriwether Lewis, son secrétaire particulier, afin de cartographier la région. Son but était de découvrir une voie navigable vers le Pacifique, mais aussi d'explorer la Louisiane récemment acquise et d'implanter les intérêts américains. Novice en matière d'exploration, Lewis se fit accompagner de son ami William Clark, habitant de la Frontière expérimenté et vétéran de l'armée. L'expédition de 40 membres appelée Corps of Discovery, quitta St Louis en 1804.

L'expédition fut un succès, en partie grâce à la présence de Sacagawea, une jeune Indienne Shoshone mariée à un trappeur franco-canadien. Sacagawea rendit de précieux services en tant que guide, traductrice et ambassadrice auprès des Amérindiens. York, le serviteur afro-américain de Clark, sut aussi adoucir les tensions entre l'expédition et les Amérindiens.

Les explorateurs parcoururent quelque 13 000 km en deux ans, consignant tout ce qu'ils découvraient dans leur journal. Ils décrivirent en détail quelque 122 animaux et 178 plantes, dont certains observés pour la première fois. En 1805, ils atteignirent enfin l'embouchure de la Columbia River et le Pacifique à Cape Disappointment, puis s'installèrent pour l'hiver, fondant ainsi Fort Clatsop.

Lewis et Clark furent accueillis en héros à St Louis à leur retour en 1806.

**1841**

Des convois empruntent l'Oregon Trail ; en 1847, plus de 6 500 émigrants gagnent chaque année l'Ouest, l'Oregon, la Californie et l'Utah, majoritairement mormon.

**1844**

La première ligne de télégraphe est inaugurée. En 1845, le Congrès vote la construction du chemin de fer transcontinental. Le télégraphe et le train repoussent la frontière.

**1846-1848**

Guerre américano-mexicaine, conclue en 1848 par le traité de Guadalupe Hidalgo, qui attribue aux États-Unis la majeure partie de l'actuel Arizona et du Nouveau-Mexique.

**1847**

Des mormons fuyant la persécution religieuse en Illinois commencent à arriver à Salt Lake City ; en 20 ans, plus de 70 000 mormons rejoindront l'Utah via le Mormon Pioneer Trail.

## Tous à l'Ouest !

À l'aube du XIX^e siècle, l'heure était à l'optimisme dans la jeune nation américaine. Avec l'invention de l'égreneuse de coton en 1793, puis de la batteuse, de la moissonneuse, de la faucheuse et de la moissonneuse-batteuse, l'agriculture s'industrialisa et le commerce des États-Unis se développa fortement. L'achat de la Louisiane en 1803 doubla le territoire national et l'expansion à l'ouest des Appalaches débuta pour de bon.

Exploiter les ressources de l'Ouest devint un devoir patriotique dans les années 1840 – un aspect clef de la croyance du pays dans sa "destinée manifeste". Le journaliste new-yorkais John O'Sullivan fit écho dans ses écrits au credo expansionniste du président James Polk en poussant les Américains à "se déployer sur le continent reçu de la providence pour le libre développement de notre multitude qui grandit chaque année". Au début de la conquête du territoire, le transport des biens et des personnes d'est en ouest était très lent. Chevaux, convois de mules et diligences étaient les moyens de locomotion les plus modernes.

L'Oregon Trail était un des principaux itinéraires. Ce périple à travers six États était une épreuve rude et périlleuse pour les familles qui l'entreprenaient. Leurs effets étaient remisés dans des chariots bâchés que suivait souvent du bétail. Le voyage pouvait durer jusqu'à huit mois et, lorsque ces pionniers arrivaient dans l'est de l'Oregon leurs vivres étaient pratiquement épuisés. Le Santa Fe Trail et l'Old Spanish Trail étaient d'autres itinéraires importants entre Santa Fe et le centre de l'Utah et à travers le Nevada jusqu'à Los Angeles en Californie. Des liaisons régulières en diligence le long du Santa Fe Trail apparurent en 1849 et le Mormon Trail atteignit Salt Lake City en 1847.

L'arrivée de ressources et d'individus plus nombreux par train entraîna une exploration plus poussée du territoire et de fréquentes découvertes de gisements miniers. Beaucoup de villes minières de l'Ouest furent fondées dans les années 1870 et 1880 ; certaines sont aujourd'hui des villes fantômes comme Santa Rita, mais d'autres sont toujours actives comme Tombstone et Silver City.

Les voyageurs empruntant l'Oregon Trail devaient notamment emporter du café (15 livres par personne), du bacon (25 livres par personne), 1 livre de savon, de l'acide citrique pour prévenir le scorbut et une vache sur pied pour le lait et en cas de manque de viande.

### Villes de la ruée vers l'Ouest

- *Bisbee, Arizona*
- *Tombstone, Arizona*
- *Silverton, Colorado*
- *Lincoln, Nouveau-Mexique*
- *Virginia City, Nevada*

## De l'or !

Spéculateur immobilier, ancien mormon et éditeur d'un tabloïd, Sam Brannan cherchait à se débarrasser de marécages californiens en 1848 quand il eut vent de rumeurs concernant des paillettes d'or découvertes près de Sutter's Mill, à 193 km de San Francisco. Persuadé que cette nouvelle allait faire vendre ses journaux et faire grimper le prix de l'immobilier, il divulgua la rumeur en la présentant comme avérée.

**1849**

Découverte d'or près de Sacramento. Une épique ruée voit l'arrivée de 60 000 "forty-niners" à Mother Lode en Californie. Explosion démographique à San Francisco, qui atteint 25 000 habitants.

**1859**

Découverte de Comstock Lode, la plus riche veine argentifère des États-Unis, à Virginia City (Nevada), qui devient vite la ville minière la plus célèbre de l'Ouest.

**1861**

Élection d'Abraham Lincoln à la présidence des États-Unis.

**1861-1865**

Guerre de Sécession entre le Nord et le Sud. La fin du conflit, le 9 avril 1865, est endeuillée par l'assassinat du président Lincoln cinq jours plus tard.

La nouvelle n'ayant pas déclenché l'excitation escomptée, il publia un autre récit, cette fois confirmé par des employés mormons de Sutter's Mill qui lui avaient fait jurer de garder le secret. Brannan aurait tenu parole en courant dans les rues de San Francisco et en brandissant de l'or qui lui avait été confié pour l'église mormone en criant : "De l'or dans l'American River !"

Le Pony Express (1860-1861) reposait sur des cavaliers et chevaux rapides. Ils transportaient le courrier entre le Missouri et la Californie en seulement 10 jours !



D'autres journaux se hâtèrent de faire état de "montagnes d'or" près de San Francisco. En 1850, l'année où la Californie fut admise comme 31e État de l'Union, les non-Amérindiens habitant la Californie étaient passés de 15 000 à 93 000. La plupart des prospecteurs n'étaient pas américains mais péruviens, australiens, chiliens et mexicains, voire chinois, irlandais, hawaïens et français.

## Longue Marche et conflits apaches

Pendant des décennies, l'armée des États-Unis avança vers l'ouest en tuant ou en déplaçant de force les tribus amérindiennes rencontrées sur son passage. L'incident le plus connu est le déménagement forcé des Navajos en 1864. L'armée conduite par Kit Carson détruisit les cultures, vergers et maisons des Navajos et les obligea à se rendre ou à se retirer dans des secteurs isolés du Canyon de Chelly. Affamés, environ 9 000 Navajos furent encerclés et durent marcher vers l'est sur 644 km jusqu'au camp de Bosque Redondo, près de Fort Sumner dans le Nouveau-Mexique. Des centaines d'entre eux moururent de maladie, de faim, ou de blessures par balle en chemin. Cet exode que les Navajos appellent "The Long Walk" est un épisode important de leur histoire.

La Denver Mint frappa ses premières pièces d'argent et d'or le 1er février 1906. C'est la plus grande productrice de monnaie au monde. Elle fut délestée de 200 000 $ en plein jour le 18 décembre 1922.

Les derniers conflits graves opposèrent l'armée aux Apaches, en partie parce que le raid correspondait à une pratique initiatique chez les jeunes Apaches. Au fur et à mesure que l'armée américaine et les pionniers avançaient en territoire apache, ils devinrent des cibles de choix pour ces raids, phénomène qui perdura sous le commandement de Mangas Coloradas, Cochise, Victorio et enfin Geronimo, qui se rendit en 1886 après avoir obtenu la promesse que ses Apaches et lui-même ne seraient emprisonnés que deux ans avant de pouvoir retrouver leur terre natale. Comme beaucoup de promesses faites à cette époque, celle-ci ne fut pas tenue.

Même après la fin des affrontements, les Amérindiens furent traités comme des citoyens de seconde classe pendant des décennies. Les Américains issus de l'immigration exploitèrent des lacunes juridiques pour s'approprier des territoires appartenant aux réserves. Beaucoup d'enfants amérindiens furent arrachés aux réserves et expédiés dans des pensionnats où on leur enseignait l'anglais en les punissant s'il parlait leur langue maternelle ou se comportaient "comme des sauvages". Ces pratiques perdurèrent jusque dans les années 1930.

**1864**

Kit Carson force 9 000 Navajo à marcher sur 644 km jusqu'à un camp près de Fort Sumner. Des centaines d'Amérindiens meurent durant ce qu'ils nomment "The Long Walk".

**1869**

Achèvement de la construction du premier chemin de fer transcontinental, reliant San Francisco (Californie) à Omaha (Nebraska).

**1881**

Wyatt Earp, ses frères Virgil et Morgan, et Doc Holliday tuent Billy Clanton et les frères McLaury au cours d'un terrible règlement de compte à OK Corral, à Tombstone (Arizona).

**1882**

Le racisme, particulièrement en Californie (où plus de 50 000 immigrants chinois sont arrivés depuis 1848), conduit à l'adoption du Chinese Exclusion Act.

## La légende de l'Ouest

Les légendes de l'Ouest grouillent de bandits armés, de voleurs de bétail, de hors-la-loi et d'attaques de trains. Bon et méchant étaient des adjectifs relatifs, un hors-la-loi dans un État pouvant devenir un shérif apprécié dans un autre. Les règlements de compte au revolver étaient plus souvent causés par des rivalités politiques dans des villes émergeantes que par des brouilles ancestrales. Les villes minières poussaient comme des champignons, avec leurs saloons où l'on se bagarrait et leurs maisons closes où les mineurs venaient faire le coup de poing, boire et jouer.

Figures légendaires, Billy the Kid et le shérif Pat Garrett, tous deux impliqués dans la guerre du comté de Lincoln, furent actifs à la fin des années 1870. Billy the Kid, qui aurait tué plus de 20 hommes au cours de sa brève carrière, fut abattu par Garrett à 21 ans. En 1881, Wyatt Earp, ses frères Virgil et Morgan, et Doc Holliday, abattirent Billy Clanton et les frères McLaury lors d'une terrible fusillade éclair à OK Corral, à Tombstone. Les deux parties s'accusaient de vol de bétail mais on ne découvrit jamais qui disait vrai.

Butch Cassidy et le Sundance Kid traînèrent quant à eux dans l'Utah. Cassidy, qui était mormon, dévalisa des banques et des trains avec sa bande, le Wild Bunch, dans les années 1890, mais ne tua jamais personne.

*Deadwood*, excellente série télé diffusée sur HBO (aujourd'hui disponible en DVD) propose une vision franche du Far West pendant la ruée vers l'or.

Le 7 novembre 1893, le Colorado devint le premier État des États-Unis – et l'un des premiers du monde – à accorder le droit de vote aux femmes.

## De l'eau pour les villes

Les Américains commencèrent à envisager d'occuper le territoire situé entre les deux côtes. L'image du grand désert américain, propagée par les premiers explorateurs, avait découragé les agriculteurs et le développement urbain. Même si l'intérieur des terres de l'Ouest n'était pas un désert, le manque d'eau était un facteur limitant à l'heure où des villes comme Denver se développaient au pied du Front Range.

Les premières années du XX^e^ siècle furent marquées par le combat pour approvisionner en eau une population grandissante. C'est ainsi que virent le jour des barrages financés par l'État fédéral comme le Hoover Dam en 1936 ainsi que le Glen Canyon Dam et le Lake Powell en 1963. L'approvisionnement en eau reste une question clé dans la région.

*Chinatown* (1974) de Roman Polanski, raconte avec une grande exactitude la guerre de l'eau qui présida à la construction de Los Angeles et San Francisco.

## Changer l'Ouest

Le grand tremblement de terre et l'incendie de San Francisco en 1906 furent le signal d'un changement en Californie. Les fonds publics pour l'eau courante et les bouches d'incendie ayant été siphonnés par des dirigeants corrompus, il ne restait plus à San Francisco qu'une seule source d'eau en état de marche. Quand l'incendie fut éteint, une chose était claire : il était temps que l'Ouest change.

**1919**

Le Grand Canyon devient le quinzième parc national des États-Unis ; une route de terre battue est tracée entre Kanab et le North Rim. Ce parc a accueilli 4,4 millions de visiteurs en 2007.

**1920**

Le 18e amendement interdit l'alcool et marque le début de la Prohibition ; le 19e amendement accorde le droit de vote aux femmes.

**1929**

Le jeudi noir du 24 octobre 1929 marque le début du Krach boursier, initiateur de la Grande Dépression.

**1933**

Franklin D. Roosevelt lance les politiques économiques du New Deal pour lutter contre la dépression ; fin de la Prohibition.

Tandis que San Francisco se reconstruisait au rythme de 15 bâtiments par jour, les réformateurs s'attaquèrent successivement aux politiques de la ville, de la Californie et de l'État fédéral. En 1914, les Californiens, inquiets pour la santé publique et la traite des femmes, appuyèrent l'adoption du Red Light Abatement Act dans leur État. La révolution mexicaine de 1910 à 1921 amena une nouvelle vague d'immigration ainsi que des idées révolutionnaires comme la fierté ethnique et la solidarité entre travailleurs. Dans les ports en expansion, les syndicats de dockers déclenchèrent en 1934 une grève historique de 83 jours sur toute la Côte Ouest, obtenant finalement des conditions de travail plus sûres et une rémunération plus juste.

Au plus fort de la Dépression de 1935, quelque 200 000 familles de fermiers fuyant la sécheresse provoquée par le Dust Bowl (tempêtes de poussière en série) au Texas et en Oklahoma arrivèrent en Californie ; elles ne trouvèrent dans les grandes exploitations agricoles qu'une maigre paye et des conditions de travail déplorables. Les artistes californiens alertèrent l'Amérique moyenne du calvaire de ces migrants et la nation se rassembla autour des photos de famille obsédantes de Dorothea Lange et du roman de John Steinbeck *Les Raisins de la colère* (1939).

## La Seconde Guerre mondiale et l'ère atomique

### Los Alamos

En 1943, l'école de garçons de Los Alamos, au Nouveau-Mexique, située sur un plateau à 2 255 m d'altitude, fut choisie comme quartier général top secret du Manhattan Project, nom de code de la recherche et du développement de la bombe atomique. Ce site de 312 ha, desservi uniquement par deux routes de terre battue, ne comportait aucune conduite de gaz ou de pétrole ; il possédait une seule ligne électrique et était entouré de forêts.

Isolation et sécurité étaient les règles maîtresses de la vie sur "la colline". Non seulement les déplacements de ses résidents étaient limités et leur courrier censuré, mais ils n'avaient aucun contact radio ou téléphonique avec l'extérieur. Plus troublant encore, la plupart d'entre eux ignoraient totalement pourquoi ils vivaient à Los Alamos. Ils savaient seulement ce qu'ils avaient "besoin de savoir" pour faire leur travail.

En un peu moins de deux ans, les scientifiques de Los Alamos réussirent à faire exploser la première bombe atomique sur le site de Trinity, devenu depuis le champ de tir de White Sands Missile Range.

Après le lancement de la bombe atomique sur le Japon, le secret de Los Alamos fut révélé au public, mais la ville resta calfeutrée jusqu'à ce que l'interdiction de visite soit levée en 1957.

Les parachutistes sautent en criant "Geronimo !" depuis qu'un groupe de paras de l'armée américaine, après avoir vu le film *Geronimo* (1939), a adopté ce cri de guerre en 1940 pour se donner du courage.

**1938**

La Route 66 devient la première route entièrement goudronnée traversant le pays, sur plus de 1 207 km. La "Mother Road" a été officiellement déclassée en 1985.

**1941**

Bombardement de Pearl Harbor qui déclenche la participation américaine à la Seconde Guerre mondiale.

**1945**

Premier essai atomique, dans la vallée au nom prédestiné de Jornada del Muerto (Voyage du Mort) dans le sud du Nouveau-Mexique, aujourd'hui comprise dans le champ de tir de White Sands Missile Range.

**1946**

L'inauguration du rutilant casino Flamingo à Las Vegas sonne le départ d'une fièvre de construction financée par la mafia. Sin City connaît son premier âge d'or dans les années 1950.

### LE MOUVEMENT DES DROITS CIVILS EN CALIFORNIE

Lorsque le président Roosevelt ordonna en 1942 l'internement dans des camps de 110 000 Américains d'origine japonaise habitant le long de la Côte Ouest, la ligue de défense des citoyens nippo-américains basée à San Francisco présenta immédiatement des recours qui parvinrent jusqu'à la Cour suprême. Ces poursuites constituèrent une jurisprudence révolutionnaire et, en 1992, les internés reçurent une réparation accompagnée d'une lettre d'excuses officielle signée de George H. W. Bush.

Adeptes de la résistance non violente du Mahatma Gandhi et de Martin Luther King Jr, les syndicalistes César Chávez et Dolores Huerta fondèrent le United Farm Workers en 1962 afin de défendre les droits des ouvriers agricoles immigrés sous-représentés. Tandis que les défenseurs des droits civils marchaient sur Washington, Chávez et les ouvriers viticoles californiens gagnèrent Sacramento, attirant l'attention du pays sur l'insuffisance des salaires et les risques sanitaires dus aux pesticides. Dépêché pour enquêter, Bobby Kennedy se rangea au côté de Chávez, introduisant les Latinos dans le jeu politique national.

### Main-d'œuvre et industries nouvelles

La main-d'œuvre californienne changea définitivement durant la Seconde Guerre mondiale avec l'embauche de femmes et d'Afro-Américains dans l'industrie de guerre et l'apport d'ouvriers mexicains pour combler le manque de main-d'œuvre. Les communications et l'aviation militaires attirèrent une élite internationale composée d'ingénieurs qui lancèrent plus tard l'industrie de la haute technologie californienne. Dix ans après la guerre, la population californienne avait augmenté de 40%, frisant les 13 millions d'habitants.

La guerre fit aussi la fortune du Nord-Ouest pacifique, devenu le plus grand producteur de bois de construction des États-Unis. Les chantiers navals d'Oregon et de l'État de Washington connurent un plein essor, tout comme les chantiers aéronautiques de William Boeing. La région ne cessera de prospérer durant la seconde moitié du XX^e^ siècle, attirant de nouveaux arrivants diplômés et dotés d'idées progressistes venues de l'est et du sud des États-Unis.

Récompensé par deux Oscars, *There Will Be Blood* (2007), d'après le roman *Pétrole !* d'Upton Sinclair, met en scène un magnat californien du pétrole inspiré d'Edward Doheny.

## Hollywood et la contre-culture

En 1908, la Californie devint un lieu de tournage cinématographique prisé en raison de son ensoleillement et de la diversité de ses paysages. Elle servait alors surtout de doublure à des pays exotiques ou à offrir une toile de fond à des films historiques. Peu à peu, la Californie devint néanmoins, pour ses palmiers et ses plages ensoleillées, la vedette de certains films et séries télévisées.

RICHARD CUMMINS / GETTY IMAGES ©

**1947** Un objet non identifié s'abat dans le désert près de Roswell. Le gouvernement parle d'une soucoupe volante puis d'un ballon-sonde avant d'interdire mystérieusement le secteur.

**1963** Le barrage de Glen Canyon est achevé dans la controverse, donnant naissance au Lake Powell, qui recouvre des sites indiens ancestraux et de superbes formations rocheuses.

**1973** L'inauguration du MGM Grand à Las Vegas marque l'avènement des *megaresorts* appartenant à de grandes entreprises et déclenche une fièvre immobilière toujours d'actualité le long du "Strip".

Flamingo (p. 333), Las Vegas

Cependant, tous les Californiens ne rêvaient pas de jouer les figurants dans *Beach Blanket Bingo*. À San Francisco, les marins de la Seconde Guerre mondiale réformés pour cause d'insubordination ou d'homosexualité se mirent à fréquenter les clubs de jazz de North Beach, les cafés artistiques et le City Lights Bookstore. San Francisco devint une terre de libre parole et de libre pensée où bientôt tous les individus un peu connus furent arrêtés : le poète de la Beat Generation Lawrence Ferlinghetti pour avoir publié le poème épique *Howl*, d'Allen Ginsberg, le comédien Lenny Bruce pour avoir prononcé un mot obscène sur scène et Carol Doda pour avoir montré ses seins. À la fin du Flower Power, d'autres résistances prirent la relève dans la baie de San Francisco : le Black Power, la Gay Pride et les clubs de marijuana thérapeutique.

Tandis que le nord de la Californie fascinait pour sa contre-culture dans les années 1940 à 1960, le non-conformisme du sud de l'État atteignait l'Amérique en plein cœur. En 1947, le sénateur Joseph McCarthy tenta d'éliminer de l'industrie cinématographique des individus soupçonnés d'être communistes. Dix auteurs et cinéastes ayant refusé d'admettre leurs accointances communistes ou de dénoncer des collègues furent accusés d'outrage au Congrès et interdits de travail à Hollywood. Ces "Hollywood Ten" se livrèrent à une défense passionnée de la Constitution diffusée dans tout le pays et de grands noms du cinéma clamèrent leur réprobation et firent travailler des collègues inscrits sur la liste noire jusqu'à ce que les tribunaux californiens mettent fin au maccarthysme en 1962.

L'*Atlas de la Californie* de Gérard Dorel (Autrement, 2008) offre un excellent éclairage sur cet État de l'Union, eldorado moderne qui est aussi l'un des mythes fondateurs de l'Amérique d'aujourd'hui.

Le 28 janvier 1969, un puits de pétrole déversa 756 000 litres de pétrole dans le détroit de Santa Barbara, tuant des dauphins, des phoques et plus de 3 600 échassiers. Les violentes protestations des riverains entraînèrent la création de l'Environmental Protection Agency.

## Technologies de pointe

Quand le premier ordinateur individuel sortit de la Silicon Valley en 1968, des publicités vantaient cette machine légère (20 kg) signée Hewlett-Packard, capable de "calculer les racines d'un polynôme du cinquième degré, des fonctions de Bessel, des intégrales elliptiques et des analyses de régression" pour 4 900 $ seulement (environ 29 000 $ d'aujourd'hui). Afin d'offrir à tous la puissance de l'ordinateur, Steve Jobs, âgé de 21 ans, et Steve Wozniak présentèrent à la West Coast Computer Faire de 1977 l'Apple II, doté d'une mémoire et d'un microprocesseur incroyables (4 kB de RAM, 1 MHz).

Vers le milieu des années 1990, une véritable industrie des "dotcom" prit son essor à la Silicon Valley ; grâce aux start-up, le courrier, l'information, la politique, les aliments pour animaux et même le sexe furent mis en ligne. Mais quand les profits ne furent pas au rendez-vous,

**1980**
L'éruption du Mt St Helens tue 57 personnes et détruit 250 habitations. Son altitude passe de 2 949 m à 2 549 m et un cratère de 1,6 km de diamètre remplace son pic.

**1995**
Lancement à Seattle d'Amazon, une de premières grandes entreprises de vente en ligne. D'abord dédiée à la vente de livres, elle ne réalisera des bénéfices qu'à partir de 2003.

**2000**
Le Colorado autorise la fourniture de cannabis thérapeutique à certains patients. Les établissements de marijuana médicale prolifèrent au cours de la décennie suivante.

**2002**
Salt Lake City accueille les Jeux olympiques d'hiver.

les financements s'évanouirent et des fortunes en stock-options disparurent par un sombre 10 mars 2000. En une nuit, des vice-présidents de 26 ans et des employés du secteur des services de la baie de San Francisco se retrouvèrent au chômage. Mais les usagers continuèrent de rechercher des informations utiles et de se chercher entre eux sur le Net, déclenchant l'essor des moteurs de recherche et des réseaux sociaux.

Entre-temps, les biotechnologies ont progressé à grands pas en Californie. En 1976, l'entreprise Genentech a cloné l'insuline humaine et découvert le vaccin contre l'hépatite B. En 2004, les électeurs californiens ont approuvé l'émission de 3 milliards de dollars d'obligations pour la recherche sur les cellules souches et, en 2008, la Californie est devenue le plus gros financeur de cette recherche et la vedette du nouveau Biotech Index du Nasdaq.



**2008-2013**

Les tribunaux fédéraux frappent la Proposition 8 qui interdit le mariage gay d'inconstitutionnalité. En 2013, la Cour suprême américaine rejette un appel : les mariages homosexuels peuvent reprendre.

**2008**

Barack Obama devient le premier président afro-américain des États-Unis.

**2010**

L'Arizona adopte une loi controversée selon laquelle la police peut demander ses papiers à quiconque est soupçonné d'être un immigré clandestin.

**2012**

Le Nouveau-Mexique et l'Arizona, 47e et 48e États de l'Union, célèbrent leur centenaire.

# La société ouest-américaine

**Qui sont les habitants de l'Ouest ? À en croire les clichés, ce sont de farouches opposants à l'immigration illégale qui prennent les armes dans l'Arizona tandis que les femmes au foyer d'Orange County se crêpent le chignon. Et pendant que les habitants du Colorado se la coulent douce et que les *hipsters* de Portland ne jurent que par le bio, les couples gays de Californie se marient à San Francisco. L'Ouest alimente les fantasmes. Et s'il est possible de définir de grandes tendances régionales, il n'en reste pas moins que la plupart des habitants de l'Ouest vivent leur vie de manière très classique.**

## Identité régionale

Le cow-boy est la figure qui vient d'emblée à l'esprit de quiconque évoque les habitants de l'Ouest américain : courageux et solitaire, toujours en quête de vérité, d'aventure et de justice – ou d'une bouteille de whisky. Même si les premiers colons à s'installer dans l'Ouest ne comptaient que sur eux-mêmes et avaient du courage à revendre – à défaut d'avoir le choix, dans ces terres hostiles et impitoyables –, le cow-boy de western a rapidement disparu à mesure de leur sédentarisation. Et si aujourd'hui les clichés perdurent, ils portent plutôt sur la façon dont les gens de Portland voient ceux de San Diego, ceux de Santa Fe ceux de Phoenix… et réciproquement.

**Sites sportifs**

*Base-ball*
*www.mlb.com*

*Basket-ball*
*www.nba.com*

*Football*
*www.mlssoccer.com*

*Football américain*
*www.nfl.com*

*Hockey www.nhl.com*

*Nascar*
*www.nascar.com*

### Californie

Les Californiens sont souvent tenus pour des gens détendus et tolérants, assez centrés sur eux-mêmes et soucieux de leur santé et de l'environnement. Et les statistiques semblent corroborer les stéréotypes, du moins en partie. Selon la National Oceanic and Atmospheric Administration (NOAA), plus de 25,5 millions de Californiens vivaient dans un comté du littoral en 2010 – le chiffre le plus important de tous les États côtiers. Du reste, les plages du sud de l'État, plus ensoleillées et plus propices à la baignade, font de la Californie du Sud la patrie du surf, du farniente sur le sable chaud – et le cadre idéal aux séries à succès que sont *Alerte à Malibu* ou *Newport Beach*. L'industrie du fitness, du maintien en forme, du sport et de la modification corporelle occupe une part importante de l'économie californienne, et ce depuis les

**LES SPORTS**

Dans l'Ouest, on aime le sport (football américain, basket-ball, base-ball…), qu'on le pratique ou qu'on en soit spectateur. Voici quelques-unes des équipes professionnelles encouragées dans la région :

**National Football League** AFC West : Denver Broncos, Oakland Raiders, San Diego Chargers ; NFC West : Arizona Cardinals, San Francisco 49ers, Seattle Seahawks.

**National Basketball Association** Conférence Ouest-division Pacifique : Golden State Warriors, LA Clippers, LA Lakers, Phoenix Suns, Sacramento Kings ; division Nord-Ouest : Denver Nuggets, Portland Trailblazers, Utah Jazz.

**Women's National Basketball Association** LA Sparks, Phoenix Mercury, Seattle Storm

**Major League Baseball** American League : LA Angels, Oakland Athletics, Seattle Mariners ; National League : Arizona Diamondbacks, Colorado Rockies, LA Dodgers, San Diego Padres, San Francisco Giants.

années 1970. L'exercice et une bonne alimentation aident les Californiens à rester parmi les plus minces du pays. L'attraction d'une vie saine semble toutefois avoir ses limites, puisque certaines villes californiennes collectent des millions de dollars d'impôts grâce aux dispensaires de marijuana – Oakland à elle seule a touché 1,4 million de dollars en 2011. Selon les enquêtes, 45% des électeurs de l'État penchaient pour les démocrates, 32% pour les républicains et 19% étaient considérés comme indépendants. En matière d'économies d'énergie, les Golden Staters sont en avance sur le reste de la nation. Les ventes de voitures hybrides sont ici plus importantes que dans n'importe quel autre État.

La population carcérale adulte de Californie a atteint un pic en 2006 avec 163 000 prisonniers ; ce chiffre était descendu à 144 000 détenus à l'automne 2011.

## Nord-Ouest Pacifique

Le cliché du bobo soucieux de l'environnement, activiste et buveur de *latte* colle à la peau des habitants du Washington et de l'Oregon. Et ce n'est pas tout à fait immérité. Beaucoup sont fiers de leur esprit indépendant, professent l'amour de la nature et prennent le tri des déchets très au sérieux. La plupart sont sympathiques, en dépit de leur tendance à dénigrer les Californiens – alors qu'un certain nombre d'entre eux viennent justement de Californie, attirés par le paysage luxuriant et la qualité de vie, éloignée des paillettes et de l'aspect un peu snob des grandes villes californiennes.

Ce n'est pas un mythe, le Colorado enregistre bien un record de 300 jours de soleil par an, et plus de 411 000 personnes ont descendu, en 2012, les rivières de l'État.

## Les États des Rocheuses

Les Rocheuses sont les terres des vrais cow-boys. Les ranchs sont ici de vastes entreprises, et le cow-boy solitaire – que l'on voit maîtriser un cheval qui se cabre sur la plaque d'immatriculation du Wyoming – est un symbole tout à fait adapté à la région. Il faut faire preuve d'un robuste individualisme pour tirer sa subsistance de ces plaines solitaires, balayées par le vent, qui ont tendance à déstabiliser les voyageurs venus des grandes villes.

Politiquement, les Rocheuses du Nord – Wyoming, Montana et Idaho – penchent du côté conservateur, bien qu'on y trouve des poches de libéralisme dans les villes universitaires et les stations touristiques. Si le Wyoming fut le premier État à accorder, en 1869, le droit de vote aux femmes, ce signe en faveur d'une pensée libérale a été depuis assombri par son association avec le vice-président Dick Cheney (le républicain, controversé, fut 6 fois représentant du Wyoming au Congrès). Outre les ranchs, l'autre grande industrie du Wyoming est l'énergie.

Le Colorado est l'État le plus contrasté de l'Ouest. À chaque bastion libéral, Boulder par exemple, correspond une enclave profondément conservatrice, comme Colorado Springs.

En septembre 2013, plus de 61 100 âmes envahirent dans l'euphorie le désert du Nevada à l'occasion du festival Burning Man. À la fois festival d'art et rave party où chacun plante sa tente, la liberté d'expression en termes d'art, de mode vestimentaire et de sexualité y est totale.

## Sud-Ouest

Le Sud-Ouest attire depuis toujours des colons intrépides qui n'ont pas forcément les mêmes buts – mormons, barons du bétail, prospecteurs – que l'Américain moyen. Une nouvelle génération d'entrepreneurs idéalistes a transformé les anciennes villes minières en enclaves touristiques surfant sur les thématiques new age et du Far West. Les scientifiques ont afflué dans les espaces vides pour lancer des fusées et développer et tester la bombe atomique. Les astronomes ont construit des observatoires au sommet des collines et des montagnes solitaires, profitant des cieux obscurs et d'une vue non obstruée.

Pendant des années, ces individus si dissemblables ont réussi à s'entendre sans trop de conflits. Or, récemment, les efforts démultipliés du gouvernement pour stopper l'immigration clandestine ont mis à mal cette harmonie, en tout cas aux confins sud de l'Arizona. La rhétorique anti-immigration n'apparaît pas dans la conversation courante, mais des articles violents dans la presse et la présence intense de la Border Patrol ont jeté un froid sur le paysage ensoleillé. Les autres régions du Sud-Ouest ont gardé dans l'ensemble une optique moins restrictive.

### LE MARIAGE : UN DROIT POUR TOUS

Quarante mille Californiens étaient déjà enregistrés comme partenaires quand, en 2004, le maire de San Francisco, Gavin Newsom, déclara légal le mariage entre personnes du même sexe, défiant ainsi l'interdiction qui existait en Californie. Quatre mille couples gays convolèrent aussitôt. En juin 2008, la Cour de justice fédérale de Californie révoqua l'interdiction du mariage entre personnes du même sexe, mais une proposition de loi (Proposition 8), passée en novembre 2008, amenda la Constitution de l'État et bannit ce type de mariage. Les activistes des droits civiques contestèrent la constitutionnalité de la proposition, et les tribunaux fédéraux finirent par juger que la loi violait les clauses de protection égale et de sécurité juridique. En 2013, la Cour suprême des États-Unis rejeta un appel et le mariage homosexuel put de nouveau être célébré dans le Golden State.

## Population et multiculturalisme

La Californie, avec plus de 38 millions de résidents, est l'État le plus peuplé des États-Unis. Plus de 30% des Américains d'origine asiatique vivent en Californie et les Hispaniques (14,1 millions) y seront le groupe ethnique majoritaire en 2020. On estime aujourd'hui à 2,5 millions le nombre d'immigrants illégaux en Californie. La culture latino-américaine et la culture californienne sont intimement liées et la plupart des résidents voient cet État comme une société multiculturelle ouverte qui donne à chacun la chance de vivre le rêve l'américain.

Les Phoenix Suns ont protesté contre la nouvelle loi d'immigration de l'Arizona passée en 2010 en changeant, le temps d'un match, le nom de leur équipe sur leurs maillots pour "Los Suns".

Le Colorado, l'Arizona et le Nouveau-Mexique ont une importante population indienne et hispanique. Ces résidents sont fiers de préserver leur identité culturelle à travers leurs traditions et les leçons de l'histoire orale. En général, les États du Sud-Ouest ont développé une philosophie du "vivre et laisser vivre" à laquelle ils restent très attachés. La seule exception est l'Arizona, notamment la région sud, qui partage 563 km de frontière avec le Mexique. Les relations sont tendues depuis qu'une nouvelle loi controversée passée par l'Arizona en 2010 exige que les officiers de police demandent les papiers d'identité à toute personne qu'ils soupçonnent d'être entrée illégalement dans le pays.

## Religion

Bien que les Californiens ne fréquentent pas autant l'église que les Américains en général, et qu'un sur cinq se dise sans confession, cet État est parmi ceux qui présentent la plus grande diversité religieuse. Il compte environ un tiers de catholiques, en raison de la vaste population hispanique, et un autre tiers de protestants. Il y a aussi un million de musulmans et LA abrite la deuxième communauté juive de l'Amérique du Nord. Environ 2% des Californiens se déclarent par ailleurs bouddhistes.

Environ un quart des habitants du Nord-Ouest pacifique se disent sans confession. La plupart des autres adhèrent au christianisme, au judaïsme ou à l'Église mormone. Les Américains originaires d'Orient ont apporté le bouddhisme, l'hindouisme, et le sikhisme et l'islam, auxquels on peut ajouter la spiritualité new age.

Le Sud-Ouest a une autre particularité, l'Utah, où 62% de la population s'identifie comme mormone. L'Église mormone insiste sur les valeurs familiales traditionnelles ; il est mal vu de boire, fumer et avoir des relations sexuelles avant le mariage. La famille et la religion sont également des valeurs centrales chez les Indiens et les Hispaniques du Sud-Ouest. Pour les Hopi, les danses tribales sont si sacrées qu'elles ne se déroulent presque jamais en présence d'étrangers. Bien que de nombreux Indiens et Hispaniques vivent aujourd'hui dans les villes et mènent une vie professionnelle, les grandes réunions familiales et les coutumes revêtent toujours un aspect très important dans leur vie quotidienne.

# Les Amérindiens

**Les populations amérindiennes de l'Ouest sont très variées, chacune observant des coutumes et croyances uniques façonnées par le paysage. Ces Indiens suivent également des chemins très divers qui associent à l'héritage de leurs ancêtres les cultures de l'envahisseur étranger. Certains sont des tisserands parqués dans des réserves, d'autres des concepteurs de sites Web à Phoenix. Certains encore cultivent le maïs et la courge, tandis que d'autres développent l'énergie solaire dans des fermes photovoltaïques. Certains sont hommes-médecine, d'autres chirurgiens. Ici, les stéréotypes font long feu.**

Plus de 5 millions d'Amérindiens (complètement Indiens ou sang-mêlé), appartenant à quelque 556 tribus reconnues comme telles, et qui parlent 175 langues, sont dispersés sur l'ensemble du territoire américain. Par sa population, la Californie est le premier État indien, l'Arizona le troisième et le Nouveau-Mexique le cinquième. La communauté des Navajo est la plus grande tribu de l'Ouest, suivie par celle des Cherokee répartie dans tout le pays.

Culturellement, ces tribus sont aujourd'hui confrontées à des questions essentielles. Comment assurer leur prospérité dans la société contemporaine américaine tout en protégeant leurs traditions de l'érosion et leurs terres d'une exploitation encore accrue ? Comment arracher leurs membres à la pauvreté tout en préservant leur identité et leurs croyances ?

L'un des meilleurs musées consacrés à la vie et à la culture des populations amérindiennes du Sud-Ouest est le Heard Museum à Phoenix.

## Tribus

À l'ouest du Mississipi, les grandes tribus indiennes occupent principalement le Sud-Ouest. Les plus connues, qui vivent dans de vastes réserves en Arizona, sont les Navajo, les Hopi et les Apaches. En Arizona, deux tribus plus petites, les Hualapai et les Havasupai vivent dans des réserves jouxtant le Grand Canyon. Les communautés du Nouveau-Mexique sont concentrées dans 19 *pueblos*, répartis au centre et au nord de cet État.

### Les Apaches

Le Sud-Ouest compte trois grandes réserves apaches : au Nouveau-Mexique, la Jicarilla Apache Reservation ; en Arizona, la San Carlos Apache Reservation et la Fort Apache Reservation qui abritent les Apaches de la montagne Blanche. Toutes ces tribus descendent des Athabascan qui migrèrent du Canada vers 1400. Avant de devenir de redoutables guerriers, ennemis des tribus Pueblos et des communautés européennes, les Apaches étaient des nomades vivant de la chasse et de la cueillette. Ils résistèrent farouchement à leur relocalisation dans des réserves.

Le plus célèbre des Apaches est Geronimo, un Apache Chiricahua, qui s'opposa avec l'énergie du désespoir à la saisie des terres indiennes jusqu'à ce qu'il soit finalement arrêté par l'armée américaine, aidée par des éclaireurs apaches de la montagne Blanche.

Pour ceux qui lisent l'anglais, *The People*, de Stephen Trimble, est un portrait intime et exhaustif des peuples amérindiens du Sud-Ouest, riche de leurs paroles et illustré de belles photos.

### Les Havasupai

La réserve Havasupai, en Arizona, jouxte le Grand Canyon National Park, au pied du versant sud du canyon. Supai, son unique village, n'est

Depuis des décennies, les Navajo et les Hopi, fidèles à leurs traditions, contrarient les efforts de l'industrie américaine qui veut transformer la Big Mountain sacrée en une mine à ciel ouvert. L'association Black Mesa Indigenous Support (supportblackmesa.org, en anglais) retrace leur combat.

accessible que par un sentier de 13 km (à pied ou à dos de mule) ou par hélicoptère depuis l'extrémité de la route à Hualapai Hilltop.

Havasupai (prononcez hah-vah *sou* paï) signifie "le peuple de l'eau bleue et verte" et, en effet, la vie de cette tribu a toujours été dominée par la Havasu Creek, affluent de la Colorado River. La présence fiable de cette eau, qui permettait d'irriguer les champs, favorisa un mode de vie saisonnier qui ancrait la population dans le village. Le profond Havasu Canyon protégeait aussi contre toute intrusion étrangère. Ce peuple extrêmement pacifique fut préservé de tout contact avec la civilisation occidentale jusque dans les années 1800. Aujourd'hui, il vit du tourisme, grâce aux splendides chutes du Havasu Canyon qui attirent un flux régulier de visiteurs. Les Havasupai sont apparentés aux Hualapai.

## Les Hopi

La réserve des Hopi, qui occupe plus de 6 000 km², est enclavée dans la réserve des Navajo. Les Hopi vivent essentiellement dans 11 villages au pied et au sommet de trois mesas qui débordent de la Black Mesa. Old Oraibi, sur la Third Mesa, serait (avec Acoma Pueblo) le plus ancien

### LE SAVOIR-VIVRE DANS UNE RÉSERVE

Quand vous visitez une réserve indienne, renseignez-vous sur les règles en vigueur et respectez-les. Presque toutes les tribus interdisent l'alcool et d'autres l'usage des appareils photo. Toutes exigent un permis pour le camping, la pêche et d'autres activités. Si les règles ne sont pas affichées à l'entrée du territoire, visitez le bureau de la réserve ou son site Internet.

Visiter une réserve signifie se plonger dans une culture unique aux coutumes autres que les vôtres. Soyez courtois, respectueux et ouvert, et n'espérez pas partager tous les secrets des habitants.

#### Demandez la permission avant de prendre une photo

Certaines communautés interdisent de prendre des photos ou de faire des croquis. D'autres demanderont d'acheter un permis ou ne permettront pas de filmer les cérémonies ou certains endroits. *Demandez toujours la permission avant de prendre une photo ou de dessiner.* Si vous voulez photographier quelqu'un précisément, demandez-lui l'autorisation et, s'il accepte, il est préférable de laisser un pourboire.

#### Les *pueblos* ne sont pas des musées

Les incroyables structures en adobe sont des maisons particulières. Un panneau annonce les bâtiments publics, dans le cas contraire, c'est une maison privée. Ne grimpez pas sur les murs alentour. Les *kiva*, lieux de cérémonie, sont presque toujours interdits d'accès.

#### Les cérémonies ne sont pas des spectacles

Une cérémonie constitue un rituel à observer avec respect, en silence. Ne parlez pas, n'applaudissez pas, ne prenez pas de photos, et portez une tenue simple. Si les *pow-wow* sont moins formels, ils sont cependant réservés aux membres de la tribu, à moins qu'ils ne soient annoncés comme une performance culturelle.

#### Respectez les croyances

Beaucoup d'Indiens sont heureux de décrire leurs croyances religieuses, mais pas tous et pas toujours au même degré. Les rituels et cérémonies sont souvent considérés comme des sujets très personnels. Demandez à votre interlocuteur si vous pouvez aborder ses croyances et respectez sa sensibilité. En outre, comme il est poli chez les Indiens d'écouter sans faire de commentaires, votre écoute attentive sera considérée comme une marque de respect.

habitat occupé sans discontinuité de l'Amérique du Nord. Comme tous les Indiens Pueblos, les Hopi descendent des Pueblos ancestraux (appelés autrefois Anasazi).

Hopi signifie "les pacifiques" ou "personne tranquille", et il est vrai qu'aucune tribu n'est aussi célèbre pour son mode de vie ancestral, humble et profondément spirituel. Les Hopi pratiquent une technique rare et presque miraculeuse d'"agriculture sèche" : ils ne labourent pas mais sèment des graines protégées par des "brise-vent" sur les bassins naturels de drainage des eaux. Leur culture principale a toujours été le maïs, qui est au centre de leur mythe sur la création.

La vie cérémonielle des Hopi est complexe et très privée, recouvrant tous les aspects de la vie quotidienne. Suivre la "voie hopi" est essentiel pour faire tomber la pluie qui donne la vie, mais les Hopi croient aussi que leur voie bénéficie au bien-être de toute l'humanité. Le clan, matrilinéaire, décide du rôle de chacun de ses membres. Même entre eux, les Hopi gardent secrètes certaines des traditions propres à leurs clans.

Ce sont des artisans talentueux, renommés pour leurs poteries, leurs paniers en spirale, leur travail de l'argent, ainsi que pour leurs *kachina*, poupées rituelles.

Le Hopi Arts Trail présente des artistes et des galeries des trois mesas au cœur de la réserve Hopi. Vous trouverez la carte et la liste des galeries et des artistes sur www.hopiartstrail.com (en anglais).



## Les Hualapai

La réserve des Hualapai (4 000 km²) longe sur 174 km le versant sud du Grand Canyon. Hualapai (prononcez *ouah*-lah-paï) signifie "le peuple des grands pins". Cette partie du Grand Canyon n'étant pas facile à cultiver, les Hualapai étaient à l'origine semi-nomades et vivaient de la cueillette des plantes sauvages et de la chasse du petit gibier.

Aujourd'hui, l'exploitation forestière, l'élevage du bétail, l'agriculture et le tourisme sont leurs principales sources de revenu. La principale agglomération Hualapai, Peach Springs en Arizona, inspira la ville de Radiator Springs dans le dessin animé *Cars*. Chasse, pêche et rafting sont les principaux attraits de la réserve, mais les habitants ont récemment ajouté une attraction unique, le Skywalk.

## Les Navajo

Environ 300 000 Navajo vivent aux États-Unis, ce qui en fait la 2e plus grande tribu après les Cherokee. La **réserve Navajo** (www.discovernavajo.com, en anglais) est de loin la plus grande et la plus peuplée des États-Unis. Appelée aussi Navajo Nation ou Navajoland, elle couvre plus de 70 000 km², à cheval entre l'Arizona, le Nouveau-Mexique et l'Utah.

Les Navajo étaient des nomades et des guerriers redoutés qui faisaient du commerce avec les Pueblos mais les pillaient tout aussi bien. Ils s'attaquaient également aux villages des colons et à l'armée américaine. Leurs traditions s'inspirent généreusement des autres civilisations : le mouton et le cheval leur viennent des Espagnols, la poterie et le tissage des Pueblos, et l'orfèvrerie des Mexicains. Aujourd'hui, on admire leurs tapis tissés, leurs poteries, leurs bijoux en argent incrustés de turquoises, et leurs peintures de sable élaborées utilisées pour les rituels de guérison.

Pendant la Seconde Guerre mondiale les "code talkers" navajo envoyaient et recevaient des messages militaires en athabascan, langue navajo notoirement complexe. Les Japonais ne sont jamais parvenus à déchiffrer le code et les Navajo ont donc ainsi grandement contribué à la victoire des Etats-Unis.

## Les Pueblos

Le Nouveau-Mexique compte 19 réserves de Pueblos. Quatre – Isleta, Laguna, Acoma et Zuni – se situent à l'ouest d'Albuquerque. Quinze sont dans la Rio Grande Valley entre Albuquerque et Taos : Sandia, San Felipe, Santa Ana, Zia, Jemez, Santo Domingo, Cochiti, San Ildefonso, Pojoaque, Nambé, Tesuque, Santa Clara, Ohkay Owingeh (ou San Juan), Picuris et Taos.

Bien que très distinctes les unes des autres, ces tribus partagent une culture commune. Le terme espagnol *pueblo* (village) s'avère pratique pour les désigner puisqu'elles descendent toutes des Pueblos ancestraux et ont hérité de leur style architectural et mode d'agriculture, avec des villages souvent perchés au sommet des mesas.

Les villages des Pueblos ne disposent pas tous d'un site Internet, mais l'Indian Pueblo Cultural Center (www.indianpueblo.org, en anglais) vous fournira tous les liens existants et une introduction à chacun d'entre eux.

Parmi les Indiens d'Amérique, les Pueblos se distinguent par leur habitat unique. Leurs maisons en adobe peuvent comprendre jusqu'à 5 niveaux, juxtaposant diverses structures en briques de boue séchée, en pierre, en bois et en plâtre, reliées par des échelles. Sur la place centrale de chaque *pueblo* se trouve la *kiva*, une salle de cérémonie souterraine reliée au monde des esprits. Héritées des missionnaires, des églises catholiques dominent les *pueblos*, fréquentées par les Pueblos qui partagent aujourd'hui la foi chrétienne et leurs propres croyances.

## Art traditionnel

L'art amérindien revêt presque toujours un sens cérémoniel et religieux. Les motifs et symboles étroitement mêlés à la vie spirituelle sont une fenêtre intime qui permet de comprendre l'âme de ces communautés.

Les artistes amérindiens contemporains utilisent la sculpture, la peinture, le tissage, les films, la littérature et les performances artistiques pour rendre compte de la modernité et en faire la critique, tout en préservant leur culture. Le phénomène est très marqué depuis le milieu du XXe siècle, en particulier à la suite de l'activisme généré par le mouvement des droits civiques dans les années 1960 et à la renaissance amérindienne des années 1970. L'ouvrage *Amérique du Nord, Arts premiers,* de Janet Berlo et Ruth Phillips (Albin Michel, 2006), est une superbe introduction à l'art autochtone extrêmement varié d'Amérique du Nord, de la période d'avant le contact avec les Occidentaux jusqu'au postmodernisme.

En achetant les objets directement auprès des Amérindiens, le voyageur peut avoir un impact positif sur les économies tribales qui dépendent en partie de l'argent du tourisme. Nombre de tribus possèdent boutiques d'artisanat et galeries, en principe dans les grandes villes des réserves. L'**Indian Arts & Crafts Board** (www.iacb.doi.gov, en anglais) publie l'annuaire, État par État, des boutiques et galeries appartenant à des Amérindiens ; cliquez sur *Source Directory of Businesses*.

### Poterie et vannerie

Presque toutes les tribus du Sud-Ouest perpétuent les traditions de la poterie ou de la vannerie, parfois les deux. Si à l'origine chacune, et même chaque famille, préservait un style distinct, les potiers et vanniers modernes mélangent aujourd'hui allègrement les genres, empruntant et réinterprétant motifs et méthodes classiques.

La poterie pueblo est peut-être la plus admirée de toutes. Au départ, c'était la terre locale qui déterminait la couleur ; à Zia la poterie était rouge, à Acoma blanche, à Hopi jaune, à Cochiti noire, etc. Santa Clara est célèbre pour ses motifs en relief et San Ildefonso pour son style noir-sur-noir, que ressuscita Maria Martinez, une potière de renom mondial. Les Navajo et les Utes d'Ute Mountain produisent également une poterie remarquée.

La poterie rime presque toujours avec vie au village alors que les paniers plus transportables sont un art plus prisé des peuples nomadiques. Parmi les communautés qui fabriquent les plus belles vanneries, citons les Apaches Jicarilla (Jicarilla signifie vannier), les Kaibab-Paiute, les Hualapai et les Tohono O'odham. Les paniers en spirale aux motifs colorés des Hopis, ainsi que les *kachina* (poupées en bois peint représentant les esprits) à l'iconographie très riche, sont également remarquables.

### Tissage navajo

Les femmes navajo semblent encore aujourd'hui incarner la femme-araignée qui, selon la légende, aurait enseigné le tissage aux humains. On les voit glisser patiemment leur navette, chargée de laine filée à la main, entre les fils de chaîne de leurs métiers, tissant les légendaires tapis navajo, qui étaient à l'origine des couvertures. Le tissage en est si serré qu'ils retiennent l'eau. La laine est toujours préparée à la main, parfois aussi la teinture. Tisser un tapis peut prendre des mois (voire des années).

À juste titre, les authentiques tapis navajo sont chers, allant de quelques centaines à des milliers de dollars. Ce ne sont pas de simples souvenirs mais des œuvres d'art qui vous dureront toute la vie, ornant un mur ou le sol de votre appartement. Avant de vous décider, prenez un peu le temps de comparer les prix et la qualité (pour connaître les tapis navajo, visitez le site www.gonavajo.com ; en anglais).

### Bijoux en argent incrustés de turquoises

Utiliser pierres et coquillages pour les bijoux est une tradition chez les Amérindiens. Le travail de l'argent n'est apparu que dans les années 1800 au contact des colons anglo-saxons et mexicains. Les Navajos, les Hopis et les Zuni, notamment, devinrent des orfèvres réputés combinant à l'argent les matériaux traditionnels, dont les turquoises, le lapis-lazuli, l'onyx, le corail, la cornaline et les coquillages.

Les bijoux authentiques possèdent un poinçon ou la marque de l'orfèvre, et certains sont vendus avec un certificat de l'Indian Arts & Crafts Board. Renseignez-vous avant d'acheter. Les prix sont aussi un indicateur : si un prix élevé ne garantit pas forcément l'authenticité, un prix ridicule indique plus sûrement une arnaque. Pour se faire une idée, rien de tel que se rendre au Santa Fe Indian Market (p. 411) du mois d'août, réunissant les meilleurs artisans indiens.

Edward Sheriff Curtis (1868-1952) fut l'un des plus grands photographes ethnologues américain. Conscient de la fragilité de la culture amérindienne, il entreprit l'inventaire photographique des différentes tribus d'Amérique du Nord

## Littérature

Les Indiens acquièrent peu à peu une réelle visibilité aux yeux de leurs compatriotes dans le domaine culturel. En 1969, l'écrivain kiowa Scott Momaday a obtenu le prix Pulitzer pour son roman *La Maison de l'aube* (éd. Gallimard, 1996) et Simon Ortiz a reçu le Pushcart Prize de poésie pour *From Sand Creek* (non traduit) en 1981, dans lequel il raconte le massacre de femmes et d'enfants Cheyennes et Arapaho par l'armée américaine en 1864, dans une vision très spirituelle des Amérindiens. La scolarisation progresse dans les réserves, mais, si les Indiens ont leur héros en littérature – le détective navajo Joe Leaphorn, créé par Tony Hillerman –, le chemin qui mène à la reconnaissance pleine et définitive du "peuple" indien et de sa place au sein de la société américaine promet d'être long.

Deux auteurs offrent une plongée intéressante dans la vie des Indiens d'aujourd'hui. Sherman Alexie, un Spokane/Cœur d'Alene, met en scène avec humour et finesse les stéréotypes concernant les peuples d'Amérique du Nord. Son recueil de nouvelles *Phoenix, Arizona* (Albin Michel, 1999) est un classique. *Le Premier qui pleure a perdu* (Albin Michel, 2013), son premier roman jeunesse, a été couronné par le National Book Award en 2007. Louise Erdrich, romancière et poétesse, puise dans son héritage chippewa pour analyser les relations et les problèmes identitaires entre Indiens et sang-mêlé. *L'Amour sorcier* (Seuil, 1992), le récit de la décomposition de plusieurs familles dans une réserve du Dakota du Nord, a reçu le prix du National Book Critics Circle. En 2012, *Dans le Silence du vent* (Albin Michel, 2013) a été couronné par le prestigieux National Book Award.

*Mémoires de Geronimo* (La Découverte, 2003), fruit de la rencontre de l'ancien chef de guerre apache et d'un "inspecteur général de l'éducation" est un témoignage irremplaçable de la conquête de l'Ouest.

# Cuisine

**Parler de "cuisine de l'Ouest" serait un non-sens tant les spécialités régionales abondent. Des steaks copieux du sud de l'Arizona aux *enchiladas* au piment vert du Nouveau-Mexique en passant par le saumon grillé du Nord-Ouest pacifique et les tacos de poisson de San Diego, les plats de l'Ouest, sont un voyage en soi.**

Depuis l'hiver 1620, au cours duquel les Indiens Wampanoag évitèrent aux Pères pèlerins de mourir de faim, les Américains ont intégré toutes sortes d'influences culinaires pour créer leur propre cuisine à partir de la grande variété de produits offerte par le continent. Fiers de cette richesse, ils ont su tirer parti des ressources de l'Atlantique nord, du golfe du Mexique et de l'océan Pacifique, des terres grasses du Midwest et des immenses prairies de l'Ouest, où les ranchs ont fait du bœuf, du porc et du poulet des produits de consommation quotidienne.

Des vagues d'immigration massive ont enrichi la gastronomie américaine en adaptant des idées venues d'ailleurs aux cuisines locales, de la pizza italienne aux hamburgers allemands en passant par le bortsch d'Europe centrale, les *huevos rancheros* mexicains et les sushis japonais. Par la suite, un système de transport et de marketing à l'échelle du continent a rendu produits frais, en conserve, en boîte et surgelés disponibles pour tous et à tout moment. Cet avènement de la *fast food* et de la *junk food* a fait emmerger un problème de taille : le surpoids.

Il a fallu attendre les années 1960 pour que la nourriture et le vin deviennent des sujets sérieux pour les quotidiens, les magazines et la télévision et ce, grâce à l'initiative d'une Californienne, Julia Child, qui apprenait aux Américains la cuisine française au cours d'émissions en noir et blanc diffusées par la télévision publique de Boston. Pendant les années 1970, l'homme de la rue – et pas seulement les hippies – en est venu à prendre en considération les notions d'aliments biologiques et d'agriculture durable. Au cours des deux décennies qui ont suivi, la "révolution des gourmets" – ceux qui "préfèrent la roquette à la laitue iceberg" comme les présentaient le *Time* en 2007 – a encouragé l'ouverture de restaurants consacrés à des cuisines américaines régionales (de celle du Sud à celle du Nord-Ouest pacifique), qui allaient se hisser au niveau des meilleures cuisines européennes.

La tendance est désormais chez les restaurateurs américains à l'utilisation d'ingrédients produits localement et si possible bio, et le Slow Food fait de plus en plus d'adeptes. On doit en grande partie cette évolution de la gastronomie américaine à Alice Waters, qui ouvrit le restaurant Chez Panisse à Berkeley en 1971. Aujourd'hui, c'est la First Lady, Michelle Obama, qui apporte sa contribution en plantant avec ses filles un potager bio sur la pelouse de la Maison-Blanche et en créant en 2010 un programme anti-obésité, *Let's move*, qui incite les jeunes à manger sainement et à faire du sport. Depuis peu, des marchés fermiers se mettent en place un peu partout dans le pays. Ils sont une excellente occasion de rencontrer les habitants et de goûter à l'infinie variété des produits américains, des fruits et légumes anciens à des spécialités régionales sucrées ou salées fraîchement préparées.

## Produits de base et spécialités

### Petit-déjeuner

Le petit-déjeuner traditionnel est l'héritage d'une société rurale dans laquelle les paysans avaient besoin de beaucoup d'énergie et donc d'un plat solide (œufs, bacon et pancakes) dès le matin. Aujourd'hui, la plupart des citadins travaillent dans le secteur tertiaire et un bol de céréales, quelques toasts et un café suffisent amplement.

### Déjeuner

Après une pause-café en milieu de matinée, le salarié américain se contente généralement à midi d'un sandwich, d'un burger rapide ou d'une salade consistante. Dans les grandes villes, on se plie souvent au "déjeuner d'affaires" où la conversation prend le pas sur l'assiette.

### Dîner

Le soir en semaine, les Américains dînent tôt (à partir de 18h). Ce repas est le plus substantiel de la journée mais est souvent constitué de plats surgelés où achetés au restaurant-traiteur du coin (pizza, plats chinois...). À l'heure du dessert, lui aussi consistant, les Américains sont souvent tentés par une glace, une part de tarte ou de gâteau. Dans certaines familles, on cuisine toujours un repas traditionnel le dimanche soir où l'on invite parents et amis pour faire la fête. Barbecue et pique-nique le week-end sont également fréquents.

### En-cas

Les drive-in sont légion dans l'ouest des États-Unis et l'on en trouve quasiment à toutes les sorties d'autoroute. En achetant des hot dogs ou des bretzels dans la rue, ou des tacos sur le bord de la route, vous prenez un petit risque d'ingérer une méchante bactérie, mais en général les fast-foods sont sûrs et les marchands ambulants contrôlés par les services de l'hygiène locaux. Dans les fêtes et les foires de comté, vous pourrez goûter barbes à papa, *corn dogs*, pommes d'amour, *funnel cakes* et toutes sortes de spécialités régionales savoureuses. Les marchés fermiers proposent souvent des plats préparés, plus sains, à des prix honnêtes.

### Californie

Son étendue et ses nombreux microclimats font de la Californie la corne d'abondance de l'Amérique pour les fruits et légumes. C'est aussi le point d'accès au continent pour les marchés asiatiques. Ses ressources sont impressionnantes, avec les produits de l'océan – saumon sauvage, crabe de Dungeness et huîtres, entre autres – ; des produits alimentaires présents tout au long de l'année, et des productions artisanales comme le fromage, le pain, l'huile d'olive, le vin et le chocolat.

**Spécialités régionales**

*Taco de poisson (San Diego, Californie)*

*Frito pie (Nouveau-Mexique)*

*Cheeseburger au piment vert (Nouveau-Mexique)*

*Indian taco (nord-est de l'Arizona)*

*Sonoran dog (Tucson, Arizona)*

*Huîtres des Rocheuses (Colorado)*



**UN BURRITO AU PETIT-DÉJEUNER**

Le *burrito* est un plat d'inspiration mexicaine qui s'est imposé dans l'ouest des États-Unis. Vous en trouverez dans les *diners* du Colorado, en Arizona et au bord des plages californiennes. De bien des façons, c'est le petit-déjeuner parfait : peu onéreux (moins de 6 $), plein de protéines (œufs, fromage, haricots), avec des fruits (de l'avocat)...

Au cours des décennies 1970 et 1980, des chefs d'exception comme Alice Waters et Wolfgang Puck lancèrent la "cuisine californienne", mettant en œuvre les meilleurs ingrédients locaux dans des plats simples mais délicieux. L'afflux d'immigrants asiatiques, en particulier après la guerre du Vietnam, a enrichi les cultures culinaires urbaines avec l'apparition de quartiers chinois, coréens et japonais au côté de vastes enclaves de Mexicano-Américains, aux traditions culinaires vivaces. Enfin, la "cuisine fusion" est aussi un symbole de la culture gastronomique californienne.

Pour vous faire une idée sur les restaurants de Los Angeles, consultez les critiques franches et parfois brutales sur les sites www.laweekly.com et www.la.eater.com

## La côte nord et les sierras

Dans les années 1970, les hippies de San Francisco ont migré vers l'intérieur des terres pour revenir à un mode de vie plus traditionnel. Ils ont construit des communautés plus autonomes vis-à-vis des grands groupes alimentaires, où ils fabriquaient des produits de base tels que le fromage ou le pain. Ces agriculteurs d'un genre nouveau furent les premiers à adopter une politique anti-pesticides permettant la création d'une cuisine bio et saine.

Sur la côte nord, vous pourrez goûter à une cuisine influencée par les Ohlone et les Miwok, deux tribus amérindiennes qui vivaient en grande partie de la cueillette. La pêche, la chasse et la confection de pain à base de farine de châtaigne n'étaient pas leurs seuls passe-temps puisqu'ils s'occupaient aussi de potagers et cultivaient des terres tout le long de la côte. Cette région possède une nature riche en fleurs sauvages desquelles proviennent le miel et les mûres. Côte oblige, le ramassage des coquillages et des crustacés ainsi que les exploitations (éco-responsables) de caviar et d'huîtres ne sont pas en reste. Les courageux chasseurs-cueilleurs ont réussi à identifier chaque plante de la région, de l'oseille des sierras aux algues de Mendocino même si les spots de cueillettes de champignons sauvages restent, encore aujourd'hui, un secret bien gardé.

La dernière folie culinaire à avoir frappé les États-Unis : le *food truck*. Ces camions, installés un peu partout dans la rue, proposent toutes sortes de mets, allant du taco au cupcake. Vous trouverez les meilleurs de l'ouest du pays à Portland, Los Angeles et Las Vegas.

## Zone de la baie de San Francisco

San Francisco compte plus de restaurants par habitant que toutes les autres villes américaines. En 2011, elle recensait 3 588 restaurants – un pour 227 personnes ! Outre les restaurants, on y trouvait aussi dans les 200 *food trucks* et 29 marchés de producteurs.

Certains mets originaires de la ville ont su s'imposer au fil du temps. Tel est le cas du *cioppino* (ragoût de crabe de Dungeness), des barres chocolatées créées par la famille Ghirardelli et du pain au levain. Le *dim sum* (*xiao che* en mandarin) est un ensemble de petits mets variés, traditionnellement servis à l'heure du thé (*yum cha*) mais que l'on peut déguster au déjeuner dans des dizaines de restaurants de San Francisco.

Les cuisines françaises et italiennes se placent depuis longtemps parmi les favorites des habitants malgré la venue récente de nouveautés originaires d'ailleurs : les *izakaya* (bars japonais servant divers sortes de petits plats), les tacos corréens, les *banh mi* (sandwichs vietnamiens de viande marinée et servie dans une baguette française) et l'*alfajor* (*biscuit* fourré à la crème d'origine arabo-argentine).

## SoCal

Los Angeles est depuis longtemps réputée pour ses grands chefs et ses propriétaires de restaurants célèbres tels Robert H. Cobb qui inventa la fameuse *Cobb salad* (laitue, tomate, œuf, poulet, bacon et roquefort) et Wolfgang Puck qui ouvra Spago à l'ambiance "strass et paillettes".

Les amateurs de cuisine du monde trouveront leur bonheur à LA : *kalbi* (travers de porc marinés et grillés) à Koreatown, tacos *al pastor* (porc mariné frit) dans l'Est et *ramen* tout frais à Little Tokyo.

Plus au sud, les surfeurs traversent les villes de la Hwy 1, de Laguna Beach à La Jolla, en quête d'en-cas solides tels les *breakfast burritos* et les tacos au poisson. À ne pas manquer : un smoothie au Ruby's Shake Shack de Crystal Cove à Newport Beach.

## Nord-Ouest pacifique

James Beard (1903-1985), chef et auteur d'ouvrages culinaires né dans l'Oregon était intimement convaincu que plus les produits étaient préparés simplement et avec peu d'ingrédients plus leurs arômes naturels étaient mis en valeur. Cette philosophie a beaucoup influencé la cuisine du Nord-Ouest. Les habitants de la région ne considèrent pas leur cuisine comme branchée ou trop élaborée mais apprécient malgré tout qu'on la trouve innovante surtout lorsque l'on touche au bio.

Pour éviter de vous retrouver avec une espèce menacée de disparition dans votre assiette, consultez le site du Monterey Bay Aquarium (www.montereybayaquarium.org/cr/seafoodwatch.aspx).

### Terres agricoles, cueillette et poisson

La diversité géographique et du climat – tempéré et humide sur la côte, avec des étés ensoleillés et des terres agricoles arides dans l'Est – permet la culture d'une grande variété de produits. Melons, raisins, pommes, poires, fraises, cerises et myrtilles n'en sont qu'une partie. On cultive aussi les légumes : pommes de terre, lentilles, maïs, asperges et oignons doux destinés à la consommation locale et à l'exportation.

L'humidité de la côte est favorable à la pousse d'espèces sauvages : champignons toute l'année et fruits divers l'été, comme les baies.

Aves des centaines de kilomètres de côte et une pléthore de rivières, les poissons et crustacés font partie intégrante du régime alimentaire des habitants du Nord-Ouest. Selon les saisons, couteaux du Pacifique, moules, crevettes roses, thon albacore, crabe de Dungeness et esturgeon sont à l'honneur. Le saumon reste l'un des mets les plus consommés de la région, qu'il soit fumé, grillé ou en salades, quiches et sushis.

## Sud-Ouest

Hot dogs de Sonora, cheeseburgers au piment vert, *huevos rancheros* (œufs au plats servis sur une tortilla avec sauce salsa), steaks juteux et buffets sans fin... De l'Arizona à Las Vegas en passant par le Nouveau-Mexique, l'Utah et le sud du Colorado, la cuisine du Sud-Ouest se veut généreuse.

Espagnols et mexicains, qui jusqu'à la moitié du XIXe siècle contrôlaient un large territoire allant du Texas à la Californie, sont à la base de ce qu'est la cuisine du Sud-Ouest aujourd'hui. L'excellente cuisine tex-mex, pour ne pas dire mexicaine, est donc ici à l'honneur.

Le nord du Nouveau-Mexique est connu pour ses sauces aux piments rouges ou verts qui assaisonnent œufs, *enchiladas*, tortillas, *burritos*, *chimichangas*, tacos et autres galettes de maïs aux garnitures variées (viande hachée, poulet, haricots...), en vente partout. Grillades et barbecues sont aussi très courants dans les menus du Sud-Ouest, et la boisson favorite est la bière. Dans l'Utah, marqué par la présence mormone, les plats traditionnels (après la prière) sont de rigueur. En Arizona et au Nouveau-Mexique, il est possible de goûter à des plats

### BON, BIO ET LOCAL

Le mouvement Slow Food, renforcé par un regain d'intérêt pour les productions locales et bio, gagne les restaurants américains. On doit en grande partie cette inflexion d'aujourd'hui au chef Alice Waters et à son restaurant à Berkeley, Chez Panisse, créé en 1971. Les marchés fermiers ont maintenant le vent en poupe ; ils sont un lieu idéal pour rencontrer les habitants et découvrir les productions et les mets locaux.

Les piments ne sont pas tous récoltés au même moment. Certains restent sur la plante jusqu'à ce qu'ils deviennent rouge rubis, puis sont cueillis et utilisés pour confectionner des *ristras*, décorations accrochées aux murs et aux entrées des maisons dans tout le Sud-Ouest.

amérindiens, lors des fêtes tribales, ou sur réservation. Non loin, Las Vegas est devenue quant à elle une salle de jeu cosmopolite pour les grands chefs de New York, de Los Angeles et même de Paris, qui y ouvrent tous des filiales.

### Steak et pommes de terre

Une petite envie de steak accompagné de salade, de pommes de terre au four et de haricots ? Ne cherchez pas plus loin, vous êtes au pays des *steakhouses*. La cuisine de l'Utah est influencée par l'importante population mormone d'où la prédominance d'une cuisine américaine traditionnelle : poulet, steak, pommes de terre, légumes ainsi que glaces et tartes maison.

### Cuisine du Mexique et du Nouveau-Mexique

La cuisine mexicaine est souvent très épicée : palais sensibles, goûtez avant de vous lancer ! En Arizona, la cuisine mexicaine est celle que l'on trouve dans le désert de Sonora, avec des spécialités comme la *carne seca* (viande séchée). Les plats sont accompagnés de purée de haricots, de riz et d'une tortilla de blé ou de maïs. Les habitants de Tucson considèrent leur ville comme la "capitale mondiale de la cuisine mexicaine". Bien que contestée par d'autres villes, cette affirmation contient une part de vérité. Même si on y sert des plats mexicains, les restaurants du Colorado sont bien moins connus que ceux des États voisins.

Bien que différente de la cuisine mexicaine, celle du Nouveau-Mexique y trouve ses racines. Les haricots sont servis entiers et non en purée et le *posole* (ragoût de maïs et de viande) remplace souvent le riz. La spécialité est la *carne adobada* (morceaux de porc marinés). Le Nouveau-Mexique est aussi célèbre pour ses classiques mexicains relevés. La mention rouge ou vert dans les restaurants s'applique au choix de la sauce au piment (chili), et la ville de Hatch, au Nouveau-Mexique, est particulièrement connue pour ses piments verts.

### Cuisine amérindienne

La cuisine amérindienne d'aujourd'hui a gardé peu de points communs avec celle que consommaient les aborigènes avant la conquête espagnole et se démarque bien de la cuisine du Sud-Ouest. L'*Indian taco* dont la recette fut créée par la tribu des Navajo est un pain frit souvent recouvert de haricots, de viande, de tomates, de sauce piquante et de laitue. Le pain *horno*, difficile à mâcher, est cuit dans un four (*horno*) en adobe, situé en extérieur. Après y avoir allumé et éteint un feu, on place le pain dans le *horno* qui cuit grâce à la chaleur restée à l'intérieur.

La plupart des plats ameridiens sont réalisés avec des produits cultivés localement, comme les pignons et les baies. Hormis durant les fêtes tribales, les *pow-wow*, les rodéos ou les fêtes des Pueblos – et dans les restaurants de casino –, ils peuvent être assez difficiles à trouver.

Une microbrasserie vend la majorité de sa production à l'extérieur ; les brasseries vendent leur production sur place. On peut généralement s'y restaurer.

## Boissons

La majorité des Américains préfèrent la bière au vin.

### Bière

La bière est aussi américaine que le sont les Chevrolet. Un sondage Gallup révèle que 39% d'Américains boivent régulièrement de la bière, et 35% du vin. Les alcools forts arrivent loin derrière : 22% des Américains en consomment toutes les semaines. En plus d'étancher la soif, la bière a aussi une fonction sociale : sans bière, pas de pique-nique ou de réunion de supporters réussie.

## BIÈRES LOCALES

Dans l'Ouest, les microbrasseries sont le lieu idéal pour se retrouver entre amis, discuter, échanger – et déguster quelques merveilles du cru. Voici nos préférées :

**Beaver Street Brewery** (p. 360). Flagstaff, Arizona.

**Four Peaks Brewing Company** (p. 356). Tempe, Arizona.

**Kelly's Brewery** (p. 407). Albuquerque, Nouveau-Mexique.

**Great Divide Brewing Company** (p. 261). Denver, Colorado.

**Steamworks Brewing** (p. 291). Durango, Colorado.

**Snake River Brewing Co** (p. 306). Jackson, Wyoming.

**North Coast Brewing Co** (p. 164). Fort Bragg, Californie.

**Amnesia Brewing** (p. 226). Portland, Oregon.

**Pike Pub & Brewery** (p. 200). Seattle, Washington.

Il y en a tant à San Diego que nous les avons listées séparément (voir p. 103).

### Bières locales et artisanales

Ce sont les immigrants allemands du XIXe siècle qui mirent au point des procédés permettant de fabriquer la bière en quantités importantes et de la diffuser sur tout le territoire. Aujourd'hui, à l'instar du vin, la bière a ses amateurs. Certains restaurants en ville ont même leur cave à bières et leur "sommelier". Les microbrasseries se multiplient et, avec elles, la production de bières artisanales, laquelle représentait déjà 12% du marché intérieur en 2012. Il est ainsi possible, depuis quelques années, de "boire local" à travers tout l'Ouest grâce aux microbrasseries qui émergent un peu partout, aussi bien dans les grandes villes que dans les plus petites et des lieux très inattendus. Elles sont particulièrement appréciées dans des villes proches des parcs nationaux comme Moab, Flagstaff et Durango.

Kim Jordan fonda la brasserie New Belgium, basée à Fort Collins, avec son ex-mari Jeff Lebesch en 1991. Réputée pour ses bières Fat Tire et devenue la 7e plus grande brasserie du pays. Elle est aujourd'hui dirigée par Kim Jordan. L'entreprise est régulièrement citée pour les excellentes conditions de travail de ses employés.

## Vin

Quatrième producteur au monde après l'Italie, la France et l'Espagne, les États-Unis comptent à l'heure actuelle plus de 7 000 domaines. D'après le *LA Times*, 2010 marquerait la première année où les Américains ont consommé plus de vin que les Français.

Comptez de 10 à 12 $ pour une bouteille de vin correct.

### Régions viticoles

Si, à l'heure actuelle, près de 90% de la production viticole américaine est californienne, il n'en demeure pas moins que les vins de l'Oregon et du Washington jouissent eux aussi d'une reconnaissance internationale.

Le nord de la Californie domine largement le tourisme vitivinicole – concentré dans les vallées de Napa et de Sonoma –, mais d'autres régions comme la Willamette Valley dans l'Oregon, la côte centrale californienne et la région de Patagonia, en Arizona, sont aussi devenues des destinations de la vigne et du vin. L'émergence de ces dernières a entraîné avec elle celle de toute une armada de B&B œuvrant main dans la main pour faire la promotion du pinot noir.

Il existe d'excellents vins du Nouveau Monde élaborés à partir d'une douzaine de cépages différents, tous basés sur des pieds importés et qui se sont épanouis dans le riche sol américain. Parmi les variétés de blanc les plus appréciées, il y a le chardonnay et le sauvignon blanc ; en rouge, le cabernet sauvignon, le merlot, le pinot noir et le zinfandel comptent parmi les cépages les plus prisés.

### Autres boissons alcoolisées

On fabrique aussi rye, whisky, gin et vodka aux États-Unis. Le bourbon, fait à partir de maïs (traditionnellement dans le Kentucky), est le seul alcool vraiment américain. Parmi les cocktails créés dans les bars américains à la fin du XIXe siècle et au début du XXe, on trouve de grands classiques comme le martini et le Manhattan.

Dans le Sud-Ouest, on ne jure que par la tequila et son cocktail phare : la margarita, en provenance directe de Tijuana, au Mexique. Ailleurs, la mode est aussi au mojito, cocktail à base de rhum originaire de Cuba. En guise de tisane un peu relevée, il y a aussi l'irish coffee, mélange de café chaud avec du whisky irlandais et de la crème fouettée.

### Boissons sans alcool

Aux États-Unis, l'eau du robinet est potable. La plupart des boissons non alcoolisées sont très sucrées et servies avec de la glace : du thé glacé et de la limonade à la mode du Sud aux "soft drinks" typiquement américains (appelés aussi "soda" ou "pop"), comme le Coca-Cola, le Pepsi et le Dr Pepper. On trouve aussi des marques rétro, le Dr. Brown's, tout droit sorti des *delicatessens* new-yorkais, ou au contraire nouvelles, comme le Jones Soda (avec du sucre de canne au lieu de sirop de maïs).

### Café

Si l'Amérique marche aujourd'hui à la caféine, le café n'a commencé à devenir vraiment à la mode qu'il y a 25 ans. En cause : l'arrivée des Starbucks et de leur concept. C'est à Seattle, en 1971, dans Pike Place Market, que Starbucks, la plus grande chaîne de café au monde, a ouvert sa première enseigne. L'idée : offrir, dans un confortable "salon de café", une large variété de cafés confectionnés à partir de grains entiers torréfiés, venus du monde entier, à déguster dans des mugs dédiés. En somme, un produit qui, de son contenu à son contenant, se révélait nettement plus raffiné et élaboré que le café Folgers et les traditionnelles "cups of joe" des *diners*, jusqu'alors omniprésents. Au début des années 1990, ces salons de café spécialisés fleurissaient à travers tout le pays.

## Végétariens et végétaliens

**Le top des restaurants végétariens**

*Lovin' Spoonfuls (Tucson, Arizona)*

*Macy's (Flagstaff, Arizona)*

*Greens (San Francisco, Californie)*

*Veggie Grill (West Hollywood, Californie)*

Végétarisme et végétalisme ont été un temps considérés aux États-Unis comme des pratiques sectaires, mais cette époque est bel et bien révolue. De fait, certains des restaurants américains les plus cotés sont des restaurants exclusivement végétariens et végétaliens, comme par exemple Greens (p. 146), à San Francisco.

De nombreux fast-foods offrent désormais des plats végétariens, comme un yaourt aux fruits ou une salade de légumes, et les non-carnivores trouveront leur bonheur dans les restaurants asiatiques. Quant aux restaurants de luxe, ils proposeront des soupes, des salades et des pâtes en journée, et la plupart prépareront un dîner végétarien sur demande.

Les grandes villes américaines proposent de nombreux restaurants végétariens et végétaliens, ce qui n'est pas toujours le cas des petites villes et des zones rurales éloignées des côtes. Ceux qui sont exclusivement végétariens et/ou végétaliens sont distingués dans cet ouvrage par un ✎. Consultez également l'annuaire en ligne de www.happycow.net.

## À table

Les Américains mangent souvent tôt, chez eux comme dehors. Ne soyez pas surpris de voir un restaurant à moitié plein à 12h ou à 17h30. Dans les petites villes, il peut être difficile de trouver un endroit où manger après 20h30 ou 21h. Les *dinner parties* débutent généralement autour de 18h30 ou 19h par un cocktail suivi d'un buffet ou d'un repas à table. Si vous êtes invité à dîner, il est poli d'être ponctuel.

Les Américains ont tendance à faire tout très vite et c'est vrai aussi pour le repas qui dure entre une demi-heure et une heure suivant le type de restaurant et l'occasion. Ils prennent quand même un peu plus de temps le week-end et pendant leurs courtes vacances.

La DUI (*Driving Under the Influence* : conduite en état d'ivresse) est une infraction très grave aux États-Unis. Dans les sorties arrosées au restaurant et dans les soirées, un membre du groupe se dévoue très souvent pour conduire et ne pas boire.

## Les mots à la bouche

**Angel food cake** – gros gâteau aéré à base d'œufs battus en neige

**bagel** – une spécialité new-yorkaise ; il s'agit d'un petit pain rond cuit à l'eau, puis au four, ce qui lui donne une texture ferme

**barbecue** – c'est d'abord la cuisson du Sud, qui consiste à fumer longuement les viandes enduites d'épices, mais le terme désigne aujourd'hui les grillades en général

**biscuit** – viennoiserie au beurre, feuilletée, souvent servie au petit-déjeuner

**blue plate** – plat du jour

**BLT** – sandwich avec bacon, laitue et tomate

**brownie** – petit palet au chocolat, parfois enrichi de noix

**burrito** – recette tex-mex, tortilla à la farine garnie de haricots, de viande, de sauce pimentée et de riz

**Caesar salad** – salade romaine agrémentée de croûtons et de parmesan râpé, assaisonnée d'une sauce à l'œuf cru et aux anchois

**California roll** – sushi fusion à base d'avocat, de chair de crabe et de concombre enveloppé de riz vinaigré et de *nori* (algue séchée)

**chicken-fried steak** – steak fin pané et frit, comme le poulet ; aussi appelé *country-fried steak*

**chili** – ragoût épicé au piment servi avec des haricots rouges et parfois des légumes

**chimichanga** –tortilla de blé frite garnie de bœuf haché, pommes de terre et assaisonnements

**chips** – fines lamelles de pommes de terre ou de maïs (*nachos*)

**cilantro** – coriandre en feuille

**clam chowder** – soupe de pommes de terre enrichie de clams et de légumes, parfois de bacon, épaissie avec du lait

**club sandwich** – trois tranches de pain de mie blanc avec du poulet ou de la dinde, du bacon, de la laitue et des tomates

**Cobb salad** – salade californienne : avocat, laitue, tomates, bacon, poulet, œufs durs et bleu

**cobbler** – dessert de fruits surmontés de biscuit ou de pâte, passé au four

**cold cuts** – tranches fines de viande froide ou de fromage

**continental breakfast** – en général, café ou thé, viennoiserie et jus ou fruit

**crab cake** – chair de crabe mélangée à de la chapelure et des œufs puis frite

**crisp** – ressemble au *cobbler,* mais le dessus, plus croustillant, rappelle le *crumble*

**devil's food cake** – génoise au chocolat noir avec nappage au chocolat

**eggplant** – aubergine

**enchilada** – tortilla garnie de viande et de fromage, passée au four et recouverte de sauce chili

### Pas d'impairs !

*Le service n'est généralement pas compris. Laissez au moins 15% de la note totale, ou 20% pour un service exceptionnel.*

*Il est d'usage de mettre sa serviette sur ses genoux.*

*Évitez de poser vos coudes sur la table.*

*Attendez que tout le monde soit servi pour commencer à manger.*

*Dans un dîner formel, l'hôte commence en premier.*

**fajita** – viande et légumes marinés et grillés, servis avec des tortillas et différentes garnitures (guacamole, fromage râpé...)
**French toast** – pain perdu servi avec du sirop d'érable au petit déjeuner
**fries ou French fries** – frites
**granola** – orge grillé avec du miel et des noix, souvent servi au petit-déjeuner dans du yaourt ou du lait avec un fruit frais
**grits** – farine de maïs blanche servant à faire le porridge, utilisé au petit-déjeuner et comme garniture

**hash browns** – galette de pommes de terre râpées, oignons et œuf cuite à la poêle
**huevos rancheros** – tortilla de maïs recouverte d'œufs au plat assaisonnés de sauce au piment
**jelly** – gelée

**maple syrup** – le sirop d'érable, onctueux et savoureux, servi avec sucre gaufres, pancakes et pain perdu. C'est la sève de l'arbre recueillie au printemps
**marshmallow** – guimauve (shamallow)
**nachos** – chips de maïs, souvent recouvertes de fromage, de steak haché, de piment *jalapeño*, de sauce épicée et de crème aigre

**pickle** – cornichon au vinaigre
**pretzel** – bretzel. Ceux que l'on vend dans la rue sont bien plus gros et ont davantage la consistance du pain que les variétés commerciales de biscuits à apéritif

**ranch dressing** – sauce salade : mayonnaise, oignon, ail, babeurre et assaisonnements
**refried beans** – plat d'accompagnement mexicain, purée de haricots pintos frite

**sloppy Joe** – steak haché, oignons, poivrons verts et ketchup cuisinés à la poêle
**smoothie** – boisson fraîche à base fruits frais, de glace pilée et parfois de yaourt
**stone crab** – crabe à la "floribéenne", dont les pinces sont mangées avec du beurre fondu ou une sauce moutarde-mayonnaise
**submarine sandwich** – les *sub* sont selon les régions des *hoagie, po'boy, hero* ou *grinder*. Il s'agit d'un sandwich fait dans un tiers de baguette tartinée de moutarde (sucrée) et de mayonnaise rempli de fines lamelles de viande ou de fromage et garni de feuilles de salade, de rondelles d'oignon, de cornichons et de tranches de tomate
**surf 'n' turf** – assiette de crustacés (souvent du homard) et de steak

**wrap** – sandwich roulé, généralement une tortilla ou un pain pita, garni d'une grande variété d'aliments

# Arts et Architecture

**Tableaux saisissants de Georgia O'Keeffe, photos en noir et blanc d'Ansel Adams, journalisme *gonzo* (reportage façon roman) à la Hunter S. Thompson et *Brokeback Mountain* d'Annie Proulx… Les beaux-arts et la littérature de l'Ouest américain sont sans conteste le reflet du multiculturalisme, des paysages grandioses et du fort attachement à la liberté de cette région. Même le grunge de Nirvana est indissociable du gris pluvieux de Seattle.**

## Littérature

La Californie est, et a toujours été, une immense source d'inspiration pour les romanciers et poètes. Rien d'étonnant, donc, à ce qu'elle soit l'État le plus consommateur de livres ; proportionnellement, les Californiens lisent plus que la moyenne des Américains.

Après avoir exercé mille métiers, Jack London a été l'un des premiers Américains à vivre confortablement de sa plume, grâce à une cinquantaine de romans, dont certains inspirés de son expérience de la ruée vers l'or dans le Klondike.

### Plongée au cœur d'une société

John Steinbeck est sans doute l'auteur californien le plus marquant de sa génération. Dans *Les Raisins de la colère* (Gallimard, Folio), son roman le plus célèbre, publié en 1939, il suit les fermiers de l'Oklahoma qui fuient la sécheresse pour gagner la Californie.

C'est près de San Francisco qu'Eugene O'Neill (Prix Nobel) écrivit ses pièces. Ses œuvres ont été traduites en français aux éditions de l'Arche (plusieurs volumes, dont l'autobiographique *Long Voyage du jour à la nuit*, 2013).

Parmi les premiers romanciers du XXe siècle à porter un regard critique sur la prospérité nouvelle, on peut citer Upton Sinclair, dont *Pétrole !* (Le Livre de Poche, 2011) a donné lieu au film *There Will Be Blood*.

Né dans la réserve indienne des Blackfeet dans le Montana, James Welch n'a cessé de s'interroger sur l'identité indienne dans ses romans (par exemple *L'Hiver dans le sang*, Albin Michel, 2008, *La Mort de Jim Lonely*, Albin Michel, 2000 ou *Comme des ombres sur la Terre*, Albin Michel, 2010).

À Elko, dans le Nevada, le festival National Cowboy Poetry Gathering (www.westernfolklife.org) rassemble depuis 25 ans des cow-boys et *ranchers* désireux de partager leur culture rurale.

### Roman noir

Dans les années 1930, Hammett et Chandler peuplent leurs romans de personnages inquiets, jouets de forces maléfiques qui dominent la ville et finissent par les écraser. Dans *Le Faucon maltais* (Gallimard), Dashiell Hammett donne à la brume de San Francisco un caractère sinistre ; Raymond Chandler, dans *Le Grand Sommeil* (Gallimard, Folio), en 1939, campe son Philip Marlowe à Los Angeles et transforme Santa Monica, sa ville natale, en Bay City.

Le genre s'est perpétué sous la plume de Jim Thompson (*Le Criminel*, Rivages, 1993), Elmore Leonard (*Pronto*, Rivages, 2000) et Walter Mosley, qui situe ses romans dans les quartiers pauvres de Los Angeles. Enfin, James Ellroy, dont le style est aussi mordant et incisif que ses intrigues sont foisonnantes et ses personnages hallucinés, rencontre un incroyable succès. Parmi ses nombreux livres, *L'Affaire du Dahlia noir*, *Le Grand*

*Nulle Part* et la trilogie *Underworld USA* (Rivages), qui dessinent une "Cité des Anges" meurtrie, corrompue et sans illusions.

Loin des grandes villes, l'auteur aux multiples prix Tony Hillerman, originaire d'Albuquerque, mêle ethnologie et polar et place l'intrigue de nombre de ses romans dans des réserves navajo, hopi et zuni : *L'Homme Squelette* (Rivages, 2008), *Le Cochon sinistre* (Rivages, 2007), *Le Peuple des Ténèbres* (Gallimard, 2004) ou *Le Chagrin entre les fils* (Rivages, 2008) qui évoque la Grande Marche des Indiens au XIXe siècle (voir p. 438).

*L'homme squelette* de Tony Hillerman, auteur primé originaire d'Albuquerque, a été adapté en bande dessinée (Will Argunas, Rivages/ Casterman, 2011).

Amoureux de l'Ouest installé à Missoula, James Crumley a lui aussi publié de nombreux romans policiers se rattachant à la région dont *La Danse de l'ours*, en 1983 (Gallimard, Folio).

## Reflets d'un monde changeant

Dans les années 1950, les tenants de la Beat Generation s'engagent dans une nouvelle écriture, au style court, acéré et vivant. Ils se regroupent à San Francisco et vouent un culte au récit en "prose spontanée" de Jack Kerouac, *Sur la route* (Gallimard). Allen Ginsberg fut leur chef de file en matière de poésie et son *Howl* (Christian Bourgois, 2005), publié en 1956, leur chant de révolte.

L'essayiste Joan Didion restitue la soif de bouleversement des années 1960, avec par exemple *Un livre de raison* (Robert Laffont, 2010). La contre-culture trouve un autre de ses narrateurs en Tom Wolfe, qui met en scène les Grateful Dead, les Hell's Angels et les Merry Pranksters sur fond de "trip" à l'acide : *Acid Test : chronique* (Seuil, 1996).

Jean-François Duval, l'un des spécialistes de la Beat Generation, en retrace l'épopée à travers les témoignages de ses protagonistes dans *Kerouac et la Beat Generation* (PUF, 2012).

Oedipa Maas, héroïne du roman *Vente à la criée du lot 49* (Seuil, 2013), écrit en 1966 par Thomas Pynchon (Prix Nobel), sillonne la Californie au cours d'une quête mystérieuse.

Les années 1970 voient Charles Bukowski mettre en scène Los Angeles dans *Le Postier* (Grasset, 2002), et Armistead Maupin offre à partir de 1979 une chronique très gaie de San Francisco (10/18).

Hunter S. Thompson entreprit en 1970 une virulente exploration de la fin du rêve hippie avec *Hell's Angels* (Gallimard, 2011). *Las Vegas Parano* (Gallimard, 2010, adapté à l'écran en 1998 par Terry Gilliam) offre une description hallucinée de Las Vegas et de l'Amérique (re) devenue sauvage.

Vous pourrez découvrir les traditions kiowa et navajo et les légendes de l'Ouest sauvage dans *La Maison de l'aube* (Gallimard, 1996) de N. Scott Momaday, Prix Pulitzer du meilleur roman en 1969. De Leslie Marmon Silko, *Cérémonie* (Albin Michel, 1992), publié en 1977, trace le portrait d'un Indien qui, de retour de la Seconde Guerre mondiale, se penche sur son passé pour exorciser l'horreur vécue lors des combats.

## Récits de voyage

Pour une bonne introduction à la littérature du Nord-Ouest, plongez-vous dans *Far West volumes 1 et 2* (Phébus, 2000), journal de l'expédition de Lewis et Clark au début du XIXe siècle. Par ailleurs, le roman *Les Vivants*, d'Annie Dillard (Christian Bourgois, 2010), retrace avec un réalisme criant l'arrivée des colons blancs dans le Nord-Ouest au cours du XIXe siècle.

*L'Extravagant voyage du jeune et prodigieux T. S. Spivet* (Le Livre de Poche, 2011), de Reif Larsen, raconte les aventures d'un jeune prodige de 12 ans traversant les États-Unis d'est en ouest, du Montana à Washington, pour recevoir un prix. Jean-Pierre Jeunet a adapté l'ouvrage au cinéma en 2013.

Visiteur-pionnier de la Baie, Robert Louis Stevenson, d'origine écossaise, vécut quelque temps à Monterey et à San Francisco et passa sa lune de miel près d'une mine d'argent abandonnée, à Calistoga. Ce séjour lui inspira, en 1872, *La Route de Silverado : en Californie au temps des chercheurs d'or* (Phébus, 2000).

Wallace Stegner dépeignit avec lyrisme la vie dans l'Ouest américain, en particulier dans *La Montagne en sucre* (Points, 2009), publié en 1943. Dans ses essais, il met en garde sur les dangers de mythifier l'Ouest américain.

Misanthrope avoué, Edward Abbey consigna, en 1968, dans *Désert solitaire* (Gallmeister, 2010) ses expériences dans les canyons désolés de l'Utah, en un "chant d'amour à la sauvagerie du monde et aux merveilles de l'Ouest".

Originaire de l'Arizona, Barbara Kingsolver est l'auteur de romans à succès, dont *L'Arbre aux haricots* (Rivages, 2013) et a décrit la vie quotidienne dans cette région avec l'essai *Une île sous le vent* (Rivages, 2005).

L'ouvrage de William Kittredge, natif du Montana, *La Porte du ciel : mémoires américaines* (Albin Michel, 1996) est un roman autobiographique, publié en 1992, sur le rêve et l'espace américains.

Le best-seller autobiographique de Cheryl Strayed, *Wild*, raconte sa longue randonnée sur le Pacific Crest Trail après la mort de sa mère. Le film du même nom avec Reese Witherspoon dans le rôle principal, dont la sortie était imminente au moment de la rédaction de ce guide, en est l'adaptation.



## Musique

La plupart des studios d'enregistrement se trouvent à Los Angeles, et l'industrie télévisuelle et cinématographique s'est révélée un bon découvreur de talents. Mais il va de soi que les gagnants de l'émission *American Idol* doivent beaucoup à leurs illustres prédécesseurs et aux décennies d'innovation musicale qui ont marqué la Côte Ouest.

Si la musique américaine est née dans le Sud, et a pris son essor dans le Midwest et à New York, c'est souvent ici qu'elle a connu son ultime consécration, grâce à une fusion des différents courants musicaux du pays. La Californie, notamment, est un creuset du rock particulièrement prolifique. Les groupes, comme les styles et les sous-genres, sont innombrables.

### Taillés dans le rock

Si l'on remonte aux années 1950, le premier talent régional du genre aura été Richie Valens, dont *La Bamba* est la version rock d'une chanson mexicaine. Les années 1960 ont vu éclore Joan Baez et Bob Dylan en Californie du Nord, et Janis Joplin a chamboulé San Francisco. À quelques pas de la légendaire boîte Whisky a Go-Go, le quartier Laurel Canyon de Los Angeles s'est fait l'épicentre du folk rock devenu psychédélique, avec par exemple les Doors ou les Byrds.

Les années 1960 voient le rock instrumental se populariser, grâce à des artistes comme Duane Eddy, The Ventures. Dick Dale rendra célèbre la surf music et fera d'une chanson populaire grecque, *Misirlou*, un tube planétaire – utilisé plus tard dans la bande originale de *Pulp Fiction*, de Quentin Tarantino, ou de la série des *Taxi*, de Luc Besson.

Pour découvrir des artistes d'avenir, avec des interprétations live et des interviews, écoutez l'émission Morning Becomes Eclectic sur la station du sud de la Californie KCRW, sur www.kcrw.com (direct, podcast, et application pour téléphone).

### Rap et hip-hop

Depuis les années 1980, les rues de Los Angeles sont le principal berceau du rap, du gangsta rap et du hip-hop de la Côte Ouest, avec par exemple les Niggaz With Attitude, dont l'un des artistes, Dr Dre, cofonde le label Death Row Records. Il découvrira ainsi Snoop Dog et Tupac (assassiné en 1996). La tendance d'Oakland est plus centrée sur le mouvement du Black Power.

Depuis la fin des années 1990, la baie de San Francisco assiste au développement du mouvement hiphy, en réaction à l'aspect de plus en plus commercial du hip-hop. Le genre a également eu une grande influence sur des groupes comme Korn ou Linkin Park, qui associent phrasé hip-hop et rythmiques et sonorités metal et popularisent le genre neo-metal. Michael Franti & Spearhead, quant à eux, l'associe au funk, au reggae, au folk et au jazz, et diffuse un message prônant la paix et la justice sociale.

On peut voir au Seattle Center les manuscrits des chansons de Kurt Cobain.

### Metal, grunge et alternatif

Au début des années 1980, le heavy metal issu d'Angleterre et porté par des groupes comme Black Sabbath, Judas Priest, Led Zeppelin ou

Iron Maiden se radicalise. En Californie, des groupes comme Exodus, Metallica, Slayer ou Megadeth augmentent le tempo et créent le thrash metal, rapide, agressif et aux voix hurlées. Dans le même temps, Mötley Crüe et Poison mettent des paillettes dans leur hard rock et lancent le glam metal.

Dans le sillage du groupe culte des Melvins au milieu des années 1980, l'État de Washington, et Seattle en particulier, a connu nombre de groupes jouant sur la distorsion, un style simple et percutant, une batterie dense. Le grunge explose en 1991 lorsque le label Sub Pop sort l'album *Nevermind*. Nirvana, à qui on a reproché d'accaparer l'attention portée à ce mouvement autodestructeur, ne survivra pas à son succès et la mort – sujette à controverses – de son leader charismatique Kurt Cobain, en 1994, viendra mettre fin à sa courte existence. Mais des groupes comme Soundgarden, Pearl Jam ou Alice in Chains ont également connu – et connaissent encore – une forte popularité.

Certaines villes ont des liens étroits avec la musique indépendante. Outre Seattle, qui a vu naître Modest Mouse, Death Cab for Cutie et The Postal Service, on peut citer Olympia, berceau du rock féministe riot grrrl, et Portland, dans l'Oregon, qui peut se glorifier de groupes aussi divers que les Shins, les Dandy Warhols, Blind Pilot, les Decemberists, Pink Martini, ou Talkdemonic, au hip-hop folk électro.

Stevie Ray Vaughan, Johnny Cash, Lou Reed, Slash, Bo Diddley... Comme les stars de cinéma devant le Chinese Theater, les grands noms du rock et du blues ont laissé leurs empreintes dans le Rock Walk (www.rockwalk.com), sur Sunset Blvd à Los Angeles.

### Musique traditionnelle

Si vous traversez la vallée centrale californienne, allumez votre radio et balayez la bande FM jusqu'à capter des paroles espagnoles sur de la musique polka : c'est une station *ranchera*. Cette musique, fusion de polka introduite par les Allemands et de danses d'origine espagnole, est très populaire dans l'Ouest agricole, à la forte population hispanique.

Les spectacles de danse organisés par les Indiens dans le Sud-Ouest s'accompagnent de musique. Carlos R. Nakai et Perry Silver Bird sont deux joueurs de flûte traditionnelle de renom. Nakai est un Navajo-Ute qui a joué avec de nombreux musiciens, dont son propre ensemble de jazz, Jackalope, et l'Orchestre symphonique de Tucson.

La musique country vient du Sud mais elle représente le genre musical le plus répandu dans les États des Rocheuses. Elle prend souvent les accents du rythm and blues, du gospel et du rock.

**Les meilleurs festivals de cinéma**

- *AFI Fest (www.afi.com)*
- *Outfest (www.outfest.org)*
- *San Francisco International Film Festival (www.sffs.org)*
- *Sundance Film Festival (www.sundance.org)*
- *Telluride Film Festival (www.telluridefilmfestival.org)*
- *Seattle International Film Festival (www.siff.net)*

## Cinéma

Depuis que le cinéma, relayé par la télévision, est devenu un loisir dominant, la Californie a pris une place centrale dans la culture populaire. Chaque année, une quarantaine d'émissions télévisées et des dizaines de films y sont tournés en plein air, sans parler des tournages en studio.

### Naissance d'une industrie

Ce sont les humbles vergers du quartier résidentiel baptisé Hollywood qui ont attiré de jeunes cinéastes, souvent immigrants européens. Carl Laemmle construisit les studios Universal en 1915, la Paramount fut créée en 1916. Quant aux frères Warner, ils fondèrent leurs studios en 1923.

Le temps clément de LA permettait de tourner sans contretemps les scènes en extérieur. Charlie Chaplin et Harold Lloyd acquirent un statut de star, et le premier grand mariage hollywoodien unit en 1920 Douglas Fairbanks à Mary Pickford, marquant le début d'un âge d'or. *Le Chanteur de jazz*, comédie musicale de 1927 produite par la Warner, est communément considéré comme le premier film parlant. Et si, en réalité, seule une courte séquence s'est avérée sonore, l'exploit technique était bien là.

## Le rayonnement d'Hollywood

Dès les années 1920, Hollywood devient le noyau dur de l'économie du cinéma, avec Paramount Pictures à Hollywood même et, autour, Culver City (MGM, devenu Sony Pictures), Studio City (Universal) et Burbank (Warner Bros, Disney). Les cinémas et les drive-in se multiplièrent ; en 1938, on estima que 65% de la population avaient vu un film. Le public se passionna pour les stars comme Humphrey Bogart, Cary Grant et Katharine Hepburn, que les studios de Hollywood s'attachaient par des contrats d'exclusivité.

C'est alors que la concurrence de la télé détourna le public et que les autorités fédérales mirent fin au monopole de Hollywood sur la distribution et la projection. Dans les années 1960, les studios durent réduirent leurs coûts, rompre les contrats avec les acteurs et vendre les départements de production.

Après 1970, les studios se tournèrent vers la génération de jeunes auteurs anticonformistes attirés par le réalisme social : Martin Scorsese, William Friedkin, Robert Altman et Francis Ford Coppola produisirent ainsi des films cultes. C'est de la même époque que date le phénomène de la superproduction, due à deux jeunes réalisateurs, Steven Spielberg et George Lucas.

À partir des années 1990, certains films assez marginaux (à commencer par ceux distribués par Miramax, aujourd'hui Filmyard) connaissent un énorme succès. Les festivals contribuent à faire connaître des films indépendants, et même de gros studios peuvent produire des films à la réelle originalité, tels *Sideways* (2004), sur la route des vins de Californie.

Aujourd'hui, les coûts importants ont souvent conduit à trouver d'autres lieux de tournage, au Canada notamment, où les taxes réduites et les incitations attirent un nombre croissant de productions.

## Lieux de tournage, lieux de pèlerinage

Bien des westerns ont été tournés en Californie du Sud, et certains sites en Arizona et en Utah ont servi de décor de film tant de fois qu'ils sont devenus emblématiques du Far West. On pourra se rendre à Monument Valley, popularisée par le réalisateur John Ford dans *La Chevauchée fantastique* (1939), mais aussi à Moab pour *Thelma et Louise* (1991), au parc Dead Horse Point pour *Mission : Impossible 2* (2000), au Lake Powell pour *La Planète des singes* (1968) et Tomstone pour le film éponyme de 1993, et bien entendu au Blue John Canyon, du parc de Canyonlands, pour *127 heures* (2010).

## Petit écran

La première chaîne de télévision a commencé à émettre en 1931, à Los Angeles. Pendant les décennies qui suivent, des images plus ou moins idéalisées de la ville sont diffusées dans le monde entier : *Dragnet* (années 1950), *La loi de Los Angeles* (années 1980), *Beverly Hills*, *Le Prince de Bel-Air* (années 1990). La téléréalité n'est bien sûr pas en reste, avec des émissions comme *Real Housewives of Orange County* (Authentiques femmes au foyer de l'Orange County) !

Aujourd'hui, la Californie mise plus qu'avant sur les séries de qualité, prenant exemple sur *Twin Peaks* de David Lynch : *Weeds*, en Californie du Sud, *Closer* ou The Shield à LA.

Vince Gilligan, l'ancien scénariste de *X-Files,* est revenu au premier plan en 2008 avec le lancement de *Breaking Bad*. Tournée dans l'étouffante ville d'Albuquerque, cette série délibérément amorale, récompensée d'un Emmy en 2013, raconte l'histoire de Walter White, professeur de chimie devenu fabriquant de méthamphétamines et de Jesse Pinkman, son ancien élève et assistant.

Film muet en noir et blanc aux 5 Oscars, dont celui de meilleur film, *The Artist* (2011) de Michel Azanavicius, avec Jean Dujardin et Bérénice Bejo, raconte le Hollywood des années 1920 sur fond de romance, et le passage du cinéma muet au cinéma parlant.

*Citizen Kane* (1941) d'Orson Welles est considéré comme le meilleur film de tous les temps ; ce récit d'un journaliste recherchant la "vérité" sur la mort d'un magnat des médias demeure une critique mordante du rêve américain.

À Albuquerque, les fans de *Breaking Bad* peuvent se restaurer chez Twisters (4257 Isleta Blvd), alias Los Pollos Hermanos de Gus Fring. Pour le dessert, Rebel Donut (www.rebeldonut.com ; 400 Gold Ave) propose un beignet Blue Sky parsemé de sucre bleu – clin d'œil aux méthamphétamines bleues de Walter White.

# Architecture

Les habitants de l'Ouest ont adapté des styles d'importation au climat et aux matériaux disponibles, avec pour résultat des maisons en adobe à Tucson ou d'autres en bardeaux de séquoia résistant à l'humidité à Mendocino.

## Missions espagnoles et style victorien

Les villages des Indiens Pueblos en adobe dans le Sud-Ouest constituent la seule influence durable exercée par les autochtones sur l'architecture américaine. Les Espagnols s'en approprièrent des éléments, utilisant adobe, grès et herbe et créant un style hybride repris par l'architecture du XX$^{e}$ siècle : en témoignent le style "missionnaire" dans le sud de la Californie et le style pueblo dans le Sud-Ouest. Jetez un coup d'œil à El Pueblo de Los Angeles et à la vieille ville de San Diego.

Au cours du XIX$^{e}$ siècle, les nouveaux riches de la ruée vers l'or importèrent en Californie des matériaux, de façon à imiter l'architecture anglaise du moment, tout en balcons, tourelles, et bois ouvragé. On trouve des exemples d'architecture victorienne, dont les "Painted Ladies" et "gingerbread" dans des villes du nord de la Californie, comme San Francisco, Ferndale et Eureka.

Entre la fin du XIX$^{e}$ et le début du XX$^{e}$ siècle, alors que la nation s'étendait inexorablement vers l'ouest, Mary Colter mit au point les Harvey Houses pour le chemin de fer, ainsi que certains des logements et édifices touristiques emblématiques du Grand Canyon, inspirés par le style amérindien.

En 1915, le magnat de la presse William Randolph Hearst commanda à Julia Morgan, première femme à avoir reçu son diplôme de l'École des beaux-arts de Paris, le Hearst Castle. Ce projet mit plusieurs décennies à être achevé, du fait de l'indécision du commanditaire, qui souhaitait en outre y insérer des éléments des styles espagnol, gothique et grec !

## Arts & Crafts et Art déco

En réaction à la standardisation et aux mutations rapides de la révolution industrielle apparues au tournant du XX$^{e}$ siècle, le mouvement Arts & Crafts, né en Angleterre au milieu du XIX$^{e}$ siècle et influencé par le minimalisme japonais, prône un retour au "fait-main" et aux matériaux naturels. Les frères Greene (également responsables de la splendide Gamble House à Pasadena) dans le sud de la Californie et Bernard Maybeck, dans le nord, popularisèrent le style bungalow, de facture artisanale, en bois, verre et tuiles de céramique de la région. Vous en trouverez de bons exemples à Pasadena et à Berkeley.

Dans les années 1920, le style Art déco, répandu dans de nombreux pays, s'empara d'éléments antiques – glyphes mayas, colonnes égyptiennes, ziggourats babyloniennes – pour agrémenter les façades et gratte-ciel, comme on peut le voir à LA et dans le centre-ville d'Oakland. Les lignes épurées copient les formes aérodynamiques des avions et les ornements sont réduits à leur minimum, comme à l'Union Station, à LA.

Au début du XX$^{e}$ siècle, le visionnaire Frank Lloyd Wright développa le concept d'architecture organique et conçut des maisons ouvertes sur

### LES ARTS DU NOUVEAU-MEXIQUE

Taos et Santa Fe sont toutes deux dotées d'une communauté artistique importante et active, qui tire en avant la création dans tout le Sud-Ouest. Santa Fe, troisième place marchande de l'art aux États-Unis, est particulièrement recommandée si on s'intéresse à l'artisanat indien. La ville compte plus de 200 galeries, dont une centaine bordent Canyon Rd. Les vendeurs amérindiens proposent des bijoux et objets de très bonne qualité à côté de la place. Le vendredi, des circuits artistiques sont organisés à 17 h. Les collectionneurs peuvent aller jusqu'à la bucolique High Rd, qui offre de magnifiques paysages, entre Santa Fe et Taos, où ils trouveront des galeries, des bâtiments historiques et un marché d'objets d'art.

l'extérieur, qui se fondent dans l'environnement naturel, les *Prairie Houses*. Les meilleurs exemples de la région sont à voir à Los Angeles, avec Hollyhock House, et à Scottsdale, dans l'Arizona, où se trouve un de ses studios, Taliesin West, qui magnifie le paysage désert alentour.

### Modernisme et postmodernisme

Vers le milieu du XXe siècle, les adeptes du Bauhaus, tels Walter Gropius et Ludwig Mies van der Rohe, fuyant l'Allemagne nazie, débarquèrent aux États-Unis, apportant avec eux des conceptions avant-gardistes. Le modernisme, aux lignes épurées et géométriques du design scandinave, se transposa dans les banlieues, notamment en Californie du Sud. Albert Frey, Richard Neutra et d'autres architectes célèbres de ce mouvement ont laissé à Palm Springs une impressionnante collection de maisons privées et d'édifices publics.

Quelques années plus tard, le postmodernisme remit la décoration, la couleur, les références historiques au goût du jour, non sans une touche de fantaisie. Michael Graves et Philip Johnson, premier lauréat du prix Pritzker, se distinguèrent dans ce style. Une autre expression du postmodernisme se trouve dans l'architecture criarde et mimétique qui borde le Strip à Las Vegas, mais certains architectes comme Richard Meier s'inspirent des formes antiques (Getty Center de Los Angeles). L'architecture tout en courbes et lignes brisées du Walt Disney Concert Hall, de Frank Gerhy, détonne au milieu des gratte-ciel rectilignes de LA et le toit en dents de scie du Broad Contemporary Art Museum, extension du Los Angeles County Museum of Art, porte la signature de Renzo Piano. Le Young Memorial Museum, conçu par les Suisses Herzog et De Meuron, et son toit de cuivre virant au vert, s'intègre au paysage du Golden Gate Park (San Francisco). En face, le toit de verdure de la California Academy of Science, conçu par Renzo Piano, lui fait écho.

### Petits détours artistiques

- *Bisbee, Arizona*
- *Jerome, Arizona*
- *Aspen, Colorado*
- *Park City, Utah*
- *Bellingham, État de Washington*

## Arts visuels

Les premières peintures de l'Ouest relèvent plus du fantasme que de la rigueur historique ou géographique, présentant tour à tour la Californie comme une île ou les Amérindiens comme des peuples violents et vindicatifs. À partir du début du XVIIe siècle, les colons espagnols mirent à contribution les talents artistiques des Pueblos dans la réalisation d'icônes chrétiennes et d'éléments décoratifs destinés à leurs églises, dans un mélange de styles naïfs et baroques, incorporant certains élements de la culture indienne.

George Catlin (1796-1872) se rendit dans l'Ouest en 1832 pour découvrir la vie des Indiens, au moment même où les déportations décimaient les dernières tribus de l'Est. Ses tableaux dressent un portrait exact et dénué d'animosité du mode de vie indien. Peu de temps après, les Indiens allaient être dépeints comme des guerriers féroces menaçant les pionniers blancs et voués à l'extinction en raison de l'inévitable expansion à laquelle le destin appelait prétendument les colons.

Les premières images magnifiques de l'Ouest furent les paysages grandioses peints par Albert Bierstadt (1830-1902) dès 1859. Les tableaux de Thomas Moran représentant la gorge de la Yellowstone River servirent à promouvoir la North Pacific Railroad et à persuader le Congrès d'accorder le statut de parc national à cette région.

À mesure que les voies ferrées avançaient dans l'Ouest et que les Indiens étaient relégués dans des réserves, les mythes de la conquête alimentaient la création artistique. Maître du portrait épique du Far West, Frederic Remington (1861-1909), originaire de l'Est, se rendit célèbre par ses illustrations de magazines et ses romans populaires sur l'Ouest. Nombre de ses tableaux, comme *The Last Stand* (1890) et *Fight for the Waterhole* (1903), reprenaient le thème des Blancs encerclés par des Indiens hostiles et voués à une mort certaine. Réalistes, ces images allaient pourtant complètement à l'encontre des faits historiques.

Le soufflage du verre est une spécialité de la région de Puget Sound, dirigée par les artisans de la Pilchuk School. L'artiste originaire de Washington Dale Chihuly, réputé pour ses créations en verre soufflé, expose dans plus de 200 galeries du monde entier.

Séduits par la beauté de la lumière et des paysages, des peintres formés sur la Côte Est ou en Europe s'installèrent en Californie. On leur donna le nom de High Provincials par allusion à leur conviction que la Californie était l'endroit idéal où peindre – une opinion que partagea William Chase, considéré comme le meilleur professeur de peinture de la fin du XIXe siècle.

Edward Sheriff Curtis (1868-1952) entreprit de 1907 à 1930 un colossal travail photographique de recensement des populations indiennes d'Amérique du Nord. Près de 40 000 clichés furent pris et 80 tribus visitées, ce qui constitue le plus important témoignage photographique des cultures amérindiennes.

Le Californien Guy Rose passa un an à Giverny auprès de Claude Monet. À son retour, en 1914, il fit connaître l'impressionnisme aux artistes de l'État.

Georgia O'Keeffe (1887-1986), peintre parmi les plus admirés du siècle, réalisa des tableaux lumineux, aux lignes mouvantes, des grands espaces du Sud-Ouest.

Originaire de San Francisco, Ansel Adams a rendu justice au Yosemite par ses superbes photographies, et a fondé avec Edward Weston et Imogen Cunningham le Group f/64. Dorothea Lange, de Berkeley, a capturé inlassablement les ouvriers migrants de la crise des années 1930, puis les Japonais envoyés en camp d'internement pendant la Seconde Guerre mondiale.

On peut voir au Guetty Center de Los Angeles, véritable temple de la photographie, plus de 100 000 pièces ; le musée de San Francisco (SFMOMA), lui, recèle une superbe collection de daguerréotypes et de photographies japonaises expérimentales.

L'Ouest d'après-guerre s'est vu zébré d'autoroutes et a connu divers projets d'aménagement, ce qui inspira les peintres californiens, désireux de capturer les formes abstraites des paysages refaçonnés par l'homme. À San Francisco, Richard Diebenkorn et David Park se font les têtes de proue du mouvement Bay Area Figurative Art, et le sculpteur Richard Serra s'ingénie à produire des monolithes massifs et oxydables, rappelant l'architecture urbaine. Les artistes pop, eux, stigmatisent le consumérisme à tout va, avec les distributeurs de chewing-gums de Wayne Thiebaud, les piscines de Los Angeles de David Hockney, et les études d'Ed Ruscha sur les stations-service.

Établi en Arizona, James Turrell explore le monde de la perception à travers des installations usant de la lumière comme matériau. À la fin des années 1970, il acquiert le Roden Crater, un volcan éteint dans le nord de l'Arizona, pour y créer une œuvre monumentale de Land Art conçue comme une fenêtre ouverte sur le ciel – le génialissime projet est toujours en cours de conception (http://rodencrater.com).

on projet monumental dans le Redon Crater en plein Painetd Desert à 40 km au Nord de Flagstaff va dans ce sens.

La scène contemporaine allie les influences pop, expressionniste, punk, et grafiti des décennies antérieures en y ajoutant le muralisme à caractère social, un artisanat méticuleux, et l'apport des dernières technologies.

Nombre des meilleurs artistes américains d'aujourd'hui sont installés sur la Côte Ouest. Parmi les plus célèbres, citons les peintres Barry McGee ; le sculpteur et cinéaste Matthew Barney ; le vidéaste et artiste multimédia Doug Aitken ; et enfin, les artistes Kelley et Kara Walker, dont l'installation est le principal moyen d'expression. Parmi les musées à ne pas manquer, le Broad Contemporary Art Museum de Los Angeles, le Museum of Contemporary Art de San Diego, spécialisé dans le pop art et l'art conceptuel. Pour découvrir l'avant-garde californienne, il faut se rendre dans les galeries du centre-ville de Los Angeles et de Culver City, ainsi qu'à San Francisco, dans celles de Mission ou de SoMa.

# Environnement

**Entre les mouvements sismiques, les inondations, les volcans actifs et la glace à perte de vue... l'Ouest américain fut tout sauf paisible des millions d'années durant. Or, de ce pandémonium est né un kaléidoscope de paysages éblouissants, unis par une caractéristique commune : leur capacité à attirer et inspirer explorateurs, amoureux de la nature, artistes et sportifs.**

## Géographie et géologie

Le romancier et essayiste Wallace Stegner, profondément enraciné dans l'Ouest, y distingue dans *Where the Bluebird Sings to the Lemonade Springs* une demi-douzaine de régions. Le seul facteur quasi commun qu'il y trouve est l'aridité, qui "aiguise la lumière et augmente la clarté de l'air dans presque tout l'Ouest". Elle est également source des conflits autour de l'eau, toujours d'actualité.

*L'Ouest américain* de Jean-Yves Montagu (Éditions du Chêne, 2014) est une excellente introduction à la diversité des paysages de l'Ouest.

### Californie

Troisième État du pays après l'Alaska et le Texas, la Californie couvre une superficie de 401 450 km².

#### Géologie et séismes

La Californie forme un ensemble géologique complexe, constitué de fragments de roche et de croûte terrestre agglomérés lors de la dérive vers l'ouest du continent nord-américain, qui dura des centaines de millions d'années. Les côtes déchiquetées, la cuvette de la Central Valley et l'altitude toujours en augmentation de la Sierra Nevada sont le témoignage des forces incroyables exercées sur les plaques continentale et océanique poussées l'une vers l'autre.

Les plaques tectoniques du continent nord-américain ne s'entrechoquent plus, mais glissent l'une contre l'autre. L'imposante faille de San Andreas en résulte. Les à-coups créent des tremblements de terre réguliers. Celui de 1906 (7,8 sur l'échelle de Richter) détruisit San Francisco et causa plus de 3 000 morts. Celui de Loma Prieta en 1989 provoqua l'effondrement partiel du Bay Bridge, et celui de 1994 à Los Angeles détruisit des portions de l'autoroute de Santa Monica, ce qui en fait le séisme américain le plus coûteux en dégâts matériel à ce jour.

D'après les études de la US Geological Survey, la probabilité d'un séisme de 6,7 ou plus sur l'échelle de Richter frappant la Californie dans les trente années à venir est de... 99,7%.

#### De la côte à la Central Valley

Dans sa majeure partie, la côte californienne fait face aux Coast Ranges, chaînes côtières qui captent l'eau des orages d'hiver. Au nord de San Francisco, la côte brumeuse est peu peuplée, mais au sud, le climat clément attire beaucoup de monde.

C'est en Californie que l'on trouve le point le plus haut des États-Unis (Mt Whitney, 4 421 m) et le point le plus bas (Badwater, Death Valley, 86 m au-dessous du niveau de la mer) – et ce à moins de 150 km l'un de l'autre.

*Désert solitaire* d'Edward Abbey (Gallmeister, 2010) est une lecture obligée pour les passionnés de déserts, qui y découvriront ses réflexions et sa philosophie.

À l'extrême nord des Coast Ranges, les sols riches et l'humidité permettent la présence de forêts d'arbres géants. À l'est, ils s'abaissent et ondulent jusqu'à la Central Valley de 720 km de long, centre agricole produisant plus de 250 types de cultures – noix, fruits, légumes – d'une valeur annuelle dépassant 17 milliards de $.

### Montagnes

À l'est de la vallée se dresse la Sierra Nevada sur 650 km de longueur pour 80 km de largeur, ce qui en fait l'une des plus imposantes chaînes au monde. Elle compte 13 sommets dépassant les 4 000 m et offre un paysage exceptionnel de glaciers, pics de granit aux formes variées, et canyons retirés. Ainsi que l'indique son nom de "chaîne enneigée" (en espagnol), la Sierra Nevada reçoit de nombreuses précipitations sous forme de neige, l'eau se déversant ensuite dans les rivières de la Central Valley, qui alimentent également San Francisco et Los Angeles.

### Déserts

C'est le versant ouest de la Sierra qui capte la plupart de l'eau, conférant à l'est des paysages désertiques : ils reçoivent moins de 250 mm de précipitations par an. Étonnamment cependant, dans quelques vallées de l'est situées au pied de la Sierra, de petits cours d'eau ont permis à l'agriculture et à l'élevage de se développer.

Au nord de la Californie, le haut plateau de Modoc, sur la bordure ouest du Great Basin Desert, consiste en un désert froid qui n'a pour végétation guère que des buissons de sauge et des genévriers. Les températures montent à mesure que vous gagnez le sud, avec un passage particulièrement marqué à hauteur du Mono Lake dans l'Owens Valley, à l'est de la Sierra Nevada. Ce désert aride du Sud (partie du désert de Mojave) comprend la Vallée de la Mort, l'un des endroits les plus chauds de la planète.

## Sud-Ouest

Certaines roches au cœur du Grand Canyon, qui font partie des plus anciennes trouvées au monde, attestent que la région était recouverte d'eau il y a deux milliards d'années. Au sud de l'Utah, des couches rocheuses plus jeunes révèlent aussi la présence, au moins périodique, d'eau sur le continent. À la fin de l'ère paléozoïque, il y a environ 286 millions d'années, la collision des continents déforma la croûte terrestre et provoqua des compressions qui donnèrent naissance aux prémices des Rocheuses. Les rivières et dépôts sédimentaires formés par la chaîne commencèrent à donner forme au futur sud-ouest des États-Unis.

Après la séparation des continents, il y a plus de 60 millions d'années, la collision des plaques pacifique est et nord-américaine acheva de former les Rocheuses et souleva un ancien bassin pour donner l'actuel plateau du Colorado. L'action conjointe des deux plaques achevèrent la transformation du Sud-Ouest, initialement zone côtière, en un territoire continental.

Par la suite, c'est un mouvement d'extension vers l'ouest qui a caractérisé la croûte terrestre à cet endroit, créant des failles au Texas et au Nouveau-Mexique, la vallée d'effondrement où coule le Rio Grande, mais aussi les plateaux d'Arizona du Nord et d'Utah du Sud.

L'ère glaciaire du pléistocène a vu l'accumulation d'énormes blocs de glace dans le Sud-Ouest. L'un des souvenirs les plus évidents est le Great Salt Lake, mais on peut aussi facilement remarquer des lits de lacs asséchés, encore incrustés de sel le long des routes du Nevada.

Au cours des derniers millions d'années, l'élévation des Rocheuses creusa de grands canyons et de larges rivières qui traversent de nos jours la région, et c'est l'érosion qui a été la force dominante, donnant des formes extraordinaires aux couches sédimentaires tendres, arches et *hoodoos* (cheminées de fées) n'en étant que des exemples.

## Géographie

L'immense et quasi impénétrable Colorado Plateau s'étend sur 340 000 km², à la jonction du Colorado, de l'Utah, de l'Arizona et du Nouveau-Mexique. Formé, dans une ancienne cuvette, d'un ensemble remarquablement cohérent de couches sédimentaires bien distinctes, le plateau est resté plutôt inchangé durant la compression et l'étirement que subissaient les terres alentour.

Dans tout le Sud-Ouest, et sur le Colorado Plateau notamment on peut voir des strates témoignant d'une histoire chargée d'anciens océans, de vasières et de dunes arides.

Le 5 juillet 2011, une tempête de sable s'est abattue sur Phoenix (Arizona) et ses environs, sur un rayon de plus de 150 km, à une vitesse estimée de 80 à 95 km/h, avec à la clé coupures d'électricité et fermeture de l'aéroport.

## Paysages

Les remarquables formations rocheuses qui abondent dans la région sont dues à l'alternance entre pluies torrentielles érodant la roche tendre et périodes d'aridité permettant une certaine stabilité des ensembles. La variété de couleurs s'explique par la composition minérale unique de chaque roche.

## Grand Canyon

Creusé par le puissant fleuve Colorado, c'est le canyon le plus connu au monde, qui reçoit quatre millions de visite chaque année ; non seulement sa taille dépasse l'imagination, mais il est aussi le témoignage exceptionnel de deux milliards d'années d'histoire, grâce à un point de vue remarquable sur la douzaine de strates de solidité variable qui le constituent. C'est d'ailleurs ici qu'est née la stratigraphie, étude des strates géologiques successives.

Rendez-vous sur www.publiclands.org pour une vue d'ensemble des excursions et loisirs possibles dans les terres publiques du Sud-Ouest, toutes agences confondues. Ce site fournit aussi cartes, bibliographie, liens vers les agences et une mise à jour des conditions et restrictions.

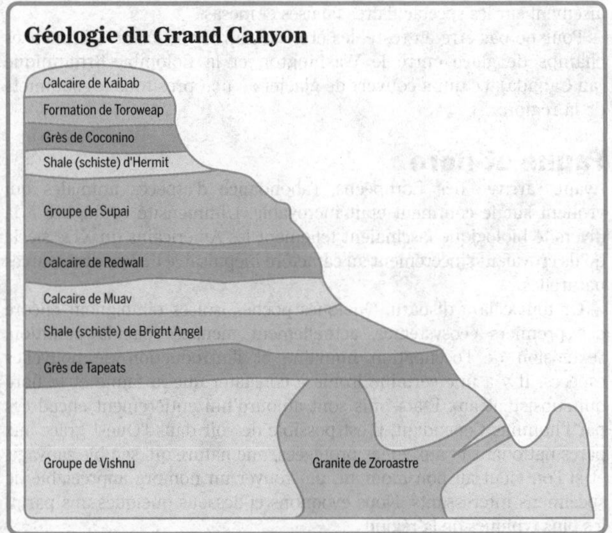

### PAYSAGES D'EXCEPTION DU SUD-OUEST

**Badlands**. Roche tendre soumise à une érosion rapide, donnant des paysages colorés ; phénomène visible au Painted Desert dans le Petrified Forest National Park, au Capitol Reef National Park ou aux Bisti Badlands.

**Hoodoos (Cheminées de fées)**. Des spirales rocheuses comme autant de piliers usés par le temps, à admirer aux Bryce Canyon National Park et Arches National Park.

**Ponts naturels**. Formés par les cours d'eau creusant dans les couches de grès ; trois ponts au Natural Bridges National Monument.

**Goosenecks**. Arches naturelles à un stade précoce, formées par la déviation de cours d'eau, qu'on aperçoit du point de vue Goosenecks Overlook au Capitol Reef National Park.

**Mesas**. Buttes massives de strates de grès, dont on trouve des exemples classiques à Monument Valley, à la frontière Arizona-Utah.

L'argile, friable, se trouve plutôt dans les pentes, alors que le grès et le calcaire, plus résistants, forment des falaises. Les couches constitutives des parois du canyon ont été formées lors de l'ère paléozoïque (524 – 251 millions d'années). Au fond de la gorge intérieure du canyon, on trouve des roches datant d'il y a un ou deux milliards d'années. Entre les deux se trouve une discordance (la "Great Unconformity") de plusieurs centaines de millions d'années, l'érosion ayant enfoui 4 000 m de roches et laissé un grand mystère.

### Nord-Ouest pacifique

C'est dans l'est de l'Oregon et dans le Washington que se déroula la première activité volcanique du globe, il y a de 13 à 16 millions d'années. La plus grande partie ouest de l'Amérique du Nord se fendit en des milliers d'endroits, et d'énormes quantités de lave envahirent les terres. Plusieurs fois, le lit de la Columbia River fut rempli de lave, qui atteignit ainsi la côte de l'Oregon, formant des promontoires rocheux tels que le Cape Lookout. Aujourd'hui, les écoulements de lave durcis se voient aisément sur les spectaculaires falaises et mesas.

Pour ne pas être en reste, les ères glaciaires ont formé d'immenses champs de glace entre le Washington et la Colombie-Britannique (au Canada), ce qui a couvert de glaciers à peu près tous les sommets de la région.

## Faune et flore

Avant l'arrivée des Européens, l'abondance d'espèces animales qui vivaient sur le continent était incroyable. L'immensité conjuguée à la diversité biologique fascinaient tellement les Américains du XIXe siècle qu'ils croyaient sincèrement au caractère inépuisable de leurs ressources naturelles.

On a estimé à 9 millions le nombre de chauves-souris molosses des Carlsbad Caverns. Ce chiffre est à revoir à la baisse aujourd'hui, mais le spectacle reste impressionnant.

Or tout cela a disparu. Quelques poches isolées témoignent encore des premiers écosystèmes, actuellement menacés par la pollution, l'extension de l'occupation humaine et l'introduction de nouvelles espèces. Il y a une certaine ironie à constater que la faune et la flore qui subsistent aux États-Unis sont aujourd'hui entièrement encadrées par l'homme. Cependant, il est possible de voir dans l'Ouest grâce aux parcs nationaux et aux zones protégées, une nature qui semble sauvage, et si l'on vient au bon moment, de trouver un nombre appréciable de spécimens intéressants. Nous évoquons ci-dessous quelques-uns parmi les plus typiques de la région.

# Animaux

## Reptiles et amphibiens

Les soirs de printemps, vous entendrez peut-être les coassements des grenouilles et crapauds, remplacés au lever du soleil par les nombreuses variétés de lézards et serpents. Vous aurez plus de chances de croiser des lézards des palissades, au ventre bleu, que les étranges monstres de Gila, venimeux. Dans le Sud-Ouest, les nombreux serpents à sonnette arborent de superbes couleurs ; leur morsure est douloureuse, voire toxique, mais ils restent en retrait tant qu'on ne leur cherche pas noise.

## Oiseaux

### Migrations

Bien des oiseaux migrateurs de l'hémisphère Nord s'arrêtent dans cette région, à un moment ou à un autre, pour se reposer. On trouve ainsi quelque 400 espèces aviaires endémiques. Le printemps est la meilleure saison pour écouter le chant des oiseaux de retour du sud. À l'automne, on peut voir au-dessus du Rio Grande les vols de grues et d'oies des neiges qui vont hiverner au Bosque del Apache National Wildlife Refuge. Le Grand Lac salé est un lieu de passage privilégié au cours des migrations, et on y aperçoit canards et grèbes à foison.

On peut également se rendre aux refuges du Klamath Basin en novembre pour les oies, canards et cygnes. Pendant l'hiver, ce type d'oiseaux trouve refuge dans la Central Valley, autre endroit recommandé pour observer un nombre impressionnant d'espèces originaires de là ou en cours de migration.

### Condor de Californie et pygargue à tête blanche

Le condor de Californie est un oiseau impressionnant. Ce charognard préhistorique, pesant environ 10 kg et susceptible de mesurer 3 m d'envergure, n'existait plus qu'en captivité dans les années 1980. Il a été réintroduit avec succès en Californie et dans le nord de l'Arizona. On peut le voir parfois survoler les Vermilion Cliffs dans l'Arizona, ou la Big Sur Coast et le Pinnacles National Monument en Californie.

Le pygargue à tête blanche, que l'on trouve uniquement en Amérique du Nord, est depuis 1782 le symbole des États-Unis. C'est dans le Nord-Ouest pacifique qu'en vit le plus grand nombre ; ils nichent dans les forêts anciennes et se régalent des arrivages annuels de saumon dans les rivières. Ces oiseaux impressionnants atteignant une envergure de 2 m30 se rassemblent en grands nombres dans des lieux comme l'Upper Skagit Bald Eagle Area du Washington et dans les refuges de la région du Klamath Basin dans le nord de la Californie et le sud de l'Oregon. En Californie, les pygargues à tête blanche se sont à nouveau imposés dans les Channel Islands et hivernent parfois au Big Bear Lake, près de Los Angeles. Lorsque leur population était au plus bas, il ne restait plus que deux ou trois couples au Colorado, chiffre qui a augmenté de huit ou neuf individus chaque année, pour atteindre plus de 100 nids en 2011. Entre 400 et 1000 pygargues à tête blanche passent l'hiver dans l'État.

> Les montagnes californiennes abriteraient entre 25 000 et 35 000 ours noirs, dont le pelage peut en fait aller du noir au fauve.

## Mammifères

Au XIX^e^ siècle, des programmes d'éradication ont pratiquement éliminé toute trace de loup ou de grand félin dans les États continentaux. Ils étaient pourtant très nombreux par le passé. Aujourd'hui, certains spécimens recouvrent partiellement leur mode de vie.

### Ours

Le grizzly, qui figure sur le drapeau de la Californie, est une sous-espèce des ours bruns. Il peut évoluer dans un territoire de 1 300 km$^2$.

À une époque, 50 000 spécimens peuplaient les terres de l'Ouest, notamment la Central Valley, mais en 1975, il en restait moins de 300. Depuis, des programmes de conservation ont vu le jour et, en 2010, les scientifiques estimaient à 603 le nombre de grizzlys dans la région du parc de Yellowstone. Une récente étude indique que l'introduction de loups à Yellowstone pourrait leur être bénéfique : dans la mesure où ces derniers mangent les wapitis, cela leur laisserait davantage de baies.

L'ours noir est probablement l'animal le plus célèbre des Rocheuses. Les mâles pèsent entre 125 et 205 kg, les femelles entre 80 et 115 kg. Ils mesurent 1 m à quatre pattes, et jusqu'à 1,50 m lorsqu'ils sont campés sur leurs pattes arrières. Malgré une baisse de la population, l'ours noir est présent dans le Nord-Ouest pacifique, le Sud-Ouest et la Californie. Moins imposants que les grizzlys, ils peuvent survivre dans un espace réduit. Ils se nourrissent de baies, racines, œufs, poissons et petits mammifères, mais il faut faire attention de ne pas laisser de nourriture en vue dans les campings et chalets de montagne.

### Wapitis

Environ 2 350 wapitis écument le Rocky Mountain National Park, qui compte une harde permanente de 1 700 têtes. Ces cervidés ont la tête et le cou sombre, avec un corps fauve. Les mâles peuvent atteindre 500 kg, et les femelles 300 kg. Il n'y avait quasiment plus de wapitis dans Estes Park au tournant du XXe siècle, mais la réintroduction a été accomplie grâce à des spécimens en provenance de Yellowtone ; la reprise de la population dans le Rocky Moutain National Park est également un succès.

Le wapiti le plus typique du Nord-Ouest pacifique est le wapiti de Roosevelt, que l'on peut entendre bramer lors de la saison des amours, à l'automne. Les mâles à maturité peuvent porter jusqu'à 1,50 m de bois. Pendant l'hiver, des troupeaux importants se réunissent dans les vallées ; on peut en voir à la Jewell Meadows Wildlife Area (à environ 100 km au nord-ouest de Portland), à la Dean Creek Viewing Area et le long de la Spirit Lake Memorial Highway, au Mt St Helens National Volcanic Monument. C'est à l'Olympic National Park que l'on verra le plus grand troupeau sauvage de wapitis de Roosevelt.

### Mouflons (bighorn)

Vous ne rencontrerez pas de panneau *Bighorn Crossing Zone* ("passage de mouflons") ailleurs qu'au Rocky Mountain National Park. Les mâles ont de grandes cornes incurvées, tandis que celles des femelles sont courtes et partent vers l'arrière.

À la belle saison, des groupes pouvant atteindre les 60 têtes (souvent femelles et petits) traversent la route pour rejoindre les Sheep Lakes de Horseshoe Park. Ces petits étangs salés, dont l'évaporation laisse des dépôts de sel sur les pourtours, attirent les femelles après l'agnelage au printemps. Au mois d'août, mères et petits rejoignent les mâles dans la Mummy Range.

### Pronghorns (antilocapra americana)

L'antilope aux cornes fourchues (cornes et non bois, malgré sa ressemblance avec la famille des cervidés) n'existe que dans cette région, surtout dans l'est de l'Oregon et le Washington. C'est un animal vif et curieux, capable de courir presque aussi vite qu'un guépard.

Un cactus saguaro peut stocker plus d'une tonne d'eau.

## Plantes typiques

La présence de grandes chaînes de montagne est à l'origine de niches écologiques d'une remarquable diversité.

Les déserts arides du Sud-Ouest à basse altitude sont de larges étendues de sauge, de broussailles, de cactus et d'agaves.

À mi-hauteur, au-dessus de 1 200 m, il y a suffisamment d'humidité pour permettre la présence de petits arbres robustes, comme des pins à pignons ou des genévriers dans les pentes.

Des bosquets composés presque uniquement de l'odorant pin jaune couvrent les montagnes de l'Ouest à partir de 2 000 m. Cet arbre est très représentatif de la région. Beaucoup d'animaux s'y abritent, et il produit le bois de construction le plus intéressant. Dans le Sud-Ouest, les forêts de haute montagne regroupent épicéas, sapins, faux trembles et autres conifères, mais aussi des clairières tapissées de fleurs aux couleurs vives à la fonte des neiges, en été, surtout après que la terre a été mouillée par un orage.

Dans les déserts du Sud-Ouest, des fleurs très diverses éclosent dès février ; les plus grandes et les plus spectaculaires sont souvent celles de la centaine de variétés de cactus présentes.

En Californie du Sud, la floraison des aires désertiques est abondante à partir de mars ou d'avril. En prenant de l'altitude, il faut attendre la fonte des neiges : dans la Sierra Nevada et les Tuolumne Meadows du parc de Yosemite on peut espérer faire de superbes photographies lors des promenades de fin juin ou début juillet.

Dans le Nord-Ouest pacifique, la chaîne des Cascades capte les nuages, dont la pluie se déverse sur le versant ouest, d'où les forêts vierges d'arbres à feuilles persistantes, comprenant cèdres, pruches, épicéas ou sapins de Douglas. À l'est, quelques zones humides subsistent au pied des montagnes, et laissent ensuite place à une végétation semi-aride.

La Californie, elle, est encore une fois la région des records : c'est là qu'on trouve les plus grands arbres, les séquoias de la côte (jusqu'à 115 m, au Redwood National Park par exemple), ceux au plus grand diamètre, les séquoias géants (versant ouest de la Sierra Nevada, notamment dans les parcs du Yosemite, de Sequoia et de Kings Canyon), et les plus vieux, les pins de Balfour (estimés pour certains à 5 000 ans dans les White Mountains).

En 1990, la chouette tachetée était déclarée espèce protégée, ce qui empêcha des entreprises de bûcheronnage d'abattre certaines forêts d'arbres anciens. Cette controverse a dressé les bûcherons contre les écologistes dans le Nord-Ouest pacifique.

## Écologie

La croissance de l'Ouest ne s'est pas réalisée sans dommages. Destruction quasi irréversible de l'écosystème de la Columbia pour la production d'hydroélectricité, abattage de forêts et extension incontrôlée de la banlieue de Portland (Oregon) ou de la zone de Puget Sound (Washington)... Les États-Unis semblent cependant avoir franchi un cap, la majorité des Américains acceptant désormais la réalité du réchauffement climatique, indépendamment de leurs convictions politiques.

L'énergie nucléaire n'émet pas de gaz à effet de serre mais pose d'autres problèmes. Le site de Yucca Mountain, dans le Nevada, a ainsi été retenu comme unique dépôt permanent de déchets nucléaires du pays. En 2013, le *Las Vegas Review-Journal* titrait "Les batailles juridiques autour de Yucca semblent ne jamais devoir finir."

La distribution de l'eau et les réserves aquifères sont au centre des préoccupations environnementales dans le contexte aride du Sud-ouest. La sécheresse est telle que les chercheurs craignent que le Lake Meade, long de 180 km, ne s'assèche d'ici 2021, provoquant une pénurie d'eau frappant 12 à 36 millions de personnes, de Las Vegas à Los Angeles en passant par San Diego.

La construction de barrages et autres projets faisant appel à l'eau dans le Sud-Ouest a radicalement ébranlé le délicat équilibre hydrographique.

*Cadillac Desert : The American West and Its Disappearing Water* de Marc Reisner est à parcourir si l'on veut un compte rendu détaillé de l'exploitation systématique de l'eau dans l'Ouest... jusqu'à la dernière goutte. En anglais seulement.

Les barrages, par exemple, arrêtent les flux d'eau chaude et les forcent à déposer leurs riches nutriments. Ces sédiments autrefois nivelaient les zones inondables, nourrissaient des myriades de chaînes animales aquatiques et riveraines et entretenaient des populations de poissons endémiques aujourd'hui au bord de l'extinction. En lieu et place des riches crues annuelles, les barrages relâchent aujourd'hui de l'eau froide en continu, qui favorise les poissons introduits et les mauvaises herbes qui envahissent les rivières de l'Ouest.

Le Wild Salmon Center a pour but la protection de l'écosystème des saumons de la région pacifique, de l'est de la Russie au nord de la Californie. Pour en savoir plus, visitez www.wildsalmoncenter.org.



En août 2013, plus de 50 gigantesques incendies se déchaînèrent dans l'Ouest ; en Arizona, Californie, Idaho, Montana, Nevada, Oregon, Washington et Wyoming. Ces incendies sont plus fréquents et plus intenses qu'auparavant. Pourquoi ? Les scientifiques considèrent trois facteurs. D'abord le réchauffement climatique et, par extension, la finesse du manteau neigeux qui contribuent à accentuer la sécheresse de la région. Autre facteur, le développement de la région, qui implique davantage d'humains, et donc de risques de départs de feux dans la forêt. Enfin, les vieilles pratiques forestières de prévention des incendies ont pu encourager la repousse de broussailles, lesquelles finissent par s'enflammer et alimenter des incendies finalement bien moins maîtrisables.

# Ouest américain pratique

# Carnet pratique

## Alimentation

Dans ce guide, le symbole ♥ signale les meilleurs choix et les restaurants sont classés par catégories (petit-budget, catégories moyenne et supérieure). Dans chaque catégorie, les restaurants sont classés selon les préférences de l'auteur. Dans le descriptif même des restaurants, le symbole **$** (moins de 10 $), **$$** (de 10 à 20 $) ou **$$$** (plus de 20 $) représente une moyenne basée sur le prix d'un plat principal le soir. Ce prix n'inclut pas les boissons, les amuse-gueule, les desserts, les taxes ou le pourboire. Le même plat est souvent moins cher, parfois de moitié, le midi. Beaucoup de restaurants de l'Utah sont fermés le dimanche.

## Ambassades et consulats

### Ambassades et consulats des États-Unis

Vous pouvez consulter la liste complète des ambassades et consulats des États-Unis à l'étranger sur le **site de l'ambassade américaine** (http://usembassy.state.gov).

**Belgique** Ambassade (☎ (32-2) 811-4000 ; http://belgium.usembassy.gov ; 27 bd du Régent, B-1000, Bruxelles) ; Consulat (☎32-811-4200 ; 25 bd du Régent, B-1000, Bruxelles)

**Canada** Consulat Montréal (☎514-398-9695 ; http://montreal.usconsulate.gov ; 1155 rue St-Alexandre, Montréal, Québec H3B 3Z1)

**France** Ambassade (☎01 43 12 22 22 ; http://france.usembassy.gov/ ; 2 av. Gabriel, 75382 Paris Cedex 08) ; Consulat (☎0 810 26 46 26 ou www.usvisa-france.com pour prendre rendez-vous pour la demande de visa (14,50 $ l'appel, payable par carte de crédit) ; adresse postale : 18 av. Gabriel, 75008 Paris ; dépôt des dossiers : 2 rue Saint-Florentin 75382 Paris, Cedex 08)

**Suisse** Ambassade (☎031-357-70-11 ; http://bern.usembassy.gov ; Sulgeneckstrasse 19, CH-3007 Berne) ; Consulat (☎043 499 29 60 ; c/o Zurich America Center, Dufourstrasse 101, 8008 Zurich)

### Ambassades et consulats étrangers aux États-Unis

Les voyageurs étrangers cherchant à contacter leur ambassade pendant leur séjour peuvent se rendre sur le site **Embassy.org** (www.embassy.org), qui recense toutes les représentations diplomatiques à Washington, DC.

Des consulats de différents pays sont présents dans l'Ouest :

**Belgique** Los Angeles (☎323-857-1244 ; www.diplomatie.be/losangelesfr/ ; 6100 Wilshire Blvd, Suite 1200, Los Angeles, CA 90048)

**Canada** Denver (☎303-626-0640 ; www.canadainternational.gc.ca/denver/ ; 1625 Broadway, bureau 2600, Denver, CO 80202) ; Los Angeles (☎213-346-2700 ; www.canadainternational.gc.ca/los_angeles/ ; 550 South Hope St, 9e ét, Los Angeles, CA 90071) ; San Francisco (☎415-834-3180 ; www.canadainternational.gc.ca/san_francisco/ ; 580 California St, 14e ét, San Francisco, CA 94104) ; Seattle (☎206-443-1777 ; www.canadainternational.gc.ca/seattle/ ; 1501 4th Ave, bureau 600, Seattle, WA 98101-4328)

**France** Los Angeles (☎310-235-32-00 ; www.consulfrance-losangeles.org ; 10390 Santa Monica Blvd, Suite 410, Los Angeles CA 90025) ; San Francisco (☎415-397-43-30 ; www.consulfrance-sanfrancisco.org ; 88 Kearny St, Suite 600, San Francisco CA 94108)

**Suisse** Los Angeles (☎310-575-1145 ; www.eda.admin.ch/la ; 11766 Wilshire Blvd, Suite 1400, Los Angeles, CA 90025) ; San Francisco (☎415-788-2272 ; www.eda.admin.ch/sf ; 456 Montgomery St, Suite 1500, San Francisco, CA 94104-1233)

# Argent

## Carte bancaire

Il est souhaitable d'avoir avec soi au moins une carte d'un grand réseau, Visa, MasterCard, ou American Express, acceptées partout. De fait, il est pratiquement impossible de faire quoi que ce soit sans elles : louer une voiture, réserver une chambre ou des billets par téléphone. Elles sont aussi vitales en cas d'urgence.

## Change

- Vous pouvez changer de l'argent dans les grands aéroports, certaines banques et les agences de change, comme **American Express** (☎800-528-4800 ; www.americanexpress.com) ou **Travelex** (☎877-414-6359 ; www.travelex.com). Renseignez-vous d'abord sur le taux et les commissions.
- En dehors des grandes villes, il peut être difficile de changer de l'argent. Mieux vaut avoir une carte bancaire et suffisamment de liquide.

## Chèques de voyage

- Les chèques de voyage ne sont plus guère utilisés.
- Les grands restaurants et hôtels ainsi que les grands magasins les acceptent encore souvent (en dollars US uniquement), mais les petits commerces, les marchés et les chaînes de restauration rapide risquent de les refuser.
- Les Travelers Cheques de Visa et d'American Express sont les plus acceptés.

## Distributeurs automatiques de billets

- Les DAB sont présents dans presque tous les centres commerciaux, aéroports, supermarchés et banques.
- La plupart des distributeurs prennent une commission de 2 à 3 $ par opération et il se peut que votre banque rajoute des frais. Renseignez-vous auprès de votre banque. Certains, à Las Vegas, s'attribuent jusqu'à 5 $.
- La plupart des DAB sont reliés aux réseaux internationaux et offrent un taux de change correct.

## Espèces

- Rares sont ceux qui se promènent avec beaucoup d'argent liquide. On préfère nettement avoir recours à la carte de crédit ou la carte de débit, et retirer du liquide dans les distributeurs. Certaines boutiques refusent les billets de plus de 20 $.

## Pourboire

Aux États-Unis, laisser un pourboire est pour ainsi dire obligatoire. Un service réellement mauvais est la seule exception.

**Barman** : 10% à 15% sur l'addition, 1 $ minimum sur un verre.

**Chauffeur de taxi** : 10% à 15% du tarif affiché au compteur, arrondis au dollar supérieur.

**Femme de ménage** : 2 à 4 $ par jour, laissés sous la carte à cet effet, ou plus s'il y a du désordre.

**Porteur dans les aéroports et les hôtels** : 2 $ par bagage, 5 $ minimum pour un chariot.

**Réceptionniste** : Rien pour un renseignement, mais jusqu'à 20 $ pour une réservation.

## PRATIQUE

### Journaux et magazines

- Journaux nationaux : *New York Times*, *Wall Street Journal*, *USA Today*.
- Journaux de l'Ouest : *Arizona Republic*, *Denver Post*, *Seattle Times*, *Los Angeles Times*, *San Francisco Chronicle*.
- Magazines grand public : *Time*, *US News*, *World Report*.

### Radio et Télévision

- Actualités : National Public Radio (NPR ; www.npr.org), liste des fréquences sur le site Internet.
- Télévision hertzienne : ABC, CBS, NBC, FOX, PBS (chaîne publique).
- Principales chaînes câblées : CNN (information), ESPN (sport), HBO (cinéma), Weather Channel (météo)

### Vidéo

- NTSC (incompatible avec les systèmes PAL ou SECAM).
- Les DVD sont codés pour la région 1 (États-Unis et Canada uniquement).

### Poids et mesures

- Poids : once (oz, 28,35 g), livre (lb, 453,6 g), tonne.
- Liquide : once (oz, 0,0296 l), pint (0,473 l), quart (0,946 l), gallon (3,785 l).
- Distance : pied (ft, 304,8 cm), yard (yd, 914,4 m), mile (mi, 1 609,344 m).

de dernière minute dans un restaurant ou une place pour un spectacle qui affiche complet.

**Repas servi au restaurant ou dans votre chambre** : 15% à 20%, à moins que ce service ne soit stipulé gratuit.

**Voiturier** : au moins 2 $ lorsqu'il vous rend vos clés.

### Taxes

➡ Les États et les comtés sont libres d'imposer leurs propres taxes – de zéro dans le Montana à 7,5% en Californie.

➡ La taxe de séjour varie selon les villes.

## Assurances

Il est vivement conseillé de souscrire une police d'assurance de voyage qui vous couvrira en cas de vol, de perte de vos affaires, de maladie ou encore d'accident. Vérifiez notamment que les "activités à risque", comme la plongée, la moto ou le ski, ne sont pas exclus de votre contrat, ou encore que l'hospitalisation sur place ou le rapatriement médical d'urgence sont couverts.

Régler son billet d'avion ou la location d'une voiture avec une carte de crédit assure une couverture limitée en cas d'accident durant votre voyage. Si vous bénéficiez déjà d'une assistance par votre carte de crédit, votre mutuelle ou votre assurance automobile, ne souscrivez à une police d'assurance que pour une extension de couverture. Si vous avez payé à l'avance une grande partie de votre voyage, une assurance annulation s'avère une dépense utile.

## Cartes de réduction

L'**America the Beautiful Interagency Annual Pass** (http://store.usgs.gov/pass ; 80 $) permet l'accès gratuit pour 4 adultes et leurs enfants de moins de 16 ans à tous les parcs nationaux et les territoires de loisirs fédéraux (comme ceux de l'USFS, du BLM) durant un an. Il peut s'acheter en ligne ou dans n'importe quel bureau d'accueil à l'entrée des parcs nationaux. À partir de 62 ans, un citoyen américain ou un résident permanent peut faire la demande d'un **Senior Pass** (10 $), valable à vie : il donne accès aux parcs gratuitement et donne droit à 50% de réduction sur les activités de loisirs comme le camping. L'**Access Pass** (gratuit pour le citoyen américain et le résident handicapé), également valable à vie, procure les mêmes avantages. Le destinataire peut le retirer en personne ou le recevoir par courrier.

L'**American Association of Retired Persons** (AARP ; ☎888-687-2277 ; www.aarp.org ; cotisation annuelle 16 $), une association de défense des Américains de 50 ans et plus, fait bénéficier ses membres d'une réduction (habituellement de 10%) sur les hôtels, la location de voitures, etc.

Les membres de l'**American Automobile Association** (AAA ; ☎877-428-2277 ; www.aaa.com ; cotisation annuelle à partir de 48 $), ou des associations étrangères affiliées (comme CAA, AA) bénéficient de légères remises (en principe 10%) sur les billets de trains Amtrak, la location de voitures, les motels et hôtels, les restaurants franchisés, certains magasins, les circuits organisés et les parcs à thème.

Les personnes âgées de plus de 65 ans (mais parfois moins), ont droit aux mêmes réductions que les étudiants ; il suffit généralement de montrer sa carte d'identité.

L'**International Student Identity Card** (ISIC ; www.isic.fr ; à partir de 22 €) permet à un étudiant d'économiser sur les billets d'avion, les assurances de voyage et les attractions touristiques locales. Pour les moins de 26 ans non étudiants, l'**International Youth Travel Card** (IYTC ; www.isic.fr ; 22 €) procure des bénéfices similaires. Ces cartes sont délivrées par les associations étudiantes, les fédérations d'auberges de jeunesse et les agences de voyage.

La **Student Advantage Card** (☎877-256-4672 ; www.studentadvantage.com ; 23 $), destinée aux étudiants étrangers et américains, permet d'économiser 15% sur le réseau Amtrak et Greyhound, et de 10% à 20% sur certaines compagnies aériennes et des magasins, hôtels et motels franchisés.

## Douane

La régulation douanière figure sur le portail officiel de l'administration des douanes, la **US Customs and Border Protection** (www.cbp.gov).

Vous pouvez importer gratuitement :

➡ 1 l d'alcool (à condition d'avoir 21 ans révolus)

➡ 100 cigares et 200 cigarettes (pour les plus de 18 ans)

➡ 200 $ en cadeaux et produits divers (800 $ si vous êtes citoyen américain)

➡ Si vous entrez avec une somme supérieure à 10 000 $ (ou l'équivalent en devises étrangères), vous devez la déclarer aux douanes.

Tenter d'importer des substances illicites coûte très cher. Il est également interdit d'importer dans le pays du matériel permettant de consommer des drogues, des armes à feu, des billets de loterie, des objets de contrefaçon et la plupart des biens manufacturés à Cuba, en Iran, au Myanmar et la plupart de ceux en provenance du Soudan. Les fruits, légumes, et tout aliment ou végétal doivent être déclarés (sinon, vous risquez une fouille en règle) ou jetés dans les poubelles du hall d'arrivée.

# Électricité

Les États-Unis utilisent le courant alternatif 110/120 V ; prévoyez des transformateurs pour tout le matériel électronique non américain.

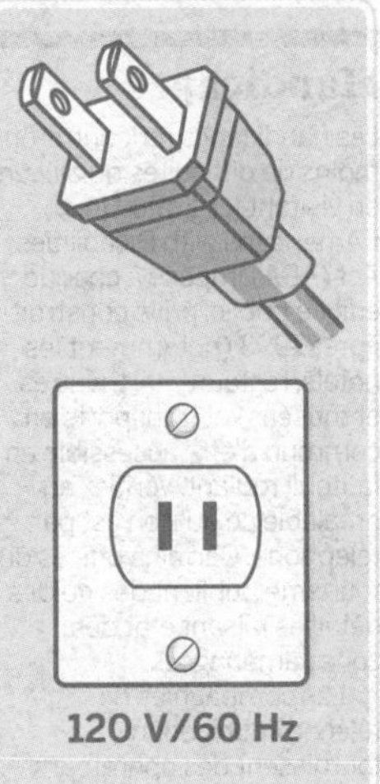


# Formalités et visas

Attention : les informations données ci-dessous ne seront peut-être plus valables au moment de votre départ, car les conditions d'entrée sur le territoire américain changent au gré des évolutions des règlements de sécurité. Tous les voyageurs sont invités à vérifier la législation relative aux visas et aux passeports *avant* de venir aux États-Unis.

Le site de l'**US State Department** (☎questions relatives aux visas 202-663-1225, standard téléphonique principal 202-647-4000 ; www.travel.state.gov) dispense les informations les plus complètes sur les visas et donne des formulaires à télécharger, des listes des consulats américains à l'étranger et les délais d'attente pour l'obtention d'un visa, pays par pays.

Pour plus d'informations sur l'entrée aux États-Unis, voir p. 492.

## Demande de visa

Hormis les Canadiens et les ressortissants des pays signataires d'un accord d'exemption de visa, tous les étrangers doivent déposer une demande de visa auprès d'un consulat ou d'une ambassade américaine. La procédure actuelle prévoit un entretien individuel lors duquel vous devez présenter tous vos papiers et la preuve que vous vous êtes acquitté du paiement. Les délais d'attente varient, mais si tout se passe bien, le visa est délivré quelques jours ou quelques semaines après l'entretien.

Votre passeport doit être valable au moins six mois après la date prévue pour la fin de votre séjour aux États-Unis. Il faut fournir une photo récente (5x5 cm) avec votre demande et régler 160 $ pour les frais administratifs. Quelques ressortissants, dans le cadre des accords de réciprocité, s'acquitteront de frais supplémentaires. Vous devez aussi remplir en ligne le formulaire DS-160 pour un visa de non-immigrant.

Les demandeurs de visas doivent faire la preuve de leur solvabilité (ou qu'ils connaissent une personne résidente en mesure de subvenir à leurs besoins), présenter un billet de retour, ou un aller simple pour une prochaine destination, ou, à défaut, faire valoir des obligations de nature à les faire revenir chez eux (liens familiaux, titres de propriété, emplois…). En raison de ces exigences, il est préférable, si l'on voyage dans plusieurs pays avant d'entrer aux États-Unis, d'obtenir son visa avant le départ et non de le demander depuis un pays étranger.

## Programme d'exemption de visa

Le Visa Waiver Program (VWP), permet aux ressortissants de trente-six pays, dont la Belgique, la France, le Luxembourg et la Suisse, d'entrer aux États-Unis sans visa pour des séjours d'une durée maximale de 90 jours.

Les bénéficiaires de cette disposition n'ont pas besoin de visa *uniquement* s'ils possèdent un passeport répondant aux normes américaines actuelles *et* qu'ils ont obtenu l'approbation de l'Electronic System for Travel Authorization (ESTA) au préalable. Inscrivez-vous en ligne auprès du Department of Homeland Security sur la page https://esta.cbp.dhs.gov au moins 72 heures avant votre arrivée. Une fois l'autorisation de voyage validée, votre inscription est valable pendant 2 ans.

### CONSEILS AUX VOYAGEURS

La plupart des gouvernements possèdent des sites Internet qui recensent les dangers possibles et les régions à éviter. Consultez notamment les sites suivants :

- Ministère des Affaires étrangères de Belgique (www.diplomatie.be/)
- Ministère des Affaires étrangères du Canada (www.voyage.gc.ca)
- Ministère français des Affaires étrangères (www.france.diplomatie.fr)
- Département fédéral des affaires étrangères suisse (www.eda.admin.ch/eda/f/home.html)

Les frais, à régler en ligne, sont de 14 $.

Les ressortissants des pays signataires du VWP sont toutefois tenus de produire les mêmes documents que pour un visa de tourisme au service de l'immigration, à leur entrée dans le pays. Ils doivent faire la preuve de la durée limitée de leur séjour (90 jours ou moins), montrer leur billet de retour, ou un aller simple pour une prochaine destination, établir que leurs ressources financières sont suffisantes pour couvrir les coûts du voyage et qu'ils ont des obligations les rappelant dans leur pays.

### Entrer aux États-Unis

Depuis avril 2013, le formulaire I-94 d'entrée/sortie, autrefois obligatoire pour tous les visiteurs, a disparu. Aujourd'hui, les renseignements sont collectés de manière électronique pour les voyageurs arrivant en avion ou en bateau. Le formulaire papier est encore utilisé aux frontières terrestres (www.cbp.gov). Vous devrez remplir le formulaire de déclaration douanière, généralement remis dans l'avion. Remplissez-le avant d'arriver au guichet de l'immigration. À la question "US Street Address" indiquez l'adresse où vous passerez la première nuit (une adresse d'hôtel suffit).

Indépendamment de ce que votre visa stipule, l'officier de l'immigration est habilité à vous refuser le droit d'entrer aux États-Unis et à mettre des conditions à votre séjour. Il vous demandera quels sont vos projets et si vous avez assez d'argent. Produire un itinéraire, un billet de retour ou vers une autre destination et au moins une carte de crédit est utile. N'insistez pas trop sur le fait que vous avez des amis, de la famille ou des contacts professionnels aux États-Unis, l'agent de l'immigration pourrait en conclure que vous serez tenté de prolonger votre séjour. Être correctement habillé et courtois ne fait pas de mal.

Le programme d'enregistrement du département de la Sécurité intérieure, ancien **US-VISIT** (www.dhs.gov/us-visit), s'appelle aujourd'hui l'Office of Biometric Identity Management (OBIM). Les services de délivrances des visas collectent des informations biométriques. Ces renseignements sont vérifiés lors de votre entrée aux États-Unis (www.dhs.gov/us-visit-traveler-information). Les visiteurs (à l'exception de la plupart des citoyens canadiens et de certains citoyens mexicains) doivent laisser leurs empreintes digitales, ce qui prend moins d'une minute.

### Quitter le pays et y revenir

➡ Aller faire un petit tour au Canada ou au Mexique est assez facile, mais au retour les non-Américains sont soumis à l'intégralité des formalités d'immigration.

➡ Ayez toujours votre passeport sur vous pour passer la frontière.

➡ S'il vous reste beaucoup de temps sur votre précédente carte d'immigration, vous pourrez probablement y revenir en la conservant mais si la date d'expiration est proche, il faudra en demander une nouvelle. Les agents de contrôle à la frontière voudront voir un billet d'avion, des preuves de ressources, etc.

➡ Les ressortissants de la plupart des pays occidentaux n'ont pas besoin d'un visa pour le Canada, et rien n'est donc plus facile que de traverser le pays pour aller en Alaska.

➡ Les voyageurs arrivant en bus du Canada sont parfois sérieusement interrogés. Un billet aller-retour calme les craintes des services d'immigration.

➡ Le Mexique n'exige pas de visa dans la zone frontalière avec les États-Unis, dont font partie la Baja Peninsula et la plupart des villes frontalières comme Tijuana et Ciudad Juárez. Au-delà de la zone frontalière, il vous faut un visa ou une carte de touriste.

## Handicapés

Les handicapés rencontreront moins de difficultés qu'ailleurs en visitant les États-Unis. L'Americans with Disabilities Act (ADA) impose à chaque édifice public, privé construit après 1993 (notamment les hôtels, restaurants, théâtres et musées) et transports en commun d'être accessible en fauteuil roulant. Vérifiez au préalable ce qu'il en est par téléphone. Certains offices du tourisme publient des guides détaillés faisant état des zones aménagées.

Les compagnies de télécommunication fournissent des opérateurs relais, accessibles par des numéros téléimprimeurs (TTY numbers) pour les malentendants. La plupart des banques disposent de DAB avec les consignes d'utilisation en braille, ou possédant une prise écouteurs pour les malentendants. Toutes les grandes lignes aériennes, les bus Greyhound et les trains Amtrak fournissent une assistance aux handicapés. Il suffit d'expliquer ce dont on a besoin en réservant 48 heures à l'avance pour que le nécessaire soit fait. Les chiens guides d'aveugles sont acceptés à bord ; n'oubliez pas leurs papiers.

Certaines agences de location de véhicules, comme Budget et Hertz, proposent des véhicules aménagés et des fourgonnettes avec élévateur de fauteuil roulant sans surcoût, mais il faut les réserver à l'avance. **Wheelchair Getaways** (☎800-642-2042 ; www.wheelchairgetaways.com) loue ce genre de véhicules dans tous les États-Unis. Dans beaucoup de villes, les bus publics sont accessibles aux personnes en fauteuil. Il suffit d'indiquer au chauffeur que l'on a besoin de l'élévateur ou du plan incliné.

Dans de nombreux parcs nationaux, certains parcs d'État et domaines de loisirs, les chemins sont aménagés pour les fauteuils roulants, soit pavés, goudronnés ou recouverts de planches. Le site **Rails-to-Trails Conservancy** (www.traillink.com) liste les chemins de randonnée accessibles en fauteuil roulant par État.

Les citoyens américains et les résidents handicapés ont droit à l'America the Beautiful Access Pass, qui leur donne accès aux parcs gratuitement.

Voici quelques sources d'informations utiles pour les handicapés :

**Access-Able Travel Source** (www.access-able.com ; en anglais). Conseils utiles sur les voyages et liens vers d'autres sites.

**Access Northern California** (www.accessnca.com ; en anglais). Nombreux liens vers des publications relatives au voyage pour personnes handicapées, aux circuits et aux transports.

**Access San Francisco** (www.sanfrancisco.travel/accessibility/San-Francisco-Access-Guide.html ; en anglais). Informations sur les voyages à télécharger gratuitement (pas toujours à jour, mais néanmoins utiles).

**Accessing Arizona** (www.accessingarizona.com ; en anglais). Informations très à jour sur les activités en fauteuil roulant en Arizona.

**Disabled Sports USA** (✆301-217-0960 ; www.disabledsportsusa.org ; en anglais). Propose activités sportives et programmes de loisirs pour handicapés, et publie le magazine *Challenge*.

**Flying Wheels Travel** (✆507-451-5005, 877-451-5006 ; www.flyingwheelstravel.com ; en anglais). Agence de voyages proposant un service très complet, particulièrement recommandée aux voyageurs handicapés ou atteints de maladies chroniques.

**Mobility International USA** (✆541-343-1284 ; www.miusa.org ; en anglais). Informe les voyageurs handicapés sur les difficultés d'accès et gère un programme international d'échanges culturels.

**Moss Rehabilitation Hospital** (✆215-663-6000 ; www.mossresourcenet.org/travel.htm ; en anglais). Innombrables liens et conseils sur les endroits accessibles aux handicapés.

**Society for Accessible Travel & Hospitality** (SATH ; ✆212-447-7284 ; www.sath.org ; en anglais). Ce groupe de défense des handicapés fournit des informations générales sur les voyages.

**Splore** (✆801-484-4128 ; www.splore.org ; en anglais). Propose des circuits d'aventure accessibles aux handicapés, dans l'Utah.

En France, l'**APF** (Association des paralysés de France ; ✆01 40 78 69 00, fax 01 45 89 40 57 ; www.apf.asso.fr ; 17 bd Auguste-Blanqui, 75013 Paris) peut vous fournir des informations sur les voyages accessibles. Yanous (www.yanous.com) et Handica (www.handica.com), deux sites Internet dédiés aux personnes handicapées, mettent régulièrement à jour une rubrique *Voyages* et constituent une bonne source d'information.

## Hébergement

Si les adresses exceptionnelles sont distinguées par l'icône ♥, il n'en demeure pas moins que toutes les options d'hébergement listées dans ce guide répondent au degré de confort minimum requis dans chaque catégorie. Les hébergements sont classés par ordre de prix.

### Coût

- Les tarifs sont indiqués dans ce guide par les symboles **$** (moins de 100 $), **$$** (de 100 à 200 $) et **$$$** (plus de 200 $). Sauf mention contraire, les prix n'incluent pas les taxes, s'élevant généralement à plus de 10%.
- En principe, les prix sont plus bas en milieu de semaine, sauf dans les hôtels destinés aux voyageurs d'affaires, qui attirent les voyageurs d'agrément par des réductions le week-end.
- Les tarifs indiqués sont ceux de la haute saison qui s'étend de juin à août, sauf dans les déserts et les domaines skiables, où elle bat son plein de décembre à avril.
- La demande fait encore grimper les prix aux alentours des grandes périodes de vacances et des festivals ; certains hôtels peuvent alors exiger un séjour de plusieurs nuitées.

### Réductions

- Les cartes de réduction et l'appartenance à un club automobile peuvent vous faire bénéficier de 10%, ou plus, sur les tarifs de base affichés dans les hôtels et les motels participant au programme.
- Pour obtenir des remises, feuilletez les brochures gratuites distribuées par les hôtels et retirez des coupons de réduction pour les motels dans les stations-service, les agences de voyages, les centres d'information touristique et les aires d'autoroute.
- Vous obtiendrez probablement un meilleur tarif si vous réservez via des sites de voyages à prix discount comme **Priceline** (www.priceline.com ; en anglais), **Hotwire** (www.hotwire.com ; en anglais) ou **Hotels com** (www.hotels.com). L'application Hotel Tonight propose

des formules de dernières minutes dans les grandes villes.

➡ Si vous n'avez pas de réservation, vous pourrez en général négocier, surtout hors saison.



## Auberges de jeunesse

Dans l'Ouest américain, les auberges de jeunesse sont principalement installées dans les zones urbaines, en particulier dans le Nord-Ouest pacifique, la Californie et le Sud-Ouest.

**Hostelling International USA** (☎240-650-2100 ; www.hiusa.org) regroupe plus de 50 auberges de jeunesse aux États-Unis, dont 19 en Californie. Elles ont généralement des dortoirs non mixtes, quelques chambres, des sdb collectives et une cuisine commune. Les dortoirs coûtent entre 23 et 40 $ la nuit. Les membres HI-USA ont droit à de petites réductions. Les réservations sont acceptées (vous pouvez le faire en ligne) et recommandées en saison haute, où l'on pourra vous demander de ne pas rester plus de 3 nuits.

Les États-Unis comptent de nombreuses auberges de jeunesse indépendantes, non affiliées à HI-USA, en particulier dans le Sud-Ouest. Vous en trouverez une liste en ligne sur :

**Hostels.com** (www.hostels.com)

**Hostelworld.com** (www.hostelworld.com)

**Hostelz.com** (www.hostelz.com)

## Bed & Breakfasts

La plupart des B&B américains sont des adresses romantiques installées dans des demeures historiques restaurées et meublées avec goût, tenues par des propriétaires aimables préparant de bons petits-déjeuners. La décoration est souvent thématique (époque victorienne, rustique, style Cape Cod…) et les chambres vont du confortable au très très confortable. Les tarifs dépassent habituellement les 100 $, pour se situer entre 200 et 300 $ pour les meilleures adresses. Une durée de séjour minimum est parfois exigée. Certaines adresses n'acceptent pas les jeunes enfants et beaucoup excluent les animaux.

Il existe aussi des B&B type chambres d'hôtes à l'européenne : des chambres dans une maison privative, avec un mobilier et des petits-déjeuners qui peuvent être plus simples, une sdb partagée et des tarifs moins élevés. Les familles sont souvent les bienvenues.

Les B&B peuvent fermer hors saison et la réservation est essentielle, surtout pour les établissements les plus luxueux. Pour éviter les surprises, mieux vaut demander à l'avance si la sdb est privative. Vous trouverez, tout au long de ce guide, des adresses d'agences de B&B. Vous pouvez consulter en outre les sites suivants :

**Bed & Breakfast Inns Online** (www.bbonline.com ; en anglais)

**BedandBreakfast.com** (www.bedandbreakfast.com ; en français et en anglais)

**BnB Finder** (www.bnbfinder.com ; en anglais)

## Camping

La plupart des terres fédérales et de nombreux parcs d'État disposent de campings. Les plus rudimentaires n'offrent aucune infrastructure et fonctionnent selon le système du premier arrivé, premier servi ; ils coûtent moins de 10 $ la nuit ou sont gratuits. Un camping basique dispose en général de toilettes (à fosse ou à chasse), d'eau potable, d'espaces pour faire un feu et de tables de pique-nique. La nuit revient entre 5 et 15 $ et il est souvent possible de réserver. Les campings les plus élaborés, principalement installés dans les parcs nationaux et d'État, sont mieux équipés : douches, barbecues, branchement camping-car, etc. Ils coûtent entre 12 et 45 $ la nuit et la plupart peuvent être réservés.

Pour camper sur la plupart des terres fédérales (parcs nationaux, forêts nationales, zones protégées du Bureau of Land Management (BLM), etc.), il est possible de réserver via **Recreation.gov** (☎ 877-444-6777, à l'international 518-885-3639 ; www.recreation.gov ; en anglais). Le camping est généralement limité à 14 jours et peut être réservé jusqu'à 6 mois à l'avance. Pour certains campings des parcs d'État, la réservation peut se faire auprès de **ReserveAmerica** (☎campings nationaux 877-444-6777 ; www.reserveamerica.com ; en anglais). Ces deux sites permettent de localiser les terrains et infrastructures de camping, de vérifier les emplacements libres, de les réserver, de voir des cartes et d'obtenir des itinéraires en ligne.

Les campings privés sont plus destinés aux camping-cars et aux familles (les emplacements pour tentes y sont souvent rares et sans charme) ; ils sont souvent équipés de réseaux Wi-Fi, de terrains de jeu, de piscines, d'épiceries, etc. Certains proposent des chalets, allant des plates-formes en bois entourées de toile aux structures en rondins avec de vrais lits, du chauffage et d'une sdb particulière.

**Kampgrounds of America** (KOA ; ☎406-248-7444 ; www.koa.com ; en anglais) est un réseau national de campings privés bien équipés. On peut commander le répertoire annuel gratuit (hors frais de port) du KoA, ou le consulter et faire ses réservations en ligne.

## Complexes hôteliers

Les complexes de luxe sont souvent des destinations à part entière. Après un parcours de golf ou une partie de tennis, la journée se poursuivra avec massage, baignade, bronzage et cocktails. Beaucoup de ces complexes accueillent aujourd'hui chaleureusement les enfants et leur réservent un riche programme.

## Dude Ranches

Les adeptes des Dude Ranches, une association d'agritourisme, sont pour la plupart des citadins qui veulent échapper au rythme effréné de ce monde high-tech. Aujourd'hui, les Dude Ranches proposent aussi bien de travailler dans un ranch (réveil à 5h, tâches de garçon d'écurie incluses) que des vacances genre Club Med, version western. Un séjour typique d'une semaine démarre au-dessus des 100 $ par personne et par jour, hébergement, repas, activités et équipement compris.

Le clou des vacances dans un Dude Ranch est naturellement l'équitation, mais de nombreux ranchs possèdent une piscine et leur liste d'activités s'est diversifiée jusqu'à inclure pêche à la mouche, VTT, tennis, golf, ball-trap ou ski de fond. L'hébergement va des cabanes en rondins aux suites ultra-confortables avec Jacuzzi et TV câblée. De même, le repas peut être un simple plat de spaghettis à la table familiale ou un dîner gourmet à quatre plats.

**Arizona Dude Ranch Association** (☎520-823-4277 ; www.azdra.com ; en anglais).

**Colorado Dude & Guest Ranch Association** (☎866-942-3472 ; www.coloradoranch.com ; en anglais).

**Dude Ranchers' Association** (☎866-399-2339, 307-587-2339 ; www.duderanch.org ; en anglais).

## Hôtels

Quelle que soit la catégorie d'hôtels choisie, les chambres sont équipées du téléphone, de la TV (avec le câble), d'un réveil, d'une sdb, et le prix comprend un petit-déjeuner continental. En catégorie moyenne s'ajoutent micro-ondes, sèche-cheveux, connexion Internet, climatisation/chauffage, bureau, et souvent piscine. Dans les hôtels de catégorie supérieure, cette liste s'agrémente d'un mobilier plus recherché, des services d'un concierge, d'une salle de gym, d'un centre d'affaires, d'un spa, de restaurants, de bars...

Même si l'hôtel annonce la gratuité pour les enfants, vous devrez parfois payer pour un lit bébé ou un lit pliant. Renseignez-vous systématiquement sur la politique de l'établissement en matière de téléphone. Les appels longue distance (aux États-Unis et internationaux) sont toujours hors de prix et certains hôtels facturent aussi lourdement les appels locaux, voire les appels vers les numéros gratuits.

## Lodges

Le plus souvent situés à l'intérieur des parcs nationaux, les lodges sont généralement rustiques en apparence, mais très confortables. Le tarif d'une chambre démarre à 100 $, et peut facilement doubler en haute saison. Les lodges étant la seule option d'hébergement dans les parcs, beaucoup affichent complet ; réservez des mois à l'avance. Si vous voulez une chambre le jour même, n'hésitez cependant pas à appeler : quelqu'un aura peut-être annulé à la dernière minute. Outre des restaurants, les lodges proposent des services touristiques.

## Motels

Les motels, qui se distinguent des hôtels par leurs chambres s'ouvrant sur un parking, se concentrent surtout aux alentours des sorties d'autoroutes inter-États et le long des principales artères menant en ville. Certains sont restés de petits établissements familiaux, moins chers que les autres, où le confort ultime est d'avoir un téléphone et une TV (parfois câblée) et éventuellement un petit-déjeuner continental léger. Cependant, les motels proposent souvent quelques chambres équipées de kitchenettes simples.

Si les motels, à peu près tous identiques, manquent de caractère, ils représentent un hébergement économique en raison des réductions pratiquées et dépannent quand on n'a rien trouvé d'autre. Pour bénéficier des réductions, retirez des carnets de coupons (gratuits) dans les centres d'information des visiteurs, les aires de repos et les agences de voyages. Dans un motel indépendant, si le parking n'est pas plein, et si vous êtes prêt à continuer votre route, rien ne vous empêche d'essayer de négocier.

Il ne faut pas juger les motels à première vue : une façade fatiguée peut cacher des chambres impeccables. Naturellement, l'inverse est également vrai. Mieux vaut donc visiter la chambre avant de vous décider.

# Heure locale

➡ Aux États-Unis, on écrit les dates dans cet ordre : mois/jour/année. Ainsi, le 8 juin 2008 devient 6/8/08.

➡ Les États passent à l'heure d'été (Daylight Saving Time) le deuxième dimanche de mars et à l'heure d'hiver le premier dimanche de novembre.

➡ L'Arizona ne change pas d'heure, et a donc une heure de décalage avec les autres États du Sud-Ouest durant 6 mois de l'année. La réserve Navajo, entre l'Arizona, le Nouveau-Mexique et l'Utah, applique le changement d'heure. La réserve Hopi, cernée par la réserve Navajo en Arizona, est à l'heure de l'Arizona.

## Heures d'ouverture

Voici une indication des heures d'ouverture :

| | |
|---|---|
| **Banques** | 8h30-16h30 lun-jeu, 8h30-17h30 ven (parfois 9h-12h sam) |
| **Bars** | 17h-minuit dim-jeu, 17h-2h ven-sam |
| **Discothèques** | 22h-2h jeu-sam |
| **Postes** | 9h-17h lun-ven |
| **Centres commerciaux** | 9h-21h |
| **Magasins** | 10h-18h lun-sam, 12h-17h dim |
| **Supermarchés** | 8h-20h, certains 24h/24 |

## Homosexualité

Les voyageurs LGBT trouveront de nombreuses adresses où ils se sentiront immédiatement à l'aise. Il va sans dire que les plages et les grandes villes sont les destinations les plus tolérantes.

### Destinations phares

San Francisco est sans conteste la ville la plus ouverte aux lesbiennes, gays, bi et trans de toute l'Amérique, mais la liberté est grande également dans des villes comme Los Angeles ou Las Vegas. En plein désert, les complexes hôteliers gay-friendly de Palm Spring sont très prisés.

### Situation de la communauté LGBT

La communauté homosexuelle est présente et active dans la plupart des grandes villes. Dans ce guide, de nombreuses villes présentent une rubrique consacrée aux meilleures adresses LGBT.

Dans l'Ouest, la tolérance varie beaucoup d'un endroit à l'autre. Dans certains endroits, l'intolérance s'exprime clairement, comme dans certaines zones rurales et dans les enclaves extrêmement conservatrices où réactions violentes et insultes peuvent être de mise. Dans d'autres, on accepte les homos, bi et transsexuels à condition qu'ils "n'affichent" pas leur préférence sexuelle ou leur identité trop ouvertement. En cas de doute, faites-vous discret et ne posez pas trop de questions, les habitants eux-mêmes s'en tiennent souvent à la politique du "don't ask, don't tell" (ne pas demander, ne pas dire). Le mariage homosexuel, sujet très controversé, est aujourd'hui légal dans quelques d'États.

### Renseignements

**Advocate** (www.advocate.com ; en anglais). Site d'information du monde des affaires, politique, arts, divertissements et voyages destinés aux homosexuels.

**Gay Travel** (www.gaytravel.com ; en anglais). Guides de voyage téléchargeables sur de nombreuses destinations aux États-Unis.

**GLBT National Help Center** (☎888-843-4564 ; www.glbtnationalhelpcenter.org, en anglais ; ⌚13h-21h PST lun-ven, 9h-14h PST sam). Un numéro national où trouver écoute, conseils et informations.

**OutTraveler** (www.outtraveler.com ; en anglais). Publie des guides pratiques téléchargeables sur différentes villes américaines et des articles sur les voyages aux États-Unis et à l'étranger.

**Purple Roofs** (www.purpleroofs.com ; en anglais). Dresse la liste complète des hôtels et B&B gay-friendly ou tenus par des homosexuels.

## Internet (accès)

Dans le texte, le symbole @ indique que l'établissement met à disposition du public un ordinateur connecté à Internet. Le symbole 📶 (pour Wi-Fi) désigne un accès sans fil. Les deux peuvent aussi bien être gratuits que payants.

➡ Les cybercafés répertoriés facturent la connexion Internet entre 6 et 12 $ l'heure.

➡ Avec des agences dans la plupart des villes, **FedEx Office** (☎800-463-3339 ; www.fedex.com, en anglais) offre un accès Internet depuis des ordinateurs en self-service (30 ¢/min) et parfois l'accès Wi-Fi gratuit. On peut aussi y imprimer ses photos et les graver sur CD.

➡ On trouve des points d'accès Wi-Fi (gratuits ou payants) dans les grands aéroports, dans de nombreux hôtels, motels et cafés (comme Starbucks), ainsi que dans certains centres d'information des visiteurs, parcs de caravaning (KoA), musées, bars, restaurants (dont les chaînes McDonalds et Panera Bread) et magasins (Apple).

➡ L'accès public sans fil à Internet gagne du terrain, jusqu'à s'étendre à certains parcs d'État.

➡ Les bibliothèques publiques disposent de terminaux, mais certaines limitent le temps d'accès ou demandent de s'inscrire à l'avance. Un visiteur ne résident pas dans l'État doit souvent payer une petite somme. Elles sont de plus en plus nombreuses à proposer l'accès Wi-Fi gratuit.

➡ Aux États-Unis, vous aurez besoin d'un adaptateur AC pour votre ordinateur et d'un autre pour les prises de courant. Vous trouverez facilement les deux dans des grands magasins d'informatique comme **Best Buy** (☎888-237-8289 ; www.bestbuy.com, en anglais et en espagnol).

## Jours fériés

Banques, écoles et administrations, y compris les bureaux de poste, sont fermés les jours fériés (national public holiday). Transports, musées et autres services adoptent les horaires du dimanche. Quand le jour férié tombe le dimanche, le lundi suivant est chômé.

**1er janvier** Nouvel An

**3e lundi de janvier** Anniversaire de Martin Luther King Jr

**3e lundi de février** Jour du Président (Presidents' Day)

**Dernier lundi de mai** Memorial Day

**4 juillet** Fête nationale (Independence Day ou Fourth of July)

**1er lundi de septembre** Fête du Travail (Labour Day)

**2e lundi d'octobre** Jour de Christophe Colomb (Columbus Day)

**11 novembre** Jour des Vétérans (Veterans' Day)

**4e jeudi de novembre** Thanksgiving

**25 décembre** Noël

En mars-avril, Les lycéens et les étudiants ont une semaine de congés appelés Spring Break (congés de printemps). Les vacances d'été s'étendent de juin à août pour tous les étudiants.

## Offices du tourisme

Les offices du tourisme de chaque État sont indiqués dans la rubrique *Renseignements* au début de chaque chapitre régional. Les centres d'information pour visiteurs (Visitor Center) sont quant à eux mentionnés dans leur villes ou comté respectif.

Les offices du tourisme (Tourist Office) dignes de ce nom possèdent un site Internet où l'on peut télécharger des guides de voyage en ligne et répondent également par téléphone. Certains tiennent la liste des hébergements disponibles à jour, mais rares sont ceux qui font les réservations. Il y a toujours des présentoirs pleins de brochures et de bons de réduction, et certains vendent aussi des cartes et des livres.

Les centres d'information des visiteurs (Welcome Centers), souvent financés par les États, et en général au bord des autoroutes inter-États, couvrent un plus grand territoire et restent ouverts plus longtemps, y compris le week-end et pendant les vacances.

De nombreuses villes entretiennent un Convention and Visitor Bureau (CVB) qui peut parfois tenir lieu d'office du tourisme, mais sa vocation première est commerciale. Ces bureaux sont donc moins utiles pour les voyageurs indépendants.

Il faut savoir que dans les petites villes, quand l'office du tourisme est géré par la Chamber of Commerce (chambre de commerce), les listes fournies pour l'hébergement, la restauration et les services n'incluent que les membres de la chambre du commerce. Souvent, les établissements les plus économiques n'y figurent pas.

De même, concernant les grandes destinations touristiques, les offices du tourisme privés (Tourist Bureau) sont en fait des agents qui touchent une commission sur les réservations effectuées (hôtels et circuits). Ils peuvent vous obtenir d'excellents tarifs et de très bonnes prestations, mais uniquement avec les établissements pour lesquels ils travaillent.

## Parcs nationaux et d'État

Avant de visiter un parc national, consultez son site en utilisant l'outil de navigation sur la page d'accueil du National Park Service (www.nps.gov). Le site du Grand Canyon (www.nps.gov/grca ; en anglais) permet de télécharger le journal saisonnier, *The Guide*, qui donne les dernières informations sur les prix, les heures et les présentations par les rangers. Il y a deux éditions, l'une pour le versant nord, l'autre pour le versant sud.

### QU'EST-CE QUE LE BLM ?

Le **Bureau of Land Management** (www.blm.gov), agence dépendant du département de l'Énergie, administre plus de 99 millions d'hectares de terres fédérales, dont une grande partie dans l'Ouest. Il tire ses ressources des diverses utilisations qu'il en fait : production d'énergie, pâturages, sites de loisirs, etc. Il permet aux visiteurs de profiter des joies de la nature et du camping, plus ou moins sauvage. Sur les terres du BLM, vous êtes généralement libre de camper où vous voulez à condition que votre emplacement soit au moins à 274 m d'une source où viennent s'abreuver les animaux sauvages ou le bétail. Vous n'êtes pas autorisé à camper plus de 14 jours au même endroit, et vous êtes tenu de ramener tout ce que vous avez apporté et de ne jamais quitter les lieux sans avoir éteint votre feu. En matière de camping, certaines régions ont un règlement plus spécifique ; vérifiez sur le site du BLM les règles en vigueur dans chaque État et appelez le bureau du district concerné pour des précisions locales.

À l'entrée d'un parc national ou d'État, mieux vaut avoir du liquide sur soi (les cartes de crédit ne sont pas toujours acceptées). L'entrée peut être gratuite ou coûter jusqu'à 25 $ par véhicule pour un pass de 7 jours. Si vous décidez de visiter plusieurs parcs dans le Sud-Ouest, il sera sans doute plus économique d'acheter le pass annuel America the Beautiful (80 $).

En raison de problèmes financiers, nombreux sont les gouvernements de l'Ouest à avoir coupé dans le budget des parcs. Les parcs d'État en Arizona, en Californie et dans l'Utah ont été les plus durement touchés. En Arizona, certains parcs d'État ne sont ouverts que 5 jours par semaine, fermés le mardi et le mercredi. Avant de visiter un parc d'État, consultez son site Internet pour connaître sa situation.

## Photo et vidéo

Les pellicules sont vendues dans les magasins spécialisés. On peut en revanche trouver des cartes mémoire partout dans les magasins de chaînes comme Best Buy et Target.

Sur certains territoires indiens, il est strictement interdit de prendre des photos ou de filmer. Lorsque cela est autorisé, il faut parfois acheter un permis. Demandez toujours l'autorisation pour prendre quelqu'un en photo et, s'il accepte, il est préférable de laisser un pourboire.

Pour plus de conseils photo, consultez le guide Lonely Planet, *La Photo de voyage*.

### CONSEILS POUR LES PASSIONNÉS DE PHOTO

- Si vous avez un appareil photo numérique, prévoyez suffisamment de piles et un chargeur.
- Question films, utilisez un 100 ISO pour tout, sauf si le sujet est très peu éclairé. C'est le film le plus lent et il augmentera la résolution.
- Un zoom est extrêmement pratique ; il en existe pour tous les appareils reflex. Utilisez-le pour isoler le sujet central. N'incluez pas trop de paysage autour du personnage ou du sujet principal.
- Le matin et la fin d'après-midi sont les meilleurs moments de la journée pour la photo. La même falaise de grès peut changer 4 ou 5 fois de teinte dans la journée, mais ce sera au coucher du soleil qu'elle révélera ses couleurs les plus riches. Prendre une photo en légère sous-exposition (d'un demi diaphragme, ou plus) fait ressortir les détails de l'image et enrichit les rouges.
- Les filtres réchauffants (orangés) font ressortir le rouge et le jaune et diminuent l'impact du bleu. Ils sont utiles pour photographier les roches rouges de Monument Valley, ou quand le temps est couvert ou la lumière uniforme, réduire les bleus. Vous obtiendrez le même effet avec tout appareil numérique en réglant la balance des blancs sur le mode automatique "nuageux" (ou en réduisant la température de la couleur).
- Ne prenez pas le soleil de face, ne l'incluez pas dans la photo : concentrez-vous sur ce qu'il éclaire. Les jours très lumineux, les portraits serrés doivent être pris à l'ombre.

## Poste

L'**US Postal Service** (USPS ; ☎800-275-8777 ; www.usps.com), bon marché et fiable, fournit des informations 24h/24 sur les services postaux, notamment les adresses et horaires des agences.

Pour envoyer des lettres et colis urgents, soit aux États-Unis soit à l'étranger, **Federal Express** (FedEx ; ☎800-463-3339 ; www.fedex.com) et **United Parcel Service** (UPS ; ☎800-742-5877 ; www.ups.com) proposent des services de livraison à domicile plus chers.

### Prix des timbres

Au moment où nous rédigeons ce guide, le tarif *first-class* pour une lettre jusqu'à 28,35 g (1 once) est de 46 ¢ (20 ¢ par once supplémentaire) à l'intérieur du pays et de 33 ¢ pour les cartes postales. En 2013, l'US Post Office a lancé le timbre Global Forever à 1,10 $, valable pour toute lettre jusqu'à 1oz (28g) partout dans le monde.

### Envoyer et recevoir du courrier

Tout paquet correctement affranchi pesant moins de 13 oz peut être déposé dans une boîte aux lettres bleue. À partir de 13 oz, il faut aller à la poste.

Vous pouvez recevoir du courrier adressé à votre nom avec la mention "c/o General Delivery" dans tout bureau de poste ayant son propre code zip. Le courrier est généralement conservé 30 jours avant retour à l'envoyeur. Demandez à l'expéditeur d'indiquer "Hold for Arrival" sur l'enveloppe.

# Problèmes juridiques

Si vous vous faites arrêter sur la route, sachez qu'il n'y a pas de dispositif permettant de régler une contravention pour une infraction, quelle qu'elle soit, immédiatement. Essayer de la payer au fonctionnaire qui verbalise risque dans le meilleur des cas de vous valoir une remontrance et dans le pire une accusation de tentative de corruption. La police de la route vous expliquera les procédures légales. On dispose généralement de 30 jours pour s'acquitter d'une amende, la plupart pouvant être réglées par courrier.

En cas d'arrestation, vous avez droit à un avocat et le droit de garder le silence. Il n'y a aucune raison de répondre à un officier de police si vous ne le voulez pas, mais ne tentez jamais de vous éloigner sans y avoir été autorisé. Toute personne arrêtée a le droit de passer un appel téléphonique. Si vous n'avez pas les moyens de payer un avocat, un commis d'office vous défendra. Il est conseillé aux étrangers n'ayant ni avocat, ni parent ou ami pour les aider d'appeler leur ambassade. La police fournira le numéro sur demande.

La justice américaine postule que toute personne est innocente tant que la preuve de sa culpabilité n'est pas établie. Chaque État a son propre Code civil et pénal : ce qui peut être légal ici peut ne pas l'être ailleurs.

## Conduite

Dans tous les États, conduire en état d'ivresse ou sous l'influence de substances illicites constitue un grave délit passible d'amendes importantes, voire d'incarcération.

## Drogues

Les lois fédérales ainsi que la plupart des États interdisent la consommation de drogues à des fins récréatives. Le Washington et le Colorado l'autorisent en revanche. Depuis le 1er janvier 2014 la loi en dépénalisant l'usage, qui avait été décrété par référendum fin 2012, est en effet entrée en vigueur. En d'autres termes, un cadre légal a été défini et des points de vente ont pu voir le jour. Parmi les conditions à respecter : que l'acheteur ait plus de 21 ans, qu'il soit résident de l'État depuis au moins 3 mois et qu'il ne soit pas vendu plus de 28 g par personne. Certains États, comme la Californie et l'Alaska, considèrent la possession de faibles quantités de marijuana comme un petit délit, mais elle n'en reste pas moins passible d'amende et de peine de prison. Le gouvernement fédéral a récemment indiqué qu'il ne contesterait pas les lois des États autorisant la consommation de cannabis, qui restent toutefois illégales en vertu de la loi fédérale Controlled Substances Act.

La possession de toute drogue : cocaïne, ecstasy, LSD, héroïne, haschisch et plus d'une once (28,35 g) d'herbe, est passible de longues peines de prison, selon les circonstances. Les étrangers coupables d'infraction à la législation sur les drogues peuvent être expulsés.

# Santé

## Santé et assurances

➡ Les soins aux États-Unis sont excellents, mais les coûts exorbitants. De nombreux médecins demandent à être payés sur-le-champ, notamment lorsqu'il s'agit de patients qu'ils ne connaissent pas ou venus de l'étranger.

➡ Sauf en cas d'urgence (vous ferez alors le ☎911 ou irez au service des urgences 24h/24, appelé ER, de l'hôpital le plus proche), téléphonez à plusieurs docteurs pour savoir lequel acceptera votre assurance.

➡ Gardez tous les reçus et documents délivrés qui serviront à la facturation et à vos remboursements auprès de votre assurance.

➡ Certaines polices d'assurance santé exigent que vous receviez une autorisation préalable avant la prise en charge.

➡ Selon la police d'assurance contractée à l'étranger, vous devrez peut-être contacter un centre d'appels téléphonique pour une évaluation de votre cas avant le début des soins.

➡ Transportez vos médicaments habituels dans leurs emballages d'origine, bien étiquetés. Ils doivent être accompagnés de votre ordonnance, décrivant précisément votre état et les médicaments prescrits (avec le nom du principe actif).

## Affections liées à l'environnement

### MAL DE L'ALTITUDE

➡ L'organisme des voyageurs habitués à vivre à des niveaux peu élevés subit des bouleversements physiologiques lorsqu'il s'adapte aux hautes altitudes.

➡ Les symptômes, qui se manifestent surtout pendant la première journée en altitude, peuvent être des douleurs de tête, de la fatigue, un manque d'appétit, des nausées, des insomnies, une élimination d'urine accrue, ainsi qu'une hyperventilation due à l'épuisement.

➡ Ces symptômes disparaissent généralement dans les 24 à 48 heures.

➡ La règle de base consiste à ne pas continuer à monter tant que les symptômes n'ont pas disparu.

➡ Dans les cas les plus sévères, on observe une désorientation extrême, de l'ataxie (manque de coordination des mouvements, déséquilibre), des problèmes respiratoires (notamment une toux persistante) et des vomissements. Une personne ressentant ces symptômes doit immédiatement descendre pour être traitée à l'hôpital.

➡ Pour éviter l'inconfort qu'entraînent les symptômes les plus légers, buvez beaucoup d'eau et ne vous surmenez pas : une agréable promenade dans Santa Fe, à 2 133 m, peut s'avérer plus fatigante que la même chose au niveau de la mer.

### DÉSHYDRATATION ET COUP DE CHALEUR

➡ Ne faites pas trop d'efforts durant votre période d'acclimatation, surtout quand il fait très chaud en été ou si vous êtes dans les déserts de la Californie du Sud.

➡ Buvez suffisamment d'eau, au moins un gallon (presque 4 l) par personne et par jour est recommandé si vous pratiquez une activité de plein air.

➡ La déshydratation (déficit en eau et en sel dans l'organisme), liée à la chaleur, peut causer un épuisement, qui se caractérise souvent par une hypersudation, une pâleur, de la fatigue, de la léthargie, des maux de tête, des nausées, des vomissements, des vertiges, des crampes musculaires et une respiration rapide et haletante.

➡ De longues périodes d'exposition à des températures élevées peuvent vous rendre vulnérable au coup de chaleur. Les symptômes de cet état grave, qui peut être fatal, sont la confusion mentale, l'hyperventilation et une peau rouge, brûlante et sèche (la transpiration s'arrête).

➡ Il faut absolument hospitaliser le malade. En attendant les secours, installez-le à l'ombre, enlevez ses vêtements qui retiennent la chaleur (laissez les articles en coton), mouillez son corps et éventez-le continuellement ; vous pouvez aussi lui appliquer des poches de glace sur le cou, les aisselles et les aines.

### HYPOTHERMIE

➡ Les skieurs et les randonneurs se rendront compte que les températures dans les montagnes et le désert peuvent très rapidement chuter en dessous de zéro, surtout en hiver. Une averse printanière ou un vent fort peuvent aussi très rapidement faire dangereusement baisser la température de votre corps.

➡ Au lieu de coton, portez des fibres synthétiques ou de laine qui retiennent la chaleur même mouillées. N'oubliez pas d'emporter des vêtements imperméables pour la couche extérieure (veste en Gore-Tex, pantalon de pluie, poncho en plastique...) et des en-cas à haute teneur énergétique et facilement digestibles comme du chocolat, des fruits secs et des noix.

### TROUSSE MÉDICALE DE VOYAGE

Veillez à emporter avec vous une petite trousse à pharmacie contenant quelques produits indispensables. Certains ne sont délivrés que sur ordonnance médicale. Attention, les liquides et les objets contondants sont interdits en cabine dans les avions.

- des antibiotiques, à utiliser uniquement aux doses et périodes prescrites. Il n'est pas absurde de demander à votre médecin traitant de vous en prescrire pour le voyage
- un antidiarrhéique, en cas de forte diarrhée, surtout si vous voyagez avec des enfants
- un antihistaminique en cas de rhume, allergie, piqûre d'insecte, mal des transports – évitez de boire de l'alcool
- un antiseptique ou un désinfectant pour les coupures, les égratignures superficielles et les brûlures, ainsi que des pansements gras pour les brûlures
- de l'aspirine ou du paracétamol (douleurs, fièvre)
- un produit contre les moustiques, un écran total, une pommade pour soigner les piqûres et des comprimés pour stériliser l'eau
- une bande Velpeau et des pansements pour les petites blessures
- une paire de lunettes de secours (si vous portez des lunettes ou des lentilles de contact) et la copie de votre ordonnance
- une paire de ciseaux à bouts ronds, une pince à épiler et un thermomètre à alcool
- une petite trousse de matériel stérile comprenant une seringue, des aiguilles, du fil à suture, une lame de scalpel et des compresses
- des préservatifs

➡ L'hypothermie se traduit entre autres par de la fatigue, un engourdissement des extrémités, des grelottements, des trébuchements, une élocution difficile, des crampes musculaires, des vertiges et une conduite irrationnelle ou même violente.

➡ Pour soigner l'hypothermie, protégez le malade du vent et de la pluie, enlevez-lui ses vêtements s'ils sont humides et habillez-le chaudement. Donnez-lui une boisson chaude (pas de caféine ni d'alcool) et un en-cas à forte teneur énergétique.

➡ Néanmoins, si son état est plus grave, couchez-le dans un sac de couchage chaud isolé du vent et de la pluie par une protection. Il faut le manier avec douceur et surtout ne pas le frictionner.

## Téléphone

### Téléphones portables

➡ Vous aurez besoin d'un GSM multi-bandes pour passer des appels aux États-Unis. Mais plutôt que d'utiliser votre réseau, il est généralement plus avantageux d'acheter une carte SIM prépayée, rechargeable.

➡ Les cartes SIM sont vendues dans les agences de télécommunications et les magasins d'électronique. Ces magasins proposent aussi des téléphones portables prépayés (avec temps de connexion) abordables.

➡ Si votre téléphone n'est pas compatible, vous pouvez acheter, à bas prix, un téléphone prépayé mais sans engagement, doté d'un numéro local et d'un nombre de minutes à compléter à volonté. Les magasins d'électronique comme Radio Shack et Best Buy en vendent.

### Codes téléphoniques

➡ Les numéros américains comptent dix chiffres : les 3 premiers indiquent la zone d'appel, les 7 autres le numéro.

➡ Quand on appelle à l'intérieur d'une même zone, on ne compose généralement pas les 3 premiers chiffres qui la déterminent. Toutefois, certains endroits l'exigent.

➡ Pour un appel longue distance, composez le ☎1, puis l'indicatif régional et le numéro.

➡ Les numéros gratuits commencent par 800, 866, 877 ou 888 et doivent être précédés du 1.

➡ Pour appeler l'étranger en direct, composez le ☎011, puis le code du pays suivi du code régional (généralement sans le "0" initial) et du numéro.

➡ Pour les renseignements internationaux, faites le ☎00.

➡ Si vous appelez depuis l'étranger, le code des États-Unis est 1 (identique à celui du Canada ; les appels entre les deux pays sont facturés comme des appels internationaux).

### Cabines et cartes téléphoniques

➡ Les quelques téléphones publics sont souvent à pièces, bien que certains ne prennent que les cartes de crédit (dans les parcs nationaux par exemple).

➡ Les appels locaux coûtent 35-50 ¢ minimum.

➡ Pour les appels longue distance, mieux vaut acheter une carte prépayée, vendue dans les supérettes, supermarchés, kiosques de presse et magasins d'électronique.

## Voyager en solo

### Femmes seules

Les États-Unis ne présentent aucun problème particulier pour les femmes seules ou en groupe. Vous respecterez cependant les règles de bon sens. Quand vous rencontrez quelqu'un pour la première fois, évitez de dire à quel hôtel vous êtes descendue ou que vous voyagez seule. Les Américains sont très amicaux et désireux de rendre service, y compris en hébergeant des voyageurs seuls chez eux. Il faut tout de même se montrer prudent. Si vous acceptez une invitation, prenez la précaution de dire où vous allez, éventuellement au gérant de l'hôtel ou de l'auberge de jeunesse. Si vous entreprenez seule une randonnée, prenez la même précaution de sorte que si vous ne revenez pas comme prévu, quelqu'un s'en aperçoive et puisse donner l'alerte et des indications pour vous rechercher.

Il peut être utile d'avoir un sifflet ou un spray dissuasif (à base de muscade et poivre de Cayenne) en cas d'attaque. Avant d'acheter un spray, vérifier la législation en vigueur dans l'État où vous vous trouvez auprès de la police et sachez que les lois fédérales vous interdisent de le prendre en cabine si vous voyagez en avion.

En cas de viol, appelez un service d'assistance aux victimes avant d'appeler la police, à moins d'être toujours en danger, auquel cas il faut appeler le 911. Sachez toutefois que tous les services de police ne sont pas aussi réceptifs, qualifiés ou expérimentés lorsqu'il s'agit de s'occuper de victimes de viol, alors que le personnel des centres d'assistance à ces victimes les aideront sans relâche et les mettront en relation avec d'autres services publics tels que les hôpitaux ou la police. Les numéros de ces centres figurent dans les annuaires téléphoniques. Sinon, appelez la **National Sexual Assault Hotline** (☎800-656-4673 ; www.rainn.org), 24h/24, ou dirigez-vous directement aux urgences d'un hôpital.

# Transports

## DEPUIS/VERS LES ÉTATS-UNIS

### Entrer aux États-Unis

Si vous arrivez en avion, vous devez vous soumettre aux formalités d'immigration et de douanes dans le premier aéroport où vous atterrissez, même si vous prenez immédiatement une correspondance. Vos empreintes digitales sont relevées et vos renseignements biométriques vérifiés (www.dhs.gov/us-visit-traveler-information). Voyez p. 481 pour en savoir plus sur les visas et les formalités d'entrée aux États-Unis.

#### Passeports

➡ Toutes les personnes se rendant aux États-Unis par voie aérienne, maritime ou terrestre doivent être titulaires d'un passeport lisible à la machine, dit MRP.

➡ Seuls la plupart des citoyens américains et certains citoyens canadiens et mexicains voyageant par voie terrestre ou maritime en mesure de présenter un autre document prévu par le programme WHTI en sont dispensés. Pour plus de détails, consultez le site www.getyouhome.gov (en anglais).

➡ Tous les passeports étrangers doivent répondre aux exigences américaines et être valables plus de 6 mois au-delà de la date de fin prévue du séjour.

➡ Les passeports MRP émis ou renouvelés après le 26 octobre 2006 doivent être électroniques (c'est-à-dire avec photographie numérique et puce intégrée comportant les données biométriques) ; les passeports émis avant le 26 octobre 2005 doivent être MRP (avec deux lignes de chiffres et de symboles <<< en bas). Enfin, les passeports émis entre le 26 octobre 2005 et le 25 octobre 2006 doivent être MRP et contenir une photo numérisée.

➡ Pour en savoir plus, consultez le site www.cbp.gov/travel (en anglais).

### Voie aérienne

#### Aéroports

Principaux aéroports internationaux de l'Ouest :

**Aéroport international de Los Angeles** (LAX ; ☎310-646-5252 ; www.lawa.org/lax ; 1 World Way ; 📶). Le plus grand aéroport, et le plus fréquenté. Situé à une trentaine de kilomètres du centre-ville de Los Angeles, près de la côte.

**Aéroport international de San Francisco** (SFO ; www.flysfo.com). Le principal aéroport de Californie, à une vingtaine de kilomètres du centre-ville, dans la baie de San Francisco.

**Aéroport international de Seattle-Tacoma** (SEA ; www.portseattle.org/Sea-Tac). Surnommé localement le "Sea-Tac".

Principaux aéroports régionaux desservis par quelques vols internationaux :

**Aéroport international d'Albuquerque Sunport** (☎505-244-7700 ; www.cabq.gov/airport ; 2 200 Sunport Blvd SE). Dessert Albuquerque et tout le Nouveau-Mexique.

**Aéroport international de Denver** (DEN ; ☎303-342-2000 ; www.flydenver.com ; 📶). Dessert le sud du Colorado ; si vous louez une voiture à Denver, comptez 4 heures pour rejoindre le nord-est du Nouveau-Mexique.

**AVERTISSEMENT**

Les informations contenues dans ce chapitre sont particulièrement susceptibles de changements. Vérifiez directement auprès de la compagnie aérienne ou de l'agence de voyages les modalités d'utilisation de votre billet d'avion. N'hésitez pas à comparer les prestations. Les détails fournis ici doivent être considérés à titre indicatif et ne remplacent en rien une recherche personnelle attentive.

## VOYAGES ET RÉCHAUFFEMENT CLIMATIQUE

Toutes les formes de transport motorisé génèrent du dioxyde de carbone, principale cause du réchauffement climatique imputable aux humains. Les avions utilisent moins de carburant au kilomètre que la plupart des voitures mais effectuent de plus longs trajets. L'altitude à laquelle les avions émettent le $CO_2$ et les particules contribue aussi à l'impact sur le réchauffement climatique. Beaucoup de sites proposent des "calculateurs d'empreinte carbone" de vos trajets et permettent de compenser vos émissions en versant de l'argent à des initiatives écologiques mondiales. Lonely Planet compense l'empreinte carbone de tout son personnel et de ses auteurs.

**Aéroport international de LA/Ontario** (ONT ; www.lawa.org/welcomeONT.aspx). Dans le comté de Riverside, à l'est de Los Angeles.

**Aéroport international de McCarran** (LAS ; ☎702-261-5211 ; www.mccarran.com ; 5757 Wayne Newton Blvd ; 📶). Dessert Las Vegas (Nevada) et le sud de l'Utah. Las Vegas se trouve à environ 450 km du versant sud du Grand Canyon National Park, et 470 km du versant nord.

**Aéroport international de Mineta San José** (SJC ; ☎408-501-0979 ; www.sjc.org). Dans le sud de la baie de San Francisco.

**Aéroport international d'Oakland** (OAK ; ☎510-563-3300 ; www.oaklandairport.com). À l'est de la baie de San Francisco.

**Aéroport international de Palm Springs** (PSP ; ☎760-323-8299 ; www.palmspringsairport.com ; 3400 E Tahquitz Canyon Way). Dans le désert, à l'est de Los Angeles.

**Aéroport international de Portland** (PDX ; ☎503-460-4234 ; www.flypdx.com ; 7000 NE Airport Way). À une vingtaine de kilomètres du centre-ville de Portland (Oregon).

**Aéroport international de Salt Lake City** (SLC ; www.slcairport.com ; 776 N Terminal Dr). Dessert Salt Lake City et le nord de l'Utah ; un bon choix si vous prévoyez de visiter le versant nord du Grand Canyon et l'Arizona Strip.

**Aéroport international de San Diego** (SAN ; ☎619-400-2404 ; www.san.org ; 3325 N Harbor Dr). À environ 6 km au nord-ouest du centre-ville.

**Aéroport international de Sky Harbor** (☎602-273-3300 ; http://skyharbor.com ; 3400 E Sky Harbor Blvd; 📶). Dessert Phoenix et le Grand Canyon ; c'est l'un des 10 aéroports les plus fréquentés du pays. Phoenix se trouve à environ 350 km du versant sud du Grand Canyon National Park et 540 km du versant nord.

**Aéroport international de Tucson** (☎520-573-8100 ; www.flytucson.com ; 7250 S Tucson Blvd). Dessert Tucson et le sud de l'Arizona.

**Aéroport international de Vancouver** (YVR ; www.yvr.ca). Situé à moins d'une dizaine de kilomètres au sud de Vancouver, sur Sea Island ; entre Vancouver et Richmond.

## Contrôle de sécurité

- Une carte d'embarquement et une pièce d'identité avec photo sont nécessaires afin de passer les points de contrôle de sûreté aéroportuaire (30 min en moyenne).
- Certains voyageurs sont susceptibles de faire l'objet d'une seconde inspection, consistant en une fouille corporelle sommaire et un examen du bagage à main.
- Les règles de sécurité aéroportuaires interdisent l'introduction de nombreux objets courants en cabine. Consultez les dernières restrictions en date auprès de la **Transportation Security Administration** (TSA ; ☎866-289-9673 ; www.tsa.gov), l'agence américaine chargée de la sécurité dans les transports.
- Les directives actuelles de la TSA imposent le conditionnement de tous les liquides et gels dans des flacons de 100 ml maximum, regroupés dans une pochette transparente refermable d'une contenance d'un quart de litre. Certaines exceptions

## AGENCES EN LIGNE

Vous pouvez réserver votre vol via une agence en ligne ou vous renseigner auprès d'un comparateur de vols :

- www.anyway.com
- www.ebookers.fr
- www.illicotravel.com
- www.sprice.fr
- www.opodo.fr
- www.voyages-sncf.com
- http://voyages.kelkoo.fr
- www.govoyage.com

## PARTIR EN ALASKA OU À HAWAÏ

### Alaska

Le 49e État américain, l'Alaska, se situe à la pointe nord du continent. De loin l'État le plus vaste, il possède de superbes montagnes, d'imposants glaciers et une nature exceptionnelle. Vous y trouverez également le Mt McKinley (le point culminant du continent), et quantité de baleines à bosse et d'aigles à tête blanche. Se référer au guide Lonely Planet *Alaska* (disponible en anglais uniquement) pour plus de détails.

Pour se rendre en Alaska, les visiteurs atterrissent habituellement à l'**aéroport international Stevens Anchorage** (ANC ; www.dot.state.ak.us/anc ; 📶). **Alaska Airlines** (☎800-252-7522 ; www.alaskaair.com) propose des vols directs pour Anchorage au départ de Seattle, Chicago, Las Vegas et Los Angeles. La compagnie relie également de nombreuses villes en Alaska, avec notamment des vols quotidiens nord/sud dans le sud-est de l'Alaska desservant les principales agglomérations comme Ketchikan et Juneau. **Delta** (☎800-221-1212 ; www.delta.com) propose des vols directs au départ de Minneapolis. **US Airways** (☎800-428-4322 ; www.usairways.com) et **United** (www.united.com) ont des vols directs depuis Phoenix. **JetBlue** (www.jetblue.com) propose des vols directs de Seattle. Des vols vont également de Seattle à Juneau.

En ferry, comptez environ une semaine avec l'**Alaska Marine Highway** (AMHS ; ☎800-642-0066 ; www.dot.state.ak.us/amhs/pubs/) qui relie Bellingham (Washington) et plus de 12 villes du sud-ouest de l'Alaska. Le circuit complet (de Bellingham à Haines ; 353 $, 2½ à 3 jours) fait escale à différents ports, et doit être réservé à l'avance. Les ferries de l'Alaska Marine Highway sont équipés pour accueillir des voitures (462 $ l'aller). Réservez plusieurs mois à l'avance.

La route militaire Alaska-Canada a été rebaptisée Alcan (route de l'Alaska). Cette autoroute longue d'environ 2 240 km relie Dawson Creek en Colombie britannique à

sont prévues, notamment pour les médicaments, mais il est nécessaire de le déclarer.

➡ Les bagages enregistrés sont systématiquement contrôlés afin de déceler la présence d'explosifs, et la TSA peut ouvrir vos bagages pour confirmation visuelle. Ne verrouillez pas vos bagages ou utilisez un cadenas approuvé par la TSA, comme ceux de **Travel Sentry** (www.travelsentry.org), sans quoi les services de sécurité le fractureront.

## Depuis la France

Réserver tôt (au moins 3 semaines à l'avance) ! Un vol en milieu de semaine et hors saison – de l'automne au printemps, hors vacances scolaires – sera moins cher, même si la guerre des prix fait rage toute l'année. Les agences en ligne (voir l'encadré p. 493) proposent généralement les tarifs les plus bas.

Air France, XL Airways, Delta Air Lines et United proposent des vols directs Paris-San Francisco (11 heures). Comptez à partir de 650 € pour un vol direct en basse saison. Air France effectue également des vols directs Paris-Los Angeles à partir d'environ 750 €.

Quelques adresses utiles :

**Air France** (☎3654 ; www.airfrance.fr)

**Delta Air Lines** (☎0 892 702 609 ; www.delta.com)

**XL Airways** (☎0 892 692 123 ; www.xlairways.fr)

**American Airlines** (☎0810 872 872 ; www.americanairlines.fr)

**United** (☎01-71-23-03-35 ; www.united.fr)

**Expedia** (☎01 57 32 49 86 ; www.expedia.fr)

**Les Connaisseurs du Voyage** (☎01 53 95 27 00 ; www.connaisseursvoyage.fr ; 10 rue Beaugrenelle, 75015 Paris)

**Nouvelles Frontières** (☎0 826 285 385 ; www.nouvelles-frontieres.fr)

**Thomas Cook** (☎0 826 826 777 ; www.thomascook.fr)

**Voyages SNCF** (☎36 35 ; www.voyages-sncf.com)

**Voyageurs associés** (☎0892 888 949 ; www.bourse-des-voyages.com)

**Voyageurs du Monde** (☎Paris 01 42 86 16 00 ; www.vdm.com)

## Depuis la Belgique

Il n'existe pas de vols directs vers l'Ouest américain depuis la Belgique. Toutefois, de nombreuses compagnies proposent des vols avec escale(s). Pour un A/R Bruxelles-San Francisco en basse saison, il vous faudra débourser un minimum de 650 €.

Quelques adresses utiles :

**Airstop** (☎070-233-188 ; www.airstop.be)

Delta Junction (au nord-est d'Anchorage) en serpentant à travers les étendues sauvages du nord-ouest du Canada et de l'Alaska. Environ 3 620 km séparent Seattle et Anchorage par la route.

### Hawaï

Isolée à plus de 4 000 km au large des côtes californiennes, Hawaï jouit d'un sentiment unique d'autonomie vis-à-vis du continent. Sur ses îles, vous pourrez marcher sur d'anciennes coulées de lave, apprendre le surf et le paddleboard, plonger parmi les tortues vertes ou encore faire du kayak sur votre propre île déserte. Les principales îles de l'archipel sont O'ahu, Hawai'i (Big Island), Maui, Lana'i, Moloka'i et Kaua'i. Peu importe l'île ou le programme, à Hawaï la synergie avec la nature est totale, comme le résument les termes *aloha 'aina* et *malama 'aina* : amour et respect de la terre. Consultez le guide Lonely Planet *Hawaii* (disponible en anglais uniquement) pour plus de détails.

Près de 99% des visiteurs se rendant à Hawaï arrivent par avion, et la plupart des vols (aussi bien internationaux qu'intérieurs) atterrissent à l'**aéroport international d'Honolulu** ((HNL ; ☎808-836-6411 ; http://hawaii.gov/hnl ; 300 Rodgers Blvd) à O'ahu. À Maui, l'**aéroport de Kahului** (OGG ; ☎808-872-3830 ; www.hawaii.gov/ogg ; 1 Kahului Airport Rd) se trouve à environ 25 minutes de Kihei et 45 minutes de Lahaina.

La plupart des croisières pour Hawaï font escale à Honolulu et à Maui, Kaua'i et Big Island. Elles durent généralement 2 semaines, et leur prix démarre à 100 $ par personne et par jour. Les compagnies de croisière les plus populaires sont **Holland America** (☎877-932-4259 ; www.hollandamerica.com), **Princess** (☎800-774-6237 ; www.princess.com) et **Royal Caribbean** (☎866-562-7625 ; www. royalcaribbean.com).

**American Airlines** (☎0 826 460 950 ; www. americanairlines.fr)

**Connections** (☎070-233-313 ; www.connections.be).

**Delta Air Lines** (☎070 300 872 ; www.delta.com)

**Éole** (☎02/672-35-03 ; www. voyageseole.be)

**United** (☎02-2-0088-68 ; www.united.com)

## Depuis la Suisse

Swiss et United proposent des vols directs pour San Francisco et Los Angeles au départ de Zurich. Un A/R Zurich-San Francisco en basse saison revient au minimum à 1 100 CHF.

Quelques adresses utiles :

**Swiss** (☎848 700 700 ; www. swiss.com)

**Delta Air Lines** (☎848 000 872 ; www.delta.com)

**American Airlines** (☎0 826 460 950 ; www. americanairlines.ch)

**United** (☎022 417 72 80 ; www.united.com)

**STA Travel** (☎058 450 49 49 ; www.statravel.ch)

## Depuis le Canada

Des vols quotidiens relient Montréal, Vancouver, Toronto et nombre de petites villes canadiennes à toutes les grandes agglomérations des États-Unis. Les meilleures offres comprennent les billets de charters et les forfaits vers les destinations ensoleillées, comme la Californie ou Las Vegas pour lesquelles les prix augmentent pendant la haute saison hivernale.

Il revient beaucoup moins cher de voyager par la route jusqu'à la première ville américaine, puis de prendre un vol intérieur.

Agences du Canada :

**Expedia** (☎888 397 3342 ou 613 780 1386 ; www.expedia.ca)

**Travel Cuts-Voyages Campus** (☎800 667 2887 ; www.travelcuts.com)

**Travelocity** (☎800 457 8010 ; http://travelocity.ca)

# Voie terrestre

## Passage de frontière

Quitter les États-Unis vers le Canada ou le Mexique ne pose pas de problème. Dans le sens inverse, vous pouvez connaître des difficultés si vous ne détenez pas tous les documents requis.

Les exigences en termes de passeport et de visa changent continuellement : renseignez-vous auprès du **Département d'État américain** (☎1888 407 4747 : http://travel.state.gov) avant de partir. La **Custom and Border Protection** ( www. cbp.gov), l'agence américaine en charge des douanes et de la protection des frontières, indique les temps d'attente à tous les postes-frontières (certains ouvrent 24h/24).

➡ Certains postes-frontières ouvrent 24h/24

## FRANCHIR LA FRONTIÈRE MEXICAINE

Le problème de la criminalité au Mexique a fait la une de la presse internationale ces dernières années. À titre d'exemple, si Nogales, en Arizona, est un lieu sûr pour les voyageurs, Nogales, au Mexique, est un haut lieu du trafic de drogue secoué par la violence. À Tijuana, il est recommandé aux voyageurs de faire preuve d'une extrême prudence. Nous ne vous recommandons pas de traverser la frontière pour un séjour prolongé avant que la situation sécuritaire ne s'améliore. S'y aventurer pour une escapade d'une journée est tout à fait faisable, s'y attarder davantage serait plus risqué.

Consultez le site Internet du **Département d'État américain** (http://travel.state.gov/travel/cis_pa_tw/cis/cis_970.html) avant de voyager au Mexique. Vous y trouverez informations de voyage et avertissements à jour, ainsi que les dernières conditions requises pour franchir la frontière. Avant de quitter le pays, les citoyens américains peuvent s'inscrire au programme **Smart Traveler Enrollment Program** (STEP ; http://step.state.gov/step/) pour recevoir des mises à jour par e-mail avant leur départ.

Comme les enfants américains, ceux de nationalité canadienne de moins de 16 ans peuvent présenter un certificat de naissance, un certificat consulaire de naissance à l'étranger, un certificat de naturalisation ou une carte d'identité canadienne. Les ressortissants de tous les autres pays doivent présenter leur passeport, ainsi qu'un visa le cas échéant, pour entrer au Mexique et rentrer aux États-Unis. La législation change fréquemment ; consultez les mises à jour sur le site www. cbp.gov.

➡ Préparez bien vos papiers, soyez poli et ne plaisantez pas ou ne cherchez pas à faire la conversation aux agents des services frontaliers.

➡ Au moment de nos recherches, la violence et la criminalité associées aux cartels de drogue le long de la frontière entre le Mexique et les États-Unis constituaient un véritable danger. Voir ci-dessus pour plus détails.

## Bus

➡ **Greyhound États-Unis** (☎800-231-2222, service client international 214-849-8100 ; www.greyhound.com) et **Greyhound Mexique** (☎01-800-010-0600 ; www.greyhound.com.mx) proposent un service de bus conjoint entre les principales villes du Mexique et des États-Unis.

➡ Les bus en provenance du Mexique sont parfois retenus à la frontière, lorsque les agents des services d'immigration américains décident de contrôler tous les passagers.

➡ Sur les lignes de **Greyhound Canada** (☎800-661-8747 ; www.greyhound.ca) reliant le Canada et les États-Unis, vous aurez peut-être à changer de bus à la frontière.

## Train

➡ **Amtrak** (☎800-872-7245 ; www.amtrakcascades.com) assure un service ferroviaire Cascades et un service de bus par autoroute entre Vancouver (Canada) et Seattle.

➡ **VIA Rail** (☎888-842-7245 ; www.viarail.ca) dessert aussi Vancouver, la Colombie-Britannique, ainsi que le nord et l'est du Canada.

➡ Les inspections des services de douanes et d'immigration américains/canadiens ont lieu à la frontière, pas à l'embarquement.

➡ Au départ de Seattle, le *Coast Starlight* d'Amtrak relie le Sud et plusieurs destinations en Californie jusqu'à Los Angeles.

➡ À l'heure actuelle, il n'existe aucune connexion ferroviaire entre l'Arizona ou la Californie et le Mexique.

## Voiture et moto

➡ Si vous arrivez aux États-Unis en voiture ou à moto depuis le Canada ou le Mexique, n'oubliez pas le certificat d'immatriculation du véhicule, la preuve de validité de l'assurance et votre permis de conduire national ; le permis de conduire international peut être un plus, mais n'est pas indispensable.

➡ Pour les véhicules de location, vérifiez auprès de l'agence si le passage des frontières mexicaine et canadienne est autorisé ; il est probable que non.

### DEPUIS/VERS LE CANADA

➡ L'assurance automobile canadienne est valable aux États-Unis, et inversement.

➡ Avec des documents en règle, le passage de la frontière est facile et rapide.

➡ Le week-end et en période de vacances, particulièrement l'été, les files d'attente aux postes-frontières peuvent être très longues.

➡ Il arrive que les autorités de l'un ou l'autre pays décident d'inspecter minutieusement un véhicule. Restez calme.

### DEPUIS/VERS LE MEXIQUE

➡ Très peu d'agences de location de voitures autorisent leurs véhicules à traverser la frontière vers le Mexique.

➡ À moins que vous ne planifiez de séjourner longuement à Tijuana, entrer au Mexique en voiture est synonyme de complications inutiles. Privilégiez plutôt le tramway depuis San Diego ou laissez votre voiture aux États-Unis et traversez la frontière à pied.

➡ Les assurances automobiles américaines n'étant pas valables au Mexique, il est nécessaire de souscrire une police mexicaine même pour une courte escapade dans la région frontalière. Vous pourrez vous en procurer pour 25 $ par jour environ à la plupart des postes-frontières, ou auprès de l'**AAA** (☎800-874-7532 ; www.aaa.com).

➡ Pour un séjour plus long en territoire mexicain, il vous faudra un *permiso de importación temporal de vehículos* (permis temporaire d'importation de véhicule).

➡ Avec le durcissement des mesures sécuritaires ces dernières années, l'attente à la frontière peut être longue.

➡ Se référer au guide Lonely Planet *Mexique* pour plus de détails, ou appeler le **service d'information touristique mexicain aux États-Unis** (☎800-446-3942).

# VOYAGES ORGANISÉS

Vous trouverez ci-dessous une liste de voyagistes offrant des prestations intéressantes pour des circuits dans l'Ouest américain. N'hésitez pas à comparer leurs prix avant de faire votre choix.

Les circuits les plus fréquents sont des parcours à la découverte de la nature et des parcs nationaux de la région. Ces circuits permettent d'admirer des paysages splendides et sont souvent le moyen de mieux connaître les cultures indiennes. L'Ouest américain est également le lieu idéal pour s'adonner à la marche et au trekking. L'offre de circuits plus ou moins sportifs dans la région est importante.

**Allibert** (☎France 04 76 45 50 50, Belgique 02 318 32 02, Suisse 022 519 03 23 ; www.allibert-trekking.com). Ce spécialiste du trekking propose de nombreux circuits dans les parcs et les déserts de l'Ouest américain.

**Comptoir des voyages** (☎Paris 01 53 10 30 15 ; www.comptoir.fr ; 2-18 rue Saint-Victor, 75005 Paris). Propose différents circuits dans l'Ouest américain (Colorado, Terres indiennes, Rocheuses) et ses parcs nationaux.

**Jet-Set Voyages** (☎01 53 67 13 00 ; www.jetset-voyages.fr ; 41-45 rue Galilée, 75116 Paris). Excursions de courte durée dans les parcs ou les villes mythiques de l'Ouest.

**Terres d'Aventure** (☎France 0825 700 825, Belgique 02 543 95 60, Suisse 022 518 05 13 ; www.terdav.com). Divers circuits couvrant tous les États de l'Ouest.

**La Maison des États-Unis** (☎01 53 63 13 43 ; www.maisondesetatsunis.com ; 3 rue Cassette 75006 Paris). Différents circuits accompagnés, à des tarifs compétitifs, ainsi que des circuits individuels en voiture, avec carnet de route préétabli.

**Voyageurs du Monde** (☎Paris 01 42 86 16 00 ; www.vdm.com). Circuits classiques et voyages thématiques originaux (Loin des foules, Cow-boys et indiens, Conquête de l'Ouest, etc.).

# COMMENT CIRCULER

## Avion

Le réseau aérien intérieur est dense et fiable, avec des dizaines de transporteurs concurrents, plusieurs centaines d'aéroports et des milliers de vols quotidiens. Prendre l'avion revient généralement plus cher que de voyager en bus, en train ou en voiture, mais reste la meilleure option si le temps vous est compté. Pour des renseignements détaillés par transporteur aérien, consultez le site **Airsafe.com** (www.airsafe.com) ou **Securvol** (www.securvol.fr, en français).

Principaux transporteurs intérieurs de l'Ouest :

**Alaska Airlines** (☎800-252-7522 ; www.alaskaair.com). Dessert l'Alaska et l'ouest des États-Unis, avec des vols pour la Côte Est et Hawaï.

**American Airlines** (☎800-433-7300 ; www.aa.com). Couvre l'ensemble du pays.

**Delta Air Lines** (☎800-221-1212 ; www.delta.com). Couvre l'ensemble du pays.

**Frontier Airlines** (☎800-432-1359 ; www.flyfrontier.com). Compagnie de Denver desservant tout le pays, y compris l'Alaska.

**Hawaiian Airlines** (☎800-367-5320 ; www.hawaiianair.com). Dessert les îles hawaïennes et la Côte Ouest, Las Vegas et Phoenix.

**JetBlue Airways** (☎800-538-2583 ; www.jetblue.com). Relie directement les villes de la Côte Ouest et de la Côte Est, ainsi que la Floride, la Nouvelle-Orléans et le Texas.

**Southwest Airlines** (☎800-435-9792 ; www.southwest.com). Survole la partie continentale des États-Unis.

**Spirit Airlines** (☎801-401-2200 ; www.spiritair.com). Compagnie basée en Floride, desservant les principales villes américaines.

**United Airlines** (☎800-864-8331 ; www.united.com). Dessert l'ensemble du pays.

**US Airways** (☎800-428-4322 ; www.usairways.com). Dessert l'ensemble du pays.

**Virgin America** (☎877-359-8474 ; www.virginamerica.com). Relie les villes de la Côte Ouest et celles de la Côte Est, et Las Vegas.

## Bateau

Il n'existe pas de système de transport fluvial dans l'Ouest, mais vous y trouverez de nombreux petits services de cabotage habituellement gérés par l'État. Les gros ferries assurent le transport de véhicules privés (voitures, motos, vélos).

Au large de la côte de Washington, un service de ferries dessert les superbes îles San Juan. Certaines îles de l'archipel des Channel Islands sont accessibles en bateau, comme l'île de Santa Catalina au large de Los Angeles. Dans la baie de San Francisco, des services de ferry réguliers circulent entre San Francisco et Sausalito, Larkspur, Tiburon, Angel Island, Oakland, Alameda et Vallejo.

## Bus

➡ **Greyhound** (☎800-231-2222, service client à l'international 214-849-8100 ; www.greyhound.com) est la principale compagnie de bus longue distance, avec des lignes couvrant l'ensemble du pays et du Canada. Dans un souci d'efficacité et de rentabilité, Greyhound a récemment cessé la desserte de nombreuses petites villes : ses lignes suivent les principaux axes routiers et marquent l'arrêt aux principales agglomérations. Pour rejoindre les petites villes situées sur des routes de campagne, il vous faudra probablement changer de bus, et emprunter une compagnie locale dont Greyhound pourra vous fournir les coordonnées.

➡ La plupart des bagages doivent être enregistrés ; n'oubliez pas d'y attacher une étiquette indiquant lisiblement vos coordonnées. Les objets volumineux, notamment les skis et les vélos, sont parfois admis moyennant supplément. Renseignez-vous auprès de Greyhound.

➡ La fréquence des bus est très variable. Malgré la suppression de nombreuses destinations secondaires, les bus Greyhound (hors service express) s'arrêtent encore tous les 80 à 160 km pour prendre des passagers. Des pauses repas sont prévues sur les lignes longue distance, qui sont aussi l'occasion d'un changement de conducteur.

➡ Les bus Greyhound sont généralement propres, confortables et fiables. Les meilleures places sont celles du devant, loin des toilettes. Les équipements à bord se limitent à la climatisation (souvent trop forte) et à des sièges légèrement inclinables ; quelques bus sont équipés de prises électriques et du Wi-Fi. Il est interdit de fumer à bord.

➡ Nombre de gares routières sont propres et sûres, mais quelques-unes sont situées dans des zones peu recommandables. Certaines localités ne disposent que d'un simple arrêt. Si vous montez à bord à l'un de ces arrêts, prévoyez d'avoir la somme exacte pour payer le conducteur.

### Réservations

➡ L'achat de billets de bus Greyhound peut se faire par téléphone ou en ligne. Vous pouvez imprimer les tickets vous-même ou les récupérer au terminal via le service "Will Call" (munissez-vous d'une pièce d'identité).

➡ Les places ne sont pas numérotées : Greyhound recommande de se présenter une heure à l'avance pour choisir sa place.

➡ Il est demandé aux voyageurs handicapés nécessitant une assistance spéciale d'appeler le ☎800-752-4841 (TDD/TTY ☎800-345-3109) au moins 48 heures avant le départ. Les places pour fauteuils roulants sont limitées, mais ceux-ci peuvent être enregistrés comme bagages de soute. Les chiens-guides sont acceptés à bord.

### Tarifs

➡ Pour bénéficier de tarifs intéressants, achetez vos billets 7 voire 14 jours à l'avance. Les allers-retours sont parfois plus avantageux et les tarifs peuvent varier en fonction du jour de la semaine.

➡ Des réductions (sur les billets plein tarif) sont proposées aux plus de 62 ans (5%), aux étudiants (20%) munis d'une Student Advantage Card, et à deux membres de la famille (jusqu'à 50%) pour tout achat d'un billet plein tarif. Le site de Greyhound propose souvent des promotions, soumises à conditions. Le Discovery Pass, qui permettait de voyager en illimité, n'existe plus.

### LIGNES DE BUS UTILES

| LIGNE | TARIF | DURÉE |
|---|---|---|
| **Las Vegas-Los Angeles** | 60 $ | 5-7 heures |
| **Los Angeles-San Francisco** | 59-65 $ | 7 heures 30-12 heures |
| **Phoenix-Tucson** | 18 $ | 2 heures |
| **Seattle-Portland** | 30-33 $ | 4 heures |
| **Denver-Salt Lake City** | 101-105 $ | 10 heures -12 heures 15 |

## Train

La compagnie **Amtrak** (☎800-872-7245 ; www.amtrak.com) gère un immense réseau ferroviaire couvrant l'ensemble du pays. Les tarifs varient en fonction des trains et du type de place (avec ou sans réservation,

## TRAINS TOURISTIQUES

Des trains touristiques traversent les chaînes de montagne et autres paysages de l'Ouest. La plupart des trains ne circulent que lorsqu'il fait beau et sont très populaires, il convient donc de réserver.

**Cumbres & Toltec Scenic Railroad** (☎575-756-2151 ; www.cumbrestoltec.com ; adulte/enfant à partir de 89/49 $ ; ⊙fin mai à mi-oct). Véritable musée sur rail partant de Chama au Nouveau-Mexique pour atteindre les Rocheuses du Colorado.

**Durango & Silverton Narrow Gauge Railroad** (☎970-247-2733, numéro gratuit 877-872-4607 ; www.durangotrain.com ; adulte/enfant aller-retour à partir de 85/51 $ ; ⊙départ à 8h, 8h45 et 9h30). Termine sa course dans la légendaire ville minière de Silvertown, dans les Rocheuses du Colorado.

**Mount Hood Railroad**. Suit les somptueuses gorges du fleuve Columbia au sortir de Portland, Oregon.

**Skunk Train** (☎707-964-6371 ; www.skunktrain.com ; adulte/enfant à partir de 20/10 $). Circule entre Fort Bragg, en Californie, sur la côte, et Willits, plus à l'intérieur des terres, en traversant des forêts de séquoias.

**Grand Canyon Railway** (☎928-635-4253, 800-843-8724 ; www.thetrain.com ; aller-retour adulte/enfant à partir de 75/45 $). Vieux trains à vapeur ou au diesel circulant entre Williams, Arizona, et le Grand Canyon National Park, et proposant des divertissements familiaux.

Le Pikes Peak Cog Railway, partant de Colorado Springs et s'élevant depuis un canyon jusqu'à la ligne des arbres sur 14 km, est également intéressant.

1re classe, wagons-lits etc.). Les trains sont confortables quoiqu'un peu lents, et dotés de wagons-restaurants et de wagons-bars sur les lignes longue distance.

**California Zephyr** Service quotidien entre Chicago et Emeryville (à partir de 163 $, 52 heures) près de San Francisco, via Denver, Salt Lake City, Reno et Sacramento.

**Coast Starlight** Longe la Côte Ouest entre Seattle et Los Angeles tous les jours (à partir de 115 $, 35 heures) via Portland, Sacramento, Oakland et Santa Barbara ; les trains sont parfois équipés du Wi-Fi.

**Southwest Chief** Circule quotidiennement entre Chicago et Los Angeles (à partir de 169 $, 44 heures) via Kansas City, Albuquerque, Flagstaff et Barstow.

**Sunset Limited** Circule 3 fois par semaine entre la Nouvelle-Orléans et Los Angeles (à partir de 205 $, 48 heures) via Houston, San Antonio, El Paso, Tucson et Palm Springs.

### Forfaits ferroviaires

➡ Le forfait d'Amtrak **USA Rail Pass** (www.amtrak.com) permet de voyager en classe économique pendant 15 jours (439 $), 30 jours (669 $) ou 45 jours (859 $) ; les enfants de 2 à 15 ans paient moitié prix. Ces forfaits comportent respectivement 8, 12 et 18 segments. Notez qu'un segment ne correspond pas à un aller simple : un aller comptera pour autant de segments qu'il vous faudra prendre de trains pour atteindre votre destination.

➡ Il vous faudra réserver à l'avance chaque segment de votre trajet. L'achat peut se faire en ligne.

➡ Si vous voyagez en Californie, le forfait de 7 jours California Rail Pass (adulte/enfant 159 $/80 $) peut être intéressant.

### Réservations

Les réservations peuvent se faire de 11 mois à l'avance jusqu'au jour du départ. Le nombre de places étant limité dans la plupart des trains et certaines lignes étant chargées, surtout en été et pendant les vacances, il est préférable de réserver le plus tôt possible.

### Tarifs

➡ L'achat des billets peut se faire à la gare, par téléphone ou en ligne. Les prix sont parfois légèrement plus élevés pendant les périodes de grande affluence (l'été par exemple). Les billets A/R valent le même prix que deux billets aller.

➡ Généralement, les seniors de plus de 62 ans et les étudiants titulaires d'une carte ISIC ou de la Student Advantage Card ont droit à une réduction de 15% ; une remise de 50% est également prévue pour les enfants de 2 à 15 ans accompagnés d'un adulte, et de 10% pour les membres de l'AAA. Des offres spéciales sont parfois lancées, consultez le site Internet d'Amtrak ou appelez-les.

**LIGNES FERROVIAIRES UTILES**

| LIGNE | TARIF | DURÉE |
|---|---|---|
| Los Angeles-Flagstaff | 70 $ | 10 heures 30 |
| Los Angeles-Oakland/San Francisco | 61 $ | 11 heures 15 |
| San Francisco/Emeryville-Salt Lake City | 97 $ | 17 heures |
| Seattle-Oakland/San Francisco | 104 $ | 23 heures |

## Transports urbains

À l'exception des grandes agglomérations, les transports publics constituent rarement l'option la plus pratique, et la desserte des villes excentrées et des banlieues peut être mauvaise. Cependant, ils sont en général bon marché, sûrs et fiables.

### Bus

La plupart des villes offrent un bon réseau de bus urbains. Cependant, ils s'adressent essentiellement aux personnes devant se rendre au travail, et le service est restreint en soirée et le week-end. Comptez en moyenne 2 $ par trajet. Un nombre limité de trajets sont gratuits dans les zones touristiques.

### Desserte des aéroports

Dans la plupart des villes, les navettes (généralement des minibus de 12 places) constituent un moyen de transport pratique et bon marché vers/depuis l'aéroport. Certains respectent un itinéraire et des arrêts précis (incluant les grands hôtels), tandis que d'autres offrent un service porte à porte. Comptez entre 15 et 22 $ par personne.

### Métro et train

Los Angeles et la région de la baie de San Francisco sont dotées des réseaux les plus étendus. D'autres villes comptent une ou deux lignes ferrées qui desservent essentiellement le centre-ville.

### Taxi

➡ Les taxis sont équipés de compteurs et font payer une prise en charge oscillant entre 2,50 et 5 $, puis entre 2 et 3 $ par mile (soit 1,6 km). Les cartes de crédits sont parfois acceptées.

➡ Ajoutez un supplément pour les bagages et/ou si vous le prenez à l'aéroport.

➡ Un pourboire équivalent à 10% ou 15% du prix de la course est attendu, et l'on arrondit généralement au dollar supérieur.

➡ Dans les grandes villes, les taxis maraudent dans les zones les plus fréquentées ; dans les autres quartiers, il est préférable d'en commander un par téléphone.

### Vélo

Certaines agglomérations favorisent plus que d'autres l'usage du vélo, mais la plupart sont dotées de pistes cyclables et les vélos sont généralement admis à bord des transports publics.

## Vélo

Le cyclotourisme est très prisé dans la région. Il vous faudra emprunter les petites routes secondaires (les vélos sont interdits sur les autoroutes), et votre avancée se calculera sans toute plus en kilomètres par jour qu'en kilomètres par heure. Les cyclistes sont soumis au même code de la route que les automobilistes, mais ne vous attendez pas à ce que votre priorité à droite soit respectée. Le port du casque est obligatoire pour les cyclistes de moins de 18 ans en Californie et dans de nombreuses villes de l'Ouest.

Voici quelques sites d'intérêt pour les cyclistes :

**Adventure Cycling Association** (www.adventurecycling.org). Excellent site pour l'achat en lignes de cartes cyclistes et de guides proposant de longs itinéraires.

**Better World Club** (☎866-238-1137 ; www.betterworldclub.com). La cotisation annuelle (40 $, plus 12 $ de frais d'inscription) donne droit à une assistance d'urgence, avec transport jusqu'à l'atelier de réparation le plus proche, dans un rayon de 50 km.

### Location et achat

➡ Vous trouverez à louer des vélos à l'heure, à la journée ou à la semaine dans la plupart des grandes villes.

➡ Les prix de la location oscillent entre 20 $ environ par jour pour un vélo de ville et 40 $ ou plus pour un VTT ; négociez un rabais pour les locations de plusieurs jours ou plusieurs semaines.

➡ La plupart des magasins de location réclament un dépôt de garantie par carte bancaire de plusieurs centaines de dollars.

➡ Pour l'achat d'un vélo neuf, adressez-vous à un magasin spécialisé, à un bon magasin de sport ou à un dépôt d'usine ; pour un vélo d'occasion, consultez les petites annonces affichées dans les auberges de jeunesse, les cafés et les universités.

➡ Pour acheter ou vendre un vélo d'occasion, consultez également les tableaux d'affichage en ligne de type **Craigslist** (www.craigslist.org).

### Transport de vélos

➡ Si vous en avez marre de pédaler, certains bus locaux et trains sont équipés de porte-vélos.

➡ Greyhound transporte les vélos en tant que bagages (supplément de 30 à 40 $), à condition qu'ils soient démontés et rangés dans un conteneur (10 $, disponibles à certains terminaux).

➡ La plupart des trains *Cascades*, *Pacific Surfliner*, *Capital Corridor* et *San Joaquin* d'Amtrak disposent de porte-vélos sur lesquels vous pourrez attacher le vôtre sans avoir à le ranger dans un conteneur. Pensez à demander un espace lors de la réservation de vos billets (supplément de 5 à 10 $).

➡ Dans les trains Amtrak dépourvus de porte-vélos, les vélos doivent être rangés dans un conteneur (15 $) et enregistrés comme un bagage (10 $). Le service d'enregistrement de bagages n'est pas disponible à toutes les gares, ni pour tous les trains.

➡ Pour prendre l'avion, il vous faudra démonter votre vélo et le conditionner comme un bagage de soute. Contactez directement votre compagnie aérienne pour plus de détails, notamment sur les suppléments appliqués (généralement compris entre 50 et 100 $, parfois davantage).

# Voiture et moto

La voiture est le moyen de locomotion le plus pratique et le plus flexible, particulièrement si vous prévoyez d'explorer les grands espaces de l'Amérique rurale.

## Assurance

➡ Avant de louer une voiture, vérifiez que votre police d'assurance ou votre assurance de voyage vous couvre et dans quelle mesure. Votre police comprend sûrement la responsabilité civile, mais si ce n'est pas le cas, prévoyez 7 à 14 $ par jour. Vous pourrez contracter une police couvrant les dégâts du véhicule en cas d'accident, appelée Collision Damage Waiver (CDW) ou Loss Damage Waiver (LDW) pour 20 à 40 $ par jour ; la franchise oscille généralement entre 100 et 500 $ pour la réparation. Cependant, certaines cartes bancaires incluent une assurance collision si vous réglez l'intégralité des frais de la location avec. En cas d'accident, vous pouvez être contraint de rembourser l'agence de location avant d'effectuer une demande de remboursement auprès de la société émettrice de votre carte. Lisez attentivement la police de votre carte bancaire avant toute location.

## Automobile-clubs

Pour bénéficier d'une assistance d'urgence 24h/24, de cartes gratuites et de réductions diverses (sur le logement, les sorties, la location de voitures) etc.

**American Automobile Association** (AAA ; ✆800-874-7532 ; www.aaa.com). Elle a conclu des accords réciproques avec plusieurs associations internationales (pensez à emporter votre carte d'adhérent le cas échéant) et offre une couverture supplémentaire pour les caravanes et les motos.

**Better World Club** (✆866-238-1137 ; www.betterworldclub.com). Il soutient des causes environnementales et offre également une assistance d'urgence pour les cyclistes.

## Carburant

Beaucoup de stations-services de l'Ouest ont des pompes automatiques avec paiement par carte. La plupart vous demandent votre code postal. Si vous payez avec une carte étrangère, il faut payer à l'intérieur avant de vous servir en carburant. Indiquez au caissier combien vous voulez mettre sur la carte. S'il vous reste de l'argent, vous pouvez retourner à l'intérieur vous faire rembourser.

## Code de la route

➡ La conduite s'effectue à droite.

➡ Le port de la ceinture de sécurité et les sièges enfant sont obligatoires dans tous les États. La plupart des agences de location louent des sièges enfant pour environ 12 $ la journée, mais il faut en faire la demande lors de la réservation.

➡ Dans certains États, le port du casque est obligatoire à moto.

➡ Sur les autoroutes interétatiques, la vitesse est parfois limitée à 75 miles/h. En l'absence de signalisation contraire, elle est généralement de 55 miles/h ou 65 miles/h sur autoroute, de 25 ou 35 miles/h en agglomération et de 15 miles/h à l'approche des écoles (à respecter scrupuleusement aux heures de sortie de classe). Il est interdit de doubler un bus scolaire lorsque ses feux clignotent.

➡ À l'approche d'un véhicule de secours ou de police, rabattez-vous prudemment et laissez-le passer.

➡ Dans de plus en plus d'États il est interdit de téléphoner au volant ou d'envoyer des textos.

➡ Le taux d'alcoolémie maximum autorisé pour un conducteur est de 0,08%. La conduite en état d'ivresse (ou sous l'influence de drogues) est lourdement sanctionnée. La police peut vous faire descendre de votre véhicule pour vous imposer divers tests visant à vérifier votre sobriété. Si vous échouez, vous devrez vous soumettre à un alcootest, un examen d'urine ou une analyse de sang. Refuser un test est passible des mêmes amendes qu'en cas de résultat positif.

➡ Dans certains États, il est interdit de transporter dans une voiture tout récipient d'alcool ouvert, même vide.

## DISTANCES ROUTIÈRES (KM)

| | Denver | Grand Canyon National Park (South Rim) | Las Vegas | Los Angeles | Phoenix | Portland | San Francisco | Santa Fe | Seattle |
|---|---|---|---|---|---|---|---|---|---|
| Grand Canyon National Park (South Rim) | 68 | | | | | | | | |
| Las Vegas | 750 | 270 | | | | | | | |
| Los Angeles | 1020 | 485 | 270 | | | | | | |
| Phoenix | 825 | 215 | 285 | 375 | | | | | |
| Portland | 1260 | 1330 | 1020 | 965 | 1335 | | | | |
| San Francisco | 1270 | 790 | 570 | 380 | 750 | 635 | | | |
| Santa Fe | 395 | 455 | 635 | 850 | 530 | 1450 | 1145 | | |
| Seattle | 1330 | 1365 | 1165 | 1135 | 1500 | 175 | 810 | 1545 | |
| Yellowstone National Park | 530 | 810 | 670 | 950 | 920 | 795 | 1000 | 820 | 875 |

## État des routes et sécurité

➡ Les principaux dangers et désagréments sur la route sont les nids-de-poule, les embouteillages, les animaux sauvages et les conducteurs colériques ou distraits.

➡ En hiver, conduire peut être problématique et de nombreuses voitures sont équipées de pneus-neige cloutés ; les chaînes sont parfois obligatoires sur certaines routes de montagne. Les agences de location interdisent souvent la conduite sur des chemins de terre ou hors des routes, qui peut d'ailleurs s'avérer très dangereuse sous la pluie.

➡ Dans les déserts et dans les montagnes, vous verrez parfois du bétail paître à côté de routes non clôturées. Ces zones sont soit indiquées par un panneau Open range, soit par un panneau illustré par un bœuf. Là où le passage de cerfs et autres animaux sauvages est fréquent, vous verrez un panneau représentant un cerf en train de bondir. Prenez-les au sérieux, surtout la nuit.

Pour des informations sur la circulation routière et les fermetures de routes, consultez le site www.fhwa.dot.gov/traffic info/index.htm.

Pour des informations actualisées sur l'état des routes depuis l'intérieur d'un état, appelez-le ☎511 ; ou depuis l'extérieur :

**Arizona** (☎888-411-7623 ; www.az511.com)

**Californie** (☎800-427-7623 ; www.dot.ca.gov)

**Colorado** (☎303-639-1111 ; www.cotrip.org)

**Idaho** (☎888-432-7623 ; http://511.idaho.gov/)

**Montana** (☎800-226-7623 ; www.mdt.mt.gov/travinfo/)

**Nevada** (☎877-687-6237 ; www.nvroads.com)

**Nouveau-Mexique** (☎800-432-4269 ; http://nmroads.com)

**Oregon** (☎503-588-2941 ; www.tripcheck.com)

**Utah** (☎866-511-8824 ; www.commuterlink.utah.gov)

**Washington** (☎800-695-7623 ; www.wsdot.com/traffic/)

**Wyoming** (☎888-996-7623 ; www.wyoroad.info)

## Location

### VOITURE

➡ La plupart des agences de location exigent d'avoir au moins 25 ans, d'être titulaire d'un permis de conduire valide et de payer par carte bancaire ; à défaut de carte bancaire, certaines agences acceptent le dépôt d'une grosse caution en espèce. Certaines agences acceptent également de louer leurs véhicules aux conducteurs âgés de 21 à 24 ans moyennant un supplément de 15 à 25 $ environ par jour.

➡ En réservant, vous trouverez souvent de petites voitures avec kilométrage illimité pour 35 $ par jour environ, auxquels vous devrez ajouter assurance, taxes et commissions. Les tarifs sont généralement plus économiques le week-end. Les agences des aéroports affichent souvent les tarifs les plus bas, mais aussi les plus fortes commissions. Si vous optez pour une formule "avion + voiture", il vous faudra parfois verser des taxes régionales lors du retrait de votre véhicule.

Certaines agences de centre-ville proposent des services de navette.

➡ Il n'est pas rare que le kilométrage illimité soit inclus dans le prix (pensez cependant à vérifier s'il y a un plafond), mais attendez-vous à des frais supplémentaires si vous souhaitez enregistrer un deuxième conducteur ou retirer le véhicule dans une ville et le rendre dans une autre. Certaines agences demandent aux clients de payer leur dernier plein de carburant d'avance, ce qui est rarement une bonne affaire.

Principales agences nationales :

**Alamo** (☎877-222-9075 ; www.alamo.com)

**Avis** (☎800-331-1212 ; www.avis.com)

**Budget** (☎800-527-0700 ; www.budget.com)

**Dollar** (☎800-800-3665 ; www.dollar.com)

**Enterprise** (☎800-261-7331 ; www.enterprise.com)

**Hertz** (☎800-654-3131 ; www.hertz.com)

**National** (☎877-222-9058 ; www.nationalcar.com)

**Thrifty** (☎800-847-4389 ; www.thrifty.com)

Vous trouverez de meilleures offres en réservant sur un site de voyages à prix cassé de type **Priceline** (www.priceline.com) ou **Hotwire** (www.hotwire.com), ou en passant par un site de réservation de voyage en ligne comme **Expedia** (www.expedia.com), **Orbitz** (www.orbitz.com) ou **Travelocity** (www.travelocity.com). Vous pouvez aussi comparer les prix sur **Kayak** (www.kayak.com).

Certaines grandes agences de location de voitures (Avis, Budget, Enterprise, Hertz et Thrifty) proposent des véhicules "verts" (hybrides ou roulant au biocarburant), mais la demande est forte. Réservez bien à l'avance. Tentez également votre chance auprès de **Simply Hybrid** (☎323-653-0011, 888-359-0055 ; www.simplyhybrid.com) à Los Angeles, qui, selon les endroits, propose un service de navette gratuit pour les locations de plus de 3 jours ; ou auprès de **Zipcar** (☎866-494-7227 ; www.zipcar.com), présent en Californie (Los Angeles, San Diego et baie de San Francisco) et à Denver, Portland et Seattle. Ce club de partage de voiture facture des frais d'utilisation (à l'heure ou à la journée) incluant le carburant, une assurance (jusqu'à 750 $ de franchise), et un kilométrage illimité. Inscrivez-vous en ligne : la cotisation annuelle est de 60 $ et les frais d'inscription de 25 $.

Le site **Car Rental Express** (www.carrentalexpress.com) permet de comparer les agences de location indépendantes, et peut être particulièrement utile pour trouver des locations à long terme bon marché ou sélectionner des entreprises acceptant de louer aux conducteurs de moins de 25 ans.

**Rent-a-Wreck** (☎877-877-0700 ; www.rentawreck.com). L'âge minimum requis et les suppléments varient en fonction de l'agence.

**Super Cheap Car Rental** (www.supercheapcar.com). Un supplément s'applique généralement pour les conducteurs âgés de 21 à 24 ans ; et un supplément journalier pour ceux âgés de 18 à 21 ans.

### MOTOS ET CAMPING-CARS

Si vous rêvez de traverser les États-Unis en Harley, **EagleRider** (☎888-900-9901 ; www.eaglerider.com) possède des agences dans les principales villes du pays. D'autres véhicules sont également proposés. Attention au prix élevé des assurances et des locations de moto.

Voici quelques agences spécialisées dans la location de camping-cars et de *campers* (camionnettes aménagées) :

**Adventures on Wheels** (☎800-943-3579 ; www.wheels9.com)

**Cruise America** (☎800-671-8042 ; www.cruiseamerica.com)

**Happy Travel Campers** (☎800-370-1262 ; www.camperusa.com)

## Permis de conduire

➡ La loi américaine autorise les touristes de passage à conduire aux États-Unis avec un permis national pendant 3 mois. Un permis international (International driving permit, IDP) peut néanmoins s'avérer utile, car il aura plus de poids aux yeux des agents de police américains. Il est valable un an pour les touristes de passage, 3 mois pour ceux amenés à rester plus longtemps sur le sol américain. Ces derniers devront alors se présenter dans les centres agréés de "Driving Licences" pour obtenir un permis de conduire américain. Les autres pourront faire une demande de permis international auprès de la préfecture ou de la sous-préfecture de leur domicile ; cette demande est gratuite.

➡ Pour conduire une moto aux États-Unis, il vous faut un permis moto américain valide. Les étrangers ont besoin d'un permis de leur pays d'origine ou d'un permis moto international.

# Langue

En raison de leur histoire – les colonisations et les vagues d'immigration successives – et de la diversité de leurs populations, les Américains pratiquent, pour la plupart d'entre eux, plusieurs langues. L'anglais est parlé dans tout le pays, mais n'a pas été désigné comme langue officielle des États-Unis. D'aucuns pensent qu'il faudrait remédier à cette situation, notamment ceux qui s'inquiètent de l'utilisation croissante de l'espagnol.

Dans les zones touristiques, on rencontre peu de gens parlant entre eux une autre langue que l'anglais américain. Cependant, dans les parcs nationaux en particulier, les visiteurs n'auront aucun mal à trouver des brochures en espagnol, allemand, français et japonais.

## LANGUES ETHNIQUES

Dans des quartiers entiers de Los Angeles, San Francisco et des agglomérations de la San Joaquin Valley, on ne s'exprime qu'en espagnol, chinois, japonais, vietnamien, coréen ou cambodgien. D'après certaines enquêtes, plus d'un tiers des Californiens ne parlent pas anglais chez eux. Les langues étrangères sont pratiquées essentiellement dans les communautés ethniques des grandes villes, mais les zones rurales du Sud et la Central Valley sont de plus en plus hispaniques, et celles du Nord de plus en plus asiatiques.

Du fait de l'importance de la population hispanique, l'espagnol devient la seconde langue officielle. Jusqu'à présent, aucun hybride hispano-anglais n'est encore apparu dans l'usage populaire, même si tout le monde sait qu'une *bodega* est une petite épicerie.

Dans le Chinatown de San Francisco, les panneaux de signalisation, les affiches et les cartes des restaurants sont rédigés en chinois sans traduction anglaise. En Californie du Sud, la toponymie est souvent espagnole (Santa Barbara, San Diego, La Mesa, El Cajon) mais elle est le reflet de l'histoire et non de la démographie actuelle. Dans les banlieues, les nombreux noms de rues espagnols illustrent le désir des promoteurs de faire plus exotique que Main St ou 5th Ave. Les Américains préfèrent vivre dans Via de la Valle plutôt que dans Valley Road.

L'anglais américain a emprunté des mots à toutes les langues des vagues d'immigrants, que ceux-ci soient originaires d'Allemagne, d'Europe centrale (en particulier, les Juifs parlant le yiddish) ou d'Irlande.

Par ailleurs, quelques communautés indiennes parlent encore leur propre langue, même si certains de ces idiomes ne comptent plus qu'une dizaine de locuteurs.

Plusieurs termes indiens, tels que *moccasin, moose, toboggan* et *kayak* ont enrichi le vocabulaire anglais. D'autres proviennent des langues européennes et furent importés par les immigrants. Ainsi, *loafer, hoodlum* et *kindergarten* sont issus de l'allemand ; *boss, stoop* (perron) et *nitwit* du néerlandais ; *schmuck, schmock* et *schmaltz* du yiddish ; *prairie* et *saloon* du français ; *pasta, pizza* et d'autres termes culinaires analogues de l'italien. Les mots *canyon, ranch* et *rodeo* sont tirés de l'espagnol, tout comme les noms de nombreux endroits du Sud-Ouest et de l'Ouest.

Néanmoins, la plupart des américanismes ont été créés par les Américains eux-mêmes. En effet, l'arrivée de nouveaux produits a entraîné la formation de nouveaux mots pour les désigner et d'un vocabulaire neuf pour les commercialiser. C'est de cette façon que sont nées des expressions comme *soda pop, root beer* et *sarsaparilla* (toutes d'origine américaine). Des noms de marques, tels que Coca-Cola, Coke et Pepsi, sont également passés dans le langage courant, de même que

### POUR ALLER PLUS LOIN

Indispensable pour mieux communiquer sur place : le *Guide de conversation anglais* de Lonely Planet (7,99 €). Pour réserver une chambre, lire un menu ou simplement faire connaissance, ce manuel permet d'acquérir des rudiments d'anglais. Inclus : un minidictionnaire bilingue.

certains slogans publicitaires comme "the Pepsi Generation", ou de nouveaux concepts imaginatifs comme la "Coca-Colonization". Quantité de termes proviennent des entreprises, des nouvelles technologies, de l'industrie automobile, du cinéma, de l'armée et du sport.

## LE PARLER SOCAL

Le SoCal, le dialecte le plus connu de Californie, celui utilisé dans les chansons et les films, est né sur les plages et dans les centres commerciaux de Californie du Sud. Ce langage familier est surnommé "surfer" ou "valley" (de San Fernando Valley), tous deux très similaires. Les visiteurs parlant anglais auront peut-être du mal à discerner les nuances. En voici un exemple : *The most common zones* (places) *to scope out* (observe) *this lingo* (language) *are on SoCal* (Southern California) *beaches, especially where there is killer* (good) *wave action* (surf) *and a mellow scene* (ambience). Ce genre de langage (*rap*) ne reflète pas tant le niveau d'intelligence ou d'éducation du locuteur que les endroits qu'il ou elle a fréquentés.

*Killer, bitchin, awesome, sweet, stylin'* et *stellar* signifient "formidable, super". Pour exprimer l'inverse, il faut employer *bunk, nappy, shitty* et *slack*. *Hairy* signifie "effrayant". *Gnarly* et *insane* s'appliquent à n'importe quoi d'extrême, tout comme *totally* ou *hella* placés devant un mot en renforcent le sens. Ainsi, des *gnarly* ou *insane waves* peuvent être *totally killer, totally hairy* ou *totally bunk*.

Des *vibes* sont des sensations ou des signes que vous transmettent une personne ou un lieu. Ces "ondes" peuvent être bonnes (*good*), mauvaises (*bad*) ou étranges (*weird*). Un *dude* est soit mâle soit femelle et est souvent précédé de *hey* (pour "hi"). *To cruise* signifie "aller" à pied, en voiture, à vélo ou en skateboard. *All right* et *right on* confirment que vous et votre interlocuteur êtes bien *on the same wavelenth* (sur la même longueur d'onde).

Le Californien a tendance à simplifier son expression, à laisser tomber la fin des mots, à glisser sur les syllabes et à télescoper les mots.

*Yeah, mmmhmm* et *uh-huh* signifient "yes", mais *uh-uh* et *hmmhm* "no". Un hochement de tête significatif vous en dira plus.

"Dirty" se prononce *dirdy*, "do you want to ?" devient *dyawana*, "I don't know" *Idunno*, "all right" *awright* et "what is up ?" ("Qu'est-ce qu'il se passe ?") se limite à un simple *sup* ?

## FORMULES DE POLITESSE

Les formules d'accueil sont des plus simples, avec les standards "hello", "hi", "good morning", "good afternoon", "how are you ?". Plus familièrement, on s'interpelle par "hey", "hey there" ou "howdy". Les formules d'adieu sont, en comparaison plus variées, avec "bye", "goodbye", "bye-bye", "see-ya", "take it easy", "later", "take care", "don't work too hard" et l'éternel "have a nice day".

Si les Américains sont avares de "please", ils distribuent généreusement leurs "thank you". Vous entendrez souvent "excuse me" à la place de "sorry". Dans la conversation, l'interlocuteur émettra fréquemment des *mm-hmmm* ou *uh-huh* pour montrer qu'il ne dort pas, qu'il vous écoute et vous encourager ainsi à continuer. C'est un signe beaucoup plus encourageant que le circonspect *mmm*.

Certains locuteurs ne se satisfont pas de ces *uh-huh* enthousiastes et émaillent leur discours de "y'know" ou de "you hear what I'm saying ?". Ces expressions n'appellent pas forcément de réponse.

## TERMES ET EXPRESSIONS UTILES

Tout le monde peut parler une langue étrangère, le tout est d'oser. La grammaire, au final, n'est pas essentielle pour se débrouiller sur place. Pour réserver une chambre, commander un plat ou simplement engager une conversation, voici 99 phrases essentielles qui vous aideront à ne pas rester muet, en toutes circonstances !

### Premier contact

1 **Bonjour.** Hi.

2 **Au revoir.** Bye.

3 **Comment allez-vous ?/Comment vas-tu ?** How are you?

4 **Bien, merci. Et vous ?/Bien, merci. Et toi ?** Fine thanks, and you?

5 **Je m'appelle...** My name is...

6 **Enchanté(e).** Nice to meet you.

7 **Voici mon compagnon/ma compagne.** This is my partner.

### À propos de vous

8 **D'où venez-vous ?** Where are you from?

9 **Je viens de...** I'm from...

10 **Je suis marié(e).** I'm married.

11 **Je suis célibataire.** I'm single.

12 **Quel est votre/ton numéro de téléphone ?** What's your phone number?

13 **Quelle est votre/ton adresse e-mail ?** What's your email address?

## Engager la conversation

14 **Quel est votre/ton métier ?**
What do you do for a living?

15 **Je suis employé(e) de bureau.**
I'm an office worker.

16 **Je suis ouvrier/ouvrière.**
I work in a factory.

17 **Je suis un homme d'affaires/ Je suis une femme d'affaires.**
I'm a businessperson.

18 **Je suis un(e) étudiant(e).**
I'm a student.

19 **Je suis un(e) artiste.**
I'm an artist.

20 **Quel âge avez-vous ?/Quel âge as-tu ?**
How old are you?

21 **J'ai (25) ans.**
I'm (25) years old.

22 **Aimes-tu l'art ?**
Do you like art?

23 **Aimes-tu le sport ?**
Do you like sports?

24 **Aimes-tu lire ?**
Do you like to read?

25 **Aimes-tu danser ?**
Do you like to dance?

26 **Aimes-tu voyager ?**
Do you like travelling?

## Sensations

27 **J'ai faim.**
I'm hungry.

28 **J'ai froid.**
I'm cold.

29 **J'ai chaud.**
I'm hot.

30 **J'ai soif.**
I'm thirsty.

31 **Comment te sens-tu ?**
You okay?

## Transports

32 **Est-ce le bus (pour Paris) ?**
Is this the bus (to Paris)?

33 **Est-ce l'avion (pour Paris) ?**
Is this the plane (to Paris)?

34 **Est-ce le train (pour Paris) ?**
Is this the train (to Paris)?

35 **C'est combien pour aller à... ?**
How much is it to ...?

36 **Ce taxi est-il libre ?**
Is this taxi free?

37 **À quelle heure part-il ?**
What time does it leave?

38 **Où se trouve le centre-ville ?**
Where is downtown?

39 **Où puis-je trouver un hôtel ?**
Where's a hotel?

40 **Où se tient le marché ?**
Where is a farmers' market?

## Hébergement

41 **Où puis-je trouver un terrain de camping ?**
Where is a camp ground?

42 **Pouvez-vous me recommander un logement pas cher ?**
Can you recommend somewhere cheap?

43 **Pouvez-vous me recommander un logement de qualité ?**
Can you recommend somewhere good?

44 **Quel est le prix par nuit ?**
How much is it per night?

45 **Je voudrais réserver une chambre, s'il vous plaît.**
I'd like to book a room, please.

## Achats

46 **Où est le supermarché ?**
Where's the supermarket?

47 **Où puis-je trouver une banque ?**
Where's a bank?

48 **Où puis-je acheter... ?**
Where can I buy ...?

49 **Est-ce que je peux le voir ?**
Can I look at it?

50 **Quel est votre meilleur prix ?**
What's your lowest price?

51 **Pouvez-vous écrire le prix ?**
Can you write down the price?

52 **Puis-je avoir un reçu, s'il vous plaît.**
I'd like a receipt, please.

## Photographie

53 **Je voudrais une carte mémoire pour cet appareil.**
I'd like a memoray card for this camera.

54 **Avez-vous un câble pour cet appareil ?**
Do you have a cable for this camera?

55 **Où puis-je trouver une batterie pour cet appareil ?**
Where can I find a battery for this camera?

56 **Je voudrais graver mes photos sur un CD.**
I'd like to put my photos on a CD.

57 **Combien coûte le tirage papier des photos de cette carte mémoire ?**
How much is it to print out the photo on this memory card?

58 **Quand cela sera-t-il prêt ?**
When will it be ready?

## Sortir

59 **J'aimerais aller au cinéma.**
I feel like going to the movies.

60 **J'aimerais aller au théâtre.**
I feel like going to the theatre.

61 **J'aimerais aller à un concert.**
I feel like going to a concert.

62 **Où y a-t-il des discothèques ?**
Where can I find clubs?

63 **Où y a-t-il des lieux gays ?**
Where can I find gay venues?

64 **Où y a-t-il des pubs ?**
Where can I find pubs?

## Visites touristiques

65 **Quand a lieu la prochaine excursion à la journée ?**
When's the next day trip?

66 **L'excursion dure combien de temps ?**
How long is the tour?

67 **L'entrée est-elle comprise dans le prix ?**
Is the admission charge included?

68 **À quelle heure doit-on rentrer ?**
What time should we be back?

## Où se restaurer et prendre un verre

69 **Pouvez-vous me conseiller un restaurant ?**
Can you recommend a restaurant?

70 **Pouvez-vous me conseiller un café ?**
Can you recommend a cafe?

71 **Servez-vous des plats végétariens ?**
Do you have vegetarian food?

72 **Y a-t-il un restaurant végétarien par ici ?**
Is there a vegetarian restaurant near here?

73 **Je voudrais une table pour (5) personnes, s'il vous plaît.**
I'd like a table for (five), please.

74 **Y a-t-il un espace fumeur ?**
Is there a smoking area?

75 **Pouvez-vous me conseiller un bar ?**
Can you recommend a bar?

## Faire ses courses

76 **Combien coûte (un kilo) ?**
How much is (a kilo)?

77 **J'en voudrais (200) grammes.**
I'd like (200) grams.

78 **J'en voudrais (6) tranches.**
I'd like (six) slices.

79 **Quelle est la spécialité locale ?**
What's the local speciality?

## Commander à manger/ à boire

80 **Puis-je avoir la carte des boissons, s'il vous plaît.**
I'd like to see the drinks list, please.

81 **Puis-je avoir le menu, s'il vous plaît.**
I'd like the menu, please.

82 **Qu'est-ce que vous me conseillez ?**
What would you recommend?

83 **Un café (avec du lait).**
Coffee with milk.

84 **Un thé (avec du lait).**
Tea with milk.

85 **L'addition, s'il vous plaît.**
The check, please.

## Au bar

86 **Qu'est-ce que vous désirez ?**
What would you like?

87 **Je vous offre un verre.**
I'll buy you a drink.

88 **Une bière.** A beer.

89 **Un verre de vin blanc.**
A glass of white wine.

90 **Un verre de vin rouge.**
A glass of red wine.

91 **Champagne.**
Champagne.

92 **Santé!**
Cheers!

## Santé

93 **Au secours !**
Help!

94 **J'ai besoin d'un médecin qui parle français.**
I need a doctor who speaks French.

95 **Est-ce que je peux voir une femme médecin ?**
Could I see a female doctor?

96 **Je n'ai plus de médicaments.**
I've run out of my medicine.

97 **Où y a-t-il un dentiste par ici ?**
Where's the nearest dentist?

98 **Où est l'hôpital le plus proche ?**
Where's the nearest hospital?

99 **Où y a-t-il une pharmacie de garde par ici ?**
Where's a 24-hour pharmacy?

# GLOSSAIRE



**4WD** – Four Wheel Drive ; véhicule 4x4.

**9/11** –11 septembre 2001 (prononcer "nine, one, one") ; jour des attaques terroristes d'Al-Qaïda, où des avions détournés ont frappé le Pentagone et le World Trade Center de New York.

**24/7** – 24h/24, 7 jours/7.

**AAA** – American Automobile Association, également appelée "Triple A".

**Acela** – trains à grande vitesse du nord-est des États-Unis.

**adobe** – matériau de construction mexicain traditionnel, composé de briques de boue et de paille séchée ; structure faite à base de ce matériau.

**aka** – also known as : aussi connu pour/comme.

**alien** – terme officiel désignant un citoyen étranger aux États-Unis, qu'il soit visiteur ou résident.

**Amtrak** – compagnie nationale de chemins de fer consacrée au transport de voyageurs.

**Angeleno/ Angelena** – habitant de Los Angeles.

**antebellum** – adjectif désignant la période précédant la guerre civile, c'est-à-dire avant 1861.

**antojito** – (espagnol) apéritif, snack ou plat léger.

**Arts & Crafts** – signifiant "arts et artisanat", cette expression désigne un courant qui s'est développé aux États-Unis dans l'architecture et le design dès le début du XXe siècle. Mettant l'accent sur le travail artisanal et la fonctionnalité, il s'est posé en réaction à la mauvaise qualité des objets fabriqués industriellement.

**ATF** – Bureau of Alcohol, Tobacco & Firearms, agence fédérale chargée de faire respecter la loi.

**ATM** – Automated Teller Machine ; distributeur automatique de billets (DAB).

**ATV** – All-Terrain Vehicles ; véhicules tout-terrain, utilisés pour le transport sur des routes non goudronnées ; voir aussi OHV.

**back east** – expression utilisée par les Californiens pour désigner la Côte Est.

**backpacker** – randonneur partant camper pour plusieurs jours ; plus rarement, un jeune voyageur à petit budget.

**bling-bling** – terme du vocabulaire hip-hop désignant des bijoux et des biens très onéreux, symbolisant le succès.

**BLM** – Bureau of Land Management ; service du département de l'Environnement qui gère de grandes superficies de terre appartenant à l'État.

**blue book** – abréviation de Kelley Blue Book, équivalent américain de l'Argus pour les voitures d'occasion.

**bodega** – petit magasin vendant alcool, nourriture et autres articles de base.

**boomtown** – terme, datant de la Ruée vers l'or, désignant une ville qui connaît une expansion économique rapide accompagnée d'un afflux de population.

**booster** – promoteur enthousiaste d'une ville ou d'une université ; prend parfois une connotation provinciale.

**born again** – personne ayant trouvé dans le christianisme une forme de renouveau personnel ; par extension, un baptisé.

**brick-and-mortar** – l'emplacement géographique d'une entreprise, par opposition à sa présence virtuelle sur Internet.

**burro** – un petit âne utilisé comme porteur.

**BYOB** – "Bring Your Own Booze", amenez votre propre alcool ; mention figurant sur certaines invitations à des fêtes.

**camper** – un type de caravane.

**carded** – adjectif signifiant que vous avez dû présenter votre carte d'identité pour entrer dans un bar, acheter de l'alcool ou des cigarettes.

**carpetbaggers** – opportunistes du Nord venus s'installer dans le Sud après la guerre de Sécession.

**CCC** – Civilian Conservation Corps ; programme fédéral instauré en 1933 consistant à embaucher des jeunes hommes non qualifiés.

**CDW** – Collision Damage Waiver ; assurances proposées avec la location d'une voiture.

**cell** – téléphone portable.

**Chamber of Commerce** – COC, chambre de commerce ; association d'entreprises locales qui fournit souvent des renseignements touristiques sur la région.

**Chicano/Chicana** – homme/femme d'origine mexicano-américaine.

**Civil War** – guerre civile (ou guerre de Sécession) opposant, de 1861 à 1865, les États confédérés du Sud aux États du Nord et qui aboutit à l'abolition de l'esclavage en 1865.

**CNN** – Cable News Network ; chaîne d'information 24h/24 du câble.

**coach class** – classe économique dans les trains et les avions.

**coed** – coeducational ; terme désignant un endroit ouvert aux femmes et aux hommes. Il est utilisé, par exemple, pour les dortoirs des auberges de jeunesse.

**conestoga** – grand chariot couvert tiré par des chevaux ou des bœufs, utilisé par les pionniers dans leur voyage vers l'Ouest.

**Confédération** – ensemble regroupant les 11 États du Sud (appelés les États confédérés) qui firent sécession en 1860 puis en 1861, entraînant la guerre civile.

**contiguous states** – tous les États américains à l'exception de l'Alaska et d'Hawaï ; on parle aussi des "lower 48".

**cot** – lit de camp.

**country and western** – un mélange de musique folk du sud et de l'ouest des États-Unis.

**coyote** – petit chien sauvage, typique des plaines du centre et de l'ouest de l'Amérique ; personne qui aide les immigrants mexicains à franchir illégalement la frontière des États-Unis (passeur).

**cracker** – dans le sud des États-Unis, terme péjoratif désignant un Blanc sans le sou.

**CVB** – Convention and Visitors Bureau ; bureau instauré par de nombreuses municipalités afin de promouvoir le tourisme et d'assister les visiteurs.

**DEA** – Drug Enforcement Agency ; instance fédérale chargée de l'application des lois anti-drogues.

**DIY** –"Do It Yourself", bricolage, pratique d'amateur.

**DMV** – Dept of Motor Vehicles ; agence fédérale responsable de l'immatriculation des véhicules et de l'attribution des permis.

**docent** – guide ou gardien dans un musée ou une galerie.

**dog, to ride the** – voyager dans les bus de la société Greyhound.

**downtown** – le centre-ville, quartier central des affaires.

**DUI** – Driving Under the Influence of alcohol ; conduite en état d'ivresse (et/ou sous l'influence de drogues).

**efficiency** – petit appartement meublé doté d'une cuisine, souvent proposé pour des locations de courte durée.

**Emancipation** – en référence à l'Emancipation Proclamation, par laquelle Abraham Lincoln, en 1863, déclarait libres tous les esclaves de la Confédération ; en 1865, le 13e amendement de la Constitution des États-Unis abolissait officiellement l'esclavage.

**entrée** – plat principal d'un repas.

**express bus/train** – bus ou train qui ne marque que les arrêts principaux et non les arrêts "locaux".

**express stop/station** – station desservie par les "express buses/trains" ainsi que les "local buses/trains".

**flag stop** – endroit où les bus ne s'arrêtent que si vous leur faites signe.

**foldaway** – lit de camp dans un hôtel.

**forty-niners** – immigrants qui arrivèrent en Californie pendant la ruée vers l'or de 1849 ; également l'équipe professionnelle de football américain de San Francisco (les 49ers).

**gated community** – zone résidentielle close et à accès contrôlé.

**general delivery** – poste restante.

**Generation X** – la jeunesse désœuvrée des années 1980, à laquelle ont succédé les Générations Y et Z.

**gimme cap** – casquette promotionnelle ornée du logo d'une entreprise ; terme souvent péjoratif pour désigner la culture blanche des classes modestes.

**GLBT** – Gay, Lesbien, Bisexuel, Transgenre.

**GOP** – Grand Old Party ; surnom donné au Parti républicain.

**graduate study** – études postuniversitaires effectuées après le bachelor's degree (équivalent de la licence).

**green card** – carte attribuée aux détenteurs d'un visa d'immigrant. Elle permet à son possesseur de vivre et de travailler en toute légalité aux États-Unis.

**hip-hop** – musique rap ; en général, l'ensemble de la culture noire et urbaine.

**Hispanic** – d'origine latino-américaine (synonyme de Latino/Latina)

**HI-USA** – Hostelling International USA ; auberges de jeunesse américaines membres de Hostelling International, une association faisant elle-même partie de l'IYHF (International Youth Hostel Federation).

**hookup** – dans les campings, branchement qui permet aux caravanes de bénéficier de l'électricité, de l'eau courante, et du système d'évacuation des eaux usées ; dans certaines situations, désigne une rencontre romantique.

**IMAX** – salles de cinéma spécialisées avec écran géant.

**INS** – Immigration & Naturalization Service ; remplacé depuis 2002 par l'USCIS.

**interstate** – autoroute commune à plusieurs États, qui fait partie du système national des autoroutes.

**IRS** – Internal Revenue Service ; le service du département du Trésor américain chargé de la levée de l'impôt.

**Jim Crow laws** – lois instaurées dans le Sud, après la guerre de Sécession, qui visaient à limiter le droit de vote et les droits civils des Noirs ; "Jim Crow" : ancienne expression péjorative désignant un Noir.

**Joshua tree** – type de yucca géant, très répandu dans les régions arides du Sud-Ouest.

**kiva** – chambre ronde souterraine construite par les peuples amérindiens du Sud-Ouest pour des cérémonies ou d'autres événements de la vie quotidienne.

**KOA** – Kampgrounds of America ; chaîne privée de terrains de camping présente dans tout le pays.

**Latino/Latina** – homme/femme originaire d'Amérique latine (synonyme d'Hispanic).

**LDS** – Latter-day Saints ; Église des Saints du Dernier Jour, dénomination officielle de l'Église mormone.

**live oak** – chêne vert à feuilles pérennes originaire du Sud. Le bois de chêne vert représente un excellent matériau pour la construction de bateaux.

**local** – un bus ou un train qui marque tous les arrêts ; voir aussi express bus/train.

**lower 48** – Les 48 États contigus des États-Unis continentaux ; tous les États à l'exception de l'Alaska et d'Hawaï.

**MLB** – Major League Baseball ; fédération professionnelle de base-ball.

**MLS** – Major League Soccer ; fédération professionnelle de football.

**mojito** – cocktail à base de sucre, de rhum, de citron vert et de menthe écrasée.

**morteros** – mortiers ; petites cavités dans la roche où les Indiens avaient coutume de moudre des graines.

**Mother Road** – surnom de la Route 66, autrefois la seule route reliant Chicago à Los Angeles.

**NAACP** – National Association for the Advancement of Colored People ; organisation de défense et de promotion des droits des Noirs, fondée en 1910 et qui a joué un rôle majeur dans le mouvement des droits civiques dans les années 1960.

**National Guard** – armée de réserve de chaque État placée sous la tutelle de l'État fédéral, entrant en action en cas d'urgence.

**National Recreation Area** – zones géographiques gérées par le National Park Service et présentant un intérêt écologique important. Elles ont été modifiées par l'action des hommes (barrages, par exemple).

**National Register of Historic Places** – liste de sites historiques établie par le National Park Service ; l'altération de ces sites est étroitement surveillée.

**NBA** – National Basketball Association ; fédération professionnelle de basket masculin.

**NCAA** – National Collegiate Athletic Association ; organe gérant le sport interuniversitaire.

**New Deal** – ensemble de mesures et de grands travaux entrepris par le président Franklin D. Roosevelt pour sortir de la Grande Dépression.

**NFL** – National Football League ; fédération professionnelle de football américain.

**NHL** – National Hockey League ; fédération professionnelle de hockey sur glace.

**NHS** – National Historic Site.

**NM** – National Monument.

**NOW** – National Organization for Women ; association de défense des droits des femmes.

**NPR** – National Public Radio ; société de radiodiffusion non commerciale, soutenue par les auditeurs, qui produit et distribue des informations et des programmes culturels.

**NPS** – National Park Service ; division du département de l'Environnement chargée de l'administration des parcs nationaux et de leurs monuments.

**NRA** – National Recreation Area. Également National Rifle Association, un important groupe de pression pro-armes, empêchant la mise en place de législations restrictives sur l'utilisation des armes à feu.

**NWR** – National Wildlife Refuge ; réserve naturelle de faune et de flore.

**OHV/ORV** – Off-Highway Vehicle/Off-Road Vehicle ; véhicule tout-terrain.

**outfitter** – société fournissant des équipements divers, assurant le transport ou employant des guides pour des activités sportives, telles que la pêche, le canoë, le rafting ou la randonnée.

**panhandle** – bande de terre étroite se dégageant du territoire principal d'un État. Désigne également l'action de faire l'aumône.

**parking lot/garage** – place de stationnement.

**PBS** – Public Broadcasting System, réseau télévisuel non commercial ; l'équivalent télé de la NPR.

**PC** – politiquement correct ; ordinateur.

**pétroglyphe** – roche sculptée ; cet art consiste à entailler, limer ou ébrécher la surface de la pierre pour créer un motif.

**PGA** – Professional Golfers' Association.

**pick-up** – camionnette ouverte à l'arrière.

**pictographe** – peinture sur roche.

**po'boy** – gros sandwich.

**pound** – monnaie représentée aux États-Unis par le symbole #, et non £.

**pow-wow** – rassemblement indien.

**pueblo** – village amérindien du Sud-Ouest composé notamment de demeures en pierre ou en adobe.

**ranchero** – propriétaire mexicain d'un ranch ; style de musique américano-mexicain aux influences allemande et espagnole.

**rancho** – petit ranch (en espagnol du Mexique).

**raw bar** – comptoir de restaurant où l'on sert des fruits de mer crus.

**Reconstruction** – période qui suivit la guerre civile, durant laquelle les États sécessionnistes ont été placés sous contrôle fédéral avant d'être à nouveau admis dans l'Union.

**redneck** – terme péjoratif désignant un membre de la classe ouvrière soutenant le Parti conservateur.

**ristra** – guirlande de piments.

**RV** – Recreational Vehicle ; camping-car ou caravane.

**scalawags** – terme péjoratif désignant les sudistes blancs ayant soutenu les États du Nord durant la guerre de Sécession et ayant tenté de s'enrichir sur les ruines du Sud au moment de la Reconstruction.

**shotgun shack** – petite cabane en bois composée de trois ou quatre chambres attenantes aménagées de telle sorte que l'on pouvait tirer avec un fusil à travers toutes les portes, de l'avant jusqu'au fond ; à l'époque, demeure des pauvres (Blancs ou Noirs) dans le sud des États-Unis.

**sierra** – (espagnol) chaîne de montagnes.

**snail mail** – lettre envoyée par courrier, par opposition aux e-mails, rapides (snail signifiant escargot).

**snowbirds** – terme désignant les riches retraités qui passent tous les hivers au soleil, dans le sud des États-Unis (région de la Sunbelt, Floride, Arizona, etc.).

**SoCal** – abréviation de Southern California.

**soul food** – cuisine traditionnelle des Noirs américains du Sud (l'andouille, le jarret de porc et le chou vert par exemple).

**SSN** – Social Security Number ; code à neuf chiffres sans lequel il est impossible de travailler.

**stick, stick shift** – boîte de vitesses manuelle/voiture à transmission manuelle.

**strip mall** – ensemble de sociétés ou de magasins installés autour d'un parking.

**SUV** – Sports Utility Vehicle ; 4x4 citadin.

**swag** – articles promotionnels délivrés gratuitement.

**trailer** – maison transportable ; un "trailer park" fournit des logements bon marché.

**TTY, TDD** – Telecommunications Devices for the Deaf ; dispositifs de télécommunication pour les sourds.

**two-by-four** – pièces de bois de dimension standard : 2 pouces (5 cm) d'épaisseur et 4 pouces (10 cm) de largeur.

**Union, the** – les États-Unis ; dans le contexte de la guerre civile, l'Union désignait les États du Nord en guerre avec la confédération des États du Sud.

**USAF** – United States Air Force ; armée de l'air américaine.

**USCIS** – US Citizenship & Immigration Services, service rattaché au département de la Sécurité intérieure, chargé de l'immigration, de l'attribution des visas et de la naturalisation des étrangers.

**USFS** – United States Forest Service ; département du ministère de l'Agriculture chargé des forêts fédérales.

**USGS** – United States Geological Survey ; agence du ministère de l'Intérieur responsable, notamment, de l'établissement des cartes topographiques de l'ensemble du pays.

**USMC** – United States Marine Corps ; corps de l'armée chargé de faire respecter les directives américaines en territoire étranger.

**USN** – United States Navy ; marine américaine.

**wash** – cours d'eau dans le désert, le plus souvent à sec mais sujet à des crues soudaines et violentes.

**Wasp** – White Anglo-Saxon Protestant ; terme souvent utilisé pour désigner la classe moyenne blanche américaine.

**well drinks** – boissons peu chères à base d'alcools forts, par opposition aux "top-shelf drinks".

**WNBA** – Women's National Basketball Association.

**wonk** – terme généralement péjoratif désignant une personne obsédée par de petits détails ; personne qui rencontre des difficultés de sociabilité. Équivalent d'un *nerd* ou d'un *geek* de l'informatique.

**WPA** – Works Progress Administration (puis Works Project Administration) ; programme mis en œuvre à l'époque de la Grande Dépression, et visant à réduire le chômage en finançant des travaux publics.

**zip code** – code postal de cinq ou neuf chiffres, instauré dans le cadre du Zone Improvement Program.

# En coulisses

## VOS RÉACTIONS ?

Vos commentaires nous sont très précieux et nous permettent d'améliorer constamment nos guides. Notre équipe lit toutes vos lettres avec la plus grande attention. Nous ne pouvons pas répondre individuellement à tous ceux qui nous écrivent, mais vos commentaires sont transmis aux auteurs concernés. Tous les lecteurs qui prennent la peine de nous communiquer des informations sont remerciés dans l'édition suivante, et ceux qui nous fournissent les renseignements les plus utiles se voient offrir un guide.

Pour nous faire part de vos réactions, prendre connaissance de notre catalogue et vous abonner à Comète, notre lettre d'information, consultez notre site Internet : **www.lonelyplanet.fr**

Nous reprenons parfois des extraits de notre courrier pour les publier dans nos produits, guides ou sites web. Si vous ne souhaitez pas que vos commentaires soient repris ou que votre nom apparaisse, merci de nous le préciser. Notre politique en matière de confidentialité est disponible sur notre site Internet.

## À NOS LECTEURS

**Merci à tous les voyageurs qui ont utilisé la dernière version de ce guide et qui nous ont écrit pour nous faire part de leurs conseils, de leurs suggestions et de leurs anecdotes :** Marie-Cécile Boineau, Catherine Chanut, Viviane Fagot, famille Gamba, Émeline et Geoffroy Jamgotchian, Marianne Joly, Jean-Pierre Juppeau, Dominique Mabille, Corinne Poher, Odran et Ancelin Pouclet, Marie-Agnès Ravary-Gouin

## UN MOT DES AUTEURS

### Amy C. Balfour

Un grand merci à mes amis et experts du Sud-Ouest, tout particulièrement au maestro du BLM Chris Rose pour ses précieuses connaissances sur le Nevada et sur Elvis. Merci également à Justin Shepherd, Tracer Finn, Jim Christian, Alex Amato, Mike Roe, Catrien van Assendelft, Lewis Pipkin, Sara Benson, Dan Westermeyer et les aventuriers Sandee McGlaun, Lisa McGlaun, Paul Hanstedt ainsi qu'à la grande marcheuse du Grand Canyon Karen Schneider.

### Sandra Bao

Je remercie mon mari Ben Greensfelder, qui a gardé notre maison à peu près intacte pendant mes recherches. Merci aussi à mes géniaux auteurs coordinateurs pour le Nord-Ouest pacifique (dont j'ai adapté les informations pour ce livre), à Celeste Brash et à Brendan Sainsbury. Un grand merci à l'éditrice Suki Gear – merci pour la fête et bonne chance pour tes prochaines aventures. Enfin, je n'aurais pas pu faire ce livre sans le soutien de mes parents et de mon frère.

### Michael Benavav

Un grand merci à Suki de m'avoir convaincu d'aller dans tous les petits recoins de cet État que j'aime tant, et pour son parfait mélange de professionnalisme et d'humour. Et à Kelly et Luke, qui me laissent toujours partir, et toujours revenir.

### Greg Benchwick

Un grand merci à mon amie et éditrice Suki, à mon auteur coordinateur et au reste de l'équipe Lonely Planet.

### Sara Benson

Merci à Suki Gear, Sasha Baskett, Alison Lyall, Regis St Louis et à tout Lonely Planet d'avoir permis que ce livre existe. Je suis reconnaissante à tout ceux que j'ai croisés sur la route, des rangers aux fous de bière en passant par les gastronomes, qui ont généreusement partagé leurs connaissances. Un grand merci à mes amis et ma famille du Golden State, particulièrement aux Picketts,

Starbins et Boyles. Jonathan, tu as continué de conduire même quand tu ne savais pas vraiment où la route allait nous mener – merci.

## Alison Bing

Tous mes remerciements à la maîtresse des guides Lonely Planet Suki Gear, à l'éditrice Sasha Baskett et à mon co-auteur et co-aventurier John Vlahides ; à mes intrépides compagnons de recherches Sahai Burrowes, Haemin Cho, Lisa Park, Yosh Han, Rebecca Bing, Tony Cockrell et Akua Parker ; mais surtout à Marco Flavio Marinucci, qui a fait d'un trajet en bus le voyage d'une vie.

## Celeste Brash

Merci à ma famille de m'avoir aidée à explorer plages et montagnes, et d'avoir parfois su faire sans moi. Merci aux vieux amis partout au Washington : Oliver Irwin, Kati Halmos Jones, Dan Jones, la famille Forster et Jackie Capalan-Auerbach. Et merci à mes nouveaux amis, trop nombreux pour être cités !

## Lisa Dunford

Tant d'âmes sœurs sur la route de l'Utah – merci à tous, et notamment à Karla Player pour son art magnifique. Karen et John, j'ai adoré notre conversation. Je suis aussi très heureuse d'avoir pu renouer avec mon amie Trista Kelin Rayner, à qui je souhaite beaucoup de bonheur, ainsi qu'à sa fille Mechelle.

## Carolyn McCarthy

Je dois beaucoup aux sympathiques habitants des Rocheuses. Un merci tout particulier à Lance et à ses amis d'Ouray pour le lit et le barbecue, à Melissa et Steve pour la visite de Billings, aux incroyables Jones de Steamboat et à Jennifer de Crested Butte. Richard et Rachel ont été les meilleurs chauffeurs et compagnons. Merci à Coraline, pour les balades en voiture, et au généreux Conan Bliss. Je lève ma pinte virtuelle à Regis St Louis, Greg Benchwick et Chris Pitts avec qui il est si agréable de travailler.

## Brendan Sainsbury

Merci à tous les chauffeurs de bus anonymes, aux bénévoles des offices de tourisme, aux restaurateurs, aux baristas des cafés et aux rockeurs punks indés qui m'ont aidé dans mes recherches. Un merci spécial à ma femme Liz et à mon fils de sept ans, Kieran, pour m'avoir accompagné.

# REMERCIEMENTS

Carte climatique adaptée de Peel MC, Finlayson BL et McMahon TA (2007) 'Updated World Map of the Köppen-Geiger Climate Classification', *Hydrology and Earth System Sciences*, 11, 16331644.

Illustration p. 136-137 de Michael Weldon.

Photographie de couverture : Monument Valley, Arizona-Utah, Alan Copson/AWL.



# À PROPOS DE CET OUVRAGE

Cette 7e édition du guide Lonely Planet *Ouest américain* est une traduction-adaptation de la 2e édition du guide *Western USA*. Elle a été rédigée par Amy C. Balfour, Sandra Bao, Michael Benanav, Greg Benchwick, Sara Benson, Alison Bing, Celeste Brash, Lisa Dunford, Carolyn McCarthy, Chris Pitts et Brendan Sainsbury. Amy, Michael, Sara, Alison, Lisa, Carolyn et Brendan avaient également contribué à l'édition précédente, ainsi qu'Andrew Bender, Nate Cavalieri, Sarah Chandler, Bridget Gleeson, Beth Kohn, Bradley Mayhew, Andrea Schulte-Peevers et John A. Vlahides.

**Traduction** Aurélie Belle, Florence Delahoche et Bérengère Viennot

**Direction éditoriale** Didier Férat

**Adaptation française** Carole Huon

**Responsable prépresse** Jean-Noël Doan

**Maquette** Christian Deloye

**Cartographie** Cartes originales de Valentina Kremenchutskaya, adaptées en français par Nicolas Chauveau

**Couverture** Adaptée en français par Annabelle Henry

**Remerciements à** Michel Mac Leod, Agnès Mauxion-Poujol et Jean-Victor Rebuffet pour leur contribution au texte ainsi qu'à Christiane Mouttet pour sa relecture. Merci à Claire Chevanche et Livia Koutchoumov pour leur travail en amont ainsi qu'à Charlotte Borries pour la touche finale. Un grand merci à toute l'équipe du bureau de Paris, en particulier Dominique Spaety et Dorothée Pasqualin. Merci à Clare Mercer, Joe Revill et Luan Angel du bureau de Londres, ainsi qu'à Darren O' Connell, Chris Love, Sasha Baskett, Angela Tinson, Jacqui Saunders, Ruth Cosgrave et Glenn van der Knijff du bureau australien.

# Index



Cartes en **gras**
Photos en **bleu**

## C



Cartes en **gras**
Photos en **bleu**

## D

## F



## G



INDEX F-G

Cartes en **gras**
Photos en **bleu**

## M

Cartes en **gras**
Photos en **bleu**

## P

## S

Cartes en **gras**
Photos en **bleu**



## T

## U



## V



INDEX T-V

## Z

## INDEX DES ENCADRÉS

### À voir et à faire



### Art, Culture et société



### Balades et itinéraires



### Gastronomie

# Légende des cartes

## À voir
- Château
- Monument
- Musée/galerie/édifice historique
- Ruines
- Église
- Mosquée
- Synagogue
- Temple bouddhiste
- Temple confucéen
- Temple hindou
- Temple jaïn
- Temple shintoïste
- Temple sikh
- Temple taoïste
- Sentō (bain public)
- Cave/vignoble
- Plage
- Réserve ornithologique
- Zoo
- Autre site

## Activités, cours et circuits organisés
- Bodysurfing
- Plongée/snorkeling
- Canoë/kayak
- Cours/circuits organisés
- Ski
- Snorkeling
- Surf
- Piscine/baignade
- Randonnée
- Planche à voile
- Autres activités

## Où se loger
- Hébergement
- Camping

## Où se restaurer
- Restauration

## Où prendre un verre
- Bar
- Café

## Où sortir
- Salle de spectacle

## Achats
- Magasin

## Renseignements
- Banque
- Ambassade/consulat
- Hôpital/centre médical
- Accès Internet
- Police
- Bureau de poste
- Centre téléphonique
- Toilettes
- Office du tourisme
- Autre adresse pratique

## Géographie
- Plage
- Refuge/gîte
- Phare
- Point de vue
- Montagne/volcan
- Oasis
- Parc
- Col
- Aire de pique-nique
- Cascade

## Agglomérations
- Capitale (pays)
- Capitale (région/État/province)
- Grande ville
- Petite ville/village

## Transports
- Aéroport
- Poste frontière
- Bus
- Téléphérique/funiculaire
- Piste cyclable
- Ferry
- Métro
- Monorail
- Parking
- Station-service
- Station de métro
- Taxi
- Gare/chemin de fer
- Tramway
- U-Bahn
- Autre moyen de transport

*Les symboles recensés ci-dessus ne sont pas tous utilisés dans ce guide*

## Routes
- Autoroute à péage
- Voie rapide
- Nationale
- Route secondaire
- Petite route
- Chemin
- Route non goudronnée
- Route en construction
- Place/rue piétonne
- Escalier
- Tunnel
- Passerelle
- Promenade à pied
- Promenade à pied (variante)
- Sentier

## Limites et frontières
- Pays
- État/province
- Frontière contestée
- Région/banlieue
- Parc maritime
- Falaise
- Rempart

## Hydrographie
- Fleuve/rivière
- Rivière intermittente
- Canal
- Étendue d'eau
- Lac asséché/salé/intermittent
- Récif

## Topographie
- Aéroport/aérodrome
- Plage/désert
- Cimetière (chrétien)
- Cimetière (autre)
- Glacier
- Marais/mangrove
- Parc/forêt
- Site (édifice)
- Terrain de sport

**Sara Benson**

California. Après ses années d'université à Chicago, Sara a sauté dans un avion pour San Francisco avec une valise et 100 $ en poche. Depuis, elle n'a cessé de se balader en Californie, entre deux missions en Asie et à Hawaï, et son travail de ranger dans les parcs nationaux. Auteur de 55 livres, de voyages notamment, Sara a gravi les pics de la Sierra Nevada, découvert la Lost Coast et survécu à la Vallée de la Mort pour rédiger ce guide. Suivez ses aventures en ligne sur www.indietraveler.blogspot.com et @indie_traveler sur Twitter.

**Alison Bing**

Californie. En 15 ans à San Francisco, Alison a fait tout ce qu'il faut et beaucoup de ce qu'il ne faut pas y faire, y compris tomber amoureuse à bord d'un bus de Haight St et quitter un travail dans la Silicon Valley pour écrire 43 guides Lonely Planet et des commentaires pour des magazines et autres médias. Suivez ses nouvelles aventures sur Twitter@AlisonBing.

**Celeste Brash**

Nord-Ouest pacifique. Les habitants peuvent avoir du mal à le croire, mais la beauté du Nord-Ouest pacifique est ce qui a ramené Celeste aux États-Unis après 15 ans à Tahiti. Elle a adoré explorer et s'imprégner des trésors de sa nouvelle région, arpenter des sommets neigeux, chercher des orques et renouer avec ses racines cow-boy et indiennes pour cet ouvrage. Vous en saurez plus sur Celeste et ses écrits récompensés sur www.celestebrash.com.

**Lisa Dunford**

Sud-Ouest. Si c'est l'histoire de ses ancêtres qui attira Lisa, l'une des arrière-petites-filles de Brigham Young, en Utah, ce sont bien ses incroyables roches rouges, qui la font revenir depuis 10 ans. Elle aime marcher dans les sables roses de Zion ou d'Arches jusqu'à ce que ses chaussures soient irrémédiablement tachées, et au détour d'un chemin se retrouver nez-à-nez avec des falaises pourpres. Lisa a co-écrit le guide Lonely Planet *Zion & Bryce Canyon National Parks*.

**Carolyn McCarthy**

Rocheuses. Carolyn est tombée amoureuse des Rocheuses lors de ses études au Colorado College, où elle a passé ses premières vacances à camper dans le blizzard des Sangre de Cristo. Pour ce titre, elle a goûté des bières artisanales, pisté des loups et écouté des histoires de fantômes du Far-West. Carolyn a collaboré à plus de 20 guides Lonely Planet, principalement sur l'Ouest américain et l'Amérique latine, et a écrit pour *National Geographic*, *Outside*, *Lonely Planet Traveller*, entre autres publications.

**Christopher Pitts**

Rocheuses. Lorsque Chris découvrit l'Ouest lors de vacances familiales, il tomba instantanément amoureux des nuits étoilées du Colorado. Après quatre ans au Colorado College, il décida de poursuivre ses études à Boulder – après avoir appris le chinois. Quinze années, plusieurs continents et deux enfants plus tard, il est arrivé au bout de ce qui aurait dû être un trajet d'une heure et demie de route… Chris partage son temps entre l'écriture, la paternité et l'exploration des recoins les plus sauvages du Colorado. Rendez-lui visite en ligne sur www.christopherpitts.net.

**Brendan Sainsbury**

Nord-Ouest pacifique. Brendan est un britannique du Hampshire qui vit aujourd'hui près de Vancouver, au Canada. Il aime Nirvana, la bière artisanale, le grand air, l'art, le café et le bus, et il n'a eu aucun problème pour trouver des âmes sœurs à Seattle. Il écrit des guides Lonely Planet depuis neuf ans et des notes sur Seattle depuis 2009. Il est l'auteur du guide Lonely Planet de *Seattle*, et a contribué à de nombreux guides sur les États-Unis.

# LES GUIDES LONELY PLANET

Une vieille voiture déglinguée, quelques dollars en poche et le goût de l'aventure, c'est tout ce dont Tony et Maureen Wheeler eurent besoin pour réaliser, en 1972, le voyage d'une vie : rallier l'Australie par voie terrestre via l'Europe et l'Asie. De retour après un périple harassant de plusieurs mois, et forts de cette expérience formatrice, ils rédigèrent sur un coin de table leur premier guide, *Across Asia on the Cheap*, qui se vendit à 1 500 exemplaires en l'espace d'une semaine. Ainsi naquit Lonely Planet, dont les guides sont aujourd'hui traduits en 12 langues.

# LES AUTEURS

**Amy C. Balfour**

Auteur-coordinateur, Sud-Ouest. Amy a tout essayé dans le Sud-Ouest : la randonnée, le vélo, le ski, et même ses casinos. En Arizona, elle a visité le Phantom Ranch, arpenté le South Kaibab depuis le versant sud du Grand Canyon et remonté par le Bright Angel. Amy a collaboré à plus de 15 guides pour Lonely Planet, et a écrit pour *Backpacker, Every Day with Rachael Ray, Redbook, Southern Living* et *Women's Health*.

**Sandra Bao**

Nord-Ouest pacifique. Sandra a vécu à Buenos Aires, à New York et en Californie, avant de s'installer dans l'Oregon. L'exploration de cet État a été l'un temps fort des 14 années d'écriture de Sandra pour Lonely Planet, pour qui elle a couvert quatre continents et collaboré à des dizaines de guides. De son État d'adoption, elle connaît et sait apprécier les merveilles, sans compter la chaleur des gens rencontrés aux confins de petites villes loin de tout.

**Michael Benanav**

Sud-Ouest. Michael est arrivé au Nouveau-Mexique en 1992. Tombé sous le charme, il s'est installé dans un village des contreforts de Sangre de Cristo où il habite encore. Depuis, il a exploré les montagnes, les déserts et les rivières de l'État en tant que guide naturaliste. Outre son travail pour Lonely Planet, il écrit des essais et est auteur et photographe pour des magazines et des journaux. Vous pouvez voir son travail sur www.michaelbenanav.com.

**Greg Benchwick**

Rocheuses. Natif du Colorado, Greg l'a exploré de fond en comble. Il a enseigné le ski à Vail, écumé les feux de camp des campings de l'État et fait des études de journalisme à Boulder. Il habite dans le quartier de Highlands, à Denver.

**Ouest américain**

7e édition

Traduit et adapté de l'ouvrage *Western USA, 2nd Edition, April 2014*



Dépôt légal Juin 2014
ISBN 978-2-81614-118-4
Imprimé par Grafica Veneta, Trebaseleghe, Italie

En Voyage Éditions | un département